Die Leute von Seldwyla

Gottfried Keller

Die Leute von Seldwyla

Erzählungen

Herausgegeben von
Bernd Neumann

Philipp Reclam jun. Stuttgart

Universal-Bibliothek Nr. 6179
Alle Rechte vorbehalten
© 1993 Philipp Reclam jun. GmbH & Co., Stuttgart
Satz: Setzerei Lihs, Ludwigsburg
Druck und Bindung: Reclam, Ditzingen. Printed in Germany 1993
RECLAM und UNIVERSAL-BIBLIOTHEK sind eingetragene
Warenzeichen der Philipp Reclam jun. GmbH & Co., Stuttgart
ISBN 3-15-006179-2

Erster Band

Seldwyla bedeutet nach der älteren Sprache einen wonnigen und sonnigen Ort, und so ist auch in der Tat die kleine Stadt dieses Namens gelegen irgendwo in der Schweiz. Sie steckt noch in den gleichen alten Ringmauern und Türmen wie vor dreihundert Jahren und ist also immer das gleiche Nest; die ursprüngliche tiefe Absicht dieser Anlage wird durch den Umstand erhärtet, daß die Gründer der Stadt dieselbe eine gute halbe Stunde von einem schiffbaren Flusse angepflanzt, zum deutlichen Zeichen, daß nichts daraus werden solle. Aber schön ist sie gelegen, mitten in grünen Bergen, die nach der Mittagseite zu offen sind, so daß wohl die Sonne herein kann, aber kein rauhes Lüftchen. Deswegen gedeiht auch ein ziemlich guter Wein rings um die alte Stadtmauer, während höher hinauf an den Bergen unabsehbare Waldungen sich hinziehen, welche das Vermögen der Stadt ausmachen; denn dies ist das Wahrzeichen und sonderbare Schicksal derselben, daß die Gemeinde reich ist und die Bürgerschaft arm, und zwar so, daß kein Mensch zu Seldwyla etwas hat und niemand weiß, wovon sie seit Jahrhunderten eigentlich leben. Und sie leben sehr lustig und guter Dinge, halten die Gemütlichkeit für ihre besondere Kunst, und wenn sie irgendwo hinkommen, wo man anderes Holz brennt, so kritisieren sie zuerst die dortige Gemütlichkeit und meinen, ihnen tue es doch niemand zuvor in dieser Hantierung.

Der Kern und der Glanz des Volkes besteht aus den jungen Leuten von etwa zwanzig bis fünf-, sechsunddreißig Jahren, und diese sind es, welche den Ton angeben, die Stange halten und die Herrlichkeit von Seldwyla darstellen. Denn während dieses Alters üben sie das Geschäft, das Handwerk, den Vorteil oder was sie sonst gelernt haben, d. h. sie lassen, solange es geht, fremde Leute für sich arbeiten und benutzen ihre Profession zur Betreibung eines trefflichen Schuldenverkehres, der eben die Grundlage der Macht, Herrlichkeit und Gemüt-

lichkeit der Herren von Seldwyl bildet und mit einer ausge-
zeichneten Gegenseitigkeit und Verständnisinnigkeit gewahrt
wird; aber wohlgemerkt, nur unter dieser Aristokratie der Jugend. Denn sowie einer die Grenze der besagten blühenden
Jahre erreicht, wo die Männer anderer Städtlein etwa anfangen
erst recht in sich zu gehen und zu erstarken, so ist er in Seldwyla fertig; er muß fallen lassen und hält sich, wenn er ein ganz
gewöhnlicher Seldwyler ist, ferner am Orte auf als ein Ent-
kräfteter und aus dem Paradies des Kredites Verstoßener, oder
wenn noch etwas in ihm steckt, das noch nicht verbraucht ist,
so geht er in fremde Kriegsdienste und lernt dort für einen
fremden Tyrannen, was er für sich selbst zu üben verschmäht
hat, sich einzuknöpfen und steif aufrecht zu halten. Diese kehren als tüchtige Kriegsmänner nach einer Reihe von Jahren
zurück und gehören dann zu den besten Exerziermeistern der
Schweiz, welche die junge Mannschaft zu erziehen wissen, daß
es eine Lust ist. Andere ziehen noch anderwärts auf Abenteuer
aus gegen das vierzigste Jahr hin, und in den verschiedensten
Weltteilen kann man Seldwyler treffen, die sich alle dadurch
auszeichnen, daß sie sehr geschickt Fische zu essen verstehen,
in Australien, in Kalifornien, in Texas wie in Paris oder Konstantinopel.

Was aber zurückbleibt und am Orte alt wird, das lernt dann
nachträglich arbeiten, und zwar jene krabbelige Arbeit von
tausend kleinen Dingen, die man eigentlich nicht gelernt, für
den täglichen Kreuzer, und die alternden verarmten Seldwyler
mit ihren Weibern und Kindern sind die emsigsten Leutchen
von der Welt, nachdem sie das erlernte Handwerk aufgegeben,
und es ist rührend anzusehen, wie tätig sie dahinter her sind,
sich die Mittelchen zu einem guten Stückchen Fleisch von ehedem zu erwerben. Holz haben alle Bürger die Fülle und die
Gemeinde verkauft jährlich noch einen guten Teil, woraus die
große Armut unterstützt und genährt wird, und so steht das
alte Städtchen in unveränderlichem Kreislauf der Dinge bis
heute. Aber immer sind sie im ganzen zufrieden und munter,
und wenn je ein Schatten ihre Seele trübt, wenn etwa eine allzu

hartnäckige Geldklemme über der Stadt weilt, so vertreiben sie sich die Zeit und ermuntern sich durch ihre große politische Beweglichkeit, welche ein weiterer Charakterzug der Seldwyler ist. Sie sind nämlich leidenschaftliche Parteileute, Verfassungsrevisoren und Antragsteller, und wenn sie eine recht verrückte Motion ausgeheckt haben und durch ihr Großratsmitglied stellen lassen oder wenn der Ruf nach Verfassungsänderung in Seldwyla ausgeht, so weiß man im Lande, daß im Augenblicke dort kein Geld zirkuliert. Dabei lieben sie die Abwechselung der Meinungen und Grundsätze und sind stets den Tag darauf, nachdem eine Regierung gewählt ist, in der Opposition gegen dieselbe. Ist es ein radikales Regiment, so scharen sie sich, um es zu ärgern, um den konservativen frömmlichen Stadtpfarrer, den sie noch gestern gehänselt, und machen ihm den Hof, indem sie sich mit verstellter Begeisterung in seine Kirche drängen, seine Predigten preisen und mit großem Geräusch seine gedruckten Traktätchen und Berichte der Baseler Missionsgesellschaft umherbieten, natürlich ohne ihm einen Pfennig beizusteuern. Ist aber ein Regiment am Ruder, welches nur halbwegs konservativ aussieht, stracks drängen sie sich um die Schullehrer der Stadt, und der Pfarrer hat genug an den Glaser zu zahlen für eingeworfene Scheiben. Besteht hingegen die Regierung aus liberalen Juristen, die viel auf die Form halten, und aus häklichen Geldmännern, so laufen sie flugs dem nächst wohnenden Sozialisten zu und ärgern die Regierung, indem sie denselben in den Rat wählen mit dem Feldgeschrei: Es sei nun genug des politischen Formenwesens und die materiellen Interessen seien es, welche allein das Volk noch kümmern könnten. Heute wollen sie das Veto haben und sogar die unmittelbarste Selbstregierung mit permanenter Volksversammlung, wozu freilich die Seldwyler am meisten Zeit hätten, morgen stellen sie sich übermüdet und blasiert in öffentlichen Dingen und lassen ein halbes Dutzend alte Stillstünder, die vor dreißig Jahren falliert und sich seither stillschweigend rehabilitiert haben, die Wahlen besorgen; alsdann sehen sie behaglich hinter den Wirtshausfenstern hervor die

Stillstünder in die Kirche schleichen und lachen sich in die Faust, wie jener Knabe, welcher sagte: Es geschieht meinem Vater schon recht, wenn ich mir die Hände verfriere, warum kauft er mir keine Handschuhe! Gestern schwärmten sie allein für das eidgenössische Bundesleben und waren höchlich empört, daß man Anno achtundvierzig nicht gänzliche Einheit hergestellt habe; heute sind sie ganz versessen auf die Kantonalsouveränetät und haben nicht mehr in den Nationalrat gewählt.

Wenn aber eine ihrer Aufregungen und Motionen der Landesmehrheit störend und unbequem wird, so schickt ihnen die Regierung gewöhnlich als Beruhigungsmittel eine Untersuchungskommission auf den Hals, welche die Verwaltung des Seldwyler Gemeindegutes regulieren soll; dann haben sie vollauf mit sich selbst zu tun und die Gefahr ist abgeleitet.

Alles dies macht ihnen großen Spaß, der nur überboten wird, wenn sie allherbstlich ihren jungen Wein trinken, den gärenden Most, den sie Sauser nennen; wenn er gut ist, so ist man des Lebens nicht sicher unter ihnen, und sie machen einen Höllenlärm; die ganze Stadt duftet nach jungem Wein und die Seldwyler taugen dann auch gar nichts. Je weniger aber ein Seldwyler zu Hause was taugt, um so besser hält er sich sonderbarerweise, wenn er ausrückt, und ob sie einzeln oder in Kompagnie ausziehen, wie z. B. in früheren Kriegen, so haben sie sich doch immer gut gehalten. Auch als Spekulant und Geschäftsmann hat schon mancher sich rüstig umgetan, wenn er nur erst aus dem warmen sonnigen Tale herauskam, wo er nicht gedieh.

In einer so lustigen und seltsamen Stadt kann es an allerhand seltsamen Geschichten und Lebensläufen nicht fehlen, da Müßiggang aller Laster Anfang ist. Doch nicht solche Geschichten, wie sie in dem beschriebenen Charakter von Seldwyla liegen, will ich eigentlich in diesem Büchlein erzählen, sondern einige sonderbare Abfällsel, die so zwischendurch passierten, gewissermaßen ausnahmsweise, und doch auch gerade nur zu Seldwyla vor sich gehen konnten.

Pankraz, der Schmoller

Auf einem stillen Seitenplätzchen, nahe an der Stadtmauer, lebte die Witwe eines Seldwylers, der schon lange fertig geworden und unter dem Boden lag. Dieser war keiner von den schlimmsten gewesen, vielmehr fühlte er eine so starke Sehnsucht, ein ordentlicher und fester Mann zu sein, daß ihn der herrschende Ton, dem er als junger Mensch nicht entgehen konnte, angriff, und als seine Glanzzeit vorübergegangen und er der Sitte gemäß abtreten mußte von den Schauplatze der Taten, da erschien ihm alles wie ein wüster Traum und wie ein Betrug um das Leben, und er bekam davon die Auszehrung und starb unverweilt.

Er hinterließ seiner Witwe ein kleines baufälliges Häuschen, einen Kartoffelacker vor dem Tore und zwei Kinder, einen Sohn und eine Tochter. Mit dem Spinnrocken verdiente sie Milch und Butter, um die Kartoffeln zu kochen, die sie pflanzte, und ein kleiner Witwengehalt, den der Armenpfleger jährlich auszahlte, nachdem er ihn jedesmal einige Wochen über den Termin hinaus in seinem Geschäfte benutzt, reichte gerade zu dem Kleiderbedarf und einigen anderen kleinen Ausgaben hin. Dieses Geld wurde immer mit Schmerzen erwartet, indem die ärmlichen Gewänder der Kinder gerade um jene verlängerten Wochen zu früh gänzlich schadhaft waren und der Buttertopf überall seinen Grund durchblicken ließ. Dieses Durchblicken des grünen Topfbodens war eine so regelmäßige jährliche Erscheinung, wie irgend eine am Himmel, und verwandelte ebenso regelmäßig eine Zeitlang die kühle, kümmerlich-stille Zufriedenheit der Familie in eine wirkliche Unzufriedenheit. Die Kinder plagten die Mutter um besseres und reichlicheres Essen; denn sie hielten sie in ihrem Unverstande für mächtig genug dazu, weil sie ihr Ein und Alles, ihr einziger Schutz und ihre einzige Oberbehörde war. Die Mutter war unzufrieden, daß die Kinder nicht entweder mehr Verstand oder mehr zu essen oder beides zusammen erhielten.

Besagte Kinder aber zeigten verschiedene Eigenschaften.
Der Sohn war ein unansehnlicher Knabe von vierzehn Jahren,
mit grauen Augen und ernsthaften Gesichtszügen, welcher des
Morgens lang im Bette lag, dann ein wenig in einem zerrissenen Geschichts- und Geographiebuche las und alle Abend,
sommers wie winters, auf den Berg lief, um dem Sonnenuntergang beizuwohnen, welches die einzige glänzende und
pomphafte Begebenheit war, welche sich für ihn zutrug. Sie
schien für ihn etwa das zu sein, was für die Kaufleute der Mittag auf der Börse; wenigstens kam er mit ebenso abwechseln-
der Stimmung von diesem Vorgang zurück, und wenn es recht
rotes und gelbes Gewölk gegeben, welches gleich großen
Schlachtheeren in Blut und Feuer gestanden und majestätisch
manövriert hatte, so war er eigentlich vergnügt zu nennen.

Dann und wann, jedoch nur selten, beschrieb er ein Blatt
Papier mit seltsamen Listen und Zahlen, welches er dann zu
einem kleinen Bündel legte, das durch ein Endchen alte
Goldtresse zusammengehalten wurde. In diesem Bündelchen
stak hauptsächlich ein kleines Heft, aus einem zusammen-
gefalteten Bogen Goldpapier gefertigt, dessen weiße Rücksei-
ten mit allerlei Linien, Figuren und aufgereihten Punkten,
dazwischen Rauchwolken und fliegende Bomben, gefüllt und
beschrieben waren. Dies Büchlein betrachtete er oft mit großer Befriedigung und brachte neue Zeichnungen darin an,
meistens um die Zeit, wenn das Kartoffelfeld in voller Blüte
stand. Er lag dann im blühenden Kraut unter dem blauen
Himmel, und wenn er eine weiße beschriebene Seite betrachtet hatte, so schaute er dreimal so lange in das gegenüberstehende glänzende Goldblatt, in welchem sich die Sonne
brach. Im übrigen war es ein eigensinniger und zum Schmollen geneigter Junge, welcher nie lachte und auf Gottes lieber
Welt nichts tat oder lernte.

Seine Schwester war zwölf Jahre alt und ein bildschönes
Kind mit langem und dickem braunem Haar, großen braunen
Augen und der allerweißesten Hautfarbe. Dies Mädchen war
sanft und still, ließ sich vieles gefallen und murrte weit seltener

als sein Bruder. Es besaß eine helle Stimme und sang gleich einer Nachtigall; doch obgleich es mit alle diesem freundlicher und lieblicher war als der Knabe, so gab die Mutter doch diesem scheinbar den Vorzug und begünstigte ihn in seinem Wesen, weil sie Erbarmen mit ihm hatte, da er nichts lernen und es ihm wahrscheinlicherweise einmal recht schlecht ergehen konnte, während nach ihrer Ansicht das Mädchen nicht viel brauchte und schon deshalb unterkommen würde.

Dieses mußte daher unaufhörlich spinnen, damit das Söhnlein desto mehr zu essen bekäme und recht mit Muße sein einstiges Unheil erwarten könne. Der Junge nahm dies ohne weiteres an und gebärdete sich wie ein kleiner Indianer, der die Weiber arbeiten läßt, und auch seine Schwester empfand hievon keinen Verdruß und glaubte, das müsse so sein.

Die einzige Entschädigung und Rache nahm sie sich durch eine allerdings arge Unzukömmlichkeit, welche sie sich beim Essen mit List oder Gewalt immer wieder erlaubte. Die Mutter kochte nämlich jeden Mittag einen dicken Kartoffelbrei, über welchen sie eine fette Milch oder eine Brühe von schöner brauner Butter goß. Diesen Kartoffelbrei aßen sie alle zusammen aus der Schüssel mit ihren Blechlöffeln, indem jeder vor sich eine Vertiefung in das feste Kartoffelgebirge hineingrub. Das Söhnlein, welches bei aller Seltsamkeit in Eßangelegenheiten einen strengen Sinn für militärische Regelmäßigkeit beurkundete und streng darauf hielt, daß jeder nicht mehr noch weniger nahm als was ihm zukomme, sah stets darauf, daß die Milch oder die gelbe Butter, welche am Rande der Schüssel umherfloß, gleichmäßig in die abgeteilten Gruben laufe; das Schwesterchen hingegen, welches viel harmloser war, suchte, sobald ihre Quellen versiegt waren, durch allerhand künstliche Stollen und Abzugsgräben die wohlschmeckenden Bächlein auf ihre Seite zu leiten, und wie sehr sich auch der Bruder dem widersetzte und ebenso künstliche Dämme aufbaute und überall verstopfte, wo sich ein verdächtiges Loch zeigen wollte, so wußte sie doch immer wieder eine geheime Ader des Breies zu eröffnen oder langte kurzweg in offenem Friedensbruch mit ihrem Löffel und mit lachenden Augen in des Bruders gefüllte Grube. Alsdann warf er den Löffel weg, lamentierte und schmollte, bis die gute Mutter die Schüssel zur Seite neigte und ihre eigene Brühe voll in das Labyrinth der Kanäle und Dämme ihrer Kinder strömen ließ.

So lebte die kleine Familie einen Tag wie den andern, und indem dies immer so blieb, während doch die Kinder sich auswuchsen, ohne daß sich eine günstige Gelegenheit zeigte, die Welt zu erfassen und irgend etwas zu werden, fühlten sich alle immer unbehaglicher und kümmerlicher in ihrem Zusammensein. Pankraz, der Sohn, tat und lernte fortwährend nichts als eine sehr ausgebildete und künstliche Art zu schmollen, mit welcher er seine Mutter, seine Schwester und sich selbst quälte. Es ward dies eine ordentliche und interessante Beschäftigung für ihn, bei welcher er die müßigen Seelenkräfte fleißig übte im Erfinden von hundert kleinen häuslichen Trauerspielen, die er veranlaßte und in welchen er behende und meisterlich den steten Unrechtleider zu spielen wußte. Estherchen, die Schwester, wurde dadurch zu reichlichem Weinen gebracht, durch welches aber die Sonne ihrer Heiterkeit schnell wieder hervorstrahlte. Diese Oberflächlichkeit ärgerte und kränkte dann den Pankraz so, daß er immer längere Zeiträume hindurch schmollte und aus selbstgeschaffenem Ärger selbst heimlich weinte.

Doch nahm er bei dieser Lebensart merklich zu an Gesundheit und Kräften, und als er diese in seinen Gliedern anwachsen fühlte, erweiterte er seinen Wirkungskreis und strich mit einer tüchtigen Baumwurzel oder einem Besenstiel in der Hand durch Feld und Wald, um zu sehen, wie er irgendwo ein tüchtiges Unrecht auftreiben und erleiden könne. Sobald sich ein solches zur Not dargestellt und entwickelt, prügelte er unverweilt seine Widersacher auf das jämmerlichste durch, und er erwarb sich und bewies in dieser seltsamen Tätigkeit eine solche Gewandtheit, Energie und feine Taktik, sowohl im Ausspüren und Aufbringen des Feindes als im Kampfe, daß er sowohl einzelne ihm an Stärke weit überlegene Jünglinge als ganze Trupps derselben entweder besiegte oder wenigstens einen ungestraften Rückzug ausführte.

War er von einem solchen wohlgelungenen Abenteuer zurückgekommen, so schmeckte ihm das Essen doppelt gut und die Seinigen erfreuten sich dann einer heiteren Stimmung. Eines Tages aber war es ihm doch begegnet, daß er, statt welche auszuteilen, beträchtliche Schläge selbst geerntet hatte, und als er voll Scham, Verdruß und Wut nach Hause kam, hatte Estherchen, welche den ganzen Tag gesponnen, dem Gelüste nicht widerstehen können und sich noch einmal über das für Pankraz aufgehobene Essen hergemacht und davon einen Teil gegessen, und zwar, wie es ihm vorkam, den besten. Traurig und wehmütig, mit kaum verhaltenen Tränen in den Augen, besah er das unansehnliche, kalt gewordene Restchen, während die schlimme Schwester, welche schon wieder am Spinnrädchen saß, unmäßig lachte.

Das war zu viel, und nun mußte etwas Gründliches geschehen. Ohne zu essen, ging Pankraz hungrig in seine Kammer, und als ihn am Morgen seine Mutter wecken wollte, daß er doch zum Frühstück käme, war er verschwunden und nirgends zu finden. Der Tag verging, ohne daß er kam, und ebenso der zweite und dritte Tag. Die Mutter und Estherchen gerieten in große Angst und Not; sie sahen wohl, daß er vorsätzlich davongegangen, indem er seine Habseligkeiten mitgenommen. Sie weinten und klagten unaufhörlich, wenn alle Bemühungen fruchtlos blieben, eine Spur von ihm zu entdecken, und als nach Verlauf eines halben Jahrs Pankrazius verschwunden war und blieb, ergaben sie sich mit trauriger Seele in ihr Schicksal, das ihnen nun doppelt einsam und arm erschien.

Wie lang wird nicht eine Woche, ja nur ein Tag, wenn man nicht weiß, wo diejenigen, die man liebt, jetzt stehn und gehn, wenn eine solche Stille darüber durch die Welt herrscht, daß allnirgends auch nur der leiseste Hauch von ihrem Namen ergeht, und man weiß doch, sie sind da und atmen irgendwo.

So erging es der Mutter und dem Estherlein fünf Jahre, zehn Jahre und fünfzehn Jahre, einen Tag wie den andern, und sie wußten nicht, ob ihr Pankrazius tot oder lebendig sei. Das war ein langes und gründliches Schmollen, und Estherchen, welches eine schöne Jungfrau geworden, wurde darüber zu einer hübschen und feinen alten Jungfer, welche nicht nur aus Kindestreue bei der alternden Mutter blieb, sondern ebensowohl aus Neugierde, um ja in dem Augenblicke da zu sein, wo der Bruder sich endlich zeigen würde, und zu sehen, wie die Sache eigentlich verlaufe. Denn sie war guter Dinge und glaubte fest, daß er eines Tages wiederkäme und daß es dann etwas Rechtes auszulachen gäbe. Übrigens fiel es ihr nicht schwer, ledig zu bleiben, da sie klug war und wohl sah, wie bei den Seldwylern nicht viel dahintersteckte an dauerhaftem Lebensglücke und sie dagegen mit ihrer Mutter unveränderlich in einem kleinen Wohlständchen lebte, ruhig und ohne Sorgen; denn sie hatten ja einen tüchtigen Esser weniger und brauchten für sich fast gar nichts.

Da war es einst ein heller schöner Sommernachmittag, mitten in der Woche, wo man so an gar nichts denkt und die Leute in den kleinen Städten fleißig arbeiten. Der Glanz von Seldwyla befand sich sämtlich mit dem Sonnenschein auf den übergrünten Kegelbahnen vor dem Tore oder auch in kühlen Schenkstuben in der Stadt. Die Falliten und Alten aber hämmerten, nähten, schusterten, klebten, schnitzelten und bastelten gar emsig darauf los, um den langen Tag zu benutzen und einen vergnügten Abend zu erwerben, den sie nunmehr zu würdigen verstanden. Auf dem kleinen Platze, wo die Witwe wohnte, war nichts als die stille Sommersonne auf dem begrasten Pflaster zu sehen; an den offenen Fenstern aber arbeiteten ringsum die alten Leute und spielten die Kinder. Hinter einem blühenden Rosmaringärtchen auf einem Brette saß die Witwe und spann und ihr gegenüber Estherchen und nähete. Es waren schon einige Stunden seit dem Essen verflossen und noch hatte niemand eine Zwiesprache gehalten von der ganzen Nachbarschaft. Da fand der Schuhmacher wahrscheinlich, daß es Zeit sei, eine kleine Erholungspause zu eröffnen, und nieste so laut und mutwillig: hupschi! daß alle Fenster zitterten und der Buchbinder gegenüber, der eigentlich kein Buchbinder war, sondern nur so aus dem Stegreif allerhand Pappkästchen zusammenleimte und an der Türe ein verwittertes Glaskästchen hängen hatte, in welchem eine Stange Siegellack an der Sonne krumm wurde, dieser Buchbinder rief: »Zur Gesundheit!« und alle Nachbarsleute lachten. Einer nach dem andern steckte den Kopf durch das Fenster, einige traten sogar vor die Türe und gaben sich Prisen, und so war das Zeichen gegeben zu einer kleinen Nachmittagsunterhaltung und zu einem fröhlichen Gelächter während des Vesperkaffees, der schon aus allen Häusern duftete und zichorierte. Diese hatten endlich gelernt, sich aus wenigem einen Spaß zu machen. Da kam in dies Vergnügen herein ein fremder Leiermann mit einem schön polierten Orgelkasten, was in der Schweiz eine ziemliche Seltenheit ist, da sie keine eingeborene Leiermänner besitzt. Er spielte ein sehnsüchtiges Lied von der Ferne und ihren Dingen, welches die Leute über die Maßen schön dünkte und besonders der Witwe Tränen entlockte, da sie ihres Pankräzchens gedachte, das nun schon viele Jahre verschwunden war. Der Schuhmacher gab dem Manne einen Kreuzer, er zog ab und das Plätzchen wurde wieder still. Aber nicht lange nachher kam ein anderer Herumtreiber mit einem großen fremden Vogel in einem Käfig, den er unaufhörlich zwischen dem Gitter durch mit einem Stäbchen anstach und erklärte, so daß der traurige Vogel keine Ruhe hatte. Es war ein Adler aus Amerika; und die fernen blauesten Länder, über denen er in seiner Freiheit geschwebt, kamen der Witwe in den Sinn und machten sie um so trauriger als sie gar nicht wußte, was das für Länder wären noch wo ihr Söhnchen sei. Um den Vogel zu sehen, hatten die Nachbaren auf das Plätzchen hinaustreten müssen, und als er nun fort war, bildeten sie eine Gruppe, steckten die Nasen in die Luft und lauerten auf noch mehr Merkwürdigkeiten, da sie nun doch die Lust ankam, den übrigen Tag zu vertrödeln.

Diese Lust wurde denn auch erfüllt und es dauerte nicht lange, bis das allergrößte Spektakel sich mit großem Lärm näherte unter dem Zulauf aller Kinder des Städtchens. Denn ein mächtiges Kamel schwankte auf den Platz, von mehreren Affen bewohnt; ein großer Bär wurde an seinem Nasenringe herbeigeführt; zwei oder drei Männer waren dabei, kurz ein ganzer Bärentanz führte sich auf und der Bär tanzte und machte seine possierlichen Künste, indem er von Zeit zu Zeit unwirsch brummte, daß die friedlichen Leute sich fürchteten und in scheuer Entfernung dem wilden Wesen zuschauten. Estherchen lachte und freute sich unbändig über den Bären, wie er so zierlich umherwatschelte mit seinem Stecken, über das Kamel mit seinem selbstvergnügten Gesicht und über die Affen. Die Mutter dagegen mußte fortwährend weinen; denn der böse Bär erbarmte sie, und sie mußte wiederum ihres verschollenen Sohnes gedenken.

Als endlich auch dieser Aufzug wieder verschwunden und es wieder still geworden, indem die aufgeregten Nachbaren sich mit seinem Gefolge ebenfalls aus dem Staube gemacht, um da oder dort zu einem Abendschöppchen unterzukommen, sagte Estherchen: »Mir ist es nun zu Mute, als ob der Pankraz ganz gewiß heute noch kommen würde, da schon so viele unerwartete Dinge geschehen und solche Kamele, Affen und Bären dagewesen sind!« Die Mutter ward böse darüber, daß sie den armen Pankraz mit diesen Bestien sozusagen zusammenzählte und auslachte, und hieß sie schweigen, indem inne werdend, daß sie ja selbst das gleiche getan in ihren Gedanken. Dann sagte sie seufzend: »Ich werde es nicht erleben, daß er wiederkommt!«

Indem sie dies sagte, begab sich die größte Merkwürdigkeit dieses Tages und ein offener Reisewagen mit einem Extrapostillion fuhr mit Macht auf das stille Plätzchen, das von der Abendsonne noch halb bestreift war. In dem Wagen saß ein Mann, der eine Mütze trug, wie die französischen Offiziere sie tragen, und ebenso trug er einen Schnurr- und Kinnbart und ein gänzlich gebräuntes und ausgedörrtes Gesicht zur Schau, das überdies einige Spuren von Kugeln und Säbelhieben zeigte. Auch war er in einen Burnus gehüllt, alles dies, wie es französische Militärs aus Afrika mitzubringen pflegen, und die Füße stemmte er gegen eine kolossale Löwenhaut, welche auf dem Boden des Wagens lag; auf dem Rücksitze vor ihm lag ein Säbel und eine halblange arabische Pfeife neben andern fremdartigen Gegenständen.

Dieser Mann sperrte ungeachtet des ernsten Gesichtes, das er machte, die Augen weit auf und suchte mit denselben rings auf dem Platze ein Haus, wie einer, der aus einem schweren Traume erwacht. Beinahe taumelnd sprang er aus dem Wagen, der von ungefähr auf der Mitte des Plätzchens stillhielt; doch ergriff er die Löwenhaut und seinen Säbel und ging sogleich sicheren Schrittes in das Häuschen der Witwe, als ob er erst vor einer Stunde aus demselben gegangen wäre. Die Mutter und Estherchen sahen dies voll Verwunderung und Neugierde und horchten auf, ob der Fremde die Treppe heraufkäme; denn obgleich sie kaum noch von Pankrazius gesprochen, hatten sie in diesem Augenblick keine Ahnung, daß er es sein könnte, und ihre Gedanken waren von der überraschten Neugierde himmelweit von ihm weggeführt. Doch urplötzlich erkannten sie ihn an der Art, wie er die obersten Stufen übersprang und über den kurzen Flur weg fast gleichzeitig die Klinke der Stubentür ergriff, nachdem er wie der Blitz vorher den lose steckenden Stubenschlüssel fester ins Schloß gestoßen, was sonst immer die Art des Verschwundenen gewesen, der in seinem Müßiggange eine seltsame Ordnungsliebe bewährt hatte. Sie schrieen laut auf und standen festgebannt vor ihren Stühlen, mit offenem Munde nach der aufgehenden Türe sehend. Unter dieser stand der fremde Pankrazius mit dem dürren und harten Ernste eines fremden Kriegsmannes, nur zuckte es ihm seltsam um die Augen, indessen die Mutter erzitterte bei seinem Anblick und sich nicht zu helfen wußte und selbst Estherchen zum ersten Mal gänzlich verblüfft war und sich nicht zu regen wagte. Doch alles dies dauerte nur einen Augenblick; der Herr Oberst, denn nichts Geringeres war der verlorene Sohn, nahm mit der Höflichkeit und Achtung, welche ihn die wilde Not des Lebens gelehrt, sogleich die Mütze ab, was er nie getan,

wenn er früher in die Stube getreten; eine unaussprechliche
Freundlichkeit, wenigstens wie es den Frauen vorkam, die ihn
nie freundlich gesehen noch also denken konnten, verbreitete
sich über das gefurchte und doch noch nicht alte Soldaten-
gesicht und ließ schneeweiße Zähne sehen, als er auf sie zueilte
und beide mit ausbrechendem Herzensweh in die Arme
schloß.

Hatte die Mutter erst vor dem martialischen und vermeintlich immer noch bösen Sohne sonderbar gezittert, so zitterte
sie jetzt erst recht in scheuer Seligkeit, da sie sich in den Armen
dieses wiedergekehrten Sohnes fühlte, dessen achtungsvolles
Mützenabnehmen und dessen aufleuchtende, nie gesehene
Anmut, wie sie nur die Rührung und die Reue gibt, sie schon
wie mit einem Zauberschlage berührt hatten. Denn noch ehe
das Bürschchen sieben Jahre alt gewesen, hatte es schon angefangen sich ihren Liebkosungen zu entziehen, und seither
hatte Pankraz in bitterer Sprödigkeit und Verstockung sich
gehütet, seine Mutter auch nur mit der Hand zu berühren, abgesehen davon, daß er unzählige Male schmollend zu Bett gegangen war, ohne Gutenacht zu sagen. Daher bedünkte es sie
nun ein unbegreiflicher und wundersamer Augenblick, in welchem ein ganzes Leben lag, als sie jetzt nach wohl dreißig Jahren sozusagen zum ersten Mal sich von dem Sohne umfangen
sah. Aber auch Estherchen bedünkte dieses veränderte Wesen
so ernsthaft und wichtig, daß sie, die den Schmollenden tausendmal ausgelacht hatte, jetzt nicht im mindesten den bekehrten Freundlichen anzulachen vermochte, sondern mit
klaren Tränen in den Augen nach ihrem Sesselchen ging und
den Bruder unverwandt anblickte.

Pankraz war der erste, der sich nach mehreren Minuten wieder zusammennahm und als ein guter Soldat einen Übergang
und Ausweg dadurch bewerkstelligte, daß er sein Gepäck her-
aufbeförderte. Die Mutter wollte mit Estherchen helfen; aber
er führte sie äußerst holdselig zu ihrem Sitze zurück und duldete nur, daß Estherchen zum Wagen herunterkam und sich
mit einigen leichten Sachen belud. Den weitern Verlauf führte

indessen Estherchen herbei, welche bald ihren guten Humor
wiedergewann und nicht länger unterlassen konnte, die
Löwenhaut an dem langen gewaltigen Schwanze zu packen
und auf dem Boden herumzuziehen, indem sie sich krank lachen wollte und einmal über das andere rief: »Was ist dies nur
für ein Pelz? Was ist dies für ein Ungeheuer?«

»Dies ist«, sagte Pankraz, seinen Fuß auf das Fell stoßend,
»vor drei Monaten noch ein lebendiger Löwe gewesen, den ich
getötet habe. Dieser Bursche war mein Lehrer und Bekehrer
und hat mir zwölf Stunden lang so eindringlich gepredigt, daß
ich armer Kerl endlich von allem Schmollen und Bössein für
immer geheilt wurde. Zum Andenken soll seine Haut nicht
mehr aus meiner Hand kommen. Das war eine schöne Geschichte!« setzte er mit einem Seufzer hinzu.

In der Voraussicht, daß seine Leutchen, im Fall er sie noch
lebendig anträfe, jedenfalls nicht viel Kostbares im Hause hätten, hatte er in der letzten größeren Stadt, wo er durchgereist,
einen Korb guten Weines eingekauft sowie einen Korb mit
verschiedenen guten Speisen, damit in Seldwyla kein Gelaufe
entstehen sollte und er in aller Stille mit der Mutter und der
Schwester ein Abendbrot einnehmen konnte. So brauchte die
Mutter nur den Tisch zu decken und Pankraz trug auf: einige
gebratene Hühner, eine herrliche Sülzpastete und ein Paket
feiner kleiner Kuchen; ja noch mehr! Auf dem Wege hatte er
bedacht, wie dunkel einst das armselige Tranlämpchen gebrannt und wie oft er sich über die kümmerliche Beleuchtung
geärgert, wobei er kaum seine müßigen Siebensachen handhaben gekonnt, ungeachtet die Mutter, die doch ältere Augen
hatte, ihm immer das Lämpchen vor die Nase geschoben, wiederum zum großen Ergötzen Estherchens, die bei jeder Gelegenheit ihm die Leuchte wieder wegzupraktizieren verstanden. Ach, einmal hatte er sie zornig weinend ausgelöscht, und
als die Mutter sie bekümmert wieder angezündet, blies sie
Estherchen lachend wieder aus, worauf er zerrissenen Herzens ins Bett gerannt. Dies und noch anderes war ihm auf dem
Wege eingefallen, und indem er schmerzlich und bang kaum

erleben mochte, ob er die Verlassenen wiedersehen würde,
hatte er auch noch einige Wachskerzen eingekauft und zündete jetzo zwei derselben an, so daß die Frauensleute sich nicht
zu lassen wußten vor Verwunderung ob all der Herrlichkeit.

Dergestalt ging es wie auf einer kleinen Hochzeit in dem
Häuschen der Witwe, nur viel stiller, und Pankraz benutzte
das helle Licht der Kerzen, die gealterten Gesichter seiner
Mutter und Schwester zu sehen, und dies Sehen rührte ihn
stärker als alle Gefahren, denen er ins Gesicht geschaut. Er
verfiel in ein tiefes trauriges Sinnen über die menschliche Art
und das menschliche Leben und wie gerade unsere kleineren
Eigenschaften, eine freundliche oder herbe Gemütsart, nicht
nur unser Schicksal und Glück machen, sondern auch dasjenige der uns Umgebenden und uns zu diesen in ein strenges
Schuldverhältnis zu bringen vermögen, ohne daß wir wissen,
wie es zugegangen, da wir uns ja unser Gemüt nicht selbst gegeben. In diesen Betrachtungen ward er jedoch gestört durch
die Nachbaren, welche jetzt ihre Neugierde nicht länger unterdrücken konnten und einer nach dem andern in die Stube
drangen, um das Wundertier zu sehen, da sich schon in der
ganzen Stadt das Gerücht verbreitet hatte, der verschollene
Pankrazius sei erschienen, und zwar als ein französischer General in einem vierspännigen Wagen.

Dies war nun ein höchst verwickelter Fall für die in ihren
Vergnügungslokalen versammelten Seldwyler, sowohl für die
Jungen als wie für die Alten, und sie kratzten sich verdutzt
hinter den Ohren. Denn dies war gänzlich wider die Ordnung
und wider den Strich zu Seldwyl, daß da einer wie vom Himmel geschneit als ein gemachter Mann und General herkommen sollte gerade in dem Alter, wo man zu Seldwyl sonst fertig war. Was wollte der denn nun beginnen? Wollte er wirklich
am Orte bleiben, ohne ein Herabgekommener zu sein die
übrige Zeit seines Lebens hindurch, besonders wenn er etwa
alt würde? Und wie hatte er es angefangen? Was zum Teufel
hatte der unbeachtete und unscheinbare junge Mensch betrieben die lange Jugend hindurch, ohne sich aufzubrauchen? Das

war die Frage, die alle Gemüter bewegte, und sie fanden durchaus keinen Schlüssel, das Rätsel zu lösen, weil ihre Menschen- oder Seelenkunde zu klein war, um zu wissen, daß gerade die herbe und bittere Gemütsart, welche ihm und seinen Angehörigen so bittere Schmerzen bereitet, sein Wesen im übrigen wohl konserviert, wie der scharfe Essig ein Stück Schöpsenfleisch, und ihm über das gefährliche Seldwyler Glanzalter hinweggeholfen hatte. Um die Frage zu lösen, stellte man überhaupt die Wahrheit des Ereignisses in Frage und bestritt dessen Möglichkeit, und um diese Auffassung zu bestätigen, wurden verschiedene alte Falliten nach dem Plätzchen abgesandt, so daß Pankraz, dessen schon versammelte Nachbaren ohnehin diesem Stande angehörten, sich von einer ganzen Versammlung neugieriger und gemütlicher Falliten umgeben sah, wie ein alter Heros in der Unterwelt von den herbeieilenden Schatten.

Er zündete nun seine türkische Pfeife an und erfüllte das Zimmer mit dem fremden Wohlgeruch des morgenländischen Tabaks; die Schatten oder Falliten witterten immer neugieriger in den blauen Duftwolken umher, und Estherchen und die Mutter bestaunten unaufhörlich die Leutseligkeit und Geschicklichkeit des Pankraz, mit welcher er die Leute unterhielt, und zuletzt die freundliche, aber sichere Gewandtheit, mit welcher er die Versammlung endlich entließ, als es ihm Zeit dazu schien.

Da aber die Freuden, welche auf dem Familienglück und auf frohen Ereignissen unter Blutsverwandten beruhen, auch nach den längsten Leiden die Beteiligten plötzlich immer jung und munter machen, statt sie zu erschöpfen, wie die Aufregungen der weiteren Welt es tun, so verspürte die alte Mutter noch nicht die geringste Müdigkeit und Schlaflust, so wenig als ihre Kinder, und von dem guten Weine erwärmt, den sie mit Zufriedenheit genossen, verlangte sie endlich mit ihrer noch viel ungeduldigeren Tochter etwas Näheres von Pankrazens Schicksal zu wissen.

»Ausführlich«, erwiderte dieser, »kann ich jetzt meine trübselige Geschichte nicht mehr beginnen und es findet sich wohl die Zeit, wo ich euch nach und nach meine Erlebnisse im einzelnen vorsagen werde. Für heute will ich euch aber nur einige Umrisse angeben, soviel als nötig ist, um auf den Schluß zu kommen, nämlich auf meine Wiederkehr und die Art, wie diese veranlaßt wurde, da sie eigentlich das rechte Seitenstück bildet zu meiner ehemaligen Flucht und aus dem gleichen Grundtone geht. Als ich damals auf so schnöde Weise entwich, war ich von einem unvertilgbaren Groll und Weh erfüllt; doch nicht gegen euch, sondern gegen mich selbst, gegen diese Gegend hier, diese unnütze Stadt, gegen meine ganze Jugend. Dies ist mir seither erst deutlich geworden. Wenn ich hauptsächlich immer des Essens wegen bös wurde und schmollte, so war der geheime Grund hievon das nagende Gefühl, daß ich mein Essen nicht verdiente, weil ich nichts lernte und nichts tat, ja weil mich gar nichts reizte zu irgend einer Beschäftigung und also keine Hoffnung war, daß es je anders würde; denn alles, was ich andere tun sah, kam mir erbärmlich und albern vor; selbst euer ewiges Spinnen war mir unerträglich und machte mir Kopfweh, obgleich es mich Müßigen erhielt. So rannte ich davon in einer Nacht in der bittersten Herzensqual und lief bis zum Morgen, wohl sieben Stunden weit von hier. Wie die Sonne aufging, sah ich Leute, die auf einer großen Wiese Heu machten; ohne ein Wort zu sagen oder zu fragen, legte ich mein Bündel an den Rand, ergriff einen Rechen oder eine Heugabel und arbeitete wie ein Besessener mit den Leuten und mit der größten Geschicklichkeit; denn ich hatte mir während meines Herumlungerns hier alle Handgriffe und Übungen derjenigen, welche arbeiteten, wohl gemerkt, sogar öfter dabei gedacht, wie sie dies und jenes ungeschickt in die Hand nähmen und wie man eigentlich die Hände ganz anders müßte fliegen lassen, wenn man erst einmal ein Arbeiter heißen wolle.

Die Leute sahen mir erstaunt zu und niemand hinderte mich an meiner Arbeit; als sie das Morgenbrot aßen, wurde ich dazu eingeladen; dieses hatte ich bezweckt und so arbeitete ich weiter, bis das Mittagessen kam, welches ich ebenfalls mit großem Appetit verzehrte. Doch nun erstaunten die Bauersleute noch viel mehr und sandten mir ein verdutztes Gelächter nach, als ich, anstatt die Heugabel wieder zu ergreifen, plötzlich den Mund wischte, mein Bündelchen wieder aufgriff und, ohne ein Wort weiter zu verlieren, meines Weges weiter zog. In einem dichten kühlen Buchenwäldchen legte ich mich hin und schlief bis zur Abenddämmerung; dann sprang ich auf, ging aus dem Wäldchen hervor und guckte am Himmel hin und her, an welchem die Sterne hervorzutreten begannen. Die Stellung der Sterne gehörte auch zu den wenigen Dingen, die ich während meines Müßigganges gemerkt, und da ich darin eine große Ordnung und Pünktlichkeit gefunden, so hatte sie mir immer wohlgefallen, und zwar um so mehr als diese glänzenden Geschöpfe solche Pünktlichkeit nicht um Tagelohn und um eine Portion Kartoffelsuppe zu üben schienen, sondern damit nur taten, was sie nicht lassen konnten, wie zu ihrem Vergnügen, und dabei wohl bestanden. Da ich nun durch das allmählige Auswendiglernen unsres Geographiebuches, so einfach dieses war, auch auf dem Erdboden Bescheid wußte, so verstand ich meine Richtung wohl zu nehmen und beschloß in diesem Augenblick, nordwärts durch ganz Deutschland zu laufen, bis ich das Meer erreichte. Also lief ich die Nacht hindurch wieder acht gute Stunden und kam mit der Morgensonne an eine wilde und entlegene Stelle am Rhein, wo eben vor meinen Augen ein mit Kornsäcken beladenes Schiff an einer Untiefe aufstieß, indessen doch das Wasser über einen Teil der Ladung wegströmte. Da sich nur drei Männer bei dem Schiffe befanden und weit und breit in dieser Frühe und in dieser Wildnis niemand zu ersehen war, so kam ich sehr willkommen, als ich sogleich Hand anlegte und den Schiffern die schwere Ladung ans Ufer bringen und das Fahrzeug wieder flott machen half. Was von dem Korne naß geworden, schütteten wir auf Bretter, die wir an die Sonne legten, und wandten es fleißig um, und zuletzt beluden wir das Schiff wieder. Doch nahm dies alles den größten Teil des Tages weg, und ich fand dabei Gelegenheit, mit den Schiffsleuten unterschiedliche tüchtige Mahlzeiten zu teilen; ja, als wir fertig waren, gaben sie mir sogar noch etwas Geld und setzten mich auf mein Verlangen an das andere Ufer über mittelst des kleinen Kähnchens, das sie hinter dem großen Kahne angebunden hatten.

Drüben befand ich mich in einem großen Bergwald und schlief sofort, bis es Nacht wurde, worauf ich mich abermals auf die Füße machte und bis zum Tagesanbruch lief. Mit wenig Worten zu sagen: auf diese nämliche Art gelangte ich in wenig mehr als zwei Monaten nach Hamburg, indem ich, ohne je viel mit den Leuten zu sprechen, überall des Tages zugriff, wo sich eine Arbeit zeigte, und davonging, sobald ich gesättigt war, um die Nacht hindurch wiederum zu wandern. Meine Art überraschte die Leute immer, so daß ich niemals einen Widerspruch fand, und bis sie sich etwa widerhaarig oder neugierig zeigen wollten, war ich schon wieder weg. Da ich zugleich die Städte vermied und meinen Arbeitsverkehr immer im freien Felde, auf Bergen und in Wäldern betrieb, wo nur ursprüngliche und einfache Menschen waren, so reisete ich wirklich wie zu der Zeit der Patriarchen. Ich sah nie eine Spur von dem Regiment der Staaten, über deren Boden ich hinlief, und mein einziges Denken war, über eben diesen Boden wegzukommen, ohne zu betteln oder für meine nötige Leibesnahrung jemandem verpflichtet sein zu müssen, im übrigen aber zu tun, was ich wollte, und insbesondere zu ruhen, wenn es mir gefiel, und zu wandern, wenn es mir beliebte. Später habe ich freilich auch gelernt, mich an eine feste außer mir liegende Ordnung und an eine regelmäßige Ausdauer zu halten, und wie ich erst urplötzlich arbeiten gelernt, lernte ich auch dies sogleich ohne weitere Anstrengung, sobald ich nur einmal eine erkleckliche Notwendigkeit einsah.

Übrigens bekam mir dies Leben in der freien Luft, bei der steten Abwechslung von schwerer Arbeit, tüchtigem Essen und sorgloser Ruhe vortrefflich und meine Glieder wurden so geübt, daß ich als ein kräftiger und rühriger Kerl in der großen Handelsstadt Hamburg anlangte, wo ich alsbald dem Wasser

zulief und mich unter die Seeleute mischte, welche sich da um-
trieben und mit dem Befrachten ihrer Schiffe beschäftigt waren. Da ich überall zugriff und ohne albernes Gaffen doch aufmerksam war, ohne ein Wort dabei zu sprechen noch je den
Mund zu verziehen, so duldeten die einsilbigen derben Gesellen mich bald unter sich und ich brachte eine Woche unter ihnen zu, worauf sie mich auf einem englischen Kauffahrer ein-
schmuggelten, dessen Kapitän mich aufnahm unter der Bedingung, daß ich ihm in seinem Privatgeschäfte helfe, das er
während seiner Fahrten betrieb. Dieses bestand nämlich im
Zusammensetzen und Herstellen von allerhand Feuerwaffen
und Pistolen aus alten abgenutzten Bestandteilen, die er in
großer Menge zusammenkaufte, wenn er in der Alten Welt vor
Anker ging. Es waren seltsame und fabelhafte Todeswerk-
zeuge, die er so mit schrecklicher Leidenschaft zusammen-
fügte und dann bei Gelegenheit an wilden Küsten gegen wert-
volle Friedensprodukte und sanfte Naturgegenstände aus-
tauschte. Ich hielt mich still zu der Arbeit, übte mich ein und
war bald über und über mit Öl, Schmirgel und Feilenstaub be-
schmiert als ein wilder Büchsenmacher, und wenn ein solches
Pistolengeschütz notdürftig zusammenhielt, so wurde es mit
einem starken Knall probiert; doch nie zum zweiten Mal, dieses wurde dem rothäutigen oder schwarzen Käufer überlassen
auf den entlegenen Eilanden. Diesmal fuhr er aber nur nach
Neuyork und von da nach England zurück, wo ich, der Büch-
senmacherei nun genugsam kundig, mich von ihm entfernte
und sogleich in ein Regiment anwerben ließ, das nach Ostindien abgehen sollte.

In Neuyork hatte ich zwar den Fuß an das Land gesetzt und
auf einige Stunden dies amerikanische Leben besehen, welches
mir eigentlich nun recht hätte zusagen müssen, da hier jeder
tat, was er wollte, und sich gänzlich nach Bedürfnis und Laune
rührte, von einer Beschäftigung zur anderen abspringend, wie
es ihm eben besser schien, ohne sich irgend einer Arbeit zu
schämen oder die eine für edler zu halten als die andere. Doch
weiß ich nicht, wie es kam, daß ich mich schleunig wieder auf

unser Schiff sputete und so, statt in der Neuen Welt zu bleiben, in den ältesten, träumerischen Teil unsrer Welt geriet, in das uralte heiße Indien, und zwar in einem roten Rocke, als ein stiller englischer Soldat. Und ich kann nicht sagen, daß mir das neue Leben mißfiel, das schon auf dem großen Linienschiffe begann, auf welchem das Regiment sich befand. Schon der Umstand, daß wir alle, so viel wir waren, mit der größten Pünktlichkeit und Abgemessenheit ernährt wurden, indem jeder seine Ration so sicher bekam, wie die Sterne am Himmel gehen, keiner mehr noch minder als der andre und ohne daß einer den andern beeinträchtigen konnte, behagte mir außerordentlich und um so mehr als keiner dafür zu danken brauchte und alles nur unserm bloßen wohlgeordneten Dasein gebührte. Wenn wir Rekruten auch schon auf dem Schiffe eingeschult wurden und täglich exerzieren mußten, so gefiel mir doch diese Beschäftigung über die Maßen, da wir nicht das Bajonett herumschwenken mußten, um etwa mit Gewandtheit eine Kartoffel daran zu spießen, sondern es war lediglich eine reine Übung, welche mit dem Essen zunächst gar nicht zusammenhing, und man brauchte nichts als pünktlich und aufmerksam beim einen und dem andern zu sein und sich um weiter nichts zu kümmern. Schon am zweiten Tage unserer Fahrt sah ich einen Soldaten prügeln, der wider einen Vorgesetzten gemurrt, nachdem er schon verschiedene Unregelmäßigkeiten begangen. Sogleich nahm ich mir vor, daß dies mir nie widerfahren solle, und nun kam mir mein Schmollwesen sehr gut zustatten, indem es mir eine vortreffliche lautlose Pünktlichkeit und Aufmerksamkeit erleichterte und es mir fortwährend möglich machte, mir in keiner Weise etwas zu vergeben.

So wurde ich ein ganz ordentlicher und brauchbarer Soldat; es machte mir Freude, alles recht zu begreifen und so zu tun, wie es als mustergültig vorgeschrieben war, und da es mir gelang, so fühlte ich mich endlich ziemlich zufrieden, ohne jedoch mehr Worte zu verlieren als bisher. Nur selten wurde ich beinahe ein wenig lustig und beging etwa einen närrischen halben Spaß, was mir vollends den Anstrich eines Soldaten gab,

wie er sein soll, und zugleich verhinderte, daß man mich nicht
leiden konnte, und so war kaum ein Jahr vergangen in dem
heißen, seltsamen Lande, als ich anfing vorzurücken und zuletzt ein ansehnlicher Unteroffizier wurde. Nach einem Verlauf von Jahren war ich ein großes Tier in meiner Art, war meistenteils in den Bureaus des Regimentskommandeurs beschäftigt und hatte mich als ein guter Verwalter herausgestellt,
indem ich die notwendigen Künste, die Schreibereien und
Rechnereien, aus dem Gange der Dinge mir augenblicklich
aneignete ohne weiteres Kopfzerbrechen. Es ging mir jetzt alles nach der Schnur und ich schien mir selbst zufrieden zu sein,
da ich ohne Mühe und Sorgen da sein konnte unter dem warmen blauen Himmel; denn was ich zu verrichten hatte, geschah wie von selbst, und ich fühlte keinen Unterschied, ob
ich in Geschäften oder müßig umherging. Das Essen war mir
jetzt nichts Wichtiges mehr, und ich beachtete kaum, wann
und was ich aß. Zweimal während dieser Zeit hatte ich Nachricht an euch abgesandt nebst einigen ersparten Geldmitteln;
allein beide Schiffe gingen sonderbarerweise mit Mann und
Maus zu Grunde und ich gab die Sache auf, ärgerlich darüber,
und nahm mir vor, so bald als tunlich selber heimzukehren
und meine erworbene Arbeitsfähigkeit und feste Lebensart in
der Heimat zu verwenden. Denn ich gedachte damit etwas
Besseres nach Seldwyla zu bringen als wenn ich eine Million
dahin brächte, und malte mir schon aus, wie ich die Haselanten und Fischesser da anfahren wollte, wenn sie mir über den
Weg liefen.

   Doch damit hatte es noch gute Wege und ich sollte erst noch
solche Dinge erfahren und so in meinem Wesen verändert und
aufgerüttelt werden, daß mir die Lust verging, andere Leute
anfahren zu wollen. Der Kommandeur hatte mich gänzlich zu
seinem Faktotum gemacht und ich mußte fast die ganze Zeit
bei ihm zubringen. Es war ein seltsamer Mann von etwa fünfzig Jahren, dessen Gattin in Irland lebte auf einem alten Turm,
da sie wo möglich noch wunderlicher sein mußte als er; solange sie zusammengelebt, hatten sie sich fortwährend ange-

knurrt, wie zwei wilde Katzen, und sie litten beide an der fixen Idee, daß sie sich gegenseitig ineinander getäuscht hätten, obwohl niemand besser füreinander geschaffen war. Auch waren sie gesund und munter und lebten behaglich in dieser Einbildung, ohne welche keines mehr hätte die Zeit verbringen können, und wenn sie weit auseinander waren, so sorgte eines für das andere mit rührender Aufmerksamkeit. Die einzige Tochter, die sie hatten und die Lydia heißt, lebte dagegen meistenteils bei dem Vater und war ihm ergeben und zugetan, da der Unterschied des Geschlechtes selbst zwischen Vater und Tochter diese mehr zärtliches Mitleid für den Vater empfinden ließ als für die Mutter, obgleich diese ebenso wenig oder so viel taugen mochte als jener in dem vermeintlich unglücklichen Verhältnis.

Der Kommandeur hatte eine reizvolle luftige Wohnung bezogen, die außerhalb der Stadt in einem ganz mit Palmen, Zypressen, Sykomoren und anderen Bäumen angefüllten Tale lag. Unter diesen Bäumen, rings um das leichte weiße Haus herum, waren Gärten angelegt, in denen teils jederzeit frisches Gemüse, teils eine Menge Blumen gezogen wurden, welche zwar hier in allen Ecken wild wuchsen, die aber der Alte liebte beisammen zu haben in nächster Nähe und in möglichster Menge, so daß in dem grünen Schatten der Bäume es ordentlich leuchtete von großen purpurroten und weißen Blumen. Wenn es nun im Dienste nichts mehr zu tun gab, so mußte ich als ein militärischer zuverlässiger Vertrauensmann diese Gärten in Ordnung halten oder, um darüber nicht etwa zu verweichlichen, mit dem Oberst auf die Jagd gehen, und ich wurde darüber zu einem gewandten Jäger; denn gleich hinter dem Tale begann eine wilde unfruchtbare Landschaft, welche zuletzt gänzlich in eine Gebirgswildnis verlief, die nicht nur Schwärme und Scharen unschuldigeren Gewildes, sondern auch von Zeit zu Zeit reißende Tiere, besonders große Tiger, beherbergte. Wenn ein solcher sich spüren ließ, so gab es einen großen Auszug gegen ihn, und ich lernte bei diesen Gelegenheiten die Gefahr lange kennen, ehe ich in das Gefecht mit

Menschen kam. War aber weiter gar nichts zu tun, so mußte ich mit dem alten Herrn Schach spielen und dadurch seine Tochter Lydia ersetzen, welche, da sie gar keinen Sinn und kein Geschick dazu besaß und ganz kindisch spielte, ihm zu wenig Vergnügen verschaffte. Ich hingegen hatte mich bald so weit eingeübt, daß ich ihm einigermaßen die Stange halten konnte, ohne ihn des öftern Sieges zu berauben, und wenn mein Kopf nicht durch andere Dinge verwirrt worden wäre, so würde ich dem grimmigen Alten bald überlegen geworden sein.

Dergestalt war ich nun das merkwürdigste Institut von der Welt; ich ging unter diesen Palmen einher gravitätisch und wortlos in meiner Scharlachuniform, ein leichtes Schilfstöckchen in der Hand und über dem Kopfe ein weißes Tuch zum Schutze gegen die heiße Sonne. Ich war Soldat, Verwaltungsmann, Gärtner, Jäger, Hausfreund und Zeitvertreiber, und zwar ein ganz sonderbarer, da ich nie ein Wort sprach; denn obgleich ich jetzt nicht mehr schmollte und leidlich zufrieden war, so hatte ich mir das Schweigen doch so angewöhnt, daß meine Zunge durch nichts zu bewegen war als etwa durch ein Kommandowort oder einen Fluch gegen unordentliche Soldaten. Doch diente gerade diese Weise dem Kommandeur, ich blieb so an die fünf Jahre bei ihm einen Tag wie den andern und konnte, wenn ich freie Zeit hatte, im übrigen tun, was mir beliebte. Diese Zeit benutzte ich dazu, das Dutzend Bücher, so der alte Herr besaß, immer wieder durchzulesen und aus denselben, da sie alle dickleibig waren, ein sonderbares Stück von der Welt kennen zu lernen. Ich war so ein eifriger und stiller Leser, der sich eine Weisheit ausbildete, von der er nicht recht wußte, ob sie in der Welt galt oder nicht galt, wie ich bald erfahren sollte; denn obschon ich bereits vieles gesehen und erfahren, so war dies doch nur gewissermaßen strichweise, und das meiste, was es gab, lag zur Seite des Striches, den ich passiert.

Mein Kommandeur wurde endlich zum Gouverneur des ganzen Landstriches ernannt, wo wir bisher gestanden; er

wünschte mich in seiner Nähe zu behalten und veranlaßte
meine Versetzung aus dem Regiment, welches wieder nach
England zurückging, in dasjenige, welches dafür ankam, und
so fand sich wieder Gelegenheit, daß ich als Militärperson sowohl wie in allen übrigen Eigenschaften um ihn sein konnte,
was mir ganz recht war; denn so blieb ich ein auf mich selbst
gestellter Mensch, der keinen andern Herrn als seine Fahne
über sich hatte.

Um die gleiche Zeit kam auch die Tochter aus dem alten ir-
ländischen Turme an, um von nun an bei ihrem Vater, dem
Gouverneur, zu leben. Es war ein wohlgestaltetes Frauenzimmer von großer Schönheit; doch war sie nicht nur eine Schönheit, sondern auch eine Person, die in ihren eigenen feinen
Schuhen stand und ging und sogleich den Eindruck machte,
daß es für den, der sich etwa in sie verliebte, nicht leicht hinter
jedem Hag einen Ersatz oder einen Trost für diese gäbe, eben
weil es eine ganze und selbständige Person schien, die so nicht
zum zweiten Male vorkomme. Und zwar schien diese edle
Selbständigkeit gepaart mit der einfachsten Kindlichkeit und
Güte des Charakters und mit jener Lauterkeit und Rückhaltlosigkeit in dieser Güte, welche, wenn sie so mit Entschiedenheit und Bestimmtheit verbunden ist, eine wahre Überlegenheit verleiht und dem, was im Grunde nur ein unbefangenes
ursprüngliches Gemütswesen ist, den Schein einer weihevol-
len und genialen Meisterschaft gibt. Indessen war sie sehr gebildet in allen schönen Dingen, da sie nach Art solcher Geschöpfe die Kindheit und bisherige Jugend damit zugebracht,
alles zu lernen, was irgend wohl ansteht, und sie kannte sogar
fast alle neueren Sprachen, ohne daß man jedoch viel davon
bemerkte, so daß unwissende Männer ihr gegenüber nicht
leicht in jene schreckliche Verlegenheit gerieten, weniger zu
verstehen als ein müßiges Ziergewächs von Jungfräulein.
Überhaupt schien ein gesunder und wohldurchgebildeter Sinn
in ihr sich mehr dadurch zu zeigen, daß sie die vorkommenden
kleineren oder größeren Dinge, Vorfälle oder Gegenstände
durchaus zutreffend beurteilte und behandelte, und dabei wa-

ren ihre Gedanken und Worte so einfach lieblich und bestimmt wie der Ton ihrer Stimme und die Bewegungen ihres Körpers. Und über alles dies war sie, wie gesagt, so kindlich, so wenig durchtrieben, daß sie nicht imstande war, eine überlegte Partie Schach spielen zu lernen, und dennoch mit der fröhlichsten Geduld am Brette saß, um sich von ihrem Vater unaufhörlich überrumpeln zu lassen. So ward es einem sogleich heimatlich und wohl zu Mute in ihrer Nähe; man dachte unverweilt, diese wäre der wahre Jakob unter den Weibern und keine Bessere gäbe es in der Welt. Ihre schönen blonden Locken und die dunkelblauen Augen, die fast immer ernst und frei in die Welt sahen, taten freilich auch das Ihrige dazu, ja um so mehr als ihre Schönheit, so sehr sie auffiel, von echt weiblicher Bescheidenheit und Sittsamkeit durchdrungen war und dabei gänzlich den Eindruck von etwas Einzigem und Persönlichem machte; es war eben kurz und abermals gesagt: eine Person. Das heißt, ich sage: es schien so, oder eigentlich, weiß Gott, ob es am Ende doch so war und es nur an mir lag, daß es ein solcher trügerischer Schein schien, kurz –«

Pankrazius vergaß hier weiter zu reden und verfiel in ein schwermütiges Nachdenken, wozu er ein ziemlich unkriegerisches und beinahe einfältiges Gesicht machte. Die beiden Wachslichter waren über die Hälfte heruntergebrannt, die Mutter und die Schwester hatten die Köpfe gesenkt und nickten, schon nichts mehr sehend noch hörend, schlaftrunken mit ihren Köpfen, denn schon seit Pankrazius die Schilderung seiner vermutlichen Geliebten begonnen, hatten sie angefangen schläfrig zu werden, ließen ihn jetzt gänzlich im Stich und schliefen wirklich ein. Zum Glück für unsere Neugierde bemerkte der Oberst dies nicht, hatte überhaupt vergessen, vor wem er erzählte, und fuhr, ohne die niedergeschlagenen Augen zu erheben, fort, vor den schlafenden Frauen zu erzählen, wie einer, der etwas lange Verschwiegenes endlich mitzuteilen sich nicht mehr enthalten kann.

»Ich hatte«, sagte er, »bis zu dieser Zeit noch kein Weib näher angesehen und verstand oder wußte von ihnen ungefähr

so viel wie ein Nashorn vom Zitherspiel. Nicht daß ich solche
etwa nicht von jeher gern gesehen hätte, wenn ich unbemerkt
und ohne Aufwand von Mühe nach ihnen schielen konnte;
doch war es mir äußerst zuwider, mit irgend einer mich in den
geringsten Wortwechsel einzulassen, da es mir von jeher
schien, als ob es sämtlichen Weibern gar nicht um eine ver-
nunftgemäße, klare und richtige Sache zu tun wäre, daß es ihnen unmöglich sei, nur sechs Worte lang in guter Ordnung bei
der Stange zu bleiben, sondern daß sie einzig darauf ausgingen, wenn sie in diesem Augenblicke etwas Zweckmäßiges
und Gutes gesagt haben, gleich darauf eine große Albernheit
oder Verdrehtheit einzuwerfen, was sie dann als ihre weibliche
Anmut und Beweglichkeit ausgäben, im Grunde aber eine
Unredlichkeit sei, und um so abscheulicher als sie halb und
halb von bewußter Absicht begleitet sei, um hinter diesem
Durcheinander allen schlechten Instinkten und Querköpfig-
keiten desto bequemer zu frönen. Deshalb schmollte und
grollte ich von vornherein mit allem Weibervolk und würdigte
keines eines offenkundigen Blickes. In Indien, als ich mehr zufrieden war und keinen Groll fürder hegte, gab es zwar viel
Frauensleute, sowohl indischen Geblütes als auch eine Menge
englischer, als viele Kaufleute, Offiziere und Soldaten ihre Familie bei sich hatten. Doch diese Indierinnen, die schön waren
wie die Blumen und gut wie Zucker aussahen und sprachen,
waren eben nichts weiter als dies und rührten mich nicht im
mindesten, da Schönheit und Güte ohne Salz und Wehrbarkeit
mir langweilig vorkamen, und es war mir peinlich zu denken,
wie eine solche Frau, wenn sie mein wäre, sich auf keine Weise
gegen meine etwanigen schlimmen Launen zu wehren vermöchte. Die europäischen Weiber dagegen, die ich sah, welche
größtenteils aus Großbritannien herstammten, schienen schon
eher wehrhaft zu sein, jedoch waren sie weniger gut, und
selbst wenn sie es waren, so betrieben sie die Güte und Ehrbarkeit wie ein abscheulich nüchternes und hausbackenes
Handwerk, und selbst die edle Weiblichkeit, auf die sich diese
selbstbewußten respektablen Weibchen so viel zu gut taten,

handhaben sie eher als Würzkrämer denn als Weiber. Hier wird ein Quentchen ausgewogen und dort ein Quentchen sorglich in die löschpapierne Düte der Philisterhaftigkeit gewickelt. Überdies war mir immer, als ob durch das Innerste aller dieser abendländischen Schönen und Unschönen ein tiefer Zug von Gemeinheit zöge, die Krankheit unserer Zeit, welche sie zwar nur von unserm Geschlechte, von uns Herren Europäern, überkommen konnten, aber die gerade bei den anderen wieder zu einem neuen verdoppelten Übel wird. Denn es sind üble Zeiten, wo die Geschlechter ihre Krankheiten austauschen und eines dem andern seine angeborenen Schwachheiten mitteilt. Dies waren so meine unwissenden hypochondrischen Gedanken über die Weiber, welche meinem Verhalten gegen sie zu Grunde lagen und mit welchen ich meiner Wege ging, ohne mich um eine zu bekümmern.

Als nun die schöne Lydia bei uns anlangte und ich mich täglich in ihrer Nähe befand, erhielt meine ganze Weisheit einen Stoß und fiel zusammen. Es war mir gleich von Grund aus wohl zu Mute, wenn sie zugegen war, und ich wußte nicht, was ich hieraus machen sollte. Höchlich verwundert war ich, weder Groll noch Verachtung gegen diese zu empfinden, weder Geringschätzung noch jene Lust, doch verstohlen nach ihr hinzuschielen; vielmehr freute ich mich ganz unbefangen über ihr Dasein und sah sie ohne Unbescheidenheit, aber frei und offen an, wenn ich in ihrer Nähe zu tun hatte. Dies fiel mir um so leichter als ich in meiner Stellung als armer Soldat kein Wort an sie zu richten brauchte, ohne gefragt zu werden, und also kein anderes Benehmen zu beobachten hatte als dasjenige eines sich aufrecht haltenden ernsthaften Unteroffiziers. Auch war mir das Schweigen, besonders gegenüber den Weibern, so zur anderen Natur geworden durch das langjährige Kopfhängen, daß ich beim besten Willen jetzt nicht hätte eine Ausnahme machen können, auch wenn es mir geschickt hätte. Dennoch fühlte ich ein großes und ungewöhnliches Wohlwollen für diese Person, war in meinem Herzen sehr gut auf sie zu sprechen und ihr zu Gefallen veränderte ich meine schlechten

Ansichten von den Frauen und dachte mir, es müßte doch
nicht so übel mit ihnen stehen, wenigstens sollten sie um dieser Einen willen von nun an mehr Gnade finden bei mir. Ich
war sehr froh, wenn Lydia zugegen war oder wenn ich Veranlassung fand, mich dahin zu verfügen, wo sie eben war; doch
tat ich deswegen nicht einen Schritt mehr als im natürlichen
Gange der Dinge lag; nicht einmal blickte oder ging ich, wenn
ich mich im gleichen Raume mit ihr befand, ohne einen bestimmten vernünftigen Grund nach ihr hin und fühlte überhaupt eine solche Ruhe in mir, wie das kühle Meerwasser,
wenn kein Wind sich regt und die Sonne obenhin darauf
scheint.

    Dies verhielt sich so ungefähr ein halbes Jahr, ein Jahr oder
auch etwas darüber, ich weiß es nicht mehr genau; denn die
ganze Zeitrechnung von damals ist mir verloren gegangen, der
ganze Zeitraum schwebt mir nur noch wie ein schwüler, von
Träumen durchzogener Sommertag vor. Während dieses Anfanges nun, dessen längere oder kürzere Dauer ich nicht mehr
weiß, ging so alles gut und ruhig vonstatten. Die Dame, obgleich sie mich öfter sehen mußte, hatte nicht besonders viel
mit mir zu verkehren oder zu sprechen, wenn sie es aber tat, so
war sie außerordentlich freundlich und tat es nie ohne mit einem kindlichen harmlosen Lachen ihres schönen Gesichtes,
was ich dann dankbarst damit erwiderte, daß ich ein um so
ehrbareres Gesicht machte und den Mund nicht verzog, indem
ich sagte: ›Sehr wohl, mein Fräulein!‹ oder auch unbefangen
widersprach, wenn sie sich irrte, was indes selten geschah. War
sie aber nicht zugegen oder ich allein, so dachte ich wohl vielfältig an sie, aber nicht im mindesten wie ein Verliebter, sondern wie ein guter Freund oder Verwandter, welcher aufrichtig um sie bekümmert war, ihr alles Wohlergehen wünschte
und allerlei gute Dinge für sie ausdachte. Kaum ging eine leise
Veränderung dadurch mit mir vor, wenn ich mich recht ent-
sinne, daß ich gegenüber dem Gouverneur ein wenig mehr auf
mich hielt, ein wenig mehr den Soldaten hervorkehrte, der
nichts als seine Pflicht kennt, und in meinen übrigen Dienst-

leistungen mehr den Schein der Unabhängigkeit wahrte, wie ich denn auch in keinerlei Lohnverhältnis zu ihm stand und, nachdem die eigentliche Arbeit auf seinem Bureau getan, wofür ich besoldet war, alles übrige als ein guter Vertrauter mitmachte und nur, da es die Gelegenheit mit sich brachte, etwa mit ihm aß und trank. Und so war ich, wie schon gesagt, vollkommen ruhig und zufrieden, was sich freilich auf meine besondere Weise ausnehmen mochte.

Da geschah es eines Tages, als ich unter den schattigen Bäumen mir zu tun machte, daß die Lydia innerhalb einer kurzen Stunde dreimal herkam, ohne daß sie etwas da zu tun oder auszurichten hatte. Das erste Mal setzte sie sich auf einen umgestürzten Korb und aß ein kleines Körbchen voll roter Kirschen auf, indem sie fortwährend mit mir plauderte und mich zum Reden veranlaßte. Das andere Mal kam sie und rückte den Korb ganz nahe an das Rosenbäumchen, das ich eben säuberte, setzte sich abermals darauf und nähete ein weißes seidenes Band auf ein zierliches Nachthäubchen oder was es war; denn genau konnte ich es nicht unterscheiden, da ich diesmal kaum hinsah und ihr nur wenig Bescheid gab, indem ich etwas verlegen wurde. Sie ging bald wieder fort und kam zum dritten Male mit einem feinen, kunstvoll in Elfenbein gearbeiteten Geduldspiel aus China, packte den alten Korb und schleppte ihn wieder weg, indem sie sich in einiger Entfernung darauf setzte, mir den Rücken zuwendend, und ganz still das Spiel zu lösen versuchte. Ich blickte jetzt unverwandt nach ihr hin, bis sie, das Spielzeug in die Tasche steckend, unversehens sich erhob und, einen seltsamen wohllautenden Triller singend, davonging, ohne sich wieder nach mir umzusehen. Dies alles wollte mir nicht klar sein noch einleuchten, und meine Seele rümpfte leise die Nase zu diesem Tun; aber von Stund an war ich verliebt in Lydia.

In der wunderbarsten gelinden Aufregung ließ ich mein Bäumchen stehen, holte die Doppelbüchse und streifte in den Abend hinaus weit in die Wildnis. Viele Tiere sah ich wohl, aber alle vergaß ich zu schießen; denn wie ich auf eines an-

schlagen wollte, dachte ich wieder an das Benehmen dieser
Dame und verlor so das Tier aus den Augen.

Was will sie von dir, dachte ich, und was soll das heißen? Indem ich aber hierüber hin und her sann, entstand und lohete
schon eine große Dankbarkeit in mir für alles Mögliche und
Unmögliche, was irgend in dem Vorfalle liegen mochte, wog-
gen mein Ordnungssinn und das Bewußtsein meiner geringen
und wenig anmutigen Person den widerwärtigsten Streit erhob. Als ich hieraus nicht klug wurde, verfielen meine Gedanken plötzlich auf den Ausweg, daß diese scheinbar so schöne
und tüchtige Frau am Ende ganz einfach ein leichtfertiges und
verbuhltes Wesen sei, das sich zu schaffen mache, mit wem es
sei, und selbst mit einem armen Unteroffizier eine schlechte
Geschichte anzuheben nicht verschmähe. Diese verwünschte
Ansicht tat mir so weh und traf mich so unvermutet, daß ich
wutentbrannt einen ungeheuren rauhen Eber niederschoß, der
eben durch die hohen Bergkräuter heranbrach, und meine
Kugel saß fast gleichzeitig und ebenso unvermutet und un-
willkommen in seinem Gehirn wie jener niederträchtige Gedanke in dem meinigen, und schon war mir zu Mute, als ob das
wilde Tier noch zu beneiden wäre um seine Errungenschaft im
Vergleich zu der meinigen. Ich setzte mich auf die tote Bestie;
vor meinen Gedanken ging die schöne Gestalt vorüber und ich
sah sie deutlich, wie sie die drei Male gekommen war mit jeder
ihrer Bewegungen, und jedes Wort tönte noch nach. Aber
merkwürdigerweise ging dies gute Gedächtnis noch über diesen Tag hinaus und zurück überhaupt bis auf den ersten Tag,
wo ich sie gesehen, den ganzen Zeitraum hindurch, wo ich
doch gänzlich ruhig gewesen. Wie man bei ganz durchsichtiger Luft, wenn es Regen geben will, an entfernten Bergen viele
Einzelnheiten deutlich sieht, die man sonst nicht wahrnimmt,
und in stiller Nacht die fernsten Glocken schlagen hört, so
entdeckte ich jetzt mit Verwunderung, daß aus jenem ganzen
Zeitraume jede Art und Wendung ihrer Erscheinung, jedes
einzelne Auftreten sich ohne mein Wissen mir eingeprägt
hatte, und fast jedes ihrer Worte, selbst das gleichgültigste und

vorübergehendste, hörte ich mit klar vernehmlichem Ausdruck in der Stille dieser Wildnis wieder tönen. Diese sämtliche Herrlichkeit hatte also gleichsam schlafend oder heimlicherweise sich in mir aufgehalten und der heutige Vorgang
hatte nur den Riegel davor weggeschoben oder eine Fackel in
ein Bund Stroh geworfen. Ich vergaß über diesen Dingen wieder meinen schlechten Zorn und beschäftigte mich rückhaltlos
mit der Ausbeutung meines guten Gedächtnisses und
schenkte demselben nicht den kleinsten Zug, den es mir von
dem Bilde Lydias irgend liefern konnte. Auf diese Weise
schlenderte ich denn auch wieder der Behausung zu und überließ mich allein diesen angenehmen Vorstellungen; jedoch vermochte ich nun nicht mehr so unbefangen und ruhig in ihrer
Nähe zu sein, und da ich nichts anderes anzufangen wußte
noch gesonnen war, so vermied ich möglichst jeden Verkehr
mit ihr, um desto eifriger an sie zu denken. So vergingen drei
oder vier Wochen, ohne daß etwas Weiteres vorfiel als daß ich
bemerkte, daß sie bei aller Zurückhaltung, die sie nun beobachtete, dennoch keine Gelegenheit versäumte, irgend etwas
zu meinen Gunsten zu tun oder zu sagen, und sie fing an, mir
völlig nach dem Munde oder zu Gefallen zu sprechen, da sie
Ausdrücke brauchte, welche ich etwa gebraucht, und die
Dinge so beurteilte, wie ich es zu tun gewohnt war. Dies
schien nun erst nichts Besonderes, weil es mich eben von jeher
angenehm dünkte, in ihr ganz dieselben Ansichten vom
Zweckmäßigen oder vom Verkehrten zu entdecken, deren ich
mich selber befleißigte; auch lachte sie über dieselben Dinge,
über welche ich lachen mußte, oder ärgerte sich über die nämlichen Unschicklichkeiten, so etwa vorfielen. Aber zuletzt
ward es so auffällig, daß sie mir, da ich kaum ein Wort mit ihr
zu sprechen hatte, zu Gefallen zu leben suchte und zwar nicht
wie eine schelmische Kokette, sondern wie ein einfaches arg-
loses Kind, daß ich in die größte Verwirrung geriet und vollends nicht mehr wußte, wie ich mich stellen sollte. So fand ich
denn, um mich zu salvieren, unverfänglich mein Heil in meiner alten wohlhergestellten Schmollkunst und verhärtete mich

vollkommen in derselben, zumal ich mich nichts weniger als
glücklich fühlte in diesem sonderbaren Verhältnis. Nun schien
sie wahrhaft bekümmert und niedergeschlagen, kleinlaut und
schüchtern zu werden, was zu ihrem sonstigen resoluten und
tüchtigen Wesen eine verführerische Wirkung hervorbrachte,
da man an den gewöhnlichen Weibern und je kleinlicher sie
sind desto weniger gewohnt ist, sie durch solche schüchterne
Bescheidenheit glänzen und bestechen zu sehen. Vielmehr
glauben sie, nichts stehe ihnen besser zu Gesicht als eine
schreckliche Sicherheit und Unverschämtheit. Da nun sogar
noch der alte Gouverneur anfing in einer mir unverständlichen
und wenig delikaten Laune zu sticheln und zu scherzen und
zehnmal des Tages sagte: ›Wahrhaftig, Lydia, du bist verliebt in
den Pankrazius!‹ so ward mir das Ding zu bunt; denn ich hielt
das für einen sehr schlechten Spaß, in betreff auf seine Tochter
für geschmacklos und vom ordinärsten Tone, in bezug auf
mich aber für gewissenlos und roh, und ich war oft im Begriff,
es ihm offen zu sagen und mich den Teufel um ihn weiter zu
kümmern. Letzteres tat ich auch insofern als ich mich nun
gänzlich zusammennahm und in mich selber verschloß. Lydia
wurde eintönig, ja sie schien nun sogar bleich und leidend zu
werden, was mich tief bekümmerte, ohne daß ich daraus etwas
Kluges zu machen wußte. Als sie aber trotz meines Verhaltens
sogar wieder anfing mir nachzugehen und sich fortwährend zu
schaffen machte, wo ich mich aufhielt, geriet ich in Verzweiflung, und in der Verzweiflung begann ich abgebrochene und
ungeschickte Unterhaltungen mit ihr zu pflegen. Es war gar
nichts, was wir sprachen, ganz unartikuliertes jämmerliches
Zeug, als ob wir beide blödsinnig wären; allein beide schienen
gar nicht hieran zu denken, sondern lachten uns an wie Kinder; denn auch ich vergaß darüber alles andere und war endlich froh, nur diese kurzen Reden mit ihr zu führen. Allein das
Glück dauerte nie länger als zwei Minuten, da wir den Faden
aus Mangel an Ruhe und Besonnenheit sogleich wieder verloren und dann zwei Kindern glichen, die ein Perlenband aufgezettelt haben und mit Betrübnis die schönen Perlen entgleiten

sehen. Alsdann dauerte es wieder wochenlang, bis eine dieser
großen Unternehmungen wieder gelang, und nie tat ich den
ersten Schritt dazu, da ich gleich darauf wieder nur bedacht
war, mir nichts zu vergeben und keine Dummheiten zu begehen bei diesen etwas ungewöhnlichen Leuten. Hundertmal
war ich entschlossen auf und davon zu gehen, allein die Zeit
verging mir so eilig, daß ich die Tat immer wieder hinaus-
schieben mußte. Denn meine Gedanken waren jetzt ausschließlich mit dieser Sache beschäftigt und es ging mir dabei
äußerst seltsam.

Mit den Büchern des Gouverneurs war ich endlich so ziemlich fertig geworden und wußte nichts mehr aus denselben zu
lernen. Lydia, welche mich so oft lesen sah, benutzte diese Gelegenheit und gab mir von den ihrigen. Darunter war ein
dicker Band wie eine Handbibel und er sah auch ganz geistlich
aus; denn er war in schwarzes Leder gebunden und vergoldet.
Es waren aber lauter Schauspiele und Komödien darin, mit der
kleinsten englischen Schrift gedruckt. Dies Buch nannte man
den Shakespeare, welches der Verfasser desselben und dessen
Kopf auch vorne drin zu sehen war. Dieser verführerische
falsche Prophet führte mich schön in die Patsche. Er schildert
nämlich die Welt nach allen Seiten hin durchaus einzig und
wahr wie sie ist, aber nur wie sie es in den ganzen Menschen
ist, welche im Guten und im Schlechten das Metier ihres Daseins und ihrer Neigungen vollständig und charakteristisch
betreiben und dabei durchsichtig wie Kristall, jeder vom rein-
sten Wasser in seiner Art, so daß, wenn schlechte Skribenten
die Welt der Mittelmäßigkeit und farblosen Halbheit beherrschen und malen und dadurch Schwachköpfe in die Irre
führen und mit tausend unbedeutenden Täuschungen anfül-
len, dieser hingegen eben die Welt des Ganzen und Gelungenen in seiner Art, d. h. wie es sein soll, beherrscht und dadurch
gute Köpfe in die Irre führt, wenn sie in der Welt dies wesent-
liche Leben zu sehen und wiederzufinden glauben. Ach, es ist
schon in der Welt, aber nur niemals da wo wir eben sind, oder
dann wann wir leben. Es gibt noch verwegene schlimme Wei-

ber genug, aber ohne den schönen Nachtwandel der Lady Macbeth und das bange Reiben der kleinen Hand. Die Giftmischerinnen, die wir treffen, sind nur frech und reulos und schreiben gar noch ihre Geschichte oder legen einen Kramladen an, wenn sie ihre Strafe überstanden. Es gibt noch Leute genug, die wähnen Hamlet zu sein, und sie rühmen sich dessen, ohne eine Ahnung zu haben von den großen Herzensgründen eines wahren Hamlet. Hier ist ein Blutmensch ohne Macbeths dämonische und doch wieder so menschliche Mannhaftigkeit, und dort ein Richard der Dritte ohne dessen Witz und Beredsamkeit. Hier ist eine Porzia, die nicht schön, dort eine, die nicht geistreich, dort wieder eine, die geistreich aber nicht klug ist und wohl versteht Leute unglücklich zu machen, nicht aber sich selbst zu beglücken. Unsere Shylocks möchten uns wohl das Fleisch ausschneiden, aber sie werden nun und nimmer eine Barauslage zu diesem Behuf wagen, und unsere Kaufleute von Venedig geraten nicht wegen eines lustigen Habenichts von Freund in Gefahr, sondern wegen einfältigen Aktienschwindels und halten dann nicht im mindesten so schöne melancholische Reden, sondern machen ein ganz dummes Gesicht dazu. Doch eigentlich sind, wie gesagt, alle solche Leute wohl in der Welt, aber nicht so hübsch beisammen wie in jenen Gedichten; nie trifft ein ganzer Schurke auf einen ganzen wehrbaren Mann, nie ein vollständiger Narr auf einen unbedingt klugen Fröhlichen, so daß es zu keinem rechten Trauerspiel und zu keiner guten Komödie kommen kann.

Ich aber las nun die ganze Nacht in diesem Buche und verfing mich ganz in demselben, da es mir gar so gründlich und sachgemäß geschrieben schien und mir außerdem eine solche Arbeit ebenso neu als verdienstlich vorkam. Weil nun alles übrige so trefflich, wahr und ganz erschien und ich es für die eigentliche und richtige Welt hielt, so verließ ich mich insbesondere auch bei den Weibern, die es vorbrachte, ganz auf ihn, verlockt und geleitet von dem schönen Sterne Lydia, und ich glaubte, hier ginge mir ein Licht auf und sei die Lösung meiner zweifelvollen Verwirrung und Qual zu finden.

Gut! dachte ich, wenn ich diese schönen Bilder der Desdemona, der Helena, der Imogen und anderer sah, die alle aus der hohen Selbstherrlichkeit ihres Frauentums heraus so seltsamen Käuzen nachgingen und anhingen, rückhaltlos wie unschuldige Kinder, edel, stark und treu wie Helden, unwandelbar und treu wie die Sterne des Himmels: gut! hier haben wir unsern Fall! Denn nichts anderes als ein solches festes, schöngebautes und gradausfahrendes Frauenfahrzeug ist diese Lydia, die ihren Anker nur *ein*mal und dann in eine unergründliche Tiefe auswirft und wohl weiß, was sie will. Diese Meinung ging gleich einer strahlenden heißen Sonne in mir auf, und in deren Licht sah ich nun jede Bewegung und jede kleinste Handlung, jedes Wort des schönen Geschöpfes, und es dauerte nicht lange, so überbot sie in meinen Augen alles, was der gute Dichter mit seiner mächtigen Einbildungskraft erfunden, da dies lebendige Gedicht im Lichte der Sonne umherging in Fleisch und Blut, mit wirklichen Herzschlägen und einem tatsächlichen Nacken voll goldener Locken.

Das unheimliche Rätsel war nun gelöst und ich hatte nichts weiter zu tun als mich in diese mit dem Shakespeare in die Wette zusammengedichtete Seligkeit zu finden und mit Mühe meine geringfügige und unliebliche Person für eine solche Laune des Schicksals oder des königlich großmütigen Frauengemütes einigermaßen leidlich zurecht zu stutzen mittelst hundertfacher Pläne und Aussichten, welche sich an das große schöne Luftschloß anbauten. Die unendliche Dankbarkeit und Verehrung, welche ich solchergestalt gegen die Geliebte empfand, hatte allerdings zum guten Teil ihren Grund in meiner sich geschmeichelt fühlenden Eigenliebe; aber gewiß auch zum noch größeren Teil darin, daß diese Erklärungsweise die einzige war, welche mir möglich schien, ohne dies teuerste Wesen verachten und bemitleiden zu müssen; denn eine hohe Achtung, die ich für sie empfand, war mir zum Lebensbedürfnis geworden und mein Herz zitterte vor ihr, das noch vor keinem Menschen und vor keinem wilden Tiere gezittert hatte.

So ging ich wohl ein halbes Jahr lang herum wie ein Nachtwandler, von Träumen so voll hängend wie ein Baum voll Äpfel, alles ohne mit Lydia um einen Schritt weiter zu kommen. Ich fürchtete mich vor dem kleinsten möglichen Ereignis, etwa wie ein guter Christ vor dem Tode, den er zagend scheut, obgleich er durch selbigen in die ewige Seligkeit einzugehen gewiß ist. Desto bunter ging es in meinem Gehirn zu und die Ereignisse und aufregendsten Geschichten, alles aufs schönste und unzweifelhafteste sich begebend, drängten und blühten da durcheinander. Ich versäumte meine Geschäfte und war zu nichts zu brauchen. Das Ärgste war mir, wenn ich stundenlang mit dem Alten Schach spielen mußte, wo ich dann gezwungen war, meine Aufmerksamkeit an das Spiel zu fesseln, und die einzige Muße für meine schweren Liebesgedanken gewährte mir die kurze Zeit, wenn ein Spiel zu Ende war und die Figuren wieder aufgestellt wurden. Ich ließ mich daher so bald als immer möglich, ohne daß es zu sehr auffiel, matt machen und hielt mich so lange mit dem Aufstellen des Königs und der Königin, der Läufer, Springer und Bauern auf und rückte so lange an den Türmen hin und her, daß der Gouverneur glaubte, ich sei kindisch geworden und tändle mit den Figürchen zu meinem Vergnügen.

Endlich aber drohete meine ganze Existenz sich in müßige Traumseligkeit aufzulösen, und ich lief Gefahr ein Tollhäusler zu werden. Zudem war ich trotz aller dieser goldenen Luftschlösser unsäglich kleinmütig und traurig, da, ehe das letzte Wort gesprochen ist, die solchen wuchernden Träumen gegenüber immer zurückstehende Wirklichkeit niederdrückt und die leibhafte Gegenwart etwas Abkühlendes und Abwehrendes behält. Es ist das gewissermaßen die schützende Dornenrüstung, womit sich die schöne Rose des körperlichen Lebens umgibt. Je freundlicher und zutulicher Lydia war, desto ungewisser und zweifelhafter wurde ich, weil ich an mir selbst entnahm, wie schwer es einem möglich wird, eine wirkliche Liebe zu zeigen, ohne sie ganz bei ihrem Namen zu nennen. Nur wenn sie streng, traurig und leidend schien, schöpfte ich wieder einen halben Grund zu einer vernünftigen Hoffnung, aber dies quälte mich alsdann noch viel tiefer und ich hielt mich nicht wert, daß sie nur eine schlimme Minute um meinetwillen erleiden sollte, der ich gern den Kopf unter ihre Füße gelegt hätte. Dann ärgerte ich mich wieder, daß sie, um guter Dinge zu sein, verlangte, ich sollte etwa aussehen wie ein verliebter närrischer Schneider, da ich doch kein solcher war und ich auf meine Weise schon gedachte beweglich zu werden zu ihrem Wohlgefallen. Kurz, ich ging einer gänzlichen Verwirrung entgegen, war nicht mehr imstande, ein einziges Geschäft ordnungsgemäß zu verrichten, und lief Gefahr, als Soldat rückwärts zu kommen oder gar verabschiedet zu werden, wenn ich nicht als ein abhängiger dienstbarer Lückenbüßer, der zu weiter nichts zu brauchen, mich an das Haus des Gouverneurs hängen wollte.

Als daher die Engländer in bedenkliche Feindseligkeiten mit indischen Völkern gerieten und ein Feldzug eröffnet wurde, der nachher ziemlich blutig für sie ausfiel, entschloß ich mich kurz und trat wieder in meine Kompagnie als guter Kombattant, vom Gouverneur meinen Abschied nehmend. Derselbe wollte zwar nichts davon wissen, sondern polterte, bat und schmeichelte mir, daß ich bleiben möchte, wie alle solche Leute, die glauben, alles stehe mit seinem Leib und Leben, mit seinem Wohl und Wehe nur zu ihrer Verfügung da, um ihnen die Zeit zu vertreiben und zur Bequemlichkeit zu dienen. Lydia hingegen ließ sich während der drei oder vier Tage, während welcher von meinem Abzug die Rede war, kaum sehen. Geschah es aber, so sah sie mich nicht an oder warf einen kurzen Blick voll Zornes auf mich, wie es schien; aber nur das Auge schien zornig, ihr Gang und ihre übrigen Bewegungen waren dabei so still, edel und an sich haltend, daß dieser schöne Zorn mir das Herz zerriß. Auch hörte ich, daß sie des Morgens sehr spät zum Vorschein käme und daß man sich darüber den Kopf zerbräche; denn es deutete darauf, daß sie des Nachts nicht schlafe, und als ich sie am letzten Tage zufällig hinter ihrem Fenster sah, glaubte ich zu bemerken, daß sie ganz verweinte Augen hatte; auch zog sie sich schnell zurück, als ich vorüberging. Nichtsdestominder schritt ich meinen steifen Feldwebelsgang ruhig fort und verrichtete alles, weder rechts noch links sehend. So ging ich auch gegen Abend mit einem Burschen noch einmal durch die Pflanzungen, um ihm die Obhut derselben einigermaßen zu zeigen und ihn, so gut es ging, zu einem provisorischen Gärtner zuzustutzen, bis sich ein tauglicheres Subjekt zeigen würde. Wir standen eben in einem schlanken Rosenwäldchen, das ich gezogen hatte; die Bäumchen ragten just in die Höhe des Gesichtes und waren so dicht, daß, wenn man darin herumging, die Rosen einem an der Nase streiften, was sehr artig und bequem war und wozu der Gouverneur sehr gelacht hatte, da er sich nun nicht mehr zu bücken brauchte, um an den Rosen zu riechen. Als ich dem Burschen meine Anweisungen erteilte, kam Lydia herbei und schickte ihn mit irgend einem Auftrage weg, und indem sie gleich mitzugehen willens schien, zögerte sie doch eine kurze Zeit, einige Rosen brechend, bis der Diener weg war. Ich zerrte ebenfalls noch ein Weilchen an einem Zweige herum, und wie ich mich umdrehte, um zu gehen, sah ich, daß ihr Tränen aus den Augen fielen. Ich hatte Mühe mich zu bezwingen, doch tat ich, als ob ich nichts gesehen, und eilte hinweg. Doch kaum war ich zehn Schritte gegangen, als ich hörte und fühlte, wie sie, bald laufend, bald stehen bleibend, hinter mir herkam, und so eine ganze Strecke weit. Ich hielt dies nicht mehr aus, wandte mich plötzlich um und sagte zu ihr, die kaum noch drei Schritte von mir entfernt war: ›Warum gehen Sie mir nach, Fräulein?‹

Sie stand still, wie von einer Schlange erschreckt, und wurde, den Blick zur Erde gesenkt, glühendrot im Gesicht; dann wurde sie bleich und weiß und zitterte am ganzen Leibe, während sie die großen blauen Augen zu mir aufschlug und nicht ein Wort hervorbrachte. Endlich sagte sie mit einer Stimme, in welcher empörter Stolz mit gern ertragener Demütigung rang: ›Ich denke, ich kann in meinem Besitztume herumgehen, wo ich will!‹

›Gewiß!‹ erwiderte ich kleinlaut und setzte meinen Weg

fort. Sie war jetzt an meiner Seite und ging neben mir her. Ich ging aber in meiner heftigen Aufregung mit so langen und raschen Schritten, daß sie trotz ihrer kräftigen Bewegungen mir mit Mühe folgen konnte, und doch tat sie es. Ich sah sie mehrmals groß an von der Seite und sah, daß ihr die Augen wieder voll Wasser standen, indessen dieselben wie kummervoll und demütig auf den Boden gerichtet waren. Mir brannte es ebenfalls siedendheiß im Gesicht und meine Augen wurden auch naß. Die Sache stand jetzt dergestalt auf der Spitze, daß ich entweder eine Dummheit oder eine Gewissenlosigkeit zu begehen im Begriffe stand, wovon ich weder das eine noch das andere zu tun gesonnen war. Doch dachte ich, indem ich so neben ihr herschritt, in meinen armen Gedanken: Wenn dies Weib dich liebt und du jemals mit Ehren an ihre Hand gelangest, so sollst du ihr auch dienen bis in den Tod, und wenn sie der Teufel selbst wäre!

Indem erreichten wir eine Stätte, wo ein oder zwei Dutzend Orangenbäume standen und die Luft mit Wohlgeruch erfüllten, während ein süßer frischer Lufthauch durch die reinlichen edelgeformten Stämme wehte. Ich glaube diesen betörenden Hauch und Duft noch jetzt zu fühlen, wenn ich daran denke; wahrscheinlich übte er eine ähnliche Wirkung auf das Geschöpf, das neben mir ging, daß es seine wundersame Leidenschaft, welche die Liebe zu sich selbst war, so aufs äußerste empfand und darstellte, als ob es eine wirkliche Liebe zu einem Manne wäre; denn sie ließ sich auf eine Bank unter den Orangen nieder und senkte das schöne Haupt auf die Hände; die goldenen Haare fielen darüber und reiche Tränen quollen durch ihre Finger.

Ich stand vor ihr still und sagte mit versagender Simme: ›Was wollen Sie denn, was ist Ihnen, Fräulein Lydia?‹

›Was wollen Sie denn!‹ sagte sie, ›ist es je erhört, eine schöne und feine Dame so zu quälen und zu mißhandeln! Aus welchem barbarischen Lande kommen Sie denn? Was tragen Sie für ein Stück Holz in der Brust?‹

›Wie quäle, wie mißhandle ich denn?‹ erwiderte ich unschlüssig und betreten; denn obgleich sie einen guten Sinn haben konnte, schien mir diese Sprache dennoch nicht die rechte zu sein.

›Sie sind ein grober und übermütiger Mensch!‹ sagte sie, ohne aufzublicken.

Nun konnte ich nicht mehr an mich halten und erwiderte: ›Sie würden dies nicht sagen, mein Fräulein, wenn Sie wüßten, wie wenig grob und übermütig ich in meinem Herzen gegen Sie gesinnt bin! Und es ist gerade meine große Höflichkeit und Demut, welche –‹

Sie blickte, als ich wieder verstummte, auf, und das Gesicht mit einem schmerzlichen, bittenden Lächeln aufgehellt, sagte sie hastig: ›Nun?‹ Wobei sie mir einen Blick zuwarf, der mich jetzt um den letzten Rest von Überlegung brachte. Ich, der ich es nie für möglich gehalten hätte, selbst dem geliebtesten Weibe zu Füßen zu fallen, da ich solches für eine Torheit und Ziererei ansah, ich wußte jetzt nicht, wie ich dazu kam, plötzlich vor ihr zu liegen und meinen Kopf ganz hingegeben und zerknirscht in den Saum ihres Gewandes zu verbergen, den ich mit heißen Tränen benetzte. Sie stieß mich jedoch augenblicklich zurück und hieß mich aufstehen; doch als ich dies tat, hatte sich ihr Lächeln noch vermehrt und verschönert und ich rief nun: ›Ja – so will ich es Ihnen nur sagen‹, und so weiter, und erzählte ihr meine ganze Geschichte mit einer Beredsamkeit, die ich mir kaum je zugetraut. Sie horchte begierig auf, während ich ihr gar nichts verschwieg vom Anfang bis zu dieser Stunde und besonders ihr auch aus überströmendem Herzen das Bild entwarf, das von ihr in meiner Seele lebte und wie ich es seit einem halben Jahre oder mehr so emsig und treu ausgearbeitet und vollendet. Sie lachte, vor sich niedersehend und voll Zufriedenheit lauschend, die Hand unter das Kinn stützend, und sah immer mehr einem seligen Kinde gleich, dem man ein gewünschtes Spielzeug gegeben, als sie hörte und vernahm, wie nicht einer ihrer Vorzüge und Reize und nicht eines ihrer Worte bei mir verloren gegangen war. Dann reichte sie mir die Hand hin und sagte, freundlich errötend, doch mit zufriedener Sicherheit: ›Ich danke Ihnen sehr, mein Freund, für Ihre herzliche Zuneigung! Glauben Sie, es schmerzt mich, daß Sie um meinetwillen so lange besorgt und eingenommen waren; aber Sie sind ein ganzer Mann und ich muß Sie achten, da Sie einer so schönen und tiefen Neigung fähig sind!‹

Diese ruhige Rede fiel zwar wie ein Stück Eis in mein heißes Blut; doch gedachte ich sogleich, es ihr wohl und von Herzen zu gönnen, wenn sie jetzt die gefaßte und sich zierende Dame machen wolle, und mich in alles zu ergeben, was sie auch vornehmen und welchen Ton sie auch anschlagen würde.

Doch erwiderte ich bekümmert: ›Wer spricht denn von mir, schöne, schöne Lydia! Was hat alles, was ich leide oder nicht leide, erlitten habe oder noch erleiden werde, zu sagen gegenüber auch nur Einer unmutigen oder gequälten Minute, die Sie erleiden? Wie kann ich unwerter und ungefüger Geselle eine solche je ersetzen oder vergüten?‹

›Nun‹, sagte sie, immer vor sich niederblickend und immer noch lächelnd, doch schon in einer etwas veränderten Weise, ›nun, ich muß allerdings gestehen, daß mich Ihr schroffes und ungeschicktes Benehmen sehr geärgert und sogar gequält hat; denn ich war an so etwas nicht gewöhnt, vielmehr daß ich überall, wo ich hinkam, Artigkeit und Ergebenheit um mich verbreitete. Ihre scheinbare grobe Fühllosigkeit hat mich ganz schändlich geärgert, sage ich Ihnen, und um so mehr als mein Vater und ich viel von Ihnen hielten. Um so lieber ist es mir nun zu sehen, daß Sie doch auch ein bißchen Gemüt haben, und besonders, daß ich an meinem eigenen Werte nicht länger zu zweifeln brauche; denn was mich am meisten kränkte, war dieser Zweifel an mir selbst, an meinem persönlichen Wesen, der in mir sich zu regen begann. Übrigens, bester Freund, empfinde ich keine Neigung zu Ihnen, so wenig als zu jemand anderm, und hoffe, daß Sie sich mit aller Hingebung und Artigkeit, die Sie soeben beurkundet, in das Unabänderliche fügen werden, ohne mir gram zu sein!‹

Wenn sie geglaubt, daß ich nach dieser unbefangenen Eröffnung gänzlich rat- und wehrlos vor ihr darnieder liegen werde, so hatte sie sich getäuscht. Vor dem vermeintlich guten und liebevollen Weibe hatte mein Herz gezittert, vor dem wilden Tiere dieser falschen gefährlichen Selbstsucht zitterte ich so wenig mehr als ich es vor Tigern und Schlangen zu tun gewohnt war. Im Gegenteil, anstatt verwirrt und verzweifelt zu sein und die Täuschung nicht aufgeben zu wollen, wie es sonst wohl geschieht in dergleichen Auftritten, war ich plötzlich so kalt und besonnen, wie nur ein Mann es sein kann, der auf das schmählichste beleidigt und beschimpft worden ist, oder wie ein Jäger es sein kann, der statt eines edlen scheuen Rehes urplötzlich eine wilde Sau vor sich sieht. Ein seltsam gemischtes, unheimliches Gefühl von Kälte freilich, wenn ich bei alledem die Schönheit ansehen mußte, die da vor mir glänzte. Doch dieses ist das unheimliche Geheimnis der Schönheit.

Indessen, wäre ich nicht von der Sonne ganz braun gebrannt gewesen, so würde ich jetzt dennoch so weiß ausgesehen haben wie die Orangeblüten über mir, als ich ihr nach einigem Schweigen erwiderte: ›Und also um Ihren edlen Glauben an Ihre Persönlichkeit herzustellen, war es Ihnen möglich, alle Zeichen der reinen und tiefen Liebe und Selbstentäußerung zu verwenden? Zu diesem Zwecke gingen Sie mir nach wie ein unschuldiges Kind, das seine Mutter sucht, redeten Sie mir fortwährend nach dem Munde, wurden Sie bleich und leidend, vergossen Sie Tränen und zeigten eine so goldene und rückhaltlose Freude, wenn ich mit Ihnen nur ein Wort sprach?‹

›Wenn es so ausgesehen hat, was ich tat‹, sagte sie noch immer selbstzufrieden, ›so wird es wohl so sein. Sie sind wohl ein wenig böse, eitler Mann! daß Sie nun doch nicht der Gegenstand einer gar so demutvollen und grenzenlosen weiblichen Hingebung sind? daß ich Ärmste nicht das sehnlich blökende Lämmlein bin, für das Sie mich in Ihrer Vergnügtheit gehalten?‹

›Ich war nicht vergnügt, Fräulein!‹ erwiderte ich. ›Indessen wenn die Götter, wenn Christus selbst, einer unendlichen Liebe zu den Menschen vielfach sich hingaben und wenn die Menschheit von jeher ihr höchstes Glück darin fand, dieser rückhaltlosen Liebe der Götter wert zu sein und ihr nachzugehen: warum sollte ich mich schämen, mich ähnlich geliebt gewähnt zu haben? Nein, Fräulein Lydia! ich rechne es mir sogar zur Ehre an, daß ich mich von Ihnen fangen ließ, daß ich eher an die einfache Liebe und Güte eines unbefangenen Gemütes glaubte, bei so klaren und entschiedenen Zeichen, als daß ich verdorbenerweise mißtrauisch hinter eine einfältige Komödie dahinter gefürchtet. Denn einfältig ist die Geschichte! Welche Garantie haben Sie denn nun für Ihren Glauben an sich selbst, da Sie solche Mittel angewendet, um nur den ärmsten aller armen Kriegsleute zu gewinnen, Sie, die schöne und vornehme englische Dame?‹

›Welche Garantie?‹ antwortete Lydia, die nun allmählich blaß und verlegen wurde, ›ei! Ihre verliebte Neigung, zu deren Erklärung ich Sie endlich gezwungen habe! Sie werden mir doch nicht leugnen wollen, daß Sie hingerissen waren und mir soeben erzählten, wie ich Ihnen von jeher gefallen? Warum ließen Sie das in Ihrer Grobheit nicht ein klein weniges merken, so wie es dem schlichtesten und anspruchslosesten Menschen wohl ansteht, und wenn er im Schafhirt wäre, so würde uns diese ganze Komödie, wie Sie es nennen, erspart worden sein und ich hätte mich begnügt!‹

›Hätten Sie mich in meiner Ruhe gelassen, meine Schöne‹, erwiderte ich, ›so hätten Sie mehr gewonnen. Denn Sie scheinen zu vergessen, daß dies Wohlgefallen sich jetzt notwendig in sein Gegenteil verkehren muß, zu meinen eigenen Schmerzen!‹

›Hilft Ihnen nichts‹, sagte sie, ›ich weiß einmal, daß ich Ihnen wohlgefallen habe und in Ihrem Blute wohne! Ich habe Ihr Geständnis angehört und bin meiner Eroberung versichert. Alles übrige ist gleichgültig; so geht es zu, bester Herr Pankrazius, und so werden diejenigen bestraft, die sich vergehen im Reiche der Königin Schönheit!‹

›Das heißt‹, sagte ich, ›es scheint dies Reich eher einer Zigeunerbande zu gleichen. Wie können Sie eine Feder auf den Hut stecken, die Sie gestohlen haben, wie eine gemeine Ladendiebin? gegen den Willen des Eigentümers?‹

Sie antwortete: ›Auf diesem Felde, bester Herr Eigentümer, gereicht der Diebstahl der Diebin zum Ruhm, und Ihr Zorn beweist nur aufs neue, wie gut ich Sie getroffen habe!‹

So zankten wir noch eine gute halbe Stunde herum in dem süßen Orangenhaine, aber mit bittern harten Worten, und ich suchte vergeblich ihr begreiflich zu machen, wie diese abgestohlene und erschlichene Liebesgeschichte durchaus nicht den Wert für sie haben könnte, den sie ihr beilegte. Ich führte diesen Beweis nicht nur aus philisterhafter Verletztheit und Dummheit, sondern auch um irgend einen Funken vom Gefühl ihres Unrechtes und der Unsittlichkeit ihrer Handlungsweise in ihr zu erwecken. Aber umsonst! Sie wollte nicht einsehen, daß eine rechte Gemütsverfassung erst dann in der vollen und rückhaltlosen Liebe aufflammt, wenn sie Grund zur Hoffnung zu haben glaubt, und daß also diesen Grund zu geben, ohne etwas zu fühlen, immer ein grober und unsittlicher Betrug bleibt, und um so gewissenloser als der Betrogene einfacher, ehrlicher und argloser Art ist. Immer kam sie auf das Faktum meiner Liebeserklärung zurück, und zwar warf sie, die sonst ein so gesundes Urteil zu haben schien, die unsinnigsten, kleinlichsten und unanständigsten Reden und Argumente durcheinander und tat einen wahren Kindskopf kund. Während der ganzen Jahre unsres Zusammenseins hatte ich nicht so viel mit ihr gesprochen wie in dieser letzten zänkischen Stunde, und nun sah ich, o gerechter Gott! daß es ein Weib war von einem groß angelegten Wesen, mit den Manieren, Bewegungen und Kennzeichen eines wirklich edlen und seltenen Weibes, und bei alledem mit dem Gehirn – einer ganz gewöhnlichen Soubrette, wie ich sie nachmalen zu Dutzenden gesehen habe auf den Vaudevilletheatern zu Paris! Während dieses Zankes aber verschlang ich sie dennoch fortwährend mit den Augen, und ihre unbegreifliche grundlose, so persönlich scheinende Schönheit quälte mein Herz in die Wette mit dem Wortwechsel, den wir führten. Als sie aber zuletzt ganz sinnlose und unverschämte Dinge sagte, rief ich, in bittere Tränen ausbrechend: ›O Fräulein! Sie sind ja der größte Esel, den ich je gesehen habe!‹

Sie schüttelte heftig die Wucht ihrer Locken und sah bleich und erstaunt zu mir auf, wobei ein wilder schiefer Zug um ihren sonst so schönen Mund schwebte. Es sollte wohl ein höhnisches Lächeln sein, ward aber zu einem Zeichen seltsamer Verlegenheit.

›Ja‹, sagte ich, mit den Fäusten meine Tränen zerreibend, ›nur wir Männer können sonst Esel sein, dies ist unser Vorrecht, und wenn ich Sie auch so nenne, so ist es noch eine Art Auszeichnung und Ehre für Sie. Wären Sie nur ein bißchen gewöhnlicher und geringer, so würde ich Sie einfach eine schlechte Gans schelten!‹

Mit diesen Worten wandte ich mich endlich von ihr ab und ging, ohne ferner nach ihr hinzublicken, aber mit dem Gefühle, daß ich das, was mir jemals in meinem Leben von reinem Glück beschieden sein mochte, jetzt für immer hinter mir lasse und daß es jetzt vorbei wäre mit meiner gläubigen Frömmigkeit in solchen Dingen.

›Das hast du nun von deinem unglückseligen Schmollwesen!‹ sagte ich zu mir selbst, ›hättest du von Anbeginn zuweilen nur halb so lange mit ihr freundlich gesprochen, so hätte es dir nicht verborgen bleiben können, wes Geistes Kind sie ist, und du hättest dich nicht so gröblich getäuscht! Fahr hin und zerfließe denn, du schönes Luftgebilde!‹

Als ich mich nun mit zerrissenen Gedanken vom Gouverneur verabschiedete, sah mich derselbe vergnüglich und verschmitzt an und blinzelte spöttisch mit den Augen. Ich merkte, daß er meine Affäre wohl kannte, überhaupt dieselbe von jeher beobachtet hatte und eine Art von schadenfrohem Spaß darüber empfand. Da er sonst ein ganz biederer und honetter Mann war, so konnte das nichts anderes sein als die einfältige Freude aller Philister an grausamen und schlechten Bratenspäßen. Im vorigen Jahrhundert belustigten sich große Herren daran, ihre Narren, Zwerge und sonstigen Untergebenen betrunken zu machen und dann mit Wasser zu begießen oder körperlich zu mißhandeln. Heutzutage wird dies bei den Gebildeten nicht mehr beliebt; dagegen unterhält man sich mit Vorliebe damit, allerlei feine Verwirrungen anzuzetteln, und je weniger solche Philisterseelen selber einer starken und gründlichen Leidenschaft fähig sind, desto mehr fühlen sie das Bedürfnis, dergleichen mit mehr oder weniger plumpen Mitteln in denen zu erwecken, die sich dazu eignen, in solche herzlos aufgestellten Mäusefallen zu geraten. Wenn nun der Gouverneur seinerseits es nicht verschmähte, seine eigene Tochter als gebratenen Speck zu verwenden, so war hiegegen nichts weiter zu sagen, und ich nahm, obschon noch ein guter Gepäckwagen abfuhr, eigensinnig meinen schweren Tornister und die Muskete auf den Rücken und führte einen zurückgebliebenen Trupp in die Nacht hinaus dem Regimente nach, das schon in der Frühe abmarschiert war.

Ich sah mich nach einem mühseligen und heißen Marsch nun in eine neue Welt versetzt, als die Kampagne eröffnet war und die Truppen der ostindischen Kompagnie sich mit den wilden Bergstämmen an der äußersten Grenze des indobritischen Reiches herumschlugen. Einzelne Kompagnieen unsres Regimentes waren fortwährend vorgeschoben; eines Tages aber wurde die meinige so mörderlich umzingelt, daß wir uns mitten in einem Knäuel von banditenähnlichen Reitern, Elefanten und sonderbaren bemalten und vergoldeten Wagen befanden, auf denen stille schöne hindostanische Scheinfürsten saßen, von den wilden Häuptlingen als Puppen mitgeführt. Unsere sämtlichen Offiziere fielen an diesem Tage und die Kompagnie schmolz auf ein Drittel zusammen. Da ich mich ordentlich hielt und einige Dienste leistete, so erlangte ich das Patent des ersten Leutnants der Kompagnie und nach Beendigung des Feldzuges war ich deren Kapitän.

Als solcher hielt ich mit etwa hundertundfünfzig Mann zwei Jahre lang einen kleinen Grenzbezirk besetzt, welcher zur Abrundung unsres Gebietes erobert worden, und war während dieser Zeit der oberste Machthaber in dieser heidnischen Wildnis. Ich war nun so einsam als ich je in meinem Leben gewesen, mißtrauisch gegen alle Welt und ziemlich streng in meinem Dienstverkehr, ohne gerade böse oder ungerecht zu sein. Meine Haupttätigkeit bestand darin, christliche Polizei einzuführen und unsern Religionsleuten nachdrücklichen Schutz zu gewähren, damit sie ungefährdet arbeiten konnten. Hauptsächlich aber hatte ich das Verbrennen der indischen Weiber zu verhüten, wenn ihre Männer gestorben, und da die Leute eine förmliche Sucht hatten, unser englisches Verbot zu übertreten und einander bei lebendigem Leibe zu braten zu Ehren der Gattentreue, so mußten wir stets auf den Beinen sein, um dergleichen zu hintertreiben. Sie waren dann ebenso mürrisch und mißvergnügt, wie wenn hierzulande die Polizei ein unerlaubtes Vergnügen stört. Einmal hatten sie in einem entfernten Dorfe die Sache ganz schlau und heimlich so weit gebracht, daß der Scheiterhaufen schon lichterloh brannte, als ich atemlos herzugeritten kam und das Völkchen auseinanderjagte. Auf dem Feuer lag die Leiche eines uralten, gänzlich vertrockneten Gockelhahns, welcher schon ein wenig brenzelte. Neben ihm aber lag ein bildschönes Weibchen von kaum sechzehn Jahren, welches mit lächelndem Munde und silberner Stimme seine Gebete sang. Glücklicherweise hatte das Geschöpfchen noch nicht Feuer gefangen und ich fand gerade noch Zeit, vom Pferde zu springen und sie bei den zierlichen Füßchen zu packen und vom Holzstoß zu ziehen. Sie gebärdete sich aber wie besessen und wollte durchaus verbrannt sein mit ihrem alten Stänker, so daß ich die größte Mühe hatte, sie zu bändigen und zu beschwichtigen. Freilich gewannen diese armen Witwen nicht viel durch solche Rettung; denn sie fielen hernach unter den Ihrigen der äußersten Schande und Verlassenheit anheim, ohne daß das Gouvernement etwas dafür tat, ihnen das gerettete Leben auch leicht zu machen. Diese Kleine gelang es mir indessen zu versorgen, indem ich ihr eine Aussteuer verschaffte und an einen getauften Hindu verheiratete, der bei uns diente, dem sie auch getreulich anhing.

Allein diese wunderlichen Vorfälle beschäftigten meine Gedanken und erweckten allmählig in mir den Wunsch nach dem Genusse solcher unbedingten Treue, und da ich für diese Laune kein Weib zu meiner Verfügung hatte, verfiel ich einer ganz weichlichen Sehnsucht, selber so treu zu sein, und damit zugleich einer heißen Sehnsucht nach Lydia. Da ich nun Rang und gute Aussichten besaß, schien es mir nicht unmöglich, bei einem klugen Benehmen die schöne Person, falls sie noch zu haben wäre, dennoch erlangen zu können, und in dieser tollen Idee bestärkte mich noch der Umstand, daß sie sich doch so viel aufrichtige und sorgenvolle Mühe gegeben, mir den Kopf zu verdrehen. Irgend einen Wert mußt du doch, dachte ich, in ihren Augen gehabt haben, sonst hätte sie gewiß nicht so viel daran gesetzt. Also gedacht, getan; nämlich ich geriet jetzt auf die fixe Idee, die Lydia, wenn sie mich möchte, zu heiraten, wie sie eben wäre, und ihr um ihrer schönen Persönlichkeit willen, für die es nichts Ähnliches gab, treu und ergeben zu sein ohne Schranken noch Ziel, auch ihre Verkehrtheit und schlimmen Eigenschaften als Tugenden zu betrachten und dieselben zu ertragen, als ob sie das süßeste Zuckerbrot wären. Ja, ich phantasierte mich wieder so hinein, daß mir ihre Fehler, selbst ihre teilweise Dummheit, zum wünschbarsten aller irdischen Güter wurden, und in tausend erfundenen Variationen wandte ich dieselben hin und her und malte mir ein Leben aus, wo ein kluger und geschickter Mann die Verkehrtheiten und Mängel einer liebenswürdigen Frau täglich und stündlich in ebensoviel artige und erfreuliche Abenteuer zu verwandeln und ihren Dummheiten mittelst einer von Liebe und Treue getragenen Einbildungskraft einen goldenen Wert zu verleihen wisse, so daß sie lachend auf dieselben sich noch etwas zugut tun könne. Gott weiß, wo ich diese geschäftige Einbildungskraft hernahm, wahrscheinlich immer noch aus dem unglücklichen Shakespeare, den mir die Hexe gegeben und womit sie mich doppelt vergiftet hatte. Es nimmt mich nur wunder, ob sie auch selbst je mit Andacht darin gelesen hat!

Kurz, als ich hinlänglich wieder berauscht war von meinen Träumen und von meinem entlegenen Posten zugleich ab-

gelöst wurde, nahm ich Urlaub und begab mich Hals über
Kopf zu dem Gouverneur. Er lebte noch in den alten Verhältnissen und empfing mich ganz gut, und auch die Tochter war
noch bei ihm und empfing mich freundlicher als ich erwartet.
Kaum hatte ich sie wieder gesehen und einige Worte sprechen
gehört, so war ich wieder ganz in sie vernarrt und in meiner fixen Idee vollends bestärkt, und es schien mir unmöglich, ohne
die Verwirklichung derselben je froh zu werden.

Allein sie betrieb nun das Geschäft in krankhafter Überrei-
zung ganz offen und großartig und frönte ihrer unglücklichen
Selbstsucht ohne allen Rückhalt. Sie war jetzt umgeben von einer Schar ziemlich roher und eitler Offiziere, die ihr auf ganz
ordinäre Weise den Hof machten und sagten, was sie gern
hören mochte, kam es auch heraus, wie es wollte. Es war eine
vollständige Hetzjagd von Trivialitäten und hohlem Wesen,
und die derbsten Zudringlichkeiten wurden am liebsten angenommen, wenn sie nur aus gänzlicher Ergebenheit herzu-
rühren schienen und die Unglückliche in ihrem Glauben an
sich selbst aufrecht erhielten. Außerdem hatte sie zur Zeit einem armen Tambour mit einem einzigen Blicke den Kopf verdreht, der nun ganz aufgeblasen umherging und sich ihr überall in den Weg stellte; und einen Schuster, der für sie arbeitete,
hatte sie dermaßen betört, daß er jedesmal, wenn er ihr Schuhe
brachte, auf dem Hausflur ein Bürstchen mit einem Spiegelchen hervorzog und sich sorgfältig den Kopf putzte, wie eine
Katze, da er zuverlässig erwartete, es würde diesmal etwas
vorgehen. Wenn man ihn kommen sah, so begab sich die ganze
Gesellschaft auf eine verdeckte Galerie, um dem armen Teufel
in seinem feierlichen Werke zuzusehen. Das Sonderbarste war,
daß niemand an diesem Wesen ein Ärgernis nahm, man also
nichts Besseres von Lydia zu erwarten schien und ihre Aufführung ihrer würdig hielt und also ich der einzige war, der so
große Meinungen von ihr im Herzen trug, so daß alle diese
Hansnarren, die ich verachtete, die sie aber nahmen, wie sie
war, klüger zu sein schienen als ich in meiner tiefsinnigen Leidenschaft. ›Aber nein!‹ rief ich, ›sie ist doch so, wie ich sie

denke, und eben weil das alles Strohköpfe sind, sind sie so frech gegen sie und wissen nicht, was an ihr ist oder sein könnte!‹ Und ich zitterte darnach, ihr noch einmal den Spiegel vorzuhalten, aus dem ihr besseres Bild zurückstrahlte und alles Wertlose um sie her wegblendete. Allein der äußere Anstand und die Haltung, welche ich auch bei aller Anstrengung nicht aufgeben konnte, machten es mir unmöglich, mich unter diese Affenschwänze zu mischen und nur den kleinsten Schritt gegen Lydia zu tun. Ich ward abermals konfus, ungeduldig, nahm plötzlich meinen Abschied aus der indischen Armee und machte mich davon, um heimzukehren und die Unselige zu vergessen.

So gelangte ich nach Paris und hielt mich daselbst einige Wochen auf. Da ich eine große Menge schöner und kluger Weiber sah, dachte ich, es wäre das beste Mittel meine unglückliche Geschichte los zu werden, in recht viel hübsche Frauengesichter zu blicken, und ging daher von Theater zu Theater und an alle Orte, wo dergleichen beisammen waren; ließ mich auch in verschiedene gute Häuser und Gesellschaften einführen. Ich sah in der Tat viele tüchtige Gestalten von edlem Schwung und Zuschnitt und in deren Augen nicht unebene Gedanken lagen; aber alles was ich sah, führte mich nur auf Lydia zurück und diente zu deren Gunsten. Sie war nicht zu vergessen und ich war und blieb aufs neue elend verliebt in sie. Ich hatte das allerunheimlichste sonderbarste Gefühl, wenn ich an sie dachte. Es war mir zu Mute, als ob notwendigerweise ein weibliches Wesen in der Welt sein müßte, welches genau das Äußere und die Manieren dieser Lydia, kurz deren bessere Hälfte besäße, dazu aber auch die entsprechende andere Hälfte, und daß ich nur dann würde zur Ruhe kommen, wenn ich diese ganze Lydia fände; oder es war mir, als ob ich verpflichtet wäre, die rechte Seele zu diesem schönen halben Gespenste zu suchen; mit einem Worte, ich wurde abermals krank vor Sehnsucht nach ihr, und da es doch nicht anging zurückzukehren, suchte ich neue Sonnenglut, Gefahr und Tätigkeit und nahm Dienste in der französisch-afrikanischen

Armee. Ich begab mich sogleich nach Algier und befand mich bald am äußersten Saume der afrikanischen Provinz, wo ich im Sonnenbrand und auf dem glühenden Sande mich herumtummelte und mit den Kabylen herumschlug.«

Da in diesem Augenblick das schlafende Estherchen, das immer einen Unfug machen mußte, träumte, es falle eine Treppe hinunter, und demgemäß auf seinem Stuhle ein plötzliches Geräusch erregte, blickte der erzählende Pankrazius endlich auf und bemerkte, daß seine Zuhörerinnen schliefen. Zugleich entdeckte er erst jetzt, daß er denselben eigentlich nichts als eine Liebesgeschichte erzählt, schämte sich dessen und wünschte, daß sie gar nichts davon gehört haben möchten. Er weckte die Frauen auf und hieß sie ins Bett gehen, und er selbst suchte ebenfalls das Lager auf, wo er mit einem langen, aber gemütlichen Seufzer einschlief. Er lag wohl so lange im Bette wie einst, als er der faule und unnütze Pankräzlein gewesen, so daß ihn die Mutter wie ehedem wecken mußte. Als sie nun zusammen beim Frühstück saßen und Kaffee tranken, sagte er, mit seinem Bericht fortfahrend:

»Wenn ihr nicht geschlafen hättet, so würdet ihr gehört haben, wie ich in Ostindien im Begriffe war, aus einem Murrkopf ein äußerst zutulicher und wohlwollender Mensch zu werden um eines schönen Frauenzimmers willen, wie aber eben meine Schmollerei mir einen argen Streich gespielt hat, da sie mich verhinderte, besagtes Frauenzimmer näher zu kennen, und mich blindlings in selbe verlieben ließ; wie ich dann betrogen wurde und als ein neugestählter Schmoller aus Indien nach Afrika ging zu den Franzosen, um dort den Burnusträgern die lächerlichen turmartigen Strohhüte herunterzuschlagen und ihnen die Köpfe zu zerbläuen, was ich mit so grimmigem Eifer tat, daß ich auch bei den Franzosen avancierte und Oberst ward, was ich geblieben bin bis jetzt.

Ich war wieder so einsilbig und trübselig als je und kannte nur zwei Arten mich zu vergnügen: die Erfüllung meiner Pflicht als Soldat und die Löwenjagd. Letztere betrieb ich ganz allein, indem ich mit nichts als mit einer guten Büchse bewaff-

net zu Fuß ausging und das Tier aufsuchte, worauf es dann
darauf ankam, dasselbe sicher zu treffen oder zu Grunde zu
gehen. Die stete Wiederholung dieser einen großen Gefahr
und das mögliche Eintreffen eines endlichen Fehlschusses
sagte meinem Wesen zu, und nie war ich behaglicher als wenn
ich so seelenallein auf den heißen Höhen herumstreifte und einem starken wilden Burschen auf der Spur war, der mich gar
wohl bemerkte und ein ähnliches schmollendes Spiel trieb mit
mir wie ich mit ihm. So war vor jetzt ungefähr vier Monaten
ein ungewöhnlich großer Löwe in der Gegend erschienen, dieser, dessen Fell hier liegt, und lichtete den Beduinen ihre Herden, ohne daß man ihm beikommen konnte; denn er schien ein
durchtriebener Geselle zu sein und machte täglich große Mär-
sche kreuz und quer, so daß ich bei meiner Weise zu Fuß zu ja-
gen lange Zeit brauchte, bis ich ihn nur von ferne zu Gesicht
bekam. Als ich ihn zwei- oder dreimal gesehen, ohne zum
Schuß zu kommen, kannte er mich schon und merkte, daß ich
gegen ihn etwas im Schilde führe. Er fing gewaltig an zu brül-
len und verzog sich, um mir an einer anderen Stelle wieder zu
begegnen, und wir gingen so umeinander herum während
mehreren Tagen, wie zwei Kater, die sich zausen wollen, ich
lautlos wie das Grab und er mit einem zeitweiligen wilden Ge-
knurre.

Eines Tages war ich vor Sonnenaufgang aufgebrochen und
nach einer noch nie eingeschlagenen Richtung hingegangen,
weil der Löwe Tags vorher sich auf der entgegengesetzten
Seite herumgetrieben und einen vergeblichen Raubversuch gemacht; da die dortigen Leute mit ihren Tieren abgezogen waren, so vermutete ich, der hungrige Herr werde vergangene
Nacht wohl diesen Weg eingeschlagen haben, wie es sich denn
auch erwies. Als die Sonne aufging, schlenderte ich gemächlich
über ein hügeliges goldgelbes Gefilde, dessen Unebenheiten
lange himmelblaue Schatten über den goldenen Boden
streckten. Der Himmel war so dunkelblau wie Lydias Augen,
woran ich unversehens dadurch erinnert wurde; in weiter
Ferne zogen sich blaue Berge hin, an welchen das arabische

Städtchen lag, das ich bewohnte, und am andern Rande der
Aussicht einige Wälder und grüne Fluren, auf denen man den
Rauch und selbst die Zelte der Beduinen wie schwarze Punkte
sehen konnte. Es war totenstill überall und kein lebendes Wesen zu erspähen. Da stieß ich an den Rand einer Schlucht, welche sich durch die ganze steinige Gegend hinzog und nicht zu
sehen war, bis man dicht an ihr stand. Es floß ein kühler frischer Bach auf ihrem Grunde, und wo ich eben stand, war die
Vertiefung ganz mit blühendem Oleandergebüsch angefüllt.
Nichts war schöner zu sehen als das frische Grün dieser Sträucher und ihre tausendfältigen rosenroten Blüten und zu unterst das fließende klare Wässerlein. Der Anblick ließ eine ver-
jährte Sehnsucht in mir aufsteigen und ich vergaß, warum ich
hier herumstrich. Ich wünschte in den Oleander hinabzuge-
hen und aus dem Bach zu trinken, und in diesen zerstreuten
Gedanken legte ich mein Gewehr auf den Boden und kletterte
eiligst in die Schlucht hinunter, wo ich mich zur Erde warf, aus
dem Bache trank, mein Gesicht benetzte und dabei an die
schöne Lydia dachte. Ich grübelte, wo sie wohl sein möchte,
wo sie jetzt herumwandle und wie es ihr überhaupt gehen
möchte? Da hörte ich ganz nah den Löwen ein kurzes Gebrüll
ausstoßen, daß der Boden zitterte. Wie besessen sprang ich auf
und schwang mich den Abhang hinauf, blieb aber wie angena-
gelt oben stehen, als ich sah, daß das große Tier, kaum zehn
Schritte von mir, eben bei meinem Gewehr angekommen war.
Und wie ich dastand, so blieb ich auch stehen, die Augen auf
die Bestie geheftet. Denn als er mich erblickte, kauerte er zum
Sprunge nieder, gerade über meiner Doppelbüchse, daß sie
quer unter seinem Bauche lag, und wenn ich mich nur gerührt
hätte, so würde er gesprungen sein und mich unfehlbar zerrissen haben. Aber ich stand und stand so einige lange Stunden,
ohne ein Auge von ihm zu verwenden und ohne daß er eines
von mir verwandte. Er legte sich gemächlich nieder und betrachtete mich. Die Sonne stieg höher; aber während die
furchtbarste Hitze mich zu quälen anfing, verging die Zeit so
langsam wie die Ewigkeit der Hölle. Weiß Gott, was mir alles

durch den Kopf ging: ich verwünschte die Lydia, deren bloßes
Andenken mich abermals in dieses Unheil gebracht, da ich
darüber meine Waffe vergessen hatte. Hundertmal war ich
versucht, allem ein Ende zu machen und auf das wilde Tier los-
zuspringen mit bloßen Händen; allein die Liebe zum Leben
behielt die Oberhand und ich stand und stand wie das versteinerte Weib des Loth oder wie der Zeiger einer Sonnenuhr;
denn mein Schatten ging mit den Stunden um mich herum,
wurde ganz kurz und begann schon wieder sich zu verlängern.
Das war die bitterste Schmollerei, die ich je verrichtet, und ich
nahm mir vor und gelobte, wenn ich dieser Gefahr entränne,
so wolle ich umgänglich und freundlich werden, nach Hause
gehen und mir und andern das Leben so angenehm als möglich
machen. Der Schweiß lief an mir herunter, ich zitterte vor
krampfhafter Anstrengung, um mich auf selbem Fleck unbeweglich aufrecht zu halten, leise an allen Gliedern, und wenn
ich nur die vertrockneten Lippen bewegte, so richtete sich der
Löwe halb auf, wackelte mit seinem Hintergestell, funkelte
mit den Augen und brüllte, so daß ich den Mund schnell wieder schloß und die Zähne aufeinander biß. Indem ich aber so
eine lange Minute um die andere abwickeln und erleben
mußte, verschwand der Zorn und die Bitterkeit in mir, selbst
gegen den Löwen, und je schwächer ich wurde, desto geschickter ward ich in einer mich angenehm dünkenden, lieblichen Geduld, daß ich alle Pein aushielt und tapfer ertrug. Es
würde aber, als endlich der Tag schon vorgerückt war, doch
nicht mehr lange gegangen sein, als eine unverhoffte Rettung
sich auftat. Das Tier und ich waren so ineinander vernarrt, daß
keiner von uns zwei Soldaten bemerkte, welche im Rücken des
Löwen hermarschiert kamen, bis sie auf höchstens dreißig
Schritte nahe waren. Es war eine Patrouille, die ausgesandt
war mich zu suchen, da sich Geschäfte eingestellt hatten. Sie
trugen ihre Ordonnanzgewehre auf der Schulter und ich sah
gleichzeitig dieselben vor mir aufblitzen gleich einer himmlischen Gnadensonne, als auch mein Widersacher ihre Schritte
hörte in der Stille der Landschaft; denn sie hatten schon von

weitem etwas bemerkt und waren so leise als möglich gegangen. Plötzlich schrieen sie jetzt: ›Schau die Bestie! Hilf dem Oberst!‹ Der Löwe wandte sich um, sprang empor, sperrte wütend den Rachen auf, erbost wie ein Satan, und war einen Augenblick lang unschlüssig, auf wen er sich zuerst stürzen solle. Als aber die zwei Soldaten als brave lustige Franzosen, ohne sich zu besinnen, auf ihn zusprangen, tat er einen Satz gegen sie. Im gleichen Augenblick lag auch der eine unter seinen Tatzen, und es wäre ihm schlecht ergangen, wenn nicht der andere im gleichen Augenblicke dem Tier, zugleich den Schuß abfeuernd, das Bajonett ein halbes Dutzendmal in die Flanke gestoßen hätte. Aber auch diesem würde es schließlich schlimm ergangen sein, wenn ich nicht endlich auf meine Büchse zugesprungen, auf den Kampfplatz getaumelt wäre und dem Löwen, ohne weitere Vorsicht, beide Kugeln in das Ohr geschossen hätte. Er streckte sich aus und sprang wieder auf, es war noch der Schuß aus der anderen Muskete nötig, ihn abermals hinzustrecken, und endlich zerschlugen wir alle drei unsere Kolben an dem Tiere, so zäh und wild war sein Leben. Es hatte merkwürdigerweise keiner Schaden genommen, selbst der nicht, der unter dem Löwen gelegen, ausgenommen seinen zerrissenen Rock und einige tüchtige Schrammen auf der Schulter. So war die Sache für dasmal glücklich abgelaufen und wir hatten obenein den lange gesuchten Löwen erlegt. Ein wenig Wein und Brot stellte meinen guten Mut vollends wieder her, und ich lachte wie ein Narr mit den guten Soldaten, welche über die Freundlichkeit und Gesprächigkeit ihres bösen Obersten sehr verwundert und erbaut waren.

Noch in selber Woche aber führte ich mein Gelübde aus, kam um meine Entlassung ein, und so bin ich nun hier.«

So lautete die Geschichte von Pankrazens Leben und Bekehrung, und seine Leutchen waren höchlich verwundert über seine Meinungen und Taten. Er verließ mit ihnen das Städtchen Seldwyla und zog in den Hauptort des Kantons, wo er Gelegenheit fand, mit seinen Erfahrungen und Kenntnissen ein dem Lande nützlicher Mann zu sein und zu bleiben, und er ward sowohl dieser Tüchtigkeit als seiner unverwüstlichen ruhigen Freundlichkeit wegen geachtet und beliebt; denn nie mehr zeigte sich ein Rückfall in das frühere Wesen.

Nur ärgerten sich Estherchen und die Mutter, daß ihnen die Geschichte mit der Lydia entgangen war, und wünschten unaufhörlich deren Wiederholung. Allein Pankraz sagte, hätten sie damals nicht geschlafen, so hätten sie dieselbe erfahren; er habe sie *ein*mal erzählt und werde es nie wieder tun, es sei das erste und letzte Mal, daß er überhaupt gegen jemanden von diesem Liebeshandel gesprochen, und damit Punktum. Die Moral von der Geschichte sei einfach, daß er in der Fremde durch ein Weib und ein wildes Tier von der Unart des Schmollens entwöhnt worden sei.

Nun wollten sie wenigstens den Namen jener Dame wissen, welcher ihnen wegen seiner Fremdartigkeit wieder entfallen war, und fragten unaufhörlich: »Wie hieß sie denn nur?« Aber Pankraz erwiderte ebenso unaufhörlich: »Hättet ihr aufgemerkt! Ich nenne diesen Namen nicht mehr!« Und er hielt Wort; niemand hörte ihn jemals wieder das Wort aussprechen und er schien es endlich selbst vergessen zu haben.

Romeo und Julia auf dem Dorfe

Diese Geschichte zu erzählen würde eine müßige Nachahmung sein, wenn sie nicht auf einem wirklichen Vorfall beruhte, zum Beweise, wie tief im Menschenleben jede jener Fabeln wurzelt, auf welche die großen alten Werke gebaut sind. Die Zahl solcher Fabeln ist mäßig; aber stets treten sie in neuem Gewande wieder in die Erscheinung und zwingen alsdann die Hand, sie festzuhalten.

An dem schönen Flusse, der eine halbe Stunde entfernt an Seldwyl vorüberzieht, erhebt sich eine weitgedehnte Erdwelle und verliert sich, selber wohlbebaut, in der fruchtbaren Ebene. Fern an ihrem Fuße liegt ein Dorf, welches manche große Bauernhöfe enthält, und über die sanfte Anhöhe lagen vor Jahren drei prächtige lange Äcker weithingestreckt gleich drei riesigen Bändern nebeneinander. An einem sonnigen Septembermorgen pflügten zwei Bauern auf zweien dieser Äcker, und zwar auf jedem der beiden äußersten; der mittlere schien seit langen Jahren brach und wüst zu liegen, denn er war mit Steinen und hohem Unkraut bedeckt und eine Welt von geflügelten Tierchen summte ungestört über ihm. Die Bauern aber, welche zu beiden Seiten hinter ihrem Pfluge gingen, waren lange knochige Männer von ungefähr vierzig Jahren und verkündeten auf den ersten Blick den sichern, gutbesorgten Bauersmann. Sie trugen kurze Kniehosen von starkem Zwillich, an dem jede Falte ihre unveränderliche Lage hatte und wie in Stein gemeißelt aussah. Wenn sie, auf ein Hindernis stoßend, den Pflug fester faßten, so zitterten die groben Hemdärmel von der leichten Erschütterung, indessen die wohlrasierten Gesichter ruhig und aufmerksam, aber ein wenig blinzelnd in den Sonnenschein vor sich hinschauten, die Furche bemaßen oder auch wohl zuweilen sich umsahen, wenn ein fernes Geräusch die Stille des Landes unterbrach. Langsam und mit einer gewissen natürlichen Zierlichkeit setzten sie einen Fuß

um den andern vorwärts und keiner sprach ein Wort, außer
wenn er etwa dem Knechte, der die stattlichen Pferde antrieb,
eine Anweisung gab. So glichen sie einander vollkommen in
einiger Entfernung; denn sie stellten die ursprüngliche Art
dieser Gegend dar, und man hätte sie auf den ersten Blick nur
daran unterscheiden können, daß der eine den Zipfel seiner
weißen Kappe nach vorn trug, der andere aber hinten im
Nacken hängen hatte. Aber das wechselte zwischen ihnen ab,
indem sie in der entgegengesetzten Richtung pflügten; denn
wenn sie oben auf der Höhe zusammentrafen und aneinander
vorüberkamen, so schlug dem, welcher gegen den frischen
Ostwind ging, die Zipfelkappe nach hinten über, während sie
bei dem andern, der den Wind im Rücken hatte, sich nach
vorne sträubte. Es gab auch jedesmal einen mittlern Augenblick, wo die schimmernden Mützen aufrecht in der Luft
schwankten und wie zwei weiße Flammen gen Himmel zün-
gelten. So pflügten beide ruhevoll und es war schön anzusehen
in der stillen goldenen Septembergegend, wenn sie so auf der
Höhe aneinander vorbeizogen, still und langsam, und sich
mählig voneinander entfernten, immer weiter auseinander, bis
beide wie zwei untergehende Gestirne hinter die Wölbung des
Hügels hinabgingen und verschwanden, um eine gute Weile
darauf wieder zu erscheinen. Wenn sie einen Stein in ihren
Furchen fanden, so warfen sie denselben auf den wüsten
Acker in der Mitte mit lässig kräftigem Schwunge, was aber
nur selten geschah, da derselbe schon fast mit allen Steinen belastet war, welche überhaupt auf den Nachbaräckern zu finden
gewesen. So war der lange Morgen zum Teil vergangen, als von
dem Dorfe her ein kleines artiges Fuhrwerklein sich näherte,
welches kaum zu sehen war, als es begann die gelinde Höhe
heranzukommen. Das war ein grünbemaltes Kinderwägel-
chen, in welchem die Kinder der beiden Pflüger, ein Knabe
und ein kleines Ding von Mädchen, gemeinschaftlich den Vor-
mittagsimbiß heranfuhren. Für jeden Teil lag ein schönes Brot,
in eine Serviette gewickelt, eine Kanne Wein mit Gläsern und
noch irgend ein Zutätchen in dem Wagen, welches die zärtli-

che Bäuerin für den fleißigen Meister mitgesandt, und außerdem waren da noch verpackt allerlei seltsam gestaltete angebissene Äpfel und Birnen, welche die Kinder am Wege aufgelesen, und eine völlig nackte Puppe mit nur einem Bein und einem verschmierten Gesicht, welche wie ein Fräulein zwischen den Broten saß und sich behaglich fahren ließ. Dies Fuhrwerk hielt nach manchem Anstoß und Aufenthalt endlich auf der Höhe im Schatten eines jungen Lindengebüsches, welches da am Rande des Feldes stand, und nun konnte man die beiden Fuhrleute näher betrachten. Es war ein Junge von sieben Jahren und ein Dirnchen von fünfen, beide gesund und munter, und weiter war nichts Auffälliges an ihnen als daß beide sehr hübsche Augen hatten und das Mädchen dazu noch eine bräunliche Gesichtsfarbe und ganz krause dunkle Haare, welche ihm ein feuriges und treuherziges Ansehen gaben. Die Pflüger waren jetzt auch wieder oben angekommen, steckten den Pferden etwas Klee vor und ließen die Pflüge in der halbvollendeten Furche stehen, während sie als gute Nachbaren sich zu dem gemeinschaftlichen Imbiß begaben und sich da zuerst begrüßten; denn bislang hatten sie sich noch nicht gesprochen an diesem Tage.

Wie nun die Männer mit Behagen ihr Frühstück einnahmen und mit zufriedenem Wohlwollen den Kindern mitteilten, die nicht von der Stelle wichen, solange gegessen und getrunken wurde, ließen sie ihre Blicke in der Nähe und Ferne herumschweifen und sahen das Städtchen räucherig glänzend in seinen Bergen liegen; denn das reichliche Mittagsmahl, welches die Seldwyler alle Tage bereiteten, pflegte ein weithin scheinendes Silbergewölk über ihre Dächer emporzutragen, welches lachend an ihren Bergen hinschwebte.

»Die Lumpenhunde zu Seldwyl kochen wieder gut!« sagte Manz, der eine der Bauern, und Marti, der andere, erwiderte: »Gestern war einer bei mir wegen des Ackers hier.« »Aus dem Bezirksrat? bei mir ist er auch gewesen!« sagte Manz. »So? und meinte wahrscheinlich auch, du solltest das Land benutzen und den Herren die Pacht zahlen?« »Ja, bis es sich entschieden habe, wem der Acker gehöre und was mit ihm anzufangen sei. Ich habe mich aber bedankt, das verwilderte Wesen für einen andern herzustellen, und sagte, sie sollten den Acker nur verkaufen und den Ertrag aufheben, bis sich ein Eigentümer gefunden, was wohl nie geschehen wird; denn was einmal auf der Kanzlei zu Seldwyl liegt, hat da gute Weile, und überdem ist die Sache schwer zu entscheiden. Die Lumpen möchten indessen gar zu gern etwas zu naschen bekommen durch den Pachtzins, was sie freilich mit der Verkaufssumme auch tun könnten; allein wir würden uns hüten, dieselbe zu hoch hinaufzutreiben, und wir wüßten dann doch, was wir hätten und wem das Land gehört!« »Ganz so meine ich auch und habe dem Steckleinspringer eine ähnliche Antwort gegeben!«

Sie schwiegen eine Weile, dann fing Manz wiederum an: »Schad ist es aber doch, daß der gute Boden so daliegen muß, es ist nicht zum Ansehen, das geht nun schon in die zwanzig Jahre so und keine Seele fragt darnach; denn hier im Dorf ist niemand, der irgend einen Anspruch auf den Acker hat, und niemand weiß auch, wo die Kinder des verdorbenen Trompeters hingekommen sind.«

»Hm!« sagte Marti, »das wäre so eine Sache! Wenn ich den schwarzen Geiger ansehe, der sich bald bei den Heimatlosen aufhält, bald in den Dörfern zum Tanz aufspielt, so möchte ich darauf schwören, daß er ein Enkel des Trompeters ist, der freilich nicht weiß, daß er noch einen Acker hat. Was täte er aber damit? Einen Monat lang sich besaufen und dann nach wie vor! Zudem, wer dürfte da einen Wink geben, da man es doch nicht sicher wissen kann!«

»Da könnte man eine schöne Geschichte anrichten!« antwortete Manz, »wir haben so genug zu tun, diesem Geiger das Heimatsrecht in unserer Gemeinde abzustreiten, da man uns den Fetzel fortwährend aufhalsen will. Haben sich seine Eltern einmal unter die Heimatlosen begeben, so mag er auch dableiben und dem Kesselvolk das Geigelein streichen. Wie in aller Welt können wir wissen, daß er des Trompeters Sohnessohn ist? Was mich betrifft, wenn ich den Alten auch in dem dunklen Gesicht vollkommen zu erkennen glaube, so sage ich: irren ist menschlich, und das geringste Fetzchen Papier, ein Stücklein von einem Taufschein würde meinem Gewissen besser tun als zehn sündhafte Menschengesichter!«

»Eia, sicherlich!« sagte Marti, »er sagt zwar, er sei nicht schuld, daß man ihn nicht getauft habe! Aber sollen wir unsern Taufstein tragbar machen und in den Wäldern herumtragen? Nein, er steht fest in der Kirche, und dafür ist die Totenbahre tragbar, die draußen an der Mauer hängt. Wir sind schon übervölkert im Dorf und brauchen bald zwei Schulmeister!«

Hiemit war die Mahlzeit und das Zwiegespräch der Bauern geendet, und sie erhoben sich, den Rest ihrer heutigen Vormittagsarbeit zu vollbringen. Die beiden Kinder hingegen, welche schon den Plan entworfen hatten, mit den Vätern nach Hause zu ziehen, zogen ihr Fuhrwerk unter den Schutz der jungen Linden und begaben sich dann auf einen Streifzug in dem wilden Acker, da derselbe mit seinen Unkräutern, Stauden und Steinhaufen eine ungewohnte und merkwürdige Wildnis darstellte. Nachdem sie in der Mitte dieser grünen Wildnis einige Zeit hingewandert, Hand in Hand, und sich daran belustigt, die verschlungenen Hände über die hohen Distelstauden zu schwingen, ließen sie sich endlich im Schatten einer solchen nieder und das Mädchen begann seine Puppe mit den langen Blättern des Wegekrautes zu bekleiden, so daß sie einen schönen grünen und ausgezackten Rock bekam; eine einsame rote Mohnblume, die da noch blühte, wurde ihr als Haube über den Kopf gezogen und mit einem Grase festgebunden, und nun sah die kleine Person aus wie eine Zauberfrau, besonders nachdem sie noch ein Halsband und einen Gürtel von kleinen roten Beerchen erhalten. Dann wurde sie hoch in die Stengel der Distel gesetzt und eine Weile mit vereinten Blicken angeschaut, bis der Knabe sie genugsam besehen und mit einem Steine herunterwarf. Dadurch geriet aber ihr Putz in Unordnung und das Mädchen entkleidete sie schleunigst, um sie aufs neue zu schmücken; doch als die Puppe eben wieder nackt und bloß war und nur noch der ro-

ten Haube sich erfreuete, entriß der wilde Junge seiner Gefährtin das Spielzeug und warf es hoch in die Luft. Das
Mädchen sprang klagend darnach, allein der Knabe fing die
Puppe zuerst wieder auf, warf sie aufs neue empor, und indem
das Mädchen sie vergeblich zu haschen sich bemühte, neckte
er es auf diese Weise eine gute Zeit. Unter seinen Händen aber
nahm die fliegende Puppe Schaden, und zwar am Knie ihres
einzigen Beines, allwo ein kleines Loch einige Kleiekörner
durchsickern ließ. Kaum bemerkte der Peiniger dies Loch, so
verhielt er sich mäuschenstill und war mit offenem Munde eifrig beflissen, das Loch mit seinen Nägeln zu vergrößern und
dem Ursprung der Kleie nachzuspüren. Seine Stille erschien
dem armen Mädchen höchst verdächtig und es drängte sich
herzu und mußte mit Schrecken sein böses Beginnen gewah-
ren. »Sieh mal!« rief er und schlenkerte ihr das Bein vor der
Nase herum, daß ihr die Kleie ins Gesicht flog, und wie sie
darnach langen wollte und schrie und flehte, sprang er wieder
fort und ruhte nicht eher, bis das ganze Bein dürr und leer her-
abhing als eine traurige Hülse. Dann warf er das mißhandelte
Spielzeug hin und stellte sich höchst frech und gleichgültig, als
die Kleine sich weinend auf die Puppe warf und dieselbe in
ihre Schürze hüllte. Sie nahm sie aber wieder hervor und betrachtete wehselig die Ärmste, und als sie das Bein sah, fing sie
abermals an laut zu weinen, denn dasselbe hing an dem
Rumpfe nicht anders denn das Schwänzchen an einem Mol-
che. Als sie gar so unbändig weinte, ward es dem Missetäter
endlich etwas übel zu Mut und er stand in Angst und Reue vor
der Klagenden, und als sie dies merkte, hörte sie plötzlich auf
und schlug ihn einigemal mit der Puppe, und er tat, als ob es
ihm weh täte, und schrie au! so natürlich, daß sie zufrieden
war und nun mit ihm gemeinschaftlich die Zerstörung und
Zerlegung fortsetzte. Sie bohrten Loch auf Loch in den Mar-
terleib und ließen aller Enden die Kleie entströmen, welche sie
sorgfältig auf einem flachen Steine zu einem Häufchen sammelten, umrührten und aufmerksam betrachteten. Das einzige
Feste, was noch an der Puppe bestand, war der Kopf und

mußte jetzt vorzüglich die Aufmerksamkeit der Kinder erregen; sie trennten ihn sorgfältig los von dem ausgequetschten Leichnam und guckten erstaunt in sein hohles Innere. Als sie die bedenkliche Höhlung sahen und auch die Kleie sahen, war es der nächste und natürlichste Gedankensprung, den Kopf mit der Kleie auszufüllen, und so waren die Fingerchen der Kinder nun beschäftigt, um die Wette Kleie in den Kopf zu tun, so daß zum ersten Mal in seinem Leben etwas in ihm steckte. Der Knabe mochte es aber immer noch für ein totes Wissen halten, weil er plötzlich eine große blaue Fliege fing und, die summende zwischen beiden hohlen Händen haltend, dem Mädchen gebot, den Kopf von der Kleie zu entleeren. Hierauf wurde die Fliege hineingesperrt und das Loch mit Gras verstopft. Die Kinder hielten den Kopf an die Ohren und setzten ihn dann feierlich auf einen Stein; da er noch mit der roten Mohnblume bedeckt war, so glich der Tönende jetzt einem weissagenden Haupte und die Kinder lauschten in tiefer Stille seinen Kunden und Märchen, indessen sie sich umschlungen hielten. Aber jeder Prophet erweckt Schrecken und Undank; das wenige Leben in dem dürftig geformten Bilde erregte die menschliche Grausamkeit in den Kindern, und es wurde beschlossen, das Haupt zu begraben. So machten sie ein Grab und legten den Kopf, ohne die gefangene Fliege um ihre Meinung zu befragen, hinein und errichteten über dem Grabe ein ansehnliches Denkmal von Feldsteinen. Dann empfanden sie einiges Grauen, da sie etwas Geformtes und Belebtes begraben hatten, und entfernten sich ein gutes Stück von der unheimlichen Stätte. Auf einem ganz mit grünen Kräutern bedeckten Plätzchen legte sich das Dirnchen auf den Rücken, da es müde war, und begann in eintöniger Weise einige Worte zu singen, immer die nämlichen, und der Junge kauerte daneben und half, indem er nicht wußte, ob er auch vollends umfallen solle, so lässig und müßig war er. Die Sonne schien dem singenden Mädchen in den geöffneten Mund, beleuchtete dessen blendendweiße Zähnchen und durchschimmerte die runden Purpurlippen. Der Knabe sah die Zähne, und dem Mädchen

den Kopf haltend und dessen Zähnchen neugierig untersuchend, rief er: »Rate, wie viele Zähne hat man?« Das Mädchen
besann sich einen Augenblick, als ob es reiflich nachzählte,
und sagte dann auf Geratewohl: »Hundert!« »Nein, zweiunddreißig!« rief er, »wart, ich will einmal zählen!« Da zählte er
die Zähne des Kindes, und weil er nicht zweiunddreißig her-
ausbrachte, so fing er immer wieder von neuem an. Das
Mädchen hielt lange still, als aber der eifrige Zähler nicht zu
Ende kam, raffte es sich auf und rief: »Nun will ich deine
zählen!« Nun legte sich der Bursche hin ins Kraut, das
Mädchen über ihn, umschlang seinen Kopf, er sperrte das
Maul auf, und es zählte: »Eins, zwei, sieben, fünf, zwei, eins«;
denn die kleine Schöne konnte noch nicht zählen. Der Junge
verbesserte sie und gab ihr Anweisung, wie sie zählen solle,
und so fing auch sie unzähligemal von neuem an und das Spiel
schien ihnen am besten zu gefallen von allem, was sie heut unternommen. Endlich aber sank das Mädchen ganz auf den
kleinen Rechenmeister nieder und die Kinder schliefen ein in
der hellen Mittagssonne.

Inzwischen hatten die Väter ihre Äcker fertig gepflügt und
in frischduftende braune Fläche umgewandelt. Als nun, mit
der letzten Furche zu Ende gekommen, der Knecht des einen
halten wollte, rief sein Meister: »Was hältst du? Kehr noch einmal um!« »Wir sind ja fertig!« sagte der Knecht. »Halt's Maul
und tu, wie ich dir sage!« der Meister. Und sie kehrten um und
rissen eine tüchtige Furche in den mittlern herrenlosen Acker
hinein, daß Kraut und Steine flogen. Der Bauer hielt sich aber
nicht mit der Beseitigung derselben auf, er mochte denken,
hiezu sei noch Zeit genug vorhanden, und er begnügte sich, für
heute die Sache nur aus dem Gröbsten zu tun. So ging es rasch
die Höhe empor in sanftem Bogen, und als man oben angelangt und das liebliche Windeswehen eben wieder den Kap-
penzipfel des Mannes zurückwarf, pflügte auf der anderen
Seite der Nachbar vorüber, mit dem Zipfel nach vorn, und
schnitt ebenfalls eine ansehnliche Furche vom mittlern Acker,
daß die Schollen nur so zur Seite flogen. Jeder sah wohl, was

der andere tat, aber keiner schien es zu sehen und sie ent-
schwanden sich wieder, indem jedes Sternbild still am andern
vorüberging und hinter diese runde Welt hinabtauchte. So gehen die Weberschiffchen des Geschickes aneinander vorbei
und »was er webt, das weiß kein Weber!«

Es kam eine Ernte um die andere, und jede sah die Kinder
größer und schöner und den herrenlosen Acker schmäler zwischen seinen breitgewordenen Nachbarn. Mit jedem Pflügen
verlor er hüben und drüben eine Furche, ohne daß ein Wort
darüber gesprochen worden wäre und ohne daß ein Men-
schenauge den Frevel zu sehen schien. Die Steine wurden immer mehr zusammengedrängt und bildeten schon einen ordentlichen Grat auf der ganzen Länge des Ackers, und das
wilde Gesträuch darauf war schon so hoch, daß die Kinder,
obgleich sie gewachsen waren, sich nicht mehr sehen konnten,
wenn eines dies- und das andere jenseits ging. Denn sie gingen
nun nicht mehr gemeinschaftlich auf das Feld, da der zehn-
jährige Salomon oder Sali, wie er genannt wurde, sich schon
wacker auf Seite der größeren Burschen und der Männer hielt;
und das braune Vrenchen, obgleich es ein feuriges Dirnchen
war, mußte bereits unter der Obhut seines Geschlechts gehen,
sonst wäre es von den andern als ein Bubenmädchen ausgelacht worden. Dennoch nahmen sie während jeder Ernte,
wenn alles auf den Äckern war, einmal Gelegenheit, den
wilden Steinkamm, der sie trennte, zu besteigen und sich gegenseitig von demselben herunterzustoßen. Wenn sie auch
sonst keinen Verkehr mehr miteinander hatten, so schien diese
jährliche Zeremonie um so sorglicher gewahrt zu werden als
sonst nirgends die Felder ihrer Väter zusammenstießen.

Indessen sollte der Acker doch endlich verkauft und der Er-
lös einstweilen amtlich aufgehoben werden. Die Versteigerung
fand an Ort und Stelle statt, wo sich aber nur einige Gaffer einfanden außer den Bauern Manz und Marti, da niemand Lust
hatte, das seltsame Stückchen zu erstehen und zwischen den
zwei Nachbaren zu bebauen. Denn obgleich diese zu den be-

sten Bauern des Dorfes gehörten und nichts weiter getan hatten als was zwei Drittel der übrigen unter diesen Umständen auch getan haben würden, so sah man sie doch jetzt stillschweigend darum an und niemand wollte zwischen ihnen eingeklemmt sein mit dem geschmälerten Waisenfelde. Die meisten Menschen sind fähig oder bereit, ein in den Lüften umgehendes Unrecht zu verüben, wenn sie mit der Nase darauf stoßen; sowie es aber von einem begangen ist, sind die übrigen froh, daß sie es doch nicht gewesen sind, daß die Versuchung nicht sie betroffen hat, und sie machen nun den Auserwählten zu dem Schlechtigkeitsmesser ihrer Eigenschaften und behandeln ihn mit zarter Scheu als einen Ableiter des Übels, der von den Göttern gezeichnet ist, während ihnen zugleich noch der Mund wässert nach den Vorteilen, die er dabei genossen. Manz und Marti waren also die einzigen, welche ernstlich auf den Acker boten; nach einem ziemlich hartnäckigen Überbieten erstand ihn Manz und er wurde ihm zugeschlagen. Die Beamten und die Gaffer verloren sich vom Felde; die beiden Bauern, welche sich auf ihren Äckern noch zu schaffen gemacht, trafen beim Weggehen wieder zusammen und Marti sagte: »Du wirst nun dein Land, das alte und das neue, wohl zusammenschlagen und in zwei gleiche Stücke teilen? Ich hätte es wenigstens so gemacht, wenn ich das Ding bekommen hätte.« »Ich werde es allerdings auch tun«, antwortete Manz, »denn als Ein Acker würde mir das Stück zu groß sein. Doch was ich sagen wollte: Ich habe bemerkt, daß du neulich noch am untern Ende dieses Ackers, der jetzt mir gehört, schräg hineingefahren bist und ein gutes Dreieck abgeschnitten hast. Du hast es vielleicht getan in der Meinung, du werdest das ganze Stück an dich bringen und es sei dann sowieso dein. Da es nun aber mir gehört, so wirst du wohl einsehen, daß ich eine solche ungehörige Einkrümmung nicht brauchen noch dulden kann, und wirst nichts dagegen haben, wenn ich den Strich wieder grad mache! Streit wird das nicht abgeben sollen!«

Marti erwiderte ebenso kaltblütig als ihn Manz angeredet

hatte: »Ich sehe auch nicht, wo Streit herkommen soll! Ich denke, du hast den Acker gekauft, wie er da ist, wir haben ihn alle gemeinschaftlich besehen und er hat sich seit einer Stunde nicht um ein Haar verändert!«

»Larifari!« sagte Manz, »was früher geschehen, wollen wir nicht aufrühren! Was aber zuviel ist, ist zuviel und alles muß zuletzt eine ordentliche grade Art haben; diese drei Äcker sind von jeher so grade nebeneinander gelegen, wie nach dem Richtscheit gezeichnet; es ist ein ganz absonderlicher Spaß von dir, wenn du nun einen solchen lächerlichen und unvernünftigen Schnörkel dazwischen bringen willst, und wir beide würden einen Übernamen bekommen, wenn wir den krummen Zipfel da bestehen ließen. Er muß durchaus weg!«

Marti lachte und sagte: »Du hast ja auf einmal eine merkwürdige Furcht vor dem Gespötte der Leute! Das läßt sich aber ja wohl machen; mich geniert das Krumme gar nicht; ärgert es dich, gut, so machen wir es grad, aber nicht auf meiner Seite, das geb ich dir schriftlich, wenn du willst!«

»Rede doch nicht so spaßhaft«, sagte Manz, »es wird wohl grad gemacht, und zwar auf deiner Seite, darauf kannst du Gift nehmen!«

»Das werden wir ja sehen und erleben!« sagte Marti, und beide Männer gingen auseinander, ohne sich weiter anzublicken; vielmehr starrten sie nach verschiedener Richtung ins Blaue hinaus, als ob sie da wunder was für Merkwürdigkeiten im Auge hätten, die sie betrachten müßten mit Aufbietung aller ihrer Geisteskräfte.

Schon am nächsten Tage schickte Manz einen Dienstbuben, ein Tagelöhnermädchen und sein eigenes Söhnchen Sali auf den Acker hinaus, um das wilde Unkraut und Gestrüpp auszureuten und auf Haufen zu bringen, damit nachher die Steine um so bequemer weggefahren werden könnten. Dies war eine Änderung in seinem Wesen, daß er den kaum eilfjährigen Jungen, der noch zu keiner Arbeit angehalten worden, nun mit hinaussandte, gegen die Einsprache der Mutter. Es schien, da er es mit ernsthaften und gesalbten Worten tat, als ob er mit

dieser Arbeitsstrenge gegen sein eigenes Blut das Unrecht
betäuben wollte, in dem er lebte und welches nun begann seine
Folgen ruhig zu entfalten. Das ausgesandte Völklein jätete inzwischen lustig an dem Unkraut und hackte mit Vergnügen an
den wunderlichen Stauden und Pflanzen allerart, die da seit
Jahren wucherten. Denn da es eine außerordentliche, gleichsam wilde Arbeit war, bei der keine Regel und keine Sorgfalt
erheischt wurde, so galt sie als eine Lust. Das wilde Zeug, an
der Sonne gedörrt, wurde aufgehäuft und mit großem Jubel
verbrannt, daß der Qualm weithin sich verbreitete und die
jungen Leutchen darin herumsprangen wie besessen. Dies war
das letzte Freudenfest auf dem Unglücksfelde, und das junge
Vrenchen, Martis Tochter, kam auch hinausgeschlichen und
half tapfer mit. Das Ungewöhnliche dieser Begebenheit und
die lustige Aufregung gaben einen guten Anlaß, sich seinem
kleinen Jugendgespielen wieder einmal zu nähern, und die
Kinder waren recht glücklich und munter bei ihrem Feuer. Es
kamen noch andere Kinder hinzu und es sammelte sich eine
ganze vergnügte Gesellschaft; doch immer, sobald sie getrennt
wurden, suchte Sali alsobald wieder neben Vrenchen zu gelangen, und dieses wußte desgleichen immer vergnügt lächelnd
zu ihm zu schlüpfen, und es war beiden Kreaturen, wie wenn
dieser herrliche Tag nie enden müßte und könnte. Doch der
alte Manz kam gegen Abend herbei, um zu sehen, was sie ausgerichtet, und obgleich sie fertig waren, so schalt er doch ob
dieser Lustbarkeit und scheuchte die Gesellschaft auseinander.
Zugleich zeigte sich Marti auf seinem Grund und Boden und,
seine Tochter gewahrend, pfiff er derselben schrill und gebieterisch durch den Finger, daß sie erschrocken hineilte, und er
gab ihr, ohne zu wissen warum, einige Ohrfeigen, also daß
beide Kinder in großer Traurigkeit und weinend nach Hause
gingen, und sie wußten jetzt eigentlich so wenig, warum sie so
traurig waren, als warum sie vorhin so vergnügt gewesen;
denn die Rauheit der Väter, an sich ziemlich neu, war von den
arglosen Geschöpfen noch nicht begriffen und konnte sie
nicht tiefer bewegen.

Die nächsten Tage war es schon eine härtere Arbeit, zu welcher Mannsleute gehörten, als Manz die Steine aufnehmen und wegfahren ließ. Es wollte kein Ende nehmen und alle Steine der Welt schienen da beisammen zu sein. Er ließ sie aber nicht ganz vom Felde wegbringen, sondern jede Fuhre auf jenem streitigen Dreiecke abwerfen, welches von Marti schon säuberlich umgepflügt war. Er hatte vorher einen graden Strich gezogen als Grenzscheide und belastete nun dies Fleckchen Erde mit allen Steinen, welche beide Männer seit unvordenklichen Zeiten herübergeworfen, so daß eine gewaltige Pyramide entstand, die wegzubringen sein Gegner bleiben lassen würde, dachte er. Marti hatte dies am wenigsten erwartet; er glaubte, der andere werde nach alter Weise mit dem Pfluge zu Werke gehen wollen, und hatte daher abgewartet, bis er ihn als Pflüger ausziehen sähe. Erst als die Sache schon beinahe fertig, hörte er von dem schönen Denkmal, welches Manz da errichtet, rannte voll Wut hinaus, sah die Bescherung, rannte zurück und holte den Gemeindeammann, um vorläufig gegen den Steinhaufen zu protestieren und den Fleck gerichtlich in Beschlag nehmen zu lassen, und von diesem Tage an lagen die zwei Bauern im Prozeß miteinander und ruhten nicht, ehe sie beide zu Grunde gerichtet waren.

Die Gedanken der sonst so wohlweisen Männer waren nun so kurz geschnitten wie Häcksel; der beschränkteste Rechtssinn von der Welt erfüllte jeden von ihnen, indem keiner begreifen konnte noch wollte, wie der andere so offenbar unrechtmäßig und willkürlich den fraglichen unbedeutenden Ackerzipfel an sich reißen könne. Bei Manz kam noch ein wunderbarer Sinn für Symmetrie und parallele Linien hinzu und er fühlte sich wahrhaft gekränkt durch den aberwitzigen Eigensinn, mit welchem Marti auf dem Dasein des unsinnigsten und mutwilligsten Schnörkels beharrte. Beide aber trafen zusammen in der Überzeugung, daß der andere, den andern so frech und plump übervorteilend, ihn notwendig für einen verächtlichen Dummkopf halten müsse, da man dergleichen etwa einem armen haltlosen Teufel, nicht aber einem aufrechten,

klugen und wehrhaften Manne gegenüber sich erlauben
könne, und jeder sah sich in seiner wunderlichen Ehre gekränkt und gab sich rückhaltlos der Leidenschaft des Streites
und dem daraus erfolgenden Verfalle hin, und ihr Leben glich
fortan der träumerischen Qual zweier Verdammten, welche,
auf einem schmalen Brette einen dunklen Strom hinabtreibend, sich befehden, in die Luft hauen und sich selber anpacken und vernichten, in der Meinung, sie hätten ihr Unglück gefaßt. Da sie eine faule Sache hatten, so gerieten beide
in die allerschlimmsten Hände von Tausendkünstlern, welche
ihre verdorbene Phantasie auftrieben zu ungeheuren Blasen,
die mit den nichtsnutzigsten Dingen angefüllt wurden. Vorzüglich waren es die Spekulanten aus der Stadt Seldwyla, welchen dieser Handel ein gefundenes Essen war, und bald hatte
jeder der Streitenden einen Anhang von Unterhändlern, Zu-
trägern und Ratgebern hinter sich, die alles bare Geld auf hundert Wegen abzuziehen wußten. Denn das Fleckchen Erde mit
dem Steinhaufen darüber, auf welchem bereits wieder ein
Wald von Nesseln und Disteln blühte, war nur noch der erste
Keim oder der Grundstein einer verworrenen Geschichte und
Lebensweise, in welcher die zwei Fünfzigjährigen noch neue
Gewohnheiten und Sitten, Grundsätze und Hoffnungen annahmen als sie bisher geübt. Je mehr Geld sie verloren, desto
sehnsüchtiger wünschten sie welches zu haben, und je weniger
sie besaßen, desto hartnäckiger dachten sie reich zu werden
und es dem Andern zuvorzutun. Sie ließen sich zu jedem
Schwindel verleiten und setzten auch jahraus jahrein in alle
fremden Lotterien, deren Lose massenhaft in Seldwyla zirkulierten. Aber nie bekamen sie einen Taler Gewinn zu Gesicht,
sondern hörten nur immer vom Gewinnen anderer Leute und
wie sie selbst beinahe gewonnen hätten, indessen diese Leidenschaft ein regelmäßiger Geldabfluß für sie war. Bisweilen
machten sich die Seldwyler den Spaß, beide Bauern, ohne ihr
Wissen, am gleichen Lose teilnehmen zu lassen, so daß beide
die Hoffnung auf Unterdrückung und Vernichtung des andern auf ein und dasselbe Los setzten. Sie brachten die Hälfte

ihrer Zeit in der Stadt zu, wo jeder in einer Spelunke sein Hauptquartier hatte, sich den Kopf heißmachen und zu den lächerlichsten Ausgaben und einem elenden und ungeschickten Schlemmen verleiten ließ, bei welchem ihm heimlich doch selber das Herz blutete, also daß beide, welche eigentlich nur in diesem Hader lebten, um für keine Dummköpfe zu gelten, nun solche von der besten Sorte darstellten und von jedermann dafür angesehen wurden. Die andere Hälfte der Zeit lagen sie verdrossen zu Hause oder gingen ihrer Arbeit nach, wobei sie dann durch ein tolles böses Überhasten und Antreiben das Versäumte einzuholen suchten und damit jeden ordentlichen und zuverlässigen Arbeiter verscheuchten. So ging es gewaltig rückwärts mit ihnen, und ehe zehn Jahre vorüber, steckten sie beide von Grund aus in Schulden und standen wie die Störche auf einem Beine auf der Schwelle ihrer Besitztümer, von der jeder Lufthauch sie herunterwehte. Aber wie es ihnen auch erging, der Haß zwischen ihnen wurde täglich größer, da jeder den andern als den Urheber seines Unsterns betrachtete, als seinen Erbfeind und ganz unvernünftigen Widersacher, den der Teufel absichtlich in die Welt gesetzt habe, um ihn zu verderben. Sie spien aus, wenn sie sich nur von weitem sahen; kein Glied ihres Hauses durfte mit Frau, Kind oder Gesinde des andern ein Wort sprechen, bei Vermeidung der gröbsten Mißhandlung. Ihre Weiber verhielten sich verschieden bei dieser Verarmung und Verschlechterung des ganzen Wesens. Die Frau des Marti, welche von guter Art war, hielt den Verfall nicht aus, härmte sich ab und starb, ehe ihre Tochter vierzehn Jahre alt war. Die Frau des Manz hingegen bequemte sich der veränderten Lebensweise an, und um sich als eine schlechte Genossin zu entfalten, hatte sie nichts zu tun als einigen weiblichen Fehlern, die ihr von jeher angehaftet, den Zügel schießen zu lassen und dieselben zu Lastern auszubilden. Ihre Naschhaftigkeit wurde zu wilder Begehrlichkeit, ihre Zungenfertigkeit zu einem grundfalschen und verlogenen Schmeichel- und Verleumdungswesen, mit welchem sie jeden Augenblick das Gegenteil von dem sagte, was sie dachte, alles

hintereinander hetzte und ihrem eigenen Manne ein X für ein
U vormachte; ihre ursprüngliche Offenheit, mit der sie sich
der unschuldigeren Plauderei erfreut, ward nun zur abgehär-
teten Schamlosigkeit, mit der sie jenes falsche Wesen betrieb,
und so, statt unter ihrem Manne zu leiden, drehte sie ihm eine
Nase; wenn er es arg trieb, so machte sie es bunt, ließ sich
nichts abgehen und gedieh zu der dicksten Blüte einer Vorsteherin des zerfallenden Hauses.

So war es nun schlimm bestellt um die armen Kinder, welche weder eine gute Hoffnung für ihre Zukunft fassen konnten noch sich auch nur einer lieblich frohen Jugend erfreuten,
da überall nichts als Zank und Sorge war. Vrenchen hatte anscheinend einen schlimmern Stand als Sali, da seine Mutter tot
und es einsam in einem wüsten Hause der Tyrannei eines verwilderten Vaters anheimgegeben war. Als es sechszehn Jahre
zählte, war es schon ein schlankgewachsenes, ziervolles
Mädchen; seine dunkelbraunen Haare ringelten sich unablässig fast bis über die blitzenden braunen Augen, dunkelrotes
Blut durchschimmerte die Wangen des bräunlichen Gesichtes
und glänzte als tiefer Purpur auf den frischen Lippen, wie man
es selten sah und wie es aus dem dunklen Kinde ein eigentümliches
Ansehen und Kennzeichen gab. Feurige Lebenslust und Fröhlichkeit zitterte in jeder Fiber dieses Wesens; es lachte und war
aufgelegt zu Scherz und Spiel, wenn das Wetter nur im mindesten lieblich war, d. h. wenn es nicht zu sehr gequält wurde
und nicht zu viel Sorgen ausstand. Diese plagten es aber häufig genug; denn nicht nur hatte es den Kummer und das wachsende Elend des Hauses mit zu tragen, sondern es mußte noch
sich selber in Acht nehmen und mochte sich gern halbwegs ordentlich und reinlich kleiden, ohne daß der Vater ihm die geringsten Mittel dazu geben wollte. So hatte Vrenchen die
größte Not, ihre anmutige Person einigermaßen auszustaffie-
ren, sich ein allerbescheidenstes Sonntagskleid zu erobern und
einige bunte, fast wertlose Halstüchelchen zusammenzuhalten. Darum war das schöne wohlgemute junge Blut in jeder
Weise gedemütigt und gehemmt und konnte am wenigsten der

Hoffart anheimfallen. Überdies hatte es bei schon erwachendem Verstande das Leiden und den Tod seiner Mutter gesehen, und dies Andenken war ein weiterer Zügel, der seinem lustigen und feurigen Wesen angelegt war, so daß es nun höchst lieblich, unbedenklich und rührend sich ansah, wenn trotz alledem das gute Kind bei jedem Sonnenblick sich ermunterte und zum Lächeln bereit war.

Sali erging es nicht so hart auf den ersten Anschein; denn er war nun ein hübscher und kräftiger junger Bursche, der sich zu wehren wußte und dessen äußere Haltung wenigstens eine schlechte Behandlung von selbst unzulässig machte. Er sah wohl die üble Wirtschaft seiner Eltern und glaubte sich erinnern zu können, daß es einst nicht so gewesen; ja er bewahrte noch das frühere Bild seines Vaters wohl in seinem Gedächtnisse als eines festen, klugen und ruhigen Bauers, desselben Mannes, den er jetzt als einen grauen Narren, Händelführer und Müßiggänger vor sich sah, der mit Toben und Prahlen auf hundert törichten und verfänglichen Wegen wandelte und mit jeder Stunde rückwärts ruderte wie ein Krebs. Wenn ihm nun dies mißfiel und ihn oft mit Scham und Kummer erfüllte, während es seiner Unerfahrenheit nicht klar war, wie die Dinge so gekommen, so wurden seine Sorgen wieder betäubt durch die Schmeichelei, mit der ihn die Mutter behandelte. Denn um in ihrem Unwesen ungestörter zu sein und einen guten Parteigänger zu haben, auch um ihrer Großtuerei zu genügen, ließ sie ihm zukommen, was er wünschte, kleidete ihn sauber und prahlerisch und unterstützte ihn in allem, was er zu seinem Vergnügen vornahm. Er ließ sich dies gefallen ohne viel Dankbarkeit, da ihm die Mutter viel zu viel dazu schwatzte und log; und indem er so wenig Freude daran empfand, tat er lässig und gedankenlos, was ihm gefiel, ohne daß dies jedoch etwas Übles war, weil er für jetzt noch unbeschädigt war vom Beispiele der Alten und das jugendliche Bedürfnis fühlte, im ganzen einfach, ruhig und leidlich tüchtig zu sein. Er war ziemlich genau so, wie sein Vater in diesem Alter gewesen war, und dieses flößte demselben eine unwillkürliche

Achtung vor dem Sohne ein, in welchem er mit verwirrtem
Gewissen und gepeinigter Erinnerung seine eigene Jugend
achtete. Trotz dieser Freiheit, welche Sali genoß, ward er seines Lebens doch nicht froh und fühlte wohl, wie er nichts
Rechtes vor sich hatte und ebensowenig etwas Rechtes lernte,
da von einem zusammenhängenden und vernunftgemäßen
Arbeiten in Manzens Hause längst nicht mehr die Rede war.
Sein bester Trost war daher, stolz auf seine Unabhängigkeit
und einstweilige Unbescholtenheit zu sein, und in diesem
Stolze ließ er die Tage trotzig verstreichen und wandte die Augen von der Zukunft ab.

Der einzige Zwang, dem er unterworfen, war die Feindschaft seines Vaters gegen alles, was Marti hieß und an diesen
erinnerte. Doch wußte er nichts anderes als daß Marti seinem
Vater Schaden zugefügt und daß man in dessen Hause ebenso
feindlich gesinnt sei, und es fiel ihm daher nicht schwer, weder
den Marti noch seine Tochter anzusehen und seinerseits auch
einen angehenden, doch ziemlich zahmen Feind vorzustellen.
Vrenchen hingegen, welches mehr erdulden mußte als Sali und
in seinem Hause viel verlassener war, fühlte sich weniger zu einer förmlichen Feindschaft aufgelegt und glaubte sich nur verachtet von dem wohlgekleideten und scheinbar glücklicheren
Sali; deshalb verbarg sie sich vor ihm, und wenn er irgendwo
nur in der Nähe war, so entfernte sie sich eilig, ohne daß er sich
die Mühe gab ihr nachzublicken. So kam es, daß er das
Mädchen schon seit ein paar Jahren nicht mehr in der Nähe gesehen und gar nicht wußte, wie es aussah, seit es herangewachsen. Und doch wunderte es ihn zuweilen ganz gewaltig,
und wenn überhaupt von den Martis gesprochen wurde, so
dachte er unwillkürlich nur an die Tochter, deren jetziges Aussehen ihm nicht deutlich und deren Andenken ihm gar nicht
verhaßt war.

Doch war sein Vater Manz nun der erste von den beiden
Feinden, der sich nicht mehr halten konnte und von Haus und
Hof springen mußte. Dieser Vortritt rührte daher, daß er eine
Frau besaß, die ihm geholfen, und einen Sohn, der doch auch

einiges mit brauchte, während Marti der einzige Verzehrer war in seinem wackeligen Königreich, und seine Tochter durfte wohl arbeiten wie ein Haustierchen, aber nichts gebrauchen. Manz aber wußte nichts anderes anzufangen als auf den Rat seiner Seldwyler Gönner in die Stadt zu ziehen und da sich als Wirt aufzutun. Es ist immer betrüblich anzusehen, wenn ein ehemaliger Landmann, der auf dem Felde alt geworden ist, mit den Trümmern seiner Habe in eine Stadt zieht und da eine Schenke oder Kneipe auftut, um als letzten Rettungsanker den freundlichen und gewandten Wirt zu machen, während es ihm nichts weniger als freundlich zu Mut ist. Als die Manzen vom Hofe zogen, sah man erst, wie arm sie bereits waren; denn sie luden lauter alten und zerfallenden Hausrat auf, dem man es ansah, daß seit vielen Jahren nichts erneuert und angeschafft worden war. Die Frau legte aber nichtsdestominder ihren besten Staat an, als sie sich oben auf die Gerümpelfuhre setzte, und machte ein Gesicht voller Hoffnungen, als künftige Stadtfrau schon mit Verachtung auf die Dorfgenossen herabsehend, welche voll Mitleid hinter den Hecken hervor dem bedenklichen Zuge zuschauten. Denn sie nahm sich vor, mit ihrer Liebenswürdigkeit und Klugheit die ganze Stadt zu bezaubern, und was ihr versimpelter Mann nicht machen könne, das wolle sie schon ausrichten, wenn sie nur erst einmal als Frau Wirtin in einem stattlichen Gasthofe säße. Dieser Gasthof bestand aber in einer trübseligen Winkelschenke in einem abgelegenen schmalen Gäßchen, auf der eben ein anderer zu Grunde gegangen war und welche die Seldwyler dem Manz verpachteten, da er noch einige hundert Taler einzuziehen hatte. Sie verkauften ihm auch ein paar Fäßchen angemachten Weines und das Wirtschaftsmobiliar, das aus einem Dutzend weißen geringen Flaschen, ebensoviel Gläsern und einigen tannenen Tischen und Bänken bestand, welche einst blutrot angestrichen gewesen und jetzt vielfältig abgescheuert waren. Vor dem Fenster knarrte ein eiserner Reifen in einem Haken und in dem Reifen schenkte eine blecherne Hand Rotwein aus einem Schöppchen in ein Glas. Überdies hing ein verdorrter Busch

von Stechpalme über der Haustüre, was Manz alles mit in die
Pacht bekam. Um deswillen war er nicht so wohlgemut wie
seine Frau, sondern trieb mit schlimmer Ahnung und voll In-
grimm die mageren Pferde an, welche er vom neuen Bauern
geliehen. Das letzte schäbige Knechtchen, das er gehabt, hatte
ihn schon seit einigen Wochen verlassen. Als er solcherweise
abfuhr, sah er wohl, wie Marti voll Hohn und Schadenfreude
sich unfern der Straße zu schaffen machte, fluchte ihm und
hielt denselben für den alleinigen Urheber seines Unglückes.
Sali aber, sobald das Fuhrwerk im Gange war, beschleunigte
seine Schritte, eilte voraus und ging allein auf Seitenwegen
nach der Stadt.

»Da wären wir!« sagte Manz, als die Fuhre vor dem Spelun-
kelein anhielt. Die Frau erschrak darüber, denn das war in der
Tat ein trauriger Gasthof. Die Leute traten eilfertig unter die
Fenster und vor die Häuser, um sich den neuen Bauernwirt anzusehen, und machten mit ihrer Seldwyler Überlegenheit mitleidig spöttische Gesichter. Zornig und mit nassen Augen kletterte die Manzin vom Wagen herunter und lief, ihre Zunge
vorläufig wetzend, in das Haus, um sich heute vornehm nicht
wieder blicken zu lassen; denn sie schämte sich des schlechten
Gerätes und der verdorbenen Betten, welche nun abgeladen
wurden. Sali schämte sich auch, aber er mußte helfen und
machte mit seinem Vater einen seltsamen Verlag in dem
Gäßchen, auf welchem alsbald die Kinder der Falliten herumsprangen und sich über das verlumpte Bauernpack lustig
machten. Im Hause aber sah es noch trübseliger aus und es
glich einer vollkommenen Räuberhöhle. Die Wände waren
schlecht geweißtes feuchtes Mauerwerk, außer der dunklen
unfreundlichen Gaststube mit ihren ehemals blutroten Tischen waren nur noch ein paar schlechte Kämmerchen da, und
überall hatte der ausgezogene Vorgänger den trostlosesten
Schmutz und Kehricht zurückgelassen.

So war der Anfang und so ging es auch fort. Während der
ersten Woche kamen, besonders am Abend, wohl hin und wieder ein Tisch voll Leute aus Neugierde, den Bauernwirt zu se-

hen und ob es da vielleicht einigen Spaß absetzte. Am Wirt hatten sie nicht viel zu betrachten, denn Manz war ungelenk, starr, unfreundlich und melancholisch und wußte sich gar nicht zu benehmen, wollte es auch nicht wissen. Er füllte langsam und ungeschickt die Schöppchen, stellte sie mürrisch vor die Gäste und versuchte etwas zu sagen, brachte aber nichts heraus. Desto eifriger warf sich nun seine Frau ins Geschirr und hielt die Leute wirklich einige Tage zusammen, aber in einem ganz andern Sinne als sie meinte. Die ziemlich dicke Frau hatte sich eine eigene Haustracht zusammengesetzt, in der sie unwiderstehlich zu sein glaubte. Zu einem leinenen ungefärbten Landrock trug sie einen alten grünseidenen Spenser, eine baumwollene Schürze und einen schlimmen weißen Halskragen. Von ihrem nicht mehr dichten Haar hatte sie an den Schläfen possierliche Schnecken gewickelt und in das Zöpfchen hinten einen hohen Kamm gesteckt. So schwänzelte und tänzelte sie mit angestrengter Anmut herum, spitzte lächerlich das Maul, daß es süß aussehen sollte, hüpfte elastisch an die Tische hin, und das Glas oder den Teller mit gesalzenem Käse hinsetzend, sagte sie lächelnd: »So so? so soll! herrlich herrlich, ihr Herren!« und solches dummes Zeug mehr; denn obwohl sie sonst eine geschliffene Zunge hatte, so wußte sie jetzt doch nichts Gescheites vorzubringen, da sie fremd war und die Leute nicht kannte. Die Seldwyler von der schlechtesten Sorte, die da hockten, hielten die Hand vor den Mund, wollten vor Lachen ersticken, stießen sich unter dem Tisch mit den Füßen und sagten: »Potz tausig! das ist ja eine Herrliche!« »Eine Himmlische!« sagte ein anderer, »beim ewigen Hagel! es ist der Mühe wert, hierher zu kommen, so eine haben wir lang nicht gesehen!« Ihr Mann bemerkte das wohl mit finsterm Blicke; er gab ihr einen Stoß in die Rippen und flüsterte: »Du alte Kuh! Was machst du denn?« »Störe mich nicht«, sagte sie unwillig, »du alter Tolpatsch! siehst du nicht, wie ich mir Mühe gebe und mit den Leuten umzugehen weiß? Das sind aber nur Lumpen von deinem Anhang! Laß mich nur machen, ich will bald fürnehmere Kundschaft hier haben!« Dies alles

war beleuchtet von einem oder zwei dünnen Talglichten; Sali,
der Sohn, aber ging hinaus in die dunkle Küche, setzte sich auf
den Herd und weinte über Vater und Mutter.

Die Gäste hatten aber das Schauspiel bald satt, welches ihnen die gute Frau Manz gewährte, und blieben wieder, wo es
ihnen wohler war und sie über die wunderliche Wirtschaft
lachen konnten; nur dann und wann erschien ein einzelner,
der ein Glas trank und die Wände angähnte, oder es kam ausnahmsweise eine ganze Bande, die armen Leute mit einem
vorübergehenden Trubel und Lärm zu täuschen. Es ward
ihnen angst und bange in dem engen Mauerwinkel, wo sie
kaum die Sonne sahen, und Manz, welcher sonst gewohnt
war tagelang in der Stadt zu liegen, fand es jetzt unerträglich
zwischen diesen Mauern. Wenn er an die freie Weite der Felder dachte, so stierte er finster brütend an die Decke oder auf
den Boden, lief unter die enge Haustüre und wieder zurück,
da die Nachbaren den bösen Wirt, wie sie ihn schon nannten,
angafften. Nun dauerte es aber nicht mehr lange und sie verarmten gänzlich und hatten gar nichts mehr in der Hand; sie
mußten, um ewas zu essen, warten, bis einer kam und für
wenig Geld etwas von dem noch vorhandenen Wein verzehrte, und wenn er eine Wurst oder dergleichen begehrte, so
hatten sie oft die größte Angst und Sorge, dieselbe beizutrei-
ben. Bald hatten sie auch den Wein nur noch in einer großen
Flasche verborgen, die sie heimlich in einer anderen Kneipe
füllen ließen, und so sollten sie nun die Wirte machen ohne
Wein und Brot und freundlich sein, ohne ordentlich gegessen
zu haben. Sie waren beinahe froh, wenn nur niemand kam,
und hockten so in ihrem Kneipchen, ohne leben noch sterben
zu können. Als die Frau diese traurigen Erfahrungen machte,
zog sie den grünen Spenser wieder aus und nahm abermals
eine Veränderung vor, indem sie nun, wie früher die Fehler,
so nun einige weibliche Tugenden aufkommen ließ und mehr
ausbildete, da Not an den Mann ging. Sie übte Geduld und
suchte den Alten aufrecht zu halten und den Jungen zum
Guten anzuweisen; sie opferte sich vielfältig in allerlei Din-

gen, kurz, sie übte in ihrer Weise eine Art von wohltätigem
Einfluß, der zwar nicht weit reichte und nicht viel besserte,
aber immerhin besser war als gar nichts oder als das Gegenteil und die Zeit wenigstens verbringen half, welche sonst viel
früher hätte brechen müssen für diese Leute. Sie wußte manchen Rat zu geben nunmehr in erbärmlichen Dingen, nach
ihrem Verstande, und wenn der Rat nichts zu taugen schien
und fehlschlug, so ertrug sie willig den Grimm der Männer,
kurzum, sie tat jetzt alles, da sie alt war, was besser gedient
hätte, wenn sie es früher geübt.

Um wenigstens etwas Beißbares zu erwerben und die Zeit
zu verbringen, verlegten sich Vater und Sohn auf die Fischerei,
das heißt mit der Angelrute, soweit es für jeden erlaubt war, sie
in den Fluß zu hängen. Dies war auch eine Hauptbeschäfti-
gung der Seldwyler, nachdem sie falliert hatten. Bei günstigem
Wetter, wenn die Fische gern anbissen, sah man sie dutzend-
weise hinauswandern mit Rute und Eimer, und wenn man an
den Ufern des Flusses wandelte, hockte alle Spanne lang einer,
der angelte, der eine in einem langen braunen Bürgerrock, die
bloßen Füße im Wasser, der andere in einem spitzen blauen
Frack auf einer alten Weide stehend, den alten Filz schief auf
dem Ohre; weiterhin angelte gar einer im zerrissenen großblu-
migen Schlafrock, da er keinen andern mehr besaß, die lange
Pfeife in der einen, die Rute in der anderen Hand, und wenn
man um eine Krümmung des Flusses bog, stand ein alter kahl-
köpfiger Dickbauch faselnackt auf einem Stein und angelte;
dieser hatte, trotz des Aufenthaltes am Wasser, so schwarze
Füße, daß man glaubte, er habe die Stiefel anbehalten. Jeder
hatte ein Töpfchen oder ein Schächtelchen neben sich, in welchem Regenwürmer wimmelten, nach denen sie zu andern
Stunden zu graben pflegten. Wenn der Himmel mit Wolken
bezogen und es ein schwüles dämmeriges Wetter war, welches
Regen verkündete, so standen diese Gestalten am zahlreich-
sten an dem ziehenden Strome, regungslos gleich einer Galerie
von Heiligen- oder Prophetenbildern. Achtlos zogen die
Landleute mit Vieh und Wagen an ihnen vorüber, und die

Schiffer auf dem Flusse sahen sie nicht an, während sie leise murrten über die störenden Schiffe.

Wenn man Manz vor zwölf Jahren, als er mit einem schönen Gespann pflügte auf dem Hügel über dem Ufer, geweissagt hätte, er würde sich einst zu diesen wunderlichen Heiligen gesellen und gleich ihnen Fische fangen, so wäre er nicht übel aufgefahren. Auch eilte er jetzt hastig an ihnen vorüber hinter ihren Rücken und eilte stromaufwärts gleich einem eigensinnigen Schatten der Unterwelt, der sich zu seiner Verdammnis ein bequemes einsames Plätzchen sucht an den dunklen Wässern. Mit der Angelrute zu stehen hatten er und sein Sohn indessen keine Geduld und sie erinnerten sich der Art, wie die Bauern auf manche andere Weise etwa Fische fangen, wenn sie übermütig sind, besonders mit den Händen in den Bächen; daher nahmen sie die Ruten nur zum Schein mit und gingen an den Borden der Bäche hinauf, wo sie wußten, daß es teure und gute Forellen gab.

Dem auf dem Lande zurückgebliebenen Marti ging es inzwischen auch immer schlimmer und es war ihm höchst langweilig dabei, so daß er, anstatt auf seinem vernachlässigten Felde zu arbeiten, ebenfalls auf das Fischen verfiel und tagelang im Wasser herumplätscherte. Vrenchen durfte nicht von seiner Seite und mußte ihm Eimer und Gerät nachtragen durch nasse Wiesengründe, durch Bäche und Wassertümpel allerart, bei Regen und Sonnenschein, indessen sie das Notwendigste zu Hause liegen lassen mußte. Denn es war sonst keine Seele mehr da und wurde auch keine gebraucht, da Marti das meiste Land schon verloren hatte und nur noch wenige Äcker besaß, die er mit seiner Tochter liederlich genug oder gar nicht bebaute.

So kam es, daß, als er eines Abends einen ziemlich tiefen und reißenden Bach entlang ging, in welchem die Forellen fleißig sprangen, da der Himmel voll Gewitterwolken hing, er unverhofft auf seinen Feind Manz traf, der an dem andern Ufer daherkam. Sobald er ihn sah, stieg ein schrecklicher Groll und Hohn in ihm auf; sie waren sich seit Jahren nicht so nahe gewesen, ausgenommen vor den Gerichtsschranken, wo sie nicht schelten durften, und Marti rief jetzt voll Grimm: »Was tust du hier, du Hund? Kannst du nicht in deinem Lotterneste bleiben, du Seldwyler Lumpenhund?«

»Wirst nächstens wohl auch ankommen, du Schelm!« rief Manz. »Fische fängst du ja auch schon und wirst deshalb nicht viel mehr zu versäumen haben!«

»Schweig, du Galgenhund!« schrie Marti, da hier die Wellen des Baches stärker rauschten, »du hast mich ins Unglück gebracht!« Und da jetzt auch die Weiden am Bache gewaltig zu rauschen anfingen im aufgehenden Wetterwind, so mußte Manz noch lauter schreien: »Wenn dem nur so wäre, so wollte ich mich freuen, du elender Tropf!« »O du Hund!« schrie Marti herüber und Manz hinüber: »O du Kalb, wie dumm tust du!« Und jener sprang wie ein Tiger den Bach entlang und suchte herüberzukommen. Der Grund, warum er der Wütendere war, lag in seiner Meinung, daß Manz als Wirt wenigstens genug zu essen und zu trinken hätte und gewissermaßen ein kurzweiliges Leben führe, während es ungerechterweise ihm so langweilig wäre auf seinem zertrümmerten Hofe. Manz schritt indessen auch grimmig genug an der anderen Seite hin; hinter ihm sein Sohn, welcher, statt auf den bösen Streit zu hören, neugierig und verwundert nach Vrenchen hinübersah, welche hinter ihrem Vater ging, vor Scham in die Erde sehend, daß ihr die braunen krausen Haare ins Gesicht fielen. Sie trug einen hölzernen Fischeimer in der einen Hand, in der anderen hatte sie Schuh und Strümpfe getragen und ihr Kleid der Nässe wegen aufgeschürzt. Seit aber Sali auf der anderen Seite ging, hatte sie es schamhaft sinken lassen und war nun dreifach belästigt und gequält, da sie alle das Zeug tragen, den Rock zusammenhalten und des Streites wegen sich grämen mußte. Hätte sie aufgesehen und nach Sali geblickt, so würde sie entdeckt haben, daß er weder vornehm noch sehr stolz mehr aussah und selbst bekümmert genug war. Während Vrenchen so ganz beschämt und verwirrt auf die Erde sah und Sali nur diese in allem Elende schlanke und anmutige Gestalt im Auge hatte,

die so verlegen und demütig dahinschritt, beachteten sie dabei
nicht, wie ihre Väter still geworden, aber mit verstärkter Wut
einem hölzernen Stege zueilten, der in kleiner Entfernung
über den Bach führte und eben sichtbar wurde. Es fing an zu
blitzen und erleuchtete seltsam die dunkle melancholische
Wassergegend; es donnerte auch in den grauschwarzen Wolken mit dumpfem Grolle und schwere Regentropfen fielen, als
die verwilderten Männer gleichzeitig auf die schmale, unter
ihren Tritten schwankende Brücke stürzten, sich gegenseitig
packten und die Fäuste in die vor Zorn und ausbrechendem
Kummer bleichen zitternden Gesichter schlugen. Es ist nichts
Anmutiges und nichts weniger als artig, wenn sonst gesetzte
Menschen noch in den Fall kommen, aus Übermut, Unbe-
dacht oder Notwehr unter allerhand Volk, das sie nicht näher
berührt, Schläge auszuteilen oder welche zu bekommen; allein
dies ist eine harmlose Spielerei gegen das tiefe Elend, das zwei
alte Menschen überwältigt, die sich wohl kennen und seit
lange kennen, wenn diese aus innerster Feindschaft und aus
dem Gange einer ganzen Lebensgeschichte heraus sich mit
nackten Händen anfassen und mit Fäusten schlagen. So taten
jetzt diese beide ergrauten Männer; vor fünfzig Jahren vielleicht hatten sie sich als Buben zum letzten Mal gerauft, dann
aber fünfzig lange Jahre mit keiner Hand mehr berührt, ausgenommen in ihrer guten Zeit, wo sie sich etwa zum Gruße die
Hände geschüttelt, und auch dies nur selten bei ihrem trockenen und sichern Wesen. Nachdem sie ein- oder zweimal geschlagen, hielten sie inne und rangen still zitternd miteinander,
nur zuweilen aufstöhnend und elendiglich knirschend, und einer suchte den andern über das knackende Geländer ins Wasser zu werfen. Jetzt waren aber auch ihre Kinder nachgekom-
men und sahen den erbärmlichen Auftritt. Sali sprang eines
Satzes heran, um seinem Vater beizustehen und ihm zu helfen,
dem gehaßten Feinde den Garaus zu machen, der ohnehin der
Schwächere schien und eben zu unterliegen drohte. Aber auch
Vrenchen sprang, alles wegwerfend, mit einem langen Aufschrei herzu und umklammerte ihren Vater, um ihn zu schüt-

zen, während sie ihn dadurch nur hinderte und beschwerte. Tränen strömten aus ihren Augen und sie sah flehend den Sali an, der im Begriff war, ihren Vater ebenfalls zu fassen und vollends zu überwältigen. Unwillkürlich legte er aber seine Hand an seinen eigenen Vater und suchte denselben mit festem Arm von dem Gegner loszubringen und zu beruhigen, so daß der Kampf eine kleine Weile ruhte oder vielmehr die ganze Gruppe unruhig hin und her drängte, ohne auseinander zu kommen. Darüber waren die jungen Leute, sich mehr zwischen die Alten schiebend, in dichte Berührung gekommen, und in diesem Augenblicke erhellte ein Wolkenriß, der den grellen Abendschein durchließ, das nahe Gesicht des Mädchens, und Sali sah in dies ihm so wohlbekannte und doch so viel anders und schöner gewordene Gesicht. Vrenchen sah in diesem Augenblicke auch sein Erstaunen und es lächelte ganz kurz und geschwind mitten in seinem Schrecken und in seinen Tränen ihn an. Doch ermannte sich Sali, geweckt durch die Anstrengungen seines Vaters, ihn abzuschütteln, und brachte ihn mit eindringlich bittenden Worten und fester Haltung endlich ganz von seinem Feinde weg. Beide alte Gesellen atmeten hoch auf und begannen jetzt wieder zu schelten und zu schreien, sich voneinander abwendend; ihre Kinder aber atmeten kaum und waren still wie der Tod, gaben sich aber im Wegwenden und Trennen, ungesehen von den Alten, schnell die Hände, welche vom Wasser und von den Fischen feucht und kühl waren.

Als die grollenden Parteien ihrer Wege gingen, hatten die Wolken sich wieder geschlossen, es dunkelte mehr und mehr und der Regen goß nun in Bächen durch die Luft. Manz schlenderte voraus auf den dunklen nassen Wegen, er duckte sich, beide Hände in den Taschen, unter den Regengüssen, zitterte noch in seinen Gesichtszügen und mit den Zähnen und ungesehene Tränen rieselten ihm in den Stoppelbart, die er fließen ließ, um sie durch das Wegwischen nicht zu verraten. Sein Sohn hatte aber nichts gesehen, weil er in glückseligen Bildern verloren daherging. Er merkte weder Regen noch

Sturm, weder Dunkelheit noch Elend; sondern leicht, hell und
warm war es ihm innen und außen und er fühlte sich so reich
und wohlgeborgen wie ein Königssohn. Er sah fortwährend
das sekundenlange Lächeln des nahen schönen Gesichtes und
erwiderte dasselbe erst jetzt, eine gute halbe Stunde nachher,
indem er voll Liebe in Nacht und Wetter hinein und das liebe
Gesicht anlachte, das ihm allerwegen aus dem Dunkel entgegentrat, so daß er glaubte, Vrenchen müsse auf seinen Wegen
dies Lachen notwendig sehen und seiner inne werden.

Sein Vater war des andern Tags wie zerschlagen und wollte
nicht aus dem Hause. Der ganze Handel und das vieljährige
Elend nahm heute eine neue, deutlichere Gestalt an und breitete sich dunkel aus in der drückenden Luft der Spelunke, also
daß Mann und Frau matt und scheu um das Gespenst herum-
schlichen, aus der Stube in die dunklen Kämmerchen, von da
in die Küche und aus dieser wieder sich in die Stube schlepp-
ten, in welcher kein Gast sich sehen ließ. Zuletzt hockte jedes
in einem Winkel und begann den Tag über ein müdes, halbto-
tes Zanken und Vorhalten mit dem andern, wobei sie zeitweise
einschliefen, von unruhigen Tagträumen geplagt, welche aus
dem Gewissen kamen und sie wieder weckten. Nur Sali sah
und hörte nichts davon, denn er dachte nur an Vrenchen. Es
war ihm immer noch zu Mut, nicht nur als ob er unsäglich
reich wäre, sondern auch was Rechts gelernt hätte und unendlich viel Schönes und Gutes wüßte, da er nun so deutlich und
bestimmt um das wußte, was er gestern gesehen. Diese Wissenschaft war ihm wie vom Himmel gefallen und er war in einer unaufhörlichen glücklichen Verwunderung darüber; und
doch war es ihm, als ob er es eigentlich von jeher gewußt und
gekannt hätte, was ihn jetzt mit so wundersamer Süßigkeit erfüllte. Denn nichts gleicht dem Reichtum und der Unergründ-
lichkeit eines Glückes, das an den Menschen herantritt in einer
so klaren und deutlichen Gestalt, vom Pfäfflein getauft und
wohl versehen mit einem eigenen Namen, der nicht tönt wie
andere Namen.

Sali fühlte sich an diesem Tage weder müßig noch unglücklich, weder arm noch hoffnungslos; vielmehr war er vollauf beschäftigt, sich Vrenchens Gesicht und Gestalt vorzustellen, unaufhörlich, eine Stunde wie die andere; über dieser aufgeregten Tätigkeit aber verschwand ihm der Gegenstand derselben fast vollständig, das heißt er bildete sich endlich ein, nun doch nicht zu wissen, wie Vrenchen recht genau aussehe, er habe wohl ein allgemeines Bild von ihr im Gedächtnis, aber wenn er sie beschreiben sollte, so könnte er das nicht. Er sah fortwährend dies Bild, als ob es vor ihm stände, und fühlte seinen angenehmen Eindruck, und doch sah er es nur wie etwas, das man eben nur ein Mal gesehen, in dessen Gewalt man liegt und das man doch noch nicht kennt. Er erinnerte sich genau der Gesichtszüge, welche das kleine Dirnchen einst gehabt, mit großem Wohlgefallen, aber nicht eigentlich derjenigen, welche er gestern gesehen. Hätte er Vrenchen nie wieder zu sehen bekommen, so hätten sich seine Erinnerungskräfte schon behelfen müssen und das liebe Gesicht säuberlich wieder zusammengetragen, daß nicht ein Zug daran fehlte. Jetzt aber versagten sie schlau und hartnäckig ihren Dienst, weil die Augen nach ihrem Recht und ihrer Lust verlangten, und als am Nachmittage die Sonne warm und hell die oberen Stockwerke der schwarzen Häuser beschien, strich Sali aus dem Tore und seiner alten Heimat zu, welche ihm jetzt erst ein himmlisches Jerusalem zu sein schien mit zwölf glänzenden Pforten und die sein Herz klopfen machte, als er sich ihr näherte.

Er stieß auf dem Wege auf Vrenchens Vater, welcher nach der Stadt zu gehen schien. Der sah sehr wild und liederlich aus, sein grau gewordener Bart war seit Wochen nicht geschoren, und er sah aus wie ein recht böser verlorener Bauersmann, der sein Feld verscherzt hat und nun geht, um andern Übles zuzufügen. Dennoch sah ihn Sali, als sie sich vorübergingen, nicht mehr mit Haß, sondern voll Furcht und Scheu an, als ob sein Leben in dessen Hand stände und er es lieber von ihm erflehen als ertrotzen möchte. Marti aber maß ihn mit einem bösen Blicke von oben bis unten und ging seines Weges. Das war

indessen dem Sali recht, welchem es nun, da er den Alten das
Dorf verlassen sah, deutlicher wurde, was er eigentlich da
wolle, und er schlich sich auf altbekannten Pfaden so lange um
das Dorf herum und durch dessen verdeckte Gäßchen, bis er
sich Martis Haus und Hof gegenüber befand. Seit mehreren
Jahren hatte er diese Stätte nicht mehr so nah gesehen; denn
auch als sie noch hier wohnten, hüteten sich die verfeindeten
Leute gegenseitig, sich ins Gehege zu kommen. Deshalb war
er nun erstaunt über das, was er doch an seinem eigenen Va-
terhause erlebt, und starrte voll Verwunderung in die Wüstenei, die er vor sich sah. Dem Marti war ein Stück Ackerland
um das andere abgepfändet worden, er besaß nichts mehr als
das Haus und den Platz davor nebst etwas Garten und dem
Acker auf der Höhe am Flusse, von welchem er hartnäckig am
längsten nicht lassen wollte.

Es war aber keine Rede mehr von einer ordentlichen Be-
bauung, und auf dem Acker, der einst so schön im gleichmäßigen Korne gewogt, wenn die Ernte kam, waren jetzt allerhand abfällige Samenreste gesäet und aufgegangen, aus alten
Schachteln und zerrissenen Düten zusammengekehrt, Rüben,
Kraut und dergleichen und etwas Kartoffeln, so daß der Acker
aussah wie ein recht übel gepflegter Gemüseplatz und eine
wunderliche Musterkarte war, dazu angelegt, um von der
Hand in den Mund zu leben, hier eine Handvoll Rüben auszureißen, wenn man Hunger hatte und nichts Besseres wußte,
dort eine Tracht Kartoffeln oder Kraut, und das übrige fort-
wuchern oder verfaulen zu lassen, wie es mochte. Auch lief jedermann darin herum, wie es ihm gefiel, und das schöne breite
Stück Feld sah beinahe so aus wie einst der herrenlose Acker,
von dem alles Unheil herkam. Deshalb war um das Haus nicht
eine Spur von Ackerwirtschaft zu sehen. Der Stall war leer, die
Türe hing nur in einer Angel, und unzählige Kreuzspinnen,
den Sommer hindurch halb groß geworden, ließen ihre Fäden
in der Sonne glänzen vor dem dunklen Eingang. An dem offenstehenden Scheunentor, wo einst die Früchte des festen
Landes eingefahren, hing schlechtes Fischergeräte, zum Zeug-

nis der verkehrten Wasserpfuscherei; auf dem Hofe war nicht ein Huhn und nicht eine Taube, weder Katze noch Hund zu sehen; nur der Brunnen war noch als etwas Lebendiges da, aber er floß nicht mehr durch die Röhre, sondern sprang durch einen Riß nahe am Boden über diesen hin und setzte überall kleine Tümpel an, so daß er das beste Sinnbild der Faulheit abgab. Denn während mit wenig Mühe des Vaters das Loch zu verstopfen und die Röhre herzustellen gewesen wäre, mußte sich Vrenchen nun abquälen, selbst das lautere Wasser dieser Verkommenheit abzugewinnen und seine Wäscherei in den seichten Sammlungen am Boden vorzunehmen statt in dem vertrockneten und zerspellten Troge. Das Haus selbst war ebenso kläglich anzusehen; die Fenster waren vielfältig zerbrochen und mit Papier verklebt, aber doch waren sie das Freundlichste an dem Verfall; denn sie waren, selbst die zerbrochenen Scheiben, klar und sauber gewaschen, ja förmlich poliert, und glänzten so hell wie Vrenchens Augen, welche ihm in seiner Armut ja auch allen übrigen Staat ersetzen mußten. Und wie die krausen Haare und die rotgelben Kattunhalstücher zu Vrenchens Augen, stand zu diesen blinkenden Fenstern das wilde grüne Gewächs, was da durcheinander rankte um das Haus, flatternde Bohnenwäldchen und eine ganze duftende Wildnis von rotgelbem Goldlack. Die Bohnen hielten sich, so gut sie konnten, hier an einem Harkenstiel oder an einem verkehrt in die Erde gesteckten Stumpfbesen, dort an einer von Rost zerfressenen Helbarte oder Sponton, wie man es nannte, als Vrenchens Großvater das Ding als Wachtmeister getragen, welches es jetzt aus Not in die Bohnen gepflanzt hatte; dort kletterten sie wieder lustig eine verwitterte Leiter empor, die am Hause lehnte seit undenklichen Zeiten, und hingen von da in die klaren Fensterchen hinunter wie Vrenchens Kräuselhaare in seine Augen. Dieser mehr malerische als wirtliche Hof lag etwas beiseit und hatte keine näheren Nachbarhäuser, auch ließ sich in diesem Augenblicke nirgends eine lebendige Seele wahrnehmen; Sali lehnte daher in aller Sicherheit an einem alten Scheunchen, etwa dreißig Schritte entfernt,

und schaute unverwandt nach dem stillen wüsten Hause hinüber. Eine geraume Zeit lehnte und schaute er so, als Vrenchen
unter die Haustür kam und lange vor sich hin blickte, wie mit
allen ihren Gedanken an einem Gegenstande hängend. Sali
rührte sich nicht und wandte kein Auge von ihr. Als sie endlich zufällig in dieser Richtung hinsah, fiel er ihr in die Augen.
Sie sahen sich eine Weile an, herüber und hinüber, als ob sie
eine Lufterscheinung betrachteten, bis sich Sali endlich aufrichtete und langsam über die Straße und über den Hof ging
auf Vrenchen los. Als er dem Mädchen nahe war, streckte er
seine Hände gegen ihn aus und sagte: »Sali!« Er ergriff die
Hände und sah ihr immerfort ins Gesicht. Tränen stürzten aus
ihren Augen, während sie unter seinen Blicken vollends dun-
kelrot wurde, und sie sagte: »Was willst du hier?« »Nur dich
sehen!« erwiderte er, »wollen wir nicht wieder gute Freunde
sein?« »Und unsere Eltern?« fragte Vrenchen, sein weinendes
Gesicht zur Seite neigend, da es die Hände nicht frei hatte, um
es zu bedecken. »Sind wir schuld an dem, was sie getan und geworden sind?« sagte Sali, »vielleicht können wir das Elend nur
gut machen, wenn wir zwei zusammenhalten und uns recht
lieb sind!« »Es wird nie gut kommen«, antwortete Vrenchen
mit einem tiefen Seufzer, »geh in Gottes Namen deiner Wege,
Sali!« »Bist du allein?« fragte dieser, »kann ich einen Augenblick hineinkommen?« »Der Vater ist zur Stadt, wie er sagte,
um deinem Vater irgend etwas anzuhängen; aber hereinkom-
men kannst du nicht, weil du später vielleicht nicht so ungesehen weggehen kannst wie jetzt. Noch ist alles still und niemand um den Weg, ich bitte dich, geh jetzt!« »Nein, so geh ich
nicht! Ich mußte seit gestern immer an dich denken, und ich
geh nicht so fort, wir müssen miteinander reden, wenigstens
eine halbe Stunde lang oder eine Stunde, das wird uns gut
tun!« Vrenchen besann sich ein Weilchen und sagte dann: »Ich
geh gegen Abend auf unsern Acker hinaus, du weißt welchen,
wir haben nur noch den, und hole etwas Gemüse. Ich weiß,
daß niemand weiter dort sein wird, weil die Leute anderswo
schneiden; wenn du willst, so komm dorthin, aber jetzt geh

und nimm dich in Acht, daß dich niemand sieht! Wenn auch kein Mensch hier mehr mit uns umgeht, so würden sie doch ein solches Gerede machen, daß es der Vater sogleich vernähme.« Sie ließen sich jetzt die Hände frei, ergriffen sie aber auf der Stelle wieder und beide sagten gleichzeitig: »Und wie geht es dir auch?« Aber statt sich zu antworten, fragten sie das gleiche aufs neue und die Antwort lag nur in den beredten Augen, da sie nach Art der Verliebten die Worte nicht mehr zu lenken wußten und, ohne sich weiter etwas zu sagen, endlich halb selig und halb traurig auseinanderhuschten. »Ich komme recht bald hinaus, geh nur gleich hin!« rief Vrenchen noch nach.

Sali ging auch alsobald auf die stille schöne Anhöhe hinaus, über welche die zwei Äcker sich erstreckten, und die prächtige stille Julisonne, die fahrenden weißen Wolken, welche über das reife wallende Kornfeld wegzogen, der glänzende blaue Fluß, der unten vorüberwallte, alles dies erfüllte ihn zum ersten Male seit langen Jahren wieder mit Glück und Zufriedenheit statt mit Kummer, und er warf sich der Länge nach in den durchsichtigen Halbschatten des Kornes, wo dasselbe Martis wilden Acker begrenzte, und guckte glückselig in den Himmel.

Obgleich es kaum eine Viertelstunde währte, bis Vrenchen nachkam, und er an nichts anderes dachte als an sein Glück und dessen Namen, stand es doch plötzlich und unverhofft vor ihm, auf ihn niederlächelnd, und froh erschreckt sprang er auf. »Vreeli!« rief er, und dieses gab ihm still und lächelnd beide Hände, und Hand in Hand gingen sie nun das flüsternde Korn entlang bis gegen den Fluß hinunter und wieder zurück, ohne viel zu reden; sie legten zwei- und dreimal den Hin- und Herweg zurück, still, glückselig und ruhig, so daß dieses einige Paar nun auch einem Sternbilde glich, welches über die sonnige Rundung der Anhöhe und hinter derselben niederging, wie einst die sicher gehenden Pflugzüge ihrer Väter. Als sie aber einsmals die Augen von den blauen Kornblumen aufschlugen, an denen sie gehaftet, sahen sie plötzlich einen andern dunklen Stern vor sich her gehen, einen schwärzlichen

Kerl, von dem sie nicht wußten, woher er so unversehens gekommen. Er mußte im Korne gelegen haben; Vrenchen zuckte
zusammen und Sali sagte erschreckt: »Der schwarze Geiger!«
In der Tat trug der Kerl, der vor ihnen her strich, eine Geige
mit dem Bogen unter dem Arm und sah übrigens schwarz genug aus; neben einem schwarzen Filzhütchen und einem
schwarzen rußigen Kittel, den er trug, war auch sein Haar
pechschwarz so wie der ungeschorene Bart, das Gesicht und
die Hände aber ebenfalls geschwärzt; denn er trieb allerlei
Handwerk, meistens Kesselflicken, half auch den Kohlenbrennern und Pechsiedern in den Wäldern und ging mit der
Geige nur auf einen guten Schick aus, wenn die Bauern irgendwo lustig waren und ein Fest feierten. Sali und Vrenchen
gingen mäuschenstill hinter ihm drein und dachten, er würde
vom Felde gehen und verschwinden, ohne sich umzusehen,
und so schien es auch zu sein, denn er tat, als ob er nichts von
ihnen merkte. Dazu waren sie in einem seltsamen Bann, daß
sie nicht wagten den schmalen Pfad zu verlassen und dem unheimlichen Gesellen unwillkürlich folgten bis an das Ende des
Feldes, wo jener ungerechte Steinhaufen lag, der das immer
noch streitige Ackerzipfelchen bedeckte. Eine zahllose Menge
von Mohnblumen oder Klatschrosen hatte sich darauf ange-
siedelt, weshalb der kleine Berg feuerrot aussah zur Zeit.
Plötzlich sprang der schwarze Geiger mit einem Satze auf die
rotbekleidete Steinmasse hinauf, kehrte sich und sah ringsum.
Das Pärchen blieb stehen und sah verlegen zu dem dunklen
Burschen hinauf; denn vorbei konnten sie nicht gehen, weil
der Weg in das Dorf führte, und umkehren mochten sie auch
nicht vor seinen Augen. Er sah sie scharf an und rief: »Ich
kenne euch, ihr seid die Kinder derer, die mir den Boden hier
gestohlen haben! Es freut mich zu sehen, wie gut ihr gefahren
seid, und werde gewiß noch erleben, daß ihr vor mir den Weg
alles Fleisches geht! Seht mich nur an, ihr zwei Spatzen! Gefällt euch meine Nase, wie?« In der Tat besaß er eine schreckbare Nase, welche wie ein großes Winkelmaß aus dem dürren
schwarzen Gesicht ragte oder eigentlich mehr einem tüchtigen

Knebel oder Prügel glich, welcher in dies Gesicht geworfen worden war und unter dem ein kleines rundes Löchelchen von einem Munde sich seltsam stutzte und zusammenzog, aus dem er unaufhörlich pustete, pfiff und zischte. Dazu stand das kleine Filzhütchen ganz unheimlich, welches nicht rund und nicht eckig und so sonderlich geformt war, daß es alle Augenblicke seine Gestalt zu verändern schien, obgleich es unbeweglich saß, und von den Augen des Kerls war fast nichts als das Weiße zu sehen, da die Sterne unaufhörlich auf einer blitzschnellen Wanderung begriffen waren und wie zwei Hasen im Zickzack umhersprangen. »Seht mich nur an«, fuhr er fort, »eure Väter kennen mich wohl und jedermann in diesem Dorfe weiß, wer ich bin, wenn er nur meine Nase ansieht. Da haben sie vor Jahren ausgeschrieben, daß ein Stück Geld für den Erben dieses Ackers bereit liege; ich habe mich zwanzigmal gemeldet, aber ich habe keinen Taufschein und keinen Heimatschein, und meine Freunde, die Heimatlosen, die meine Geburt gesehen, haben kein gültiges Zeugnis, und so ist die Frist längst verlaufen und ich bin um den blutigen Pfennig gekommen, mit dem ich hätte auswandern können! Ich habe eure Väter angefleht, daß sie mir bezeugen möchten, sie müßten mich nach ihrem Gewissen für den rechten Erben halten; aber sie haben mich von ihren Höfen gejagt, und nun sind sie selbst zum Teufel gegangen! Item, das ist der Welt Lauf, mir kann's recht sein, ich will euch doch geigen, wenn ihr tanzen wollt!« Damit sprang er auf der anderen Seite von den Steinen hinunter und machte sich dem Dorfe zu, wo gegen Abend der Erntesegen eingebracht wurde und die Leute guter Dinge waren. Als er verschwunden, ließ sich das Paar ganz mutlos und betrübt auf die Steine nieder; sie ließen ihre verschlungenen Hände fahren und stützten die traurigen Köpfe darauf; denn die Erscheinung des Geigers und seine Worte hatten sie aus der glücklichen Vergessenheit gerissen, in welcher sie wie zwei Kinder auf und ab gewandelt, und wie sie nun auf dem harten Grund ihres Elendes saßen, verdunkelte sich das heitere Lebenslicht und ihre Gemüter wurden so schwer wie Steine.

Da erinnerte sich Vrenchen unversehens der wunderlichen Gestalt und der Nase des Geigers, es mußte plötzlich hell auflachen und rief: »Der arme Kerl sieht gar zu spaßhaft aus! Was für eine Nase!« und eine allerliebste sonnenhelle Lustigkeit verbreitete sich über des Mädchens Gesicht, als ob sie nur geharrt hätte, bis des Geigers Nase die trüben Wolken wegstieße. Sali sah Vrenchen an und sah diese Fröhlichkeit. Es hatte die Ursache aber schon wieder vergessen und lachte nur noch auf eigene Rechnung dem Sali ins Gesicht. Dieser, verblüfft und erstaunt, starrte unwillkürlich mit lachendem Munde auf die Augen, gleich einem Hungrigen, der ein süßes Weizenbrot erblickt, und rief: »Bei Gott, Vreeli! wie schön bist du!« Vrenchen lachte ihn nur noch mehr an und hauchte dazu aus klangvoller Kehle einige kurze mutwillige Lachtöne, welche dem armen Sali nicht anders dünkten als der Gesang einer Nachtigall. »O du Hexe!« rief er, »wo hast du das gelernt? Welche Teufelskünste treibst du da?« »Ach du lieber Gott!« sagte Vrenchen mit schmeichelnder Stimme und nahm Salis Hand, »das sind keine Teufelskünste! Wie lange hätte ich gern einmal gelacht! Ich habe wohl zuweilen, wenn ich ganz allein war, über irgend etwas lachen müssen, aber es war nichts Rechts dabei; jetzt aber möchte ich dich immer und ewig anlachen, wenn ich dich sehe, und ich möchte dich wohl immer und ewig sehen! Bist du mir auch ein bißchen recht gut?« »O Vreeli!« sagte er und sah ihr ergeben und treuherzig in die Augen, »ich habe noch nie ein Mädchen angesehen, es war mir immer, als ob ich dich einst lieb haben müßte, und ohne daß ich wollte oder wußte, hast du mir doch immer im Sinn gelegen!« »Und du mir auch«, sagte Vrenchen, »und das noch viel mehr; denn du hast mich nie angesehen und wußtest nicht, wie ich geworden bin; ich aber habe dich zuzeiten aus der Ferne und sogar heimlich aus der Nähe recht gut betrachtet und wußte immer, wie du aussiehst! Weißt du noch, wie oft wir als Kinder hierher gekommen sind? Denkst du noch des kleinen Wagens? Wie kleine Leute sind wir damals gewesen und wie lang ist es her! Man sollte denken, wir wären recht alt?« »Wie alt bist du jetzt?« fragte Sali voll Vergnügen und Zufriedenheit, »du mußt ungefähr siebzehn sein?« »Siebzehn und ein halbes Jahr bin ich alt!« erwiderte Vrenchen, »und wie alt bist du? Ich weiß aber schon, du bist bald zwanzig!« »Woher weißt du das?« fragte Sali. »Gelt, wenn ich es sagen wollte!« »Du willst es nicht sagen?« »Nein!« »Gewiß nicht?« »Nein, nein!« »Du sollst es sagen!« »Willst du mich etwa zwingen?« »Das wollen wir sehen!« Diese einfältigen Reden führte Sali, um seine Hände zu beschäftigen und mit ungeschickten Liebkosungen, welche wie eine Strafe aussehen sollten, das schöne Mädchen zu bedrängen. Sie führte auch, sich wehrend, mit vieler Langmut den albernen Wortwechsel fort, der trotz seiner Leerheit beide witzig und süß genug dünkte, bis Sali erbost und kühn genug war, Vrenchens Hände zu bezwingen und es in die Mohnblumen zu drücken. Da lag es nun und zwinkerte in der Sonne mit den Augen; seine Wangen glühten wie Purpur und sein Mund war halb geöffnet und ließ zwei Reihen weiße Zähne durchschimmern. Fein und schön flossen die dunklen Augenbrauen ineinander und die junge Brust hob und senkte sich mutwillig unter sämtlichen vier Händen, welche sie kunterbunt darauf streichelten und bekriegten. Sali wußte sich nicht zu lassen vor Freuden, das schlanke schöne Geschöpf vor sich zu sehen, es sein eigen zu wissen, und es dünkte ihm ein Königreich. »Alle deine weißen Zähne hast du noch!« lachte er, »weißt du noch, wie oft wir sie einst gezählt haben? Kannst du jetzt zählen?« »Das sind ja nicht die gleichen, du Kind!« sagte Vrenchen, »jene sind längst ausgefallen!« Sali wollte nun in seiner Einfalt jenes Spiel wieder erneuern und die glänzenden Zahnperlen zählen; aber Vrenchen verschloß plötzlich den roten Mund, richtete sich auf und begann einen Kranz von Mohnrosen zu winden, den es sich auf den Kopf setzte. Der Kranz war voll und breit und gab der bräunlichen Dirne ein fabelhaftes reizendes Ansehen, und der arme Sali hielt in seinem Arm, was reiche Leute teuer bezahlt hätten, wenn sie es nur gemalt an ihren Wänden hätten sehen können. Jetzt sprang sie aber empor und rief: »Himmel, wie heiß ist es hier! Da sitzen wir wie die Narren und lassen uns versengen! Komm, mein Lieber! laß uns ins hohe Korn sitzen!« Sie schlüpften hinein so geschickt und sachte, daß sie kaum eine Spur zurückließen, und bauten sich einen engen Kerker in den goldenen Ähren, die ihnen hoch über den Kopf ragten, als sie drin saßen, so daß sie nur den tiefblauen Himmel über sich sahen und sonst nichts von der Welt. Sie umhalsten sich und küßten sich unverweilt und so lange, bis sie einstweilen müde waren, oder wie man es nennen will, wenn das Küssen zweier Verliebter auf eine oder zwei Minuten sich selbst überlebt und die Vergänglichkeit alles Lebens mitten im Rausche der Blütezeit ahnen läßt. Sie hörten die Lerchen singen hoch über sich und suchten dieselben mit ihren scharfen Augen, und wenn sie glaubten, flüchtig eine in der Sonne aufblitzen zu sehen, gleich einem plötzlich aufleuchtenden oder hinschießenden Stern am blauen Himmel, so küßten sie sich wieder zur Belohnung und suchten einander zu übervorteilen und zu täuschen, soviel sie konnten. »Siehst du, dort blitzt eine!« flüsterte Sali und Vrenchen erwiderte ebenso leise: »Ich höre sie wohl, aber ich sehe sie nicht!« »Doch, paß nur auf, dort wo das weiße Wölkchen steht, ein wenig rechts davon!« Und beide sahen eifrig hin und sperrten vorläufig ihre Schnäbel auf, wie die jungen Wachteln im Neste, um sie unverzüglich aufeinander zu heften, wenn sie sich einbildeten, die Lerche gesehen zu haben. Auf einmal hielt Vrenchen inne und sagte: »Dies ist also eine ausgemachte Sache, daß jedes von uns einen Schatz hat, dünkt es dich nicht so?« »Ja«, sagte Sali, »es scheint mir auch so!« »Wie gefällt dir denn dein Schätzchen«, sagte Vrenchen, »was ist es für ein Ding, was hast du von ihm zu melden?« »Es ist ein gar feines Ding«, sagte Sali, »es hat zwei braune Augen, einen roten Mund und läuft auf zwei Füßen; aber seinen Sinn kenn ich weniger als den Papst zu Rom! Und was kannst du von deinem Schatz berichten?« »Er hat zwei blaue Augen, einen nichtsnutzigen Mund und braucht zwei verwegene starke Arme; aber seine Gedanken sind mir unbekannter als der türkische Kaiser!« »Es ist eigentlich wahr«, sagte Sali, »daß wir uns we-

niger kennen als wenn wir uns nie gesehen hätten, so fremd hat
uns die lange Zeit gemacht, seit wir groß geworden sind! Was
ist alles vorgegangen in deinem Köpfchen, mein liebes Kind?«
»Ach, nicht viel! Tausend Narrenspossen haben sich wollen
regen, aber es ist mir immer so trübselig ergangen, daß sie
nicht aufkommen konnten!« »Du armes Schätzchen«, sagte
Sali, »ich glaube aber, du hast es hinter den Ohren, nicht?«
»Das kannst du ja nach und nach erfahren, wenn du mich recht
lieb hast!« »Wenn du einst meine Frau bist?« Vrenchen zitterte
leis bei diesem letzten Worte und schmiegte sich tiefer in Salis
Arme, ihn von neuem lange und zärtlich küssend. Es traten ihr
dabei Tränen in die Augen, und beide wurden auf einmal traurig, da ihnen ihre hoffnungsarme Zukunft in den Sinn kam
und die Feindschaft ihrer Eltern. Vrenchen seufzte und sagte:
»Komm, ich muß nun gehen!« und so erhoben sie sich und
gingen Hand in Hand aus dem Kornfeld, als sie Vrenchens Vater spähend vor sich sahen. Mit dem kleinlichen Scharfsinn des
müßigen Elendes hatte dieser, als er dem Sali begegnet, neugierig gegrübelt, was der wohl allein im Dorfe zu suchen
ginge, und sich des gestrigen Vorfalles erinnernd, verfiel er,
immer nach der Stadt zu schlendernd, endlich auf die richtige
Spur, rein aus Groll und unbeschäftigter Bosheit, und nicht so
bald gewann der Verdacht eine bestimmte Gestalt, als er mitten in den Gassen von Seldwyla umkehrte und wieder in das
Dorf hinaustrollte, wo er seine Tochter in Haus und Hof und
rings in den Hecken vergeblich suchte. Mit wachsender Neugier rannte er auf den Acker hinaus, und als er da Vrenchens
Korb liegen sah, in welchem es die Früchte zu holen pflegte,
das Mädchen selbst aber nirgends erblickte, spähte er eben am
Korne des Nachbars herum, als die erschrockenen Kinder her-
auskamen.

Sie standen wie versteinert und Marti stand erst auch da und
beschaute sie mit bösen Blicken, bleich wie Blei; dann fing er
fürchterlich an zu toben in Gebärden und Schimpfworten und
langte zugleich grimmig nach dem jungen Burschen, um ihn
zu würgen; Sali wich aus und floh einige Schritte zurück, ent-

setzt über den wilden Mann, sprang aber sogleich wieder zu, als er sah, daß der Alte statt seiner nun das zitternde Mädchen faßte, ihm eine Ohrfeige gab, daß der rote Kranz herunterflog, und seine Haare um die Hand wickelte, um es mit sich fortzureißen und weiter zu mißhandeln. Ohne sich zu besinnen, raffte er einen Stein auf und schlug mit demselben den Alten gegen den Kopf, halb in Angst um Vrenchen und halb im Jähzorn. Marti taumelte erst ein wenig, sank dann bewußtlos auf den Steinhaufen nieder und zog das erbärmlich aufschreiende Vrenchen mit. Sali befreite noch dessen Haare aus der Hand des Bewußtlosen und richtete es auf; dann stand er da wie eine Bildsäule, ratlos und gedankenlos. Das Mädchen, als es den wie tot daliegenden Vater sah, fuhr sich mit den Händen über das erbleichende Gesicht, schüttelte sich und sagte: »Hast du ihn erschlagen?« Sali nickte lautlos und Vrenchen schrie: »O Gott, du lieber Gott! Es ist mein Vater! der arme Mann!« und sinnlos warf es sich über ihn und hob seinen Kopf auf, an welchem indessen kein Blut floß. Es ließ ihn wieder sinken; Sali ließ sich auf der anderen Seite des Mannes nieder und beide schauten, still wie das Grab und mit erlahmten reglosen Händen, in das leblose Gesicht. Um nur etwas anzufangen, sagte endlich Sali: »Er wird doch nicht gleich tot sein müssen? das ist gar nicht ausgemacht!« Vrenchen riß ein Blatt von einer Klatschrose ab und legte es auf die erblaßten Lippen und es bewegte sich schwach. »Er atmet noch«, rief es, »so lauf doch ins Dorf und hol Hilfe!« Als Sali aufsprang und laufen wollte, streckte es ihm die Hand nach und rief ihn zurück: »Komm aber nicht mit zurück und sage nichts, wie es zugegangen, ich werde auch schweigen, man soll nichts aus mir herausbringen!« sagte es und sein Gesicht, das es dem armen ratlosen Burschen zuwandte, überfloß von schmerzlichen Tränen. »Komm, küß mich noch einmal! Nein, geh, mach dich fort! Es ist aus, es ist ewig aus, wir können nicht zusammenkommen!« Es stieß ihn fort und er lief willenlos dem Dorfe zu. Er begegnete einem Knäbchen, das ihn nicht kannte; diesem trug er auf, die nächsten Leute zu holen, und beschrieb ihm genau, wo die

Hilfe nötig sei. Dann machte er sich verzweifelt fort und irrte die ganze Nacht im Gehölze herum. Am Morgen schlich er in die Felder, um zu erspähen, wie es gegangen sei, und hörte von frühen Leuten, welche miteinander sprachen, daß Marti noch lebe, aber nichts von sich wisse, und wie das eine seltsame Sache wäre, da kein Mensch wisse, was ihm zugestoßen. Erst jetzt ging er in die Stadt zurück und verbarg sich in dem dunklen Elend des Hauses.

Vrenchen hielt ihm Wort; es war nichts aus ihm herauszufragen als daß es selbst den Vater so gefunden habe, und da er am andern Tage sich wieder tüchtig regte und atmete, freilich ohne Bewußtsein, und überdies kein Kläger da war, so nahm man an, er sei betrunken gewesen und auf die Steine gefallen, und ließ die Sache auf sich beruhen. Vrenchen pflegte ihn und ging nicht von seiner Seite, außer um die Arzneimittel zu holen beim Doktor und etwa für sich selbst eine schlechte Suppe zu kochen; denn es lebte beinahe von nichts, obgleich es Tag und Nacht wach sein mußte und niemand ihm half. Es dauerte beinahe sechs Wochen, bis der Kranke allmählig zu seinem Bewußtsein kam, obgleich er vorher schon wieder aß und in seinem Bette ziemlich munter war. Aber es war nicht das alte Bewußtsein, das er jetzt erlangte, sondern es zeigte sich immer deutlicher, je mehr er sprach, daß er blödsinnig geworden, und zwar auf die wunderlichste Weise. Er erinnerte sich nur dunkel an das Geschehene und wie an etwas sehr Lustiges, was ihn nicht weiter berühre, lachte immer wie ein Narr und war guter Dinge. Noch im Bette liegend, brachte er hundert närrische, sinnlos mutwillige Redensarten und Einfälle zum Vorschein, schnitt Gesichter und zog sich die schwarzwollene Zipfelmütze in die Augen und über die Nase herunter, daß diese aussah wie ein Sarg unter einem Bahrtuch. Das bleiche und abgehärmte Vrenchen hörte ihm geduldig zu, Tränen vergießend über das törichte Wesen, welches die arme Tochter noch mehr ängstigte als die frühere Bosheit; aber wenn der Alte zuweilen etwas gar zu Drolliges anstellte, so mußte es mitten in seiner

Qual laut auflachen, da sein unterdrücktes Wesen immer zur Lust aufzuspringen bereit war, wie ein gespannter Bogen, worauf dann eine um so tiefere Betrübnis erfolgte. Als der Alte aber aufstehen konnte, war gar nichts mehr mit ihm anzustellen; er machte nichts als Dummheiten, lachte und stöberte um das Haus herum, setzte sich in die Sonne und streckte die Zunge heraus oder hielt lange Reden in die Bohnen hinein.

Um die gleiche Zeit aber war es auch aus mit den wenigen Überbleibseln seines ehemaligen Besitzes und die Unordnung so weit gediehen, daß auch sein Haus und der letzte Acker, seit geraumer Zeit verpfändet, nun gerichtlich verkauft wurden. Denn der Bauer, welcher die zwei Äcker des Manz kaufte, benutzte die gänzliche Verkommenheit Martis und seine Krankheit und führte den alten Streit wegen des strittigen Steinfleckes kurz und entschlossen zu Ende, und der verlorene Prozeß trieb Martis Faß vollends den Boden aus, indessen er in seinem Blödsinne nichts mehr von diesen Dingen wußte. Die Versteigerung fand statt; Marti wurde von der Gemeinde in einer Stiftung für dergleichen arme Tröpfe auf öffentliche Kosten untergebracht. Diese Anstalt befand sich in der Hauptstadt des Ländchens; der gesunde und eßbegierige Blödsinnige wurde noch gut gefüttert, dann auf ein mit Ochsen bespanntes Wägelchen geladen, das ein ärmlicher Bauersmann nach der Stadt führte, um zugleich einen oder zwei Säcke Kartoffeln zu verkaufen, und Vrenchen setzte sich zu dem Vater auf das Fuhrwerk, um ihn auf diesem letzten Gange zu dem lebendigen Begräbnis zu begleiten. Es war eine traurige und bittere Fahrt, aber Vrenchen wachte sorgfältig über seinen Vater und ließ es ihm an nichts fehlen, und es sah sich nicht um und ward nicht ungeduldig, wenn durch die Kapriolen des Unglücklichen die Leute aufmerksam wurden und dem Wägelchen nachliefen, wo sie durchfuhren. Endlich erreichten sie das weitläufige Gebäude in der Stadt, wo die langen Gänge, die Höfe und ein freundlicher Garten von einer Menge ähnlicher Tröpfe belebt waren, die alle in weiße Kittel gekleidet waren und dauerhafte Lederkäppchen auf den harten Köpfen trugen. Auch Marti wurde noch vor Vrenchens Augen in diese Tracht gekleidet, und er freuete sich wie ein Kind darüber und tanzte singend umher. »Gott grüß euch, ihr geehrten Herren!« rief er seine neuen Genossen an, »ein schönes Haus habt ihr hier! Geh heim, Vrenggel, und sag der Mutter, ich komme nicht mehr nach Haus, hier gefällt's mir bei Gott! Juchhei! Es kreucht ein Igel über den Hag, ich hab ihn hören bellen! O Meitli, küß kein alten Knab, küß nur die jungen Gesellen! Alle die Wässerlein laufen in Rhein, die mit dem Pflaumenaug, die muß es sein! Gehst du schon, Vreeli? Du siehst ja aus wie der Tod im Häfelein und geht es mir doch so erfreulich! Die Füchsin schreit im Felde: Hallo, halleo! das Herz tut ihr weho! hoho!« Ein Aufseher gebot ihm Ruhe und führte ihn zu einer leichten Arbeit, und Vrenchen ging das Fuhrwerk aufzusuchen. Es setzte sich auf den Wagen, zog ein Stückchen Brot hervor und aß dasselbe, dann schlief es, bis der Bauer kam und mit ihm nach dem Dorfe zurückfuhr. Sie kamen erst in der Nacht an. Vrenchen ging nach dem Hause, in dem es geboren und nur zwei Tage bleiben durfte, und es war jetzt zum ersten Mal in seinem Leben ganz allein darin. Es machte ein Feuer, um das letzte Restchen Kaffee zu kochen, das es noch besaß, und setzte sich auf den Herd, denn es war ihm ganz elendiglich zu Mut. Es sehnte sich und härmte sich ab, den Sali nur ein einziges Mal zu sehen, und dachte inbrünstig an ihn; aber die Sorgen und der Kummer verbitterten seine Sehnsucht und diese machte die Sorgen wieder viel schwerer. So saß es und stützte den Kopf in die Hände, als jemand durch die offenstehende Tür hereinkam. »Sali!« rief Vrenchen, als es aufsah, und fiel ihm um den Hals; dann sahen sich aber beide erschrocken an und riefen: »Wie siehst du elend aus!« Denn Sali sah nicht minder als Vrenchen bleich und abgezehrt aus. Alles vergessend zog es ihn zu sich auf den Herd und sagte: »Bist du krank gewesen, oder ist es dir auch so schlimm gegangen?« Sali antwortete: »Nein, ich bin gerade nicht krank, außer vor Heimweh nach dir! Bei uns geht es jetzt hoch und herrlich zu; der Vater hat einen Einzug und Unterschleif von auswärtigem Gesindel und ich glaube, soviel ich merke, ist er ein Diebshehler geworden. Deshalb ist jetzt einstweilen Hülle und Fülle in unserer Taverne, solang es geht und bis es ein Ende mit Schrecken nimmt. Die Mutter hilft dazu, aus bitterlicher Gier, nur etwas im Hause zu sehen, und glaubt den Unfug noch durch eine gewisse Aufsicht und Ordnung annehmlich und nützlich zu machen! Mich fragt man nicht und ich konnte mich nicht viel darum kümmern; denn ich kann nur an dich denken Tag und Nacht. Da allerlei Landstreicher bei uns einkehren, so haben wir alle Tage gehört, was bei euch vorgeht, worüber mein Vater sich freut wie ein kleines Kind. Daß dein Vater heute nach dem Spittel gebracht wurde, haben wir auch vernommen; ich habe gedacht, du werdest jetzt allein sein, und bin gekommen, um dich zu sehen!« Vrenchen klagte ihm jetzt auch alles, was sie drückte und was sie erlitt, aber mit so leichter zutraulicher Zunge, als ob sie ein großes Glück beschriebe, weil sie glücklich war, Sali neben sich zu sehen. Sie brachte inzwischen notdürftig ein Becken voll warmen Kaffee zusammen, welchen mit ihr zu teilen sie den Geliebten zwang. »Also übermorgen mußt du hier weg?« sagte Sali, »was soll denn ums Himmels willen werden?« »Das weiß ich nicht«, sagte Vrenchen, »ich werde dienen müssen und in die Welt hinaus! Ich werde es aber nicht aushalten ohne dich, und doch kann ich dich nie bekommen, auch wenn alles andere nicht wäre, bloß weil du meinen Vater geschlagen und um den Verstand gebracht hast! Dies würde immer ein schlechter Grundstein unserer Ehe sein und wir beide nie sorglos werden, nie!« Sali seufzte und sagte: »Ich wollte auch schon hundertmal Soldat werden oder mich in einer fremden Gegend als Knecht verdingen, aber ich kann noch nicht fortgehen, solange du hier bist, und hernach wird es mich aufreiben. Ich glaube, das Elend macht meine Liebe zu dir stärker und schmerzhafter, so daß es um Leben und Tod geht! Ich habe von dergleichen keine Ahnung gehabt!« Vrenchen sah ihn liebevoll lächelnd an; sie lehnten sich an die Wand zurück und sprachen nichts mehr, sondern gaben sich schweigend der glückseligen Empfindung hin, die sich über allen Gram erhob, daß sie sich im größten Ernste gut wären und geliebt wüßten. Darüber schliefen sie friedlich ein auf dem unbequemen Herde, ohne Kissen und Pfühl, und schliefen so sanft und ruhig wie zwei Kinder in einer Wiege. Schon graute der Morgen, als Sali zuerst erwachte; er weckte Vrenchen, so sacht er konnte; aber es duckte sich immer wieder an ihn, schlaftrunken, und wollte sich nicht ermuntern. Da küßte er es heftig auf den Mund und Vrenchen fuhr empor, machte die Augen weit auf, und als es Sali erblickte, rief es: »Herrgott! ich habe eben noch von dir geträumt! Es träumte mir, wir tanzten miteinander auf unserer Hochzeit, lange, lange Stunden! Und waren so glücklich, sauber geschmückt und es fehlte uns an nichts. Da wollten wir uns endlich küssen und dürsteten darnach, aber immer zog uns etwas auseinander, und nun bist du es selbst gewesen, der uns gestört und gehindert hat! Aber wie gut, daß du gleich da bist!« Gierig fiel es ihm um den Hals und küßte ihn, als ob es kein Ende nehmen sollte. »Und was hast du denn geträumt?« fragte es und streichelte ihm Wangen und Kinn. »Mir träumte, ich ginge endlos auf einer langen Straße durch einen Wald und du in der Ferne immer vor mir her; zuweilen sahest du nach mir um, winktest mir und lachtest und dann war ich wie im Himmel. Das ist alles!« Sie traten unter die offengebliebene Küchentüre, die unmittelbar ins Freie führte, und mußten lachen, als sie sich ins Gesicht sahen. Denn die rechte Wange Vrenchens und die linke Salis, welche im Schlafe aneinander gelehnt hatten, waren von dem Drucke ganz rot gefärbt, während die Blässe der anderen durch die kühle Nachtluft noch erhöht war. Sie rieben sich zärtlich die kalte bleiche Seite ihrer Gesichter, um sie auch rot zu machen; die frische Morgenluft, der tauige stille Frieden, der über der Gegend lag, das junge Morgenrot machten sie fröhlich und selbstvergessen, und besonders in Vrenchen schien ein freundlicher Geist der Sorglosigkeit gefahren zu sein. »Morgen abend muß ich also aus diesem Hause fort«, sagte es, »und ein anderes Obdach suchen. Vorher aber möchte ich *einmal*, nur *einmal* recht lustig

sein, und zwar mit dir; ich möchte recht herzlich und fleißig
mit dir tanzen irgendwo, denn das Tanzen aus dem Traume
steckt mir immerfort im Sinn!« »Jedenfalls will ich dabei sein
und sehen, wo du unterkommst«, sagte Sali, »und tanzen
wollte ich auch gerne mit dir, du herziges Kind! aber wo?« »Es
ist morgen Kirchweih an zwei Orten nicht sehr weit von hier«,
erwiderte Vrenchen, »da kennt und beachtet man uns weniger;
draußen am Wasser will ich auf dich warten, und dann können
wir gehen, wohin es uns gefällt, um uns lustig zu machen, einmal, *ein* Mal nur! Aber je, wir haben ja gar kein Geld!« setzte
es traurig hinzu, »da kann nichts daraus werden!« »Laß nur«,
sagte Sali, »ich will schon etwas mitbringen!« »Doch nicht von
deinem Vater, von – von dem Gestohlenen?« »Nein, sei nur
ruhig! Ich habe noch meine silberne Uhr bewahrt bis dahin,
die will ich verkaufen!« »Ich will dir nicht abraten«, sagte
Vrenchen errötend, »denn ich glaube, ich müßte sterben, wenn
ich nicht morgen mit dir tanzen könnte.« »Es wäre das beste,
wir beide könnten sterben!« sagte Sali; sie umarmten sich
wehmütig und schmerzlich zum Abschied, und als sie voneinander ließen, lachten sie sich doch freundlich an in der sicheren Hoffnung auf den nächsten Tag. »Aber wann willst du
denn kommen?« rief Vrenchen noch. »Spätestens um eilf Uhr
mittags«, erwiderte er, »wir wollen recht ordentlich zusammen Mittag essen!« »Gut, gut! komm lieber um halb eilf
schon!« Doch als Sali schon im Gehen war, rief sie ihn noch
einmal zurück und zeigte ein plötzlich verändertes verzweif-
lungsvolles Gesicht. »Es wird doch nichts daraus«, sagte sie
bitterlich weinend, »ich habe keine Sonntagsschuhe mehr!
Schon gestern habe ich diese groben hier anziehen müssen, um
nach der Stadt zu kommen! Ich weiß keine Schuhe aufzubrin-
gen!« Sali stand ratlos und verblüfft. »Keine Schuhe!« sagte er,
»da mußt du halt in diesen kommen!« »Nein, nein, in denen
kann ich nicht tanzen!« »Nun, so müssen wir welche kaufen?«
»Wo, mit was?« »Ei, in Seldwyl da gibt es Schuhläden genug!
Geld werde ich in minder als zwei Stunden haben.« »Aber ich
kann doch nicht mit dir in Seldwyl herumgehen, und dann

wird das Geld nicht langen, auch noch Schuhe zu kaufen!« »Es muß! und ich will die Schuhe kaufen und morgen mitbringen!« »O du Närrchen, sie werden ja nicht passen, die du kaufst!« »So gib mir einen alten Schuh mit, oder halt, noch besser, ich will dir das Maß nehmen, das wird doch kein Hexenwerk sein!« »Das Maß nehmen? Wahrhaftig, daran hab ich nicht gedacht! Komm, komm, ich will dir ein Schnürchen suchen!« Sie setzte sich wieder auf den Herd, zog den Rock etwas zurück und streifte den Schuh vom Fuße, der noch von der gestrigen Reise her mit einem weißen Strumpfe bekleidet war. Sali kniete nieder und nahm, so gut er es verstand, das Maß, indem er den zierlichen Fuß der Länge und Breite nach umspannte mit dem Schnürchen und sorgfältig Knoten in dasselbe knüpfte. »Du Schuhmacher!« sagte Vrenchen und lachte errötend und freundschaftlich zu ihm nieder. Sali wurde aber auch rot und hielt den Fuß fest in seinen Händen, länger als nötig war, so daß Vrenchen ihn, noch tiefer errötend, zurückzog, den verwirrten Sali aber noch einmal stürmisch umhalste und küßte, dann aber fortschickte.

Sobald er in der Stadt war, trug er seine Uhr zu einem Uhrmacher, der ihm sechs oder sieben Gulden dafür gab; für die silberne Kette bekam er auch einige Gulden, und er dünkte sich nun reich genug, denn er hatte, seit er groß war, nie so viel Geld besessen auf einmal. Wenn nur erst der Tag vorüber und der Sonntag angebrochen wäre, um das Glück damit zu erkaufen, das er sich von dem Tage versprach, dachte er; denn wenn das Übermorgen auch um so dunkler und unbekannter hereinragte, so gewann die ersehnte Lustbarkeit von morgen nur einen seltsamern erhöhten Glanz und Schein. Indessen brachte er die Zeit noch leidlich hin, indem er ein Paar Schuhe für Vrenchen suchte, und dies war ihm das vergnügteste Geschäft, das er je betrieben. Er ging von einem Schuhmacher zum andern, ließ sich alle Weiberschuhe zeigen, die vorhanden waren, und endlich handelte er ein leichtes und feines Paar ein, so hübsch, wie sie Vrenchen noch nie getragen. Er verbarg die Schuhe unter seiner Weste und tat sie die übrige Zeit des Tages

nicht mehr von sich; er nahm sie sogar mit ins Bett und legte
sie unter das Kopfkissen. Da er das Mädchen heute früh noch
gesehen und morgen wieder sehen sollte, so schlief er fest und
ruhig, war aber in aller Frühe munter und begann seinen dürftigen Sonntagsstaat zurechtzumachen und auszuputzen, so
gut es gelingen wollte. Es fiel seiner Mutter auf und sie fragte
verwundert, was er vorhabe, da er sich schon lange nicht mehr
so sorglich angezogen. Er wolle einmal über Land gehen und
sich ein wenig umtun, erwiderte er, er werde sonst krank in
diesem Hause. »Das ist mir die Zeit her ein merkwürdiges Leben«, murrte der Vater, »und ein Herumschleichen!« »Laß ihn
nur gehen«, sagte aber die Mutter, »es tut ihm vielleicht gut, es
ist ja ein Elend, wie er aussieht!« »Hast du Geld zum Spazie-
rengehen? woher hast du es?« sagte der Alte. »Ich brauche keines!« sagte Sali. »Da hast du einen Gulden!« versetzte der Alte
und warf ihm denselben hin, »du kannst im Dorf ins Wirtshaus gehen und ihn dort verzehren, damit sie nicht glauben,
wir seien hier so übel dran.« »Ich will nicht ins Dorf und brauche den Gulden nicht, behaltet ihn nur!« »So hast du ihn gehabt, es wäre schad, wenn du ihn haben müßtest, du Starr-
kopf!« rief Manz und schob seinen Gulden wieder in die Tasche. Seine Frau aber, welche nicht wußte, warum sie heute
ihres Sohnes wegen so wehmütig und gerührt war, brachte
ihm ein großes schwarzes Mailänder Halstuch mit rotem
Rande, das sie nur selten getragen und er schon früher gern
gehabt hätte. Er schlang es um den Hals und ließ die langen
Zipfel fliegen; auch stellte er zum ersten Mal den Hemdkra-
gen, den er sonst immer umgeschlagen, ehrbar und männlich
in die Höhe, bis über die Ohren hinauf, in einer Anwandlung
ländlichen Stolzes, und machte sich dann, seine Schuhe in der
Brusttasche des Rockes, schon nach sieben Uhr auf den Weg.
Als er die Stube verließ, drängte ihn ein seltsames Gefühl, Vater und Mutter die Hand zu geben, und auf der Straße sah er
sich noch einmal nach dem Hause um. »Ich glaube am Ende«,
sagte Manz, »der Bursche streicht irgend einem Weibsbild
nach; das hätten wir gerade noch nötig!« Die Frau sagte: »O

wollte Gott! daß er vielleicht ein Glück machte! das täte dem armen Buben gut!« »Richtig!« sagte der Mann, »das fehlt nicht! das wird ein himmlisches Glück geben, wenn er nur erst an eine solche Maultasche zu geraten das Unglück hat! das täte dem armen Bübchen gut! natürlich!«

Sali richtete seinen Schritt erst nach dem Flusse zu, wo er Vrenchen erwarten wollte; aber unterwegs ward er andern Sinnes und ging gradezu ins Dorf, um Vrenchen im Hause selbst abzuholen, weil es ihm zu lang währte bis halb eilf. »Was kümmern uns die Leute!« dachte er. »Niemand hilft uns und ich bin ehrlich und fürchte niemand!« So trat er unerwartet in Vrenchens Stube und ebenso unerwartet fand er es schon vollkommen angekleidet und geschmückt dasitzen und der Zeit harren, wo es gehen könne, nur die Schuhe fehlten ihm noch. Aber Sali stand mit offenem Munde still in der Mitte der Stube, als er das Mädchen erblickte, so schön sah es aus. Es hatte nur ein einfaches Kleid an von blaugefärbter Leinwand, aber dasselbe war frisch und sauber und saß ihm sehr gut um den schlanken Leib. Darüber trug es ein schneeweißes Mousselinehalstuch und dies war der ganze Anzug. Das braune gekräuselte Haar war sehr wohl geordnet und die sonst so wilden Löckchen lagen nun fein und lieblich um den Kopf; da Vrenchen seit vielen Wochen fast nicht aus dem Hause gekommen, so war seine Farbe zarter und durchsichtiger geworden, sowie auch vom Kummer; aber in diese Durchsichtigkeit goß jetzt die Liebe und die Freude ein Rot um das andere, und an der Brust trug es einen schönen Blumenstrauß von Rosmarin, Rosen und prächtigen Astern. Es saß am offenen Fenster und atmete still und hold die frisch durchsonnte Morgenluft; wie es aber Sali erscheinen sah, streckte es ihm beide hübsche Arme entgegen, welche vom Ellbogen an bloß waren, und rief: »Wie recht hast du, daß du schon jetzt und hierher kommst! Aber hast du mir Schuhe gebracht? Gewiß? Nun steh ich nicht auf, bis ich sie anhabe!« Er zog die ersehnten aus der Tasche und gab sie dem begierigen schönen Mädchen; es schleuderte die alten von sich, schlüpfte in die neuen und sie paßten sehr gut. Erst jetzt erhob es sich vom Stuhl, wiegte sich in den neuen Schuhen und ging eifrig einigemal auf und nieder. Es zog das lange blaue Kleid etwas zurück und beschaute wohlgefällig die roten wollenen Schleifen, welche die Schuhe zierten, während Sali unaufhörlich die feine reizende Gestalt betrachtete, welche da in lieblicher Aufregung vor ihm sich regte und freute. »Du beschaust meinen Strauß?« sagte Vrenchen, »hab ich nicht einen schönen zusammengebracht? Du mußt wissen, dies sind die letzten Blumen, die ich noch aufgefunden in dieser Wüstenei. Hier war noch ein Röschen, dort eine Aster, und wie sie nun gebunden sind, würde man es ihnen nicht ansehen, daß sie aus einem Untergange zusammengesucht sind! Nun ist es aber Zeit, daß ich fortkomme, nicht ein Blümchen mehr im Garten und das Haus auch leer!« Sali sah sich um und bemerkte erst jetzt, daß alle Fahrhabe, die noch dagewesen, weggebracht war. »Du armes Vreeli!« sagte er, »haben sie dir schon alles genommen?« »Gestern«, erwiderte es, »haben sie's weggeholt, was sich von der Stelle bewegen ließ, und mir kaum mehr mein Bett gelassen. Ich hab's aber auch gleich verkauft und hab jetzt auch Geld, sieh!« Es holte einige neu glänzende Talerstücke aus der Tasche seines Kleides und zeigte sie ihm. »Damit«, fuhr es fort, »sagte der Waisenvogt, der auch hier war, solle ich mir einen Dienst suchen in einer Stadt und ich solle mich heute gleich auf den Weg machen!« »Da ist aber auch gar nichts mehr vorhanden«, sagte Sali, nachdem er in die Küche geguckt hatte, »ich sehe kein Hölzchen, kein Pfännchen, kein Messer! Hast du denn auch nicht zu Morgen gegessen?« »Nichts!« sagte Vrenchen, »ich hätte mir etwas holen können, aber ich dachte, ich wolle lieber hungrig bleiben, damit ich recht viel essen könne mit dir zusammen, denn ich freue mich so sehr darauf, du glaubst nicht, wie ich mich freue!« »Wenn ich dich nur anrühren dürfte«, sagte Sali, »so wollte ich dir zeigen, wie es mir ist, du schönes, schönes Ding!« »Du hast recht, du würdest meinen ganzen Staat verderben, und wenn wir die Blumen ein bißchen schonen, so kommt es zugleich meinem armen Kopf zugut, den du

mir übel zuzurichten pflegst!« »So komm, jetzt wollen wir
ausrücken!« »Noch müssen wir warten, bis das Bett abgeholt
wird; denn nachher schließe ich das leere Haus zu und gehe
nicht mehr hierher zurück! Mein Bündelchen gebe ich der
Frau aufzuheben, die das Bett gekauft hat.« Sie setzten sich daher einander gegenüber und warteten; die Bäuerin kam bald,
eine vierschrötige Frau mit lautem Mundwerk, und hatte einen Burschen bei sich, welcher die Bettstelle tragen sollte. Als
diese Frau Vrenchens Liebhaber erblickte und das geputzte
Mädchen selbst, sperrte sie Maul und Augen auf, stemmte die
Arme unter und schrie: »Ei sieh da, Vreeli! Du treibst es ja
schon gut! Hast einen Besucher und bist gerüstet wie eine
Prinzeß?« »Gelt aber!« sagte Vrenchen freundlich lachend,
»wißt Ihr auch, wer das ist?« »Ei, ich denke, das ist wohl der
Sali Manz? Berg und Tal kommen nicht zusammen, sagt man,
aber die Leute! Aber nimm dich doch in Acht, Kind, und
denk, wie es euren Eltern ergangen ist!« »Ei, das hat sich jetzt
gewendet und alles ist gut geworden«, erwiderte Vrenchen
lächelnd und freundlich mitteilsam, ja beinahe herablassend,
»seht, Sali ist mein Hochzeiter!« »Dein Hochzeiter! was du
sagst!« »Ja, und er ist ein reicher Herr, er hat hunderttausend
Gulden in der Lotterie gewonnen! Denket einmal, Frau!«
Diese tat einen Sprung, schlug ganz erschrocken die Hände
zusammen und schrie: »Hund–hunderttausend Gulden!«
»Hunderttausend Gulden!« versicherte Vrenchen ernsthaft.
»Herr du meines Lebens! Es ist aber nicht wahr, du lügst mich
an, Kind!« »Nun, glaubt was Ihr wollt!« »Aber wenn es wahr
ist und du heiratest ihn, was wollt ihr denn machen mit dem
Gelde? Willst du wirklich eine vornehme Frau werden?«
»Versteht sich, in drei Wochen halten wir die Hochzeit!« »Geh
mir weg, du bist eine häßliche Lügnerin!« »Das schönste Haus
hat er schon gekauft in Seldwyl mit einem großen Garten und
Weinberg; Ihr müßt mich auch besuchen, wenn wir eingerichtet sind, ich zähle darauf!« »Allweg, du Teufelshexlein, was du
bist!« »Ihr werdet sehen, wie schön es da ist! einen herrlichen
Kaffee werde ich machen und Euch mit feinem Eierbrot auf-

warten, mit Butter und Honig!« »O du Schelmenkind! zähl
drauf, daß ich komme!« rief die Frau mit lüsternem Gesicht
und der Mund wässerte ihr. »Kommt Ihr aber um die Mittags-
zeit und seid ermüdet vom Markt, so soll Euch eine kräftige
Fleischbrühe und ein Glas Wein immer parat stehen!« »Das
wird mir baß tun!« »Und an etwas Zuckerwerk oder weißen
Wecken für die lieben Kinder zu Hause soll es Euch auch nicht
fehlen!« »Es wird mir ganz schmachtend!« »Ein artiges Halstüchelchen oder ein Restchen Seidenzeug oder ein hübsches
altes Band für Eure Röcke oder ein Stück Zeug zu einer neuen
Schürze wird gewiß auch zu finden sein, wenn wir meine Kisten und Kasten durchmustern in einer vertrauten Stunde!«
Die Frau drehte sich auf den Hacken herum und schüttelte
jauchzend ihre Röcke. »Und wenn Euer Mann ein vorteilhaftes Geschäft machen könnte mit einem Land- oder Viehhan-
del und er mangelt des Geldes, so wißt Ihr, wo Ihr anklopfen
sollt. Mein lieber Sali wird froh sein, jederzeit ein Stück Bares
sicher und erfreulich anzulegen! Ich selbst werde auch etwa einen Sparpfennig haben, einer vertrauten Freundin beizustehen!« Jetzt war der Frau nicht mehr zu helfen, sie sagte
gerührt: »Ich habe immer gesagt, du seist ein braves und gutes
und schönes Kind! Der Herr wolle es dir wohl ergehen lassen
immer und ewiglich und es dir gesegnen, was du an mir tust!«
»Dagegen verlange ich aber auch, daß Ihr es gut mit mir
meint!« »Allweg kannst du das verlangen!« »Und daß Ihr jederzeit Eure Waren, sei es Obst, seien es Kartoffeln, sei es
Gemüse, erst zu mir bringet und mir anbietet, ehe Ihr auf den
Markt gehet, damit ich sicher sei, eine rechte Bäuerin an der
Hand zu haben, auf die ich mich verlassen kann! Was irgend
einer gibt für die Ware, werde ich gewiß auch geben mit tausend Freuden, Ihr kennt mich ja! Ach, es ist nichts Schöneres
als wenn eine wohlhabende Stadtfrau, die so ratlos in ihren
Mauern sitzt und doch so vieler Dinge benötigt ist, und eine
rechtschaffene ehrliche Landfrau, erfahren in allem Wichtigen
und Nützlichen, eine gute und dauerhafte Freundschaft zusammen haben! Es kommt einem zugut in hundert Fällen, in

Freud und Leid, bei Gevatterschaften und Hochzeiten, wenn die Kinder unterrichtet werden und konfirmiert, wenn sie in die Lehre kommen und wenn sie in die Fremde sollen! Bei Mißwachs und Überschwemmungen, bei Feuersbrünsten und Hagelschlag, wofür uns Gott behüte!« »Wofür uns Gott behüte!« sagte die gute Frau schluchzend und trocknete mit ihrer Schürze die Augen; »welch ein verständiges und tiefsinniges Bräutlein bist du, ja, dir wird es gut gehen, da müßte keine Gerechtigkeit in der Welt sein! Schön, sauber, klug und weise bist du, arbeitsam und geschickt zu allen Dingen! Keine ist feiner und besser als du, in und außer dem Dorfe, und wer dich hat, der muß meinen, er sei im Himmelreich, oder er ist ein Schelm und hat es mit mir zu tun. Hör, Sali! daß du nur recht artlich bist mit meinem Vreeli, oder ich will dir den Meister zeigen, du Glückskind, das du bist, ein solches Röslein zu brechen!« »So nehmt jetzt auch hier noch mein Bündel mit, wie Ihr mir versprochen habt, bis ich es abholen lassen werde! Vielleicht komme ich aber selbst in der Kutsche und hole es ab, wenn Ihr nichts dagegen habt! Ein Töpfchen Milch werdet Ihr mir nicht abschlagen alsdann, und etwa eine schöne Mandeltorte dazu werde ich schon selbst mitbringen!« »Tausendskind! Gib her den Bündel!« Vrenchen lud ihr auf das zusammengebundene Bett, das sie schon auf dem Kopfe trug, einen langen Sack, in welchen es sein Plunder und Habseliges gestopft, so daß die arme Frau mit einem schwankenden Turme auf dem Haupte dastand. »Es wird mir doch fast zu schwer auf einmal«, sagte sie, »könnte ich nicht zweimal dran machen?« »Nein nein! wir müssen jetzt augenblicklich gehen, denn wir haben einen weiten Weg, um vornehme Verwandte zu besuchen, die sich jetzt gezeigt haben, seit wir reich sind! Ihr wißt ja, wie es geht!« »Weiß wohl! So behüt dich Gott und denk an mich in deiner Herrlichkeit!«

Die Bäuerin zog ab mit ihrem Bündelturme, mit Mühe das Gleichgewicht behauptend, und hinter ihr drein ging ihr Knechtchen, das sich in Vrenchens einst buntbemalte Bettstatt hineinstellte, den Kopf gegen den mit verblichenen Sternen bedeckten Himmel derselben stemmte und, ein zweiter Simson, die zwei vorderen zierlich geschnitzten Säulen faßte, welche diesen Himmel trugen. Als Vrenchen, an Sali gelehnt, dem Zug nachschaute und den wandelnden Tempel zwischen den Gärten sah, sagte es: »Das gäbe noch ein artiges Gartenhäuschen oder eine Laube, wenn man's in einen Garten pflanzte, ein Tischen und ein Bänklein drein stellte und Winden drum herumsäete! Wolltest du mit darin sitzen, Sali?« »Ja, Vreeli! besonders wenn die Winden aufgewachsen wären!« »Was stehen wir noch?« sagte Vrenchen, »nichts hält uns mehr zurück!« »So komm und schließ das Haus zu! Wem willst du denn den Schlüssel übergeben?« Vrenchen sah sich um. »Hier an die Helbart wollen wir ihn hängen; sie ist über hundert Jahr in diesem Hause gewesen, habe ich den Vater oft sagen hören, nun steht sie da als der letzte Wächter!« Sie hingen den rostigen Hausschlüssel an einen rostigen Schnörkel der alten Waffe, an welcher die Bohnen rankten, und gingen davon. Vrenchen wurde aber bleicher und verhüllte ein Weilchen die Augen, daß Sali es führen mußte, bis sie ein Dutzend Schritte entfernt waren. Es sah aber nicht zurück. »Wo gehen wir nun zuerst hin?« fragte es. »Wir wollen ordentlich über Land gehen«, erwiderte Sali, »wo es uns freut den ganzen Tag, uns nicht übereilen, und gegen Abend werden wir dann schon einen Tanzplatz finden!« »Gut!« sagte Vrenchen, »den ganzen Tag werden wir beisammen sein und gehen, wo wir Lust haben. Jetzt ist mir aber elend, wir wollen gleich im andern Dorf einen Kaffee trinken!« »Versteht sich!« sagte Sali, »mach nur, daß wir aus diesem Dorf wegkommen!«

Bald waren sie auch im freien Felde und gingen still nebeneinander durch die Fluren; es war ein schöner Sonntagmorgen im September, keine Wolke stand am Himmel, die Höhen und die Wälder waren mit einem zarten Duftgewebe bekleidet, welches die Gegend geheimnisvoller und feierlicher machte, und von allen Seiten tönten die Kirchenglocken herüber, hier das harmonische tiefe Geläute einer reichen Ortschaft, dort die geschwätzigen zwei Bimmelglöcklein eines kleinen armen

Dörfchens. Das liebende Paar vergaß, was am Ende dieses Tages werden sollte, und gab sich einzig der hoch aufatmenden wortlosen Freude hin, sauber gekleidet und frei, wie zwei Glückliche, die sich von Rechts wegen angehören, in den Sonntag hineinzuwandeln. Jeder in der Sonntagsstille verhallende Ton oder ferne Ruf klang ihnen erschütternd durch die Seele; denn die Liebe ist eine Glocke, welche das Entlegenste und Gleichgültigste wiedertönen läßt und in eine besondere Musik verwandelt. Obgleich sie hungrig waren, dünkte sie die halbe Stunde Weges bis zum nächsten Dorfe nur ein Katzensprung lang zu sein, und sie betraten zögernd das Wirtshaus am Eingang des Ortes. Sali bestellte ein gutes Frühstück, und während es bereitet wurde, sahen sie mäuschenstill der sicheren und freundlichen Wirtschaft in der großen reinlichen Gaststube zu. Der Wirt war zugleich ein Bäcker, das eben Gebackene durchduftete angenehm das ganze Haus, und Brot allerart wurde in gehäuften Körben herbeigetragen, da nach der Kirche die Leute hier ihr Weißbrot holten oder ihren Frühschoppen tranken. Die Wirtin, eine artige und saubere Frau, putzte gelassen und freundlich ihre Kinder heraus, und sowie eines entlassen war, kam es zutraulich zu Vrenchen gelaufen, zeigte ihm seine Herrlichkeiten und erzählte von allem, dessen es sich erfreute und rühmte. Wie nun der wohlduftende starke Kaffee kam, setzten sich die zwei Leutchen schüchtern an den Tisch, als ob sie da zu Gast gebeten wären. Sie ermunterten sich jedoch bald und flüsterten bescheiden, aber glückselig miteinander; ach, wie schmeckte dem aufblühenden Vrenchen der gute Kaffee, der fette Rahm, die frischen, noch warmen Brötchen, die schöne Butter und der Honig, der Eierkuchen und was alles noch für Leckerbissen da waren! Sie schmeckten ihm, weil es den Sali dazu ansah, und es aß so vergnügt, als ob es ein Jahr lang gefastet hätte. Dazu freute es sich über das feine Geschirr, über die silbernen Kaffeelöffelchen; denn die Wirtin schien sie für rechtliche junge Leutchen zu halten, die man anständig bedienen müsse, und setzte sich auch ab und zu plaudernd zu ihnen, und die beiden gaben ihr verständigen Be-

scheid, welches ihr gefiel. Es ward dem guten Vrenchen so
wählig zu Mut, daß es nicht wußte, mochte es lieber wieder ins
Freie, um allein mit seinem Schatz herumzuschweifen durch
Auen und Wälder, oder mochte es lieber in der gastlichen
Stube bleiben, um wenigstens auf Stunden sich an einem stattlichen Orte zu Hause zu träumen. Doch Sali erleichterte die
Wahl, indem er ehrbar und geschäftig zum Aufbruch mahnte,
als ob sie einen bestimmten und wichtigen Weg zu machen
hätten. Die Wirtin und der Wirt begleiteten sie bis vor das
Haus und entließen sie auf das wohlwollendste wegen ihres
guten Benehmens, trotz der durchscheinenden Dürftigkeit,
und das arme junge Blut verabschiedete sich mit den besten
Manieren von der Welt und wandelte sittig und ehrbar von
hinnen. Aber auch als sie schon wieder im Freien waren und
einen stundenlangen Eichwald betraten, gingen sie noch in
dieser Weise nebeneinander her, in angenehme Träume vertieft, als ob sie nicht aus zank- und elenderfüllten vernichteten
Häusern herkämen, sondern guter Leute Kinder wären, welche in lieblicher Hoffnung wandelten. Vrenchen senkte das
Köpfchen tiefsinnig gegen seine blumengeschmückte Brust
und ging, die Hände sorglich an das Gewand gelegt, einher auf
dem glatten feuchten Waldboden; Sali dagegen schritt schlank
aufgerichtet, rasch und nachdenklich, die Augen auf die festen
Eichenstämme geheftet, wie ein Bauer, der überlegt, welche
Bäume er am vorteilhaftesten fällen soll. Endlich erwachten sie
aus diesen vergeblichen Träumen, sahen sich an und entdeckten, daß sie immer noch in der Haltung gingen, in welcher sie
das Gasthaus verlassen, erröteten und ließen traurig die Köpfe
hängen. Aber Jugend hat keine Tugend; der Wald war grün,
der Himmel blau und sie allein in der weiten Welt, und sie
überließen sich alsbald wieder diesem Gefühle. Doch blieben
sie nicht lange mehr allein, da die schöne Waldstraße sich belebte mit lustwandelnden Gruppen von jungen Leuten sowie
mit einzelnen Paaren, welche schäkernd und singend die Zeit
nach der Kirche verbrachten. Denn die Landleute haben so gut
ihre ausgesuchten Promenaden und Lustwälder wie die Städ-

ter, nur mit dem Unterschied, daß dieselben keine Unterhaltung kosten und noch schöner sind; sie spazieren nicht nur mit einem besondern Sinn des Sonntags durch ihre blühenden und reifenden Felder, sondern sie machen sehr gewählte Gänge durch Gehölze und an grünen Halden entlang, setzen sich hier auf eine anmutige fernsichtige Höhe, dort an einen Waldrand, lassen ihre Lieder ertönen und die schöne Wildnis ganz behaglich auf sich einwirken; und da sie dies offenbar nicht zu ihrer Pönitenz tun, sondern zu ihrem Vergnügen, so ist wohl anzunehmen, daß sie Sinn für die Natur haben, auch abgesehen von ihrer Nützlichkeit. Immer brechen sie was Grünes ab, junge Bursche wie alte Mütterchen, welche die alten Wege ihrer Jugend aufsuchen, und selbst steife Landmänner in den besten Geschäftsjahren, wenn sie über Land gehen, schneiden sich gern eine schlanke Gerte, sobald sie durch einen Wald gehen, und schälen die Blätter ab, von denen sie nur oben ein grünes Büschel stehen lassen. Solche Rute tragen sie wie ein Szepter vor sich hin; wenn sie in eine Amtsstube oder Kanzlei treten, so stellen sie die Gerte ehrerbietig in einen Winkel, vergessen aber auch nach den ernstesten Verhandlungen nie, dieselbe säuberlich wieder mitzunehmen und unversehrt nach Hause zu tragen, wo es erst dem kleinsten Söhnchen gestattet ist, sie zu Grunde zu richten. – Als Sali und Vrenchen die vielen Spaziergänger sahen, lachten sie ins Fäustchen und freuten sich, auch gepaart zu sein, schlüpften aber seitwärts auf engere Waldpfade, wo sie sich in tiefen Einsamkeiten verloren. Sie hielten sich auf, wo es sie freute, eilten vorwärts und ruhten wieder, und wie keine Wolke am reinen Himmel stand, trübte auch keine Sorge in diesen Stunden ihr Gemüt; sie vergaßen, woher sie kamen und wohin sie gingen, und benahmen sich so fein und ordentlich dabei, daß trotz aller frohen Erregung und Bewegung Vrenchens niedlicher einfacher Aufputz so frisch und unversehrt blieb, wie er am Morgen gewesen war. Sali betrug sich auf diesem Wege nicht wie ein beinahe zwanzigjähriger Landbursche oder der Sohn eines verkommenen Schenkwirtes, sondern wie er einige Jahre jünger und sehr wohl

erzogen wäre, und es war beinahe komisch, wie er nur immer
sein feines lustiges Vrenchen ansah, voll Zärtlichkeit, Sorgfalt
und Achtung. Denn die armen Leutchen mußten an diesem einen Tage, der ihnen vergönnt war, alle Manieren und Stimmungen der Liebe durchleben und sowohl die verlorenen Tage
der zarteren Zeit nachholen als das leidenschaftliche Ende vor-
ausnehmen mit der Hingabe ihres Lebens.

So liefen sie sich wieder hungrig und waren erfreut, von der
Höhe eines schattenreichen Berges ein glänzendes Dorf vor
sich zu sehen, wo sie Mittag halten wollten. Sie stiegen rasch
hinunter, betraten dann aber ebenso sittsam diesen Ort, wie sie
den vorigen verlassen. Es war niemand um den Weg, der sie erkannt hätte; denn besonders Vrenchen war die letzten Jahre
hindurch gar nicht unter die Leute und noch weniger in andere
Dörfer gekommen. Deshalb stellten sie ein wohlgefälliges
ehrsames Pärchen vor, das irgend einen angelegentlichen Gang
tut. Sie gingen ins erste Wirtshaus des Dorfes, wo Sali ein erkleckliches Mahl bestellte; ein eigener Tisch wurde ihnen
sonntäglich gedeckt und sie saßen wieder still und bescheiden
daran und beguckten die schön getäfelten Wände von gebohntem Nußbaumholz, das ländliche, aber glänzende und wohlbestellte Büffet von gleichem Holze und die klaren weißen
Fenstervorhänge. Die Wirtin trat zutulich herzu und setzte ein
Geschirr voll frischer Blumen auf den Tisch. »Bis die Suppe
kommt«, sagte sie, »könnt ihr, wenn es euch gefällig ist, einstweilen die Augen sättigen an dem Strauße. Allem Anschein
nach, wenn es erlaubt ist zu fragen, seid ihr ein junges Brautpaar, das gewiß nach der Stadt geht, um sich morgen kopulieren zu lassen?« Vrenchen wurde rot und wagte nicht aufzusehen, Sali sagte auch nichts und die Wirtin fuhr fort: »Nun, ihr
seid freilich beide noch wohl jung, aber jung geheiratet lebt
lang, sagt man zuweilen, und ihr seht wenigstens hübsch und
brav aus und braucht euch nicht zu verbergen. Ordentliche
Leute können etwas zuwege bringen, wenn sie so jung zusammenkommen und fleißig und treu sind. Aber das muß man
freilich sein, denn die Zeit ist kurz und doch lang und es kom-

men viele Tage, viele Tage! Je nun, schön genug sind sie und amüsant dazu, wenn man gut Haus hält damit! Nichts für ungut, aber es freut mich, euch anzusehen, so ein schmuckes Pärchen seid ihr!« Die Kellnerin brachte die Suppe, und da sie einen Teil dieser Worte noch gehört und lieber selbst geheiratet hätte, so sah sie Vrenchen mit scheelen Augen an, welches nach ihrer Meinung so gedeihliche Wege ging. In der Nebenstube ließ die unliebliche Person ihren Unmut frei und sagte zur Wirtin, welche dort zu schaffen hatte, so laut, daß man es hören konnte: »Das ist wieder ein rechtes Hudelvölkchen, das, wie es geht und steht, nach der Stadt läuft und sich kopulieren läßt, ohne einen Pfennig, ohne Freunde, ohne Aussteuer und ohne Aussicht als auf Armut und Bettelei! Wo soll das noch hinaus, wenn solche Dinger heiraten, die die Jüppe noch nicht allein anziehen und keine Suppe kochen können? Ach der hübsche junge Mensch kann mich nur dauern, der ist schön petschiert mit seiner jungen Gungeline!« »Bscht! willst du wohl schweigen, du hässiges Ding!« sagte die Wirtin, »denen lasse ich nichts geschehen! Das sind gewiß zwei recht ordentliche Leutlein aus den Bergen, wo die Fabriken sind; dürftig sind sie gekleidet, aber sauber, und wenn sie sich nur gern haben und arbeitsam sind, so werden sie weiter kommen als du mit deinem bösen Maul! Du kannst freilich noch lang warten, bis dich einer abholt, wenn du nicht freundlicher bist, du Essighafen!«

So genoß Vrenchen alle Wonnen einer Braut, die zur Hochzeit reiset: die wohlwollende Ansprache und Aufmunterung einer sehr vernünftigen Frau, den Neid einer heiratslustigen bösen Person, welche aus Ärger den Geliebten lobte und bedauerte, und ein leckeres Mittagsmahl an der Seite eben dieses Geliebten. Es glühte im Gesicht wie eine rote Nelke, das Herz klopfte ihm, aber es aß und trank nichtsdestominder mit gutem Appetit und war mit der aufwartenden Kellnerin nur um so artiger, konnte aber nicht unterlassen, dabei den Sali zärtlich anzusehen und mit ihm zu lispeln, so daß es diesem auch ganz kraus im Gemüt wurde. Sie saßen indessen lang und gemächlich am Tische, wie wenn sie zögerten und sich scheuten, aus der holden Täuschung herauszugehen. Die Wirtin brachte zum Nachtisch süßes Backwerk und Sali bestellte feinern und stärkern Wein dazu, welcher Vrenchen feurig durch die Adern rollte, als es ein wenig davon trank; aber es nahm sich in Acht, nippte bloß zuweilen und saß so züchtig und verschämt da wie eine wirkliche Braut. Halb spielte es aus Schalkheit diese Rolle und aus Lust, zu versuchen, wie es tue, halb war es ihm in der Tat so zu Mut und vor Bangigkeit und heißer Liebe wollte ihm das Herz brechen, so daß es ihm zu eng ward innerhalb der vier Wände und es zu gehen begehrte. Es war, als ob sie sich scheuten, auf dem Wege wieder so abseits und allein zu sein; denn sie gingen unverabredet auf der Hauptstraße weiter, mitten durch die Leute, und sahen weder rechts noch links. Als sie aber aus dem Dorfe waren und auf das nächstgelegene zugingen, wo Kirchweih war, hing sich Vrenchen an Salis Arm und flüsterte mit zitternden Worten: »Sali! warum sollen wir uns nicht haben und glücklich sein?« »Ich weiß auch nicht warum!« erwiderte er und heftete seine Augen an den milden Herbstsonnenschein, der auf den Auen webte, und er mußte sich bezwingen und das Gesicht ganz sonderbar verziehen. Sie standen still, um sich zu küssen; aber es zeigten sich Leute und sie unterließen es und zogen weiter. Das große Kirchdorf, in dem Kirchweih war, belebte sich schon von der Lust des Volkes; aus dem stattlichen Gasthofe tönte eine pomphafte Tanzmusik, da die jungen Dörfler bereits um Mittag den Tanz angehoben, und auf dem Platz vor dem Wirtshause war ein kleiner Markt aufgeschlagen, bestehend aus einigen Tischen mit Süßigkeiten und Backwerk und ein paar Buden mit Flitterstaat, um welche sich die Kinder und dasjenige Volk drängten, welches sich einstweilen mehr mit Zusehen begnügte. Sali und Vrenchen traten auch zu den Herrlichkeiten und ließen ihre Augen darüber fliegen; denn beide hatten zugleich die Hand in der Tasche und jedes wünschte dem andern etwas zu schenken, da sie zum ersten und einzigen Male miteinander zu Markt waren; Sali kaufte ein großes Haus von

Lebkuchen, das mit Zuckerguß freundlich geweißt war, mit einem grünen Dach, auf welchem weiße Tauben saßen und aus dessen Schornstein ein Amörchen guckte als Kaminfeger; an den offenen Fenstern umarmten sich pausbäckige Leutchen mit winzig kleinen roten Mündchen, die sich recht eigentlich küßten, da der flüchtige praktische Maler mit einem Kleckschen gleich zwei Mündchen gemacht, die so ineinander verflossen. Schwarze Pünktchen stellten muntere Äuglein vor. Auf der rosenroten Haustür aber waren diese Verse zu lesen:

> Tritt in mein Haus, o Liebste!
> Doch sei Dir unverhehlt:
> Drin wird allein nach Küssen
> Gerechnet und gezählt.
>
> Die Liebste sprach: »O Liebster,
> Mich schrecket nichts zurück!
> Hab alles wohl erwogen:
> In Dir nur lebt mein Glück!
>
> Und wenn ich's recht bedenke,
> Kam ich deswegen auch!«
> Nun denn, spazier mit Segen
> Herein und üb den Brauch!

Ein Herr in einem blauen Frack und eine Dame mit einem sehr hohen Busen komplimentierten sich diesen Versen gemäß in das Haus hinein, links und rechts an die Mauer gemalt. Vrenchen schenkte Sali dagegen ein Herz, auf dessen einer Seite ein Zettelchen klebte mit den Worten:

> Ein süßer Mandelkern steckt in dem Herze hier,
> Doch süßer als der Mandelkern ist meine Lieb zu Dir!

Und auf der anderen Seite:

> Wenn Du dies Herz gegessen, vergiß dies Sprüchlein
> nicht:
> Viel eh'r als meine Liebe mein braunes Auge bricht!

Sie lasen eifrig die Sprüche und nie ist etwas Gereimtes und Gedrucktes schöner befunden und tiefer empfunden worden als diese Pfefferkuchensprüche; sie hielten, was sie lasen, in besonderer Absicht auf sich gemacht, so gut schien es ihnen zu passen. »Ach«, seufzte Vrenchen, »du schenkst mir ein Haus! Ich habe dir auch eines und erst das wahre geschenkt; denn unser Herz ist jetzt unser Haus, darin wir wohnen, und wir tragen so unsere Wohnung mit uns, wie die Schnecken! Andere haben wir nicht!« »Dann sind wir aber zwei Schnecken, von denen jede das Häuschen der andern trägt!« sagte Sali, und Vrenchen erwiderte: »Desto weniger dürfen wir voneinander gehen, damit jedes seiner Wohnung nah bleibt!« Doch wußten sie nicht, daß sie in ihren Reden eben solche Witze machten als auf den vielfach geformten Lebkuchen zu lesen waren, und fuhren fort diese süße einfache Liebesliteratur zu studieren, die da ausgebreitet lag und besonders auf vielfach verzierte kleine und große Herzen geklebt war. Alles dünkte sie schön und einzig zutreffend; als Vrenchen auf einem vergoldeten Herzen, das wie eine Lyra mit Saiten bespannt war, las: »Mein Herz ist wie ein Zitherspiel, rührt man es viel, so tönt es viel!« ward ihm so musikalisch zu Mut, daß es glaubte, sein eigenes Herz klingen zu hören. Ein Napoleonsbild war da, welches aber auch der Träger eines verliebten Spruches sein mußte, denn es stand darunter geschrieben: »Groß war der Held Napoleon, sein Schwert von Stahl, sein Herz von Ton; meine Liebe trägt ein Röslein frei, doch ist ihr Herz wie Stahl so treu!« – Während sie aber beiderseitig in das Lesen vertieft schienen, nahm jedes die Gelegenheit wahr, einen heimlichen Einkauf zu machen. Sali kaufte für Vrenchen ein vergoldetes Ringelchen mit einem grünen Glassteinchen, und Vrenchen einen Ring von schwarzem Gemshorn, auf welchem ein goldenes Vergißmeinnicht eingelegt war. Wahrscheinlich hatten sie den gleichen Gedanken, sich diese armen Zeichen bei der Trennung zu geben.

Während sie in diese Dinge sich versenkten, waren sie so vergessen, daß sie nicht bemerkten, wie nach und nach ein

weiter Ring sich um sie gebildet hatte von Leuten, die sie aufmerksam und neugierig betrachteten. Denn da viele junge
Bursche und Mädchen aus ihrem Dorfe hier waren, so waren
sie erkannt worden, und alles stand jetzt in einiger Entfernung
um sie herum und sah mit Verwunderung auf das wohlge-
putzte Paar, welches in andächtiger Innigkeit die Welt um sich
her zu vergessen schien. »Ei seht!« hieß es, »das ist ja wahrhaftig das Vrenchen Marti und der Sali aus der Stadt! Die haben sich ja säuberlich gefunden und verbunden! Und welche
Zärtlichkeit und Freundschaft, seht doch, seht! Wo die wohl
hinaus wollen?« Die Verwunderung dieser Zuschauer war
ganz seltsam gemischt aus Mitleid mit dem Unglück, aus Verachtung der Verkommenheit und Schlechtigkeit der Eltern
und aus Neid gegen das Glück und die Einigkeit des Paares,
welches auf eine ganz ungewöhnliche und fast vornehme
Weise verliebt und aufgeregt war und in dieser rückhaltlosen
Hingebung und Selbstvergessenheit dem rohen Völkchen
ebenso fremd erschien wie in seiner Verlassenheit und Armut.
Als sie daher endlich aufwachten und um sich sahen, erschau-
ten sie nichts als gaffende Gesichter von allen Seiten; niemand
grüßte sie und sie wußten nicht, sollten sie jemand grüßen,
und diese Verfremdung und Unfreundlichkeit war von beiden
Seiten mehr Verlegenheit als Absicht. Es wurde Vrenchen
bang und heiß, es wurde bleich und rot, Sali nahm es aber bei
der Hand und führte das arme Wesen hinweg, das ihm mit seinem Haus in der Hand willig folgte, obgleich die Trompeten
im Wirtshause lustig schmetterten und Vrenchen so gern tanzen wollte. »Hier können wir nicht tanzen!« sagte Sali, als sie
sich etwas entfernt hatten, »wir würden hier wenig Freude haben, wie es scheint!« »Jedenfalls«, sagte Vrenchen traurig, »es
wird auch am besten sein, wir lassen es ganz bleiben und ich
sehe, wo ich ein Unterkommen finde!« »Nein«, rief Sali, »du
sollst einmal tanzen, ich habe dir darum Schuhe gebracht! Wir
wollen gehen, wo das arme Volk sich lustig macht, zu dem wir
jetzt auch gehören, da werden sie uns nicht verachten; im
Paradiesgärtchen wird jedesmal auch getanzt, wenn hier

Kirchweih ist, da es in die Kirchgemeinde gehört, und dorthin
wollen wir gehen, dort kannst du zur Not auch übernachten.«
Vrenchen schauerte zusammen bei dem Gedanken, nun zum
ersten Mal an einem unbekannten Ort zu schlafen; doch folgte
es willenlos seinem Führer, der jetzt alles war, was es in der
Welt hatte. Das Paradiesgärtlein war ein schöngelegenes
Wirtshaus an einer einsamen Berghalde, das weit über das
Land wegsah, in welchem aber an solchen Vergnügungstagen
nur das ärmere Volk, die Kinder der ganz kleinen Bauern und
Tagelöhner und sogar mancherlei fahrendes Gesinde verkehrte. Vor hundert Jahren war es als ein kleines Landhaus von
einem reichen Sonderling gebaut worden, nach welchem niemand mehr da wohnen mochte, und da der Platz sonst zu
nichts zu gebrauchen war, so geriet der wunderliche Landsitz
in Verfall und zuletzt in die Hände eines Wirtes, der da sein
Wesen trieb. Der Name und die demselben entsprechende
Bauart waren aber dem Hause geblieben. Es bestand nur aus
einem Erdgeschoß, über welchem ein offener Estrich gebaut
war, dessen Dach an den vier Ecken von Bildern aus Sandstein
getragen wurde, so die vier Erzengel vorstellten und gänzlich
verwittert waren. Auf dem Gesimse des Daches saßen ringsherum kleine musizierende Engel mit dicken Köpfen und
Bäuchen, den Triangel, die Geige, die Flöte, Zimbel und Tam-
burin spielend, ebenfalls aus Sandstein, und die Instrumente
waren ursprünglich vergoldet gewesen. Die Decke inwendig
sowie die Brustwehr des Estrichs und das übrige Gemäuer des
Hauses waren mit verwaschenen Freskomalereien bedeckt,
welche lustige Engelscharen sowie singende und tanzende
Heilige darstellten. Aber alles war verwischt und undeutlich
wie ein Traum und überdies reichlich mit Weinreben übersponnen, und blaue reifende Trauben hingen überall in dem
Laube. Um das Haus herum standen verwilderte Kastanien-
bäume, und knorrige starke Rosenbüsche, auf eigene Hand
fortlebend, wuchsen da und dort so wild herum wie anderswo
die Holunderbäume. Der Estrich diente zum Tanzsaal; als Sali
mit Vrenchen daherkam, sahen sie schon von weitem die Paare

unter dem offenen Dache sich drehen, und rund um das Haus
zechten und lärmten eine Menge lustiger Gäste. Vrenchen,
welches andächtig und wehmütig sein Liebeshaus trug, glich
einer heiligen Kirchenpatronin auf alten Bildern, welche das
Modell eines Domes oder Klosters auf der Hand hält, so sie
gestiftet; aber aus der frommen Stiftung, die ihm im Sinne lag,
konnte nichts werden. Als es aber die wilde Musik hörte, welche vom Estrich ertönte, vergaß es sein Leid und verlangte
endlich nichts als mit Sali zu tanzen. Sie drängten sich durch
die Gäste, die vor dem Hause saßen und in der Stube, verlumpte Leute aus Seldwyla, die eine billige Landpartie machten, armes Volk von allen Enden, und stiegen die Treppe hinauf, und sogleich drehten sie sich im Walzer herum, keinen
Blick voneinander abwendend. Erst als der Walzer zu Ende,
sahen sie sich um; Vrenchen hatte sein Haus zerdrückt und
zerbrochen und wollte eben betrübt darüber werden, als es
noch mehr erschrak über den schwarzen Geiger, in dessen
Nähe sie standen. Er saß auf einer Bank, die auf einem Tische
stand, und sah so schwarz aus wie gewöhnlich; nur hatte er
heute einen grünen Tannenbusch auf sein Hütchen gesteckt,
zu seinen Füßen hatte er eine Flasche Rotwein und ein Glas
stehen, welche er nie umstieß, obgleich er fortwährend mit
den Beinen strampelte, wenn er geigte, und so eine Art von Ei-
ertanz damit vollbrachte. Neben ihm saß noch ein schöner,
aber trauriger junger Mensch mit einem Waldhorn, und ein
Buckliger stand an einer Baßgeige. Sali erschrak auch, als er
den Geiger erblickte; dieser grüßte sie aber auf das freundlichste und rief: »Ich habe doch gewußt, daß ich euch noch einmal
aufspielen werde! So macht euch nur recht lustig, ihr Schätzchen, und tut mir Bescheid!« Er bot Sali das volle Glas und Sali
trank und tat ihm Bescheid. Als der Geiger sah, wie erschrocken Vrenchen war, suchte er ihm freundlich zuzureden
und machte einige fast anmutige Scherze, die es zum Lachen
brachten. Es ermunterte sich wieder, und nun waren sie froh,
hier einen Bekannten zu haben und gewissermaßen unter dem
besondern Schutze des Geigers zu stehen. Sie tanzten nun

ohne Unterlaß, sich und die Welt vergessend in dem Drehen,
Singen und Lärmen, welches in und außer dem Hause rumorte
und vom Berge weit in die Gegend hinausschallte, welche sich
allmählig in den silbernen Duft des Herbstabends hüllte. Sie
tanzten, bis es dunkelte und der größere Teil der lustigen Gäste sich schwankend und johlend nach allen Seiten entfernte.
Was noch zurückblieb, war das eigentliche Hudelvölkchen,
welches nirgends zu Hause war und sich zum guten Tag auch
noch eine gute Nacht machen wollte. Unter diesen waren einige, welche mit dem Geiger gut bekannt schienen und fremdartig aussahen in ihrer zusammengewürfelten Tracht. Besonders ein junger Bursche fiel auf, der eine grüne Manchesterjacke trug und einen zerknitterten Strohhut, um den er einen
Kranz von Ebereschen oder Vogelbeerbüscheln gebunden
hatte. Dieser führte eine wilde Person mit sich, die einen Rock
von kirschrotem weißgetüpfeltem Kattun trug und sich einen
Reifen von Rebenschossen um den Kopf gebunden, so daß an
jeder Schläfe eine blaue Traube hing. Dies Paar war das ausge-
lassenste von allen, tanzte und sang unermüdlich und war in
allen Ecken zugleich. Dann war noch ein schlankes hübsches
Mädchen da, welches ein schwarzseidenes abgeschossenes
Kleid trug und ein weißes Tuch um den Kopf, daß der Zipfel
über den Rücken fiel. Das Tuch zeigte rote, eingewobene
Streifen und war eine gute leinene Handzwehle oder Serviette.
Darunter leuchteten aber ein Paar veilchenblaue Augen hervor. Um den Hals und auf der Brust hing eine sechsfache Kette
von Vogelbeeren auf einen Faden gezogen und ersetzte die
schönste Korallenschnur. Diese Gestalt tanzte fortwährend allein mit sich selbst und verweigerte hartnäckig mit einem der
Gesellen zu tanzen. Nichtsdestominder bewegte sie sich anmutig und leicht herum und lächelte jedesmal, wenn sie sich an
dem traurigen Waldhornbläser vorüberdrehte, wozu dieser
immer den Kopf abwandte. Noch einige andere vergnügte
Frauensleute waren da mit ihren Beschützern, alle von dürfti-
gem Aussehen, aber sie waren um so lustiger und in bester
Eintracht untereinander. Als es gänzlich dunkel war, wollte

der Wirt keine Lichter anzünden, da er behauptete, der Wind lösche sie aus, auch ginge der Vollmond sogleich auf und für das, was ihm diese Herrschaften einbrächten, sei das Mondlicht gut genug. Diese Eröffnung wurde mit großem Wohlgefallen aufgenommen; die ganze Gesellschaft stellte sich an die Brüstung des luftigen Saales und sah dem Aufgange des Gestirnes entgegen, dessen Röte schon am Horizonte stand; und sobald der Mond aufging und sein Licht quer durch den Estrich des Paradiesgärtleins warf, tanzten sie im Mondschein weiter, und zwar so still, artig und seelenvergnügt, als ob sie im Glanze von hundert Wachskerzen tanzten. Das seltsame Licht machte alle vertrauter, und so konnten Sali und Vrenchen nicht umhin, sich unter die gemeinsame Lustbarkeit zu mischen und auch mit andern zu tanzen. Aber jedesmal, wenn sie ein Weilchen getrennt gewesen, flogen sie zusammen und feierten ein Wiedersehen, als ob sie sich jahrelang gesucht und endlich gefunden. Sali machte ein trauriges und unmutiges Gesicht, wenn er mit einer anderen tanzte, und drehte fortwährend das Gesicht nach Vrenchen hin, welches ihn nicht ansah, wenn es vorüberschwebte, glühte wie eine Purpurrose und überglücklich schien, mit wem es auch tanzte. »Bist du eifersüchtig, Sali?« fragte es ihn, als die Musikanten müde waren und aufhörten. »Gott bewahre!« sagte er, »ich wüßte nicht, wie ich es anfangen sollte!« »Warum bist du denn so bös, wenn ich mit andern tanze?« »Ich bin nicht darüber bös, sondern weil ich mit andern tanzen muß! Ich kann kein anderes Mädchen ausstehen, es ist mir, als wenn ich ein Stück Holz im Arm habe, wenn du es nicht bist! Und du? wie geht es dir?« »O, ich bin immer wie im Himmel, wenn ich nur tanze und weiß, daß du zugegen bist! Aber ich glaube, ich würde sogleich tot umfallen, wenn du weggingest und mich da ließest!« Sie waren hinabgegangen und standen vor dem Hause; Vrenchen umschloß ihn mit beiden Armen, schmiegte seinen schlanken zitternden Leib an ihn, drückte seine glühende Wange, die von heißen Tränen feucht war, an sein Gesicht und sagte schluchzend: »Wir können nicht zusammen sein und

doch kann ich nicht von dir lassen, nicht einen Augenblick
mehr, nicht eine Minute!« Sali umarmte und drückte das
Mädchen heftig an sich und bedeckte es mit Küssen. Seine verwirrten Gedanken rangen nach einem Ausweg, aber er sah keinen. Wenn auch das Elend und die Hoffnungslosigkeit seiner
Herkunft zu überwinden gewesen wären, so war seine Jugend
und unerfahrene Leidenschaft nicht beschaffen, sich eine lange
Zeit der Prüfung und Entsagung vorzunehmen und zu über-
stehen, und dann wäre erst noch Vrenchens Vater dagewesen,
welchen er zeitlebens elend gemacht. Das Gefühl, in der bürgerlichen Welt nur in einer ganz ehrlichen und gewissenfreien
Ehe glücklich sein zu können, war in ihm ebenso lebendig wie
in Vrenchen, und in beiden verlassenen Wesen war es die letzte
Flamme der Ehre, die in früheren Zeiten in ihren Häusern ge-
glüht hatte und welche die sich sicher fühlenden Väter durch
einen unscheinbaren Mißgriff ausgeblasen und zerstört hatten,
als sie, eben diese Ehre zu äufnen wähnend durch Vermehrung
ihres Eigentums, so gedankenlos sich das Gut eines Verschollenen aneigneten, ganz gefahrlos, wie sie meinten. Das geschieht nun freilich alle Tage; aber zuweilen stellt das Schicksal ein Exempel auf und läßt zwei solche Äufner ihrer Haus-
ehre und ihres Gutes zusammentreffen, die sich dann
unfehlbar aufreiben und auffressen wie zwei wilde Tiere.
Denn die Mehrer des Reiches verrechnen sich nicht nur auf
den Thronen, sondern zuweilen auch in den niedersten Hütten und langen ganz am entgegengesetzten Ende an als wohin
sie zu kommen trachteten, und der Schild der Ehre ist im Umsehen eine Tafel der Schande. Sali und Vrenchen hatten aber
noch die Ehre ihres Hauses gesehen in zarten Kinderjahren
und erinnerten sich, wie wohlgepflegte Kinderchen sie gewesen und daß ihre Väter ausgesehen wie andere Männer, geachtet und sicher. Dann waren sie auf lange getrennt worden, und
als sie sich wiederfanden, sahen sie in sich zugleich das ver-
schwundene Glück des Hauses, und beider Neigung klammerte sich nur um so heftiger ineinander. Sie mochten so gern
fröhlich und glücklich sein, aber nur auf einem guten Grund

und Boden, und dieser schien ihnen unerreichbar, während ihr wallendes Blut am liebsten gleich zusammengeströmt wäre. »Nun ist es Nacht«, rief Vrenchen, »und wir sollen uns trennen!« »Ich soll nach Hause gehen und dich allein lassen?« rief Sali, »nein, das kann ich nicht!« »Dann wird es Tag werden und nicht besser um uns stehen!«

»Ich will euch einen Rat geben, ihr närrischen Dinger!« tönte eine schrille Stimme hinter ihnen, und der Geiger trat vor sie hin. »Da steht ihr«, sagte er, »wißt nicht wo hinaus und hättet euch gern. Ich rate euch, nehmt euch, wie ihr seid, und säumet nicht. Kommt mit mir und meinen guten Freunden in die Berge, da brauchet ihr keinen Pfarrer, kein Geld, keine Schriften, keine Ehre, kein Bett, nichts als euern guten Willen! Es ist gar nicht so übel bei uns, gesunde Luft und genug zu essen, wenn man tätig ist; die grünen Wälder sind unser Haus, wo wir uns lieb haben, wie es uns gefällt, und im Winter machen wir uns die wärmsten Schlupfwinkel oder kriechen den Bauern ins warme Heu. Also kurz entschlossen, haltet gleich hier Hochzeit und kommt mit uns, dann seid ihr aller Sorgen los und habt euch für immer und ewiglich, solange es euch gefällt wenigstens; denn alt werdet ihr bei unserm freien Leben, das könnt ihr glauben! Denkt nicht etwa, daß ich euch nachtragen will, was eure Alten an mir getan! Nein! es macht mir zwar Vergnügen, euch da angekommen zu sehen, wo ihr seid; allein damit bin ich zufrieden und werde euch behilflich und dienstfertig sein, wenn ihr mir folgt.« Er sagte das wirklich in einem aufrichtigen und gemütlichen Tone. »Nun, besinnt euch ein bißchen, aber folget mir, wenn ich euch gut zum Rat bin! Laßt fahren die Welt und nehmet euch und fraget niemandem was nach! Denkt an das lustige Hochzeitbett im tiefen Wald oder auf einem Heustock, wenn es euch zu kalt ist!« Damit ging er ins Haus. Vrenchen zitterte in Salis Armen und dieser sagte: »Was meinst du dazu? Mich dünkt, es wäre nicht übel, die ganze Welt in den Wind zu schlagen und uns dafür zu lieben ohne Hindernis und Schranken!« Er sagte es aber mehr als einen verzweifelten Scherz denn im Ernst. Vrenchen aber er-

widerte ganz treuherzig und küßte ihn: »Nein, dahin möchte
ich nicht gehen, denn da geht es auch nicht nach meinem Sinne
zu. Der junge Mensch mit dem Waldhorn und das Mädchen in
dem seidenen Rock gehören auch so zueinander und sollen
sehr verliebt gewesen sein. Nun sei letzte Woche die Person
ihm zum ersten Mal untreu geworden, was ihm nicht in den
Kopf wolle, und deshalb sei er so traurig und schmolle mit ihr
und mit den andern, die ihn auslachen. Sie aber tut eine mutwillige Buße, indem sie allein tanzt und mit niemandem
spricht, und lacht ihn auch nur aus damit. Dem armen Musikanten sieht man es jedoch an, daß er sich noch heute mit ihr
versöhnen wird. Wo es aber so hergeht, möchte ich nicht sein,
denn nie möcht ich dir untreu werden, wenn ich auch sonst
noch alles ertragen würde, um dich zu besitzen!« Indessen
aber fieberte das arme Vrenchen immer heftiger an Salis Brust;
denn schon seit dem Mittag, wo jene Wirtin es für eine Braut
gehalten und es eine solche ohne Widerrede vorgestellt, lohte
ihm das Brautwesen im Blute, und je hoffnungsloser es war,
um so wilder und unbezwinglicher. Dem Sali erging es ebenso
schlimm, da die Reden des Geigers, so wenig er ihnen folgen
mochte, dennoch seinen Kopf verwirrten, und er sagte mit ratlos stockender Stimme: »Komm herein, wir müssen wenigstens noch was essen und trinken.« Sie gingen in die Gaststube, wo niemand mehr war als die kleine Gesellschaft der
Heimatlosen, welche bereits um einen Tisch saß und eine spär-
liche Mahlzeit hielt. »Da kommt unser Hochzeitpaar!« rief
der Geiger, »jetzt seid lustig und fröhlich und laßt euch zu-
sammengeben!« Sie wurden an den Tisch genötigt und flüch-
teten sich vor sich selbst an denselben hin; sie waren froh, nur
für den Augenblick unter Leuten zu sein. Sali bestellte Wein
und reichlichere Speisen, und es begann eine große Fröhlichkeit. Der Schmollende hatte sich mit der Untreuen versöhnt
und das Paar liebkoste sich in begieriger Seligkeit; das andere
wilde Paar sang und trank und ließ es ebenfalls nicht an Lie-
besbezeugungen fehlen, und der Geiger nebst dem buckligen
Baßgeiger lärmten ins Blaue hinein. Sali und Vrenchen waren

still und hielten sich umschlungen; auf einmal gebot der Geiger Stille und führte eine spaßhafte Zeremonie auf, welche eine Trauung vorstellen sollte. Sie mußten sich die Hände geben und die Gesellschaft stand auf und trat der Reihe nach zu ihnen, um sie zu beglückwünschen und in ihrer Verbrüderung willkommen zu heißen. Sie ließen es geschehen, ohne ein Wort zu sagen, und betrachteten es als einen Spaß, während es sie doch kalt und heiß durchschauerte.

Die kleine Versammlung wurde jetzt immer lauter und aufgeregter, angefeuert durch den stärkern Wein, bis plötzlich der Geiger zum Aufbruch mahnte. »Wir haben weit«, rief er, »und Mitternacht ist vorüber! Auf! wir wollen dem Brautpaar das Geleit geben und ich will vorausgeigen, daß es eine Art hat!« Da die ratlosen Verlassenen nichts Besseres wußten und überhaupt ganz verwirrt waren, ließen sie abermals geschehen, daß man sie voranstellte und die übrigen zwei Paare einen Zug hinter ihnen formierten, welchen der Bucklige abschloß mit seiner Baßgeige über der Schulter. Der Schwarze zog voraus und spielte auf seiner Geige wie besessen den Berg hinunter, und die andern lachten, sangen und sprangen hintendrein. So strich der tolle nächtliche Zug durch die stillen Felder und durch das Heimatdorf Salis und Vrenchens, dessen Bewohner längst schliefen.

Als sie durch die stillen Gassen kamen und an ihren verlorenen Vaterhöfen vorüber, ergriff sie eine schmerzhaft wilde Laune und sie tanzten mit den andern um die Wette hinter dem Geiger her, küßten sich, lachten und weinten. Sie tanzten auch den Hügel hinauf, über welchen der Geiger sie führte, wo die drei Äcker lagen, und oben strich der schwärzliche Kerl die Geige noch einmal so wild, sprang und hüpfte wie ein Gespenst, und seine Gefährten blieben nicht zurück in der Ausgelassenheit, so daß es ein wahrer Blocksberg war auf der stillen Höhe; selbst der Bucklige sprang keuchend mit seiner Last herum und keines schien mehr das andere zu sehen. Sali faßte Vrenchen fester in den Arm und zwang es still zu stehen; denn er war zuerst zu sich gekommen. Er küßte es, damit es schweige, heftig auf den Mund, da es sich ganz vergessen hatte und laut sang. Es verstand ihn endlich und sie standen still und lauschend, bis ihr tobendes Hochzeitgeleite das Feld entlang gerast war und, ohne sie zu vermissen, am Ufer des Stromes hinauf sich verzog. Die Geige, das Gelächter der Mädchen und die Jauchzer der Bursche tönten aber noch eine gute Zeit durch die Nacht, bis zuletzt alles verklang und still wurde.

»Diesen sind wir entflohen«, sagte Sali, »aber wie entfliehen wir uns selbst? Wie meiden wir uns?«

Vrenchen war nicht imstande zu antworten und lag hochaufatmend an seinem Halse. »Soll ich dich nicht lieber ins Dorf zurückbringen und Leute wecken, daß sie dich aufnehmen? Morgen kannst du ja dann deines Weges ziehen und gewiß wird es dir wohlgehen, du kommst überall fort!«

»Fortkommen, ohne dich!«

»Du mußt mich vergessen!«

»Das werde ich nie! Könntest denn du es tun?«

»Darauf kommt's nicht an, mein Herz!« sagte Sali und streichelte ihm die heißen Wangen, je nachdem es sie leidenschaftlich an seiner Brust herumwarf, »es handelt sich jetzt nur um dich; du bist noch so ganz jung und es kann dir noch auf allen Wegen gut gehen!«

»Und dir nicht auch, du alter Mann?«

»Komm!« sagte Sali und zog es fort. Aber sie gingen nur einige Schritte und standen wieder still, um sich bequemer zu umschlingen und zu herzen. Die Stille der Welt sang und musizierte ihnen durch die Seelen, man hörte nur den Fluß unten sacht und lieblich rauschen im langsamen Ziehen.

»Wie schön ist es da rings herum! Hörst du nicht etwas tönen, wie ein schöner Gesang oder ein Geläute?«

»Es ist das Wasser, das rauscht! Sonst ist alles still.«

»Nein, es ist noch etwas anderes, hier, dort hinaus, überall tönt's!«

»Ich glaube, wir hören unser eigenes Blut in unsern Ohren rauschen!«

Sie horchten ein Weilchen auf diese eingebildeten oder

wirklichen Töne, welche von der großen Stille herrührten oder welche sie mit den magischen Wirkungen des Mondlichtes verwechselten, welches nah und fern über die weißen Herbstnebel wallte, welche tief auf den Gründen lagen. Plötzlich fiel Vrenchen etwas ein; es suchte in seinem Brustgewand und sagte: »Ich habe dir noch ein Andenken gekauft, das ich dir geben wollte!« Und es gab ihm den einfachen Ring und steckte ihm denselben selbst an den Finger. Sali nahm sein Ringlein auch hervor und steckte ihn an Vrenchens Hand, indem er sagte: »So haben wir die gleichen Gedanken gehabt!« Vrenchen hielt seine Hand in das bleiche Silberlicht und betrachtete den Ring. »Ei, wie ein feiner Ring!« sagte es lachend; »nun sind wir aber doch verlobt und versprochen, du bist mein Mann und ich deine Frau, wir wollen es einmal einen Augenblick lang denken, nur bis jener Nebelstreif am Mond vorüber ist oder bis wir zwölf gezählt haben! Küsse mich zwölfmal!«

Sali liebte gewiß ebenso stark als Vrenchen, aber die Heiratsfrage war in ihm doch nicht so leidenschaftlich lebendig als ein bestimmtes Entweder – Oder, als ein unmittelbares Sein oder Nichtsein, wie in Vrenchen, welches nur das Eine zu fühlen fähig war und mit leidenschaftlicher Entschiedenheit unmittelbar Tod oder Leben darin sah. Aber jetzt ging ihm endlich ein Licht auf und das weibliche Gefühl des jungen Mädchens ward in ihm auf der Stelle zu einem wilden und heißen Verlangen und eine glühende Klarheit erhellte ihm die Sinne. So heftig er Vrenchen schon umarmt und liebkost hatte, tat er es jetzt doch ganz anders und stürmischer und übersäete es mit Küssen. Vrenchen fühlte trotz aller eigenen Leidenschaft auf der Stelle diesen Wechsel und ein heftiges Zittern durchfuhr sein ganzes Wesen, aber ehe jener Nebelstreif am Monde vorüber war, war es auch davon ergriffen. Im heftigen Schmeicheln und Ringen begegneten sich ihre ringgeschmückten Hände und faßten sich fest, wie von selbst eine Trauung vollziehend, ohne den Befehl eines Willens. Salis Herz klopfte bald wie mit Hämmern, bald stand es still, er atmete schwer und sagte leise: »Es gibt eines für uns, Vrenchen, wir halten Hochzeit zu dieser Stunde und gehen dann aus der Welt – dort ist das tiefe Wasser – dort scheidet uns niemand mehr und wir sind zusammengewesen – ob kurz oder lang, das kann uns dann gleich sein. –«

Vrenchen sagte sogleich: »Sali – was du da sagst, habe ich schon lang bei mir gedacht und ausgemacht, nämlich daß wir sterben könnten und dann alles vorbei wäre – so schwör mir es, daß du es mit mir tun willst!«

»Es ist schon so gut wie getan, es nimmt dich niemand mehr aus meiner Hand als der Tod!« rief Sali außer sich. Vrenchen aber atmete hoch auf, Tränen der Freude entströmten seinen Augen; es raffte sich auf und sprang leicht wie ein Vogel über das Feld gegen den Fluß hinunter. Sali eilte ihm nach; denn er glaubte, es wolle ihm entfliehen, und Vrenchen glaubte, er wolle es zurückhalten. So sprangen sie einander nach und Vrenchen lachte wie ein Kind, welches sich nicht will fangen lassen. »Bereust du es schon?« rief eines zum andern, als sie am Flusse angekommen waren und sich ergriffen; »nein! es freut mich immer mehr!« erwiderte ein jedes. Aller Sorgen ledig gingen sie am Ufer hinunter und überholten die eilenden Wasser, so hastig suchten sie eine Stätte, um sich niederzulassen; denn ihre Leidenschaft sah jetzt nur den Rausch der Seligkeit, der in ihrer Vereinigung lag, und der ganze Wert und Inhalt des übrigen Lebens drängte sich in diesem zusammen; was danach kam, Tod und Untergang, war ihnen ein Hauch, ein Nichts, und sie dachten weniger daran als ein Leichtsinniger denkt, wie er den andern Tag leben will, wenn er seine letzte Habe verzehrt.

»Meine Blumen gehen mir voraus«, rief Vrenchen, »sieh, sie sind ganz dahin und verwelkt!« Es nahm sie von der Brust, warf sie ins Wasser und sang laut dazu: »Doch süßer als ein Mandelkern ist meine Lieb zu dir!«

»Halt!« rief Sali, »hier ist dein Brautbett!«

Sie waren an einen Fahrweg gekommen, der vom Dorfe her an den Fluß führte, und hier war eine Landungsstelle, wo ein großes Schiff, hoch mit Heu beladen, angebunden lag. In wilder Laune begann er unverweilt die starken Seile loszubinden. Vrenchen fiel ihm lachend in den Arm und rief! »Was willst du tun? Wollen wir den Bauern ihr Heuschiff stehlen zu guter Letzt?« »Das soll die Aussteuer sein, die sie uns geben, eine schwimmende Bettstelle und ein Bett, wie noch keine Braut gehabt! Sie werden überdies ihr Eigentum unten wiederfinden, wo es ja doch hin soll, und werden nicht wissen, was damit geschehen ist. Sieh, schon schwankt es und will hinaus!«

Das Schiff lag einige Schritte vom Ufer entfernt im tiefern Wasser. Sali hob Vrenchen mit seinen Armen hoch empor und schritt durch das Wasser gegen das Schiff; aber es liebkoste ihn so heftig ungebärdig und zappelte wie ein Fisch, daß er im ziehenden Wasser keinen Stand halten konnte. Es strebte Gesicht und Hände ins Wasser zu tauchen und rief: »Ich will auch das kühle Wasser versuchen! Weißt du noch, wie kalt und naß unsere Hände waren, als wir sie uns zum ersten Mal gaben? Fische fingen wir damals, jetzt werden wir selber Fische sein und zwei schöne große!« »Sei ruhig, du lieber Teufel!« sagte Sali, der Mühe hatte, zwischen dem tobenden Liebchen und den Wellen sich aufrecht zu halten, »es reißt mich sonst fort!« Er hob seine Last in das Schiff und schwang sich nach; er hob sie auf die hochgebettete weiche und duftende Ladung und schwang sich auch hinauf, und als sie oben saßen, trieb das Schiff allmählig in die Mitte des Stromes hinaus und schwamm dann, sich langsam drehend, zu Tal.

Der Fluß zog bald durch hohe dunkle Wälder, die ihn überschatteten, bald durch offenes Land; bald an stillen Dörfern vorbei, bald an einzelnen Hütten; hier geriet er in eine Stille, daß er einem ruhigen See glich und das Schiff beinah stillhielt, dort strömte er um Felsen und ließ die schlafenden Ufer schnell hinter sich; und als die Morgenröte aufstieg, tauchte zugleich eine Stadt mit ihren Türmen aus dem silbergrauen Strome. Der untergehende Mond, rot wie Gold, legte eine glänzende Bahn den Strom hinauf und auf dieser kam das Schiff langsam überquer gefahren. Als es sich der Stadt

näherte, glitten im Froste des Herbstmorgens zwei bleiche
Gestalten, die sich fest umwanden, von der dunklen Masse
herunter in die kalten Fluten.

Das Schiff legte sich eine Weile nachher unbeschädigt an
eine Brücke und blieb da stehen. Als man später unterhalb der
Stadt die Leichen fand und ihre Herkunft ausgemittelt hatte,
war in den Zeitungen zu lesen, zwei junge Leute, die Kinder
zweier blutarmen zu Grunde gegangenen Familien, welche in
unversöhnlicher Feindschaft lebten, hätten im Wasser den Tod
gesucht, nachdem sie einen ganzen Nachmittag herzlich miteinander getanzt und sich belustigt auf einer Kirchweih. Es sei
dies Ereignis vermutlich in Verbindung zu bringen mit einem
Heuschiff aus jener Gegend, welches ohne Schiffleute in der
Stadt gelandet sei, und man nehme an, die jungen Leute haben
das Schiff entwendet, um darauf ihre verzweifelte und gott-
verlassene Hochzeit zu halten, abermals ein Zeichen von der
um sich greifenden Entsittlichung und Verwilderung der Leidenschaften.

Frau Regel Amrain und ihr Jüngster

Regula Amrain war die Frau eines abwesenden Seldwylers; dieser hatte einen großen Steinbruch hinter dem Städtchen besessen und seine Zeitlang ausgebeutet und zwar auf Seldwyler Art. Das ganze Nest war beinahe aus dem guten Sandstein gebaut, aus welchem der Berg bestand; aber das Schuldenwesen, das auf den Häusern ruhte, hatte von jeher recht eigentlich schon mit den Steinen begonnen, aus denen sie gebaut waren; denn nichts schien den Seldwylern so wohl geeignet als Stoff und Gegenstand eines muntern Verkehrs als ein solcher Steinbruch, und derselbe glich einer in Felsen gehauenen römischen Schaubühne, über welche die Besitzer emsig hinwegliefen, einer den andern jagend.

Herr Amrain, ein ansehnlicher Mann, der eine ansehnliche Menge Fleisch, Fische und Wein verzehren mußte und mächtige Stücke Seidenzeug zu seinen breiten schönen Westen brauchte, himmelblaue, kirschrote und großartig gewürfelte, war ursprünglich ein Knopfmacher gewesen und hatte auch die eine und andere Stunde des Tages Knöpfe besponnen. Als er aber mit den Jahren gar so fest und breit wurde, sagte ihm die sitzende Lebensart nicht mehr zu, und als er überhaupt den rechten Phäakenaufschwung genommen: die rote Sammetweste, die goldene Uhrkette und den Siegelring, liquidierte er die Knopfmacherei und übernahm in einer wichtigen Hauptsitzung der Seldwyler Spekulanten jenen Steinbruch. Nun hatte er die angemessene bewegliche Lebensweise gefunden, indem er mit einer roten Brieftasche voll Papiere und einem eleganten Spazierstock, auf welchem mit silbernen Stiften ein Zollmaß angebracht war, etwa in den Steinbruch hinaus lustwandelte, wenn das Wetter lieblich war, und dort mit dem besagten Stocke an den verpfändeten Steinlagern herumstocherte, den Schweiß von der Stirn wischte, in die schöne Gegend hinausschaute und dann schleunigst in die Stadt zurückkehrte, um den eigentlichen Geschäften nachzugehen, dem

Umsatz der verschiedenen Papiere in der Brieftasche, was in den kühlen Gaststuben auf das beste vor sich ging. Kurz, er war ein vollkommener Seldwyler bis auf die politische Veränderlichkeit, welche aber die Ursache seines zu frühen Falles wurde. Denn ein konservativer Kapitalist aus einer Finanzstadt, welcher keinen Spaß verstand, hatte auf den Steinbruch einiges Geld hergegeben und damit geglaubt, einem wackern Parteigenossen unter die Arme zu greifen. Als daher Herr Amrain in einem Anfall gänzlicher Gedankenlosigkeit eines Tages höchst verfängliche liberale Redensarten vernehmen ließ, welche ruchbar wurden, erzürnte sich jener Herr mit Recht; denn nirgends ist politische Gesinnungslosigkeit widerwärtiger als an einem großen dicken Manne, der eine bunte Sammetweste trägt! Der erboste Gönner zog daher jählings sein Geld zurück, als kein Mensch daran dachte, und trieb dadurch vor der Zeit den bestürzten Amrain vom Steinbruch und in die Welt hinaus.

Man wird selten sehen, daß es großen schweren Männern schlecht ergeht, weil sie eine durchgreifende und überzeugende Gabe besitzen, für ihren anspruchsvollen Körperbau zu sorgen, und die Nahrungsmittel können sich demselben nicht lange entziehen, sondern werden von dem Magnetgebirge des Bauches mächtig angezogen. So fraß sich der landflüchtige Amrain auch glücklich durch die Fernen; und obgleich er nichts Großes mehr wurde, aß und trank er doch irgendwo in der Fremde so weidlich wie zu Hause.

Doch den Seldwylern, welche jetzt ratschlagten, welcher von ihnen nun am tauglichsten wäre, eine Zeitlang die Honneurs am Steinbruch zu machen, wurde abermals ein Strich durch die Rechnung gezogen, als die zurückgebliebene Ehefrau des Herrn Amrain unerwartet ihren Fuß auf den Sandstein setzte und kraft ihres herzugebrachten Weibergutes den Steinbruch an sich zog und erklärte, das Geschäft fortsetzen und möglicherweise die Gläubiger ihres Mannes befriedigen zu wollen. Sie tat dies erst, als derselbe schon jenseits des Atlantischen Weltmeers war und nicht mehr zurückkommen konnte. Man suchte sie auf jede Weise von diesem Vorhaben abzubringen und zu hindern; allein sie zeigte eine solche Entschlossenheit, Rührigkeit und Besonnenheit, daß nichts gegen sie auszurichten war und sie wirklich die Besitzerin des Steinbruches wurde. Sie ließ fleißig und ordentlich darin arbeiten unter der Leitung eines guten fremden Werkführers und gründete zum ersten Mal die Unternehmung, statt auf den Scheinverkehr, auf wirkliche Produktion. Hieran wollte man sie nun erst recht behindern; allein es war nicht gegen sie aufzukommen, da sie als Frau und sparsame Mutter keine Ausgaben hatte, im Vergleich zu den Herren von Seldwyla, und daher auf die einfachste Weise imstande war, alle Stürme abzuschlagen und alle begründeten Forderungen zu bezahlen. Aber dennoch hielt es schwer, und sie mußte Tag und Nacht mit Mut, List und Kraft bei der Hand sein, sinnen und sorgen, um sich zu behaupten.

Frau Regel hatte von auswärts in das Städtchen geheiratet und war eine sehr frische, große und handfeste Dame mit kräftigen schwarzen Haarflechten und einem festen dunklen Blick. Von ihrem Manne hatte sie drei Buben von ungefähr zehn, acht und fünf Jahren, welche sie oftmals aufmerksam und ernsthaft betrachtete, darüber sinnend, ob dieselben auch wert seien, daß sie das Haus für sie aufrecht halte, da sie ja doch Seldwyler wären und bleiben würden. Doch weil die Bursche einmal ihre Kinder waren, so ließ die Eigenliebe und die Mutterliebe sie immer wieder einen guten Mut fassen, und sie traute sich zu, auch in dieser Sache das Steuer am Ende anders zu lenken als es zu Seldwyl Mode war.

In solche Gedanken versunken, saß sie einst nach dem Nachtessen am Tische und hatte das Geschäftsbuch und eine Menge Rechnungen vor sich liegen. Die Buben lagen im Bette und schliefen in der Kammer, deren Türe offen stand, und sie hatte eben die drei schlafenden kleinen Gesellen mit der Lampe in der Hand betrachtet und besonders den kleinsten Kerl ins Auge gefaßt, der ihr am wenigsten glich. Er war blond, hatte ein keckes Stumpfnäschen, während sie eine

ernsthafte grade lange Nase besaß, und statt ihres streng ge-
schnittenen Mundes zeigte der kleine Fritz trotzig aufgewor-
fene Lippen, selbst wenn er schlief. Dies hatte er alles vom Vater, und es war das gewesen, was ihr eben so wohl gefallen
hatte, als sie ihn heiratete, und was ihr jetzt auch an dem kleinen Burschen so wohl gefiel und doch so schwere Sorgen
machte. Wenn eine Gesichtsart einem einmal wohlgefällt, so
hilft hiegegen kein Kraut; deswegen war Frau Amrain froh,
daß der Alte weg war und sie ihn nicht mehr sah; aber er hatte
ihr in dem jüngsten Kinde ein treues Abbild seiner äußeren
Art hinterlassen, welches sie nie genug ansehen konnte.

Über diesen Sorgen traf sie der Werkführer oder oberste Arbeiter, der jetzt eintrat, um mit ihr die Angelegenheiten und
den Bestand der Geschäfte durchzusehen und manche wichtige Dinge zu besprechen. Es war ein hübscher und unterneh-
mender Bursche von schlankem kräftigem Körperbau, mäßig
in seiner Lebensweise, fleißig und ausdauernd und dabei in
seinen Gedanken von einer gewissen einfachen Schlauheit,
welche zusammen mit den erklecklichen Eigenschaften seiner
Meisterin eben das Geschäft in gutem Gange erhielt und die
gedankenlosen Spitzfindigkeiten der Seldwyler zu Schanden
werden ließ. Inzwischen war er aber ein Mensch und dachte
daher vor allem an sich selber, und in diesem Denken hatte er
es nicht übel gefunden, selber der Herr und Meister hier zu
sein und sich eine bleibende Stätte zu gründen, daher auch in
aller Ehrerbietung der Frau Regula wiederholt nahegelegt,
eine gesetzliche Scheidung von ihrem abwesenden Manne herbeizuführen.

Sie hatte ihn wohl verstanden; doch widerstrebte es ihrem
Stolz, sich öffentlich und mit schimpflichen Beweisgründen
von einem Manne zu trennen, der ihr einmal wohlgefallen, mit
dem sie gelebt und von dem sie drei Kinder hatte; und in der
Sorge für diese Kinder wollte sie auch keinen fremden Mann
über das Haus setzen und wenigstens die äußere Einheit desselben bewahren, bis die Söhne herangewachsen wären und
ein unzersplittertes Erbe aus ihrer Hand empfangen könnten;

denn ein solches gedachte sie trotz aller Schwierigkeiten zusammenzubringen und den Hiesigen zu zeigen, was da Brauch sei, wo *sie* hergekommen. Sie hielt daher den Werkführer knapp im Zügel und brachte sich dadurch nur in größere Verlegenheit; denn als derselbe ihren Widerstand und ihren festen Charakter ersah, verliebte er sich förmlich in sie und gedachte erst recht seine Wünsche zu erreichen. Er änderte sein Benehmen, also daß er, statt wie bisanher ehrbar um ihre Hand als Meisterin sich zu bewerben, nun um ihre Person schmachtete, wo sie ging, und sie stets mit verliebten Augen ansah, wo es immer tunlich war. Dies schien für ihn eine zweckdienliche Veränderung, da die eigentliche Verliebtheit in die Person eines Menschen denselben viel mehr besticht und bezwingt als alle noch so ehrbaren Heiratsabsichten. Wenn nun Frau Regel auch nicht die Haltung verlor und sich in ihn nicht wieder verliebte, so wurde es doch schwerer für sie, ihn abzuwehren, ohne mit ihm zu brechen und ihn zu verlieren, und es ist bekanntlich eine Hauptliebhaberei der Frauen, sich nützliche Freunde und Parteigänger zu erhalten, wenn es immer geschehen kann ohne große Opfer.

Als der Werkführer in die Stube trat, funkelten seine Augen mit ungewöhnlichem Glanze, denn er hatte im Verkehr mit einigen Geschäftsleuten, mit denen er sich zum Vorteil der Frau wacker herumgeschlagen, eine Flasche kräftigen Wein getrunken. Während er ihr Bericht erstattete und dann in den Papieren mit ihr rechnete, blickte er sie oftmals unversehens an und wurde zerstreut und aufgeregt, wie einer, der etwas vorhat. Sie rückte mit ihrem Sessel etwas zur Seite und begann sich in Acht zu nehmen, dabei kaum ein feines Lächeln unterdrückend, wie aus Spott über die plötzliche Unternehmungslust des jungen Mannes. Dieser aber faßte unversehens ihre beiden Hände und suchte die hübsche Frau an sich zu ziehen, indem er zugleich in demselben halblauten Tone, in welchem sie der schlafenden Kinder wegen die ganze Verhandlung geführt hatten, so heftig und feurig anfing zu schmeicheln und zuzureden, ihr Leben doch nicht so öde und unbenutzt ent-

fliehen zu lassen, sondern klug zu sein und sich seiner treuen
Ergebenheit zu erfreuen. Sie wagte keine rasche Bewegung
und kein lautes Wort, aus Furcht, die Kinder zur Unzeit zu
wecken; doch flüsterte sie voll Zorn, er solle ihre Hände frei
lassen und augenblicklich hinausgehen. Er ließ sie aber nicht
frei, sondern faßte sie nur um so fester und hielt ihr mit ein-
dringlichen Worten ihre Jugend und schöne Gestalt vor und
ihre Torheit, so gute Dinge ungenossen vergehen zu lassen. Sie
durchschaute ihren Feind wohl, dessen Augen ebenso stark
von Schlauheit als von Lebenslust glänzten, und merkte, daß
er auf diesem leidenschaftlich-sinnlichen Wege nur beabsichtigte, sie sich zu unterwerfen und dienstbar zu machen, also
daß ihre Selbständigkeit ein schlimmes Ende nähme. Sie gab
ihm dies auch mit höhnischen Blicken zu verstehen, während
sie fortfuhr, so still als möglich sich von ihm loszumachen, was
er nur mit vermehrter Kraft und Eindringlichkeit erwiderte.
Auf diese Weise rang sie mit dem starken Gesellen eine gute
Weile hin und her, ohne daß es dem einen oder andern Teile gelang weiter zu kommen, während nur zuweilen der erschütterte Tisch oder ein unterdrückter zorniger Ausruf oder ein
Seufzer ein Geräusch verursachte, und so schwebte die brave
Frau peinvoll zwischen ihrer in der Kammer dreifach schlafenden Sorge und zwischen dem heißen Anstürmen des wachen Lebens. Sie war kaum dreißig Jahre alt und schon seit einigen Jahren von ihrem Manne verlassen und ihr Blut floß so
rasch und warm wie eines; was Wunder, daß sie daher endlich
einen Augenblick innehielt und tief aufseufzte und daß ihr in
diesem Augenblick der Zweifel durch den Kopf ging, ob es
sich auch der Mühe lohne, so treu und ausdauernd in Entbehrung und Arbeit zu sein, und ob nicht das eigene Leben am
Ende die Hauptsache und es klüger sei zu tun wie die andern
und, nicht dem verwegenen und frechen Andringling, sondern
sich selbst zu gewähren, was ihr Lust und Erfrischung bieten
könne; die Dinge gingen zu Seldwyla vielleicht so oder so
ihren Weg! Indem sie einen Augenblick dies bedachte, zitterten ihre Hände in denjenigen des Werkführers, und nicht so

bald fühlte dieser solche liebliche Änderung des Wetters, als er
seine Anstrengungen erneuerte und vielleicht trotz der abermaligen Gegenwehr der tapferen Frau gesiegt haben würde,
wenn nicht jetzt eine unerwartete Hilfe erschienen wäre.

Denn mit dem bangen zornigen Ausruf: »Mutter! es ist ein
Dieb da!« sprang der jüngste Knabe, der kleine Fritzchen, in
die Stube und glich vollständig einem kleinen Sankt Georg.
Seine goldenen Ringellocken flogen um das vom Schlafe gerö-
tete Gesicht; feurig blickten aber die blauen Augen in lieblichem Zorn und mutig warf sich der trotzige Mund auf. Das
kurze schneeige Hemdchen flatterte wie die Tunika eines
Kreuzfahrers und in den nackten Ärmchen schwang der kleine
Rittersmann eine lange Gardinenstange mit dickem vergoldetem Knopf, den er auch mit aller erdenklichen Kraft dem auf-
springenden Werkmeister auf den Kopf schlug, daß sich dieser
die entstehende Beule verlegen rieb und ihm ordentlich die
Augen übergingen. Frau Amrain aber hielt denKnaben auf,
tief errötend, und rief: »Was ist dir denn, Fritzchen? Es ist ja
nur der Florian und tut uns nichts!« Der Knabe fing bitterlich
an zu weinen, sich voll Verlegenheit an die Kniee der Mutter
klammernd; diese hob ihn auf den Arm, und das Kind an sich
drückend, entließ sie mit einem kaum verhaltenen Lachen den
verblüfften Florian, der, obgleich er den Kleinen gern geohr-
feigt hätte, gute Miene zum bösen Spiel machte und sich verlegen zurückzog. Sie riegelte die Türe rasch hinter ihm zu;
dann stand sie tief aufatmend und nachdenklich mitten in der
Stube, das tapfere Kind auf dem Arm, welches das linke Ärmchen um ihren Hals schlang und mit dem rechten Händchen
die lange Stange mit dem glänzenden Knopf, die es noch immer umfaßt hielt, gegen den Boden stemmte. Dann sah sie aufmerksam in das nahe Gesicht des Kindes und bedeckte es mit
Küssen, und endlich ergriff sie abermals die Lampe und ging
in die Kammer, um nach den beiden ältesten Knaben zu sehen.
Dieselben schliefen wie Murmeltiere und hatten von allem
nichts gehört. Also schienen sie Nachtmützen zu sein, obschon sie ihr selbst glichen; der Jüngste aber, der dem Vater

glich, hatte sich als wachsam, feinfühlend und mutvoll erwiesen und schien das werden zu wollen, was der Alte eigentlich sein sollte und was sie einst auch hinter ihm gesucht. Indem sie über dieses geheimnisvolle Spiel der Natur nachdachte und nicht wußte, ob sie froh sein sollte, daß das Abbild des einst geliebten Mannes besser schien als ihre eigenen so träge daliegenden Bilder, legte sie das Kind in sein Bettchen zurück, deckte es zu und beschloß, von Stund an alle ihre Treue und Hoffnung auf den kleinen Sankt Georg zu setzen und ihm seine junge Ritterlichkeit zu vergelten. »Wenn die zwei Schlafkappen«, dachte sie, »welche nichtsdestominder meine Kinder sind, dann auch mitgehen wollen auf einem guten Wege, so mögen sie es tun.«

Am nächsten Morgen schien Fritzchen den Vorfall schon vergessen zu haben, und so alt auch die Mutter und der Sohn wurden, so ward doch nie mehr mit einer Silbe desselben erwähnt zwischen ihnen. Der Sohn behielt ihn nichtsdestoweniger in deutlicher Erinnerung, obgleich er viel spätere Erlebnisse mit der Zeit gänzlich vergaß. Er erinnerte sich genau, schon bei dem Eintritte des Werkführers erwacht zu sein, da er trotz eines gesunden Schlafes alles hörte und ein wachsames Bürschchen war. Er hatte sodann jedes Wort der Unterredung, bis sie bedenklich wurde, gehört und, ohne etwas davon zu verstehen, doch etwas Gefährliches und Ungehöriges geahnt und war in eine heftige Angst um seine Mutter verfallen, so daß er, als er das leise Ringen mehr fühlte als hörte, aufsprang, um ihr zu helfen. Und dann, wer verfolgt die geheimen Wege der Fähigkeiten, wie sie im Menschenkind sich verlieren? Als er den Werkführer recht wohl erkannt: wer lehrte den kleinen Bold die unbewußte blitzschnelle Heuchelei des Zartgefühles, mit der er sich stellte, als ob er einen Dieb sähe, und die ihn so unbefangen den Widersacher vor den Kopf schlagen ließ?

Seine Mutter aber hielt ihr Wort und erzog ihn so, daß er ein braver Mann wurde in Seldwyl und zu den wenigen gehörte, die aufrecht blieben, solange sie lebten. Wie sie dies eigentlich anfing und bewirkte, wäre schwer zu sagen; denn sie erzog eigentlich so wenig als möglich und das Werk bestand fast lediglich darin, daß das junge Bäumchen, so vom gleichen Holze mit ihr war, eben in ihrer Nähe wuchs und sich nach ihr richtete. Tüchtige und wohlgeartete Leute haben immer weit weniger Mühe, ihre Kinder ordentlich zu ziehen, wie es hinwieder einem Tölpel, der selbst nicht lesen kann, schwer fällt, ein Kind lesen zu lehren. Im ganzen lief ihre Erziehungskunst darauf hinaus, daß sie das Söhnchen ohne Empfindsamkeit merken ließ, wie sehr sie es liebte, und dadurch dessen Bedürfnis, ihr immer zu gefallen, erweckte und so erreichte, daß es bei jeder Gelegenheit an sie dachte. Ohne dessen freie Bewegungen einzeln zu hindern, hatte sie den Kleinen viel um sich, so daß er ihre Manieren und ihre Denkungsart annahm und bald von selbst nichts tat, was nicht im Geschmacke der Mutter lag. Sie hielt ihn stets einfach, aber gut und mit einem gewissen gewählten Geschmack in der Kleidung; dadurch fühlte er sich sicher, bequem und zufrieden in seinem Anzuge und wurde nie veranlaßt an denselben zu denken, wurde mithin nicht eitel und lernte gar nie die Sucht kennen, sich besser oder anders zu kleiden als er eben war. Ähnlich hielt sie es mit dem Essen; sie erfüllte alle billigen und unschädlichen Wünsche aller drei Kinder und niemand bekam in ihrem Hause etwas zu essen, wovon diese nicht auch ihren Teil erhielten; aber trotz aller Regelmäßigkeit und Ausgiebigkeit behandelte sie die Nahrungsmittel mit solcher Leichtigkeit und Geringschätzung, daß Fritzchen abermals von selbst lernte, kein besonderes Gewicht auf dieselben zu legen und, wenn er satt war, nicht von neuem an etwas unerhört Gutes zu denken. Nur die entsetzliche Wichtigtuerei und Breitspurigkeit, mit welcher die meisten guten Frauen die Lebensmittel und deren Bereitung behandeln, erweckt gewöhnlich in den Kindern jene Gelüstigkeit und Tellerleckerei, die, wenn sie groß werden, zum Hang nach Wohlleben und zur Verschwendung wird. Sonderbarerweise gilt durch den ganzen germanischen Völkerstrich diejenige für die beste und tugendhafteste Hausfrau, welche am meisten Geräusch macht mit ihren Schüsseln und Pfannen und nie zu sehen ist, ohne daß sie etwas Eßbares zwischen den Fingern herumzerrt; was Wunder, daß die Herren Germanen dabei die größten Esser werden, das ganze Lebensglück auf eine wohlbestellte Küche gegründet wird und man ganz vergißt, welche Nebensache eigentlich das Essen auf dieser schnellen Lebensfahrt sei. Ebenso verfuhr sie mit dem, was sonst von den Eltern mit einer schrecklich ungeschickten Heiligkeit behandelt wird, mit dem Gelde. So bald als tunlich ließ sie ihren Sohn ihren Vermögensstand mitwissen, für sie Geldsummen zählen und in das Behältnis legen, und sobald er nur imstande war die Münzen zu unterscheiden, ließ sie ihm eine kleine Sparbüchse zu gänzlich freier Verfügung. Wenn er nun eine Dummheit machte oder eine arge Nascherei beging, so behandelte sie das nicht wie ein Kriminalverbrechen, sondern wies ihm mit wenig Worten die Lächerlichkeit und Unzweckmäßigkeit nach. Wenn er etwas entwendete oder sich aneignete, was ihm nicht zukam, oder einen jener heimlichen Ankäufe machte, welche die Eltern so sehr erschrecken, machte sie keine Katastrophe daraus, sondern beschämte ihn einfach und offen als einen törichten und gedankenlosen Burschen. Desto strenger war sie gegen ihn, wenn er in Worten oder Gebärden sich unedel und kleinlich betrug, was zwar nur selten vorkam; aber dann las sie ihm hart und schonungslos den Text und gab ihm so derbe Ohrfeigen, daß er die leidige Begebenheit nie vergaß. Dies alles pflegt sonst entgegengesetzt behandelt zu werden. Wenn ein Kind mit Geld sich vergeht oder gar etwas irgendwo wegnimmt, so befällt die Eltern und Lehrer eine ganz sonderbare Furcht vor einer verbrecherischen Zukunft, als ob sie selbst wüßten, wie schwierig es sei, kein Dieb oder Betrüger zu werden! Was unter hundert Fällen in neunundneunzig nur die momentan unerklärlichen Einfälle und Gelüste des träumerisch wachsenden Kindes sind, das wird zum Gegenstande eines furchtbaren Strafgerichtes gemacht und von nichts als Galgen und Zuchthaus gesprochen. Als ob alle diese lieben Pflänzchen bei erwachender Vernunft nicht von selbst durch die menschliche Selbstliebe, sogar bloß durch die Eitelkeit, davor gesichert würden, Diebe und Schelme sein zu wollen. Dagegen wie milde und freundschaftlich werden da tausend kleinere Züge und Zeichen des Neides, der Mißgunst, der Eitelkeit, der Anmaßung, der moralischen Selbstsucht und Selbstgefälligkeit behandelt und gehätschelt! Wie schwer merken die wackern Erziehungsleute ein früh verlogenes und verblümtes inneres Wesen an einem Kinde, während sie mit höllischem Zeter über ein anderes herfahren, das aus Übermut oder Verlegenheit ganz naiv eine vereinzelte derbe Lüge gesagt hat. Denn hier haben sie eine greifliche bequeme Handhabe, um ihr donnerndes: Du sollst nicht lügen! dem kleinen erstaunten Erfindungsgenie in die Ohren zu schreien. Wenn Fritzchen eine solche derbe Lüge vorbrachte, so sagte Frau Regel einfach, indem sie ihn groß ansah: »Was soll denn das heißen, du Affe? Warum lügst du solche Dummheiten? Glaubst du die großen Leute zum Narren halten zu können? Sei du froh, wenn dich niemand anlügt, und laß dergleichen Späße!« Wenn er eine Notlüge vorbrachte, um eine begangene Sünde zu vertuschen, zeigte sie ihm mit ernsten, aber liebevollen Worten, daß die Sache deswegen nicht ungeschehen sei, und wußte ihm klar zu machen, daß er sich besser befinde, wenn er offen und ehrlich einen begangenen Fehler eingestehe; aber sie bauete keinen neuen Strafprozeß auf die Lüge, sondern behandelte die Sache ganz abgesehen davon, ob er gelogen oder nicht gelogen habe, so daß er das Zwecklose und Kleinliche des Herauslügens bald fühlte und hiefür zu stolz wurde. Wenn er dagegen nur die leiseste Neigung verriet, sich irgend Eigenschaften beizulegen, die er nicht besaß, oder etwas zu übertreiben, was ihm gut zu stehen schien, oder sich mit etwas zu zieren, wozu er das Zeug nicht hatte, so tadelte sie ihn mit schneidenden harten Worten und versetzte ihm selbst einige Knüffe, wenn ihr die Sache zu arg und widerlich war. Ebenso, wenn sie bemerkte, daß er andere Kinder beim Spielen belog, um sich kleine Vorteile zu erwerben, strafte sie ihn härter als wenn er ein erkleckliches Vergehen abgeleugnet hätte.

Diese ganze Erzieherei kostete indessen kaum so viel Worte als hier gebraucht wurden, um sie zu schildern, und sie beruhte allerdings mehr im Charakter der Frau Amrain als in einem vorbedachten oder gar angelesenen System. Daher wird ein Teil ihres Verfahrens von Leuten, die nicht ihren Charakter besitzen, nicht befolgt werden können, während ein anderer Teil, wie z. B. ihr Verhalten mit den Kleidern, mit der Nahrung und mit dem Gelde, von ganz armen Leuten nicht kann angewendet werden. Denn wo z. B. gar nichts zu essen ist, da wird dieses natürlich jeden Augenblick zur nächsten Hauptsache, und Kindern, unter solchen Umständen erzogen, wird man schwer die Gelüstigkeit abgewöhnen können, da alles Sinnen und Trachten des Hauses nach dem Essen gerichtet ist.

Besonders während der kleineren Jugend des Knaben war die Erziehungsmühe seiner Mutter sehr gering, da sie, wie gesagt, weniger mit der Zunge als mit ihrer ganzen Person erzog, wie sie leibte und lebte, und es also in Einem zuging mit ihrem sonstigen Dasein. Sollte man fragen, worin denn bei dieser leichten Art und Mühelosigkeit ihre besondere Treue und ihr Vorsatz bestand, so wäre zu antworten: lediglich in der zugewandten Liebe, mit welcher sich das Wesen ihrer Person dem seinigen einprägte und sie ihre Instinkte die seinigen werden ließ.

Doch blieb die Zeit nicht aus, wo sie allerdings einige vorsätzliche und kräftige Erziehungsmaßregeln anwenden mußte, als nämlich der gute Fritz herangewachsen war und sich für allbereits erzogen hielt, die Mutter aber erst recht auf der Wacht stand, da es sich nun entscheiden sollte, ob er in das gute oder schlechte Fahrwasser einlaufen würde. Es waren nur wenige Momente, wo sie etwas Entscheidendes und Energisches gegen seine junge Selbständigkeit unternahm, aber jedesmal zur rechten Zeit und so plötzlich, einleuchtend und bedeutsam, daß es nie seiner bleibenden Wirkung ermangelte.

Als Fritz bald achtzehn Jahre zählte, war er ein schönes junges Bürschchen, fein anzusehen mit seinem blonden Haare und seinen blauen Augen und von einer großen Selbständigkeit und Sicherheit in allem, was er tat. Er hatte bereits die Leitung des Geschäftes übernommen, was die Arbeit im Freien betraf, nachdem er schon vom vierzehnten Jahre an im Steinbruch tüchtig gearbeitet. Er machte ein ernsthaftes und kluges Gesicht und war dennoch aufgeräumt und guter Dinge, und was seiner Mutter am besten gefiel, war seine Fähigkeit, mit allen Leuten umzugehen, ohne ihre Art anzunehmen. Sie hielt ihn nicht ab auszugehen, wenn es ihm langweilig war zu Hause, und mit anderen jungen Burschen zu verkehren; aber die scharf Aufmerkende sah mit Vergnügen, daß er an der Weise der jungen Seldwyler, mit denen er abwechselnd verkehrte, bald mit diesem, bald mit jenem, keinen sonderlichen Geschmack gewann, sie überschaute und nur sich etwas mit ihnen die Zeit vertrieb, wie und solange er es für gut fand. Mit Vergnügen sah sie auch, daß er sich nicht lumpen ließ und bei Gelagen manche Flasche zum besten gab, ohne je für sich selbst schlimme Folgen davon zu tragen, und daß er nicht in Einen schlimmen oder schimpflichen Handel verwickelt wurde, obgleich er überall sich zu schaffen machte und wußte, wie es zugegangen, ohne daß er übrigens ein Duckmäuser und Aufpasser war. Auch hielt er was auf sich, ohne hochmütig zu sein, und wußte sich zu wehren, wenn es galt. Frau Regula war daher guten Mutes und dachte, das wäre gerade die rechte Weise und ihr Söhnchen sei nicht auf den Kopf gefallen.

Da bemerkte sie, daß er anfing zu erröten, wenn schöne Mädchen ihm in den Weg kamen, daß er selbst häßliche Mädchen aufmerksam und kritisch betrachtete und daß er verlegen wurde, wenn eine hübsche runde und muntere Frau in der Stube war, während er dieselbe doch heimlicherweise mit den Augen verschlang. Aus diesen drei Zeichen entnahm sie zwei Dinge: erstens, daß noch nichts an ihm verdorben sei, zweitens aber, daß, wenn eine Gefahr für ihn vorhanden wäre, auf den breiten Weg der Stadt zu tölpeln, diese Gefahr nur von seiten der Damen von Seldwyla herkommen könne, und sie sagte sogleich in ihrem Herzen: Also da willst du hinaus, du Schuft?

Die Schönen dieser Stadt waren nicht schlimmer gesinnt als ihre Männer und sie hielten, wenn sie erst zu Jahren kamen, noch manches zusammen, was diese lieber auch noch zerstreut hätten. Allein da die Männer sich gern lustig machten, so wollten sie, solange es ihnen gut erging, auch nicht zurückbleiben, und bei dem schönen Geschlechte laufen bekanntlich alle Abirrungen und Unzukömmlichkeiten zuletzt nur auf ein und dasselbe Ende hinaus, jene alte Geschichte, welche vielfältige Rückwirkungen auf das Wohl oder Weh der Herren Mitschuldigen mit sich führt. Sonach ging es auch in dieser Hinsicht zu Seldwyla etwas lustiger zu als an anderen Orten.

Wie nun Frau Amrain ihre schwarzen Augen offen hielt und mit zorniger Bangigkeit aufmerkte, wann und wie man etwa ihr Kind verderben wolle, ergab sich bald eine Gelegenheit für ihr mütterliches Einschreiten. Es wurde eine große Hochzeit gefeiert auf dem Rathause und das neu vermählte Paar gehörte den geräuschvollsten und lustigsten Kreisen an, die gerade im Flor waren. Wie an anderen Orten der Schweiz gibt es an den Hochzeiten zu Seldwyl, wenn Bankett und Ball am Abend stattfinden, zweierlei Gäste: die eigentlichen geladenen Hochzeitgäste und dann die Freunde oder Verwandten dieser, welche ihnen scherzhafte Hochzeit- oder Tafelgeschenke überbringen mit allerlei Witzen, Gedichten und Anspielungen. Sie verkleiden sich zu diesem Ende hin in allerhand lustige Trachten, welche dem zu überbringenden Geschenke entsprechen, und sind maskiert, indem jeder seinen Freund oder seine Verwandte aufsucht, sich hinter deren Stuhl begibt, seine Gabe überreicht und seine Rede hält. Fritz Amrain hatte sich schon vorgenommen, einem kleinen Bäschen einige Geschenke zu bringen, und die Mutter nichts dagegen gehabt, da das Mädchen noch sehr jung und sonst wohlgeartet war. Allein weniger das Bäschen lockte ihn als ein dunkles Verlangen, sich unter den lustigen Damen von Seldwyl einmal recht herumzutummeln, deren Fröhlichkeit, wenn viele beisammen waren, ihm schon oft sehr anmutig geschildert worden. Er war nur noch unschlüssig, welche Verkleidung er wählen sollte, um auf der Hochzeit zu erscheinen, und erst am Abend entschloß er sich auf den Rat einiger Bekannten, sich als Frauenzimmer zu kleiden. Seine Mutter war eben ausgegangen, als er mit diesem lustigen Vorsatz nach Hause gelaufen kam und denselben sogleich ins Werk setzte. Ohne Schlimmes zu ahnen, geriet er über den Kleiderschrank seiner Mutter und warf da so lange alles durcheinander, von einem lachenden Dienstmädchen unterstützt, bis er die besten und buntesten Toilettenstücke zusammengesucht und sich angeeignet hatte. Er zog das schönste und beste Kleid der Mutter an, das sie selbst nur bei feierlichen Gelegenheiten trug, und wühlte dazu aus den reichlichen Schachteln Krausen, Bänder und sonstigen Putz hervor. Zum Überfluß hing er sich noch die Halskette der Mutter um und zog so, aus dem Gröbsten geputzt, zu seinen Genossen, die sich inzwischen ebenfalls angekleidet. Dort vollendeten zwei muntere Schwestern seinen Anzug, indem sie vornehmlich seinen blonden Kopf auf das zierlichste frisierten und seine Brust mit einem sachgemäßen Frauenbusen ausschmückten. Indem er so auf seinem Stuhle saß und diese Bemühungen der wenig schüchternen Mädchen um sich geschehen ließ, errötete er einmal um das andere und das Herz klopfte ihm vor erwartungsvollem Vergnügen, während zugleich das böse Gewissen sich regte und ihm anfing zuzuflüstern, die Sache möchte doch nicht so recht in der Ordnung sein. Als er daher mit seiner Gesellschaft dem Rathause zuzog, ein Körbchen mit den Geschenken tragend, sah er so verschämt und verwirrt aus wie ein wirkliches Mädchen und schlug die Augen nieder, und als er so auf der Hochzeit erschien, erregte er den allgemeinen Beifall, besonders der versammelten Frauen.

Während der Zeit war aber seine Mutter nach Hause zurückgekehrt und sah ihren offenstehenden Kleiderschrank sowie die Verwüstung, die er in Schachteln und Kästchen angerichtet. Als sie vollends vernahm, zu welchem Ende hin dies geschehen und daß ihre Hoffnung in Weiberkleidern, und dazu noch in ihren besten, ausgezogen sei, überfiel sie erst ein großer Zorn, dann aber eine noch größere Unruhe; denn nichts schien ihr geeigneter, einen jungen Menschen in das Lotterleben zu bringen, als wenn er in Weiberkleidern auf eine Seldwyler Hochzeit ging. Sie ließ daher ihr Abendessen ungenossen stehen und ging eine Stunde lang in der größten Unruhe umher, nicht wissend, wie sie ihren Sohn den drohenden Gefahren entreißen solle. Es widerstrebte ihr, ihn kurzweg abrufen zu lassen und dadurch zu beschämen; auch fürchtete sie nicht mit Unrecht, daß er nicht kommen oder würde zurückgehalten werden oder aus eigenem Willen nicht kommen dürfte. Und dennoch fühlte sie wohl, wie er durch diese einzige Nacht auf eine entscheidende Weise auf die schlechte Seite verschlagen werden könne. Sie entschloß sich endlich kurz, da es ihr nicht Ruhe ließ, ihren Sohn selbst wegzuholen, und da sie mannigfacher Beziehungen wegen einen halben Vorwand hatte, selbst etwa ein Stündchen auf der Hochzeit zu erscheinen, kleidete sie sich rasch um und wählte einen Anzug, ein wenig besser als der alltägliche und doch nicht festlich genug, um etwa zu hohe Achtung vor der lustigen Versammlung zu verraten. So begab sie sich also nach dem Rathaus, nur von dem Dienstmädchen begleitet, welches ihr eine Laterne vorantrug. Sie betrat zuerst den Speisesaal; allein die erste Tafel und die Lustbarkeit mit den Geschenken war schon vorüber und die Überbringer derselben hatten ihre Masken abgenommen und sich unter die übrigen Gäste gemischt. In dem Saale war nichts zu sehen als einige Herrengesellschaften, die teils Karten spielten, teils zechten, und so stieg sie die Treppe nach einer altertümlichen Galerie hinauf, von wo man den Saal übersehen konnte, in welchem getanzt wurde. Diese Galerie war mit allerlei Volk angefüllt, das nicht im Flor war und hier dem Tanze zusehen durfte wie etwa die Einwohner einer Residenz einer Fürstenhochzeit. Frau Regula konnte daher unbemerkt den Ball übersehen, der so ziemlich feierlich vor sich ging und die allgemeine Lüsternheit und Begehrlichkeit mit seinem steifen und lächerlichen Zeremoniell zur Not verdeckte. Denn dies hätten die Seldwyler nicht anders getan; sie huldigten vielmehr dem Spruch:

Alles zu seiner Zeit! und wenn sie mit wenig Mühe das Schau-spiel eines nach ihren Begriffen noblen Balles geben und ge-nießen konnten, warum sollten sie es unterlassen?

Fritzchen Amrain war aber unter den Tanzenden nicht zu erblicken, und je länger ihn seine Mutter mit den Augen suchte, desto weniger fand sie ihn. Je länger sie ihn aber nicht fand, desto mehr wünschte sie ihn zu sehen, nicht allein mehr aus Besorgnis, sondern auch um wirklich zu schauen, wie er sich eigentlich ausnähme und ob er in seiner Dummheit nicht noch die Lächerlichkeit zum Leichtsinn hinzugefügt habe, in-dem er als eine ungeschickt angezogene schlottrige Weibsper-son sich weiß Gott wo herumtreibe. In diesen Untersuchun-gen geriet sie auf einen Seitengang der hohen Galerie, welcher mit einem Fenster endigte, das mit einem Vorhang versehen und bestimmt war, Licht in eben diesen Gang einzulassen. Das Fenster aber ging in das kleinere Ratszimmer, ein altes goti-sches Gemach, und war hoch an dessen Wand zu sehen. Wie sie nun jenen Vorhang ein wenig lüftete und in das tiefe Ge-mach hinunterschaute, welches durch einen seltsamen Firle-fanz von Kronleuchtern ziemlich schwach erleuchtet war, er-blickte sie eine kleinere Gesellschaft, die da in aller Stille und Fröhlichkeit sich zu unterhalten schien. Als Frau Regel ge-nauer hinsah, erkannte sie sieben bis acht verheiratete Frauen, deren Männer sie schon in dem Speisesaal hatte spielen sehen zu einem hohen und prahlerischen Satze. Diese Frauen saßen in einem engen Halbkreise und vor ihnen ebensoviel junge Männer, die ihnen den Hof machten. Unter letzteren war Fritz abermals nicht zu finden und seine Mutter hierüber sehr froh, da der Kreis dieser Damen nichts weniger als beruhigend an-zusehen war. Denn als sie dieselben einzeln musterte, waren es lauter jüngere Frauen, welche jede auf ihre Weise für gefähr-lich galt und in der Stadt, wenn auch nicht eines schlimmen, doch eines geheimnisvollen Rufes genoß, was bei der herr-schenden Duldsamkeit immer noch genug war. Da saß erstens die nicht häßliche Adele Anderau, welche üppig und ver-lockend anzusehen war, ohne daß man recht wußte, woran

es lag, und welche alle jungen Leute jezuweilen mit halbge-
schlossenen Augen so anzublicken wußte in einem windstillen
Augenblicke, daß sie einen seltsamen Funken von hoffnungs-
reichem Verlangen in ihr Herz schleuderte. Aber zehn derselben ließ sie schonungslos und mit Aufsehen abziehen, um
desto regelmäßiger den elften in einer sicheren Stunde zu beglücken. Da war ferner die leidenschaftliche Julie Haider, welche ihren Mann öffentlich und vor so vielen Zeugen als möglich stürmisch liebkoste, die glühendste Eifersucht auf ihn an
den Tag legte und fortwährend der Untreue anklagte, dies alles so lange, bis irgend ein dritter den fühllosen Gatten benei-
dete und solcher Leidenschaftlichkeit teilhaftig zu werden
trachtete. Da trauerte auch die sanfte Emmeline Ackerstein,
welche eine Dulderin war und von ihrem Manne mißhandelt
wurde, weil sie gar nichts gelernt hatte und das Hauswesen
vernachlässigte; diese sah bleich und schmachtend aus und
sank mit Tränen dem in die Arme, der sie trösten mochte.
Auch die schlimme Lieschen Aufdermauer war da, welche so
lange Klatschereien und Zänkereien anrichtete, bis irgend ein
Aufgebrachter, den sie verleumdet, sie unter vier Augen in die
Klemme brachte und sich an ihr rächte. Dann folgte, außer
zwei oder drei aufgeweckten Wesen, welche ohne weitere Be-
gründungen schlechtweg taten, was sie mochten, die stille
Theresa Gut, welche äußerst teilnahmlos weder rechts noch
links sah, niemandem entgegenkam und kaum antwortete,
wenn man sie anredete, welche aber, zufällig in ein Abenteuer
verwickelt und angegriffen, unerwarteterweise lachte wie eine
Närrin und alles geschehen ließ. Endlich saß auch dort das
leichtsinnige Käthchen Amhag, welches immer eine Menge
heimlicher Schulden zu tragen hatten.

Nachdem Frau Amrain die Beschaffenheit dieses weiblichen Kreises erkannt, wollte sie eben Gott danken, daß ihr
Sohn wenigstens auch da nicht zu erblicken sei, als sie noch
eine weibliche Gestalt zwischen ihnen entdeckte, die sie im ersten Augenblicke nicht kannte, obgleich sie dieselbe schon gesehen zu haben glaubte. Es war ein großes prächtig gewach-

senes Wesen von amazonenhafter Haltung und mit einem
kecken blonden Lockenkopfe, das aber hold verschämt und
verliebt unter den lustigen Frauen saß und von ihnen sehr aufmerksam behandelt wurde. Beim zweiten Blick erkannte sie
jedoch ihren Sohn und ihr violettes Seidenkleid zugleich und
sah, wie trefflich ihm dasselbe saß, und mußte sich auch gestehen, daß er ganz geschickt und reizend ausgeputzt sei. Aber im
gleichen Augenblicke sah sie auch, wie ihn seine eine Nachbarin küßte, infolge irgend eines Unterhaltungsspieles, das die
fröhliche Gesellschaft eben beschäftigte, und wie er gleicher-
zeit die andere Nachbarin küßte, und nun hielt sie den Zeitpunkt für gekommen, wo sie ihrem Sohne den Dienst, welchen er ihr als fünfjähriges Knäblein geleistet, erwidern
konnte.

Sie stieg ungesäumt die Treppe hinunter und trat in das Zimmer, die überraschte Gesellschaft bescheiden und höflich be-
grüßend. Alles erhob sich verlegen; denn obgleich sie sattsam
durchgehechelt wurde in der Stadt, so flößte sie doch Achtung
ein, wo sie erschien. Die jungen Männer grüßten sie mit aufrichtig verlegener Ehrerbietung, und um so aufrichtiger, je
wilder sie sonst waren; von den Frauen aber wollte keine
scheinen, als ob sie mit der achtbarsten Frau der Stadt etwa
schlecht stände und nicht mit ihr umzugehen wüßte, weshalb
sie sich mit großem Geräusch um sie drängten, als sie sich von
ihrer Überraschung etwas erholt. Am verblüfftesten war jedoch Fritz, welcher nicht mehr wußte, wie er sich in dem
Kleide seiner Mutter zu gebärden habe; denn dies war jetzt
plötzlich sein erster Schrecken und er bezog den ernsten Blick,
den sie einstweilen auf ihn geworfen, nur auf die gute Seite
dieses Kleides. Andere Bedenken waren noch nicht ernstlich
in ihm aufgestiegen, da in der allgemeinen Lust der Scherz zu
gewöhnlich und erlaubt schien. Als alle sich wieder gesetzt
hatten und nachdem sich Frau Amrain ein Viertelstündchen
freundlich mit den jungen Leuten unterhalten, winkte sie
ihren Sohn zu sich und sagte ihm, er möchte sie nach Hause
begleiten, da sie gehen wolle. Als er sich dazu ganz bereit er-

klärte, flüsterte sie ihm aber mit strengem Tone zu: »Wenn ich von einem Weibe will begleitet sein, so konnte ich die Grete hier behalten, die mir hergeleuchtet hat! Du wirst so gut sein und erst heimlaufen, um Kleider anzuziehen, die dir besser stehen als diese hier!«

Erst jetzt merkte er, daß die Sache nicht richtig sei; tief errö- tend machte er sich fort, und als er über die Straße eilte und das rauschende Kleid ihm so ungewohnt gegen die Füße schlug, während der Nachtwächter ihm verdächtig nachsah, merkte er erst recht, daß das eine ungeeignete Tracht wäre für einen jun- gen Republikaner, in der man niemandem ins Gesicht sehen dürfe. Als er aber, zu Hause angekommen, sich hastig umklei- dete, fiel es ihm ein, daß nun die Mutter allein unter dem Volke auf dem Rathause sitze, und dieser Gedanke machte ihn plötz- lich und sonderbarerweise so zornig und besorgt um ihre Ehre, daß er sich beeilte nur wieder hinzukommen und sie ab- zuholen. Auch glaubte er ihr einen rechten Ritterdienst damit zu erweisen, daß er so pünktlich wieder erschien, und alle et- waigen Unebenheiten dadurch aufs schönste ausgeglichen. Frau Amrain aber empfahl sich der Gesellschaft und ging ernst und schweigsam neben ihrem Sohne nach Hause. Dort setzte sie sich seufzend auf ihren gewohnten Sessel und schwieg eine Weile; dann aber stand sie auf, ergriff das daliegende Staats- kleid und zerriß es in Stücken, indem sie sagte: »Das kann ich nun wegwerfen, denn tragen werde ich es nie mehr!«

»Warum denn?« fragte Fritz erstaunt und wieder kleinlaut. »Wie werde ich«, erwiderte sie, »ein Kleid ferner tragen, in welchem mein Sohn unter liederlichen Weibern gesessen hat, selber einem gleichsehend?« Und sie brach in Tränen aus und hieß ihn zu Bette gehen. »Hoho«, sagte er, als er ging, »das wird denn doch nicht so gefährlich sein.« Er konnte aber nicht einschlafen, da sein Kopf sowohl von der unterbrochenen Lustbarkeit als von den Worten der Mutter aufgeregt war; es gab also Muße, über die Sache nachzudenken, und er fand, daß die Mutter einigermaßen recht habe; aber er fand dies nur in- sofern als er selbst die Leute verachtete, mit denen er sich eben vergnügt hatte. Auch fühlte er sich durch diese Auslegung eher geschmeichelt in seinem Stolze, und erst, als die Mutter am Morgen und die folgenden Tage ernst und traurig blieb, kam er dem Grunde der Sache näher. Es wurde kein Wort mehr darüber gesprochen; aber Fritz war für einmal gerettet, denn er schämte sich vor seiner Mutter mehr als vor der ganzen übrigen Welt.

Während einiger Monate fand sie keine Ursache, neue Besorgnisse zu hegen, bis eines Tages, als ein blühendes junges Landmädchen sich einfand, um den Dienst bei ihr nachzusuchen, Fritz dasselbe unverwandt betrachtete und endlich auf es zutrat und, alles andere vergessend, ihm die Wangen streichelte. Er erschrak sogleich selbst darüber und ging hinaus; die Mutter erschrak auch und das Mädchen wurde rot und zornig und wandte sich, ohne weitern Aufenthalt zu gehen. Als Frau Amrain dies sah, hielt sie es zurück und nahm es mit einiger Überredung in ihren Dienst. Nun muß es biegen oder brechen, dachte sie und fühlte gleichzeitig, daß auf dem bisherigen, bloß verneinenden Wege dies Blut sich nicht länger meistern ließ. Sie näherte sich deshalb noch am selben Tage ihrem Sohne, als er mit seinem Vesperbrote sich unter eine schattige Rebenlaube gesetzt hatte hinter dem Hause, von wo man zum Tal hinaus in die Ferne sah nach blauen Höhenstrichen, wo andre Leute wohnten. Sie legte ihren Arm um seine Schultern, sah ihm freundlich in die Augen und sagte: »Lieber Fritz! Sei mir jetzt nur noch zwei oder drei Jährchen brav und gehorsam, und ich will dir das schönste und beste Frauchen verschaffen aus meinem Ort, daß du dir was darauf einbilden kannst!«

Fritz schlug errötend die Augen nieder, wurde ganz verlegen und erwiderte mürrisch: »Wer sagt denn, daß ich eine Frau haben wolle?« »Du sollst aber eine haben!« versetzte sie, »und, wie ich sage, eine von guter und schöner Art; aber nur wenn du sie verdienst; denn ich werde mich hüten, eine rechtschaffene Tochter hierher ins Elend zu bringen!« Damit küßte sie ihren Sohn, wie sie seit undenklicher Zeit nicht getan, und ging ins Haus zurück.

Es ward ihm aber auf einmal ganz seltsam zu Mute und von Stund an waren seine Gedanken auf eine solche gute und schöne Frau gerichtet, und diese Gedanken schmeichelten ihm so sehr und beschäftigten ihn so anhaltend, daß er darüber keine Frauensperson in Seldwyla mehr ansah. Die Zärtlichkeit, mit welcher die Mutter ihm solche Ideen beigebracht, gab seinen Wünschen eine innigere und edlere Richtung, und er fühlte sich wohlgeborgen, da man es so gut mit ihm meine. Er wartete aber die zwei Jahre und die Anstalten seiner Mutter nicht ab, sondern fing schon in der nächsten Zeit an, an schönen Sonntagen ins Land hinaus zu gehen und insbesondere in der Heimat der Mutter herumzukreuzen. Er war bis jetzt kaum einmal dort gewesen und wurde von den Verwandten und Freunden seiner Mutter um so freundlicher aufgenommen als sie großes Wohlgefallen an dem hübschen Jüngling fanden und er zudem eine Art Merkwürdigkeit war als ein wohlgeratener, fester und nicht prahlerischer Seldwyler. Er machte sich ordentlich heimisch in jenen Gegenden, was seine Mutter wohl merkte und geschehen ließ; aber sie ahnte nicht, daß er, ehe sie es vermutete, schon in bester Form einen Schatz hatte, der ihm allen von der Mutter ihm gemachten Vorspiegelungen vollkommen zu entsprechen schien. Als sie davon erfuhr, machte sie sich dahinter her, voll Besorgnis, wer es sein möchte, und fand zu ihrer frohen Verwunderung, daß er nun gänzlich auf einem guten Wege sei; denn sie mußte den Geschmack und das Urteil des Sohnes nur loben und ebenso dessen ungetrübte Treue und Fröhlichkeit, mit welcher er dem erwählten Mädchen anhing, so daß sie sich aller weiteren Zucht und aller Listen endlich enthoben sah.

Diese Klippe war unterdessen kaum glücklich umschifft, als sich eine andere zeigte, welche noch gefährlicher zu werden drohte und der Frau Regula abermals Gelegenheit gab, ihre Klugheit zu erproben. Denn die Zeit war nun da, wo Fritz, der Sohn, anfing zu politisieren und damit mehr als durch alles andere in die Gemeinschaft seiner Mitbürger gezogen wurde. Er war ein liberaler Gesell, wegen seiner Jugend, seines Verstandes, seines ruhigen Gewissens in Hinsicht seiner persönlichen Pflichterfüllung und aus anererbtem Mutterwitz. Obgleich man nach gewöhnlicher oberflächlicher Anschauungsweise etwa hätte meinen können, Frau Amrain wäre aristokratischer Gesinnung gewesen, weil sie die meisten Leute verachten mußte, unter denen sie lebte, so war dem doch nicht also; denn höher und feiner als die Verachtung ist die Achtung vor der Welt im Ganzen. Wer freisinnig ist, traut sich und der Welt etwas Gutes zu und weiß mannhaft von nichts anderm als daß man hiefür einzustehen vermöge, während der Unfreisinn oder der Konservatismus auf Zaghaftigkeit und Beschränktheit gegründet ist. Diese lassen sich aber schwer mit wahrer Männlichkeit vereinigen. Vor tausend Jahren begann die Zeit, da nur derjenige für einen vollkommenen Helden und Rittersmann galt, der zugleich ein frommer Christ war; denn im Christentum lag damals die Menschlichkeit und Aufklärung. Heute kann man sagen: sei einer so tapfer und resolut als er wolle, wenn er nicht vermag freisinnig zu sein, so ist er kein ganzer Mann. Und die Frau Regula hatte, nachdem sie sich einmal an ihrem Eheherren so getäuscht, zu strenge Regeln in ihrem Geschmack betreffs der Mannestugend angenommen als daß sie eine feste und sichere Freisinnigkeit daran vermissen wollte. Übrigens, als ihr Mann um sie geworben, hatte er in allem Flor eines jugendlichen Radikalismus geglänzt, welchen er freilich mehr in der Weise handhabte wie ein Lehrling die erste silberne Sackuhr.

Abgesehen von diesen Geschmacksgründen aber war sie aus einem Orte gebürtig, wo seit unvordenklichen Zeiten jedermann freisinnig gewesen und der im Laufe der Zeit bei jeder Gelegenheit sich als ein entschlossenes, tatkräftiges und sich gleich bleibendes Bürgernest hervorgetan, so daß, wenn es hieß: die von Soundso haben dies gesagt oder jenes getan! sie gleich einen ganzen Landstrich mitnahmen und einen kräftigen Anstoß gaben. Wenn also Frau Amrain in den Fall kam, ihre Meinung über einen Streit festzustellen, so hörte sie nicht auf das, was die Seldwyler, sondern auf das, was die

Leute ihrer Jugendheimat sagten, und richtete ihre Gedanken dorthin.

Alles das waren Gründe genug für Fritz, ein guter Liberaler zu sein, ohne absonderliche Studien gemacht zu haben. Was nun die nächste Gefahr anbelangt, welche da, wo das Wort und die rechtlichen Handlungen frei sind und die Leute sich das Wetter selbst machen, für einen politisch Aufgeregten entsteht, nämlich die Gefahr ein Müßiggänger und Schenkeläufer zu werden, so war dieselbe zu Seldwyla allerdings noch größer als an andern Schweizerorten, welche mit der ganzen Alten Welt noch an der gemütlichen ostländischen Weise festhalten, das Wichtigste in breiter halbträumender Ruhe an den Quellen des Getränkes oder bei irgend einem Genusse zu verhandeln und immer wieder zu verhandeln. Und doch sollte das nicht so sein; denn ein gutes Glas in fröhlicher Ruhe zu trinken ist ein Zweck, ein Lohn oder eine Frucht, und, wenn man das in einem tiefern Sinne nimmt, das Ausüben politischer Rechte bloß ein Mittel, dazu zu gelangen. Indessen war für Fritz diese Gefahr nicht beträchtlich, weil er schon zu sehr an Ordnung und Arbeit gewöhnt war und es ihn gerade zu Seldwyla nicht reizte, den anderen nachzufahren. Größer war schon die Gefahr für ihn, ein Schwätzer und Prahler zu werden, der immer das gleiche sagt und sich selbst gern reden hört; denn in solcher Jugend verführt nichts so leicht dazu als das lebendige Empfinden von Grundsätzen und Meinungen, welche man zur Schau stellen darf ohne Rückhalt, da sie gemeinnützig sind und das Wohl aller betreffen.

Als er aber wirklich begann Tag und Nacht von Politik zu sprechen, ein und dieselbe Sache ewig herumzerrte und jene kindische Manier annahm, durch blindes Behaupten sich selbst zu betäuben und zu tun, als ob es wirklich so gehen müsse, wie man wünscht und behauptet, da sagte seine Mutter ein einziges Mal, als er eben im schönsten Eifer war, ganz unerwartet: »Was ist denn das für ein ewiges Schwatzen und Kannegießern? Ich mag das nicht hören! Wenn du es nicht lassen kannst, so geh auf die Gasse oder ins Wirtshaus, hier in der Stube will ich den Lärm nicht haben!«

Dies war ein Wort zur rechten Zeit gesprochen; Fritz blieb mit seiner also durchschnittenen Rede ganz verblüfft stecken und wußte gar nichts zu sagen. Er ging hinaus, und indem er über dies wunderliche Ereignis nachgrübelte, fing er an sich zu schämen, so daß er erst eine gute halbe Stunde nachher rot wurde bis hinter die Ohren, von Stund an geheilt war und seine Politik mit weniger Worten und mehr Gedanken abzumachen sich gewöhnte. So gut traf ihn der einmalige Vorwurf aus Frauenmund, ein Schwätzer und Kannegießer zu sein.

Um so größer erwies sich nun die dritte, entgegengesetzte Gefahr, an übel gewendeter Tatkraft zu verderben. So wetterwendisch nämlich sonst die Seldwyler in ihren politischen Stimmungen waren, so beharrlich blieben sie in der Teilnahme an allem Freischaren- und Zuzügerwesen, und wenn irgendwo in der Nachbarschaft es galt, gewaltsam ein widerstehendes Regiment zu sprengen, eine schwache Mehrheit einzuschüchtern oder einer trotzigen ungefügigen Minderheit bewaffnet beizuspringen, so zog jedesmal, mochte nun die herrschende Stimmung sein welche sie wollte, von Seldwyla ein Trupp bewaffneter Leute aus, nach dem aufgeregten Punkte hin, bald bei Nacht und Nebel auf Seitenwegen, bald am hellen Tage auf offener Landstraße, je nachdem ihnen die Luft sicher schien. Denn nichts dünkte sie so ergötzlich als bei schönem Wetter einige Tage im Lande herumzustreichen, zu sechzig oder siebenzig, wohlbewaffnet mit feinen Zielgewehren, versehen mit gewichtigen drohenden Bleikugeln und silbernen Talern, mittelst letzterer sich in den besetzten Wirtshäusern gütlich zu tun und mit tüchtigem Hallo, das Glas in der Hand, auf andere Zuzüge zu stoßen, denen es ebenfalls mehr oder minder Ernst war. Da nun das Gesetzliche und das Leidenschaftliche, das Vertragsmäßige und das ursprünglich Naturwüchsige, der Bestand und das Revolutionäre zusammen erst das Leben ausmachen und es vorwärts bringen, so war hiegegen nichts zu sagen als: seht euch vor, was ihr ausrichtet! Nun aber erfuhren die Seldwyler den eigenen Unstern, daß sie bei ihren Auszügen immerdar entweder zu früh oder zu spät und am unrechten Orte eintrafen und gar nicht zum Schusse kamen, wenn sie nicht auf dem Heimwege, der dann nach mannigfachem Hin- und Herreden und genugsamem Trinken eingeschlagen wurde, zum Vergnügen wenigstens einige Patronen in die Luft schossen. Doch dies genügte ihnen, sie waren gewissermaßen dabei gewesen, und es hieß im Lande, die Seldwyler seien auch ausgerückt in schöner Haltung, lauter Männer mit gezogenen Büchsen und goldenen Uhren in der Tasche.

Als es das erste Mal begegnete, daß Fritz Amrain von einem solchen Ausrücken hörte und zugleich seines Alters halber fähig war mitzugehen, lief er, da es so weit eine gute Sache betraf, sogleich nach Hause, denn es war eben die höchste Zeit und der Trupp im Begriff aufzubrechen. Zu Hause zog er seine besten Kleider an, steckte genugsam Geld zu sich, hing seine Patrontasche um und ergriff sein wohl im Stand gehaltenes Infanteriegewehr, denn da er bereits ein ordentlicher und handfester junger Flügelmann war, dachte er nicht daran, mit einer kostbaren Schützenwaffe zu prahlen, die er nicht zu handhaben verstand, sondern aufrichtig und emsig sein leichtes Gewehr zu laden und loszubrennen, sobald er irgend vor den Mann kommen würde; und er sah sehnsüchtig im Geiste schon nichts anderes mehr als den letzten Hügel, die letzte Straßenecke, um welche herumbiegend man den verhaßten Gegner erblicken und es losgehen würde mit Puffen und Knallen.

Er nahm nicht das geringste Gepäck mit und verabschiedete sich kaum bei der Mutter, die ihm aufgebracht und mit klopfendem Herzen, aber schweigend zusah. »Adieu!« sagte er, »morgen oder übermorgen früh spätestens sind wir wieder hier!« und ging weg, ohne ihr nur die Hand zu geben, als ob er nur in den Steinbruch hinausginge, um die Arbeiter anzutreiben. So ließ sie ihn auch gehen ohne Einwendung, da es ihr widerstand, den hübschen jungen Burschen von solcher ersten Mutesäußerung abzuhalten, ehe die Zeit und die Erfahrung ihn selber belehrt. Vielmehr sah sie ihm durch das Fenster

wohlgefällig nach, als er so leicht und froh dahinschritt. Doch
ging sie nicht einmal ganz an das Fenster, sondern blieb in der
Mitte der Stube stehen und schaute von da aus hin. Übrigens
war sie selbst mutigen Charakters und hegte nicht sonderliche
Sorgen, zumal sie wohl wußte, wie diese Auszüge von Seldwyla abzulaufen pflegten.

Fritz kam denn auch richtig schon am andern Morgen ganz
in der Frühe wieder an und stahl sich ziemlich verschämt in
das Haus. Er war ermüdet, überwacht, von vielem Weintrin-
ken abgespannt und schlechter Laune und hatte nicht das mindeste erlebt oder ausgerichtet, außer daß er seinen feinen Rock
verdorben durch das Herumlungern und sein Geldbeutel geleert war.

Als seine Mutter dies bemerkte und als sie überdies sah, daß
er nicht wie die andern, die inzwischen auch gruppenweise
zurückgeschlendert kamen, nur die Kleider wechselte, neues
Geld zu sich steckte und nach dem Wirtshause eilte, um da den
mißlungenen Feldzug auseinanderzusetzen und sich nach den
ermüdenden Nichttaten zu stärken, sondern daß er eine
Stunde lang schlief und dann schweigend an seine Geschäfte
ging, da ward sie in ihrem Herzen froh und dachte, dieser
merke von selber, was die Glocke geschlagen.

Indessen dauerte es kaum ein halbes Jahr, als sich eine neue
Gelegenheit zeigte auszuziehen nach einer anderen Seite hin
und die Seldwyler auch wirklich wieder auszogen. Eine benachbarte Regierung sollte gestürzt werden, welche sich auf
eine ganz kleine Mehrheit eines andächtigen gut katholischen
Landvolkes stützte. Da aber dies Landvolk seine andächtige
Gesinnung und politische Meinung ebenso handlich, munter
und leidenschaftlich betrieb und bei den Wahlvorgängen ebenso geschlossen und prügelfertig zusammenhielt wie die aufgeklärten Gegner, so empfanden diese einen heftigen und ungeduldigen Verdruß, und es wurde beschlossen, jenen vernagel-
ten Dummköpfen durch einen mutigen Handstreich zu zeigen,
wer Meister im Lande sei, und zahlreiche Parteigenossen um-
liegender Kantone hatten ihren Zuzug zugesagt, als ob ein

Hering zu einem Lachs würde, wenn man ihm den Kopf ab-
beißt und sagt: dies soll ein Lachs sein! Aber in Zeiten des Um-
schwunges, wenn ein neuer Geist umgeht, hat die alte Schale des
gewohnten Rechtes keinen Wert mehr, da der Kern heraus ist,
und ein neues Rechtsbewußtsein muß erst erlernt und angewöhnt werden, damit »rechtlich am längsten währe«, das heißt,
solange der neue Geist lebt und währt, bis er wiederum veraltet
ist und das Auslegen und Zanken um die Schale des Rechtes von
neuem angeht. Als gewohnterweise wieder einige Dutzend
Seldwyler beisammen waren, um als ein tapferes Häuflein aus-
zurücken und der verhaßten Nachbarregierung vom Amte zu
helfen, war Frau Regel Amrain guter Laune, indem sie dachte,
diese bewaffneten Kannegießer wären diesmal recht angeführt,
wenn sie glaubten, daß ihr Sohn mitginge; denn nach ihren bisherigen Erfahrungen, laut welchen das wackere Blut stets durch
eine einmalige Lehre sich gebessert, mußte es ihm jetzt nicht
einfallen mitzugehen. Aber siehe da! Fritz erschien unversehens, als sie ihn bei seinen Geschäften glaubte, im Hause, bür-
stete seine starken Werkeltagskleider wohl aus und steckte die
Bürste nebst anderen Ausrüstungsgegenständen und einiger
Wäsche in eine Reisetasche, welche er umhing, kreuzweis mit
der wohlgefüllten Patrontasche; dann ergriff er abermals sein
Gewehr und senkte es zum Gehen, nachdem er mit dem Daumen einige Male den Hahn hin und her gezogen, um die Feder-
kraft des Schlosses zu erproben.

»Diesmal«, sagte er, »wollen wir die Sache anders angreifen,
adieu!« Und so zog er ab, ungehindert von der Mutter, welcher es abermals unmöglich war, ihn von seinem Tun abzuhalten, da sie wohl sah, daß es ihm Ernst war. Um so besorgter
war sie jetzt plötzlich und sie erbleichte einen Augenblick
lang, während sie abermals mit Wohlgefallen seine Entschlossenheit bemerkte. Die Seldwyler Schar kehrte am nächsten
Tage ganz in der alten Weise zurück, ohne noch zu wissen, wie
es auf dem Kampfplatze ergangen; denn da sie die Grenze ein
bißchen überschritten hatten, fanden sie das dasige Ländchen
sehr aufgeregt und die Bauern darüber erbost, daß man sol-

chergestalt auf ihrem Territorium erscheine wie zu den Zeiten des Faustrechtes. Sie stellten jedoch kein Hindernis entgegen, sondern standen nur an den Wegen mit spöttischen Gesichtern, welche zu sagen schienen, daß sie die Eindringlinge einstweilen vorwärts spazieren lassen, aber auf dem Rückwege dann näher ansehen wollten. Dies kam den Seldwylern gar nicht geheuer vor und sie beschlossen deshalb, das versprochene Eintreffen anderer Zuzüge abzuwarten, ehe sie weiter gingen. Als diese aber nicht kamen und ein Gerücht sich verbreitete, der Putsch sei schon vorüber und günstig abgelaufen, machten sie sich endlich wieder auf den Rückweg mit Ausnahme des Fritz Amrain, welcher seelenallein und trotzig verwegen sich von ihnen trennte und mitten durch das gegnerische Gebiet wegmarschierte auf dessen Hauptstadt zu. Denn er hatte, indem er seine Gefährten zechen und schwatzen ließ, sich erkundigt und vernommen, daß ein Häuflein Bursche aus dem Geburtsorte seiner Mutter einige Stunden von da eintreffen würde, und zu diesen gedachte er zu stoßen. Er erreichte sie auch ohne Gefährde, weil er rasch und unbekümmert seinen Weg ging, und drang mit ihnen ungesäumt vorwärts. Allein die Sache schlug fehl, jene schwankhafte Regierung behauptete sich für diesmal wieder durch einige günstige Zufälle, und sobald diese sich deutlich entwickelt, tat sich das Landvolk zusammen, strömte der Hauptstadt zu in die Wette mit den Freizügern und versperrte diesen die Wege, so daß Fritz und seine Genossen, noch ehe sie die Stadt erreichten, zwischen zwei große Haufen bewaffneter Bauern gerieten und, da sie sich mannlich durchzuschlagen gedachten, ein Gefecht sich unverweilt entspann. So sah sich denn Fritz angesichts fremder Dorfschaften und Kirchtürme ladend, schießend und wieder ladend, indessen die Glocken stürmten und heulten über den verwegenen Einbruch und den Verdruß des beleidigten Bodens auszuklagen schienen. Wo sich die kleine Schar hinwandte, wichen die Landleute mit großem Lärm etwas zurück; denn ihre junge Mannschaft war im Soldatenrock schon nach der Stadt gezogen worden, und was sich hier den

Angreifern entgegenstellte, bestand mehr aus alten und ganz jungen unerwachsenen Leuten, von Priestern, Küstern und selbst Weibern angefeuert. Aber sie zogen sich dennoch immer dichter zusammen, und nachdem erst einige unter ihnen verwundet waren, stellte gerade dieser dunkle Saum erschreckter alter Menschen, Weiber und Priester, die sich zusammen den Landsturm nannten, das aufgebrachte und beleidigte Gebiet vor und die Glocken schrieen den Zorn über alles Getöse hinweg weit in das Land hinaus. Aber der drohende Saum zog sich immer enger und enger um die fechtenden Parteigänger, einige entschlossene und erfahrene Alte gingen voran, und es dauerte nicht mehr lange, so waren die Freischärler gefangen. Sie ergaben sich ohne weiteres, als sie sahen, daß sie alles gegen sich hatten, was hier wohnte. Wenn man im offenen Kriege vom Reichsfeind gefangen wird, so ist das ein Unstern wie ein anderer und kränkt den Mann nicht tiefer; aber von seinen Mitbürgern als ein gewalttätiger politischer Widersacher gefangen zu werden, ist so demütigend und kränkend als irgend etwas auf Erden sein kann. Kaum waren sie entwaffnet und von dem Volke umringt, als alle möglichen Ehrentitel auf sie niederregneten: Landfriedenbrecher, Freischärler, Räuber, Buben waren noch die mildesten Ausrufe, die sie zu hören bekamen. Zudem wurden sie von vorn und hinten betrachtet wie wilde Tiere, und je solider sie in ihrer Tracht und Haltung aussahen, desto erboster schienen die Bauern darüber zu werden, daß solche Leute solche Streiche machten.

So hatten sie nun nichts weiter zu tun als zu stehen oder zu gehen, wo und wie man ihnen befahl, hierhin, dorthin, wie es dem vielköpfigen Souverän beliebte, welchem sie sein Recht hatten nehmen wollen. Und er übte es jetzt in reichlichem Maße aus und es fehlte nicht an Knüffen und Püffen, wenn die Herren Gefangenen sich trotzig zeigten oder nicht gehorchen wollten. Jeder schrie ihnen eine gute Lehre zu: »Wäret ihr zu Hause geblieben, so brauchtet ihr uns nicht zu gehorchen! Wer hat euch hergerufen? Da ihr uns regieren wolltet, so wollen wir nun euch auch regieren, ihr Spitzbuben! Was bezieht

ihr für Gehalt für euer Geschäft, was für Sold für euer Kriegswesen? Wo habt ihr eure Kriegskasse und wo euren General?
Pflegt ihr oft auszuziehen ohne Trompeter, so in der Stille?
Oder habt ihr den Trompeter heimgeschickt, um euren Sieg zu
verkünden? Glaubtet ihr, die Luft in unserm Gebiet sei
schlechter als eure, da ihr kamet, sie mit Bleikugeln zu peit-
schen? Habt ihr schon gefrühstückt, ihr Herren? Oder wollt
ihr ins Gras beißen? Verdienen würdet ihr es wohl! Habt ihr
geglaubt, wir hätten hier keinen ordentlichen Staat, wir stellten gar nichts vor in unserm Ländchen, daß ihr da rottenweise
herumstreicht ohne Erlaubnis? Wolltet ihr Füchse fangen oder
Kaninchen? Schöne Bundesgenossen, die uns mit dem
Schießprügel in der Hand unser gutes Recht stehlen wollen!
Ihr könnt euch bei denen bedanken, die euch hergerufen; denn
man wird euch eine schöne Mahlzeit anrichten! Ihr dürfet
einstweilen unsere Zuchthauskost versuchen; es ist eine ganz
entschiedene Majorität von gesunden Erbsen, gewürzt mit
dem Salze eines handlichen Strafgesetzes gegen Hochverrat,
und wenn ihr Jahr und Tag gesessen habt, so wird man euch erlauben, zur Feier eures glorreichen Einzuges auch eine kleine
Minorität von Speck zu überwältigen, aber beißt euch alsdann
die Zähne nicht daran aus! Es geht allerdings nichts über einen
guten Spaziergang und ist zuträglich für die Gesundheit, insbesondere wenn man keine regelmäßige Arbeit und Bewegung
zu haben scheint; aber man muß sich doch immer in Acht nehmen, wo man spazieren geht, und es ist unhöflich, mit dem
Hut auf dem Kopf in eine Kirche und mit dem Gewehr in der
Hand in ein friedfertiges Staatswesen herein zu spazieren!
Oder habt ihr geglaubt, wir stellen keinen Staat vor, weil wir
noch Religion haben und unsere Pfaffen zu ehren belieben?
Dieses gefällt uns einmal so, und wir wohnen gerade so lang
im Lande als ihr, ihr Maulaffen, die ihr nun dasteht und euch
nicht zu helfen wißt!«

So tönte es unaufhörlich um sie her, und die Beredsamkeit
der Sieger war um so unerschöpflicher als sie das gleiche, dessen sie ihre Gegner nun anklagten, entweder selbst schon ge-

tan oder es jeden Augenblick zu tun bereit waren, wenn die
Umstände und die persönliche Rüstigkeit es erlaubten, gleich
wie ein Dieb die beredteste Entrüstung verlauten läßt, wenn
ein Kleinod, das er selbst gestohlen, ihm abermals entfremdet
wird. Denn der Mensch trägt die unbefangene Schamlosigkeit
des Tieres geradewegs in das moralische Gebiet hinüber und
gebärdet sich da im guten Glauben an das nützliche Recht seiner Willkür so naiv wie die Hündlein auf den Gassen. Die gefangenen Freischärler mußten indessen alles über sich ergehen
lassen und waren nur bedacht, durch keinerlei Herausforde-
rung eine körperliche Mißhandlung zu veranlassen. Dies war
das einzige, was sie tun konnten, und die Älteren und Erfah-
reneren unter ihnen ertrugen das Übel mit möglichstem Humor, da sie voraussahen, daß die Sache nicht so gefährlich ab-
liefe als es schien. Der eine oder andere merkte sich ein
schimpfendes Bäuerlein, das in seinem Laden etwa eine Sense
oder ein Maß Kleesamen gekauft und schuldig geblieben war,
und gedachte demselben seinerzeit seine beißenden Anmer-
kungen mit Zinsen zurückzugeben, und wenn ein solches
Bäuerlein solchen Blick bemerkte und den Absender erkannte,
so hörte es darum nicht plötzlich auf zu schelten, aber richtete
unvermerkt seine Augen und seine Worte anderswohin in den
Haufen und verzog sich allmählig hinter die Front; so gemütlich und seltsamlich spielen die Menschlichkeiten durcheinander. Fritz Amrain aber war im höchsten Grade niedergeschlagen und trostlos. Zwei oder drei seiner Gefährten waren gefallen und lagen noch da, andere waren verwundet und er sah den
Boden um sich her mit Blut gefärbt; sein Gewehr und seine Taschen waren ihm abgenommen, ringsum erblickte er drohende
Gesichter, und so war er plötzlich aus seiner bedachtlosen und
fieberhaften Aufregung erwacht, der Sonnenschein des lustigen Kampftages war verwischt und verdunkelt, das lustige
Knallen der Schüsse und die angenehme Musik des kurzen
Gefechtlärmens verklungen, und als nun gar endlich die
Behörden oder Landesautoritäten sich hervortaten aus dem
Wirrsal und eine trockene geschäftliche Einteilung und Ab-

führung der Gefangenen begann, war es ihm zu Mute wie einem Schulknaben, welcher aus einer mutwilligen Herrlichkeit, die ihm für die Ewigkeit gegründet und höchst rechtmäßig schien, unversehens von dem häßlichsten Schulmeister aufgerüttelt und beigesteckt wird und der nun in seinem Gram alles verloren und das Ende der Welt herbeigekommen wähnt. Er schämte sich, ohne zu wissen vor wem, er verachtete seine Feinde und war doch in ihrer Hand. Er war begeistert gewesen, gegen sie auszuziehen, und doch waren sie jetzt in jeder Hinsicht in ihrem Rechte; denn selbst ihre Beschränktheit oder ihre Dummheit war ihr gutes rechtliches Eigentum und es gab kein Mandat dagegen als dasjenige des Erfolges, der nun leider ausgeblieben war. Die leidenschaftlich erbosten Gesichter aller dieser bejahrten und gefurchten Landleute, welche auf ihren gefundenen Sieg trotzten, traten ihm in seiner helldunklen Trostlosigkeit mit einer seltsamen Deutlichkeit vor die Augen; überall, wo er durchgeführt wurde, gab es neue Gesichter, die er nie gesehen, die er nicht einzeln und nicht mit Willen ansah und die sich ihm dennoch scharf und trefflich beleuchtet einprägten als ebenso viele Vorwürfe, Beleidigungen und Strafgerichte. Je näher der Zug der Gefangenen der Stadt kam, desto lebendiger wurde es; die Stadt selbst war mit Soldaten und bewaffneten Landleuten angefüllt, welche sich um die neu befestigte Regierung scharten, und die Gefangenen wurden im Triumphe durchgeführt. Von der Opposition, welche gestern noch so mächtig gewesen, daß sie um die Herrschaft ringen konnte und sich bewegte, wie es ihr gefiel, war nicht die leiseste Spur mehr zu erblicken; es war eine ganz andere grobe und widerstehende Welt als sich Fritz gedacht hatte, welche sich für unzweifelhaft und aufs beste begründet ausgab und nur verwundert schien, wie man sie irgend habe in Frage stellen und angreifen können. Denn jeder tanzt, wenn seine Geige gestrichen wird, und wenn viele Menschen zusammen sich was einbilden, so blähet sich eine Unendlichkeit in dieser Einbildung. Endlich aber waren die Gefangenen in Türmen und andern Baulichkeiten untergebracht, alle schon bewohnt von

ähnlichen Unternehmungslustigen, und so befand sich auch
Fritz hinter Schloß und Riegel und war es erklärlich, daß er
nicht mit den Seldwylern zurückgekehrt war.

Diese rächten sich für ihren mißlungenen Zug dadurch, daß
sie den sieghaften Gegnern auf der Stelle die abscheulichste
und rücksichtsloseste Rachsucht zuschrieben und daß jeder,
der entkommen war, es als für gewiß annahm, die Gefangenen
würden erschossen werden. Es gab Leute, die sonst nicht ganz
unklug waren, welche allen Ernstes glaubten und wieder sagten, daß die fanatisierten Bauern gefangene Freischärler zwischen zwei Bretter gebunden und entzweigesägt oder auch et-
liche derselben gekreuzigt hätten.

Sobald Frau Regula diese Übertreibungen und dies un-
mäßige Mißtrauen vernahm, verlor sie die Hälfte des
Schreckens, welchen sie zuerst empfunden, da die Torheit der
Leute ihren Einfluß auf die Wohlbestellten immer selbst regu-
liert und unschädlich macht. Denn hätten die Seldwyler nur
etwa die Befürchtung ausgesprochen, die Gefangenen könnten vielleicht wohl erschossen werden nach dem Standrecht,
so wäre sie in tödlicher Besorgnis geblieben; als man aber
sagte, sie seien entzweigesägt und gekreuzigt, glaubte sie auch
jenes nicht mehr. Dagegen erhielt sie bald einen kurzen Brief
von ihrem Sohne, laut welchem er wirklich eingetürmt war
und sie um die sofortige Erlegung einer Geldbürgschaft bat,
gegen welche er entlassen würde. Mehrere Kameraden seien
schon auf diese Weise freigegeben worden. Denn die sieghafte
Regierung war in großen Geldnöten und verschaffte sich auf
diese Weise einige willkommene außerordentliche Einkünfte,
da sie nachher nur die hinterlegten Summen in ebenso viele
Geldbußen zu verwandeln brauchte. Frau Amrain steckte den
Brief ganz vergnügt in ihren Busen und begann gemächlich
und ohne sich zu übereilen die erforderlichen Geldmittel bei-
zubringen und zurechtzulegen, so daß wohl acht Tage vergingen, ehe sie Anstalt machte damit abzureisen. Da kam ein
zweiter Brief, welchen der Sohn Gelegenheit gefunden heimlich abzuschicken und worin er sie beschwor, sich ja zu eilen,

da es ganz unerträglich sei, seinen Leib dergestalt in der Gewalt verhaßter Menschen zu sehen. Sie wären eingesperrt wie wilde Tiere, ohne frische Luft und Bewegung, und müßten Habermus und Erbsenkost aus einer hölzernen Bütte gemeinschaftlich essen mit hölzernen Löffeln. Da schob sie lächelnd ihre Abreise noch um einige Tage auf, und erst als der eingepferchte Tatkräftige volle vierzehn Tage gesessen, nahm sie ein Gefährt, packte die Erlösungsgelder nebst frischer Wäsche und guten Kleidern ein und begab sich auf den Weg. Als sie aber ankam, vernahm sie, daß ehestens eine Amnestie ausgesprochen würde über alle, die nicht ausgezeichnete Rädelsführer seien, und besonders über die Fremden, da man diese nicht unnütz zu füttern gedachte und jetzt keine eingehenden Gelder mehr erwartete. Da blieb sie noch zwei oder drei Tage in einem Gasthofe, bereit ihren Sohn jeden Augenblick zu erlösen, der übrigens seiner Jugend wegen nicht sehr beachtet wurde. Die Amnestie wurde auch wirklich verkündet, da diesmal die siegende Partei aus Sparsamkeit die wahre Weise befolgte: im Siege selbst, und nicht in der Rache oder Strafe, ihr Bewußtsein und ihre Genugtuung zu finden. So fand denn der verzweifelte Fritz seine Mutter an der Pforte des Gefängnisses seiner harrend. Sie speiste und tränkte ihn, gab ihm neue Kleider und fuhr mit ihm nebst der geretteten Bürgschaft von dannen.

Als er sich nun wohlgeborgen und gestärkt neben seiner Mutter sah, fragte er sie, warum sie ihn denn so lange habe sitzen lassen? Sie erwiderte kurz und ziemlich vergnügt, wie ihm schien, daß das Geld eben nicht früher wäre aufzutreiben gewesen. Er kannte aber den Stand ihrer Angelegenheiten nur zu wohl und wußte genau, wo die Mittel zu suchen und zu beziehen waren. Er ließ also diese Ausflucht nicht gelten und fragte abermals. Sie meinte, er möchte sich nur zufrieden geben, da er durch sein Sitzen in dem Turme ein gutes Stück Geld verdient und überdies Gelegenheit erhalten, eine schöne Erfahrung zu machen. Gewiß habe er diesen oder jenen vernünftigen Gedanken zu fassen die Muße gehabt. »Du hast

mich am Ende absichtlich stecken lassen«, erwiderte er und
sah sie groß an, »und hast mir in deinem mütterlichen Sinne
das Gefängnis förmlich zuerkannt?« Hierauf antwortete sie
nichts, sondern lachte laut und lustig in dem rollenden Wagen,
wie er sie noch nie lachen gesehen. Als er hierauf nicht wußte,
welches Gesicht er machen sollte, und seltsam die Nase
rümpfte, umhalste sie ihn, noch lauter lachend, und gab ihm
einen Kuß. Er sagte aber kein Wort mehr, und es zeigte sich
von nun an, daß er in dem Gefängnis in der Tat etwas gelernt
habe.

Denn er hielt sich in seinem Wesen jetzt viel ernster und geschlossener zusammen und geriet nie wieder in Versuchung,
durch eine unrechtmäßige oder leichtsinnige Tatlust eine Gewalt herauszufordern und seine Person in ihre Hand zu geben
zu seiner Schmach und niemand zum Nutzen. Er nahm sich
nicht gerade vor, nie mehr auszuziehen, da die Ereignisse nicht
zum voraus gezählt werden können und niemand seinem Blut
gebieten kann stille zu stehn, wenn es rascher fließt; aber er
war nun sicher vor jeder nur äußerlichen und unbedachten
Kampflust. Diese Erfahrung wirkte überhaupt dermaßen auf
den jungen Mann, daß er mit verdoppeltem Fortschritt an
Tüchtigkeit in allen Dingen zuzunehmen schien und den Sachen schon mit voller Männlichkeit vorstand, als er kaum
zwanzig Jahre alt war. Frau Amrain gab ihm deswegen nun die
junge Frau, welche er wünschte, und nach Verlauf eines Jahres,
als er bereits ein kleines hübsches Söhnchen besaß, war er
zwar immer wohlgemut, aber um so ernsthafter und gemesse-
ner in seinen fleißigen Geschäften als seine Frau lustig, voll
Gelächter und guter Dinge war; denn es gefiel ihr über die
Maßen in diesem Hause und sie kam vortrefflich mit ihrer
Schwiegermutter aus, obgleich sie von dieser verschieden und
wieder eine andere Art von gutem Charakter war.

So schien nun das Erziehungswerk der Frau Regula auf das
beste gekrönt und der Zukunft mit Ruhe entgegenzusehen;
denn auch die beiden älteren Söhne, welche zwar trägen Wesens, aber sonst gutartig waren, hatte sie hinter dem wackern

Fritz her leidlich durchgeschleppt und, als dieselben herangewachsen, die Vorsicht gebraucht, sie in anderen Städten in die
Lehre zu geben, wo sie denn auch blieben und ihr ferneres Leben begründeten als ziemlich bequemliche, aber sonst ordentliche Menschen, von denen nachher so wenig zu sagen war wie
vorher.

Fritz aber, da er bereits ein würdiger Familienvater war,
mußte doch noch einmal in die Schule genommen werden von
der Mutter, und zwar in einer Sache, um die sich manche Mutter vom gemeinen Schlage wenig bekümmert hätte. Der Sohn
war ungefähr zwei Jahre schon verheiratet, als das Ländchen,
welchem Seldwyla angehörte, seinen obersten maßgebenden
Rat neu zu bestellen und deshalben die vierjährigen Wahlen
vorzunehmen hatte, infolge deren denn auch die verwaltenden
und richterlichen Behörden bestellt wurden. Bei den letzten
Hauptwahlen war Fritz noch nicht stimmfähig gewesen und
es war jetzt das erste Mal, wo er dergleichen beiwohnen sollte.
Es war aber eine große Stille im Lande. Die Gegensätze hatten
sich einigermaßen ausgeglichen und die Parteien aneinander
abgeschliffen; es wurde in allen Ecken fleißig gearbeitet, man
lichtete die alten Winkeleien in der Gesetzsammlung und
machte fleißig neue, gute und schlechte, bauete öffentliche
Werke, übte sich in einer geschickten Verwaltung ohne Unbe-
sonnenheit, doch auch ohne Zopf, und ging darauf aus, jeden
an seiner Stelle zu verwenden, die er verstand und treulich versah, und endlich gegen jedermann artig und gerecht zu sein,
der es in seiner Weise gut meinte und selbst kein Zwinger und
Hasser war. Dies alles war nun den Seldwylern höchst langweilig, da bei solcher stillgewordenen Entwicklung keine Aufregung stattfand. Denn Wahlen ohne Aufregung, ohne Vor-
versammlungen, Zechgelage, Reden, Aufrufe, ohne Umtriebe
und heftige schwankende Krisen waren ihnen so gut wie gar
keine Wahlen, und so war es diesmal entschieden schlechter
Ton zu Seldwyla, von den Wahlen nur zu sprechen, wogegen
sie sehr beschäftigt taten mit Errichtung einer großen Aktien-
bierbrauerei und Anlegung einer Aktienhopfenpflanzung, da

sie plötzlich auf den Gedanken gekommen waren, eine solche stattliche Bieranstalt mit weitläufigen guten Kellereien, Trink-hallen und Terrassen würde der Stadt einen neuen Auf-schwung geben und dieselbe berühmt und vielbesucht ma-chen. Fritz Amrain nahm an diesen Bestrebungen eben keinen Anteil, allein er kümmerte sich auch wenig um die Wahlen, so sehr er sich vor vier Jahren gesehnt hatte, daran teilzunehmen. Er dachte sich, da alles gut ginge im Lande, so sei kein Grund, den öffentlichen Dingen nachzugehen, und die Maschine würde deswegen nicht stille stehen, wenn er schon nicht wähle. Es war ihm unbequem, an dem schönen Tage in der Kirche zu sitzen mit einigen alten Leuten; und, wenn man es recht betrachtete, schien sogar ein Anflug von philisterhafter Lächerlichkeit zu kleben an den diesjährigen Wahlen, da sie eine gar so stille und regelmäßige Pflichterfüllung waren. Fritz scheuete die Pflicht nicht; wohl aber haßte er nach Art aller jungen Leute kleinere Pflichten, welche uns zwingen, zu un-gelegener Stunde den guten Rock anzuziehen, den bessern Hut zu nehmen und uns an einen höchst langweiligen oder trübseligen Ort hinzubegeben, als wie ein Taufstein, ein Kirchhof oder ein Gerichtszimmer. Frau Amrain jedoch hielt gerade diese Weise der Seldwyler, die sie nun angenommen, für unerträglich und unverschämt, und eben weil niemand hinging, so wünschte sie doppelt, daß ihr Sohn es täte. Sie steckte es daher hinter seine Frau und trug dieser auf, ihn zu überreden, daß er am Wahltage ordentlich in die Versammlung ginge und einem tüchtigen Manne seine Stimme gäbe, und wenn er auch ganz allein stände mit derselben. Allein mochte nun das junge Weibchen nicht die nötige Beredsamkeit besit-zen in einer Sache, die es selber nicht viel kümmerte, oder mochte der junge Mann nicht gesonnen sein, sich in ihr eine neue Erzieherin zu nähren und großzuziehen, genug, er ging an dem betreffenden Morgen in aller Frühe in seinen Stein-bruch hinaus und schaffte dort in der warmen Maisonne so eifrig und ernsthaft herum, als ob an diesem einen Tage noch alle Arbeit der Welt abgetan werden müßte und nie wieder die

Sonne aufginge hernach. Da ward seine Mutter ungehalten und setzte ihren Kopf darauf, daß er dennoch in die Kirche gehen solle; und sie band ihre immer noch glänzend schwarzen Zöpfe auf, nahm einen breiten Strohhut darüber und Fritzens Rock und Hut an den Arm und wanderte rasch hinter das Städtchen hinaus, wo der weitläufige Steinbruch an der Höhe lag. Als sie den langen krummen Fahrweg hinanstieg, auf welchem die Steinlasten herabgebracht wurden, bemerkte sie, wie tief der Bruch seit zwanzig Jahren in den Berg hineingegangen, und überschlug das unzweifelhafte gute Erbtum, das sie erworben und zusammengehalten. Auf verschiedenen Abstufungen hämmerten zahlreiche Arbeiter, welchen Fritz längst ohne Werkführer vorstand, und zu oberst, wo grünes Buchenholz die frischen weißen Brüche krönte, erkannte sie ihn jetzt selbst an seinem weißeren Hemde, da er Weste und Jacke weggeworfen, wie er mit einem Trüppchen Leute die Köpfe zusammensteckte über einem Punkte. Gleichzeitig aber sah man sie und rief ihr zu, sich in Acht zu nehmen. Sie duckte sich unter einen Felsen, worauf in der Höhe nach einer kleinen Stille ein starker Schlag erfolgte und eine Menge kleiner Steine und Erde rings herniederregneten. »Da glaubt er nun«, sagte sie zu sich selbst, »was er für Heldenwerk verrichtet, wenn er hier Steine gen Himmel sprengt statt seine Pflicht als Bürger zu tun!« Als sie oben ankam und verschnaufte, schien er, nachdem er flüchtig auf den Rock und Hut geschielt, den sie trug, sie nicht zu bemerken, sondern untersuchte eifrig die Löcher, die er eben gesprengt, und fuhr mit dem Zollstock an den Steinen herum. Als er sie aber nicht mehr vermeiden konnte, sagte er: »Guten Tag, Mutter! Spazierest ein wenig? Schön ist das Wetter dazu!« und wollte sich wieder wegmachen. Sie ergriff ihn aber bei der Hand und führte ihn etwas zur Seite, indem sie sagte: »Hier habe ich dir Rock und Hut gebracht, nun tu mir den Gefallen und geh zu den Wahlen! Es ist eine wahre Schande, wenn niemand geht aus der Stadt!«

»Das fehlte auch noch«, erwiderte Fritz ungeduldig, »jetzt abermals bei diesem Wetter in der langweiligen Kirche zu sit-

zen und Stimmzettel umherzubieten. Natürlich wirst du dann
für den Nachmittag schon irgend ein Leichenbegängnis in Bereitschaft haben, wo ich wieder mithumpeln soll, damit der
Tag ja ganz verschleudert werde! Daß ihr Weibsleute unser-
einen immer an Begräbnisse und Kindertaufen hinspediert, ist
begreiflich; daß ihr euch aber so sehr um die Politik bekümmert, ist mir ganz etwas Neues!«

»Schande genug«, sagte sie, »daß die Frauen euch vermah-
nen sollen zu tun, was sich gebührt und was eine verschwo-
rene Pflicht und Schuldigkeit ist!«

»Ei, so tue doch nicht so«, erwiderte Fritz, »seit wann wird
denn der Staat stille stehn, wenn einer mehr oder weniger mit-
geht, und seit wann ist es denn nötig, daß ich gerade überall
dabei bin?«

»Dies ist keine Bescheidenheit, die dies sagt«, antwortete die
Mutter, »dies ist vielmehr verborgener Hochmut! Denn ihr
glaubt wohl, daß ihr müßt dabei sein, wenn es irgend darauf
ankäme, und nur weil ihr den gewohnten stillen Gang der
Dinge verachtet, so haltet ihr euch für zu gut dabei zu sein!«

»Es ist aber in der Tat lächerlich, allein dahin zu gehen«,
sagte Fritz, »jedermann sieht einen hingehen, wo dann niemand als die Kirchenmaus zu sehen ist.«

Frau Amrain ließ aber nicht nach und erwiderte: »Es genügt
nicht, daß du unterlassest, was du an den Seldwylern lächerlich findest! Du mußt außerdem noch tun gerade, was sie für
lächerlich halten; denn was diesen Eseln so vorkommt, ist gewiß etwas Gutes und Vernünftiges! Man kennt die Vögel an
den Federn, so die Seldwyler an dem, was sie für lächerlich
halten. Bei allen kleinen Angelegenheiten, bei allen schlechten
Geschichten, eitlen Vergnügungen und Dummheiten, bei allem Gevatter- und Geschnatterwesen befleißigt man sich der
größten Pünktlichkeit; aber alle vier Jahre einmal sich pünktlich und vollzählig zu einer Wahlhandlung einzufinden, welche die Grundlage unsers ganzen öffentlichen Wesens und Regimentes ist, das soll langweilig, unausstehlich und lächerlich
sein! Das soll in dem Belieben und in der Bequemlichkeit je-

des einzelnen stehen, der immer nach seinem Rechte schreit, aber, sobald dies Recht nur ein bißchen auch nach Pflicht riecht, sein Recht darin sucht, keines zu üben! Wie, ihr wollt einen freien Staat vorstellen und seid zu faul, alle vier Jahre einen halben Tag zu opfern, einige Aufmerksamkeit zu bezeigen und eure Zufriedenheit oder Unzufriedenheit mit dem Regiment, das ihr vertragsmäßig eingesetzt, zu offenbaren? Sagt nicht, daß ihr immer da wäret, wenn es sein müßte! Wer nur da ist, wenn es ihn belustigt und seine Leidenschaft kitzelt, der wird einmal ausbleiben und sich eine Nase drehen lassen, gerade wenn er am wenigsten daran denkt.

Jeder Arbeiter ist seines Lohnes wert, und so auch der, welcher für das Wohl des Landes arbeitet und dessen öffentliche Dinge besorgt, die in jedem Hause in Einrichtungen und Gesetzen auf das tiefste eingreifen. Schon die alleräußerlichste Artigkeit und Höflichkeit gegen die betrauten Männer erforderte es, wenigstens an diesem Tage sich vollzählig einzufinden, damit sie sehen, daß sie nicht in der Luft stehen. Der Anstand vor den Nachbaren und das Beispiel für die Kinder verlangen es ebenfalls, daß diese Handlung mit Kraft und Würde begangen wird, und da finden sie diese Helden unbequem und lächerlich, die gleichen, welche täglich die größte Pünktlichkeit innehalten, um einer Kegelpartie oder einer nichtssagenden aberwitzigen Geschichte beizuwohnen.

Wie, wenn nun die sämtlichen Behörden, über solche Unhöflichkeit erbittert, euch den Sack vor die Tür würfen und auf einmal abtreten würden? Sag nicht, daß dies nie geschehen werde! Es wäre doch immer möglich, und alsdann würde eure Selbstherrlichkeit dastehen wie die Butter an der Sonne; denn nur durch gute Gewöhnung, Ordnung und regelrechte Ablösung oder kräftige Bestätigung ist in Friedenszeiten diese Selbstherrlichkeit zu brauchen und bemerklich zu machen. Wenigstens ist es die allerverkehrteste Anwendung oder Offenbarung derselben, sich gar nicht zu zeigen, warum? weil es ihr so beliebt!

Nimm mir nicht übel, das sind Kindesgedanken und Weibernücken; wenn ihr glaubt, daß solche Aufführung euch wohl anstehe, so seid ihr im Irrtum. Aber ihr beneidet euch selbst um die Ruhe und um den Frieden, und damit die Dinge, obgleich ihr nichts dagegen einzuwenden wißt, und nur auf alle Fälle hin, so ins Blaue hinein schlecht begründet erscheinen, so wählt ihr nicht oder überlaßt die Handlung den Nachtwächtern, damit, wie gesagt, vorkommendenfalls von eurem Reste Seldwyl ausgeschrieen werden könne, die öffentliche Gewalt habe keinen festen Fuß im Volke. Bübisch ist aber dieses und es ist gut, daß eure Macht nicht weiter reicht als eure lotterige Stadtmauer!«

»Ihr und immer ihr!« sagte Fritz ungehalten, »was hab ich denn mit diesen Leuten zu schaffen? Wenn dieselben solche elende Launen und Beweggründe haben, was geht das mich an?«

»Gut denn«, rief Frau Regel, »so benimm dich auch anders als sie in dieser Sache und geh zu den Wahlen!«

»Damit«, wandte ihr Sohn lächelnd ein, »man außerhalb sage, der einzige Seldwyler, welcher denselben beigewohnt, sei noch von den Weibern hingeschickt worden?«

Frau Amrain legte ihre Hand auf seine Schulter und sagte: »Wenn es heißt, daß deine Mutter dich hingeschickt habe, so bringt dir dies keine Schande und mir bringt es Ehre, wenn ein solcher tüchtiger Gesell sich von seiner Mutter schicken läßt! Ich würde wahrhaftig stolz darauf sein und du kannst mir am Ende den kleinen Gefallen zu meinem Vergnügen erweisen, nicht so?«

Fritz wußte hiegegen nichts mehr vorzubringen und zog den Rock an und setzte den Bürgerhut auf. Als er mit der trefflichen Frau den Berg hinunterging, sagte er: »Ich habe dich in meinem Leben nie so viel politisieren hören wie soeben, Mutter! Ich habe dir so lange Reden gar nicht zugetraut!«

Sie lachte, erwiderte dann aber ernsthaft: »Was ich gesagt, ist eigentlich weniger politisch gemeint als gut hausmütterlich. Wenn du nicht bereits Frau und Kind hättest, so würde es mir vielleicht nicht eingefallen sein, dich zu überreden; so aber, da

ich ein wohlerhaltenes Haus von meinem Geblüte in Aussicht
sehe, so halte ich es für ein gutes Erbteil solchen Hauses, wenn
darin in allen Dingen das rechte Maß gehalten wird. Wenn die
Söhne eines Hauses beizeiten sehen und lernen, wie die öffentlichen Dinge auf rechte Weise zu ehren sind, so bewahrt
sie vielleicht gerade dies vor unrechten und unbesonnenen
Streichen. Ferner, wenn sie das eine ehren und zuverlässig tun,
so werden sie es auch mit dem andern so halten, und so, siehst
du, habe ich am Ende nur als fürsichtige häusliche Großmutter gehandelt, während man sagen wird, ich sei die ärgste alte
Kannegießerin!«

In der Kirche fand Fritz statt einer Zahl von sechs- oder siebenhundert Männern kaum deren vier Dutzend, und diese
waren beinahe ausschließlich Landleute aus umliegenden
Gehöften, welche mit den Seldwylern zu wählen hatten. Diese
Landleute hätten zwar auch eine sechsmal stärkere Zahl zu
stellen gehabt; aber da die Ausgebliebenen wirklich im
Schweiße ihres Angesichts auf den Feldern arbeiteten, so war
ihr Wegbleiben mehr eine harmlose Gedankenlosigkeit und
ein bäuerlicher Geiz mit dem schönen Wetter, und weil sie einen weiten Weg zu machen hatten, erschien das Dasein der
Anwesenden um so löblicher. Aus der Stadt selbst war niemand da als der Gemeindepräsident, die Wahlen zu leiten, der
Gemeindeschreiber, das Protokoll zu führen, dann der Nachtwächter und zwei oder drei arme Teufel, welche kein Geld
hatten, um mit den lachenden Seldwylern den Frühschoppen
zu trinken. Der Herr Präsident aber war ein Gastwirt, welcher
vor Jahren schon falliert hatte und seither die Wirtschaft auf
Rechnung seiner Frau fortbetrieb. Hierin wurde er von seinen
Mitbürgern reichlich unterstützt, da er ganz ihr Mann war, das
große Wort zu führen wußte und bei allen Händeln als ein er-
fahrner Wirt auf dem Posten war. Daß er aber in Amt und
Würden stand und hier den Wahlen präsidierte, gehörte zu jenen Sünden der Seldwyler, die sich zeitweise so lange anhäuf-
ten, bis ihnen die Regierung mit einer Untersuchung auf den
Leib rückte. Die Landleute wußten teilweise wohl, daß es

nicht ganz richtig war mit diesem Präsidenten, allein sie waren
viel zu langsam und zu häklich als daß sie etwas gegen ihn unternommen hätten, und so hatte er sich bereits in einem Handumdrehen mit seinen drei oder vier Mitbürgern das Geschäft
des Tages zugeeignet, als Fritz ankam. Dieser, als er das Häuflein rechtlicher Landleute sah, freute sich, wenigstens nicht
ganz allein da zu sein, und es fuhr plötzlich ein unternehmen-
der Geist in ihn, daß er unversehens das Wort verlangte und
gegen den Präsidenten protestierte, da derselbe falliert und
bürgerlich tot sei.

Dies war ein Donnerschlag aus heiterm Himmel. Der ansehnliche Gastwirt machte ein Gesicht wie einer, der tausend
Jahre begraben lag und wieder auferstanden ist; jedermann sah
sich nach dem kühnen Redner um; aber die Sache war so kindlich einfach, daß auch nicht ein Laut dagegen ertönen konnte,
in keiner Weise; nicht die leiseste Diskussion ließ sich eröffnen. Je unerhörter und unverhoffter das Ereignis war, um so
begreiflicher und natürlicher erschien es jetzt, und je begreiflicher es erschien, um so zorniger und empörter waren die
paar Seldwyler gerade über diese Begreiflichkeit, über sich
selbst, über den jungen Amrain, über die heimtückische Tri-
vialität der Welt, welche das Unscheinbarste und Nahelie-
gendste ergreift, um Große zu stürzen und die Verhältnisse
umzukehren. Der Herr Präsident Usurpator sagte nach einer
minutenlangen Verblüffung, nach welcher er wieder so klug
wie zu Anfang war, gar nichts als: »Wenn – wenn man gegen
meine Person Einwendungen – allerdings, ich werde mich
nicht aufdringen, so ersuche ich die geehrte Versammlung, zu
einer neuen Wahl des Präsidenten zu schreiten, und die Stim-
menzähler, die betreffenden Stimmzettel auszuteilen.« –

»Ihr habt überhaupt weder etwas vorzuschlagen hier noch
den Stimmenzählern etwas aufzutragen!« rief Fritz Amrain,
und dem großen Magnaten und Gastwirt blieb nichts anders
übrig als das Unerhörte abermals so begreiflich zu finden, daß
es ans Triviale grenzte, und ohne ein Wort weiter zu sagen,
verließ er die Kirche, gefolgt von dem bestürzten Nachtwäch-

ter und den andern Lumpen. Nur der Schreiber blieb, um das
Protokoll weiterzuführen, und Fritz Amrain begab sich in
dessen Nähe und sah ihm auf die Finger. Die Bauern aber er-
holten sich endlich aus ihrer Verwunderung und benutzten die
Gelegenheit, das Wahlgeschäft rasch zu beenden und statt der
bisherigen zwei Mitglieder zwei tüchtige Männer aus ihrer
Gegend zu wählen, die sie schon lange gerne im Rate gesehen,
wenn die Seldwyler ihnen irgend Raum gegönnt hätten. Dies
lag nun am wenigsten im Plane der nicht erschienenen Seldwyler; denn sie hatten sich doch gedacht, daß ihr Präsident
und der Nachtwächter unfehlbar die alten zwei Popanze
wählen würden, wie es auch ausgemacht war in einer flüchtigen Viertelstunde in irgend einem Hinterstübchen. Wie erstaunten sie daher, als sie nun, durch den heimgeschickten
falschen Präsidenten aufgeschreckt, in hellen Haufen dahterge-
rannt kamen und das Protokoll rechtskräftig geschlossen fanden samt dem Resultat. Ruhig lächelnd gingen die Landleute
auseinander; Fritz Amrain aber, welcher nach seiner Behausung schritt, wurde von den Bürgern aufgebracht, verlegen
und wild höhnisch betrachtet, mit halbem Blicke oder mit weit
aufgesperrten Augen. Der eine rief ein abgebrochenes Ha! der
andere ein Ho! Fritz fühlte, daß er jetzt zum ersten Male wirkliche Feinde habe, und zwar gefährlicher als jene, gegen welche er einst mit Blei und Pulver ausgezogen. Auch wußte er, da
er so unerbittlich über einen Mann gerichtet, der zwanzig
Jahre älter war als er, daß er sich nun doppelt wehren müsse,
selber nicht in die Grube zu fallen, und so hatte das Leben nun
wieder ein ganz anderes Gesicht für ihn als noch vor kaum
zwei Stunden. Mit ernsten Gedanken trat er in sein Haus und
gedachte, um sich aufzuheitern, seine Mutter zu prüfen, ob ihr
diese Wendung der Dinge auch genehm sei, da sie ihn allein
veranlaßt hatte, sich in die Gefahr zu begeben.

Allein da er den Hausflur betrat, kam ihm seine Mutter entgegen, fiel ihm weinend um den Hals und sagte nichts als:
»Dein Vater ist wiedergekommen!« Da sie aber sah, daß ihn
dieser Bericht noch verlegener und ungewisser machte als sie

selbst war, faßte sie sich, nachdem sie den Sohn an sich gedrückt, und sagte: »Nun, er soll uns nichts anhaben! Sei nur freundlich gegen ihn, wie es einem Kinde zukommt!« So hatten sich in der Tat die Dinge abermals verändert; noch vor wenig Augenblicken, da er auf der Straße ging, schien es ihm höchst bedenklich, sich eine ganze Stadt verfeindet zu wissen, und jetzt, was war dies Bedenken gegen die Lage, urplötzlich sich einem Vater gegenüber zu sehen, den er nie gekannt, von dem er nur wußte, daß er ein eitler, wilder und leichtsinniger Mann war, der zudem die ganze Welt durchzogen während zwanzig Jahren und nun weiß der Himmel welch ein fremdartiger und erschrecklicher Kumpan sein mochte. »Wo kommt er denn her? Was will er, wie sieht er denn aus, was will er denn?« sagte Fritz, und die Mutter erwiderte: »Er scheint irgend ein Glück gemacht und was erschnappt zu haben, und nun kommt er mit Gebärden dahergefahren, als ob er uns in Gnaden auffressen wollte! Fremd und wild sieht er aus, aber er ist der alte, das hab ich gleich gesehen.« Fritz war aber jetzt doch neugierig und ging festen Schrittes die Treppe hinauf und auf die Wohnstube zu, während die Mutter in die Küche huschte und auf einem andern Wege fast gleichzeitig in die Stube trat; denn das dünkte sie nun der beste Lohn und Triumph für alle Mühsal, zu sehen, wie ihrem Manne der eigene Sohn, den sie erzogen, entgegentrat. Als Fritz die Tür öffnete und eintrat, sah er einen großen schweren Mann am Tische sitzen, der ihm wohl er selbst zu sein schien, wenn er zwanzig Jahre älter wäre. Der Fremde war fein, aber unordentlich gekleidet, hatte etwas Ruhig-Trotziges in seinem Wesen und doch etwas Unstetes in seinem Blicke, als er jetzt aufstand und ganz erschrocken sein junges Ebenbild eintreten sah, hoch aufgerichtet und nicht um eine Linie kürzer als er selbst. Aber um das Haupt des Jungen wehten starke goldne Locken, und während sein Angesicht ebenso ruhig-trotzig dreinsah wie das des Alten, errötete er bei aller Kraft doch in Unschuld und Bescheidenheit. Als der Alte ihn mit der verlegenen Unverschämtheit der Zerfahrenen ansah und sagte: »So wirst du also

mein Sohn sein?« schlug der Junge die Augen nieder und sagte:
»Ja, und Ihr seid also mein Vater? Es freut mich, Euch endlich
zu sehen!« Dann schaute er neugierig empor und betrachtete
gutmütig den Alten; als dieser aber ihm nun die Hand gab und
die seinige mit einem prahlerischen Druck schüttelte, um ihm
seine große Kraft und Gewalt anzukünden, erwiderte der
Sohn unverweilt diesen Druck, so daß die Gewalt wie ein Blitz
in den Arm des Alten zurückströmte und den ganzen Mann
gelinde erschütterte. Als aber vollends der Junge mit ruhigem Anstand den Alten zu seinem Stuhle zurückführte und
ihn mit freundlicher Bestimmtheit zu sitzen nötigte, da ward
es dem Zurückgekehrten ganz wunderlich zu Mut, ein solch
wohlgeratenes Ebenbild vor sich zu sehen, das er selbst und
doch wieder ganz ein anderer war. Frau Regula sprach beinahe
kein Wort und ergriff den klugen Ausweg, den Mann auf seine
Weise zu ehren, indem sie ihn reichlich bewirtete und sich mit
dem Vorweisen und Einschenken ihres besten Weines zu
schaffen machte. Dadurch wurde seine Verlegenheit, als er so
zwischen seiner Frau und seinem Sohne saß, etwas gemildert,
und das Loben des guten Weines gab ihm Veranlassung, die
Vermutung auszusprechen, daß es also mit ihnen gut stehen
müsse, wie er zu seiner Befriedigung ersehe, was denn den besten Übergang gab zu der Auseinandersetzung ihrer Verhältnisse. Frau und Sohn suchten nun nicht ängstlich zurückzu-
halten und heimlich zu tun, sondern sie legten ihm offen den
Stand ihres Hauses und ihres Vermögens dar; Fritz holte die
Bücher und Papiere herbei und wies ihm die Dinge mit solchem Verstand und Klarheit nach, daß er erstaunt die Augen
aufsperrte über die gute Geschäftsführung und über die Wohlhabenheit seiner Familie. Indessen reckte er sich empor und
sprach: »Da steht ihr ja herrlich im Zeuge und habt euch gut
gehalten, was mir lieb ist. Ich komme aber auch nicht mit leeren Händen und habe mir einen Pfennig erworben, durch
Fleiß und Rührigkeit!« Und er zog einige Wechselbriefe hervor sowie einen mit Gold angefüllten Gurt, was er alles auf
den Tisch warf, und es waren allerdings einige tausend Gulden

oder Taler. Allein er hatte sie nicht nach und nach erworben
und verschwieg weislich, daß er diese Habe auf einmal durch
irgend einen Glücksfall erwischt, nachdem er sich lange genug
ärmlich herumgetrieben in allen nordamerikanischen Staaten.
»Dies wollen wir«, sagte er, »nun sogleich in das Geschäft
stecken und mit vereinten Kräften weiter schaffen; denn ich
habe eine ordentliche Lust, hier, da es nun geht, wieder ans
Zeug zu gehen und den Hunden etwas vorzuspielen, die mich
damals fortgetrieben.« Sein Sohn schenkte ihm aber ruhig ein
anderes Glas Wein ein und sagte: »Vater, ich wollte Euch raten,
daß Ihr vorderhand Euch ausruhet und es Euch wohl sein lasset. Eure Schulden sind längst bezahlt und so könnet Ihr Euer
Geldchen gebrauchen, wie es Euch gutdünkt, und ohnedies
soll es Euch an nichts bei uns fehlen! Was aber das Geschäft
betrifft, so habe ich selbiges von Jugend auf gelernt und weiß
nun, woran es lag, daß es Euch damals mißlang. Ich muß aber
freie Hand darin haben, wenn es nicht abermals rückwärts gehen soll. Wenn es Euch Lust macht, hie und da ein wenig mit-
zuhelfen und Euch die Sache anzusehen, so ist es zu Eurem
Zeitvertreib hinreichend, daß Ihr es tut. Wenn Ihr aber nicht
nur mein Vater, sondern sogar ein Engel vom Himmel wäret,
so würde ich Euch nicht zum förmlichen Anteilhaber annehmen, weil Ihr das Werk nicht gelernt habt und, verzeiht mir
meine Unhöflichkeit, nicht versteht!« Der Alte wurde durch
diese Rede höchst verstimmt und verlegen, wußte aber nichts
darauf zu erwidern, da sie mit großer Entschiedenheit gesprochen war und er sah, daß sein Sohn wußte, was er wollte. Er
packte seine Reichtümer zusammen und ging aus, sich in der
Stadt umzusehen. Er trat in verschiedene Wirtshäuser; allein er
fand da ein neues Geschlecht an der Tagesordnung, und seine
alten Genossen waren alle längst in die Dunkelheit verschwunden. Zudem hatte er in Amerika doch etwas andere
Manieren bekommen. Er hatte sich gewöhnen müssen, sein
Gläschen stehend zu trinken, um unverweilt dem Drange und
der einsilbigen Jagd des Lebens wieder nachzugehen; er hatte
ein tüchtiges rastloses Arbeiten wenigstens mit angesehen und

sich unter den Amerikanern ein wenig abgerieben, so daß ihm
diese ewige Sitzerei und Schwätzerei nun selbst nicht mehr zusagte. Er fühlte, daß er in seinem wohlbestellten Hause doch
besser aufgehoben wäre als in diesen Wirtshäusern, und kehrte
unwillkürlich dahin zurück, ohne zu wissen, ob er dort bleiben oder wieder fortgehen solle. So ging er in die Stube, die
man ihm eingeräumt; dort warf der alternde Mann seine Barschaft unmutig in einen Winkel, setzte sich rittlings auf einen
Stuhl, senkte den großen betrübten Kopf auf die Lehne und
fing ganz bitterlich an zu weinen. Da trat seine Frau herein,
sah, daß er sich elend fühlte, und mußte sein Elend achten. Sowie sie aber wieder etwas an ihm achten konnte, kehrte ihre
Liebe augenblicklich zurück. Sie sprach nicht mit ihm, blieb
aber den übrigen Teil des Tages in der Kammer, ordnete erst
dies und jenes zu seiner Bequemlichkeit und setzte sich endlich mit ihrem Strickzeug schweigend ans Fenster, indem sich
erst nach und nach ein Gespräch zwischen den lange getrennten Eheleuten entwickelte. Was sie gesprochen, wäre schwer
zu schildern, aber es ward beiden wohler zu Mut, und der alte
Herr ließ sich von da an von seinem wohlerzogenen Sohne
nachträglich noch ein bißchen erziehen und leiten ohne Widerrede und ohne daß der Sohn sich eine Unkindlichkeit zu-
schulden kommen ließ. Aber der seltsame Kursus dauerte
nicht einmal sehr lange, und der Alte ward doch noch ein ge-
lassener und zuverlässiger Teilnehmer an der Arbeit, mit manchen Ruhepunkten und kleinen Abschweifungen, aber ohne
dem blühenden Hausstande Nachteile oder Unehre zu bringen. Sie lebten alle zufrieden und wohlbegütert und das Ge-
blüt der Frau Regula Amrain wucherte so kräftig in diesem
Hause, daß auch die zahlreichen Kinder des Fritz vor dem
Untergang gesichert blieben. Sie selbst streckte sich, als sie
starb, im Tode noch stolz aus, und noch nie ward ein so langer
Frauensarg in die Kirche getragen und der eine so edle Leiche
barg zu Seldwyla.

Die drei gerechten Kammacher

Die Leute von Seldwyla haben bewiesen, daß eine ganze Stadt von Ungerechten oder Leichtsinnigen zur Not fortbestehen kann im Wechsel der Zeiten und des Verkehrs; die drei Kammmacher aber, daß nicht drei Gerechte lang unter einem Dache leben können, ohne sich in die Haare zu geraten. Es ist hier aber nicht die himmlische Gerechtigkeit gemeint oder die natürliche Gerechtigkeit des menschlichen Gewissens, sondern jene blutlose Gerechtigkeit, welche aus dem Vaterunser die Bitte gestrichen hat: Und vergib uns unsere Schulden, wie auch wir vergeben unsern Schuldnern! weil sie keine Schulden macht und auch keine ausstehen hat; welche niemandem zu Leid lebt, aber auch niemandem zu Gefallen, wohl arbeiten und erwerben, aber nichts ausgeben will und an der Arbeitstreue nur einen Nutzen, aber keine Freude findet. Solche Gerechte werfen keine Laternen ein, aber sie zünden auch keine an und kein Licht geht von ihnen aus; sie treiben allerlei Hantierung, und eine ist ihnen so gut wie die andere, wenn sie nur mit keiner Fährlichkeit verbunden ist; am liebsten siedeln sie sich dort an, wo recht viele Ungerechte in ihrem Sinne sind; denn sie untereinander, wenn keine solche zwischen ihnen wären, würden sich bald abreiben, wie Mühlsteine, zwischen denen kein Korn liegt. Wenn diese ein Unglück betrifft, so sind sie höchst verwundert und jammern, als ob sie am Spieße stäken, da sie doch niemandem was zuleid getan haben; denn sie betrachten die Welt als eine große wohlgesicherte Polizeianstalt, wo keiner eine Kontraventionsbuße zu fürchten braucht, wenn er vor seiner Türe fleißig kehrt, keine Blumentöpfe unverwahrt vor das Fenster stellt und kein Wasser aus demselben gießt.

Zu Seldwyl bestand ein Kammachergeschäft, dessen Inhaber gewohnterweise alle fünf bis sechs Jahre wechselten, obgleich es ein gutes Geschäft war, wenn es fleißig betrieben wurde; denn die Krämer, welche die umliegenden Jahrmärkte besuchten, holten da ihre Kammwaren. Außer den notwendigen Hornstriegeln aller Art wurden auch die wunderbarsten Schmuckkämme für die Dorfschönen und Dienstmägde verfertigt aus schönem durchsichtigem Ochsenhorn, in welches die Kunst der Gesellen (denn die Meister arbeiteten nie) ein tüchtiges braunrotes Schildpattgewölke beizte, je nach ihrer Phantasie, so daß, wenn man die Kämme gegen das Licht hielt, man die herrlichsten Sonnenauf- und -niedergänge zu sehen glaubte, rote Schäfchenhimmel, Gewitterstürme und andere gesprenkelte Naturerscheinungen. Im Sommer, wenn die Gesellen gerne wanderten und rar waren, wurden sie mit Höflichkeit behandelt und bekamen guten Lohn und gutes Essen; im Winter aber, wenn sie ein Unterkommen suchten und häufig zu haben waren, mußten sie sich ducken, Kämme machen, was das Zeug halten wollte, für geringen Lohn; die Meisterin stellte einen Tag wie den andern eine Schüssel Sauerkraut auf den Tisch und der Meister sagte: »Das sind Fische!« Wenn dann ein Geselle zu sagen wagte: »Bitt um Verzeihung, es ist Sauerkraut!« so bekam er auf der Stelle den Abschied und mußte wandern in den Winter hinaus. Sobald aber die Wiesen grün wurden und die Wege gangbar, sagten sie: »Es ist doch Sauerkraut!« und schnürten ihr Bündel. Denn wenn dann auch die Meisterin auf der Stelle einen Schinken auf das Kraut warf und der Meister sagte: »Meiner Seel! ich glaubte, es wären Fische! Nun, dieses ist doch gewiß ein Schinken!« so sehnten sie sich doch hinaus, da alle drei Gesellen in einem zweispännigen Bett schlafen mußten und sich den Winter durch herzlich satt bekamen wegen der Rippenstöße und erfrorenen Seiten.

Einsmals kam aber ein ordentlicher und sanfter Geselle angereist aus irgend einem der sächsischen Lande, der fügte sich in alles, arbeitete wie ein Tierlein und war nicht zu vertreiben, so daß er zuletzt ein bleibender Hausrat wurde in dem Geschäft und mehrmals den Meister wechseln sah, da es die Jahre her gerade etwas stürmischer herging als sonst. Jobst streckte sich in dem Bette, so steif er konnte, und behauptete seinen

Platz zunächst der Wand Winter und Sommer; er nahm das
Sauerkraut willig für Fische und im Frühjahr mit bescheidenem Dank ein Stückchen von dem Schinken. Den kleinern
Lohn legte er so gut zur Seite wie den größern; denn er gab
nichts aus, sondern sparte sich alles auf. Er lebte nicht wie andere Handwerksgesellen, trank nie einen Schoppen, verkehrte
mit keinem Landsmann noch mit andern jungen Gesellen,
sondern stellte sich des Abends unter die Haustüre und
schäkerte mit den alten Weibern, hob ihnen die Wassereimer
auf den Kopf, wenn er besonders freigebiger Laune war, und
ging mit den Hühnern zu Bett, wenn nicht reichliche Arbeit
da war, daß er für besondere Rechnung die Nacht durcharbei-
ten konnte. Am Sonntag arbeitete er ebenfalls bis in den Nachmittag hinein, und wenn es das herrlichste Wetter war; man
denke aber nicht, daß er dies mit Frohsinn und Vergnügen tat,
wie Johann der muntere Seifensieder; vielmehr war er bei dieser freiwilligen Mühe niedergeschlagen und beklagte sich fortwährend über die Mühseligkeit des Lebens. War dann der
Sonntagnachmittag gekommen, so ging er in seinem Arbeitsschurz und in den klappernden Pantoffeln über die Gasse und
holte sich bei der Wäscherin das frische Hemd und das ge-
glättete Vorhemdchen, den Vatermörder oder das bessere
Schnupftuch und trug diese Herrlichkeiten auf der flachen
Hand mit elegantem Gesellenschritt vor sich her nach Hause.
Denn im Arbeitsschurz und in den Schlappschuhen beobachten manche Gesellen immer einen eigentümlich gezierten
Gang, als ob sie in höheren Sphären schwebten, besonders die
gebildeten Buchbinder, die lustigen Schuhmacher und die seltenen sonderbaren Kammacher. In seiner Kammer bedachte
sich Jobst aber noch wohl, ob er das Hemd oder das Vorhemdchen auch wirklich anziehen wolle, denn er war bei aller Sanft-
mut und Gerechtigkeit ein kleiner Schweinigel, oder ob es die
alte Wäsche noch für eine Woche tun müsse und er bei Hause
bleiben und noch ein bißchen arbeiten wolle. In diesem Falle
setzte er sich mit einem Seufzer über die Schwierigkeit und
Mühsal der Welt von neuem dahinter und schnitt verdrossen

seine Zähne in die Kämme oder er wandelte das Horn in
Schildkrötschalen um, wobei er aber so nüchtern und phanta-
sielos verfuhr, daß er immer die gleichen drei trostlosen
Kleckse darauf schmierte; denn wenn es nicht unzweifelhaft
vorgeschrieben war, so wandte er nicht die kleinste Mühe an
eine Sache. Entschloß er sich aber zu einem Spaziergang, so
putzte er sich eine oder zwei Stunden lang peinlich heraus,
nahm sein Spazierstöckchen und wandelte steif ein wenig vors
Tor, wo er demütig und langweilig herumstand und langweilige Gespräche führte mit andern Herumständern, die auch
nichts Besseres zu tun wußten, etwa alte arme Seldwyler, welche nicht mehr ins Wirtshaus gehen konnten. Mit solchen
stellte er sich dann gern vor ein im Bau begriffenes Haus, vor
ein Saatfeld, vor einen wetterbeschädigten Apfelbaum oder
vor eine neue Zwirnfabrik und düftelte auf das angelegentlich-
ste über diese Dinge, deren Zweckmäßigkeit und den Kosten-
punkt, über die Jahrshoffnungen und den Stand der Feld-
früchte, von was allem er nicht den Teufel verstand. Es war
ihm auch nicht darum zu tun; aber die Zeit verging ihm so auf
die billigste und kurzweiligste Weise nach seiner Art und die
alten Leute nannten ihn nur den artigen und vernünftigen
Sachsen, denn sie verstanden auch nichts. Als die Seldwyler
eine große Aktienbrauerei anlegten, von der sie sich ein gewaltiges Leben versprachen, und die weitläufigen Fundamente
aus dem Boden ragten, stöckerte er manchen Sonntagabend
darin herum, mit Kennerblicken und mit dem scheinbar le-
bendigsten Interesse die Fortschritte des Baues untersuchend,
wie wenn er ein alter Bauverständiger und der größte Bier-
trinker wäre. »Aber nein!« rief er ein Mal um das andere, »des
is ein fameses Wergg! des gibt eine großartigte Anstalt! Aber
Geld kosten duht's, na das Geld! Aber schade, hier mißte mir
das Gewehlbe doch en bißgen diefer sein und die Mauer um
eine Idee stärger!« Bei alledem dachte er sich gar nichts als daß
er noch rechtzeitig zum Abendessen wolle, eh es dunkel
werde; denn dieses war der einzige Tort, den er seiner Frau
Meisterin antat, daß er nie das Abendbrot versäumte am Sonn-

tag, wie etwa die anderen Gesellen, sondern daß sie seinetwe-
gen allein zu Hause bleiben oder sonstwie Bedacht auf ihn
nehmen mußte. Hatte er sein Stückchen Braten oder Wurst
versorgt, so wurmisierte er noch ein Weilchen in der Kammer
herum und ging dann zu Bett; dies war dann ein vergnügter
Sonntag für ihn gewesen.

Bei all diesem anspruchlosen, sanften und ehrbaren Wesen
ging ihm aber nicht ein leiser Zug von innerlicher Ironie ab,
wie wenn er sich heimlich über die Leichtsinnigkeit und Eitelkeit der Welt lustig machte, und er schien die Größe und Er-
heblichkeit der Dinge nicht undeutlich zu bezweifeln und sich
eines viel tieferen Gedankenplanes bewußt zu sein. In der Tat
machte er auch zuweilen ein so kluges Gesicht, besonders
wenn er die sachverständigen sonntäglichen Reden führte, daß
man ihm wohl ansah, wie er heimlich viel wichtigere Dinge im
Sinne trage, wogegen alles, was andere unternahmen, bauten
und aufrichteten, nur ein Kinderspiel wäre. Der große Plan,
welchen er Tag und Nacht mit sich herumtrug und welcher
sein stiller Leitstern war die ganzen Jahre lang, während er in
Seldwyl Geselle war, bestand darin, sich so lange seinen Arbeitslohn aufzusparen, bis er hinreiche, eines schönen Morgens das Geschäft, wenn es gerade vakant würde, anzukaufen
und ihn selbst zum Inhaber und Meister zu machen. Dies lag
all seinem Tun und Trachten zu Grunde, da er wohl bemerkt
hatte, wie ein fleißiger und sparsamer Mann allhier wohl gedeihen müßte, ein Mann, welcher seinen eigenen stillen Weg
ginge und von der Sorglosigkeit der andern nur den Nutzen,
aber nicht die Nachteile zu ziehen wüßte. Wenn er aber erst
Meister wäre, dann wollte er bald so viel erworben haben, um
sich auch einzubürgern, und dann erst gedachte er so klug und
zweckmäßig zu leben wie noch nie ein Bürger in Seldwyl, sich
um gar nichts zu kümmern, was nicht seinen Wohlstand
mehre, nicht einen Deut auszugeben, aber deren so viele als
möglich an sich zu ziehen in dem leichtsinnigen Strudel dieser
Stadt. Dieser Plan war ebenso einfach als richtig und begreiflich, besonders da er ihn auch ganz gut und ausdauernd durch-

führte; denn er hatte schon ein hübsches Sümmchen zurück-
gelegt, welches er sorgfältig verwahrte und sicherer Berechnung nach mit der Zeit groß genug werden mußte zur Erreichung dieses Zieles. Aber das Unmenschliche an diesem so
stillen und friedfertigen Plane war nur, daß Jobst ihn überhaupt gefaßt hatte; denn nichts in seinem Herzen zwang ihn,
gerade in Seldwyla zu bleiben, weder eine Vorliebe für die Gegend noch für die Leute, weder für die politische Verfassung
dieses Landes noch für seine Sitten. Dies alles war ihm so
gleichgültig wie seine eigene Heimat, nach welcher er sich gar
nicht zurücksehnte; an hundert Orten in der Welt konnte er
sich mit seinem Fleiß und mit seiner Gerechtigkeit ebensowohl festhalten wie hier; aber er hatte keine freie Wahl und ergriff in seinem öden Sinne die erste zufällige Hoffnungsfaser,
die sich ihm bot, um sich daran zu hängen und sich daran groß
zu saugen. Wo es mir wohl geht, da ist mein Vaterland! heißt
es sonst und dieses Sprichwort soll unangetastet bleiben für
diejenigen, welche auch wirklich eine bessere und notwendige
Ursache ihres Wohlergehens im neuen Vaterlande aufzuwei-
sen haben, welche in freiem Entschlusse in die Welt hinausge-
gangen, um sich rüstig einen Vorteil zu erringen und als ge-
borgene Leute zurückzukehren, oder welche einem unwohn-
lichen Zustande in Scharen entfliehen und, dem Zuge der Zeit
gehorchend, die neue Völkerwanderung über die Meere mit-
wandern; oder welche irgendwo treuere Freunde gefunden haben als daheim oder ihren eigensten Neigungen mehr entsprechende Verhältnisse oder durch irgend ein schöneres menschliches Band festgebunden wurden. Aber auch das neue Land
ihres Wohlergehens werden alle diese wenigstens lieben müssen, wo sie immerhin sind, und auch da zur Not einen Menschen vorstellen. Aber Jobst wußte kaum, wo er war; die Einrichtungen und Gebräuche der Schweizer waren ihm unver-
ständlich, und er sagte bloß zuweilen: »Ja, ja, die Schweizer
sind politische Leute! Es ist gewißlich, wie ich glaube, eine
schöne Sache um die Politik, wenn man Liebhaber davon ist!
Ich für meinen Teil bin kein Kenner davon, wo ich zu Haus

bin, da ist es nicht der Brauch gewesen.« Die Sitten der Seldwyler waren ihm zuwider und machten ihn ängstlich, und
wenn sie einen Tumult oder Zug vorhatten, hockte er zitternd
zuhinterst in der Werkstatt und fürchtete Mord und Tot-
schlag. Und dennoch war es sein einziges Denken und sein
großes Geheimnis, hier zu bleiben bis an das Ende seiner Tage.
Auf alle Punkte der Erde sind solche Gerechte hingestreut, die
aus keinem andern Grunde sich dahin verkrümmelten als weil
sie zufällig an ein Saugeröhrchen des guten Auskommens gerieten, und sie saugen still daran ohne Heimweh nach dem alten, ohne Liebe zu dem neuen Lande, ohne einen Blick in die
Weite und ohne einen für die Nähe, und gleichen daher weniger dem freien Menschen als jenen niederen Organismen,
wunderlichen Tierchen und Pflanzensamen, die durch Luft
und Wasser an die zufällige Stätte ihres Gedeihens getragen
worden.

So lebte er ein Jährchen um das andere in Seldwyla und äufnete seinen heimlichen Schatz, welchen er unter einer Fliese
seines Kammerbodens vergraben hielt. Noch konnte sich kein
Schneider rühmen, einen Batzen an ihm verdient zu haben,
denn noch war der Sonntagsrock, mit dem er angereist, im
gleichen Zustande wie damals. Noch hatte kein Schuster einen
Pfennig von ihm gelöst, denn noch waren nicht einmal die
Stiefelsohlen durchgelaufen, die bei seiner Ankunft das
Äußere seines Felleisens geziert; denn das Jahr hat nur zwei-
undfünfzig Sonntage, und von diesen wurde nur die Hälfte zu
einem kleinen Spaziergange verwandt. Niemand konnte sich
rühmen, je ein kleines oder großes Stück Geld in seiner Hand
gesehen zu haben; denn wenn er seinen Lohn empfing, verschwand dieser auf der Stelle auf die geheimnisvollste Weise,
und selbst wenn er vor das Tor ging, steckte er nicht einen
Deut zu sich, so daß es ihm gar nicht möglich war etwas auszugeben. Wenn Weiber mit Kirschen, Pflaumen oder Birnen in
die Werkstatt kamen und die anderen Arbeiter ihre Gelüste
befriedigten, hatte er auch tausend und ein Gelüste, welche er
dadurch zu beruhigen wußte, daß er mit der größten Auf-

merksamkeit die Verhandlung mit führte, die hübschen Kirschen und Pflaumen streichelte und betastete und zuletzt die Weiber, welche ihn für den eifrigsten Käufer genommen, verblüfft abziehen ließ, sich seiner Enthaltsamkeit freuend; und mit zufriedenem Vergnügen, mit tausend kleinen Ratschlägen, wie sie die gekauften Äpfel braten oder schälen sollten, sah er seine Mitgesellen essen. Aber so wenig jemand eine Münze von ihm zu besehen kriegte, ebensowenig erhielt jemand von ihm je ein barsches Wort, eine unbillige Zumutung oder ein schiefes Gesicht; er wich vielmehr allen Händeln auf das sorgfältigste aus und nahm keinen Scherz übel, den man sich mit ihm erlaubte; und so neugierig er war, den Verlauf von allerlei Klatschereien und Streitigkeiten zu betrachten und zu beurteilen, da solche jederzeit einen kostenfreien Zeitvertreib gewährten, während andere Gesellen ihren rohen Gelagen nachgingen, so hütete er sich wohl, sich in etwas zu mischen und über einer Unvorsichtigkeit betreffen zu lassen. Kurz, er war die merkwürdigste Mischung von wahrhaft heroischer Weisheit und Ausdauer und von sanfter schnöder Herz- und Gefühllosigkeit.

Einst war er schon seit vielen Wochen der einzige Geselle in dem Geschäft und es ging ihm so wohl in dieser Ungestörtheit wie einem Fisch im Wasser. Besonders des Nachts freute er sich des breiten Raumes im Bette und benutzte sehr ökonomisch diese schöne Zeit, sich für die kommenden Tage zu entschädigen und seine Person gleichsam zu verdreifachen, indem er unaufhörlich die Lage wechselte und sich vorstellte, als ob drei zumal im Bette lägen, von denen zwei den dritten ersuchten, sich doch nicht zu genieren und es sich bequem zu machen. Dieser dritte war er selbst und er wickelte sich auf die Einladung hin wollüstig in die ganze Decke oder spreizte die Beine weit auseinander, legte sich quer über das Bett oder schlug in harmloser Lust Purzelbäume darin. Eines Tages aber, als er beim Abendscheine schon im Bette lag, kam unverhofft noch ein fremder Geselle zugesprochen und wurde von der Meisterin in die Schlafkammer gewiesen. Jobst lag eben in

wähligem Behagen mit dem Kopfe am Fußende und mit den
Füßen auf den Pfülmen, als der Fremde eintrat, sein schweres
Felleisen abstellte und unverweilt anfing sich auszuziehen, da
er müde war. Jobst schnellte blitzschnell herum und streckte
sich steif an seinen ursprünglichen Platz an der Wand, und er
dachte: »Der wird bald wieder ausreißen, da es Sommer ist
und lieblich zu wandern!« In dieser Hoffnung ergab er sich
mit stillen Seufzern in sein Schicksal und war der nächtlichen
Rippenstöße und des Streites um die Decke gewärtig, die es
nun absetzen würde. Aber wie erstaunt war er, als der Neuan-
gekommene, obgleich es ein Bayer war, sich mit höflichem
Gruße zu ihm ins Bett legte, sich ebenso friedlich und manierlich wie er selbst am andern Ende des Bettes verhielt und ihn
während der ganzen Nacht nicht im mindesten belästigte.
Dies unerhörte Abenteuer brachte ihn so um alle Ruhe, daß er,
während der Bayer wohlgemut schlief, diese Nacht kein Auge
zutat. Am Morgen betrachtete er den wundersamen Schlafge-
fährten mit äußerst aufmerksamen Mienen und sah, daß es ein
ebenfalls nicht mehr junger Geselle war, der sich mit anständigen Worten nach den Umständen und dem Leben hier erkundigte, ganz in der Weise, wie er es etwa selbst getan haben
würde. Sobald er dies nur bemerkte, hielt er an sich und verschwieg die einfachsten Dinge wie ein großes Geheimnis,
trachtete aber dagegen das Geheimnis des Bayers zu ergründen; denn daß derselbe ebenfalls eines besaß, war ihm von weitem anzusehen; wozu sollte er sonst ein so verständiger, sanft-
mütiger und gewiegter Mensch sein, wenn er nicht irgend etwas Heimliches, sehr Vorteilhaftes vorhatte? Nun suchten sie
sich gegenseitig die Würmer aus der Nase zu ziehen, mit der
größten Vorsicht und Friedfertigkeit, in halben Worten und
auf anmutigen Umwegen. Keiner gab eine vernünftige klare
Antwort und doch wußte nach Verlauf einiger Stunden jeder,
daß der andere nichts mehr oder minder als sein vollkommener Doppelgänger sei. Als im Lauf des Tages Fridolin, der
Bayer, mehrmals nach der Kammer lief und sich dort zu schaffen machte, nahm Jobst die Gelegenheit wahr, auch einmal

hinzuschleichen, als jener bei der Arbeit saß, und durchmusterte im Fluge die Habseligkeiten Fridolins; er entdeckte aber nichts weiter als fast die gleichen Siebensächelchen, die er selbst besaß, bis auf die hölzerne Nadelbüchse, welche aber hier einen Fisch vorstellte, während Jobst scherzhafterweise ein kleines Wickelkindchen besaß, und statt einer zerrissenen französischen Sprachlehre für das Volk, welche Jobst bisweilen durchblätterte, war bei dem Bayer ein gut gebundenes Büchlein zu finden, betitelt: »Die kalte und warme Küpe, ein unentbehrliches Handbuch für Blaufärber.« Darin war aber mit Bleistift geschrieben: »Unterfand für die 3 Kreizer, welche ich dem Nassauer geborgt.« Hieraus schloß er, daß es ein Mann war, der das Seinige zusammenhielt, und spähete unwillkürlich am Boden herum, und bald entdeckte er eine Fliese, die ihm gerade so vorkam, als ob sie kürzlich herausgenommen wäre, und unter derselben lag auch richtig ein Schatz in ein altes halbes Schnupftuch und mit Zwirn umwickelt, fast ganz so schwer wie der seinige, welcher zum Unterschied in einem zugebundenen Socken steckte. Zitternd drückte er die Backsteinplatte wieder zurecht, zitternd aus Aufregung und Bewunderung der fremden Größe und aus tiefer Sorge um sein Geheimnis. Stracks lief er hinunter in die Werkstatt und arbeitete, als ob es gälte die Welt mit Kämmen zu versehen, und der Bayer arbeitete, als ob der Himmel noch dazu gekämmt werden müßte. Die nächsten acht Tage bestätigten durchaus diese erste gegenseitige Auffassung; denn war Jobst fleißig und genügsam, so war Fridolin tätig und enthaltsam mit den gleichen bedenklichen Seufzern über das Schwierige solcher Tugend; war aber Jobst heiter und weise, so zeigte sich Fridolin spaßhaft und klug; war jener bescheiden, so war dieser demütig, jener schlau und ironisch, dieser durchtrieben und beinahe satirisch, und machte Jobst ein friedlich einfältiges Gesicht zu einer Sache, die ihn ängstigte, so sah Fridolin unübertrefflich wie ein Esel aus. Es war nicht sowohl ein Wettkampf als die Übung wohlbewußter Meisterschaft, die sie beseelte, wobei keiner verschmähte, sich den andern zum Vor-

bild zu nehmen und ihm die feinsten Züge eines vollkommenen Lebenswandels, die ihm etwa noch fehlten, nachzuahmen.
Sie sahen sogar so einträchtig und verständnisinnig aus, daß sie
eine gemeinsame Sache zu machen schienen, und glichen so
zwei tüchtigen Helden, die sich ritterlich vertragen und gegenseitig stählen, ehe sie sich befehden. Aber nach kaum acht
Tagen kam abermals einer zugereist, ein Schwabe, namens
Dietrich, worüber die beiden eine stillschweigende Freude
empfanden wie über einen lustigen Maßstab, an welchem ihre
stille Größe sich messen konnte, und sie gedachten das arme
Schwäbchen, welches gewiß ein rechter Taugenichts war, in
die Mitte zwischen ihre Tugenden zu nehmen, wie zwei
Löwen ein Äffchen, mit dem sie spielen.

Aber wer beschreibt ihr Erstaunen, als der Schwabe sich gerade so benahm wie sie selbst und sich die Erkennung, die zwischen ihnen vorgegangen, noch einmal wiederholte zu dritt,
wodurch sie nicht nur dem dritten gegenüber in eine unverhoffte Stellung gerieten, sondern sie selbst unter sich in eine
ganz veränderte Lage kamen.

Schon als sie ihn im Bette zwischen sich nahmen, zeigte sich
der Schwabe als vollkommen ebenbürtig und lag wie ein
Schwefelholz so strack und ruhig, so daß immer noch ein
bißchen Raum zwischen jedem der Gesellen blieb und das
Deckbett auf ihnen lag wie ein Papier auf drei Heringen. Die
Lage wurde nun ernster, und indem alle drei gleichmäßig sich
gegenüberstanden, wie die Winkel eines gleichseitigen Drei-
eckes, und kein vertrauliches Verhältnis mehr zwischen
zweien möglich war, kein Waffenstillstand oder anmutiger
Wettstreit, waren sie allen Ernstes beflissen, einander aus dem
Bett und dem Haus hinaus zu dulden. Als der Meister sah, daß
diese drei Käuze sich alles gefallen ließen, um nur da zu bleiben, brach er ihnen am Lohn ab und gab ihnen geringere Kost;
aber desto fleißiger arbeiteten sie und setzten ihn in den Stand,
große Vorräte von billigen Waren in Umlauf zu bringen und
vermehrten Bestellungen zu genügen, also daß er ein Heiden-
geld durch die stillen Gesellen verdiente und eine wahre Gold-

grube an ihnen besaß. Er schnallte sich den Gurt um einige Löcher weiter und spielte eine große Rolle in der Stadt, während die törichten Arbeiter in der dunklen Werkstatt Tag und Nacht sich abmühten und sich gegenseitig hinausarbeiten wollten. Dietrich, der Schwabe, welcher der jüngste war, erwies sich als ganz vom gleichen Holze geschnitten wie die zwei andern, nur besaß er noch keine Ersparnis, denn er war noch zu wenig gereist. Dies wäre ein bedenklicher Umstand für ihn gewesen, da Jobst und Fridolin einen zu großen Vorsprung gewonnen, wenn er nicht als ein erfindungsreiches Schwäblein eine neue Zaubermacht heraufbeschworen hätte, um den Vorteil der andern aufzuwiegen. Da sein Gemüt nämlich von jeglicher Leidenschaft frei war, so frei wie dasjenige seiner Nebengesellen, außer von der Leidenschaft, gerade hier und nirgends anders sich anzusiedeln und den Vorteil wahrzunehmen, so erfand er den Gedanken, sich zu verlieben und um die Hand einer Person zu werben, welche ungefähr so viel besaß als der Sachse und der Bayer unter den Fliesen liegen hatten. Es gehörte zu den besseren Eigentümlichkeiten der Seldwyler, daß sie um einiger Mittel willen keine häßlichen oder unliebenswürdigen Frauen nahmen; in große Versuchung gerieten sie ohnehin nicht, da es in ihrer Stadt keine reichen Erbinnen gab, weder schöne noch unschöne, und so behaupteten sie wenigstens die Tapferkeit, auch die kleineren Brocken zu verschmähen und sich lieber mit lustigen und hübschen Wesen zu verbinden, mit welchen sie einige Jahre Staat machen konnten. Daher wurde es dem ausspähenden Schwaben nicht schwer, sich den Weg zu einer tugendhaften Jungfrau zu bahnen, welche in derselben Straße wohnte und von der er, im klugen Gespräche mit alten Weibern, in Erfahrung gebracht, daß sie einen Gültbrief von siebenhundert Gulden ihr Eigentum nenne. Dies war Züs Bünzlin, eine Tochter von achtundzwanzig Jahren, welche mit ihrer Mutter, der Wäscherin, zusammen lebte, aber über jenes väterliche Erbteil unbeschränkt herrschte. Sie hatte den Brief in einer kleinen lackierten Lade liegen, wo sie auch die Zinsen davon, ihren

Taufzettel, ihren Konfirmationsschein und ein bemaltes und
vergoldetes Osterei bewahrte; ferner ein halbes Dutzend silberne Teelöffel, ein Vaterunser mit Gold auf einen roten
durchsichtigen Glasstoff gedruckt, den sie Menschenhaut
nannte, einen Kirschkern, in welchen das Leiden Christi geschnitten war, und eine Büchse aus durchbrochenem und mit
rotem Taft unterlegten Elfenbein, in welcher ein Spiegelchen
war und ein silberner Fingerhut; ferner war darin ein anderer
Kirschkern, in welchem ein winziges Kegelspiel klapperte,
eine Nuß, worin eine kleine Muttergottes hinter Glas lag,
wenn man sie öffnete, ein silbernes Herz, worin ein Riech-
schwämmchen steckte, und eine Bonbonbüchse aus Zitronen-
schale, auf deren Deckel eine Erdbeere gemalt war und in welcher eine goldene Stecknadel auf Baumwolle lag, die ein Vergißmeinnicht vorstellte, und ein Medaillon mit einem Monument von Haaren; ferner ein Bündel vergilbter Papiere
mit Rezepten und Geheimnissen, ein Fläschchen mit Hoffmannstropfen, ein anderes mit kölnischem Wasser und eine
Büchse mit Moschus; eine andere, worin ein Endchen Marderdreck lag, und ein Körbchen, aus wohlriechenden Halmen
geflochten, sowie eines aus Glasperlen und Gewürznägelein
zusammengesetzt; endlich ein kleines Buch, in himmelblaues
geripptes Papier gebunden, mit silbernem Schnitt, betitelt:
Goldene Lebensregeln für die Jungfrau als Braut, Gattin und
Mutter; und ein Traumbüchlein, ein Briefsteller, fünf oder
sechs Liebesbriefe und ein Schnepper zum Aderlassen; denn
einst hatte sie ein Verhältnis mit einem Barbiergesellen oder
Chirurgiegehilfen gepflogen, welchen sie zu ehelichen gedachte; und da sie eine geschickte und überaus verständige
Person war, so hatte sie von ihrem Liebhaber gelernt, die Ader
zu schlagen, Blutigel und Schröpfköpfe anzusetzen und dergleichen mehr, und konnte ihn selbst sogar schon rasieren. Allein er hatte sich als ein unwürdiger Mensch gezeigt, bei welchem leichtlich ihr ganzes Lebensglück aufs Spiel gesetzt war,
und so hatte sie mit trauriger, aber weiser Entschlossenheit das
Verhältnis gelöst. Die Geschenke wurden von beiden Seiten

zurückgegeben mit Ausnahme des Schneppers; diesen vorenthielt sie als ein Unterpfand für einen Gulden und achtundvierzig Kreuzer, welche sie ihm einst bar geliehen; der Unwürdige behauptete aber, solche nicht schuldig zu sein, da sie das Geld ihm bei Gelegenheit eines Balles in die Hand gegeben, um die Auslagen zu bestreiten, und sie hätte zweimal soviel verzehrt als er. So behielt er den Gulden und die achtundvierzig Kreuzer und sie den Schnepper, mit welchem sie unter der Hand allen Frauen ihrer Bekanntschaft Ader ließ und manchen schönen Batzen verdiente. Aber jedesmal, wenn sie das Instrument gebrauchte, mußte sie mit Schmerzen der niedrigen Gesinnungsart dessen gedenken, der ihr so nahe gestanden und beinahe ihr Gemahl geworden wäre!

Dies alles war in der lackierten Lade enthalten, wohl verschlossen, und diese war wiederum in einem alten Nußbaumschrank aufgehoben, dessen Schlüssel die Züs Bünzlin allfort in der Tasche trug. Die Person selbst hatte dünne rötliche Haare und wasserblaue Augen, welche nicht ohne Reiz waren und zuweilen sanft und weise zu blicken wußten; sie besaß eine große Menge Kleider, von denen sie nur wenige und stets die ältesten trug, aber immer war sie sorgsam und reinlich angezogen, und ebenso sauber und aufgeräumt sah es in der Stube aus. Sie war sehr fleißig und half ihrer Mutter bei ihrer Wäscherei, indem sie die feineren Sachen plättete und die Hauben und Manschetten der Seldwylerinnen wusch, womit sie einen schönen Pfennig gewann; von dieser Tätigkeit mochte es auch kommen, daß sie allwöchentlich die Tage hindurch, wo gewaschen wurde, jene strenge und gemessene Stimmung innehielt, welche die Weiber immer während einer Wäsche befällt, und daß diese Stimmung sich in ihr festsetzte ein für allemal an diesen Tagen; erst wenn das Glätten anging, griff eine größere Heiterkeit Platz, welche bei Züsi aber jederzeit mit Weisheit gewürzt war. Den gemessenen Geist beurkundete auch die Hauptzierde der Wohnung, ein Kranz von viereckigen, genau abgezirkelten Seifenstücken, welche rings auf das Gesimse des Tannengetäfels gelegt waren zum Hart-

werden, behufs besserer Nutznießung. Diese Stücke zirkelte
ab und schnitt aus den frischen Tafeln mittelst eines Messing-
drahtes jederzeit Züs selbst. Der Draht hatte zwei Querhölz-
chen an den Enden zum bequemen Anfassen und Durch-
schneiden der weichen Seife; einen schönen Zirkel aber zum
Einteilen hatte ihr ein Zeugschmiedgesell verfertigt und geschenkt, mit welchem sie einst so gut wie versprochen war.
Von demselben rührte auch ein blanker kleiner Gewürzmörser her, welcher das Gesimse ihres Schrankes zierte zwischen
der blauen Teekanne und dem bemalten Blumenglas; schon
lange war ein solches artiges Mörserchen ihr Wunsch gewesen,
und der aufmerksame Zeugschmied kam daher wie gerufen,
als er an ihrem Namenstage damit erschien und auch was zum
Stoßen mitbrachte: eine Schachtel voll Zimmet, Zucker, Nägelein und Pfeffer. Den Mörser hing er dazumal vor der Stu-
bentüre, ehe er eintrat, mit dem einen Henkel an den kleinen
Finger und hub mit dem Stößel ein schönes Geläute an, wie
mit einer Glocke, so daß es ein fröhlicher Morgen ward. Aber
kurz darauf entfloh der falsche Mensch aus der Gegend und
ließ nie wieder von sich hören. Sein Meister verlangte obenein
noch den Mörser zurück, da der Entflohene ihm seinem Laden
entnommen, aber nicht bezahlt habe. Aber Züs Bünzlin gab
das werte Andenken nicht heraus, sondern führte einen tapfern und heftigen kleinen Prozeß darum, den sie selbst vor Gericht verteidigte auf Grundlage einer Rechnung für gewa-
schene Vorhemden des Entwichenen. Dies waren, als sie den
Streit um den Mörser führen mußte, die bedeutsamsten und
schmerzhaftesten Tage ihres Lebens, da sie mit ihrem tiefen
Verstande die Dinge und besonders das Erscheinen vor Gericht um solch zarter Sache willen viel lebendiger begriff und
empfand als andere leichtere Leute. Doch erstritt sie den Sieg
und behielt den Mörser.

　　Wenn aber die zierliche Seifengalerie ihre Werktätigkeit und
ihren exakten Sinn verkündete, so pries nicht minder ihren erbaulichen und geschulten Geist ein Häufchen unterschiedlicher Bücher, welches am Fenster ordentlich aufgeschichtet lag

und in denen sie des Sonntags fleißig las. Sie besaß noch alle ihre Schulbücher seit vielen Jahren her und hatte auch nicht eines verloren, so wie sie auch noch die ganze kleine Gelehrsamkeit im Gedächtnis trug, und sie wußte noch den Katechismus auswendig, wie das Deklinierbuch, das Rechenbuch, wie das Geographiebuch, die biblische Geschichte und die weltlichen Lesebücher; auch besaß sie einige der hübschen Geschichten von Christoph Schmid und dessen kleine Erzählungen mit den artigen Spruchversen am Ende, wenigstens ein halbes Dutzend verschiedene Schatzkästlein und Rosengärtchen zum Aufschlagen, eine Sammlung Kalender voll bewährter mannigfacher Erfahrung und Weisheit, einige merkwürdige Prophezeiungen, eine Anleitung zum Kartenschlagen, ein Erbauungsbuch auf alle Tage des Jahres für denkende Jungfrauen und ein altes Exemplar von Schillers »Räubern«, welches sie so oft las als sie glaubte, es genugsam vergessen zu haben, und jedesmal wurde sie von neuem gerührt, hielt aber sehr verständige und sichtende Reden darüber. Alles, was in diesen Büchern stand, hatte sie auch im Kopfe und wußte auf das schönste darüber und über noch viel mehr zu sprechen. Wenn sie zufrieden und nicht zu sehr beschäftigt war, so ertönten unaufhörliche Reden aus ihrem Munde und alle Dinge wußte sie heimzuweisen und zu beurteilen, und jung und alt, hoch und niedrig, gelehrt und ungelehrt mußte von ihr lernen und sich ihrem Urteile unterziehen, wenn sie lächelnd oder sinnig erst ein Weilchen aufgemerkt hatte, worum es sich handle; sie sprach zuweilen so viel und so salbungsvoll wie eine gelehrte Blinde, die nichts von der Welt sieht und deren einziger Genuß ist, sich selbst reden zu hören. Von der Stadtschule her und aus dem Konfirmationsunterrichte hatte sie die Übung ununterbrochen beibehalten, Aufsätze und geistliche Memorierungen und allerhand spruchweise Schemata zu schreiben, und so verfertigte sie zuweilen an stillen Sonntagen die wunderbarsten Aufsätze, indem sie an irgend einen wohlklingenden Titel, den sie gehört oder gelesen, die sonderbarsten und unsinnigsten Sätze anreihte, ganze Bogen voll, wie sie

ihrem seltsamen Gehirn entsprangen, wie z. B. über das Nutzbringende eines Krankenbettes, über den Tod, über die Heilsamkeit des Entsagens, über die Größe der sichtbaren Welt
und das Geheimnisvolle der unsichtbaren, über das Landleben
und dessen Freuden, über die Natur, über die Träume, über die
Liebe, einiges über das Erlösungswerk Christi, drei Punkte
über die Selbstgerechtigkeit, Gedanken über die Unsterblichkeit. Sie las ihren Freunden und Anbetern diese Arbeiten laut
vor, und wem sie recht wohlwollte, dem schenkte sie einen
oder zwei solcher Aufsätze und der mußte sie in die Bibel legen, wenn er eine hatte. Diese ihre geistige Seite hatte ihr einst
die tiefe und aufrichtige Neigung eines jungen Buchbinderge-
sellen zugezogen, welcher alle Bücher las, die er einband, und
ein strebsamer, gefühlvoller und unerfahrener Mensch war.
Wenn er sein Waschbündel zu Züsis Mutter brachte, dünkte er
im Himmel zu sein, so wohl gefiel es ihm, solche herrliche Reden zu hören, die er sich selbst schon so oft idealisch gedacht,
aber nicht auszustoßen getraut hatte. Schüchtern und ehrerbietig näherte er sich der abwechselnd strengen und beredten
Jungfrau, und sie gewährte ihm ihren Umgang und band ihn
an sich während eines Jahres, aber nicht ohne ihn ganz in den
Schranken klarer Hoffnungslosigkeit zu halten, die sie mit
sanfter, aber unerbittlicher Hand vorzeichnete. Denn da er
neun Jahre jünger war als sie, arm wie eine Maus und ungeschickt zum Erwerb, der für einen Buchbinder in Seldwyla
ohnehin nicht erheblich war, weil die Leute da nicht lasen und
wenig Bücher binden ließen, so verbarg sie sich keinen Augenblick die Unmöglichkeit einer Vereinigung und suchte nur
seinen Geist auf alle Weise an ihrer eigenen Entsagungsfähig-
keit heranzubilden und in einer Wolke von buntscheckigen
Phrasen einzubalsamieren. Er hörte ihr andächtig zu und
wagte zuweilen selbst einen schönen Ausspruch, den sie ihm
aber, kaum geboren, totmachte mit einem noch schönern; dies
war das geistigste und edelste ihrer Jahre, durch keinen grö-
bern Hauch getrübt, und der junge Mensch band ihr während
desselben alle ihre Bücher neu ein und bauete überdies

während vieler Nächte und vieler Feiertage ein kunstreiches und kostbares Denkmal seiner Verehrung. Es war ein großer chinesischer Tempel aus Papparbeit mit unzähligen Behältern und geheimen Fächern, den man in vielen Stücken auseinander nehmen konnte. Mit den feinsten farbigen und gepreßten Papieren war er beklebt und überall mit Goldbörtchen geziert. Spiegelwände und Säulen wechselten ab, und hob man ein Stück ab oder öffnete ein Gelaß, so erblickte man neue Spiegel und verborgene Bilderchen, Blumenbouquets und liebende Pärchen; an den ausgeschweiften Spitzen der Dächer hingen allwärts kleine Glöcklein. Auch ein Uhrgehäuse für eine Damenuhr war angebracht mit schönen Häkchen an den Säulen, um die goldene Kette daran zu henken und an dem Gebäude hin und her zu schlängeln; aber bis jetzt hatte sich noch kein Uhrenmacher genähert, welcher eine Uhr, und kein Goldschmied, welcher eine Kette auf diesen Altar gelegt hätte. Eine unendliche Mühe und Kunstfertigkeit war an diesem sinnreichen Tempel verschwendet und der geometrische Plan nicht minder mühevoll als die saubere genaue Arbeit. Als das Denkmal eines schön verlebten Jahrs fertig war, ermunterte Züs Bünzlin den guten Buchbinder, mit Bezwingung ihrer selbst, sich nun loszureißen und seinen Stab weiter zu setzen, da ihm die Welt offen stehe und ihm, nachdem er in ihrem Umgange, in ihrer Schule so sehr sein Herz veredelt habe, gewiß noch das schönste Glück lachen werde, während sie ihn nie vergessen und sich der Einsamkeit ergeben wolle. Er weinte wahrhaftige Tränen, als er sich so schicken ließ und aus dem Städtlein zog. Sein Werk dagegen thronte seitdem auf Züsis altväterischer Kommode, von einem meergrünen Gazeschleier bedeckt, dem Staub und allen unwürdigen Blicken entzogen. Sie hielt es so heilig, daß sie es ungebraucht und neu erhielt und gar nichts in die Behältnisse steckte, auch nannte sie den Urheber desselben in der Erinnerung Emanuel, während er Veit geheißen, und sagte jedermann, nur Emanuel habe sie verstanden und ihr Wesen erfaßt. Nur ihm selber hatte sie das selten zugestanden, sondern ihn in ihrem strengen Sinne kurz gehalten und zur

höheren Anspornung ihm häufig gezeigt, daß er sie am wenigsten verstehe, wenn er sich am meisten einbilde es zu tun. Dagegen spielte er ihr auch einen Streich und legte in einen dop-
pelten Boden, auf dem innersten Grunde des Tempels, den
allerschönsten Brief, von Tränen benetzt, worin er eine un-
sägliche Betrübnis, Liebe, Verehrung und ewige Treue aussprach, und in so hübschen und unbefangenen Worten, wie sie
nur das wahre Gefühl findet, welches sich in eine Vexiergasse
verrannt hat. So schöne Dinge hatte er gar nie ausgesprochen,
weil sie ihn niemals zu Worte kommen ließ. Da sie aber keine
Ahnung hatte von dem verborgenen Schatze, so geschah es
hier, daß das Schicksal gerecht war und eine falsche Schöne das
nicht zu Gesicht bekam, was sie nicht zu sehen verdiente.
Auch war es ein Symbol, daß sie es war, welche das törichte,
aber innige und aufrichtig gemeinte Wesen des Buchbinders
nicht verstanden.

Schon lange hatte sie das Leben der drei Kammacher gelobt
und dieselben drei gerechte und verständige Männer genannt;
denn sie hatte sie wohl beobachtet. Als daher Dietrich der
Schwabe begann, sich länger bei ihr aufzuhalten, wenn er sein
Hemde brachte oder holte, und ihr den Hof zu machen, benahm sie sich freundschaftlich gegen ihn und hielt ihn mit
trefflichen Gesprächen stundenlang bei sich fest, und Dietrich
redete ihr voll Bewunderung nach dem Munde, so stark er
konnte; und sie vermochte ein tüchtiges Lob zu ertragen, ja sie
liebte den Pfeffer desselben um so mehr, je stärker er war, und
wenn man ihre Weisheit pries, hielt sie sich möglichst still, bis
man das Herz geleert, worauf sie mit erhöhter Salbung den Faden aufnahm und das Gemälde da und dort ergänzte, das man
von ihr entworfen. Nicht lange war Dietrich bei Züs aus und
ein gegangen, so hatte sie ihm auch schon den Gültbrief gezeigt, und er war voll guter Dinge und tat gegen seine Gefährten so heimlich wie einer, der das Perpetuum mobile erfunden
hat. Jobst und Fridolin kamen ihm jedoch bald auf die Spur
und erstaunten über seinen tiefen Geist und über seine Gewandtheit. Jobst besonders schlug sich förmlich vor den Kopf;

denn schon seit Jahren ging er ja auch in das Haus und noch
nie war ihm eingefallen, etwas anderes da zu suchen als seine
Wäsche; er haßte vielmehr die Leute beinahe, weil sie die einzigen waren, bei welchen er einige bare Pfennige herausklau-
ben mußte allwöchentlich. An eine eheliche Verbindung
pflegte er nie zu denken, weil er unter einer Frau nichts anderes denken konnte als ein Wesen, das etwas von ihm wollte,
was er nicht schuldig sei, und etwas von einer selbst zu wollen,
was ihm nützlich sein könnte, fiel ihm auch nicht ein, da er nur
sich selbst vertraute und seine kurzen Gedanken nicht über
den nächsten und allerengsten Kreis seines Geheimnisses hin-
ausgingen. Aber jetzt galt es, dem Schwäbchen den Rang abzulaufen, denn dieses konnte mit den siebenhundert Gulden
der Jungfer Züs schlimme Geschichten aufstellen, wenn es sie
erhielt, und die siebenhundert Gulden selbst bekamen auf einmal einen verklärten Glanz und Schimmer in den Augen des
Sachsen wie des Bayers. So hatte Dietrich, der erfindungsreiche, nur ein Land entdeckt, welches alsobald Gemeingut
wurde, und teilte das herbe Schicksal aller Entdecker; denn die
zwei andern folgten sogleich seiner Fährte und stellten sich
ebenfalls bei Züs Bünzlin auf, und diese sah sich von einem
ganzen Hof verständiger und ehrbarer Kammacher umgeben.
Das gefiel ihr ausnehmend wohl; noch nie hatte sie mehrere
Verehrer auf einmal besessen, weshalb es eine neue Geistes-
übung für sie ward, diese drei mit der größten Klugheit und
Unparteilichkeit zu behandeln und im Zaume zu halten und
sie so lange mit wunderbaren Reden zur Entsagung und Uneigennützigkeit aufzumuntern, bis der Himmel über das Unabänderliche etwas entschiede. Denn da jeder von ihnen ihr
insbesondere sein Geheimnis und seinen Plan vertraut hatte,
so entschloß sie sich auf der Stelle, denjenigen zu beglücken,
welcher sein Ziel erreiche und Inhaber des Geschäftes würde.
Den Schwaben, welcher es nur durch sie werden konnte,
schloß sie aber davon aus und nahm sich vor, diesen jedenfalls
nicht zu heiraten; weil er aber der jüngste, klügste und lie-
benswürdigste der Gesellen war, so gab sie ihm durch manche

stille Zeichen noch am ehesten einige Hoffnung und spornte durch die Freundlichkeit, mit welcher sie ihn besonders zu beaufsichtigen und zu regieren schien, die anderen zu größerm Eifer an, so daß dieser arme Kolumbus, der das schöne Land erfunden hatte, vollständig der Narr im Spiele ward. Alle drei wetteiferten miteinander in der Ergebenheit, Bescheidenheit und Verständigkeit und in der anmutigen Kunst, sich von der gestrengen Jungfrau im Zaume halten zu lassen und sie ohne Eigennutz zu bewundern, und wenn die ganze Gesellschaft beieinander war, glich sie einem seltsamen Konventikel, in welchem die sonderbarsten Reden geführt wurden. Trotz aller Frömmigkeit und Demut geschah es doch alle Augenblicke, daß einer oder der andere, vom Lobpreisen der gemeinsamen Herrin plötzlich abspringend, sich selbst zu loben und herauszustreichen versuchte und sich, sanft von ihr zurechtgewiesen, beschämt unterbrochen sah oder anhören mußte, wie sie ihm die Tugenden der übrigen entgegenhielt, die er eiligst anerkannte und bestätigte.

Aber dies war ein strenges Leben für die armen Kammacher; so kühl sie von Gemüt waren, gab es doch, seit einmal ein Weib im Spiele, ganz ungewohnte Erregungen der Eifersucht, der Besorgnis, der Furcht und der Hoffnung; sie rieben sich in Arbeit und Sparsamkeit beinahe auf und magerten sichtlich ab; sie wurden schwermütig, und während sie vor den Leuten und besonders bei Züs sich der friedlichsten Beredsamkeit beflissen, sprachen sie, wenn sie zusammen bei der Arbeit oder in ihrer Schlafkammer saßen, kaum ein Wort miteinander und legten sich seufzend in ihr gemeinschaftliches Bett, noch immer so still und verträglich wie drei Bleistifte. Ein und derselbe Traum schwebte allnächtlich über dem Kleeblatt, bis er einst so lebendig wurde, daß Jobst an der Wand sich herumwarf und den Dietrich anstieß; Dietrich fuhr zurück und stieß den Fridolin, und nun brach in die schlummertrunkenen Gesellen ein wilder Groll aus und in dem Bette der schreckbarste Kampf, indem sie während drei Minuten sich so heftig mit den Füßen stießen, traten und ausschlugen, daß alle sechs Beine sich ineinander verwickelten und der ganze Knäuel unter furchtbarem Geschrei aus dem Bette purzelte. Sie glaubten, völlig erwachend, der Teufel wolle sie holen oder es seien Räuber in die Kammer gebrochen; sie sprangen schreiend auf, Jobst stellte sich auf seinen Stein, Fridolin eiligst auf seinen und Dietrich auf denjenigen, unter welchem sich bereits auch seine kleine Ersparnis angesetzt hatte, und indem sie so in einem Dreieck standen, zitterten und mit den Armen vor sich hin in die Luft schlugen, schrien sie Zeter Mordio und riefen: »Geh fort! geh fort!« bis der erschreckte Meister in die Kammer drang und die tollen Gesellen beruhigte. Zitternd vor Furcht, Groll und Scham zugleich krochen sie endlich wieder ins Bett und lagen lautlos nebeneinander bis zum Morgen. Aber der nächtliche Spuk war nur ein Vorspiel gewesen eines größern Schreckens, der sie jetzt erwartete, als der Meister ihnen beim Frühstück eröffnete, daß er nicht mehr drei Arbeiter brauchen könne und daher zwei von ihnen wandern müßten. Sie hatten nämlich des Guten zu viel getan und so viel Ware zuweg gebracht, daß ein Teil davon liegen blieb, indes der Meister den vermehrten Erwerb dazu verwendet hatte, das Geschäft, als es auf dem Gipfelpunkt stand, um so rascher rückwärts zu bringen, und ein solch lustiges Leben führte, daß er bald doppelt so viel Schulden hatte als er einnahm. Daher waren ihm die Gesellen, so fleißig und enthaltsam sie auch waren, plötzlich eine überflüssige Last. Er sagte ihnen zum Trost, daß sie ihm alle drei gleich lieb und wert wären und es ihnen überließe, unter sich auszumachen, welcher dableiben und welche wandern sollten. Aber sie machten nichts aus, sondern standen da bleich wie der Tod und lächelten einer den andern an; dann gerieten sie in eine furchtbare Aufregung, da dies die verhängnisvollste Stunde war; denn die Ankündigung des Meisters war ein sicheres Zeichen, daß er es nicht lange mehr treiben und das Kammfabrikchen endlich wieder käuflich würde. Also war das Ziel, nach dem sie alle gestrebt, nahe und glänzte wie ein himmlisches Jerusalem, und zwei sollten vor den Toren desselben umkehren und ihm den Rücken wenden. Ohne

alle fürdere Rücksicht erklärte jeder, dableiben zu wollen, und
wenn er ganz umsonst arbeiten müsse. Der Meister konnte
aber auch dies nicht brauchen und versicherte sie, daß zwei
von ihnen jedenfalls gehen müßten; sie fielen ihm zu Füßen,
sie rangen die Hände, sie beschworen ihn und jeder bat insbesondere für sich, daß er ihn behalten möchte, nur noch zwei
Monate, nur noch vier Wochen. Allein er wußte wohl, worauf
sie spekulierten, ärgerte sich darüber und machte sich über sie
lustig, indem er plötzlich einen spaßhaften Ausweg vorschlug,
wie sie die Sache entscheiden sollten. »Wenn ihr euch durchaus nicht einigen könnt«, sagte er, »welche von euch den Abschied wollen, so will ich euch die Weise angeben, wie ihr
die Sache entscheidet, und so soll es dann sein und bleiben! Morgen ist Sonntag, da zahle ich euch aus, ihr packt euer Felleisen,
ergreift euren Stab und wandert alle drei einträchtiglich zum
Tore hinaus, eine gute halbe Stunde weit, auf welche Seite ihr
wollt. Alsdann ruhet ihr euch aus und könnt auch einen
Schoppen trinken, wenn ihr mögt, und habt ihr das getan, so
wandert ihr wieder in die Stadt herein, und welcher dann der
erste sein wird, der mich von neuem um Arbeit anspricht, den
werde ich behalten; die andern aber werden unausbleiblich gehen, wo es ihnen beliebt!« Sie fielen ihm abermals zu Füßen
und baten ihn, von diesem grausamen Vorhaben abzusehen,
aber umsonst; er blieb fest und unerbittlich. Unversehens
sprang der Schwabe auf und rannte wie besessen zum Hause
hinaus und zu Züs Bünzlin hinüber; kaum gewahrten dies
Jobst und der Bayer, so unterbrachen sie ihr Lamentieren und
rannten ihm nach, und die verzweifelte Szene war alsobald in
die Wohnung der erschrockenen Jungfrau verlegt.

Diese war sehr betroffen und bewegt durch das unerwartete
Abenteuer; doch faßte sie sich zuerst, und die Lage der Dinge
überschauend, beschloß sie, ihr eigenes Schicksal an des Meisters wunderlichen Einfall zu knüpfen, und betrachtete diesen
als eine höhere Eingebung; sie holte gerührt ein Schatzkästlein
hervor und stach mit einer Nadel zwischen die Blätter, und der
Spruch, welchen sie aufschlug, handelte vom unentwegten

Verfolgen eines guten Zieles. Sodann ließ sie die aufgeregten
Gesellen aufschlagen, und alles, was diese aufschlugen, handelte vom eifrigen Wandel auf dem schmalen Wege, vom Vor-
wärtsgehen ohne Rückschauen, von einer Laufbahn, kurz
vom Laufen und Rennen aller Art, so daß der morgende Wettlauf deutlich vom Himmel vorgeschrieben schien. Da sie aber
befürchtete, daß Dietrich als der Jüngste leicht am besten
springen und die Palme erringen könnte, beschloß sie, selbst
mit den drei Liebhabern auszuziehen und zu sehen, was etwa
zu ihrem Vorteil zu machen wäre; denn sie wünschte, daß nur
einer der zwei Ältern Sieger würde, und es war ihr ganz gleichgültig, welcher. Sie befahl daher den Wehklagenden und sich
Bezankenden Ruhe und Ergebung und sagte: »Wisset, meine
Freunde, daß nichts ohne Bedeutung geschieht, und so merk-
würdig und ungewöhnlich die Zumutung eures Meisters ist,
so müssen wir sie doch als eine Fügung ansehen und uns mit
einer höheren Weisheit, von welcher der mutwillige Mann
nichts ahnt, dieser jähen Entscheidung unterwerfen. Unser
friedliches und verständiges Zusammenleben ist zu schön gewesen als daß es noch lange so erbaulich stattfinden könnte;
denn ach! alles Schöne und Ersprießliche ist ja so vergänglich
und vorübergehend, und nichts besteht in die Länge als das
Übel, das Hartnäckige und die Einsamkeit der Seele, die wir
alsdann mit unserer frommen Vernünftigkeit betrachten und
beobachten. Daher wollen wir, ehe sich etwa ein böser Dämon
des Zwiespaltes unter uns erhebt, uns lieber vorher freiwillig
trennen und auseinander scheiden, wie die lieben Frühlings-
lüftlein, wenn sie ihren eilenden Lauf am Himmel nehmen,
ehe wir auseinanderfahren wie der Sturmwind des Herbstes.
Ich selbst will euch hinausbegleiten auf dem schweren Wege
und zugegen sein, wenn ihr den Prüfungslauf antretet, damit
ihr einen fröhlichen Mut fasset und einen schönen Antrieb
hinter euch habt, während vor euch das Ziel des Sieges winkt.
Aber so wie der Sieger sich seines Glückes nicht überheben
wird, so sollen die, welche unterliegen, nicht verzagen und
keinen Gram oder Groll von dannen nehmen, sondern unsers

liebevollen Andenkens gewärtig sein und als vergnügte Wanderjünglinge in die weite Welt ziehen; denn die Menschen haben viele Städte gebauet, welche so schön oder noch schöner sind wie Seldwyla: Rom ist eine große merkwürdige Stadt, allwo der Heilige Vater wohnt, und Paris ist eine gar mächtige Stadt mit vielen Seelen und herrlichen Palästen, und in Konstantinopel herrscht der Sultan, von türkischem Glauben, und Lissabon, welches einst durch ein Erdbeben verschüttet ward, ist desto schöner wieder aufgebaut worden. Wien ist die Hauptstadt von Österreich und die Kaiserstadt genannt, und London ist die reichste Stadt der Welt, in Engelland gelegen, an einem Fluß, der die Themse benannt wird. Zwei Millionen Menschen wohnen da! Petersburg aber ist die Haupt- und Residenzstadt von Rußland, so wie Neapel die Hauptstadt des Königreiches gleichen Namens, mit dem feuerspeienden Berg Vesuvius, auf welchem einst einem englischen Schiffshauptmann eine verdammte Seele erschienen ist, wie ich in einer merkwürdigen Reisebeschreibung gelesen habe, welche Seele einem gewissen John Smidt angehöret, der vor hundertundfünfzig Jahren ein gottloser Mann gewesen und nun besagtem Hauptmann einen Auftrag erteilte an seine Nachkommen in England, damit er erlöst würde; denn der ganze Feuerberg ist ein Aufenthalt der Verdammten, wie auch in des gelehrten Peter Haslers Traktatus über die mutmaßliche Gelegenheit der Hölle zu lesen ist. Noch viele andere Städte gibt es, wovon ich nur noch Mailand, Venedig, das ganz im Wasser gebaut ist, Lyon, Marseilingen, Straßburg, Köllen und Amsterdam nennen will; Paris hab ich schon gesagt, aber noch nicht Nürnberg, Augsburg und Frankfurt, Basel, Bern und Genf, alles schöne Städte, sowie das schöne Zürich, und weiterhin noch eine Menge, mit deren Aufzählung ich nicht fertig würde. Denn alles hat seine Grenzen, nur nicht die Erfindungsgabe der Menschen, welche sich allwärts ausbreiten und alles unternehmen, was ihnen nützlich scheint. Wenn sie gerecht sind, so wird es ihnen gelingen, aber der Ungerechte vergehet wie das Gras der Felder und wie ein Rauch. Viele sind erwählt, aber wenige sind berufen. Aus allen diesen Gründen, und in noch manch anderer Hinsicht, die uns die Pflicht und die Tugend unseres reinen Gewissens auferlegen, wollen wir uns dem Schicksalsrufe unterziehen. Darum gehet und bereitet euch zur Wanderschaft, aber als gerechte und sanftmütige Männer, die ihren Wert in sich tragen, wo sie auch hingehen, und deren Stab überall Wurzel schlägt, welche, was sie auch ergreifen mögen, sich sagen können: ich habe das bessere Teil erwählt!«

Die Kammacher wollten aber von allem nichts hören, sondern bestürmten die kluge Züs, daß sie einen von ihnen auserwählen und dableiben heißen solle, und jeder meinte damit sich selbst. Aber sie hütete sich, eine Wahl zu treffen, und kündigte ihnen ernsthaft und gebieterisch an, daß sie ihr gehorchen müßten, ansonst sie ihnen ihre Freundschaft auf immer entziehen würde. Jetzt rannte Jobst, der älteste, wieder davon und in das Haus des Meisters hinüber, und spornstreichs rannten die andern hinter ihm her, befürchtend, daß er dort etwas gegen sie unternähme, und so schossen sie den ganzen Tag umher wie Sternschnuppen und wurden sich untereinander so zuwider wie drei Spinnen in einem Netz. Die halbe Stadt sah dies seltsame Schauspiel der verstörten Kammacher, die bislang so still und ruhig gewesen, und die alten Leute wurden darüber ängstlich und hielten die Erscheinung für ein geheimnisvolles Vorzeichen schwerer Begebenheiten. Gegen Abend wurden sie matt und erschöpft, ohne daß sie sich eines Bessern besonnen und zu etwas entschieden hatten, und legten sich zähneklappernd in das alte Bett; einer nach dem andern kroch unter die Decke und lag da, wie vom Tode hingestreckt, in verwirrten Gedanken, bis ein heilsamer Schlaf ihn umfing. Jobst war der erste, welcher in aller Frühe erwachte und sah, daß ein heiterer Frühlingsmorgen in die Kammer schien, in welcher er nun schon seit sechs Jahren geschlafen. So dürftig das Gemach aussah, so erschien es ihm doch wie ein Paradies, welches er verlassen sollte, und zwar so ungerechterweise. Er ließ seine Augen umhergehen an den Wänden und zählte alle die vertrauten Spuren von den vielen Gesellen, die hier schon gewohnt kürzere oder längere Zeit; hier hatte der seinen Kopf zu reiben gepflegt und einen dunklen Fleck verfertigt, dort hatte jener einen Nagel eingeschlagen, um seine Pfeife daran zu hängen, und das rote Schnürchen hing noch daran. Welche gute Menschen wären das gewesen, daß sie so harmlos wieder davongegangen, während diese, welche neben ihm lagen, durchaus nicht weichen wollten. Dann heftete er sein Auge auf die Gegend zunächst seinem Gesichte und betrachtete da die kleineren Gegenstände, welche er schon tausendmal betrachtet, wenn er des Morgens oder am Abend noch bei Tageshelle im Bette lag und sich eines seligen, kostenfreien Daseins erfreute. Da war eine beschädigte Stelle in dem Bewurf, welche wie ein Land aussah mit Seen und Städten, und ein Häufchen von groben Sandkörnern stellte eine glückselige Inselgruppe vor; weiterhin erstreckte sich eine lange Schweinsborste, welche aus dem Pinsel gefallen und in der blauen Tünche stecken geblieben war; denn Jobst hatte im letzten Herbst einmal ein kleines Restchen solcher Tünche gefunden und, damit es nicht umkommen sollte, eine Viertelswandseite damit angestrichen, soweit es reichen wollte, und zwar hatte er die Stelle bemalt, wo er zunächst im Bette lag. Jenseits der Schweinsborste aber ragte eine ganz geringe Erhöhung, wie ein kleines blaues Gebirge, welches einen zarten Schlagschatten über die Borste weg nach den glückseligen Inseln hinüber warf. Über dies Gebirge hatte er schon den ganzen Winter gegrübelt, da es ihm dünkte, als ob es früher nicht dagewesen wäre. Wie er nun mit seinem traurigen, duselnden Auge dasselbe suchte und plötzlich vermißte, traute er seinen Sinnen kaum, als er statt desselben einen kleinen kahlen Fleck an der Mauer fand, dagegen sah, wie der winzige blaue Berg nicht weit davon sich bewegte und zu wandeln schien. Erstaunt fuhr Jobst in die Höhe, als ob er ein blaues Wunder sähe, und sah, daß es eine Wanze war, welche er also im vorigen Herbst achtlos mit der Farbe überstrichen, als sie schon in Erstarrung dagesessen hatte. Jetzt aber war sie von der Frühlingswärme neu belebt, hatte sich aufgemacht und stieg eben in diesem Augenblicke mit ihrem

blauen Rücken unverdrossen die Wand hinan. Er blickte ihr
gerührt und voll Verwunderung nach; solange sie im Blauen
ging, war sie kaum von der Wand zu unterscheiden; als sie aber
aus dem gestrichenen Bereich hinaustrat und die letzten vereinzelten Spritze hinter sich hatte, wandelte das gute himmelblaue Tierchen weithin sichtbar seine Bahn durch die dunkle-
ren Bezirke. Wehmütig sank Jobst in den Pfülmen zurück; so
wenig er sich sonst aus dergleichen machte, rührte diese Erscheinung doch jetzt ein Gefühl in ihm auf, als ob er doch auch
endlich wieder wandern müßte, und es bedünkte ihm ein gutes
Zeichen zu sein, daß er sich in das Unabänderliche ergeben
und sich wenigstens mit gutem Willen auf den Weg machen
solle. Durch diese ruhigeren Gedanken kehrte seine natürliche
Besonnenheit und Weisheit zurück, und indem er die Sache
näher überlegte, fand er, daß, wenn er sich ergebungsvoll und
bescheiden anstelle, sich dem schwierigen Werke unterziehe
und dabei sich zusammennehme und klug verhalte, er noch am
ehesten über seine Nebenbuhler obsiegen könne. Sachte stieg
er aus dem Bette und begann seine Sachen zu ordnen und vor
allem seinen Schatz zu heben und zu unterst in das alte Felleisen zu verpacken. Darüber erwachten sogleich seine Gefährten; wie diese sahen, daß er so gelassen sein Bündel schnürte,
verwunderten sie sich sehr und noch mehr, als Jobst sie mit
versöhnlichen Worten anredete und ihnen einen guten Morgen wünschte. Weiter ließ er sich aber nicht aus, sondern fuhr
in seinem Geschäfte still und friedfertig fort. Sogleich, obschon sie nicht wußten, was er im Schilde führe, witterten sie
eine Kriegslist in seinem Benehmen und ahmten es auf der
Stelle nach, höchst aufmerksam auf alles, was er ferner beginnen würde. Hiebei war es seltsam, wie sie alle drei zum ersten
Mal offen ihre Schätze unter den Fliesen hervorholten und
dieselben, ohne sie zu zählen, in die Ranzen versorgten. Denn
sie wußten schon lange, daß jeder das Geheimnis der übrigen
kannte, und nach alter ehrbarer Art mißtrauten sie sich nicht
in der Weise, daß sie eine Verletzung des Eigentums befürch-
teten, und jeder wußte wohl, daß ihn die andern nicht berau-

ben würden, wie denn in den Schlafkammern der Handwerksgesellen, Soldaten und dergleichen kein Verschluß und kein
Mißtrauen bestehen soll.

So waren sie unversehens zum Aufbruch gerüstet, der Meister zahlte ihnen den Lohn aus und gab ihnen ihre Wander-
bücher, in welche von der Stadt und vom Meister die allerschönsten Zeugnisse geschrieben waren über ihre gute andau-
ernde Führung und Vortrefflichkeit, und sie standen
wehmutsvoll vor der Haustüre der Züs Bünzlin, in lange
braune Röcke gekleidet mit alten verwaschenen Staubhemden
darüber, und die Hüte, obgleich sie verjährt und abgebürstet
genug waren, sorglich mit Wachsleinwand überzogen. Hinten
auf dem Felleisen hatte jeder ein kleines Wägelchen befestigt,
um das Gepäck darauf zu ziehen, wenn es ins Weite ginge; sie
dachten aber die Räder nicht zu brauchen, und deswegen ragten dieselben hoch über ihrem Rücken. Jobst stützte sich auf
einen ehrbaren Rohrstock, Fridolin auf einen rot und schwarz
geflammten und gemalten Eschenstab und Dietrich auf ein
abenteuerliches Stockungeheuer, um welches sich ein wildes
Geflecht von Zweigen wand. Er schämte sich aber beinahe
dieses prahlerischen Dinges, da es noch aus der ersten Wan-
derzeit herstammte, wo er bei weitem noch nicht so gesetzt
und vernünftig gewesen wie jetzt. Viele Nachbaren und deren
Kinder umstanden die ernsten drei Männer und wünschten ihnen Glück auf den Weg. Da erschien Züs unter der Türe, mit
feierlicher Miene, und zog an der Spitze der Gesellen gefaßten
Mutes aus dem Tore. Sie hatte ihnen zu Ehren einen ungewöhnlichen Staat angelegt, trug einen großen Hut mit mächtigen gelben Bändern, ein rosafarbenes Indiennekleid mit verschollenen Ausladungen und Verzierungen, eine schwarze
Sammetschärpe mit einer Tombakschnalle und rote Saffianschuhe mit Fransen besetzt. Dazu trug sie einen grünseidenen
großen Ritikül, welchen sie mit gedörrten Birnen und Pflaumen gefüllt hatte, und hielt ein Sonnenschirmchen ausgespannt, auf welchem oben eine große Lyra aus Elfenbein
stand. Sie hatte auch ihr Medaillon mit dem blonden Haar-

denkmal umgehängt und das goldene Vergißmeinnicht vorge-
steckt und trug weiße gestrickte Handschuhe. Sie sah freundlich und zart aus in all diesem Schmuck, ihr Antlitz war leicht
gerötet und ihr Busen schien sich höher als sonst zu heben,
und die ausziehenden Nebenbuhler wußten sich nicht zu lassen vor Wehmut und Betrübnis; denn die äußerste Lage der
Dinge, der schöne Frühlingstag, der ihren Auszug beschien,
und Züsis Putz mischten in ihre gespannten Empfindungen
fast etwas von dem, was man wirklich Liebe nennt. Vor dem
Tore ermahnte aber die freundliche Jungfrau ihre Liebhaber,
die Felleisen auf die Räderchen zu stellen und zu ziehen, damit
sie sich nicht unnötigerweise ermüdeten. Sie taten es, und als
sie hinter dem Städtlein hinaus die Berge hinanfuhren, war es
fast wie ein Artilleriewesen, das da hinauffuhrwerkte, um
oben eine Batterie zu besetzen. Als sie eine gute halbe Stunde
dahingezogen, machten sie halt auf einer anmutigen Anhöhe,
über welche ein Kreuzweg ging, und setzten sich unter einer
Linde in einen Halbkreis, wo man eine weite Aussicht genoß
und über Wälder, Seen und Ortschaften wegsah. Züs öffnete
ihren Beutel und gab jedem eine Handvoll Birnen und Pflaumen, um sich zu erfrischen, und sie saßen so eine geraume
Weile schweigend und ernst, nur mit den schnalzenden Zungen, wenn sie die süßen Früchte damit zerdrückten, ein sanf-
tes Geräusch erregend.

Dann begann Züs, indem sie einen Pflaumenkern fortwarf
und die davon gefärbten Fingerspitzen am jungen Grase abwischte, zu sprechen: »Lieben Freunde! Sehet, wie schön und
weitläufig die Welt ist, ringsherum voll herrlicher Sachen und
voll Wohnungen der Menschen! Und dennoch wollte ich wetten, daß in dieser feierlichen Stunde nirgends in dieser weiten
Welt vier so rechtfertige und gutartige Seelen beieinander versammelt sitzen, wie wir hier sind, so sinnreich und bedacht-
sam von Gemüt, so zugetan allen arbeitsamen Übungen und
Tugenden, der Eingezogenheit, der Sparsamkeit, der Friedfertigkeit und der innigen Freundschaft. Wie viele Blumen stehen
hier um uns herum, von allen Arten, die der Frühling hervor-

bringt, besonders die gelben Schlüsselblumen, welche einen wohlschmeckenden und gesunden Tee geben; aber sind sie gerecht oder arbeitsam? sparsam, vorsichtig und geschickt zu klugen und lehrreichen Gedanken? Nein, es sind unwissende und geistlose Geschöpfe, unbeseelt und vernunftlos vergeuden sie ihre Zeit, und so schön sie sind, wird ein totes Heu daraus, während wir in unserer Tugend ihnen so weit überlegen sind und ihnen wahrlich an Zier der Gestalt nichts nachgeben; denn Gott hat uns nach seinem Bilde geschaffen und uns seinen göttlichen Odem eingeblasen. O, könnten wir doch ewig hier so sitzen in diesem Paradiese und in solcher Unschuld! ja, meine Freunde, es ist mir so, als wären wir sämtlich im Stande der Unschuld, aber durch eine sündenlose Erkenntnis veredelt; denn wir alle können, Gott sei Dank, lesen und schreiben und haben alle eine geschickte Hantierung gelernt. Zu vielem hätte ich Geschick und Anlagen und getraute mir wohl, Dinge zu verrichten, wie sie das gelehrteste Fräulein nicht kann, wenn ich über meinen Stand hinausgehen wollte; aber die Bescheidenheit und die Demut sind die vornehmste Tugend eines rechtschaffenen Frauenzimmers, und es genügt mir zu wissen, daß mein Geist nicht wertlos und verachtet ist vor einer höheren Einsicht. Schon viele haben mich begehrt, die meiner nicht wert waren, und nun auf einmal sehe ich drei würdige Junggesellen um mich versammelt, von denen ein jeder gleich wert wäre, mich zu besitzen! Bemesset darnach, wie mein Herz in diesem wunderbaren Überflusse schmachten muß, und nehmet euch jeder ein Beispiel an mir und denket euch, jeder wäre von drei gleich werten Jungfrauen umblühet, die sein begehrten, und er könnte sich um deswillen zu keiner hinneigen und gar keine bekommen! Stellt euch doch recht lebhaft vor, um jeden von euch buhleten drei Jungfern Bünzlin und säßen so um euch her, gekleidet wie ich und von gleichem Ansehen, so daß ich gleichsam verneunfacht hier vorhanden wäre und euch von allen Seiten anblickte und nach euch schmachtete! Tut ihr dies?«

Die wackeren Gesellen hörten verwundert auf zu kauen

und studierten mit einfältigen Gesichtern, die seltsame Aufgabe zu lösen. Das Schwäblein kam zuerst damit zustande und rief mit lüsternem Gesicht: »Ja, werteste Jungfer Züs! wenn Sie es denn gütigst erlauben, so sehe ich Sie nicht nur dreifach, sondern verhundertfacht um mich herumschweben und mich mit huldreichen Äuglein anblicken und mir tausend Küßlein anbieten!«

»Nicht doch!« sagte Züs, unwillig verweisend, »nicht in so ungehöriger und übertriebener Weise! Was fällt Ihnen denn ein, unbescheidener Dietrich? Nicht hundertfach und nicht Küßlein anbietend habe ich es erlaubt, sondern nur dreifach für jeden und in züchtiger und ehrbarer Manier, daß mir nicht zu nahe geschieht!«

»Ja«, rief jetzt endlich Jobst und zeigte mit einem abgenagten Birnenstiel um sich her, »nur dreifach, aber in größter Ehrbarkeit sehe ich die liebste Jungfer Bünzlin um mich her spazieren und mir wohlwollend zuwinken, indem sie die Hand aufs Herz legt! Ich danke sehr, danke, danke ergebenst!« sagte er schmunzelnd, sich nach drei Seiten verneigend, als ob er wirklich die Erscheinungen sähe. »So ist's recht«, sagte Züs lächelnd, »wenn irgend ein Unterschied zwischen euch besteht, so seid Ihr doch der Begabteste, lieber Jobst, wenigstens der Verständigste!« Der Bayer Fridolin war immer noch nicht fertig mit seiner Vorstellung, da er aber den Jobst so loben hörte, wurde es ihm angst und er rief eilig: »Ich sehe auch die liebste Jungfrau Bünzlin dreifach um mich her spazieren in größter Ehrbarkeit und mir wollüstig zuwinken, indem sie die Hand auf –«

»Pfui, Bayer!« schrie Züs und wandte das Gesicht ab, »nicht ein Wort weiter! Woher nehmen Sie den Mut, von mir in so wüsten Worten zu reden und sich solche Sauereien einzubilden? Pfui, Pfui!« Der arme Bayer war wie vom Donner gerührt und wurde glühend rot, ohne zu wissen wofür; denn er hatte sich gar nichts eingebildet und nur ungefähr dem Klange nach gesagt, was er von Jobsten gehört, da er gesehen, wie dieser für seine Rede belobt worden. Züs wandte sich wieder zu Dietrich und sagte: »Nun, lieber Dietrich, haben Sie's noch nicht auf eine etwas bescheidenere Art zuwege gebracht?« »Ja, mit Ihrer Erlaubnis«, erwiderte er, froh wieder angeredet zu werden, »ich erblicke Sie jetzt nur dreimal um mich her, freundlich, aber anständig mich anschauend und mir drei weiße Hände bietend, welche ich küsse!«

»Gut denn!« sagte Züs, »und Sie Fridolin? sind Sie noch nicht von Ihrer Abirrung zurückgekehrt? Kann sich Ihr ungestümes Blut noch nicht zu einer wohlanständigen Vorstellung beruhigen?« »Um Vergebung!« sagte Fridolin kleinlaut, »ich glaube jetzt drei Jungfern zu sehen, die mir gedörrte Birnen anbieten und mir nicht abgeneigt scheinen. Es ist keine schöner als die andere, und die Wahl unter ihnen scheint mir ein bitteres Kraut zu sein.«

»Nun also«, sprach Züs, »da ihr in eurer Einbildungskraft von neun solchen ganz gleich werten Personen umgeben seid und in diesem liebreizenden Überflusse dennoch Mangel in eurem Herzen leidet, ermesset danach meinen eigenen Zustand; und wie ihr an mir sahet, daß ich mich weisen und bescheidenen Herzens zu fassen weiß, so nehmet doch ein Beispiel an meiner Stärke und gelobet mir und euch untereinander, euch ferner zu vertragen und, wie ich liebevoll von euch scheide, euch ebenso liebevoll voneinander zu trennen, wie auch das Schicksal, das eurer wartet, entscheiden möge! So leget denn alle eure Hände zusammen in meine Hand und gelobt es!«

»Ja, wahrhaftig«, rief Jobst, »ich will es wenigstens tun, an mir soll's nicht fehlen!« und die andern zwei riefen eiligst: »An mir auch nicht, an mir auch nicht!« und sie legten alle die Hände zusammen, wobei sich jedoch jeder vornahm, auf alle Fälle zu springen, so gut er vermöchte. »An mir soll es wahrhaftig nicht fehlen!« wiederholte Jobst, »denn ich bin von Jugend auf barmherziger und einträchtiger Natur gewesen. Noch nie habe ich einen Streit gehabt und konnte nie ein Tierlein leiden sehen; wo ich noch gewesen bin, habe ich mich gut vertragen und das beste Lob geerntet ob meines geruhsamen

Betragens; denn obgleich ich gar manche Dinge auch ein bißchen verstehe und ein verständiger junger Mann bin, so hat man nie gesehen, daß ich mich in etwas mischte, was mich nichts anging, und habe stets meine Pflicht auf eine einsichtsvolle Weise getan. Ich kann arbeiten, soviel ich will, und es schadet mir nichts, da ich gesund und wohlauf bin und in den besten Jahren! Alle meine Meisterinnen haben noch gesagt, ich sei ein Tausendsmensch, ein Ausbund, und mit mir sei gut auskommen! Ach! ich glaube wirklich selbst, ich könnte leben wie im Himmel mit Ihnen, allerliebste Jungfer Züs!«

»Ei!« sagte der Bayer eifrig, »das glaub ich wohl, das wäre auch keine Kunst, mit der Jungfer wie im Himmel zu leben! Das wollt ich mir auch zutrauen, denn ich bin nicht auf den Kopf gefallen! Mein Handwerk versteh ich aus dem Grund und weiß die Dinge in Ordnung zu halten, ohne ein Unwort zu verlieren. Nirgends habe ich Händel bekommen, obgleich ich in den größten Städten gearbeitet habe, und niemals habe ich eine Katze geschlagen oder eine Spinne getötet. Ich bin mäßig und enthaltsam und mit jeder Nahrung zufrieden, und ich weiß mich am Geringfügigsten zu vergnügen und damit zufrieden zu sein. Aber ich bin auch gesund und munter und kann etwas aushalten, ein gutes Gewissen ist das beste Lebenselixier, alle Tiere lieben mich und laufen mir nach, weil sie mein gutes Gewissen wittern, denn bei einem ungerechten Menschen wollen sie nicht bleiben. Ein Pudelhund ist mir einst drei Tage lang nachgefolgt, als ich aus der Stadt Ulm verreiste, und ich mußte ihn endlich einem Bauersmann in Gewahrsam geben, da ich als ein demütiger Handwerksgesell kein solches Tier ernähren konnte, und als ich durch den Böhmerwald reiste, sind die Hirsche und Rehe auf zwanzig Schritt noch stehen geblieben und haben sich nicht vor mir gefürchtet. Es ist wunderbar, wie selbst die wilden Tiere sich bei den Menschen auskennen und wissen, welche guten Herzens sind!«

»Ja, das muß wahr sein!« rief der Schwabe, »seht ihr nicht, wie dieser Fink schon die ganze Zeit da vor mir herumfliegt und sich mir zu nähern sucht? Und jenes Eichhörnchen auf der Tanne sieht sich immerfort nach mir um, und hier kriecht ein kleiner Käfer allfort an meinem Beine und will sich durchaus nicht vertreiben lassen. Dem muß es gewiß recht wohl sein bei mir, dem lieben guten Tierchen!«

Jetzt wurde aber Züs eifersüchtig und sagte etwas heftig: »Bei mir wollen alle Tiere gern bleiben! Einen Vogel hab ich acht Jahre gehabt und er ist sehr ungern von mir weggestorben; unsere Katze streicht mir nach, wo ich geh und stehe, und des Nachbars Tauben drängen und zanken sich vor meinem Fenster, wenn ich ihnen Brosamen streue! Wunderbare Eigenschaften haben die Tiere je nach ihrer Art! Der Löwe folgt gern den Königen nach und den Helden, und der Elefant begleitet den Fürsten und den tapfern Krieger; das Kamel trägt den Kaufmann durch die Wüste und bewahrt ihm frisches Wasser in seinem Bauch, und der Hund begleitet seinen Herrn durch alle Gefahren und stürzt sich für ihn in das Meer! Der Delphin liebet die Musik und folgt den Schiffen und der Adler den Kriegsheeren. Der Affe ist ein menschenähnliches Wesen und tut alles, was er die Menschen tun sieht, und der Papagei versteht unsere Sprache und plaudert mit uns wie ein Alter! Selbst die Schlangen lassen sich zähmen und tanzen auf der Spitze ihres Schwanzes; das Krokodil weint menschliche Tränen und wird von den Bürgern dort geachtet und verschont; der Strauß läßt sich satteln und reiten wie ein Roß; der wilde Büffel ziehet den Wagen des Menschen und das gehörnte Renntier seinen Schlitten. Das Einhorn liefert ihm das schneeweiße Elfenbein und die Schildkröte ihre durchsichtigen Knochen –«

»Mit Verlaub«, sagten alle drei Kammacher zugleich, »hierin irren Sie sich gewißlich, das Elfenbein wird aus den Elefantenzähnen gewonnen und die Schildpattkämme macht man aus der Schale und nicht aus den Knochen der Schildkröte!«

Züs wurde feuerrot und sagte: »Das ist noch die Frage, denn ihr habt gewiß nicht gesehen, wo man es hernimmt, sondern verarbeitet nur die Stücke; ich irre mich sonst selten, doch sei dem, wie ihm wolle, so lasset mich ausreden: nicht nur die Tiere haben ihre merkwürdigen von Gott eingepflanzten Besonderheiten, sondern selbst das tote Gestein, so aus den Bergen gegraben wird. Der Kristall ist durchsichtig wie Glas, der Marmor aber hart und geädert, bald weiß und bald schwarz; der Bernstein hat elektrische Eigenschaften und ziehet den Blitz an; aber dann verbrennt er und riecht wie Weihrauch. Der Magnet zieht Eisen an, auf die Schiefertafeln kann man schreiben, aber nicht auf den Diamant, denn dieser ist hart wie Stahl; auch gebraucht ihn der Glaser zum Glasschneiden, weil er klein und spitzig ist. Ihr sehet, liebe Freunde, daß ich auch ein weniges von den Tieren zu sagen weiß! Was aber mein Verhältnis zu ihnen betrifft, so ist dies zu bemerken: Die Katze ist ein schlaues und listiges Tier und ist daher nur schlauen und listigen Menschen anhänglich; die Taube aber ist ein Sinnbild der Unschuld und Einfalt und kann sich nur von einfältigen, schuldlosen Seelen angezogen fühlen. Da mir nun Katzen und Tauben anhänglich sind, so folgt hieraus, daß ich klug und einfältig, schlau und unschuldig zugleich bin, wie es denn auch heißt: Seid klug wie die Schlangen und einfältig wie die Tauben! Auf diese Weise können wir allerdings die Tiere und ihr Verhältnis zu uns würdigen und manches daraus lernen, wenn wir die Sache recht zu betrachten wissen.«

Die armen Gesellen wagten nicht ein Wort weiter zu sagen; Züs hatte sie gut zugedeckt und sprach noch viele hochtrabende Dinge durcheinander, daß ihnen Hören und Sehen verging. Sie bewunderten aber Züsis Geist und Beredsamkeit, und in solcher Bewunderung dünkte sich keiner zu schlecht, das Kleinod zu besitzen, besonders da diese Zierde eines Hauses so wohlfeil war und nur in einer rastlosen Zunge bestand. Ob sie selbst dessen, was sie so hoch stellen, auch wert seien und etwas damit anzufangen wüßten, fragen sich solche Schwachköpfe zu allerletzt oder auch gar nicht, sondern sie sind wie die Kinder, welche nach allem greifen, was ihnen in die Augen glänzt, von allen bunten Dingen die Farben ab-

schlecken und ein Schellenspiel ganz in den Mund stecken
wollen, statt es bloß an die Ohren zu halten. So erhitzten sie
sich immer mehr in der Begierde und Einbildung, diese ausgezeichnete Person zu erwerben, und je schnöder, herzloser und
eitler Züsens unsinnige Phrasen wurden, desto gerührter und
jämmerlicher waren die Kammacher daran. Zugleich fühlten
sie einen heftigen Durst von dem trockenen Obste, welches sie
inzwischen aufgegessen; Jobst und der Bayer suchten im
Gehölz nach Wasser, fanden eine Quelle und tranken sich voll
kaltes Wasser. Der Schwabe hingegen hatte listigerweise ein
Fläschchen mitgenommen, in welchem er Kirschgeist mit
Wasser und Zucker gemischt, welches liebliche Getränk ihn
stärken und ihm einen Vorschub gewähren sollte beim Laufen;
denn er wußte, daß die andern zu sparsam waren, um etwas
mitzunehmen oder eine Einkehr zu halten. Dies Fläschchen
zog er jetzt eilig hervor, während jene sich mit Wasser füllten,
und bot es der Jungfer Züs an; sie trank es halb aus, es
schmeckte ihr vortrefflich und erquickte sie und sie sah den
Dietrich dabei überquer ganz holdselig an, daß ihm der Rest,
welchen er selber trank, so lieblich schmeckte wie Cyperwein
und ihn gewaltig stärkte. Er konnte sich nicht enthalten, Züsis
Hand zu ergreifen und ihr zierlich die Fingerspitzen zu küssen; sie tippte ihm leicht mit dem Zeigefinger auf die Lippen
und er tat, als ob er darnach schnappen wollte, und machte
dazu ein Maul wie ein lächelnder Karpfen; Züs schmunzelte
falsch und freundlich, Dietrich schmunzelte schlau und süß-
lich; sie saßen auf der Erde sich gegenüber und tätschelten zuweilen mit den Schuhsohlen gegeneinander, wie wenn sie sich
mit den Füßen die Hände geben wollten. Züs beugte sich ein
wenig vornüber und legte die Hand auf seine Schulter, und
Dietrich wollte eben dies holde Spiel erwidern und fortsetzen,
als der Sachse und der Bayer zurückkamen und bleich und
stöhnend zuschauten. Denn es war ihnen von dem vielen Wasser, welches sie an die genossenen Backbirnen geschüttet,
plötzlich elend geworden und das Herzeleid, welches sie bei
dem Anblicke des spielenden Paares empfanden, vereinigte

sich mit dem öden Gefühle des Bauches, so daß ihnen der kalte Schweiß auf der Stirne stand. Züs verlor aber die Fassung nicht, sondern winkte ihnen überaus freundlich zu und rief: »Kommet, ihr Lieben, und setzet euch doch auch noch ein bißchen zu mir her, daß wir noch ein Weilchen und zum letzten Mal unsere Eintracht und Freundschaft genießen!« Jobst und Fridolin drängten sich hastig herbei und streckten ihre Beine aus; Züs ließ dem Schwaben die eine Hand, gab Jobsten die andere und berührte mit den Füßen Fridolins Stiefelsohlen, während sie mit dem Angesicht einen nach dem andern der Reihe nach anlächelte. So gibt es Virtuosen, welche viele Instrumente zugleich spielen, auf dem Kopfe ein Glockenspiel schütteln, mit dem Munde die Panspfeife blasen, mit den Händen die Gitarre spielen, mit den Knien die Zimbel schlagen, mit dem Fuß den Dreiangel und mit den Ellbogen eine Trommel, die ihnen auf dem Rücken hängt.

Dann aber erhob sie sich von der Erde, strich ihr Kleid, welches sie sorgfältig aufgeschürzt hatte, zurecht und sagte: »Nun ist es wohl Zeit, liebe Freunde! daß wir uns aufmachen und daß ihr euch zu jenem ernsthaften Gange rüstet, welchen euch der Meister in seiner Torheit auferlegt, wir aber als die Anordnung eines höheren Geschickes ansehen! Tretet diesen Weg an voll schönen Eifers, aber ohne Feindschaft noch Neid gegeneinander, und überlasset dem Sieger willig die Krone!«

Wie von einer Wespe gestochen, sprangen die Gesellen auf und stellten sich auf die Beine. Da standen sie nun und sollten mit denselben einander den Rang ablaufen, mit denselben guten Beinen, welche bislang nur in bedachtem ehrbarem Schritt gewandelt! Keiner wußte sich mehr zu entsinnen, daß er je einmal gesprungen oder gelaufen wäre; am ehesten schien sich noch der Schwabe zu trauen und mit den Füßen sogar leise zu scharren und dieselben ungeduldig zu heben. Sie sahen sich ganz sonderbar und verdächtig an, waren bleich und schwitzten dabei, als ob sie schon im heftigsten Laufen begriffen wären.

»Gebet euch«, sagte Züs, »noch einmal die Hand!« Sie taten

es, aber so willenlos und lässig, daß die drei Hände kalt voneinander abglitten und abfielen wie Bleihände. »Sollen wir denn wirklich das Torenwerk beginnen?« sagte Jobst und wischte sich die Augen, welche anfingen zu träufeln. »Ja«, versetzte der Bayer, »sollen wir wirklich laufen und springen?« und begann zu weinen. »Und Sie, allerliebste Jungfer Bünzlin?« sagte Jobst heulend, »wie werden Sie sich denn verhalten?« »Mir geziemt«, antwortete sie und hielt sich das Schnupftuch vor die Augen, »mir geziemt zu schweigen, zu leiden und zuzusehen!« Der Schwabe sagte freundlich und listig: »Aber dann nachher, Jungfer Züsi?« »O Dietrich!« erwiderte sie sanft, »wissen Sie nicht, daß es heißt, der Zug des Schicksals ist des Herzens Stimme?« Und dabei sah sie ihn von der Seite so verblümt an, daß er abermals die Beine hob und Lust verspürte, sogleich in Trab zu geraten. Während die zwei Nebenbuhler ihre kleinen Felleisenfuhrwerke in Ordnung brachten und Dietrich das gleiche tat, streifte sie mehrmals mit Nachdruck seinen Ellbogen oder trat ihm auf den Fuß; auch wischte sie ihm den Staub von dem Hute, lächelte aber gleichzeitig den andern zu, wie wenn sie den Schwaben auslachte, doch so, daß es dieser nicht sehen konnte. Alle drei bliesen jetzt mächtig die Backen auf und sandten große Seufzer in die Luft. Sie sahen sich um nach allen Seiten, nahmen die Hüte ab, wischten sich den Schweiß von der Stirn, strichen die steif geklebten Haare und setzten die Hüte wieder auf. Nochmals schauten sie nach allen Winden und schnappten nach Luft. Züs erbarmte sich ihrer und war so gerührt, daß sie selbst weinte. »Hier sind noch drei dürre Pflaumen«, sagte sie, »nehmt jeder eine in den Mund und behaltet sie darin, das wird euch erquicken! So zieht denn dahin und kehret die Torheit der Schlechten um in Weisheit der Gerechten! Was sie zum Mutwillen ausgesonnen, das verwandelt in ein erbauliches Werk der Prüfung und der Selbstbeherrschung, in eine sinnreiche Schlußhandlung eines langjährigen Wohlverhaltens und Wettlaufes in der Tugend!« Jedem steckte sie die Pflaume in den Mund und er sog daran. Jobst drückte die Hand auf seinen Magen und rief: »Wenn es denn sein muß, so sei es ins Himmels Namen!« und plötzlich fing er, indem er den Stock erhob, mit stark gebogenen Knieen mächtig an auszuschreiten und zog sein Felleisen an sich. Kaum sah dies Fridolin, so folgte er ihm nach mit langen Schritten, und ohne sich ferner umzusehen, eilten sie schon ziemlich hastig die Straße hinab. Der Schwabe war der letzte, der sich aufmachte, und ging mit listig vergnügtem Gesicht und scheinbar ganz gemächlich neben Züs her, wie wenn er seiner Sache sicher und edelmütig seinen Gefährten einen Vorsprung gönnen wollte. Züs belobte seine freundliche Gelassenheit und hing sich vertraulich an seinen Arm. »Ach, es ist doch schön«, sagte sie mit einem Seufzer, »eine feste Stütze zu haben im Leben! Selbst wenn man hinlänglich begabt ist mit Klugheit und Einsicht und einen tugendhaften Weg wandelt, so geht es sich auf diesem Wege doch viel gemütlicher am vertrauten Freundesarme!« »Der Tausend, ei ja wohl, das wollte ich wirklich meinen!« erwiderte Dietrich und stieß ihr den Ellbogen tüchtig in die Seite, indem er zugleich nach seinen Nebenbuhlern spähte, ob der Vorsprung auch nicht zu groß würde, »sehen Sie wohl, werteste Jungfer! Kommt es Ihnen allendlich? Merken Sie, wo Barthel den Most holt?« »O Dietrich, lieber Dietrich«, sagte sie mit einem noch viel stärkern Seufzer, »ich fühle mich oft recht einsam!« »Hopsele, so muß es kommen!« rief er und sein Herz hüpfte wie ein Häschen im Weißkohl. »O Dietrich!« rief sie und drückte sich fester an ihn; es ward ihm schwül und sein Herz wollte zerspringen vor pfiffigem Vergnügen; aber zugleich entdeckte er, daß seine Vorläufer nicht mehr sichtbar, sondern um eine Ecke herum verschwunden waren. Sogleich wollte er sich losreißen von Züsis Arm und jenen nachspringen; aber sie hielt ihn so fest, daß es ihm nicht gelang, und klammerte sich an, wie wenn sie schwach würde. »Dietrich!« flüsterte sie, die Augen verdrehend, »lassen Sie mich jetzt nicht allein, ich vertraue auf Sie, stützen Sie mich!« »Den Teufel noch einmal, lassen Sie mich los, Jungfer!« rief er ängstlich, »oder ich komm zu spät und dann ade, Zipfelmütze!« »Nein,

nein! Sie dürfen mich nicht verlassen, ich fühle, mir wird übel!« jammerte sie. »Übel oder nicht übel!« schrie er und riß sich gewaltsam los; er sprang auf eine Erhöhung und sah sich um und sah die Läufer schon im vollen Rennen weit den Berg hinunter. Nun setzte er zum Sprung an, schaute sich aber im selben Augenblick noch einmal nach Züs um. Da sah er sie, wie sie am Eingange eines engen schattigen Waldpfades saß und lieblich lockend ihm mit den Händen winkte. Diesem Anblicke konnte er nicht widerstehen, sondern eilte, statt den Berg hinunter, wieder zu ihr hin. Als sie ihn kommen sah, stand sie auf und ging tiefer in das Holz hinein, sich nach ihm umsehend; denn sie dachte ihn auf alle Weise vom Laufen abzuhalten und so lange zu vexieren, bis er zu spät käme und nicht in Seldwyl bleiben könne.

Allein der erfindungsreiche Schwabe änderte zu selber Zeit seine Gedanken und nahm sich vor, sein Heil hier oben zu erkämpfen, und so geschah es, daß es ganz anders kam als die listige Person es hoffte. Sobald er sie erreicht und an einem verborgenen Plätzchen mit ihr allein war, fiel er ihr zu Füßen und bestürmte sie mit den feurigsten Liebeserklärungen, welche ein Kammacher je gemacht hat. Erst suchte sie ihm Ruhe zu gebieten und, ohne ihn fortzuscheuchen, auf gute Manier hinzuhalten, indem sie alle ihre Weisheiten und Anmutungen spielen ließ. Als er ihr aber Himmel und Hölle vorstellte, wozu ihm sein aufgeregter und gespannter Unternehmungsgeist herrliche Zauberworte lieh, als er sie mit Zärtlichkeiten jeder Art überhäufte und bald ihrer Hände, bald ihrer Füße sich zu bemächtigen suchte und ihren Leib und ihren Geist, alles was an ihr war, lobte und rühmte, daß der Himmel hätte grün werden mögen, als dazu die Witterung und der Wald so still und lieblich waren, verlor Züs endlich den Kompaß, als ein Wesen, dessen Gedanken am Ende doch so kurz sind als seine Sinne; ihr Herz krabbelte so ängstlich und wehrlos wie ein Käfer, der auf dem Rücken liegt, und Dietrich besiegte es in jeder Weise. Sie hatte ihn in dies Dickicht verlockt, um ihn zu verraten, und war im Handumdrehen von dem Schwäbchen erobert; dies geschah nicht, weil sie etwa eine besonders verliebte Person war, sondern weil sie als eine kurze Natur trotz aller eingebildeten Weisheit doch nicht über ihre eigene Nase wegsah. Sie blieben wohl eine Stunde in dieser kurzweiligen Einsamkeit, umarmten sich immer aufs neue und gaben sich tausend Küßchen. Sie schwuren sich ewige Treue und in aller Aufrichtigkeit und wurden einig, sich zu heiraten auf alle Fälle.

Unterdessen hatte sich in der Stadt die Kunde von dem seltsamen Unternehmen der drei Gesellen verbreitet und der Meister selbst zu seiner Belustigung die Sache bekannt gemacht; deshalb freuten sich die Seldwyler auf das unverhoffte Schauspiel und waren begierig, die gerechten und ehrbaren Kammacher zu ihrem Spaße laufen und ankommen zu sehen. Eine große Menschenmenge zog vor das Tor und lagerte sich zu beiden Seiten der Straße, wie wenn man einen Schnelläufer erwartet. Die Knaben kletterten auf die Bäume, die Alten und Rückgesetzten saßen im Grase und rauchten ihr Pfeifchen, zufrieden, daß sich ihnen ein so wohlfeiles Vergnügen aufgetan. Selbst die Herren waren ausgerückt, um den Hauptspaß mit anzusehen, saßen fröhlich diskurrierend in den Gärten und Lauben der Wirtshäuser und bereiteten eine Menge Wetten vor. In den Straßen, durch welche die Läufer kommen mußten, waren alle Fenster geöffnet, die Frauen hatten in den Visitenstuben rote und weiße Kissen ausgelegt, die Arme darauf zu legen, und zahlreichen Damenbesuch empfangen, so daß fröhliche Kaffeegesellschaften aus dem Stegreif entstanden und die Mägde genug zu laufen hatten, um Kuchen und Zwieback zu holen. Vor dem Tore aber sahen jetzt die Buben auf den höchsten Bäumen eine kleine Staubwolke sich nähern und begannen zu rufen: »Sie kommen, sie kommen!« Und nicht lange dauerte es, so kamen Fridolin und Jobst wirklich wie ein Sturmwind herangesaust, mitten auf der Straße, eine dicke Wolke Staubes aufrührend. Mit der einen Hand zogen sie die Felleisen, welche wie toll über die Steine flogen, mit der anderen hielten sie die Hüte fest, welche ihnen im Nacken saßen,

und ihre langen Röcke flogen und wehten um die Wette. Beide
waren von Schweiß und Staub bedeckt, sie sperrten den Mund
auf und lechzten nach Atem, sahen und hörten nichts, was um
sie her vorging, und dicke Tränen rollten den armen Männern
über die Gesichter, welche sie nicht abzuwischen Zeit hatten.
Sie liefen sich dicht auf den Fersen, doch war der Bayer voraus
um eine Spanne. Ein entsetzliches Geschrei und Gelächter erhob sich und dröhnte, so weit das Ohr reichte. Alles raffte sich
auf und drängte sich dicht an den Weg, von allen Seiten rief es:
»So recht, so recht! Lauft, wehr dich, Sachs! halt dich brav,
Bayer! Einer ist schon abgefallen, es sind nur noch zwei!« Die
Herren in den Gärten standen auf den Tischen und wollten
sich ausschütten vor Lachen. Ihr Gelächter dröhnte aber donnernd und fest über den haltlosen Lärm der Menge weg, die
auf der Straße lagerte, und gab das Signal zu einem unerhörten
Freudentage. Die Buben und das Gesindel strömten hinter
den zwei armen Gesellen zusammen und ein wilder Haufen,
eine furchtbare Wolke erregend, wälzte sich mit ihnen dem
Tore zu; selbst Weiber und junge Gassenmädchen liefen mit
und mischten ihre hellen quiekenden Stimmen in das Geschrei
der Burschen. Schon waren sie dem Tore nah, dessen Türme
von Neugierigen besetzt waren, die ihre Mützen schwenkten;
die zwei rannten wie scheu gewordene Pferde, das Herz voll
Qual und Angst; da kniete ein Gassenjunge wie ein Kobold
auf Jobstens fahrendes Felleisen und ließ sich unter dem Bei-
fallsgeschrei der Menge mitfahren. Jobst wandte sich und
flehte ihn an, loszulassen, auch schlug er mit dem Stocke nach
ihm; aber der Junge duckte sich und grinste ihn an. Darüber
gewann Fridolin einen größeren Vorsprung, und wie Jobst es
merkte, warf er ihm den Stock zwischen die Füße, daß er hin-
stürzte. Wie aber Jobst über ihn wegspringen wollte, erwischte
ihn der Bayer am Rockschoß und zog sich daran in die Höhe;
Jobst schlug ihm auf die Hände und schrie: »Laß los, laß los!«
Fridolin ließ nicht los, Jobst packte dafür seinen Rockschoß,
und nun hielten sie sich gegenseitig fest und drehten sich langsam zum Tore hinein, nur zuweilen einen Sprung versuchend,

um einer dem andern zu entrinnen. Sie weinten, schluchzten und heulten wie Kinder und schrieen in unsäglicher Beklemmung: O Gott! laß los! du lieber Heiland, laß los, Jobst! laß los, Fridolin! laß los, du Satan! Dazwischen schlugen sie sich fleißig auf die Hände, kamen aber immer um ein weniges vorwärts. Hut und Stock hatten sie verloren, zwei Buben trugen dieselben, die Hüte auf die Stöcke gesteckt, voran, und hinter ihnen her wälzte sich der tobende Haufen; alle Fenster waren von der Damenwelt besetzt, welche ihr silbernes Gelächter in die unten tosende Brandung warf, und seit langer Zeit war man nicht mehr so fröhlich gestimmt gewesen in dieser Stadt. Das rauschende Vergnügen schmeckte den Bewohnern so gut, daß kein Mensch den zwei Ringenden ihr Ziel zeigte, des Meisters Haus, an welchem sie endlich angelangt. Sie selber sahen es nicht, sie sahen überhaupt nichts, und so wälzte sich der tolle Zug durch das ganze Städtchen und zum andern Tore wieder hinaus. Der Meister hatte lachend unter dem Fenster gelegen, und nachdem er noch ein Stündchen auf den endlichen Sieger gewartet, wollte er eben weggehen, um die Früchte seines Schwankes zu genießen, als Dietrich und Züs still und unversehens bei ihm eintraten.

Diese hatten nämlich unterdessen ihre Gedanken zusammengetan und beraten, daß der Kammachermeister wohl geneigt sein dürfte, da er doch nicht lang mehr machen würde, sein Geschäft gegen eine bare Summe zu verkaufen. Züs wollte ihren Gültbrief dazu hergeben und der Schwabe sein Geldchen auch dazutun, und dann wären sie die Herren der Sachlage und könnten die andern zwei auslachen. Sie trugen ihre Vereinigung dem überraschten Meister vor; diesem leuchtete es sogleich ein, hinter dem Rücken seiner Gläubiger, ehe es zum Bruch kam, noch schnell den Handel abzuschließen und unverhofft des baren Kaufpreises habhaft zu werden. Rasch wurde alles festgestellt, und ehe die Sonne unterging, war Jungfer Bünzlin die rechtmäßige Besitzerin des Kammachergeschäfts und ihr Bräutigam der Mieter des Hauses, in welchem dasselbe lag, und so war Züs, ohne es am Morgen geahnt zu haben, endlich erobert und gebunden durch die Handlichkeit des Schwäbchens.

Halb tot vor Scham, Mattigkeit und Ärger lagen Jobst und Fridolin in der Herberge, wohin man sie geführt hatte, nachdem sie auf dem freien Felde endlich umgefallen waren, ganz ineinander verbissen. Die ganze Stadt, da sie einmal aufgeregt war, hatte die Ursache schon vergessen und feierte eine lustige Nacht. In vielen Häusern wurde getanzt und in den Schenken wurde gezecht und gesungen, wie an den größten Seldwylertagen; denn die Seldwyler brauchten nicht viel Zeug, um mit Meisterhand eine Lustbarkeit daraus zu formen. Als die beiden armen Teufel sahen, wie ihre Tapferkeit, mit welcher sie gedacht hatten, die Torheit der Welt zu benutzen, nur dazu gedient hatte, dieselbe triumphieren zu lassen und sich selbst zum allgemeinen Gespött zu machen, wollte ihnen das Herz brechen; denn sie hatten nicht nur den weisen Plan mancher Jahre verfehlt und vernichtet, sondern auch den Ruhm besonnener und rechtlich ruhiger Leute eingebüßt.

Jobst, der der Älteste war und sieben Jahre hier gewesen, war ganz verloren und konnte sich nicht zurechtfinden. Ganz schwermütig zog er vor Tag wieder aus der Stadt und hing sich an der Stelle, wo sie alle gestern gesessen, an einen Baum. Als der Bayer eine Stunde später da vorüberkam und ihn erblickte, faßte ihn ein solches Entsetzen, daß er wie wahnsinnig davonrannte, sein ganzes Wesen veränderte und, wie man nachher hörte, ein liederlicher Mensch und alter Handwerksbursch wurde, der keines Menschen Freund war.

Dietrich der Schwabe allein blieb ein Gerechter und hielt sich oben in dem Städtchen; aber er hatte nicht viel Freude davon; denn Züs ließ ihm gar nicht den Ruhm, regierte und unterdrückte ihn und betrachtete sich selbst als die alleinige Quelle alles Guten.

Spiegel, das Kätzchen

Ein Märchen

Wenn ein Seldwyler einen schlechten Handel gemacht hat oder angeführt worden ist, so sagt man zu Seldwyla: Er hat der Katze den Schmer abgekauft! Dies Sprichwort ist zwar auch anderwärts gebräuchlich, aber nirgends hört man es so oft wie dort, was vielleicht daher rühren mag, daß es in dieser Stadt eine alte Sage gibt über den Ursprung und die Bedeutung dieses Sprichwortes.

Vor mehreren hundert Jahren, heißt es, wohnte zu Seldwyla eine ältliche Person allein mit einem schönen, grau und schwarzen Kätzchen, welches in aller Vergnügtheit und Klugheit mit ihr lebte und niemandem, der es ruhig ließ, etwas zu Leide tat. Seine einzige Leidenschaft war die Jagd, welche es jedoch mit Vernunft und Mäßigung befriedigte, ohne sich durch den Umstand, daß diese Leidenschaft zugleich einen nützlichen Zweck hatte und seiner Herrin wohlgefiel, beschönigen zu wollen und allzusehr zur Grausamkeit hinreißen zu lassen. Es fing und tötete daher nur die zudringlichsten und frechsten Mäuse, welche sich in einem gewissen Umkreise des Hauses betreten ließen, aber diese dann mit zuverlässiger Geschicklichkeit; nur selten verfolgte es eine besonders pfiffige Maus, welche seinen Zorn gereizt hatte, über diesen Umkreis hinaus und erbat sich in diesem Falle mit vieler Höflichkeit von den Herren Nachbaren die Erlaubnis, in ihren Häusern ein wenig mausen zu dürfen, was ihm gerne gewährt wurde, da es die Milchtöpfe stehen ließ, nicht an die Schinken hinaufsprang, welche etwa an den Wänden hingen, sondern seinem Geschäfte still und aufmerksam oblag und, nachdem es dieses verrichtet, sich mit dem Mäuslein im Maule anständig entfernte. Auch war das Kätzchen gar nicht scheu und unartig, sondern zutraulich gegen jedermann und floh nicht vor vernünftigen Leuten; vielmehr ließ es sich von solchen einen guten Spaß gefallen und selbst ein bißchen an den Ohren zupfen, ohne zu kratzen; dagegen ließ es sich von einer Art dummer Menschen, von welchen es behauptete, daß die Dummheit aus einem unreifen und nichtsnutzigen Herzen käme, nicht das mindeste gefallen und ging ihnen entweder aus dem Wege oder versetzte ihnen einen ausreichenden Hieb über die Hand, wenn sie es mit einer Plumpheit molestierten.

Spiegel, so war der Name des Kätzchens wegen seines glatten und glänzenden Pelzes, lebte so seine Tage heiter, zierlich und beschaulich dahin, in anständiger Wohlhabenheit und ohne Überhebung. Er saß nicht zu oft auf der Schulter seiner freundlichen Gebieterin, um ihr die Bissen von der Gabel wegzufangen, sondern nur, wenn er merkte, daß ihr dieser Spaß angenehm war; auch lag und schlief er den Tag über selten auf seinem warmen Kissen hinter dem Ofen, sondern hielt sich munter und liebte es eher, auf einem schmalen Treppengeländer oder in der Dachrinne zu liegen und sich philosophischen Betrachtungen und der Beobachtung der Welt zu überlassen. Nur jeden Frühling und Herbst einmal wurde dies ruhige Leben eine Woche lang unterbrochen, wenn die Veilchen blühten oder die milde Wärme des Alteweibersommers die Veilchenzeit nachäffte. Alsdann ging Spiegel seine eigenen Wege, streifte in verliebter Begeisterung über die fernsten Dächer und sang die allerschönsten Lieder. Als ein rechter Don Juan bestand er bei Tag und Nacht die bedenklichsten Abenteuer, und wenn er sich zur Seltenheit einmal im Hause sehen ließ, so erschien er mit einem so verwegenen, burschikosen, ja liederlichen und zerzausten Aussehen, daß die stille Person, seine Gebieterin, fast unwillig ausrief: »Aber Spiegel! Schämst du dich denn nicht, ein solches Leben zu führen?« Wer sich aber nicht schämte, war Spiegel; als ein Mann von Grundsätzen, der wohl wußte, was er sich zur wohltätigen Abwechslung erlauben durfte, beschäftigte er sich ganz ruhig damit, die Glätte seines Pelzes und die unschuldige Munterkeit seines Aussehens wiederherzustellen, und er fuhr sich so unbefangen mit dem feuchten Pfötchen über die Nase, als ob gar nichts geschehen wäre.

Allein dies gleichmäßige Leben nahm plötzlich ein trauriges Ende. Als das Kätzchen Spiegel eben in der Blüte seiner Jahre stand, starb die Herrin unversehens an Altersschwäche und ließ das schöne Kätzchen herrenlos und verwaist zurück. Es war das erste Unglück, welches ihm widerfuhr, und mit jenen Klagetönen, welche so schneidend den bangen Zweifel an der wirklichen und rechtmäßigen Ursache eines großen Schmerzes ausdrücken, begleitete es die Leiche bis auf die Straße und strich den ganzen übrigen Tag ratlos im Hause und rings um dasselbe her. Doch seine gute Natur, seine Vernunft und Philosophie geboten ihm bald, sich zu fassen, das Unabänderliche zu tragen und seine dankbare Anhänglichkeit an das Haus seiner toten Gebieterin dadurch zu beweisen, daß er ihren lachenden Erben seine Dienste anbot und sich bereit machte, denselben mit Rat und Tat beizustehen, die Mäuse ferner im Zaume zu halten und überdies ihnen manche gute Mitteilung zu machen, welche die Törichten nicht verschmäht hätten, wenn sie eben nicht unvernünftige Menschen gewesen wären. Aber diese Leute ließen Spiegel gar nicht zu Worte kommen, sondern warfen ihm die Pantoffeln und das artige Fußschemelchen der Seligen an den Kopf, soeft er sich blicken ließ, zankten sich acht Tage lang untereinander, begannen endlich einen Prozeß und schlossen das Haus bis auf weiteres zu, so daß nun gar niemand darin wohnte.

Da saß nun der arme Spiegel traurig und verlassen auf der steinernen Stufe vor der Haustüre und hatte niemand, der ihn hineinließ. Des Nachts begab er sich wohl auf Umwegen unter das Dach des Hauses, und im Anfang hielt er sich einen großen Teil des Tages dort verborgen und suchte seinen Kummer zu verschlafen; doch der Hunger trieb ihn bald an das Licht und nötigte ihn, an der warmen Sonne und unter den Leuten zu erscheinen, um bei der Hand zu sein und zu gewärtigen, wo sich etwa ein Maulvoll geringer Nahrung zeigen möchte. Je seltener dies geschah, desto aufmerksamer wurde der gute Spiegel, und alle seine moralischen Eigenschaften gingen in dieser Aufmerksamkeit auf, so daß er sehr bald sich sel-

ber nicht mehr gleichsah. Er machte zahlreiche Ausflüge von
seiner Haustüre aus und stahl sich scheu und flüchtig über die
Straße, um manchmal mit einem schlechten unappetitlichen
Bissen, dergleichen er früher nie angesehen, manchmal mit gar
nichts zurückzukehren. Er wurde von Tag zu Tag magerer und
zerzauster, dabei gierig, kriechend und feig; all sein Mut, seine
zierliche Katzenwürde, seine Vernunft und Philosophie waren
dahin. Wenn die Buben aus der Schule kamen, so kroch er in
einen verborgenen Winkel, sobald er sie kommen hörte, und
guckte nur hervor, um aufzupassen, welcher von ihnen etwa
eine Brotrinde wegwürfe, und merkte sich den Ort, wo sie
hinfiel. Wenn der schlechteste Köter von weitem ankam, so
sprang er hastig fort, während er früher gelassen der Gefahr
ins Auge geschaut und böse Hunde oft tapfer gezüchtigt hatte.
Nur wenn ein grober und einfältiger Mensch daherkam, dergleichen er sonst klüglich gemieden, blieb er sitzen, obgleich
das arme Kätzchen mit dem Reste seiner Menschenkenntnis
den Lümmel recht gut erkannte; allein die Not zwang Spiegelchen, sich zu täuschen und zu hoffen, daß der Schlimme ausnahmsweise einmal es freundlich streicheln und ihm einen Bissen darreichen werde. Und selbst wenn er statt dessen nun
doch geschlagen oder in den Schwanz gekneift wurde, so
kratzte er nicht, sondern duckte sich lautlos zur Seite und sah
dann noch verlangend nach der Hand, die es geschlagen und
gekneift und welche nach Wurst oder Hering roch.

   Als der edle und kluge Spiegel so heruntergekommen war,
saß er eines Tages ganz mager und traurig auf seinem Steine
und blinzelte in die Sonne. Da kam der Stadthexenmeister
Pineiß des Weges, sah das Kätzchen und stand vor ihm still.
Etwas Gutes hoffend, obgleich es den Unheimlichen wohl
kannte, saß Spiegelchen demütig auf dem Stein und erwartete,
was der Herr Pineiß etwa tun oder sagen würde. Als dieser
aber begann und sagte: »Na, Katze! Soll ich dir deinen Schmer
abkaufen?« da verlor es die Hoffnung, denn es glaubte, der
Stadthexenmeister wolle es seiner Magerkeit wegen verhöhnen. Doch erwiderte er bescheiden und lächelnd, um es mit

niemand zu verderben: »Ach, der Herr Pineiß belieben zu scherzen!« »Mit nichten!« rief Pineiß, »es ist mir voller Ernst! Ich brauche Katzenschmer vorzüglich zur Hexerei; aber er muß mir vertragsmäßig und freiwillig von den werten Herren Katzen abgetreten werden, sonst ist er unwirksam. Ich denke, wenn je ein wackeres Kätzlein in der Lage war, einen vorteilhaften Handel abzuschließen, so bist es du! Begib dich in meinen Dienst; ich füttere dich herrlich heraus, mache dich fett und kugelrund mit Würstchen und gebratenen Wachteln. Auf dem ungeheuer hohen alten Dache meines Hauses, welches nebenbei gesagt das köstlichste Dach von der Welt ist für eine Katze, voll interessanter Gegenden und Winkel, wächst auf den sonnigsten Höhen treffliches Spitzgras, grün wie Smaragd, schlank und fein in den Lüften schwankend, dich einladend, die zartesten Spitzen abzubeißen und zu genießen, wenn du dir an meinen Leckerbissen eine leichte Unverdaulichkeit zugezogen hast. So wirst du bei trefflicher Gesundheit bleiben und mir dereinst einen kräftigen brauchbaren Schmer liefern!«

Spiegel hatte schon längst die Ohren gespitzt und mit wässerndem Mäulchen gelauscht; doch war seinem geschwächten Verstande die Sache noch nicht klar und er versetzte daher: »Das ist so weit nicht übel, Herr Pineiß! Wenn ich nur wüßte, wie ich alsdann, wenn ich doch, um Euch meinen Schmer abzutreten, mein Leben lassen muß, des verabredeten Preises habhaft werden und ihn genießen soll, da ich nicht mehr bin?« »Des Preises habhaft werden?« sagte der Hexenmeister verwundert, »den Preis genießest du ja eben in den reichlichen und üppigen Speisen, womit ich dich fett mache, das versteht sich von selber! Doch will ich dich zu dem Handel nicht zwingen!« Und er machte Miene, sich von dannen begeben zu wollen. Aber Spiegel sagte hastig und ängstlich: »Ihr müßt mir wenigstens eine mäßige Frist gewähren über die Zeit meiner höchsten erreichten Rundheit und Fettigkeit hinaus, daß ich nicht so jählings von hinnen gehen muß, wenn jener angenehme und ach! so traurige Zeitpunkt herangekommen und entdeckt ist!«

»Es sei!« sagte Herr Pineiß mit anscheinender Gutmütigkeit, »bis zum nächsten Vollmond sollst du dich alsdann deines angenehmen Zustandes erfreuen dürfen, aber nicht länger! Denn in den abnehmenden Mond hinein darf es nicht gehen, weil dieser einen vermindernden Einfluß auf mein wohlerworbenes Eigentum ausüben würde.«

Das Kätzchen beeilte sich zuzuschlagen und unterzeichnete einen Vertrag, welchen der Hexenmeister im Vorrat bei sich führte, mit seiner scharfen Handschrift, welche sein letztes Besitztum und Zeichen besserer Tage war.

»Du kannst dich nun zum Mittagessen bei mir einfinden, Kater!« sagte der Hexer, »Punkt zwölf Uhr wird gegessen!«

»Ich werde so frei sein, wenn Ihr's erlaubt!« sagte Spiegel und fand sich pünktlich um die Mittagsstunde bei Herrn Pineiß ein. Dort begann nun während einiger Monate ein höchst angenehmes Leben für das Kätzchen; denn es hatte auf der Welt weiter nichts zu tun als die guten Dinge zu verzehren, die man ihm vorsetzte, dem Meister bei der Hexerei zuzuschauen, wenn es mochte, und auf dem Dache spazieren zu gehen. Dies Dach glich einem ungeheuren schwarzen Nebelspalter oder Dreiröhrenhut, wie man die großen Hüte der schwäbischen Bauern nennt, und wie ein solcher Hut ein Gehirn voller Nücken und Finten überschattet, so bedeckte dies Dach ein großes, dunkles und winkliges Haus voll Hexenwerk und Tausendsgeschichten. Herr Pineiß war ein Kann-Alles, welcher hundert Ämtchen versah, Leute kurierte, Wanzen vertilgte, Zähne auszog und Geld auf Zinsen lieh; er war der Vormünder aller Waisen und Witwen, schnitt in seinen Mußestunden Federn, das Dutzend für einen Pfennig, und machte schöne schwarze Dinte; er handelte mit Ingwer und Pfeffer, mit Wagenschmiere und Rosoli, mit Heftlein und Schuhnägeln, er renovierte die Turmuhr und machte jährlich den Kalender mit der Witterung, den Bauernregeln und dem Aderlaßmännchen; er verrichtete zehntausend rechtliche Dinge am hellen Tag um mäßigen Lohn und einige unrechtliche nur in der Finsternis und aus Privatleidenschaft, oder hing auch den rechtlichen, ehe er sie aus seiner Hand entließ, schnell noch ein unrechtliches Schwänzchen an, so klein wie die Schwänzchen der jungen Frösche, gleichsam nur der Possierlichkeit wegen. Überdies machte er das Wetter in schwierigen Zeiten, überwachte mit seiner Kunst die Hexen, und wenn sie reif waren, ließ er sie verbrennen; für sich trieb er die Hexerei nur als wissenschaftlichen Versuch und zum Hausgebrauch, so wie er auch die Stadtgesetze, die er redigierte und ins Reine schrieb, unter der Hand probierte und verdrehte, um ihre Dauerhaftigkeit zu ergründen. Da die Seldwyler stets einen solchen Bürger brauchten, der alle unlustigen kleinen und großen Dinge für sie tat, so war er zum Stadthexenmeister ernannt worden und bekleidete dies Amt schon seit vielen Jahren mit unermüdlicher Hingebung und Geschicklichkeit, früh und spät. Daher war sein Haus von unten bis oben vollgestopft mit allen erdenklichen Dingen, und Spiegel hatte viel Kurzweil, alles zu besehen und zu beriechen.

Doch im Anfang gewann er keine Aufmerksamkeit für andere Dinge als für das Essen. Er schlang gierig alles hinunter, was Pineiß ihm darreichte, und mochte kaum von einer Zeit zur anderen warten. Dabei überlud er sich den Magen und mußte wirklich auf das Dach gehen, um dort von den grünen Gräsern abzubeißen und sich von allerhand Unwohlsein zu kurieren. Als der Meister diesen Heißhunger bemerkte, freute er sich und dachte, das Kätzchen würde solcherweise recht bald fett werden, und je besser er daran wende, desto klüger verfahre und spare er im Ganzen. Er baute daher für Spiegel eine ordentliche Landschaft in seiner Stube, indem er ein Wäldchen von Tannenbäumchen aufstellte, kleine Hügel von Steinen und Moos errichtete und einen kleinen See anlegte. Auf die Bäumchen setzte er duftig gebratene Lerchen, Finken, Meisen und Sperlinge, je nach der Jahrszeit, so daß da Spiegel immer etwas herunterzuholen und zu knabbern vorfand. In die kleinen Berge versteckte er in künstlichen Mauslöchern herrliche Mäuse, welche er sorgfältig mit Weizenmehl gemästet, dann ausgeweidet, mit zarten Speckriemchen

gespickt und gebraten hatte. Einige dieser Mäuse konnte
Spiegel mit der Hand hervorholen, andere waren zur Erhöhung des Vergnügens tiefer verborgen, aber an einen Faden
gebunden, an welchem Spiegel sie behutsam hervorziehen
mußte, wenn er diese Lustbarkeit einer nachgeahmten Jagd
genießen wollte. Das Becken des Sees aber füllte Pineiß alle
Tage mit frischer Milch, damit Spiegel in der süßen seinen
Durst lösche, und ließ gebratene Gründlinge darin schwimmen, da er wußte, daß Katzen zuweilen auch die Fischerei
lieben. Aber da nun Spiegel ein so herrliches Leben führte,
tun und lassen, essen und trinken konnte, was ihm beliebte
und wann es ihm einfiel, so gedieh er allerdings zusehends an
seinem Leibe; sein Pelz wurde wieder glatt und glänzend und
sein Auge munter; aber zugleich nahm er, da sich seine Geisteskräfte in gleichem Maße wieder ansammelten, bessere Sitten an; die wilde Gier legte sich, und weil er jetzt eine traurige Erfahrung hinter sich hatte, so wurde er nun klüger als
zuvor. Er mäßigte sich in seinen Gelüsten und fraß nicht
mehr als ihm zuträglich war, indem er zugleich wieder vernünftigen und tiefsinnigen Betrachtungen nachging und die
Dinge wieder durchschaute. So holte er eines Tages einen
hübschen Krammetsvogel von den Ästen herunter, und als er
denselben nachdenklich zerlegte, fand er dessen kleinen Magen ganz kugelrund angefüllt mit frischer unversehrter Speise. Grüne Kräutchen, artig zusammengerollt, schwarze und
weiße Samenkörner und eine glänzend rote Beere waren da
so niedlich und dicht ineinander gepfropft, als ob ein Mütterchen für ihren Sohn das Ränzchen zur Reise gepackt hätte.
Als Spiegel den Vogel langsam verzehrt und das so vergnüglich gefüllte Mäglein an seine Klaue hing und philosophisch
betrachtete, rührte ihn das Schicksal des armen Vogels, welcher nach so friedlich verbrachtem Geschäft so schnell sein
Leben lassen gemußt, daß er nicht einmal die eingepackten
Sachen verdauen konnte. »Was hat er nun davon gehabt, der
arme Kerl«, sagte Spiegel, »daß er sich so fleißig und eifrig
genährt hat, daß dies kleine Säckchen aussieht wie ein wohl

vollbrachtes Tagewerk? Diese rote Beere ist es, die ihn aus
dem freien Walde in die Schlinge des Vogelstellers gelockt
hat. Aber er dachte doch, seine Sache noch besser zu machen
und sein Leben an solchen Beeren zu fristen, während ich,
der ich soeben den unglücklichen Vogel gegessen, daran mich
nur um einen Schritt näher zum Tode gegessen habe! Kann
man einen elendern und feigern Vertrag abschließen als sein
Leben noch ein Weilchen fristen zu lassen, um es dann um
diesen Preis doch zu verlieren? Wäre nicht ein freiwilliger
und schneller Tod vorzuziehen gewesen für einen entschlos-
senen Kater? Aber ich habe keine Gedanken gehabt, und nun
da ich wieder solche habe, sehe ich nichts vor mir als das
Schicksal dieses Krammetsvogels; wenn ich rund genug bin,
so muß ich von hinnen, aus keinem andern Grunde als weil
ich rund bin. Ein schöner Grund für einen lebenslustigen
und gedankenreichen Katzmann! Ach, könnte ich aus dieser
Schlinge kommen!«

Er vertiefte sich nun in vielfältige Grübeleien, wie das gelingen möchte; aber da die Zeit der Gefahr noch nicht da war, so
wurde es ihm nicht klar und er fand keinen Ausweg; aber als
ein kluger Mann ergab er sich bis dahin der Tugend und der
Selbstbeherrschung, welches immer die beste Vorschule und
Zeitverwendung ist, bis sich etwas entscheiden soll. Er verschmähte das weiche Kissen, welches ihm Pineiß zurechtge-
legt hatte, damit er fleißig darauf schlafen und fett werden
sollte, und zog es vor, wieder auf schmalen Gesimsen und hohen gefährlichen Stellen zu liegen, wenn er ruhen wollte.
Ebenso verschmähte er die gebratenen Vögel und die gespick-
ten Mäuse und fing sich lieber auf den Dächern, da er nun wieder einen rechtmäßigen Jagdgrund hatte, mit List und Gewandtheit einen schlichten lebendigen Sperling oder auf den
Speichern eine flinke Maus, und solche Beute schmeckte ihm
vortrefflicher als das gebratene Wild in Pineißens künstlichem
Gehege, während sie ihn nicht zu fett machte; auch die Bewegung und Tapferkeit sowie der wiedererlangte Gebrauch der
Tugend und Philosophie verhinderten ein zu schnelles Fett-

werden, so daß Spiegel zwar gesund und glänzend aussah, aber zu Pineißens Verwunderung auf einer gewissen Stufe der Beleibtheit stehen blieb, welche lange nicht das erreichte, was der Hexenmeister mit seiner freundlichen Mästung bezweckte; denn dieser stellte sich darunter ein kugelrundes, schwerfälliges Tier vor, welches sich nicht vom Ruhekissen bewegte und aus eitel Schmer bestand. Aber hierin hatte sich seine Hexerei eben geirrt und er wußte bei aller Schlauheit nicht, daß, wenn man einen Esel füttert, derselbe ein Esel bleibt, wenn man aber einen Fuchsen speiset, derselbe nichts anders wird als ein Fuchs; denn jede Kreatur wächst sich nach ihrer Weise aus. Als Herr Pineiß entdeckte, wie Spiegel immer auf demselben Punkte einer wohlgenährten, aber geschmeidigen und rüstigen Schlankheit stehen blieb, ohne eine erkleckliche Fettigkeit anzusetzen, stellte er ihn eines Abends plötzlich zur Rede und sagte barsch: »Was ist das, Spiegel? Warum frissest du die guten Speisen nicht, die ich dir mit so viel Sorgfalt und Kunst präpariere und herstelle? Warum fängst du die gebratenen Vögel nicht auf den Bäumen, warum suchst du die leckeren Mäuschen nicht in den Berghöhlen? Warum fischest du nicht mehr in dem See? Warum pflegst du dich nicht? Warum schläfst du nicht auf dem Kissen? Warum strapazierst du dich und wirst mir nicht fett?« »Ei, Herr Pineiß!« sagte Spiegel, »weil es mir wohler ist auf diese Weise! Soll ich meine kurze Frist nicht auf die Art verbringen, die mir am angenehmsten ist?« »Wie!« rief Pineiß, »du sollst so leben, daß du dick und rund wirst, und nicht dich abjagen! Ich merke aber wohl, wo du hinauswillst! Du denkst mich zu äffen und hinzuhalten, daß ich dich in Ewigkeit in diesem Mittelzustande herumlaufen lasse? Mit nichten soll dir das gelingen! Es ist deine Pflicht, zu essen und zu trinken und dich zu pflegen, auf daß du dick werdest und Schmer bekommst! Auf der Stelle entsage daher dieser hinterlistigen und kontraktwidrigen Mäßigkeit, oder ich werde ein Wörtlein mit dir sprechen!«

Spiegel unterbrach sein behagliches Spinnen, das er angefangen, um seine Fassung zu behaupten, und sagte: »Ich weiß kein Sterbenswörtchen davon, daß in dem Kontrakt steht, ich solle der Mäßigkeit und einem gesunden Lebenswandel entsagen! Wenn der Herr Stadthexenmeister darauf gerechnet hat, daß ich ein fauler Schlemmer sei, so ist das nicht meine Schuld! Ihr tut tausend rechtliche Dinge des Tages, so lasset dieses auch noch hinzukommen und uns beide hübsch in der Ordnung bleiben; denn Ihr wißt ja wohl, daß Euch mein Schmer nur nützlich ist, wenn er auf rechtliche Weise erwachsen!« »Ei du Schwätzer!« rief Pineiß erbost, »willst du mich belehren? Zeig her, wie weit bist du denn eigentlich gediehen, du Müßiggänger? Vielleicht kann man dich doch bald abtun!« Er griff dem Kätzchen an den Bauch; allein dieses fühlte sich dadurch unangenehm gekitzelt und hieb dem Hexenmeister einen scharfen Kratz über die Hand. Diesen betrachtete Pineiß aufmerksam, dann sprach er: »Stehen wir so miteinander, du Bestie? Wohlan, so erkläre ich dich hiemit feierlich, kraft des Vertrages, für fett genug! Ich begnüge mich mit dem Ergebnis und werde mich desselben zu versichern wissen! In fünf Tagen ist der Mond voll, und bis dahin magst du dich noch deines Lebens erfreuen, wie es geschrieben steht, und nicht eine Minute länger!« Damit kehrte er ihm den Rücken und überließ ihn seinen Gedanken.

Diese waren jetzt sehr bedenklich und düster. So war denn die Stunde doch nahe, wo der gute Spiegel seine Haut lassen sollte? Und war mit aller Klugheit gar nichts mehr zu machen? Seufzend stieg er auf das hohe Dach, dessen Firste dunkel in den schönen Herbstabendhimmel emporragten. Da ging der Mond über der Stadt auf und warf seinen Schein auf die schwarzen bemoosten Hohlziegel des alten Daches, ein lieblicher Gesang tönte in Spiegels Ohren und eine schneeweiße Kätzin wandelte glänzend über einen benachbarten First weg. Sogleich vergaß Spiegel die Todesaussichten, in welchen er lebte, und erwiderte mit seinem schönsten Katerliede den Lobgesang der Schönen. Er eilte ihr entgegen und war bald im hitzigen Gefecht mit drei fremden Katern begriffen, die er mutig und wild in die Flucht schlug. Dann machte er der Dame feurig und ergeben den Hof und brachte Tag und Nacht bei ihr zu, ohne an den Pineiß zu denken oder im Hause sich sehen zu lassen. Er sang wie eine Nachtigall die schönen Mondnächte hindurch, jagte hinter der weißen Geliebten her über die Dächer, durch die Gärten, und rollte mehr als einmal im heftigen Minnespiel oder im Kampfe mit den Rivalen über hohe Dächer hinunter und fiel auf die Straße; aber nur um sich aufzuraffen, das Fell zu schütteln und die wilde Jagd seiner Leidenschaften von neuem anzuheben. Stille und laute Stunden, süße Gefühle und zorniger Streit, anmutiges Zwiegespräch, witziger Gedankenaustausch, Ränke und Schwänke der Liebe und Eifersucht, Liebkosungen und Raufereien, die Gewalt des Glückes und die Leiden des Unsterns ließen den verliebten Spiegel nicht zu sich selbst kommen, und als die Scheibe des Mondes voll geworden, war er von allen diesen Aufregungen und Leidenschaften so heruntergekommen, daß er jämmerlicher, magerer und zerzauster aussah als je. Im selben Augenblicke rief ihm Pineiß aus einem Dachtürmchen: »Spiegelchen, Spiegelchen! Wo bist du? Komm doch ein bißchen nach Hause!«

Da schied Spiegel von der weißen Freundin, welche zufrieden und kühl miauend ihrer Wege ging, und wandte sich stolz seinem Henker zu. Dieser stieg in die Küche hinunter, raschelte mit dem Kontrakt und sagte: »Komm Spiegelchen, komm Spiegelchen!« und Spiegel folgte ihm und setzte sich in der Hexenküche trotzig vor den Meister hin in all seiner Magerkeit und Zerzaustheit. Als Herr Pineiß erblickte, wie er so schmählich um seinen Gewinn gebracht war, sprang er wie besessen in die Höhe und schrie wütend: »Was seh ich? Du Schelm, du gewissenloser Spitzbube! Was hast du mir getan?« Außer sich vor Zorn griff er nach einem Besen und wollte Spiegelein schlagen; aber dieser krümmte den schwarzen Rücken, ließ die Haare emporstarren, daß ein fahler Schein darüber knisterte, legte die Ohren zurück, prustete und funkelte den Alten so grimmig an, daß dieser voll Furcht und Entsetzen drei Schritt zurücksprang. Er begann zu fürchten, daß er einen Hexenmeister vor sich habe, welcher ihn foppe und mehr könne als er selbst. Ungewiß und kleinlaut sagte er: »Ist der ehrsame Herr Spiegel vielleicht vom Handwerk? Sollte ein gelehrter Zaubermeister beliebt haben, sich in dero äußere Gestalt zu verkleiden, da er nach Gefallen über sein Leibliches gebieten und genau so beleibt werden kann als es ihm angenehm dünkt, nicht zu wenig und nicht zu viel, oder unversehens so mager wird wie ein Gerippe, um dem Tode zu entschlüpfen?«

Spiegel beruhigte sich wieder und sprach ehrlich: »Nein, ich bin kein Zauberer! Es ist allein die süße Gewalt der Leidenschaft, welche mich so heruntergebracht und zu meinem Vergnügen Euer Fett dahingenommen hat. Wenn wir übrigens jetzt unser Geschäft von neuem beginnen wollen, so will ich tapfer dabei sein und drein beißen! Setzt mir nur eine recht schöne und große Bratwurst vor, denn ich bin ganz erschöpft und hungrig!« Da packte Pineiß den Spiegel wütend am Kragen, sperrte ihn in den Gänsestall, der immer leer war, und schrie: »Da sieh zu, ob dir deine süße Gewalt der Leidenschaft noch einmal heraushilft und ob sie stärker ist als die Gewalt der Hexerei und meines rechtlichen Vertrages! Jetzt heißt's: Vogel friß und stirb!« Sogleich briet er eine lange Wurst, die so lecker duftete, daß er sich nicht enthalten konnte, selbst ein bißchen an beiden Zipfeln zu schlecken, ehe er sie durch das Gitter steckte. Spiegel fraß sie von vorn bis hinten auf, und indem er sich behaglich den Schnurrbart putzte und den Pelz leckte, sagte er zu sich selber: »Meiner Seel! es ist doch eine schöne Sache um die Liebe! Die hat mich für diesmal wieder aus der Schlinge gezogen. Jetzt will ich mich ein wenig ausruhen und trachten, daß ich durch Beschaulichkeit und gute Nahrung wieder zu vernünftigen Gedanken komme! Alles hat seine Zeit! Heute ein bißchen Leidenschaft, morgen ein wenig Besonnenheit und Ruhe, jedes in seiner Weise gut. Dies Gefängnis ist gar nicht so übel und es läßt sich gewiß etwas Ersprießliches darin ausdenken!« Pineiß aber nahm sich nun zusammen und bereitete alle Tage mit aller seiner Kunst solche Leckerbissen und in solch reizender Abwechslung und Zu-

träglichkeit, daß der gefangene Spiegel denselben nicht widerstehen konnte; denn Pineißens Vorrat an freiwilligem und
rechtmäßigem Katzenschmer nahm alle Tage mehr ab und
drohte nächstens ganz auszugehen, und dann war der Hexer
ohne dies Hauptmittel ein geschlagener Mann. Aber der gute
Hexenmeister nährte mit dem Leibe Spiegels dessen Geist immer wieder mit, und es war durchaus nicht von dieser unbequemen Zutat loszukommen, weshalb auch seine Hexerei sich
hier als lückenhaft erwies.

Als Spiegel in seinem Käfig ihm endlich fett genug dünkte,
säumte er nicht länger, sondern stellte vor den Augen des aufmerksamen Katers alle Geschirre zurecht und machte ein helles Feuer auf dem Herd, um den lang ersehnten Gewinn aus-
zukochen. Dann wetzte er ein großes Messer, öffnete den Kerker, zog Spiegelchen hervor, nachdem er die Küchentüre wohl
verschlossen, und sagte wohlgemut: »Komm, du Sapperlöter!
wir wollen dir den Kopf abschneiden vorderhand und dann
das Fell abziehen! Dieses wird eine warme Mütze für mich geben, woran ich Einfältiger noch gar nicht gedacht habe! Oder
soll ich dir erst das Fell abziehen und dann den Kopf abschneiden?« »Nein, wenn es Euch gefällig ist«, sagte Spiegel
demütig, »lieber zuerst den Kopf abschneiden!« »Hast recht,
du armer Kerl!« sagte Herr Pineiß, »wir wollen dich nicht
unnütz quälen! Alles was recht ist!« »Dies ist ein wahres
Wort!« sagte Spiegel mit einem erbärmlichen Seufzer und legte
das Haupt ergebungsvoll auf die Seite, »o hätt ich doch jederzeit getan, was recht ist, und nicht eine so wichtige Sache
leichtsinnig unterlassen, so könnte ich jetzt mit besserm Gewissen sterben, denn ich sterbe gern; aber ein Unrecht erschwert mir den sonst so willkommenen Tod; denn was bietet
mir das Leben? Nichts als Furcht, Sorge und Armut und zur
Abwechslung einen Sturm verzehrender Leidenschaft, die
noch schlimmer ist als die stille zitternde Furcht!« »Ei, welches Unrecht, welche wichtige Sache?« fragte Pineiß neugierig. »Ach, was hilft das Reden jetzt noch«, seufzte Spiegel,
»geschehen ist geschehen und jetzt ist Reue zu spät!« »Siehst

du, Sappermenter, was für ein Sünder du bist?« sagte Pineiß,
»und wie wohl du deinen Tod verdienst? Aber was Tausend
hast du denn angestellt? Hast du mir vielleicht etwas entwendet, entfremdet, verdorben? Hast du mir ein himmelschreien-
des Unrecht getan, von dem ich noch gar nichts weiß, ahne,
vermute, du Satan? Das sind mir schöne Geschichten! Gut,
daß ich noch dahinter komme! Auf der Stelle beichte mir, oder
ich schinde und siede dich lebendig aus! Wirst du sprechen
oder nicht?« »Ach nein!« sagte Spiegel, »wegen Euch habe ich
mir nichts vorzuwerfen. Es betrifft die zehntausend Goldgülden meiner seligen Gebieterin – aber was hilft Reden! – Zwar
– wenn ich bedenke und Euch ansehe, so möchte es vielleicht
doch nicht ganz zu spät sein – wenn ich Euch betrachte, so
sehe ich, daß Ihr ein noch ganz schöner und rüstiger Mann
seid, in den besten Jahren – sagt doch, Herr Pineiß! habt Ihr
noch nie etwa den Wunsch verspürt, Euch zu verehelichen,
ehrbar und vorteilhaft? Aber was schwatze ich! Wie wird ein
so kluger und kunstreicher Mann auf dergleichen müßige Gedanken kommen! Wie wird ein so nützlich beschäftigter Meister an törichte Weiber denken! Zwar allerdings hat auch die
Schlimmste noch irgend was an sich, was etwa nützlich für einen Mann ist, das ist nicht abzuleugnen! Und wenn sie nur
halbwegs was taugt, so ist eine gute Hausfrau etwa weiß am
Leibe, sorgfältig im Sinne, zutulich von Sitten, treu von Herzen, sparsam im Verwalten, aber verschwenderisch in der
Pflege ihres Mannes, kurzweilig in Worten und angenehm in
ihren Taten, einschmeichelnd in ihren Handlungen! Sie küßt
den Mann mit ihrem Munde und streichelt ihm den Bart, sie
umschließt ihn mit ihren Armen und kraut ihm hinter den
Ohren, wie er es wünscht, kurz, sie tut tausend Dinge, die
nicht zu verwerfen sind. Sie hält sich ihm ganz nah zu oder in
bescheidener Entfernung, je nach seiner Stimmung, und wenn
er seinen Geschäften nachgeht, so stört sie ihn nicht, sondern
verbreitet unterdessen sein Lob in und außer dem Hause; denn
sie läßt nichts an ihn kommen und rühmt alles, was an ihm ist!
Aber das Anmutigste ist die wunderbare Beschaffenheit ihres

zarten leiblichen Daseins, welches die Natur so verschieden
gemacht hat von unserm Wesen bei anscheinender Men-
schenähnlichkeit, daß es ein fortwährendes Meerwunder in einer glückhaften Ehe bewirkt und eigentlich die allerdurchtrie-
benste Hexerei in sich birgt! Doch was schwatze ich da wie ein
Tor an der Schwelle des Todes! Wie wird ein weiser Mann auf
dergleichen Eitelkeiten sein Augenmerk richten! Verzeiht,
Herr Pineiß, und schneidet mir den Kopf ab!«

Pineiß aber rief heftig: »So halt doch endlich inne, du
Schwätzer! und sage mir: Wo ist eine solche und hat sie zehntausend Goldgülden?«

»Zehntausend Goldgülden?« sagte Spiegel.

»Nun ja«, rief Pineiß ungeduldig, »sprachest du nicht eben
erst davon?«

»Nein«, antwortete jener, »das ist eine andere Sache! Die liegen vergraben an einem Orte!«

»Und was tun sie da, wem gehören sie?« schrie Pineiß.

»Niemand gehören sie, das ist eben meine Gewissensbürde,
denn ich hätte sie unterbringen sollen! Eigentlich gehören sie
jenem, der eine solche Person heiratet, wie ich eben beschrieben habe. Aber wie soll man drei solche Dinge zusammen-
bringen in dieser gottlosen Stadt: zehntausend Goldgülden,
eine weiße, feine und gute Hausfrau und einen weisen rechtschaffenen Mann? Daher ist eigentlich meine Sünde nicht all-
zugroß, denn der Auftrag war zu schwer für eine arme Katze!«

»Wenn du jetzt«, rief Pineiß, »nicht bei der Sache bleibst
und sie verständlich der Ordnung nach dartust, so schneide
ich dir vorläufig den Schwanz und beide Ohren ab! Jetzt fang
an!«

»Da Ihr es befehlt, so muß ich die Sache wohl erzählen«,
sagte Spiegel und setzte sich gelassen auf seine Hinterfüße,
»obgleich dieser Aufschub meine Leiden nur vergrößert!«
Pineiß steckte das scharfe Messer zwischen sich und Spiegel in
die Diele und setzte sich neugierig auf ein Fäßchen, um zuzuhören, und Spiegel fuhr fort:

»Ihr wisset doch, Herr Pineiß, daß die brave Person, meine

selige Meisterin, unverheiratet gestorben ist als eine alte Jungfer, die in aller Stille viel Gutes getan und niemanden zuwider
gelebt hat. Aber nicht immer war es um sie her so still und ruhig zugegangen, und obgleich sie niemals von bösem Gemüt
gewesen, so hatte sie doch einst viel Leid und Schaden angerichtet; denn in ihrer Jugend war sie das schönste Fräulein weit
und breit, und was von jungen Herren und kecken Gesellen in
der Gegend war oder des Weges kam, verliebte sich in sie und
wollte sie durchaus heiraten. Nun hatte sie wohl große Lust zu
heiraten und einen hübschen, ehrenfesten und klugen Mann
zu nehmen, und sie hatte die Auswahl, da sich Einheimische
und Fremde um sie stritten und einander mehr als einmal die
Degen in den Leib rannten, um den Vorrang zu gewinnen. Es
bewarben sich um sie und versammelten sich kühne und ver-
zagte, listige und treuherzige, reiche und arme Freier, solche
mit einem guten und anständigen Geschäft und solche, welche
als Kavaliere zierlich von ihren Renten lebten; dieser mit diesen, jener mit jenen Vorzügen, beredt oder schweigsam, der
eine munter und liebenswürdig, und ein anderer schien es
mehr in sich zu haben, wenn er auch etwas einfältig aussah;
kurz, das Fräulein hatte eine so vollkommene Auswahl, wie es
ein mannbares Frauenzimmer sich nur wünschen kann. Allein
sie besaß außer ihrer Schönheit ein schönes Vermögen von vielen tausend Goldgülden und diese waren die Ursache, daß sie
nie dazu kam, eine Wahl treffen und einen Mann nehmen zu
können, denn sie verwaltete ihr Gut mit trefflicher Umsicht
und Klugheit und legte einen großen Wert auf dasselbe, und da
nun der Mensch immer von seinen eigenen Neigungen aus andere beurteilt, so geschah es, daß sie, sobald sich ihr ein ach-
tungswerter Freier genähert und ihr halbwegs gefiel, alsobald
sich einbildete, derselbe begehre sie nur um ihres Gutes willen.
War einer reich, so glaubte sie, er würde sie doch nicht begehren, wenn sie nicht auch reich wäre, und von den Unbemittel-
ten nahm sie vollends als gewiß an, daß sie nur ihre Goldgülden im Auge hätten und sich daran gedächten gütlich zu tun,
und das arme Fräulein, welches doch selbst so große Dinge auf

den irdischen Besitz hielt, war nicht imstande, diese Liebe zu
Geld und Gut an ihren Freiern von der Liebe zu ihr selbst zu
unterscheiden oder, wenn sie wirklich etwa vorhanden war,
dieselbe nachzusehen und zu verzeihen. Mehrere Male war sie
schon so gut wie verlobt und ihr Herz klopfte endlich stärker;
aber plötzlich glaubte sie aus irgend einem Zuge zu entnehmen, daß sie verraten sei und man einzig an ihr Vermögen
denke, und sie brach unverweilt die Geschichte entzwei und
zog sich voll Schmerzen, aber unerbittlich zurück. Sie prüfte
alle, welche ihr nicht mißfielen, auf hundert Arten, so daß eine
große Gewandtheit dazu gehörte, nicht in die Falle zu gehen,
und zuletzt keiner mehr sich mit einiger Hoffnung nähern
konnte als wer ein durchaus geriebener und verstellter Mensch
war, so daß schon aus diesen Gründen endlich die Wahl wirklich schwer wurde, weil solche Menschen dann zuletzt doch
eine unheimliche Unruhe erwecken und die peinlichste Ungewißheit bei einer Schönen zurücklassen, je geriebener und geschickter sie sind. Das Hauptmittel, ihre Anbeter zu prüfen,
war, daß sie ihre Uneigennützigkeit auf die Probe stellte und
sie alle Tage zu großen Ausgaben, zu reichen Geschenken und
zu wohltätigen Handlungen veranlaßte. Aber sie mochten es
machen, wie sie wollten, so trafen sie doch nie das Rechte;
denn zeigten sie sich freigebig und aufopfernd, gaben sie glänzende Feste, brachten sie ihr Geschenke dar oder anvertrauten
ihr beträchtliche Gelder für die Armen, so sagte sie plötzlich,
dies alles geschehe nur, um mit einem Würmchen den Lachs zu
fangen oder mit der Wurst nach der Speckseite zu werfen, wie
man zu sagen pflegt. Und sie vergabte die Geschenke sowohl
wie das anvertraute Geld an Klöster und milde Stiftungen und
speisete die Armen; aber die betrogenen Freier wies sie un-
barmherzig ab. Bezeigten sich dieselben aber zurückhaltend
oder gar knauserig, so war der Stab sogleich über sie gebrochen, da sie das noch viel übler nahm und daran eine schnöde
und nackte Rücksichtslosigkeit und Eigenliebe zu erkennen
glaubte. So kam es, daß sie, welche ein reines und nur ihrer
Person hingegebenes Herz suchte, zuletzt von lauter verstell-

ten, listigen und eigensüchtigen Freiersleuten umgeben war, aus denen sie nie klug wurde und die ihr das Leben verbitterten. Eines Tages fühlte sie sich so mißmutig und trostlos, daß sie ihren ganzen Hof aus dem Hause wies, dasselbe zuschloß und nach Mailand verreiste, wo sie eine Base hatte. Als sie über den Sankt Gotthard ritt auf einem Eselein, war ihre Gesinnung so schwarz und schaurig wie das wilde Gestein, das sich aus den Abgründen emportürmte, und sie fühlte die heftigste Versuchung, sich von der Teufelsbrücke in die tobenden Gewässer der Reuß hinabzustürzen. Nur mit der größten Mühe gelang es den zwei Mägden, die sie bei sich hatte und die ich selbst noch gekannt habe, welche aber nun schon lange tot sind, und dem Führer, sie zu beruhigen und von der finstern Anwandlung abzubringen. Doch langte sie bleich und traurig in dem schönen Land Italien an, und so blau dort der Himmel war, wollten sich ihre dunklen Gedanken doch nicht aufhellen. Aber als sie einige Tage bei ihrer Base verweilt, sollte unverhofft eine andere Melodie ertönen und ein Frühlingsanfang in ihr aufgehen, von dem sie bis dato noch nicht viel gewußt. Denn es kam ein junger Landsmann in das Haus der Base, der ihr gleich beim ersten Anblick so wohl gefiel, daß man wohl sagen kann, sie verliebte sich jetzt von selbst und zum ersten Mal. Es war ein schöner Jüngling, von guter Erziehung und edlem Benehmen, nicht arm und nicht reich zur Zeit, denn er hatte nichts als zehntausend Goldgülden, welche er von seinen verstorbenen Eltern ererbt und womit er, da er die Kaufmannschaft erlernt hatte, in Mailand einen Handel mit Seide begründen wollte; denn er war unternehmend und klar von Gedanken und hatte eine glückliche Hand, wie es unbefangene und unschuldige Leute oft haben; denn auch dies war der junge Mann; er schien, so wohlgelehrt er war, doch so arglos und unschuldig wie ein Kind. Und obgleich er ein Kaufmann war und ein so unbefangenes Gemüt, was schon zusammen eine köstliche Seltenheit ist, so war er doch fest und ritterlich in seiner Haltung und trug sein Schwert so keck zur Seite, wie nur ein geübter Kriegsmann es tragen kann. Dies alles sowie

seine frische Schönheit und Jugend bezwangen das Herz des
Fräuleins dermaßen, daß sie kaum an sich halten konnte und
ihm mit großer Freundlichkeit begegnete. Sie wurde wieder
heiter, und wenn sie dazwischen auch traurig war, so geschah
dies in dem Wechsel der Liebesfurcht und Hoffnung, welche
immerhin ein edleres und angenehmeres Gefühl war als jene
peinliche Verlegenheit in der Wahl, welche sie früher unter den
vielen Freiern empfunden. Jetzt kannte sie nur eine Mühe und
Besorgnis, diejenige nämlich, dem schönen und guten Jüngling zu gefallen, und je schöner sie selbst war, desto demütiger
und unsicherer war sie jetzt, da sie zum ersten Male eine wahre
Neigung gefaßt hatte. Aber auch der junge Kaufmann hatte
noch nie eine solche Schönheit gesehen oder war wenigstens
noch keiner so nahe gewesen und von ihr so freundlich und artig behandelt worden. Da sie nun, wie gesagt, nicht nur schön,
sondern auch gut von Herzen und fein von Sitten war, so ist es
nicht zu verwundern, daß der offene und frische Jüngling, dessen Herz noch ganz frei und unerfahren war, sich ebenfalls in
sie verliebte und das mit aller Kraft und Rückhaltlosigkeit, die
in seiner ganzen Natur lag. Aber vielleicht hätte das nie jemand erfahren, wenn er in seiner Einfalt nicht aufgemuntert
worden wäre durch des Fräuleins Zutulichkeit, welche er mit
heimlichem Zittern und Zagen für eine Erwiderung seiner
Liebe zu halten wagte, da er selber keine Verstellung kannte.
Doch bezwang er sich einige Wochen und glaubte die Sache zu
verheimlichen; aber jeder sah ihm von weitem an, daß er zum
Sterben verliebt war, und wenn er irgend in die Nähe des Fräuleins geriet oder sie nur genannt wurde, so sah man auch
gleich, in wen er verliebt war. Er war aber nicht lange verliebt,
sondern begann wirklich zu lieben mit aller Heftigkeit seiner
Jugend, so daß ihm das Fräulein das Höchste und Beste auf der
Welt wurde, an welches er ein für allemal das Heil und den
ganzen Wert seiner eigenen Person setzte. Dies gefiel ihr über
die Maßen wohl; denn es war in allem, was er sagte oder tat,
eine andere Art als sie bislang erfahren, und dies bestärkte und
rührte sie so tief, daß sie nun gleichermaßen der stärksten

Liebe anheimfiel und nun nicht mehr von einer Wahl für sie
die Rede war. Jedermann sah diese Geschichte spielen und es
wurde offen darüber gesprochen und vielfach gescherzt. Dem
Fräulein war es höchlich wohl dabei, und indem ihr das Herz
vor banger Erwartung zerspringen wollte, half sie den Roman
von ihrer Seite doch ein wenig verwickeln und ausspinnen, um
ihn recht auszukosten und zu genießen. Denn der junge Mann
beging in seiner Verwirrung so köstliche und kindliche Dinge,
dergleichen sie niemals erfahren und für sie einmal schmei-
chelhafter und angenehmer waren als das andere. Er aber in
seiner Gradheit und Ehrlichkeit konnte es nicht lange so aushalten; da jeder darauf anspielte und sich einen Scherz erlaubte, so schien es ihm eine Komödie zu werden, als deren
Gegenstand ihm seine Geliebte viel zu gut und heilig war, und
was ihr ausnehmend behagte, das machte ihn bekümmert, ungewiß und verlegen um sie selber. Auch glaubte er sie zu beleidigen und zu hintergehen, wenn er da lange eine so heftige
Leidenschaft zu ihr herumtrüge und unaufhörlich an sie
denke, ohne daß sie eine Ahnung davon habe, was doch gar
nicht schicklich sei und ihm selber nicht recht! Daher sah man
ihm eines Morgens von weitem an, daß er etwas vorhatte, und
er bekannte ihr seine Liebe in einigen Worten, um es Ein Mal
und nie zum zweiten Mal zu sagen, wenn er nicht glücklich
sein sollte. Denn er war nicht gewohnt zu denken, daß ein solches schönes und wohlbeschaffenes Fräulein etwa nicht ihre
wahre Meinung sagen und nicht auch gleich zum ersten Mal
ihr unwiderrufliches Ja oder Nein erwidern sollte. Er war
ebenso zart gesinnt als heftig verliebt, ebenso spröde als kindlich und ebenso stolz als unbefangen, und bei ihm galt es gleich
auf Tod und Leben, auf Ja oder Nein, Schlag um Schlag. In
demselben Augenblicke aber, in welchem das Fräulein sein
Geständnis anhörte, das sie so sehnlich erwartet, überfiel sie
ihr altes Mißtrauen und es fiel ihr zur unglücklichen Stunde
ein, daß ihr Liebhaber ein Kaufmann sei, welcher am Ende nur
ihr Vermögen zu erlangen wünsche, um seine Unternehmungen zu erweitern. Wenn er daneben auch ein wenig in ihre Per-

son verliebt sein sollte, so wäre ja das bei ihrer Schönheit kein
sonderliches Verdienst und nur um so empörender, wenn sie
eine bloße wünschbare Zugabe zu ihrem Golde vorstellen
sollte. Anstatt ihm daher ihre Gegenliebe zu gestehen und ihn
wohl aufzunehmen, wie sie am liebsten getan hätte, ersann sie
auf der Stelle eine neue List, um seine Hingebung zu prüfen,
und nahm eine ernste, fast traurige Miene an, indem sie ihm
vertraute, wie sie bereits mit einem jungen Mann verlobt sei in
ihrer Heimat, welchen sie auf das allerherzlichste liebe. Sie
habe ihm das schon mehrmals mitteilen wollen, da sie ihn, den
Kaufmann nämlich, als Freund sehr lieb habe, wie er wohl
habe sehen können aus ihrem Benehmen, und sie vertraue ihm
wie einem Bruder. Aber die ungeschickten Scherze, welche in
der Gesellschaft aufgekommen seien, hätten ihr eine vertrauliche Unterhaltung erschwert; da er nun aber selbst sie mit seinem braven und edlen Herzen überrascht und dasselbe vor ihr
aufgetan, so könne sie ihm für seine Neigung nicht besser danken als indem sie ihm ebenso offen sich anvertraue. Ja, fuhr sie
fort, nur demjenigen könne sie angehören, welchen sie einmal
erwählt habe, und nie würde es ihr möglich sein, ihr Herz einem andern Mannesbilde zuzuwenden, dies stehe mit goldenem Feuer in ihrer Seele geschrieben und der liebe Mann wisse
selbst nicht, wie lieb er ihr sei, so wohl er sie auch kenne! Aber
ein trüber Unstern hätte sie betroffen: ihr Bräutigam sei ein
Kaufmann, aber so arm wie eine Maus; darum hätten sie den
Plan gefaßt, daß er aus den Mitteln der Braut einen Handel begründen solle; der Anfang sei gemacht und alles auf das beste
eingeleitet, die Hochzeit sollte in diesen Tagen gefeiert werden, da wollte ein unverhofftes Mißgeschick, daß ihr ganzes
Vermögen plötzlich ihr angetastet und abgestritten wurde und
vielleicht für immer verloren gehe, während der arme Bräutigam in nächster Zeit seine ersten Zahlungen zu leisten habe an
die Mailänder und venezianischen Kaufleute, worauf sein
ganzer Kredit, sein Gedeihen und seine Ehre beruhe, nicht zu
sprechen von ihrer Vereinigung und glücklichen Hochzeit! Sie
sei in der Eile nach Mailand gekommen, wo sie begüterte Ver-

wandte habe, um da Mittel und Auswege zu finden; aber zu einer schlimmen Stunde sei sie gekommen; denn nichts wolle sich fügen und schicken, während der Tag immer näher rücke, und wenn sie ihrem Geliebten nicht helfen könne, so müsse sie sterben vor Traurigkeit. Denn es sei der liebste und beste Mensch, den man sich denken könne, und würde sicherlich ein großer Kaufherr werden, wenn ihm geholfen würde, und sie kenne kein anderes Glück mehr auf Erden als dann dessen Gemahlin zu sein! Als sie diese Erzählung beendet, hatte sich der arme schöne Jüngling schon lange entfärbt und war bleich wie ein weißes Tuch. Aber er ließ keinen Laut der Klage vernehmen und sprach nicht ein Sterbenswörtchen mehr von sich selbst und von seiner Liebe, sondern fragte bloß traurig, auf wieviel sich denn die eingegangenen Verpflichtungen des glücklich unglücklichen Bräutigams beliefen? ›Auf zehntausend Goldgülden!‹ antwortete sie noch viel trauriger. Der junge traurige Kaufherr stand auf, ermahnte das Fräulein, guten Mutes zu sein, da sich gewiß ein Ausweg zeigen werde, und entfernte sich von ihr, ohne daß er sie anzusehen wagte; so sehr fühlte er sich betroffen und beschämt, daß er sein Auge auf eine Dame geworfen, die so treu und leidenschaftlich einen andern liebte. Denn der Arme glaubte jedes Wort von ihrer Erzählung wie ein Evangelium. Dann begab er sich ohne Säumnis zu seinen Handelsfreunden und brachte sie durch Bitten und Einbüßung einer gewissen Summe dahin, seine Bestellungen und Einkäufe wieder rückgängig zu machen, welche er selbst in diesen Tagen auch grad mit seinen zehntausend Goldgülden bezahlen sollte und worauf er seine ganze Laufbahn bauete, und ehe sechs Stunden verflossen waren, erschien er wieder bei dem Fräulein mit seinem ganzen Besitztum und bat sie um Gottes willen, diese Aushilfe von ihm annehmen zu wollen. Ihre Augen funkelten vor freudiger Überraschung und ihre Brust pochte wie ein Hammerwerk; sie fragte ihn, wo er denn dies Kapital hergenommen, und er erwiderte, er habe es auf seinen guten Namen geliehen und würde es, da seine Geschäfte sich glücklich wendeten, ohne Unbequemlichkeit

zurückerstatten können. Sie sah ihm deutlich an, daß er log
und daß es sein einziges Vermögen und ganze Hoffnung war,
welche er ihrem Glücke opferte; doch stellte sie sich, als
glaubte sie seinen Worten. Sie ließ ihren freudigen Empfindungen freien Lauf und tat grausamerweise, als ob diese dem
Glücke gälten, nun doch ihren Erwählten retten und heiraten
zu dürfen, und sie konnte nicht Worte finden, ihre Dankbarkeit auszudrücken. Doch plötzlich besann sie sich und erklärte, nur unter Einer Bedingung die großmütige Tat annehmen zu können, da sonst alles Zureden unnütz wäre. Befragt,
worin diese Bedingung bestehe, verlangte sie das heilige Versprechen, daß er an einem bestimmten Tage sich bei ihr einfinden wolle, um ihrer Hochzeit beizuwohnen und der beste
Freund und Gönner ihres zukünftigen Ehegemahls zu werden
sowie der treuste Freund, Schützer und Berater ihrer selbst.
Errötend bat er sie, von diesem Begehren abzustehen; aber
umsonst wandte er alle Gründe an, um sie davon abzubringen,
umsonst stellte er ihr vor, daß seine Angelegenheiten jetzt
nicht erlaubten, nach der Schweiz zurückzureisen, und daß er
von einem solchen Abstecher einen erheblichen Schaden erleiden würde. Sie beharrte entschieden auf ihrem Verlangen und
schob ihm sogar sein Gold wieder zu, da er sich nicht dazu
verstehen wollte. Endlich versprach er es, aber er mußte ihr die
Hand darauf geben und es ihr bei seiner Ehre und Seligkeit beschwören. Sie bezeichnete ihm genau den Tag und die Stunde,
wann er eintreffen solle, und alles dies mußte er bei seinem
Christenglauben und bei seiner Seligkeit beschwören. Erst
dann nahm sie sein Opfer an und ließ den Schatz vergnügt in
ihre Schlafkammer tragen, wo sie ihn eigenhändig in ihrer Rei-
setruhe verschloß und den Schlüssel in den Busen steckte.
Nun hielt sie sich nicht länger in Mailand auf, sondern reiste
ebenso fröhlich über den Sankt Gotthard zurück als schwermütig sie hergekommen war. Auf der Teufelsbrücke, wo sie
hatte hinabspringen wollen, lachte sie wie eine Unkluge und
warf mit hellem Jauchzen ihrer wohlklingenden Stimme einen
Granatblütenstrauß in die Reuß, welchen sie vor der Brust

trug, kurz ihre Lust war nicht zu bändigen, und es war die fröhlichste Reise, die je getan wurde. Heimgekehrt, öffnete und lüftete sie ihr Haus von oben bis unten und schmückte es, als ob sie einen Prinzen erwartete. Aber zu Häupten ihres Bettes legte sie den Sack mit den zehntausend Goldgülden und legte des Nachts den Kopf so glückselig auf den harten Klumpen und schlief darauf, wie wenn es das weichste Flaumkissen gewesen wäre. Kaum konnte sie den verabredeten Tag erwarten, wo sie ihn sicher kommen sah, da sie wußte, daß er nicht das einfachste Versprechen, geschweige denn einen Schwur brechen würde, und wenn es ihm um das Leben ginge. Aber der Tag brach an und der Geliebte erschien nicht und es vergingen viele Tage und Wochen, ohne daß er von sich hören ließ. Da fing sie an, an allen Gliedern zu zittern, und verfiel in die größte Angst und Bangigkeit; sie schickte Briefe über Briefe nach Mailand, aber niemand wußte ihr zu sagen, wo er geblieben sei. Endlich aber stellte es sich durch einen Zufall heraus, daß der junge Kaufherr aus einem blutroten Stück Seidendamast, welches er von seinem Handelsanfang her im Haus liegen und bereits bezahlt hatte, sich ein Kriegskleid hatte anfertigen lassen und unter die Schweizer gegangen war, welche damals eben im Solde des Königs Franz von Frankreich den Mailändischen Krieg mitstritten. Nach der Schlacht bei Pavia, in welcher so viele Schweizer das Leben verloren, wurde er auf einem Haufen erschlagener Spaniolen liegend gefunden, von vielen tödlichen Wunden zerrissen und sein rotes Seidengewand von unten bis oben zerschlitzt und zerfetzt. Eh er den Geist aufgab, sagte er einem neben ihm liegenden Seldwyler, der minder übel zugerichtet war, folgende Botschaft ins Gedächtnis und bat ihn, dieselbe auszurichten, wenn er mit dem Leben davonkäme: ›Liebstes Fräulein! Obgleich ich Euch bei meiner Ehre, bei meinem Christenglauben und bei meiner Seligkeit geschworen habe, auf Eurer Hochzeit zu erscheinen, so ist es mir dennoch nicht möglich gewesen, Euch nochmals zu sehen und einen andern des höchsten Glückes teilhaftig zu erblicken, das es für mich geben könnte. Dieses habe ich erst in Eurer Abwesenheit verspürt und habe vorher nicht gewußt, welch eine strenge und unheimliche Sache es ist um solche Liebe, wie ich zu Euch habe, sonst würde ich mich zweifelsohne besser davor gehütet haben. Da es aber einmal so ist, so wollte ich lieber meiner weltlichen Ehre und meiner geistlichen Seligkeit verloren und in die ewige Verdammnis eingehen als ein Meineidiger denn noch einmal in Eurer Nähe erscheinen mit einem Feuer in der Brust, welches stärker und unauslöschlicher ist als das Höllenfeuer und mich dieses kaum wird verspüren lassen. Betet nicht etwa für mich, schönstes Fräulein, denn ich kann und werde nie selig werden ohne Euch, sei es hier oder dort, und somit lebt glücklich und seid gegrüßt!‹ So hatte in dieser Schlacht, nach welcher König Franziskus sagte: ›Alles verloren, außer der Ehre!‹ der unglückliche Liebhaber alles verloren, die Hoffnung, die Ehre, das Leben und die ewige Seligkeit, nur die Liebe nicht, die ihn verzehrte. Der Seldwyler kam glücklich davon, und sobald er sich in etwas erholt und außer Gefahr sah, schrieb er die Worte des Umgekommenen getreu auf seine Schreibtafel, um sie nicht zu vergessen, reiste nach Hause, meldete sich bei dem unglücklichen Fräulein und las ihr die Botschaft so steif und kriegerisch vor, wie er zu tun gewohnt war, wenn er sonst die Mannschaft seines Fähnleins verlas; denn es war ein Feldleutnant. Das Fräulein aber zerraufte sich die Haare, zerriß ihre Kleider und begann so laut zu schreien und zu weinen, daß man es die Straße auf und nieder hörte und die Leute zusammenliefen. Sie schleppte wie wahnsinnig die zehntausend Goldgülden herbei, zerstreute sie auf dem Boden, warf sich der Länge nach darauf hin und küßte die glänzenden Goldstücke. Ganz von Sinnen, suchte sie den umherrollenden Schatz zusammenzuraffen und zu umarmen, als ob der verlorene Geliebte darin zugegen wäre. Sie lag Tag und Nacht auf dem Golde und wollte weder Speise noch Trank zu sich nehmen; unaufhörlich liebkoste und küßte sie das kalte Metall, bis sie mitten in einer Nacht plötzlich aufstand, den Schatz emsig hin und her eilend nach dem Garten trug und dort unter bitteren Tränen in den tiefen Brunnen warf und einen Fluch darüber aussprach, daß er niemals jemand anderm angehören solle.«

Als Spiegel so weit erzählt hatte, sagte Pineiß: »Und liegt das schöne Geld noch in dem Brunnen?« »Ja, wo sollte es sonst liegen?« antwortete Spiegel, »denn nur ich kann es herausbringen und habe es bis zur Stunde noch nicht getan!« »Ei ja so, richtig!« sagte Pineiß, »ich habe es ganz vergessen über deiner Geschichte! Du kannst nicht übel erzählen, du Sapperlöter! und es ist mir ganz gelüstig worden nach einem Weibchen, die so für mich eingenommen wäre; aber sehr schön müßte sie sein! Doch erzähle jetzt schnell noch, wie die Sache eigentlich zusammenhängt!« »Es dauerte manche Jahre«, sagte Spiegel, »bis das Fräulein aus bittern Seelenleiden so weit zu sich kam, daß sie anfangen konnte, die stille alte Jungfer zu werden, als welche ich sie kennen lernte. Ich darf mich berühmen, daß ich ihr einziger Trost und ihr vertrautester Freund geworden bin in ihrem einsamen Leben bis an ihr stilles Ende. Als sie aber dieses herannahen sah, vergegenwärtigte sie sich noch einmal die Zeit ihrer fernen Jugend und Schönheit und erlitt noch einmal mit milderen ergebenen Gedanken erst die süßen Erregungen und dann die bittern Leiden jener Zeit und sie weinte still sieben Tage und Nächte hindurch über die Liebe des Jünglings, deren Genuß sie durch ihr Mißtrauen verloren hatte, so daß ihre alten Augen noch kurz vor dem Tode erblindeten. Dann bereute sie den Fluch, welchen sie über jenen Schatz ausgesprochen, und sagte zu mir, indem sie mich mit dieser wichtigen Sache beauftragte: ›Ich bestimme nun anders, lieber Spiegel! und gebe dir die Vollmacht, daß du meine Verordnung vollziehest. Sieh dich um und suche, bis du eine bildschöne, aber unbemittelte Frauensperson findest, welcher es ihrer Armut wegen an Freiern gebricht! Wenn sich dann ein verständiger, rechtlicher und hübscher Mann finden sollte, der sein gutes Auskommen hat und die Jungfrau ungeachtet ihrer Armut, nur allein von ihrer Schönheit bewegt, zur Frau begehrt, so soll dieser Mann mit den stärksten Eiden sich verpflichten, derselben so treu, aufopfernd und unabänderlich ergeben zu sein, wie es mein unglücklicher Liebster gewesen ist, und dieser Frau sein Leben lang in allen Dingen zu willfahren. Dann gib der Braut die zehntausend Goldgülden, welche im Brunnen liegen, zur Mitgift, daß sie ihren Bräutigam am Hochzeitmorgen damit überrasche!‹ So sprach die Selige und ich habe meiner widrigen Geschicke wegen versäumt, dieser Sache nachzugehen, und muß nun befürchten, daß die Arme deswegen im Grabe noch beunruhigt sei, was für mich eben auch nicht die angenehmsten Folgen haben kann!«

Pineiß sah den Spiegel mißtrauisch an und sagte: »Wärst du wohl imstande, Bürschchen! mir den Schatz ein wenig nachzuweisen und augenscheinlich zu machen?«

»Zu jeder Stunde!« versetzte Spiegel, »aber Ihr müßt wissen, Herr Stadthexenmeister, daß Ihr das Gold nicht etwa so ohne weiteres herausfischen dürftet! Man würde Euch unfehlbar das Genick umdrehen; denn es ist nicht ganz geheuer in dem Brunnen, ich habe darüber bestimmte Inzichten, welche ich aus Rücksichten nicht näher berühren darf!«

»Hei, wer spricht denn von Heraußholen?« sagte Pineiß etwas furchtsam, »führe mich hinauf hin und zeige mir den Schatz! Oder vielmehr will ich dich führen an einem guten Schnürlein, damit du mir nicht entwischest!«

»Wie Ihr wollt!« sagte Spiegel, »aber nehmt auch eine andere lange Schnur mit und eine Blendlaterne, welche Ihr daran in den Brunnen hinablassen könnt; denn der ist sehr tief und dunkel!«

Pineiß befolgte diesen Rat und führte das muntere Kätzchen nach dem Garten jener Verstorbenen. Sie überstiegen miteinander die Mauer und Spiegel zeigte dem Hexer den Weg zu dem alten Brunnen, welcher unter verwildertem Gebüsche verborgen war. Dort ließ Pineiß sein Laternchen hinunter, begierig nachblickend, während er den angebundenen Spiegel nicht von der Hand ließ. Aber richtig sah er in der Tiefe das Gold funkeln unter dem grünlichen Wasser und rief: »Wahrhaftig, ich seh's, es ist wahr! Spiegel, du bist ein Tausendskerl!« Dann guckte er wieder eifrig hinunter und sagte: »Mögen es auch zehntausend sein?« »Ja, das ist nun nicht zu schwören!« sagte Spiegel, »ich bin nie da unten gewesen und hab's nicht gezählt! Ist auch möglich, daß die Dame dazumal einige Stücke auf dem Wege verloren hat, als sie den Schatz hierher trug, da sie in einem sehr aufgeregten Zustande war.« »Nun, seien es auch ein Dutzend oder mehr weniger!« sagte Herr Pineiß, »es soll mir darauf nicht ankommen!« Er setzte sich auf den Rand des Brunnens, Spiegel setzte sich auch nieder und leckte sich das Pfötchen. »Da wäre nun der Schatz!« sagte Pineiß, indem er sich hinter den Ohren kratzte, »und hier wäre auch der Mann dazu; fehlt nur noch das bildschöne Weib!« »Wie?« sagte Spiegel. »Ich meine, es fehlt nur noch diejenige, welche die Zehntausend als Mitgift bekommen soll, um mich damit zu überraschen am Hochzeitmorgen, und welche alle jene angenehmen Tugenden hat, von denen du gesprochen!« »Hm!« versetzte Spiegel, »die Sache verhält sich nicht ganz so, wie Ihr sagt! Der Schatz ist da, wie Ihr richtig einseht; das schöne Weib habe ich, um es aufrichtig zu gestehen, allbereits auch schon ausgespürt; aber mit dem Mann, der sie unter diesen schwierigen Umständen heiraten möchte, da hapert es eben; denn heutzutage muß die Schönheit obenein vergoldet sein wie die Weihnachtsnüsse, und je hohler die Köpfe werden, desto mehr sind sie bestrebt, die Leere mit einigem Weibergut nachzufüllen, damit sie die Zeit besser zu verbringen vermögen; da wird dann mit wichtigem Gesicht ein Pferd besehen und ein Stück Sammet gekauft, mit Laufen und Rennen eine gute Armbrust bestellt, und der Büchsenschmied kommt nicht aus dem Hause; da heißt es: ich muß meinen Wein einheimsen und meine Fässer putzen, meine Bäume putzen lassen und mein Dach decken; ich muß meine Frau ins Bad schicken, sie kränkelt und kostet mich viel Geld, und muß mein Holz fahren lassen und mein Ausstehendes eintreiben; ich habe ein Paar Windspiele gekauft und meine Bracken vertauscht, ich habe einen schönen eichenen Ausziehtisch eingehandelt und meine große Nußbaumlade dran gegeben; ich habe meine Bohnenstangen geschnitten, meinen Gärtner fortgejagt, mein

Heu verkauft und meinen Salat gesäet, immer mein und mein vom Morgen bis zu Abend. Manche sagen sogar: ich habe meine Wäsche die nächste Woche, ich muß meine Betten sonnen, ich muß eine Magd dingen und einen neuen Metzger haben, denn den alten will ich abschaffen; ich habe ein allerliebstes Waffeleisen erstanden, durch Zufall, und habe mein silbernes Zimmetbüchschen verkauft, es war mir so nichts nütze. Alles das sind wohlverstanden die Sachen der Frau, und so verbringt ein solcher Kerl die Zeit und stiehlt unserm Herrgott den Tag ab, indem er alle diese Verrichtungen aufzählt, ohne einen Streich zu tun. Wenn es hoch kommt und ein solcher Patron sich etwa ducken muß, so wird er vielleicht sagen: unsere Kühe und unsere Schweine, aber –« Pineiß riß den Spiegel an der Schnur, daß er miau! schrie, und rief: »Genug, du Plappermaul! Sag jetzt unverzüglich: wo ist sie, von der du weißt?« Denn die Aufzählung aller dieser Herrlichkeiten und Verrichtungen, die mit einem Weibergute verbunden sind, hatte dem dürren Hexenmeister den Mund nur noch wässeriger gemacht. Spiegel sagte erstaunt: »Wollt Ihr denn wirklich das Ding unternehmen, Herr Pineiß?«

»Versteht sich, will ich! Wer sonst als ich? Drum heraus damit: wo ist diejenige?«

»Damit Ihr hingehen und sie freien könnt?«

»Ohne Zweifel!«

»So wisset, die Sache geht nur durch meine Hand! Mit mir müßt Ihr sprechen, wenn Ihr Geld und Frau wollt!« sagte Spiegel kaltblütig und gleichgültig und fuhr sich mit den beiden Pfoten eifrig über die Ohren, nachdem er sie jedesmal ein bißchen naß gemacht. Pineiß besann sich sorgfältig, stöhnte ein bißchen und sagte: »Ich merke, du willst unsern Kontrakt aufheben und deinen Kopf salvieren!«

»Schiene Euch das so uneben und unnatürlich?«

»Du betrügst mich am Ende und belügst mich wie ein Schelm!«

»Dies ist auch möglich!« sagte Spiegel.

»Ich sage dir: betrüge mich nicht!« rief Pineiß gebieterisch.

»Gut, so betrüge ich Euch nicht!« sagte Spiegel.

»Wenn du's tust!«

»So tu ich's.«

»Quäle mich nicht, Spiegelchen!« sprach Pineiß beinahe weinerlich, und Spiegel erwiderte jetzt ernsthaft:

»Ihr seid ein wunderbarer Mensch, Herr Pineiß! Da haltet Ihr mich an einer Schnur gefangen und zerrt daran, daß mir der Atem vergeht! Ihr lasset das Schwert des Todes über mir schweben seit länger als zwei Stunden, was sag ich! seit einem halben Jahre! und nun sprecht Ihr: quäle mich nicht, Spiegelchen! Wenn Ihr erlaubt, so sage ich Euch in Kürze: Es kann mir nur lieb sein, jene Liebespflicht gegen die Tote doch noch zu erfüllen und für das bewußte Frauenzimmer einen tauglichen Mann zu finden, und Ihr scheint mir allerdings in aller Hinsicht zu genügen; es ist keine Leichtigkeit, ein Weibstück wohl unterzubringen, so sehr dies auch scheint, und ich sage noch einmal: ich bin froh, daß Ihr Euch hiezu bereit finden lasset! Aber umsonst ist der Tod! Eh ich ein Wort weiter spreche, einen Schritt tue, ja eh ich nur den Mund noch einmal aufmache, will ich erst meine Freiheit wieder haben und mein Leben versichert! Daher nehmt diese Schnur weg und legt den Kontrakt hier auf den Brunnen, hier auf diesen Stein, oder schneidet mir den Kopf ab, eins von beiden!«

»Ei du Tollhäusler und Obenhinaus!« sagte Pineiß, »du Hitzkopf, so streng wird es nicht gemeint sein? Das will ordentlich besprochen sein und muß jedenfalls ein neuer Vertrag geschlossen werden!« Spiegel gab keine Antwort mehr und saß unbeweglich da, ein, zwei und drei Minuten. Da ward dem Meister bänglich, er zog seine Brieftasche hervor, klaubte seufzend den Schein heraus, las ihn noch einmal durch und legte ihn dann zögernd vor Spiegel hin. Kaum lag das Papier dort, so schnappte es Spiegel auf und verschlang es; und obgleich er heftig daran zu würgen hatte, so dünkte es ihn doch die beste und gedeihlichste Speise zu sein, die er je genossen, und er hoffte, daß sie ihm noch auf lange wohl bekommen und ihn rundlich und munter machen würde. Als er mit der angenehmen Mahlzeit fertig war, begrüßte er den Hexenmeister höflich und sagte: »Ihr werdet unfehlbar von mir hören, Herr Pineiß, und Weib und Geld sollen Euch nicht entgehen. Dagegen macht Euch bereit, recht verliebt zu sein, damit Ihr jene Bedingungen einer unverbrüchlichen Hingebung an die Liebkosungen Eurer Frau, die schon so gut wie Euer ist, ja beschwören und erfüllen könnt! Und hiemit bedanke ich mich des vorläufigen für genossene Pflege und Beköstigung und beurlaube mich!«

Somit ging Spiegel seines Weges und freute sich über die Dummheit des Hexenmeisters, welcher glaubte, sich selbst und alle Welt betrügen zu können, indem er ja die gehoffte Braut nicht uneigennützig, aus bloßer Liebe zur Schönheit, ehelichen wollte, sondern den Umstand mit den zehntausend Goldgülden vorher wußte. Indessen hatte er schon eine Person im Auge, welche er dem törichten Hexenmeister aufzuhalsen gedachte für seine gebratenen Krammetsvögel, Mäuse und Würstchen.

Dem Hause des Herrn Pineiß gegenüber war ein anderes Haus, dessen vordere Seite auf das sauberste geweißt war und dessen Fenster immer frisch gewaschen glänzten. Die bescheidenen Fenstervorhänge waren immer schneeweiß und wie soeben geplättet, und ebenso weiß war der Habit und das Kopf- und Halstuch einer alten Begine, welche in dem Hause wohnte, also daß ihr nonnenartiger Kopfputz, der ihre Brust bekleidete, immer wie aus Schreibpapier gefaltet aussah, so daß man gleich darauf hätte schreiben mögen; das hätte man wenigstens auf der Brust bequem tun können, da sie so eben und so hart war wie ein Brett. So scharf die weißen Kanten und Ecken ihrer Kleidung, so scharf war auch die lange Nase und das Kinn der Begine, ihre Zunge und der böse Blick ihrer Augen; doch sprach sie nur wenig mit der Zunge und blickte wenig mit den Augen, da sie die Verschwendung nicht liebte und alles nur zur rechten Zeit und mit Bedacht verwendete. Alle Tage ging sie dreimal in die Kirche, und wenn sie in ihrem frischen, weißen und knitternden Zeuge und mit ihrer weißen

spitzigen Nase über die Straße ging, liefen die Kinder furchtsam davon und selbst erwachsene Leute traten gern hinter die
Haustüre, wenn es noch Zeit war. Sie stand aber wegen ihrer
strengen Frömmigkeit und Eingezogenheit in großem Rufe
und besonders bei der Geistlichkeit in hohem Ansehen, aber
selbst die Pfaffen verkehrten lieber schriftlich mit ihr als
mündlich, und wenn sie beichtete, so schoß der Pfarrer jedesmal so schweißtriefend aus dem Beichtstuhl heraus, als ob er
aus einem Backofen käme. So lebte die fromme Begine, die
keinen Spaß verstand, in tiefem Frieden und blieb ungescho-
ren. Sie machte sich auch mit niemand zu schaffen und ließ die
Leute gehen, vorausgesetzt, daß sie ihr aus dem Wege gingen;
nur auf ihren Nachbar Pineiß schien sie einen besondern Haß
geworfen zu haben; denn sooft er sich an seinem Fenster
blicken ließ, warf sie ihm einen bösen Blick hinüber und zog
augenblicklich ihre weißen Vorhänge vor, und Pineiß fürchtete
sie wie das Feuer und wagte nur zuhinterst in seinem Hause,
wenn alles gut verschlossen war, etwa einen Witz über sie zu
machen. So weiß und hell aber das Haus der Begine nach der
Straße zu aussah, so schwarz und räucherig, unheimlich und
seltsam sah es von hinten aus, wo es jedoch fast gar nicht gesehen werden konnte als von den Vögeln des Himmels und den
Katzen auf den Dächern, weil es in eine dunkle Winkelei von
himmelhohen Brandmauern ohne Fenster hineingebaut war,
wo nirgends ein menschliches Gesicht sich sehen ließ. Unter
dem Dache dort hingen alte zerrissene Unterröcke, Körbe und
Kräutersäcke, auf dem Dache wuchsen ordentliche Eiben-
bäumchen und Dornsträucher, und ein großer rußiger Schornstein ragte unheimlich in die Luft. Aus diesem Schornstein
aber fuhr in der dunklen Nacht nicht selten eine Hexe auf
ihrem Besen in die Höhe, jung und schön und splitternackt,
wie Gott die Weiber geschaffen und der Teufel sie gern sieht.
Wenn sie aus dem Schornstein fuhr, so schnupperte sie mit
dem feinsten Näschen und mit lächelnden Kirschenlippen in
der frischen Nachtluft und fuhr in dem weißen Scheine ihres
Leibes dahin, indes ihr langes rabenschwarzes Haar wie eine

Nachtfahne hinter ihr her flatterte. In einem Loch am Schornstein saß ein alter Eulenvogel, und zu diesem begab sich jetzt
der befreite Spiegel, eine fette Maus im Maule, die er unterwegs gefangen.

»Wünsch' guten Abend, liebe Frau Eule! Eifrig auf der
Wacht?« sagte er, und die Eule erwiderte: »Muß wohl!
Wünsch' gleichfalls guten Abend! Ihr habt Euch lang nicht se-
hen lassen, Herr Spiegel!«

»Hat seine Gründe gehabt, werde Euch das erzählen. Hier
habe ich Euch ein Mäuschen gebracht, schlecht und recht, wie
es die Jahrszeit gibt, wenn Ihr's nicht verschmähen wollt! Ist
die Meisterin ausgeritten?«

»Noch nicht, sie will erst gegen Morgen auf ein Stündchen
hinaus. Habt Dank für die schöne Maus! Seid doch immer der
höfliche Spiegel! Habe hier einen schlechten Sperling zur Seite
gelegt, der mir heut zu nahe flog; wenn Euch beliebt, so kostet
den Vogel! Und wie ist es Euch denn ergangen?«

»Fast wunderlich«, erwiderte Spiegel, »sie wollten mir an
den Kragen. Hört, wenn es Euch gefällig ist.« Während sie
nun vergnüglich ihr Abendessen einnahmen, erzählte Spiegel
der aufmerksamen Eule alles, was ihn betroffen und wie er sich
aus den Händen des Herrn Pineiß befreit habe. Die Eule sagte:
»Da wünsch ich tausendmal Glück, nun seid Ihr wieder ein
gemachter Mann und könnt gehen, wo Ihr wollt, nachdem Ihr
mancherlei erfahren!«

»Damit sind wir noch nicht zu Ende«, sagte Spiegel, »der
Mann muß seine Frau und seine Goldgülden haben!«

»Seid Ihr von Sinnen, dem Schelm noch wohlzutun, der
Euch das Fell abziehen wollte?«

»Ei, er hat es doch rechtlich und vertragsmäßig tun können,
und da ich ihn in gleicher Münze wieder bedienen kann,
warum sollt ich es unterlassen? Wer sagt denn, daß ich ihm
wohltun will? Jene Erzählung war eine reine Erfindung von
mir, meine in Gott ruhende Meisterin war eine simple Person,
welche in ihrem Leben nie verliebt noch von Anbetern umringt war, und jener Schatz ist ein ungerechtes Gut, das sie

einst ererbt und in den Brunnen geworfen hat, damit sie kein Unglück daran erlebe. ›Verflucht sei, wer es da herausnimmt und verbraucht‹, sagte sie. Es macht sich also in betreff des Wohltuns!«

»Dann ist die Sache freilich anders! Aber nun, wo wollt Ihr die entsprechende Frau hernehmen?«

»Hier aus diesem Schornstein! Deshalb bin ich gekommen, um ein vernünftiges Wort mit Euch zu reden! Möchtet Ihr denn nicht einmal wieder frei werden aus den Banden dieser Hexe? Sinnt nach, wie wir sie fangen und mit dem alten Bösewicht verheiraten!«

»Spiegel, Ihr braucht Euch nur zu nähern, so weckt Ihr mir ersprießliche Gedanken.«

»Das wußt ich wohl, daß Ihr klug seid! Ich habe das Meinige getan, und es ist besser, daß Ihr auch Euren Senf dazu gebt und neue Kräfte vorspannt, so kann es gewiß nicht fehlen!«

»Da alle Dinge so schön zusammentreffen, so brauche ich nicht lang zu sinnen, mein Plan ist längst gemacht!«

»Wie fangen wir sie?«

»Mit einem neuen Schnepfengarn aus guten starken Hanfschnüren; geflochten muß es sein von einem zwanzigjährigen Jägerssohn, der noch kein Weib angesehen hat, und es muß schon dreimal der Nachttau darauf gefallen sein, ohne daß sich eine Schnepfe gefangen; der Grund aber hievon muß dreimal eine gute Handlung sein. Ein solches Netz ist stark genug, die Hexe zu fangen.«

»Nun bin ich neugierig, wo Ihr ein solches hernehmt«, sagte Spiegel, »denn ich weiß, daß Ihr keine vergeblichen Worte schwatzt!«

»Es ist auch schon gefunden, wie für uns gemacht; in einem Walde nicht weit von hier sitzt ein zwanzigjähriger Jägerssohn, welcher noch kein Weib angesehen hat; denn er ist blind geboren. Deswegen ist er auch zu nichts zu gebrauchen als zum Garnflechten und hat vor einigen Tagen ein neues, sehr schönes Schnepfengarn zustande gebracht. Aber als der alte Jäger es zum ersten Male ausspannen wollte, kam ein Weib da-

her, welches ihn zur Sünde verlocken wollte; es war aber so
häßlich, daß der alte Mann voll Schreckens davonlief und das
Garn am Boden liegen ließ. Darum ist ein Tau darauf gefallen,
ohne daß sich eine Schnepfe fing, und war also eine gute
Handlung daran schuld. Als er des andern Tages hinging, um
das Garn abermals auszuspannen, kam eben ein Reiter daher,
welcher einen schweren Mantelsack hinter sich hatte; in diesem war ein Loch, aus welchem von Zeit zu Zeit ein Gold-
stück auf die Erde fiel. Da ließ der Jäger das Garn abermals liegen und lief eifrig hinter dem Reiter her und sammelte die
Goldstücke in seinen Hut, bis der Reiter sich umkehrte, es sah
und voll Grimm seine Lanze auf ihn richtete. Da bückte der
Jäger sich erschrocken, reichte ihm den Hut dar und sagte:
›Erlaubt, gnädiger Herr, Ihr habt hier viel Gold verloren, das
ich Euch sorgfältig aufgelesen!‹ Dies war wiederum eine gute
Handlung, indem das ehrliche Finden eine der schwierigsten
und besten ist; er war aber so weit von dem Schnepfengarn
entfernt, daß er es die zweite Nacht im Walde liegen ließ und
den nähern Weg nach Hause ging. Am dritten Tag endlich,
nämlich gestern, als er eben wieder auf dem Wege war, traf er
eine hübsche Gevattersfrau an, die dem Alten um den Bart zu
gehen pflegte und der er schon manches Häslein geschenkt
hat. Darüber vergaß er die Schnepfen gänzlich und sagte am
Morgen: ›Ich habe den armen Schnepflein das Leben geschenkt; auch gegen Tiere muß man barmherzig sein!‹ Und um
dieser drei guten Handlungen willen fand er, daß er jetzt zu
gut sei für diese Welt, und ist heute vormittag beizeiten in ein
Kloster gegangen. So liegt das Garn noch ungebraucht im
Walde und ich darf es nur holen.« »Holt es geschwind!« sagte
Spiegel, »es wird gut sein zu unserm Zweck!« »Ich will es holen«, sagte die Eule, »steht nur so lange Wache für mich in diesem Loch, und wenn etwa die Meisterin den Schornstein hin-
aufrufen sollte, ob die Luft rein sei? so antwortet, indem Ihr
meine Stimme nachahmt: Nein, es stinkt noch nicht in der
Fechtschul'!« Spiegel stellte sich in die Nische und die Eule
flog still über die Stadt weg nach dem Wald. Bald kam sie mit

dem Schnepfengarn zurück und fragte: »Hat sie schon gerufen?« »Noch nicht!« sagte Spiegel.

Da spannten sie das Garn aus über den Schornstein und setzten sich daneben still und klug; die Luft war dunkel und es ging ein leichtes Morgenwindchen, in welchem ein paar Sternbilder flackerten. »Ihr sollt sehen«, flüsterte die Eule, »wie geschickt die durch den Schornstein heraufzusäuseln versteht, ohne sich die blanken Schultern schwarz zu machen!« »Ich hab sie noch nie so nah gesehen«, erwiderte Spiegel leise, »wenn sie uns nur nicht zu fassen kriegt!«

Da rief die Hexe von unten: »Ist die Luft rein?« Die Eule rief: »Ganz rein, es stinkt herrlich in der Fechtschul'!« und alsobald kam die Hexe heraufgefahren und wurde in dem Garne gefangen, welches die Katze und die Eule eiligst zusammenzogen und verbanden. »Halt fest!« sagte Spiegel und »Binde gut!« die Eule. Die Hexe zappelte und tobte mäuschenstill wie ein Fisch im Netz; aber es half ihr nichts und das Garn bewährte sich auf das beste. Nur der Stiel ihres Besens ragte durch die Maschen. Spiegel wollte ihn sachte herausziehen, erhielt aber einen solchen Nasenstüber, daß er beinahe in Ohnmacht fiel und einsah, wie man auch einer Löwin im Netz nicht zu nahe kommen dürfe. Endlich hielt sich die Hexe still und sagte: »Was wollt ihr denn von mir, ihr wunderlichen Tiere?«

»Ihr sollt mich aus Eurem Dienste entlassen und meine Freiheit zurückgeben!« sagte die Eule. »So viel Geschrei und wenig Wolle!« sagte die Hexe, »du bist frei, mach dies Garn auf!« »Noch nicht!« sagte Spiegel, der immer noch seine Nase rieb, »Ihr müßt Euch verpflichten, den Stadthexenmeister Pineiß, Euren Nachbar, zu heiraten auf die Weise, wie wir Euch sagen werden, und ihn nicht mehr zu verlassen!« Da fing die Hexe wieder an zu zappeln und zu prusten wie der Teufel, und die Eule sagte: »Sie will nicht dran!« Spiegel aber sagte: »Wenn Ihr nicht ruhig seid und alles tut, was wir wünschen, so hängen wir das Garn samt seinem Inhalte da vorn an den Drachenkopf der Dachtraufe, nach der Straße zu, daß man Euch morgen sieht und die Hexe erkennt! Sagt also: Wollt Ihr lieber

unter dem Vorsitze des Herrn Pineiß gebraten werden oder
ihn braten, indem Ihr ihn heiratet?«

Da sagte die Hexe mit einem Seufzer: »So sprecht, wie meint
Ihr die Sache?« Und Spiegel setzte ihr alles zierlich auseinander, wie es gemeint sei und was sie zu tun hätte. »Das ist allenfalls noch auszuhalten, wenn es nicht anders sein kann!« sagte
sie und ergab sich unter den stärksten Formeln, die eine Hexe
binden können. Da taten die Tiere das Gefängnis auf und
ließen sie heraus. Sie bestieg sogleich den Besen, die Eule
setzte sich hinter sie auf den Stiel und Spiegel zuhinterst auf
das Reisigbündel und hielt sich da fest, und so ritten sie nach
dem Brunnen, in welchen die Hexe hinabfuhr, um den Schatz
heraufzuholen.

Am Morgen erschien Spiegel bei Herrn Pineiß und meldete
ihm, daß er die bewußte Person ansehen und freien könne; sie
sei aber allbereits so arm geworden, daß sie, gänzlich verlassen
und verstoßen, vor dem Tore unter einem Baum sitze und bitterlich weine. Sogleich kleidete sich Herr Pineiß in sein abge-
schabtes gelbes Samtwämschen, das er nur bei feierlichen Gelegenheiten trug, setzte die bessere Pudelmütze auf und über-
gürtete sich mit seinem Degen; in die Hand nahm er einen
alten grünen Handschuh, ein Balsamfläschchen, worin einst
Balsam gewesen und das noch ein bißchen roch, und eine pa-
pierne Nelke, worauf er mit Spiegel vor das Tor ging, um zu
freien. Dort traf er ein weinendes Frauenzimmer sitzen unter
einem Weidenbaum, von so großer Schönheit, wie er noch nie
gesehen; aber ihr Gewand war so dürftig und zerrissen, daß,
sie mochte sich auch schamhaft gebärden, wie sie wollte, immer da oder dort der schneeweiße Leib ein bißchen durchschimmerte. Pineiß riß die Augen auf und konnte vor heftigem
Entzücken kaum seine Bewerbung vorbringen. Da trocknete
die Schöne ihre Tränen, gab ihm mit süßem Lächeln die Hand,
dankte ihm mit einer himmlischen Glockenstimme für seine
Großmut und schwur, ihm ewig treu zu sein. Aber im selben
Augenblicke erfüllte ihn eine solche Eifersucht und Neides-
wut auf seine Braut, daß er beschloß, sie vor keinem mensch-

lichen Auge jemals sehen zu lassen. Er ließ sich bei einem uralten Einsiedler mit ihr trauen und feierte das Hochzeitmahl in
seinem Hause, ohne andere Gäste als Spiegel und die Eule,
welche ersterer mitzubringen sich die Erlaubnis erbeten hatte.
Die zehntausend Goldgülden standen in einer Schüssel auf
dem Tisch und Pineiß griff zuweilen hinein und wühlte in dem
Golde; dann sah er wieder die schöne Frau an, welche in einem
meerblauen Sammetkleide dasaß, das Haar mit einem goldenen Netze umflochten und mit Blumen geschmückt, und den
weißen Hals mit Perlen umgeben. Er wollte sie fortwährend
küssen, aber sie wußte verschämt und züchtig ihn abzuhalten,
mit einem verführerischen Lächeln, und schwur, daß sie dieses
vor Zeugen und vor Anbruch der Nacht nicht tun würde. Dies
machte ihn nur noch verliebter und glückseliger, und Spiegel
würzte das Mahl mit lieblichen Gesprächen, welche die
schöne Frau mit den angenehmsten, witzigsten und ein-
schmeichelndsten Worten fortführte, so daß der Hexenmeister nicht wußte, wie ihm geschah vor Zufriedenheit. Als es
aber dunkel geworden, beurlaubten sich die Eule und die
Katze und entfernten sich bescheiden; Herr Pineiß begleitete
sie bis unter die Haustüre mit einem Lichte und dankte dem
Spiegel nochmals, indem er ihn einen trefflichen und höflichen
Mann nannte, und als er in die Stube zurückkehrte, saß die alte
weiße Begine, seine Nachbarin, am Tisch und sah ihn mit einem bösen Blick an. Entsetzt ließ Pineiß den Leuchter fallen
und lehnte sich zitternd an die Wand. Er hing die Zunge heraus und sein Gesicht war so fahl und spitzig geworden wie das
der Begine. Diese aber stand auf, näherte sich ihm und trieb
ihn vor sich her in die Hochzeitkammer, wo sie mit höllischen
Künsten ihn auf eine Folter spannte, wie noch kein Sterblicher
erlebt. So war er nun mit der Alten unauflöslich verehelicht,
und in der Stadt hieß es, als es ruchbar wurde: »Ei seht, wie
stille Wasser tief sind! Wer hätte gedacht, daß die fromme Begine und der Herr Stadthexenmeister sich noch verheiraten
würden! Nun, es ist ein ehrbares und rechtliches Paar, wenn
auch nicht sehr liebenswürdig!«

Herr Pineiß aber führte von nun an ein erbärmliches Leben; seine Gattin hatte sich sogleich in den Besitz aller seiner Geheimnisse gesetzt und beherrschte ihn vollständig. Es war ihm nicht die geringste Freiheit und Erholung gestattet, er mußte hexen vom Morgen bis zum Abend, was das Zeug halten wollte, und wenn Spiegel vorüberging und es sah, sagte er freundlich: »Immer fleißig, fleißig, Herr Pineiß?«

Seit dieser Zeit sagt man zu Seldwyla: Er hat der Katze den Schmer abgekauft! besonders wenn einer eine böse und widerwärtige Frau erhandelt hat.

Zweiter Band

Seit die erste Hälfte dieser Erzählungen erschienen, streiten sich etwa sieben Städte im Schweizerlande darum, welche unter ihnen mit Seldwyla gemeint sei; und da nach alter Erfahrung der eitle Mensch lieber für schlimm, glücklich und kurzweilig als für brav, aber unbeholfen und einfältig gelten will, so hat jede dieser Städte dem Verfasser ihr Ehrenbürgerrecht angeboten für den Fall, daß er sich für sie erkläre.

Weil er aber schon eine Heimat besitzt, die hinter keinem jener ehrgeizigen Gemeinwesen zurücksteht, so suchte er sie dadurch zu beschwichtigen, daß er ihnen vorgab, es rage in jeder Stadt und in jedem Tale der Schweiz ein Türmchen von Seldwyla und diese Ortschaft sei mithin als eine Zusammenstellung solcher Türmchen, als eine ideale Stadt zu betrachten, welche nur auf den Bergnebel gemalt sei und mit ihm weiterziehe, bald über diesen, bald über jenen Gau, und vielleicht da oder dort über die Grenze des lieben Vaterlandes, über den alten Rheinstrom hinaus.

Während aber einige der Städte hartnäckig fortfahren, sich ihres Homers schon bei dessen Lebzeiten versichern zu wollen, hat sich mit dem wirklichen Seldwyla eine solche Veränderung zugetragen, daß sich sein sonst durch Jahrhunderte gleich gebliebener Charakter in weniger als zehn Jahren geändert hat und sich ganz in sein Gegenteil zu verwandeln droht.

Oder, wahrer gesagt, hat sich das allgemeine Leben so gestaltet, daß die besonderen Fähigkeiten und Nücken der wackeren Seldwyler sich herrlicher darin entwickeln können, ein günstiges Fahrwasser, ein dankbares Ackerfeld daran haben, auf welchem gerade sie Meister sind, und dadurch zu gelungenen, beruhigten Leuten werden, die sich nicht mehr von der braven übrigen Welt unterscheiden.

Es ist insonderlich die überall verbreitete Spekulationsbetätigung in bekannten und unbekannten Werten, welche den Seldwylern ein Feld eröffnet hat, das für sie wie seit Urbeginn geschaffen schien und sie mit Einem Schlage Tausenden von ernsthaften Geschäftsleuten gleichstellte.

Das gesellschaftliche Besprechen dieser Werte, das Herumspazieren zum Auftrieb eines Geschäftes, mit welchem keine weitere Arbeit verbunden ist als das Erdulden mannigfacher Aufregung, das Eröffnen oder Absenden von Depeschen und hundert ähnliche Dinge, die den Tag ausfüllen, sind so recht ihre Sache. Jeder Seldwyler ist nun ein geborener Agent oder dergleichen, und sie wandern als solche förmlich aus, wie die Engadiner Zuckerbäcker, die Tessiner Gipsarbeiter und die savoyischen Kaminfeger.

Statt der ehemaligen dicken Brieftasche mit zerknitterten Schuldscheinen und Bagatellwechseln führen sie nun elegante kleine Notizbücher, in welchen die Aufträge in Aktien, Obligationen, Baumwolle oder Seide kurz notiert werden. Wo irgend eine Unternehmung sich auftut, sind einige von ihnen bei der Hand, flattern wie die Sperlinge um die Sache herum und helfen sie ausbreiten. Gelingt es einem, für sich selbst einen Gewinn zu erhaschen, so steuert er stracks damit seitwärts, wie der Karpfen mit dem Regenwurm, und taucht vergnügt an einem andern Lockort wieder auf.

Immer sind sie in Bewegung und kommen mit aller Welt in Berührung. Sie spielen mit den angesehensten Geschäftsmännern Karten und verstehen es vortrefflich, zwischen dem Ausspielen schnelle Antworten auf Geschäftsfragen zu geben oder ein bedeutsames Schweigen zu beobachten. Dabei sind sie jedoch bereits einsilbiger und trockener geworden; sie lachen weniger als früher und finden fast keine Zeit mehr, auf Schwänke und Lustbarkeiten zu sinnen.

Schon sammelt sich da und dort einiges Vermögen an, welches bei eintretenden Handelskrisen zwar zittert wie Espenlaub oder sich sogar still wieder auseinander begibt, wie eine ungesetzliche Versammlung, wenn die Polizei kommt.

Aber statt der früheren plebejisch-gemütlichen Konkurse und Verlumpungen, die sie untereinander abspielten, gibt es jetzt vornehme Accommodements mit stattlichen auswärtigen

Gläubigern, anständig besprochene Schicksalswendungen, welche annäherungsweise wie etwas Rechtes aussehen, sodann Wiederaufrichtungen, und nur selten muß noch einer vom Schauplatze abtreten.

Von der Politik sind sie beinahe ganz abgekommen, da sie glauben, sie führe immer zum Kriegswesen; als angehende Besitzlustige fürchten und hassen sie aber alle Kriegsmöglichkeiten wie den baren Teufel, während sie sonst hinter ihren Bierkrügen mit der ganzen alten Pentarchie zumal Krieg führten. So sind sie, ehemals die eifrigsten Kannegießer, dahin gelangt, sich ängstlich vor jedem Urteil in politischen Dingen zu hüten, um ja kein Geschäft, bewußt oder unbewußt, auf ein solches zu stützen, da sie das blinde Vertrauen auf den Zufall für solider halten.

Aber eben durch alles das verändert sich das Wesen der Seldwyler; sie sehen, wie gesagt, schon aus wie andere Leute; es ereignet sich nichts mehr unter ihnen, was der beschaulichen Aufzeichnung würdig wäre, und es ist daher an der Zeit, in ihrer Vergangenheit und den guten lustigen Tagen der Stadt noch eine kleine Nachernte zu halten, welcher Tätigkeit die nachfolgenden weiteren fünf Erzählungen ihr Dasein verdanken.

Kleider machen Leute

An einem unfreundlichen Novembertage wanderte ein armes Schneiderlein auf der Landstraße nach Goldach, einer kleinen reichen Stadt, die nur wenige Stunden von Seldwyla entfernt ist. Der Schneider trug in seiner Tasche nichts als einen Fingerhut, welchen er, in Ermangelung irgend einer Münze, unablässig zwischen den Fingern drehte, wenn er der Kälte wegen die Hände in die Hosen steckte, und die Finger schmerzten ihn ordentlich von diesem Drehen und Reiben. Denn er hatte wegen des Falliments irgend eines Seldwyler Schneidermeisters seinen Arbeitslohn mit der Arbeit zugleich verlieren und auswandern müssen. Er hatte noch nichts gefrühstückt als einige Schneeflocken, die ihm in den Mund geflogen, und er sah noch weniger ab, wo das geringste Mittagbrot herwachsen sollte. Das Fechten fiel ihm äußerst schwer, ja schien ihm gänzlich unmöglich, weil er über seinem schwarzen Sonntagskleide, welches sein einziges war, einen weiten dunkelgrauen Radmantel trug, mit schwarzem Samt ausgeschlagen, der seinem Träger ein edles und romantisches Aussehen verlieh, zumal dessen lange schwarze Haare und Schnurrbärtchen sorgfältig gepflegt waren und er sich blasser, aber regelmäßiger Gesichtszüge erfreute.

Solcher Habitus war ihm zum Bedürfnis geworden, ohne daß er etwas Schlimmes oder Betrügerisches dabei im Schilde führte; vielmehr war er zufrieden, wenn man ihn nur gewähren und im stillen seine Arbeit verrichten ließ; aber lieber wäre er verhungert als daß er sich von seinem Radmantel und von seiner polnischen Pelzmütze getrennt hätte, die er ebenfalls mit großem Anstand zu tragen wußte.

Er konnte deshalb nur in größeren Städten arbeiten, wo solches nicht zu sehr auffiel; wenn er wanderte und keine Ersparnisse mitführte, geriet er in die größte Not. Näherte er sich einem Hause, so betrachteten ihn die Leute mit Verwunderung und Neugierde und erwarteten eher alles andere als daß er betteln würde; so erstarben ihm, da er überdies nicht beredt war, die Worte im Munde, also daß er der Märtyrer seines Mantels war und Hunger litt, so schwarz wie des letztern Sammetfutter.

Als er bekümmert und geschwächt eine Anhöhe hinauf ging, stieß er auf einen neuen und bequemen Reisewagen, welchen ein herrschaftlicher Kutscher in Basel abgeholt hatte und seinem Herren überbrachte, einem fremden Grafen, der irgendwo in der Ostschweiz auf einem gemieteten oder angekauften alten Schlosse saß. Der Wagen war mit allerlei Vorrichtungen zur Aufnahme des Gepäckes versehen und schien deswegen schwer bepackt zu sein, obgleich alles leer war. Der Kutscher ging wegen des steilen Weges neben den Pferden, und als er, oben angekommen, den Bock wieder bestieg, fragte er den Schneider, ob er sich nicht in den leeren Wagen setzen wolle. Denn es fing eben an zu regnen und er hatte mit einem Blicke gesehen, daß der Fußgänger sich matt und kümmerlich durch die Welt schlug.

Derselbe nahm das Anerbieten dankbar und bescheiden an, worauf der Wagen rasch mit ihm von dannen rollte und in einer kleinen Stunde stattlich und donnernd durch den Torbogen von Goldach fuhr. Vor dem ersten Gasthofe, zur Waage genannt, hielt das vornehme Fuhrwerk plötzlich, und alsogleich zog der Hausknecht so heftig an der Glocke, daß der Draht beinahe entzwei ging. Da stürzten Wirt und Leute herunter und rissen den Schlag auf; Kinder und Nachbaren umringten schon den prächtigen Wagen, neugierig, welch ein Kern sich aus so unerhörter Schale enthülsen werde, und als der verdutzte Schneider endlich hervorsprang in seinem Mantel, blaß und schön und schwermütig zur Erde blickend, schien er ihnen wenigstens ein geheimnisvoller Prinz oder Grafensohn zu sein. Der Raum zwischen dem Reisewagen und der Pforte des Gasthauses war schmal und im übrigen der Weg durch die Zuschauer ziemlich gesperrt. Mochte es nun der Mangel an Geistesgegenwart oder an Mut sein, den Haufen zu durchbrechen und einfach seines Weges zu gehen, – er tat dieses nicht, sondern ließ sich willenlos in das Haus und die Treppe hinan geleiten und bemerkte seine neue seltsame Lage erst recht, als er sich in einen wohnlichen Speisesaal versetzt sah und ihm sein ehrwürdiger Mantel dienstfertig abgenommen wurde.

»Der Herr wünscht zu speisen?« hieß es, »gleich wird serviert werden, es ist eben gekocht!«

Ohne eine Antwort abzuwarten, lief der Waagwirt in die Küche und rief: »Ins drei Teufels Namen! Nun haben wir nichts als Rindfleisch und die Hammelskeule! Die Rebhuhnpastete darf ich nicht anschneiden, da sie für die Abendherren bestimmt und versprochen ist. So geht es! Den einzigen Tag, wo wir keinen Gast erwarten und nichts da ist, muß ein solcher Herr kommen! Und der Kutscher hat ein Wappen auf den Knöpfen und der Wagen ist wie der eines Herzogs! Und der junge Mann mag kaum den Mund öffnen vor Vornehmheit!«

Doch die ruhige Köchin sagte: »Nun, was ist denn da zu lamentieren, Herr? Die Pastete tragen Sie nur kühn auf, die wird er doch nicht aufessen! Die Abendherren bekommen sie dann portionenweise, sechs Portionen wollen wir schon noch herauskriegen!«

»Sechs Portionen? Ihr vergeßt wohl, daß die Herren sich satt zu essen gewohnt sind!« meinte der Wirt, allein die Köchin fuhr unerschüttert fort: »Das sollen sie auch! Man läßt noch schnell ein halbes Dutzend Kotelettes holen, die brauchen wir sowieso für den Fremden, und was er übrig läßt, schneide ich in kleine Stückchen und menge sie unter die Pastete, da lassen Sie nur mich machen!«

Doch der wackere Wirt sagte ernsthaft: »Köchin, ich habe Euch schon einmal gesagt, daß dergleichen in dieser Stadt und in diesem Hause nicht angeht! Wir leben hier solid und ehrenfest und vermögen es!«

»Ei der Tausend, ja, ja!« rief die Köchin endlich etwas aufgeregt, »wenn man sich denn nicht zu helfen weiß, so opfere man die Sache! Hier sind zwei Schnepfen, die ich den Augenblick vom Jäger gekauft habe, die kann man am Ende der Pastete zusetzen! Eine mit Schnepfen gefälschte Rebhuhnpastete werden die Leckermäuler nicht beanstanden! Sodann sind auch die Forellen da, die größte habe ich in das siedende Wasser geworfen, wie der merkwürdige Wagen kam, und da kocht auch schon die Brühe im Pfännchen; so haben wir also einen Fisch, das Rindfleisch, das Gemüse mit den Kotelettes, den Hammelsbraten mit der Pastete; geben Sie nur den Schlüssel, daß man das Eingemachte und den Dessert herausnehmen kann! Und den Schlüssel könnten Sie, Herr! mir mit Ehren und Zutrauen übergeben, damit man Ihnen nicht allerorten nachspringen muß und oft in die größte Verlegenheit gerät!«

»Liebe Köchin! das braucht Ihr nicht übel zu nehmen, ich habe meiner seligen Frau am Todbette versprechen müssen, die Schlüssel immer in Händen zu behalten; sonach geschieht es grundsätzlich und nicht aus Mißtrauen. Hier sind die Gurken und hier die Kirschen, hier die Birnen und hier die Aprikosen; aber das alte Konfekt darf man nicht mehr aufstellen; geschwind soll die Lise zum Zuckerbeck laufen und frisches Backwerk holen, drei Teller, und wenn er eine gute Torte hat, soll er sie auch gleich mitgeben!«

»Aber Herr! Sie können ja dem einzigen Gaste das nicht alles aufrechnen, das schlägt's beim besten Willen nicht heraus!«

»Tut nichts, es ist um die Ehre! Das bringt mich nicht um; dafür soll ein großer Herr, wenn er durch unsere Stadt reist, sagen können, er habe ein ordentliches Essen gefunden, obgleich er ganz unerwartet und im Winter gekommen sei! Es soll nicht heißen wie von den Wirten zu Seldwyl, die alles Gute selber fressen und den Fremden die Knochen vorsetzen! Also frisch, munter, sputet Euch allerseits!«

Während dieser umständlichen Zubereitungen befand sich der Schneider in der peinlichsten Angst, da der Tisch mit glänzendem Zeuge gedeckt wurde, und so heiß sich der ausgehungerte Mann vor kurzem noch nach einiger Nahrung gesehnt hatte, so ängstlich wünschte er jetzt der drohenden Mahlzeit zu entfliehen. Endlich faßte er sich einen Mut, nahm seinen

Mantel um, setzte die Mütze auf und begab sich hinaus, um
den Ausweg zu gewinnen. Da er aber in seiner Verwirrung
und in dem weitläufigen Hause die Treppe nicht gleich fand,
so glaubte der Kellner, den der Teufel beständig umhertrieb,
jener suche eine gewisse Bequemlichkeit, rief: »Erlauben Sie
gefälligst, mein Herr, ich werde Ihnen den Weg weisen!« und
führte ihn durch einen langen Gang, der nirgend anders endigte als vor einer schön lackierten Türe, auf welcher eine zierliche Inschrift angebracht war.

Also ging der Mantelträger ohne Widerspruch, sanft wie ein
Lämmlein, dort hinein und schloß ordentlich hinter sich zu.
Dort lehnte er sich bitterlich seufzend an die Wand und
wünschte der goldenen Freiheit der Landstraße wieder teilhaftig zu sein, welche ihm jetzt, so schlecht das Wetter war, als
das höchste Glück erschien.

Doch verwickelte er sich jetzt in die erste selbsttätige Lüge,
weil er in dem verschlossenen Raume ein wenig verweilte, und
er betrat hiemit den abschüssigen Weg des Bösen.

Unterdessen schrie der Wirt, der ihn gesehen hatte im Mantel dahin gehen: »Der Herr friert! Heizet mehr ein im Saal! Wo
ist die Lise, wo ist die Anne? Rasch einen Korb Holz in den
Ofen und einige Hände voll Späne, daß es brennt! Zum Teufel, sollen die Leute in der Waage im Mantel zu Tisch sitzen?«

Und als der Schneider wieder aus dem langen Gange her-
vorgewandelt kam, melancholisch wie der umgehende Ahnherr eines Stammschlosses, begleitete er ihn mit hundert Kom-
plimenten und Handreibungen wiederum in den verwünschten Saal hinein. Dort wurde er ohne ferneres Verweilen an den
Tisch gebeten, der Stuhl zurechtgerückt, und da der Duft der
kräftigen Suppe, dergleichen er lange nicht gerochen, ihn vollends seines Willens beraubte, so ließ er sich in Gottes Namen
nieder und tauchte sofort den schweren Löffel in die braun-
goldene Brühe. In tiefem Schweigen erfrischte er seine matten
Lebensgeister und wurde mit achtungsvoller Stille und Ruhe
bedient.

Als er den Teller geleert hatte und der Wirt sah, daß es ihm so wohl schmeckte, munterte er ihn höflich auf, noch einen Löffel voll zu nehmen, das sei gut bei dem rauhen Wetter.

Nun wurde die Forelle aufgetragen, mit Grünem bekränzt, und der Wirt legte ein schönes Stück vor. Doch der Schneider, von Sorgen gequält, wagte in seiner Blödigkeit nicht, das blanke Messer zu brauchen, sondern hantierte schüchtern und zimperlich mit der silbernen Gabel daran herum. Das bemerkte die Köchin, welche zur Türe hereinguckte, den großen Herren zu sehen, und sie sagte zu den Umstehenden: »Gelobt sei Jesus Christ! Der weiß noch einen feinen Fisch zu essen, wie es sich gehört, der sägt nicht mit dem Messer in dem zarten Wesen herum, wie wenn er ein Kalb schlachten wollte. Das ist ein Herr von großem Hause, darauf wollt ich schwören, wenn es nicht verboten wäre! Und wie schön und traurig er ist! Gewiß ist er in ein armes Fräulein verliebt, das man ihm nicht lassen will! Ja ja, die vornehmen Leute haben auch ihre Leiden!«

Inzwischen sah der Wirt, daß der Gast nicht trank, und sagte ehrerbietig: »Der Herr mögen den Tischwein nicht; befehlen Sie vielleicht ein Glas guten Bordeaux, den ich bestens empfehlen kann?«

Da beging der Schneider den zweiten selbsttätigen Fehler, indem er aus Gehorsam ja statt nein sagte, und alsobald verfügte sich der Waagwirt persönlich in den Keller, um eine ausgesuchte Flasche zu holen; denn es lag ihm alles daran, daß man sagen könne, es sei etwas Rechtes im Ort zu haben. Als der Gast von dem eingeschenkten Weine wiederum aus bösem Gewissen ganz kleine Schlücklein nahm, lief der Wirt voll Freuden in die Küche, schnalzte mit der Zunge und rief: »Hol mich der Teufel, der versteht's, der schlürft meinen guten Wein auf die Zunge, wie man einen Dukaten auf die Goldwaage legt!«

»Gelobt sei Jesus Christ!« sagte die Köchin, »ich hab's ja behauptet, daß er's versteht!«

So nahm die Mahlzeit denn ihren Verlauf, und zwar sehr langsam, weil der arme Schneider immer zimperlich und unentschlossen aß und trank und der Wirt, um ihm Zeit zu lassen, die Speisen genugsam stehen ließ. Trotzdem war es nicht der Rede wert, was der Gast bis jetzt zu sich genommen; vielmehr begann der Hunger, der immerfort so gefährlich gereizt wurde, nun den Schrecken zu überwinden, und als die Pastete von Rebhühnern erschien, schlug die Stimmung des Schneiders gleichzeitig um und ein fester Gedanke begann sich in ihm zu bilden. »Es ist jetzt einmal, wie es ist!« sagte er sich, von einem neuen Tröpflein Weines erwärmt und aufgestachelt; »nun wäre ich ein Tor, wenn ich die kommende Schande und Verfolgung ertragen wollte, ohne mich dafür satt gegessen zu haben! Also vorgesehen, weil es noch Zeit ist! Das Türmchen, was sie da aufgestellt haben, dürfte leichtlich die letzte Speise sein, daran will ich mich halten, komme was da wolle! Was ich einmal im Leibe habe, kann mir kein König wieder rauben!«

Gesagt, getan; mit dem Mute der Verzweiflung hieb er in die leckere Pastete, ohne an ein Aufhören zu denken, so daß sie in weniger als fünf Minuten zur Hälfte geschwunden war und die Sache für die Abendherren sehr bedenklich zu werden begann. Fleisch, Trüffeln, Klößchen, Boden, Deckel, alles schlang er ohne Ansehen der Person hinunter, nur besorgt, sein Ränzchen voll zu packen, ehe das Verhängnis hereinbräche; dazu trank er den Wein in tüchtigen Zügen und steckte große Brotbissen in den Mund; kurz, es war eine so hastig belebte Einfuhr, wie wenn bei aufsteigendem Gewitter das Heu von der nahen Wiese gleich auf der Gabel in die Scheune geflüchtet wird. Abermals lief der Wirt in die Küche und rief: »Köchin! Er ißt die Pastete auf, während er den Braten kaum berührt hat! Und den Bordeaux trinkt er in halben Gläsern!«

»Wohl bekomm es ihm«, sagte die Köchin, »lassen Sie ihn nur machen, der weiß, was Rebhühner sind! Wär er ein gemeiner Kerl, so hätte er sich an den Braten gehalten!«

»Ich sag's auch«, meinte der Wirt; »es sieht sich zwar nicht ganz elegant an, aber so hab ich, als ich zu meiner Ausbildung reiste, nur Generäle und Kapitelsherren essen sehen!«

Unterdessen hatte der Kutscher die Pferde füttern lassen

und selbst ein handfestes Essen eingenommen in der Stube für das untere Volk, und da er Eile hatte, ließ er bald wieder anspannen. Die Angehörigen des Gasthofes zur Waage konnten sich nun nicht länger enthalten und fragten, eh es zu spät wurde, den herrschaftlichen Kutscher geradezu, wer sein Herr da oben sei und wie er heiße? Der Kutscher, ein schalkhafter und durchtriebener Kerl, versetzte: »Hat er es noch nicht selbst gesagt?«

»Nein«, hieß es, und er erwiderte: »Das glaub ich wohl, der spricht nicht viel in einem Tage; nun, es ist der Graf Strapinski! Er wird aber heut und vielleicht einige Tage hier bleiben, denn er hat mir befohlen, mit dem Wagen vorauszufahren.«

Er machte diesen schlechten Spaß, um sich an dem Schneiderlein zu rächen, das, wie er glaubte, statt ihm für seine Gefälligkeit ein Wort des Dankes und des Abschiedes zu sagen, sich ohne Umsehen in das Haus begeben hatte und den Herren spielte. Seine Eulenspiegelei aufs äußerste treibend, bestieg er auch den Wagen, ohne nach der Zeche für sich und die Pferde zu fragen, schwang die Peitsche und fuhr aus der Stadt, und alles ward so in der Ordnung befunden und dem guten Schneider aufs Kerbholz gebracht.

Nun mußte es sich aber fügen, daß dieser, ein geborener Schlesier, wirklich Strapinski hieß, Wenzel Strapinski, mochte es nun ein Zufall sein oder mochte der Schneider sein Wanderbuch im Wagen hervorgezogen, es dort vergessen und der Kutscher es zu sich genommen haben. Genug, als der Wirt freudestrahlend und händereibend vor ihn hintrat und fragte, ob der Herr Graf Strapinski zum Nachtisch ein Glas alten Tokaier oder ein Glas Champagner nehme, und ihm meldete, daß die Zimmer soeben zubereitet würden, da erblaßte der arme Strapinski, verwirrte sich von neuem und erwiderte gar nichts.

»Höchst interessant!« brummte der Wirt für sich, indem er abermals in den Keller eilte und aus besonderm Verschlage nicht nur ein Fläschchen Tokaier, sondern auch ein Krügelchen Bocksbeutel holte und eine Champagnerflasche schlechthin unter den Arm nahm. Bald sah Strapinski einen kleinen Wald von Gläsern vor sich, aus welchem der Champagnerkelch wie eine Pappel emporragte. Das glänzte, klingelte und duftete gar seltsam vor ihm, und was noch seltsamer war, der arme, aber zierliche Mann griff nicht ungeschickt in das Wäldchen hinein und goß, als er sah, daß der Wirt etwas Rotwein in seinen Champagner tat, einige Tropfen Tokaier in den seinigen. Inzwischen war der Stadtschreiber und der Notar gekommen, um den Kaffee zu trinken und das tägliche Spielchen um denselben zu machen; bald kam auch der ältere Sohn des Hauses Häberlin und Cie., der jüngere des Hauses Pütschli-Nievergelt, der Buchhalter einer großen Spinnerei, Herr Melcher Böhni; allein statt ihre Partie zu spielen, gingen sämtliche Herren in weitem Bogen hinter dem polnischen Grafen herum, die Hände in den hintern Rocktaschen, mit den Augen blinzelnd und auf den Stockzähnen lächelnd. Denn es waren diejenigen Mitglieder guter Häuser, welche ihr Leben lang zu Hause blieben, deren Verwandte und Genossen aber in aller Welt saßen, weswegen sie selbst die Welt sattsam zu kennen glaubten.

Also das sollte ein polnischer Graf sein? Den Wagen hatten sie freilich von ihrem Comptoirstuhl aus gesehen; auch wußte man nicht, ob der Wirt den Grafen oder dieser jenen bewirte; doch hatte der Wirt bis jetzt noch keine dummen Streiche gemacht; er war vielmehr als ein ziemlich schlauer Kopf bekannt, und so wurden denn die Kreise, welche die neugierigen Herren um den Fremden zogen, immer kleiner, bis sie sich zuletzt vertraulich an den gleichen Tisch setzten und sich auf gewandte Weise zu dem Gelage aus dem Stegreif einluden, indem sie ohne weiteres um eine Flasche zu würfeln begannen.

Doch tranken sie nicht zu viel, da es noch früh war; dagegen galt es einen Schluck trefflichen Kaffee zu nehmen und dem Polacken, wie sie den Schneider bereits heimlich nannten, mit gutem Rauchzeug aufzuwarten, damit er immer mehr röche, wo er eigentlich wäre.

»Darf ich dem Herren Grafen eine ordentliche Zigarre anbieten? Ich habe sie von meinem Bruder auf Kuba direkt bekommen!« sagte der eine.

»Die Herren Polen lieben auch eine gute Zigarette, hier ist echter Tabak aus Smyrna, mein Kompagnon hat ihn gesendet«, rief der andere, indem er ein rotseidenes Beutelchen hinschob.

»Dieser aus Damaskus ist feiner, Herr Graf«, rief der dritte, »unser dortige Prokurist selbst hat ihn für mich besorgt!«

Der vierte streckte einen ungefügen Zigarrenbengel dar, indem er schrie: »Wenn Sie etwas ganz Ausgezeichnetes wollen, so versuchen Sie diese Pflanzercigarre aus Virginien, selbstgezogen, selbstgemacht und durchaus nicht käuflich!«

Strapinski lächelte sauersüß, sagte nichts und war bald in feine Duftwolken gehüllt, welche von der hervorbrechenden Sonne lieblich versilbert wurden. Der Himmel entwölkte sich in weniger als einer Viertelstunde, der schönste Herbstnachmittag trat ein; es hieß, der Genuß der günstigen Stunde sei sich zu gönnen, da das Jahr vielleicht nicht viele solcher Tage mehr brächte; und es wurde beschlossen auszufahren, den fröhlichen Amtsrat auf seinem Gute zu besuchen, der erst vor wenigen Tagen gekeltert hatte, und seinen neuen Wein, den roten Sauser, zu kosten. Pütschli-Nievergelt, Sohn, sandte nach seinem Jagdwagen, und bald schlugen seine jungen Eisenschimmel das Pflaster vor der Waage. Der Wirt selbst ließ ebenfalls anspannen, man lud den Grafen zuvorkommend ein, sich anzuschließen und die Gegend etwas kennen zu lernen.

Der Wein hatte seinen Witz erwärmt; er überdachte schnell, daß er bei dieser Gelegenheit am besten sich unbemerkt entfernen und seine Wanderung fortsetzen könne; den Schaden sollten die törichten und zudringlichen Herren an sich selbst behalten. Er nahm daher die Einladung mit einigen höflichen Worten an und bestieg mit dem jungen Pütschli den Jagdwagen.

Nun war es eine weitere Fügung, daß der Schneider, nachdem er auf seinem Dorfe schon als junger Bursch dem Gutsherren zuweilen Dienste geleistet, seine Militärzeit bei den Husaren abgedient hatte und demnach genugsam mit Pferden umzugehen verstand. Wie daher sein Gefährte höflich fragte, ob er vielleicht fahren möge, ergriff er sofort Zügel und Peitsche und fuhr in schulgerechter Haltung, in raschem Trabe durch das Tor und auf der Landstraße dahin, so daß die Herren einander ansahen und flüsterten: »Es ist richtig, es ist jedenfalls ein Herr!«

In einer halben Stunde war das Gut des Amtsrates erreicht, Strapinski fuhr in einem prächtigen Halbbogen auf und ließ die feurigen Pferde aufs beste anprallen; man sprang von den Wagen, der Amtsrat kam herbei und führte die Gesellschaft ins Haus, und alsobald war auch der Tisch mit einem halben Dutzend Karaffen voll karneolfarbigen Sausers besetzt. Das heiße gärende Getränk wurde vorerst geprüft, belobt und sodann fröhlich in Angriff genommen, während der Hausherr im Hause die Kunde herumtrug, es sei ein vornehmer Graf da, ein Polacke, und eine feinere Bewirtung vorbereitete.

Mittlerweile teilte sich die Gesellschaft in zwei Partiesen, um das versäumte Spiel nachzuholen, da in diesem Lande keine Männer zusammen sein konnten, ohne zu spielen, wahrscheinlich aus angeborenem Tätigkeitstriebe. Strapinski, welcher die Teilnahme aus verschiedenen Gründen ablehnen mußte, wurde eingeladen zuzusehen, denn das schien ihnen immerhin der Mühe wert, da sie so viel Klugheit und Geistesgegenwart bei den Karten zu entwickeln pflegten. Er mußte sich zwischen beide Partien setzen, und sie legten es nun darauf an, geistreich und gewandt zu spielen und den Gast zu gleicher Zeit zu unterhalten. So saß er denn wie ein kränkelnder Fürst, vor welchem die Hofleute ein angenehmes Schauspiel aufführen und den Lauf der Welt darstellen. Sie erklärten ihm die bedeutendsten Wendungen, Handstreiche und Ereignisse, und wenn die eine Partei für einen Augenblick ihre Aufmerksamkeit ausschließlich dem Spiele zuwenden mußte, so führte die andere dafür um so angelegentlicher die Unterhaltung mit dem Schneider. Der beste Gegenstand dünkte sie hiefür Pferde, Jagd und dergleichen; Strapinski wußte hier auch am besten Bescheid; denn er brauchte nur die Redensarten hervorzuholen, welche er einst in der Nähe von Offizieren und Gutsherren gehört und die ihm schon dazumal ausnehmend wohl gefallen hatten. Wenn er diese Redensarten auch nur sparsam, mit einer gewissen Bescheidenheit und stets mit einem schwermütigen Lächeln vorbrachte, so erreichte er damit nur eine größere Wirkung; wenn zwei oder drei von den Herren aufstanden und etwa zur Seite traten, so sagten sie: »Es ist ein vollkommener Junker!«

Nur Melcher Böhni, der Buchhalter, als ein geborener Zweifler, rieb sich vergnügt die Hände und sagte zu sich selbst: Ich sehe es kommen, daß es wieder einen Goldacher Putsch gibt, ja, er ist gewissermaßen schon da! Es war aber auch Zeit, denn schon sind's zwei Jahre seit dem letzten! Der Mann dort hat mir so wunderlich zerstochene Finger, vielleicht von Praga oder Ostrolenka her! Nun, ich werde mich hüten den Verlauf zu stören!

Die beiden Partieen waren nun zu Ende, auch das Sausergelüste der Herren gebüßt, und sie zogen nun vor, sich an den alten Weinen des Amtsrates ein wenig abzukühlen, die jetzt gebracht wurden; doch war die Abkühlung etwas leidenschaftlicher Natur, indem sofort, um nicht in schnöden Müßiggang zu verfallen, ein allgemeines Hasardspiel vorgeschlagen wurde. Man mischte die Karten, jeder warf einen Brabantertaler hin, und als die Reihe an Strapinski war, konnte er nicht wohl seinen Fingerhut auf den Tisch setzen. »Ich habe nicht ein solches Geldstück«, sagte er errötend; aber schon hatte Melcher Böhni, der ihn beobachtet, für ihn eingesetzt, ohne daß jemand darauf Acht gab; denn alle waren viel zu behaglich als daß sie auf den Argwohn geraten wären, jemand in der Welt könne kein Geld haben. Im nächsten Augenblicke wurde dem Schneider, der gewonnen hatte, der ganze Einsatz zugeschoben; verwirrt ließ er das Geld liegen und Böhni besorgte für ihn das zweite Spiel, welches ein anderer gewann, sowie das dritte. Doch das vierte und fünfte gewann wiederum der Polacke, der allmählig aufwachte und sich in die Sache fand. Indem er sich still und ruhig verhielt, spielte er mit abwechselndem Glücke; einmal kam er bis auf einen Taler herunter, den er setzen mußte, gewann wieder, und zuletzt, als man das Spiel satt bekam, besaß er einige Louisdors, mehr als er jemals in seinem Leben besessen, welche er, als er sah, daß jedermann sein Geld einsteckte, ebenfalls zu sich nahm, nicht ohne Furcht, daß alles ein Traum sei. Böhni, welcher ihn fortwährend scharf betrachtete, war jetzt fast im klaren über ihn und dachte: den Teufel fährt der in einem vierspännigen Wagen!

Weil er aber zugleich bemerkte, daß der rätselhafte Fremde keine Gier nach dem Gelde gezeigt, sich überhaupt bescheiden und nüchtern verhalten hatte, so war er nicht übel gegen ihn gesinnt, sondern beschloß, die Sache durchaus gehen zu lassen.

Aber der Graf Strapinski, als man sich vor dem Abendessen im Freien erging, nahm jetzo seine Gedanken zusammen und hielt den rechten Zeitpunkt einer geräuschlosen Beurlaubung für gekommen. Er hatte ein artiges Reisegeld und nahm sich vor, dem Wirt zur Waage von der nächsten Stadt aus sein aufgedrungenes Mittagsmahl zu bezahlen. Also schlug er seinen Radmantel malerisch um, drückte die Pelzmütze tiefer in die Augen und schritt unter einer Reihe von hohen Akazien in der Abendsonne langsam auf und nieder, das schöne Gelände betrachtend oder vielmehr den Weg erspähend, den er einschlagen wollte. Er nahm sich mit seiner bewölkten Stirne, seinem lieblichen, aber schwermütigen Mundbärtchen, seinen glänzenden schwarzen Locken, seinen dunklen Augen, im Wehen seines faltigen Mantels vortrefflich aus; der Abendschein und das Säuseln der Bäume über ihm erhöhte den Eindruck, so daß die Gesellschaft ihn von ferne mit Aufmerksamkeit und Wohlwollen betrachtete. Allmählig ging er immer etwas weiter vom Hause hinweg, schritt durch ein Gebüsch, hinter welchem ein Feldweg vorüberging, und als er sich vor den Blicken der Gesellschaft gedeckt sah, wollte er eben mit festem Schritt ins Feld rücken, als um eine Ecke herum plötzlich der Amtsrat mit seiner Tochter Nettchen ihm entgegentrat. Nettchen war

ein hübsches Fräulein, äußerst prächtig, etwas stutzerhaft gekleidet und mit Schmuck reichlich verziert.

»Wir suchen Sie, Herr Graf!« rief der Amtsrat, »damit ich
Sie erstens hier meinem Kinde vorstelle und zweitens, um Sie
zu bitten, daß Sie uns die Ehre erweisen möchten, einen Bissen
Abendbrot mit uns zu nehmen; die anderen Herren sind bereits im Hause.«

Der Wanderer nahm schnell seine Mütze vom Kopfe und
machte ehrfurchtsvolle, ja furchtsame Verbeugungen, von Rot
übergossen. Denn eine neue Wendung war eingetreten, ein
Fräulein beschritt den Schauplatz der Ereignisse. Doch scha-
dete ihm seine Blödigkeit und übergroße Ehrerbietung nichts
bei der Dame; im Gegenteil, die Schüchternheit, Demut und
Ehrerbietung eines so vornehmen und interessanten jungen
Edelmanns erschien ihr wahrhaft rührend, ja hinreißend. Da
sieht man, fuhr es ihr durch den Sinn, je nobler, desto bescheidener und unverdorbener; merkt es euch, ihr Herren Wild-
fänge von Goldach, die ihr vor jungen Mädchen kaum mehr
den Hut berührt!

Sie grüßte den Ritter daher auf das holdseligste, indem sie
auch lieblich errötete, und sprach sogleich hastig und schnell
und vieles mit ihm, wie es die Art behaglicher Kleinstädterin-
nen ist, die sich den Fremden zeigen wollen. Strapinski hingegen wandelte sich in kurzer Zeit um; während er bisher nichts
getan hatte, um im geringsten in die Rolle einzugehen, die man
ihm aufbürdete, begann er nun unwillkürlich etwas gesuchter
zu sprechen und mischte allerhand polnische Brocken in die
Rede, kurz, das Schneiderblütchen fing in der Nähe des Frauenzimmers an, seine Sprünge zu machen und seinen Reiter davonzutragen.

Am Tisch erhielt er den Ehrenplatz neben der Tochter des
Hauses; denn die Mutter war gestorben. Er wurde zwar bald
wieder melancholisch, da er bedachte, nun müsse er mit den
andern wieder in die Stadt zurückkehren oder gewaltsam in
die Nacht hinaus entrinnen, und da er ferner überlegte, wie
vergänglich das Glück sei, welches er jetzt genoß. Aber den-

noch empfand er dies Glück und sagte sich zum voraus: Ach,
einmal wirst du doch in deinem Leben etwas vorgestellt und
neben einem solchen höhern Wesen gesessen haben.

Es war in der Tat keine Kleinigkeit, eine Hand neben sich
glänzen zu sehen, die von drei oder vier Armbändern klirrte,
und bei einem flüchtigen Seitenblick jedesmal einen abenteuerlich und reizend frisierten Kopf, ein holdes Erröten, einen
vollen Augenaufschlag zu sehen. Denn er mochte tun oder lassen, was er wollte, alles wurde als ungewöhnlich und nobel
ausgelegt und die Ungeschicklichkeit selbst als merkwürdige
Unbefangenheit liebenswürdig befunden von der jungen
Dame, welche sonst stundenlang über gesellschaftliche Ver-
stöße zu plaudern wußte. Da man guter Dinge war, sangen ein
paar Gäste Lieder, die in den dreißiger Jahren Mode waren.
Der Graf wurde gebeten, ein polnisches Lied zu singen. Der
Wein überwand seine Schüchternheit endlich, obschon nicht
seine Sorgen; er hatte einst einige Wochen im Polnischen gearbeitet und wußte einige polnische Worte, sogar ein Volkslied-
chen auswendig, ohne ihres Inhaltes bewußt zu sein, gleich einem Papagei. Also sang er mit edlem Wesen, mehr zaghaft als
laut und mit einer Stimme, welche wie von einem geheimen
Kummer leise zitterte, auf polnisch:

> Hunderttausend Schweine pferchen
> Von der Desna bis zur Weichsel,
> Und Kathinka, dieses Saumensch,
> Geht im Schmutz bis an die Knöchel!
>
> Hunderttausend Ochsen brüllen
> Auf Volhyniens grünen Weiden,
> Und Kathinka, ja Kathinka,
> Glaubt, ich sei in sie verliebt!

»Bravo! Bravo!« riefen alle Herren, mit den Händen klat-
schend, und Nettchen sagte gerührt: »Ach, das Nationale ist
immer so schön!« Glücklicherweise verlangte niemand die
Übersetzung dieses Gesanges.

Mit dem Überschreiten solchen Höhepunktes der Unterhaltung brach die Gesellschaft auf; der Schneider wurde wieder eingepackt und sorgfältig nach Goldach zurückgebracht; vorher hatte er versprechen müssen, nicht ohne Abschied davonzureisen. Im Gasthof zur Waage wurde noch ein Glas Punsch genommen; jedoch Strapinski war erschöpft und verlangte nach dem Bette. Der Wirt selbst führte ihn auf seine Zimmer, deren Stattlichkeit er kaum mehr beachtete, obgleich er nur gewohnt war in dürftigen Herbergskammern zu schlafen. Er stand ohne alle und jede Habseligkeit mitten auf einem schönen Teppich, als der Wirt plötzlich den Mangel an Gepäck entdeckte und sich vor die Stirne schlug. Dann lief er schnell hinaus, schellte, rief Kellner und Hausknechte herbei, wortwechselte mit ihnen, kam wieder und beteuerte: »Es ist richtig, Herr Graf, man hat vergessen Ihr Gepäck abzuladen! Auch das Notwendigste fehlt!«

»Auch das kleine Paketchen, das im Wagen lag?« fragte Strapinski ängstlich, weil er an ein handgroßes Bündelein dachte, welches er auf den Sitze hatte liegen lassen und das ein Schnupftuch, eine Haarbürste, einen Kamm, ein Büchschen Pomade und einen Stengel Bartwichse enthielt.

»Auch dieses fehlt, es ist gar nichts da«, sagte der gute Wirt erschrocken, weil er darunter etwas sehr Wichtiges vermutete. »Man muß dem Kutscher sogleich einen Expressen nachschicken«, rief er eifrig, »ich werde das besorgen!«

Doch der Herr Graf fiel ihm ebenso erschrocken in den Arm und sagte bewegt: »Lassen Sie, es darf nicht sein! Man muß meine Spur verlieren für einige Zeit«, setzte er hinzu, selbst betreten über diese Erfindung.

Der Wirt ging erstaunt zu den Punsch trinkenden Gästen, erzählte ihnen den Fall und schloß mit dem Ausspruche, daß der Graf unzweifelhaft ein Opfer politischer oder der Familienverfolgung sein müsse; denn um eben diese Zeit wurden viele Polen und andere Flüchtlinge wegen gewaltsamer Unternehmungen des Landes verwiesen; andere wurden von fremden Agenten beobachtet und umgarnt.

Strapinski aber tat einen guten Schlaf, und als er spät erwachte, sah er zunächst den prächtigen Sonntagsschlafrock des Waagwirtes über einen Stuhl gehängt, ferner ein Tischchen mit allem möglichen Toilettenwerkzeug bedeckt. Sodann harrten eine Anzahl Dienstboten, um Körbe und Koffer, angefüllt mit feiner Wäsche, mit Kleidern, mit Zigarren, mit Büchern, mit Stiefeln, mit Schuhen, mit Sporen, mit Reitpeitschen, mit Pelzen, mit Mützen, mit Hüten, mit Socken, mit Strümpfen, mit Pfeifen, mit Flöten und Geigen, abzugeben von seiten der gestrigen Freunde, mit der angelegentlichen Bitte, sich dieser Bequemlichkeiten einstweilen bedienen zu wollen. Da sie die Vormittagsstunden unabänderlich in ihren Geschäften verbrachten, ließen sie ihre Besuche auf die Zeit nach Tisch ansagen.

Diese Leute waren nichts weniger als lächerlich oder einfältig, sondern umsichtige Geschäftsmänner, mehr schlau als vernagelt; allein da ihre wohlbesorgte Stadt klein war und es ihnen manchmal langweilig darin vorkam, waren sie stets begierig auf eine Abwechslung, ein Ereignis, einen Vorgang, dem sie sich ohne Rückhalt hingaben. Der vierspännige Wagen, das Aussteigen des Fremden, sein Mittagessen, die Aussage des Kutschers waren so einfache und natürliche Dinge, daß die Goldacher, welche keinem müßigen Argwohn nachzuhängen pflegten, ein Ereignis darauf aufbauten wie auf einen Felsen.

Als Strapinski das Warenlager sah, das sich vor ihm ausbreitete, war seine erste Bewegung, daß er in seine Tasche griff, um zu erfahren, ob er träume oder wache. Wenn sein Fingerhut dort noch in seiner Einsamkeit weilte, so träumte er. Aber nein, der Fingerhut wohnte traulich zwischen dem gewonnenen Spielgelde und scheuerte sich freundschaftlich an den Talern; so ergab sich auch sein Gebieter wiederum in das Ding und stieg von seinen Zimmern herunter auf die Straße, um sich die Stadt zu besehen, in welcher es ihm so wohl erging. Unter der Küchentüre stand die Köchin, welche ihm einen tiefen Knicks machte und ihm mit neuem Wohlgefallen nachsah; auf dem Flur und an der Haustüre standen andere Hausgeister, alle mit der Mütze in der Hand, und Strapinski schritt mit gutem Anstand und doch bescheiden hinaus, seinen Mantel sittsam zusammennehmend. Das Schicksal machte ihn mit jeder Minute größer.

Mit ganz anderer Miene besah er sich die Stadt als wenn er um Arbeit darin ausgegangen wäre. Dieselbe bestand größtenteils aus schönen, festgebauten Häusern, welche alle mit steinernen oder gemalten Sinnbildern geziert und mit einem Namen versehen waren. In diesen Benennungen war die Sitte der Jahrhunderte deutlich zu erkennen. Das Mittelalter spiegelte sich ab in den ältesten Häusern oder in den Neubauten, welche an deren Stelle getreten, aber den alten Namen behalten aus der Zeit der kriegerischen Schultheiße und der Märchen. Da hieß es: zum Schwert, zum Eisenhut, zum Harnisch, zur Armbrust, zum blauen Schild, zum Schweizerdegen, zum Ritter, zum Büchsenstein, zum Türken, zum Meerwunder, zum goldnen Drachen, zur Linde, zum Pilgerstab, zur Wasserfrau, zum Paradiesvogel, zum Granatbaum, zum Kämbel, zum Einhorn und dergleichen. Die Zeit der Aufklärung und der Philanthropie war deutlich zu lesen in den moralischen Begriffen, welche in schönen Goldbuchstaben über den Haustüren erglänzten, wie: zur Eintracht, zur Redlichkeit, zur alten Unabhängigkeit, zur neuen Unabhängigkeit, zur Bürgertugend a, zur Bürgertugend b, zum Vertrauen, zur Liebe, zur Hoffnung, zum Wiedersehen 1 und 2, zum Frohsinn, zur inneren Rechtlichkeit, zur äußeren Rechtlichkeit, zum Landeswohl (ein reinliches Häuschen, in welchem hinter einem Kanarienkäficht, ganz mit Kresse behängt, eine freundliche alte Frau saß mit einer weißen Zipfelhaube und Garn haspelte), zur Verfassung (unten hauste ein Böttcher, welcher eifrig und mit großem Geräusch kleine Eimer und Fäßchen mit Reifen einfaßte und unablässig klopfte); ein Haus hieß schauerlich: zum Tod! ein verwaschenes Gerippe erstreckte sich von unten bis oben zwischen den Fenstern; hier wohnte der Friedensrichter. Im Hause zur Geduld wohnte der Schuldenschreiber, ein aus-

gehungertes Jammerbild, da in dieser Stadt keiner dem andern
etwas schuldig blieb.

Endlich verkündete sich an den neuesten Häusern die Poesie der Fabrikanten, Bankiere und Spediteure und ihrer Nach-
ahmer in den wohlklingenden Namen: Rosental, Morgental,
Sonnenberg, Veilchenburg, Jugendgarten, Freudenberg, Hen-
riettental, zur Camelia, Wilhelminenburg usw. Die an Frauen-
namen gehängten Täler und Burgen bedeuteten für den Kun-
digen immer ein schönes Weibergut.

An jeder Straßenecke stand ein alter Turm mit reichem Uhr-
werk, buntem Dach und zierlich vergoldeter Windfahne.
Diese Türme waren sorgfältig erhalten; denn die Goldacher
erfreuten sich der Vergangenheit und der Gegenwart und taten
auch recht daran. Die ganze Herrlichkeit war aber von der alten Ringmauer eingefaßt, welche, obwohl nichts mehr nütze,
dennoch zum Schmucke beibehalten wurde, da sie ganz mit
dichtem altem Efeu überwachsen war und so die kleine Stadt
mit einem immergrünen Kranze umschloß.

Alles dieses machte einen wunderbaren Eindruck auf Strapinski; er glaubte sich in einer anderen Welt zu befinden. Denn
als er die Aufschriften der Häuser las, dergleichen er noch
nicht gesehen, war er der Meinung, sie bezögen sich auf die besondern Geheimnisse und Lebensweisen jedes Hauses und es
sähe hinter jeder Haustüre wirklich so aus, wie die Überschrift
angab, so daß er in eine Art moralisches Utopien hineingera-
ten wäre. So war er geneigt zu glauben, die wunderliche Aufnahme, welche er gefunden, hänge hiemit im Zusammenhang,
so daß z. B. das Sinnbild der Waage, in welcher er wohnte, be-
deute, daß dort das ungleiche Schicksal abgewogen und ausgeglichen und zuweilen ein reisender Schneider zum Grafen gemacht würde.

Er geriet auf seiner Wanderung auch vor das Tor, und wie er
nun so über das freie Feld hinblickte, meldete sich zum letzten
Male der pflichtgemäße Gedanke, seinen Weg unverweilt fortzusetzen. Die Sonne schien, die Straße war schön, fest, nicht
zu trocken und auch nicht zu naß, zum Wandern wie gemacht.

Reisegeld hatte er nun auch, so daß er angenehm einkehren konnte, wo er Lust dazu verspürte, und kein Hindernis war zu erspähen.

Da stand er nun, gleich dem Jüngling am Scheidewege, auf einer wirklichen Kreuzstraße; aus dem Lindenkranze, welcher die Stadt umgab, stiegen gastliche Rauchsäulen, die goldenen Turmknöpfe funkelten lockend aus den Baumwipfeln, Glück, Genuß und Verschuldung, ein geheimnisvolles Schicksal winkten dort; von der Feldseite her aber glänzte die freie Ferne; Arbeit, Entbehrung, Armut, Dunkelheit harrten dort, aber auch ein gutes Gewissen und ein ruhiger Wandel; dieses fühlend, wollte er denn auch entschlossen ins Feld abschwenken. Im gleichen Augenblicke rollte ein rasches Fuhrwerk heran; es war das Fräulein von gestern, welches mit wehendem blauem Schleier ganz allein in einem schmucken leichten Fuhrwerke saß, ein schönes Pferd regierte und nach der Stadt fuhr. Sobald Strapinski nur an seine Mütze griff und dieselbe demütig vor seine Brust nahm in seiner Überraschung, verbeugte sich das Mädchen rasch errötend gegen ihn, aber überaus freundlich, und fuhr in großer Bewegung, das Pferd zum Galopp antreibend, davon.

Strapinski aber machte unwillkürlich ganze Wendung und kehrte getrost nach der Stadt zurück. Noch an demselben Tage galoppierte er auf dem besten Pferde der Stadt, an der Spitze einer ganzen Reitergesellschaft, durch die Allee, welche um die grüne Ringmauer führte, und die fallenden Blätter der Linden tanzten wie ein goldener Regen um sein verklärtes Haupt.

Nun war der Geist in ihn gefahren. Mit jedem Tage wandelte er sich, gleich einem Regenbogen, der zusehends bunter wird an der vorbrechenden Sonne. Er lernte in Stunden, in Augenblicken, was andere nicht in Jahren, da es in ihm gesteckt hatte, wie das Farbenwesen im Regentropfen. Er beachtete wohl die Sitten seiner Gastfreunde und bildete sie während des Beobachtens zu einem Neuen und Fremdartigen um; besonders suchte er abzulauschen, was sie sich eigentlich unter ihm dächten und was für ein Bild sie sich von ihm ge-

macht. Dies Bild arbeitete er weiter aus nach seinem eigenen
Geschmacke, zur vergnüglichen Unterhaltung der einen, welche gern etwas Neues sehen wollten, und zur Bewunderung
der anderen, besonders der Frauen, welche nach erbaulicher
Anregung dürsteten. So ward er rasch zum Helden eines artigen Romanes, an welchem er gemeinsam mit der Stadt und liebevoll arbeitete, dessen Hauptbestandteil aber immer noch das
Geheimnis war.

Bei alldem erlebte Strapinski, was er in seiner Dunkelheit
früher nie gekannt, eine schlaflose Nacht um die andere, und
es ist mit Tadel hervorzuheben, daß es ebensoviel die Furcht
vor der Schande, als armer Schneider entdeckt zu werden und
dazustehen, als das ehrliche Gewissen war, was ihm den Schlaf
raubte. Sein angeborenes Bedürfnis, etwas Zierliches und
Außergewöhnliches vorzustellen, wenn auch nur in der Wahl
der Kleider, hatte ihn in diesen Konflikt geführt und brachte
jetzt auch jene Furcht hervor, und sein Gewissen war nur in-
soweit mächtig, daß er beständig den Vorsatz nährte, bei guter
Gelegenheit einen Grund zur Abreise zu finden und dann
durch Lotteriespiel und dergleichen die Mittel zu gewinnen,
aus geheimnisvoller Ferne alles zu vergüten, um was er die
gastfreundlichen Goldacher gebracht hatte. Er ließ sich auch
schon aus allen Städten, wo es Lotterien oder Agenten derselben gab, Lose kommen mit mehr oder weniger bescheidenem
Einsatze, und die daraus entstehende Korrespondenz, der
Empfang der Briefe, wurde wiederum als ein Zeichen wichtiger Beziehungen und Verhältnisse vermerkt.

Schon hatte er mehr als ein Mal ein paar Gulden gewonnen
und dieselben sofort wieder zum Erwerb neuer Lose verwendet, als er eines Tages von einem fremden Kollekteur, der sich
aber Bankier nannte, eine namhafte Summe empfing, welche
hinreichte, jenen Rettungsgedanken auszuführen. Er war bereits nicht mehr erstaunt über sein Glück, das sich von selbst zu
verstehen schien, fühlte sich aber doch erleichtert und besonders dem guten Waagwirt gegenüber beruhigt, welchen er

seines guten Essens wegen sehr wohl leiden mochte. Anstatt aber kurz abzubinden, seine Schulden gradaus zu bezahlen und abzureisen, gedachte er, wie er sich vorgenommen, eine kurze Geschäftsreise vorzugeben, dann aber von irgend einer großen Stadt aus zu melden, daß das unerbittliche Schicksal ihm verbiete je wiederzukehren; dabei wolle er seinen Verbindlichkeiten nachkommen, ein gutes Andenken hinterlassen und seinem Schneiderberufe sich aufs neue und mit mehr Umsicht und Glück widmen oder auch sonst einen anständigen Lebensweg erspähen. Am liebsten wäre er freilich auch als Schneidermeister in Goldach geblieben und hätte jetzt die Mittel gehabt, sich da ein bescheidenes Auskommen zu begründen; allein es war klar, daß er hier nur als Graf leben konnte.

Wegen des sichtlichen Vorzuges und Wohlgefallens, dessen er sich bei jeder Gelegenheit von Seite des schönen Nettchens zu erfreuen hatte, waren schon manche Redensarten im Umlauf und er hatte sogar bemerkt, daß das Fräulein hin und wieder die Gräfin genannt wurde. Wie konnte er diesem Wesen nun eine solche Entwicklung bereiten? Wie konnte er das Schicksal, das ihn gewaltsam so erhöht hatte, so frevelhaft Lügen strafen und sich selbst beschämen?

Er hatte von seinem Lotteriemann, genannt Bankier, einen Wechsel bekommen, welchen er bei einem Goldacher Haus einkassierte; diese Verrichtung bestärkte abermals die günstigen Meinungen über seine Person und Verhältnisse, da die soliden Handelsleute nicht im entferntesten an einen Lotterieverkehr dachten. An demselben Tage nun begab sich Strapinski auf einen stattlichen Ball, zu dem er geladen war. In tiefes, einfaches Schwarz gekleidet erschien er und verkündete sogleich den ihn Begrüßenden, daß er genötigt sei zu verreisen.

In zehn Minuten war die Nachricht der ganzen Versammlung bekannt, und Nettchen, deren Anblick Strapinski suchte, schien, wie erstarrt, seinen Blicken auszuweichen, bald rot, bald blaß werdend. Dann tanzte sie mehrmals hintereinander mit jungen Herren, setzte sich zerstreut und schnell atmend und schlug eine Einladung des Polen, der endlich herangetre-

ten war, mit einer kurzen Verbeugung aus, ohne ihn anzusehen.

Seltsam aufgeregt und bekümmert ging er hinweg, nahm
seinen famosen Mantel um und schritt mit wehenden Locken
in einem Gartenwege auf und nieder. Es wurde ihm nun klar,
daß er eigentlich nur dieses Wesens halber so lange dagebli-
ben sei, daß die unbestimmte Hoffnung, doch wieder in ihre
Nähe zu kommen, ihn unbewußt belebte, daß aber der ganze
Handel eben eine Unmöglichkeit darstelle von der verzwei-
feltsten Art.

Wie er so dahin schritt, hörte er rasche Tritte hinter sich,
leichte, doch unruhig bewegte. Nettchen ging an ihm vorüber
und schien, nach einigen ausgerufenen Worten zu urteilen,
nach ihrem Wagen zu suchen, obgleich derselbe auf der anderen Seite des Hauses stand und hier nur Winterkohlköpfe und
eingewickelte Rosenbäumchen den Schlaf der Gerechten ver-
träumten. Dann kam sie wieder zurück, und da er jetzt mit
klopfendem Herzen ihr im Wege stand und bittend die Hände
nach ihr ausstreckte, fiel sie ihm ohne weiteres um den Hals
und fing jämmerlich an zu weinen. Er bedeckte ihre glühenden
Wangen mit seinen fein duftenden dunklen Locken und sein
Mantel umschlug die schlanke, stolze, schneeweiße Gestalt
des Mädchens wie mit schwarzen Adlerflügeln; es war ein
wahrhaft schönes Bild, das seine Berechtigung ganz allein in
sich selbst zu tragen schien.

Strapinski aber verlor in diesem Abenteuer seinen Verstand
und gewann das Glück, das öfter den Unverständigen hold ist.
Nettchen eröffnete ihrem Vater noch in selbiger Nacht beim
Nachhausefahren, daß kein anderer als der Graf der Ihrige sein
werde; dieser erschien am Morgen in aller Frühe, um bei dem
Vater liebenswürdig schüchtern und melancholisch, wie immer, um sie zu werben, und der Vater hielt folgende Rede:

»So hat sich denn das Schicksal und der Wille dieses törichten Mädchens erfüllt! Schon als Schulkind behauptete sie fortwährend, nur einen Italiener oder einen Polen, einen großen
Pianisten oder einen Räuberhauptmann mit schönen Locken

heiraten zu wollen, und nun haben wir die Bescherung! Alle inländischen wohlmeinenden Anträge hat sie ausgeschlagen, noch neulich mußte ich den gescheiten und tüchtigen Melchior Böhni heimschicken, der noch große Geschäfte machen wird, und sie hat ihn noch schrecklich verhöhnt, weil er nur ein rötliches Backenbärtchen trägt und aus einem silbernen Döschen schnupft! Nun, Gott sei Dank, ist ein polnischer Graf da aus wildester Ferne! Nehmen Sie die Gans, Herr Graf, und schicken Sie mir dieselbe wieder, wenn sie in Ihrer Polackei friert und einst unglücklich wird und heult! Nun, was würde die selige Mutter für ein Entzücken genießen, wenn sie noch erlebt hätte, daß das verzogene Kind eine Gräfin geworden ist!«

Nun gab es große Bewegung; in wenig Tagen sollte rasch die Verlobung gefeiert werden, denn der Amtsrat behauptete, daß der künftige Schwiegersohn sich in seinen Geschäften und vorhabenden Reisen nicht durch Heiratssachen dürfe aufhalten lassen, sondern diese durch die Beförderung jener beschleunigen müsse.

Strapinski brachte zur Verlobung Brautgeschenke, welche ihn die Hälfte seines zeitlichen Vermögens kosteten; die andere Hälfte verwandte er zu einem Feste, das er seiner Braut geben wollte. Es war eben Fastnachtszeit und bei hellem Himmel ein verspätetes glänzendes Winterwetter. Die Landstraßen boten die prächtigste Schlittenbahn, wie sie nur selten entsteht und sich hält, und Herr von Strapinski veranstaltete darum eine Schlittenfahrt und einen Ball in dem für solche Feste beliebten stattlichen Gasthause, welches auf einer Hochebene mit der schönsten Aussicht gelegen war, etwa zwei gute Stunden entfernt und genau in der Mitte zwischen Goldach und Seldwyla.

Um diese Zeit geschah es, daß Herr Melchior Böhni in der letzteren Stadt Geschäfte zu besorgen hatte und daher einige Tage vor dem Winterfest in einem leichten Schlitten dahin fuhr, seine beste Zigarre rauchend; und es geschah ferner, daß die Seldwyler auf den gleichen Tag wie die Goldacher auch eine Schlittenfahrt verabredeten, nach dem gleichen Orte, und zwar eine kostümierte oder Maskenfahrt.

So fuhr denn der Goldacher Schlittenzug gegen die Mittagsstunde unter Schellenklang, Posthorntönen und Peitschenknall durch die Straßen der Stadt, daß die Sinnbilder der alten Häuser erstaunt herniedersahen, und zum Tore hinaus. Im ersten Schlitten saß Strapinski mit seiner Braut, in einem polnischen Überrock von grünem Sammet, mit Schnüren besetzt und schwer mit Pelz verbrämt und gefüttert. Nettchen war ganz in weißes Pelzwerk gehüllt; blaue Schleier schützten ihr Gesicht gegen die frische Luft und gegen den Schneeglanz. Der Amtsrat war durch irgend ein plötzliches Ereignis verhindert worden mitzufahren; doch war es sein Gespann und sein Schlitten, in welchem sie fuhren, ein vergoldetes Frauenbild als Schlittenzierat vor sich, die Fortuna vorstellend; denn die Stadtwohnung des Amtsrates hieß zur Fortuna.

Ihnen folgten fünfzehn bis sechszehn Gefährte mit je einem Herren und einer Dame, alle geputzt und lebensfroh, aber keines der Paare so schön und stattlich wie das Brautpaar. Die Schlitten trugen, wie die Meerschiffe ihre Galions, immer das Sinnbild des Hauses, dem jeder angehörte, so daß das Volk rief: »Seht, da kommt die Tapferkeit! Wie schön ist die Tüchtigkeit! Die Verbesserlichkeit scheint neu lackiert zu sein und die Sparsamkeit frisch vergoldet! Ah, der Jakobsbrunnen und der Teich Bethesda!« Im Teiche Bethesda, welcher als bescheidener Einspänner den Zug schloß, kutschierte Melchior Böhni still und vergnügt. Als Galion seines Fahrzeugs hatte er das Bild jenes jüdischen Männchens vor sich, welcher an besagtem Teiche dreißig Jahre auf sein Heil gewartet. So segelte denn das Geschwader im Sonnenscheine dahin und erschien bald auf der weithin schimmernden Höhe, dem Ziele sich nahend. Da ertönte gleichzeitig von der entgegengesetzten Seite lustige Musik.

Aus einem duftig bereiften Walde heraus brach ein Wirrwarr von bunten Farben und Gestalten und entwickelte sich zu einem Schlittenzug, welcher hoch am weißen Feldrande sich auf den blauen Himmel zeichnete und ebenfalls nach der Mitte der Gegend hinglitt, von abenteuerlichem Anblick. Es schienen meistens große bäuerliche Lastschlitten zu sein, je zwei zusammengebunden, um absonderlichen Gebilden und Schaustellungen zur Unterlage zu dienen. Auf dem vordersten Fuhrwerke ragte eine kolossale Figur empor, die Göttin Fortuna vorstellend, welche in den Äther hinauszufliegen schien. Es war eine riesenhafte Strohpuppe voll schimmernden Flittergoldes, deren Gazegewänder in der Luft flatterten. Auf dem zweiten Gefährte aber fuhr ein ebenso riesenmäßiger Ziegenbock einher, schwarz und düster abstechend und mit gesenkten Hörnern der Fortuna nachjagend. Hierauf folgte ein seltsames Gerüste, welches sich als ein fünfzehn Schuh hohes Bügeleisen darstellte, dann eine gewaltig schnappende Schere, welche mittelst einer Schnur auf- und zugeklappt wurde und das Himmelszelt für einen blauseidenen Westenstoff anzusehen schien. Andere solche landläufige Anspielungen auf das Schneiderwesen folgten noch, und zu Füßen aller dieser Gebilde saß auf den geräumigen, je von vier Pferden gezogenen Schlitten die Seldwyler Gesellschaft in buntester Tracht, mit lautem Gelächter und Gesang.

Als beide Züge gleichzeitig auf dem Platze vor dem Gasthause auffuhren, gab es demnach einen geräuschvollen Auftritt und ein großes Gedränge von Menschen und Pferden. Die Herrschaften von Goldach waren überrascht und erstaunt über die abenteuerliche Begegnung; die Seldwyler dagegen stellten sich vorerst gemütlich und freundschaftlich bescheiden. Ihr vorderster Schlitten mit der Fortuna trug die Inschrift: »Leute machen Kleider«, und so ergab es sich denn, daß die ganze Gesellschaft lauter Schneidersleute von allen Nationen und aus allen Zeitaltern darstellte. Es war gewissermaßen ein historisch-ethnographischer Schneiderfestzug, welcher mit der umgekehrten und ergänzenden Inschrift abschloß: »Kleider machen Leute!« In dem letzten Schlitten mit dieser Überschrift saßen nämlich, als das Werk der vorausgefahrenen heidnischen und christlichen Nahtbeflissenen aller

Art, ehrwürdige Kaiser und Könige, Ratsherren und Stabs-
offiziere, Prälaten und Stiftsdamen in höchster Gravität.

Diese Schneiderwelt wußte sich gewandt aus dem Wirrwarr
zu ordnen und ließ die Goldacher Herren und Damen, das
Brautpaar an deren Spitze, bescheiden ins Haus spazieren, um
nachher die unteren Räume desselben, welche für sie bestellt
waren, zu besetzen, während jene die breite Treppe empor
nach dem großen Festsaale rauschten. Die Gesellschaft des
Herren Grafen fand dies Benehmen schicklich und ihre Überraschung verwandelte sich in Heiterkeit und beifälliges
Lächeln über die unverwüstliche Laune der Seldwyler; nur der
Graf selbst hegte gar dunkle Empfindungen, die ihm nicht be-
hagten, obgleich er in der jetzigen Voreingenommenheit seiner
Seele keinen bestimmten Argwohn verspürte und nicht einmal
bemerkt hatte, woher die Leute gekommen waren. Melchior
Böhni, der seinen Teich Bethesda sorglich bei Seite gebracht
hatte und sich aufmerksam in der Nähe Strapinskis befand,
nannte laut, daß dieser es hören konnte, eine ganz andere Ortschaft als den Ursprungsort des Maskenzuges.

Bald saßen beide Gesellschaften, jegliche auf ihrem Stock-
werke, an den gedeckten Tafeln und gaben sich fröhlichen
Gesprächen und Scherzreden hin, in Erwartung weiterer
Freuden.

Die kündigten sich denn auch für die Goldacher an, als sie
paarweise in den Tanzsaal hinüberschritten und dort die Musiker schon ihre Geigen stimmten. Wie nun aber alles im
Kreise stand und sich zum Reihen ordnen wollte, erschien eine
Gesandtschaft der Seldwyler, welche das freundnachbarliche
Gesuch und Anerbieten vortrug, den Herren und Frauen von
Goldach einen Besuch abstatten zu dürfen und ihnen zum
Ergötzen einen Schautanz aufzuführen. Dieses Anerbieten
konnte nicht wohl zurückgewiesen werden; auch versprach
man sich von den lustigen Seldwylern einen tüchtigen Spaß
und setzte sich daher nach der Anordnung der besagten Gesandtschaft in einem großen Halbring, in dessen Mitte Strapinski und Nettchen glänzten gleich fürstlichen Sternen.

Nun traten allmählig jene besagten Schneidergruppen nacheinander ein. Jede führte in zierlichem Gebärdenspiel den Satz »Leute machen Kleider« und dessen Umkehrung durch, indem sie erst mit Emsigkeit irgend ein stattliches Kleidungsstück, einen Fürstenmantel, Priestertalar und dergleichen anzufertigen schien und sodann eine dürftige Person damit bekleidete, welche, urplötzlich umgewandelt, sich in höchstem Ansehen aufrichtete und nach dem Takte der Musik feierlich einherging. Auch die Tierfabel wurde in diesem Sinne in Szene gesetzt, da eine gewaltige Krähe erschien, die sich mit Pfauenfedern schmückte und quakend umherhupfte, ein Wolf, der sich einen Schafspelz zurechtschneiderte, schließlich ein Esel, der eine furchtbare Löwenhaut von Werg trug und sich heroisch damit drapierte wie mit einem Carbonarimantel.

Alle, die so erschienen, traten nach vollbrachter Darstellung zurück und machten allmählig so den Halbkreis der Goldacher zu einem weiten Ring von Zuschauern, dessen innerer Raum endlich leer ward. In diesem Augenblicke ging die Musik in eine wehmütig ernste Weise über und zugleich beschritt eine letzte Erscheinung den Kreis, dessen Augen sämtlich auf sie gerichtet waren. Es war ein schlanker junger Mann in dunklem Mantel, dunklen schönen Haaren und mit einer polnischen Mütze; es war niemand anders als der Graf Strapinski, wie er an jenem Novembertage auf der Straße gewandert und den verhängnisvollen Wagen bestiegen hatte.

Die ganze Versammlung blickte lautlos gespannt auf die Gestalt, welche feierlich schwermütig einige Gänge nach dem Takte der Musik umher trat, dann in die Mitte des Ringes sich begab, den Mantel auf den Boden breitete, sich schneidermäßig darauf niedersetzte und anfing ein Bündel auszupacken. Er zog einen beinahe fertigen Grafenrock hervor, ganz wie ihn Strapinski in diesem Augenblicke trug, nähete mit großer Hast und Geschicklichkeit Troddeln und Schnüre darauf und bügelte ihn schulgerecht aus, indem er das scheinbar heiße Bügeleisen mit nassen Fingern prüfte. Dann richtete er sich langsam auf, zog seinen fadenscheinigen Rock aus und das Pracht-

kleid an, nahm ein Spiegelchen, kämmte sich und vollendete
seinen Anzug, daß er endlich als das leibhafte Ebenbild des
Grafen dastand. Unversehens ging die Musik in eine rasche
mutige Weise über, der Mann wickelte seine Siebensachen in
den alten Mantel und warf das Pack weit über die Köpfe der
Anwesenden hinweg in die Tiefe des Saales, als wollte er sich
ewig von seiner Vergangenheit trennen. Hierauf beging er als
stolzer Weltmann in stattlichen Tanzschritten den Kreis, hie
und da sich vor den Anwesenden huldreich verbeugend, bis er
vor das Brautpaar gelangte. Plötzlich faßte er den Polen, ungeheuer überrascht, fest ins Auge, stand als eine Säule vor ihm
still, während gleichzeitig wie auf Verabredung die Musik aufhörte und eine fürchterliche Stille wie ein stummer Blitz einfiel.

»Ei ei ei ei!« rief er mit weithin vernehmlicher Stimme und
reckte den Arm gegen den Unglücklichen aus, »sieh da den
Bruder Schlesier, den Wasserpolacken! Der mir aus der Arbeit
gelaufen ist, weil er wegen einer kleinen Geschäftsschwan-
kung glaubte, es sei zu Ende mit mir. Nun es freut mich, daß
es Ihnen so lustig geht und Sie hier so fröhliche Fastnacht halten! Stehen Sie in Arbeit zu Goldach?«

Zugleich gab er dem bleich und lächelnd dasitzenden Grafensohn die Hand, welche dieser willenlos ergriff wie eine feurige Eisenstange, während der Doppelgänger rief: »Kommt,
Freunde, seht hier unsern sanften Schneidergesellen, der wie
ein Raphael aussieht und unsern Dienstmägden, auch der
Pfarrerstochter so wohl gefiel, die freilich ein bißchen überge-
schnappt ist!«

Nun kamen die Seldwyler Leute alle herbei und drängten
sich um Strapinski und seinen ehemaligen Meister, indem sie
ersterm treuherzig die Hand schüttelten, daß er auf seinem
Stuhle schwankte und zitterte. Gleichzeitig setzte die Musik
wieder ein mit einem lebhaften Marsch; die Seldwyler, sowie
sie an dem Brautpaar vorüber waren, ordneten sich zum Ab-
zuge und marschierten unter Absingung eines wohleinstu-
dierten diabolischen Lachchors aus dem Saale, während die

Goldacher, unter welchen Böhni die Erklärung des Mirakels blitzschnell zu verbreiten gewußt hatte, durcheinander liefen und sich mit den Seldwylern kreuzten, so daß es einen großen Tumult gab.

Als dieser sich endlich legte, war auch der Saal beinahe leer; wenige Leute standen an den Wänden und flüsterten verlegen untereinander; ein paar junge Damen hielten sich in einiger Entfernung von Nettchen, unschlüssig, ob sie sich derselben nähern sollten oder nicht.

Das Paar aber saß unbeweglich auf seinen Stühlen gleich einem steinernen ägyptischen Königspaar, ganz still und einsam; man glaubte den unabsehbaren glühenden Wüstensand zu fühlen.

Nettchen, weiß wie ein Marmor, wendete das Gesicht langsam nach ihrem Bräutigam und sah ihn seltsam von der Seite an.

Da stand er langsam auf und ging mit schweren Schritten hinweg, die Augen auf den Boden gerichtet, während große Tränen aus denselben fielen.

Er ging durch die Goldacher und Seldwyler, welche die Treppen bedeckten, hindurch, wie ein Toter, der sich gespenstisch von einem Jahrmarkt stiehlt, und sie ließen ihn seltsamerweise auch wie einen solchen passieren, indem sie ihm still auswichen, ohne zu lachen oder harte Worte nachzurufen. Er ging auch zwischen den zur Abfahrt gerüsteten Schlitten und Pferden von Goldach hindurch, indessen die Seldwyler sich in ihrem Quartiere erst noch recht belustigten, und er wandelte halb unbewußt, nur in der Meinung, nicht mehr nach Goldach zurückzukommen, dieselbe Straße gegen Seldwyla hin, auf welcher er vor einigen Monaten hergewandert war. Bald verschwand er in der Dunkelheit des Waldes, durch welchen sich die Straße zog. Er war barhäuptig, denn seine Polenmütze war im Fenstersimse des Tanzsaales liegen geblieben nebst den Handschuhen, und so schritt er denn gesenkten Hauptes und die frierenden Hände unter die gekreuzten Arme bergend vorwärts, während seine Gedanken sich allmählig sammelten und zu einigem Erkennen gelangten. Das erste deutliche Gefühl, dessen er inne wurde, war dasjenige einer ungeheuren Schande, gleich wie wenn er ein wirklicher Mann von Rang und Ansehen gewesen und nun infam geworden wäre durch Hereinbrechen irgend eines verhängnisvollen Unglückes. Dann löste sich dieses Gefühl aber auf in eine Art Bewußtsein erlittenen Unrechtes; er hatte sich bis zu seinem glorreichen Einzug in die verwünschte Stadt nie ein Vergehen zu Schulden kommen lassen; soweit seine Gedanken in die Kindheit zurückreichten, war ihm nicht erinnerlich, daß er je wegen einer Lüge oder einer Täuschung gestraft oder gescholten worden wäre, und nun war er ein Betrüger geworden dadurch, daß die Torheit der Welt ihn in einem unbewachten und sozusagen wehrlosen Augenblicke überfallen und ihn zu ihrem Spielgesellen gemacht hatte. Er kam sich wie ein Kind vor, welches ein anderes boshaftes Kind überredet hat, von einem Altare den Kelch zu stehlen; er haßte und verachtete sich jetzt, aber er weinte auch über sich und seine unglückliche Verirrung.

Wenn ein Fürst Land und Leute nimmt; wenn ein Priester die Lehre seiner Kirche ohne Überzeugung verkündet, aber die Güter seiner Pfründe mit Würde verzehrt; wenn ein dünkelvoller Lehrer die Ehren und Vorteile eines hohen Lehramtes inne hat und genießt, ohne von der Höhe seiner Wissenschaft den mindesten Begriff zu haben und derselben auch nur den kleinsten Vorschub zu leisten; wenn ein Künstler ohne Tugend, mit leichtfertigem Tun und leerer Gaukelei sich in Mode bringt und Brot und Ruhm der wahren Arbeit vorwegstiehlt; oder wenn ein Schwindler, der einen großen Kaufmannsnamen geerbt oder erschlichen hat, durch seine Torheiten und Gewissenlosigkeiten Tausende um ihre Ersparnisse und Notpfennige bringt, so weinen alle diese nicht über sich, sondern erfreuen sich ihres Wohlseins und bleiben nicht einen Abend ohne aufheiternde Gesellschaft und gute Freunde.

Unser Schneider aber weinte bitterlich über sich, das heißt, er fing solches plötzlich an, als nun seine Gedanken an der schweren Kette, an der sie hingen, unversehens zu der verlas-

senen Braut zurückkehrten und sich aus Scham vor der Unsichtbaren zur Erde krümmten. Das Unglück und die Erniedrigung zeigten ihm mit Einem hellen Strahle das verlorene
Glück und machten aus dem unklar verliebten Irrgänger einen
verstoßenen Liebenden. Er streckte die Arme gegen die kalt
glänzenden Sterne empor und taumelte mehr als er ging auf
seiner Straße dahin, stand wieder still und schüttelte den Kopf,
als plötzlich ein roter Schein den Schnee um ihn her erreichte
und zugleich Schellenklang und Gelächter ertönte. Es waren
die Seldwyler, welche mit Fackeln nach Hause fuhren. Schon
näherten sich ihm die ersten Pferde mit ihren Nasen; da raffte
er sich auf, tat einen gewaltigen Sprung über den Straßenrand
und duckte sich unter die vordersten Stämme des Waldes. Der
tolle Zug fuhr vorbei und verhallte endlich in der dunklen
Ferne, ohne daß der Flüchtling bemerkt worden war; dieser
aber, nachdem er eine gute Weile reglos gelauscht hatte, von
der Kälte wie von den erst genossenen feurigen Getränken
und seiner gramvollen Dummheit übermannt, streckte unvermerkt seine Glieder aus und schlief ein auf dem knisternden
Schnee, während ein eiskalter Hauch von Osten heranzuwe-
hen begann.

Inzwischen erhob auch Nettchen sich von ihrem einsamen
Sitze. Sie hatte dem abziehenden Geliebten gewissermaßen
aufmerksam nachgeschaut, saß länger als eine Stunde unbeweglich da und stand dann auf, indem sie bitterlich zu weinen
begann und ratlos nach der Türe ging. Zwei Freundinnen gesellten sich nun zu ihr mit zweifelhaft tröstenden Worten; sie
bat dieselben, ihr Mantel, Tücher, Hut und dergleichen zu verschaffen, in welche Dinge sie sich sodann stumm verhüllte, die
Augen mit dem Schleier heftig trocknend. Da man aber, wenn
man weint, fast immer zugleich auch die Nase schneuzen muß,
so sah sie sich doch genötigt das Taschentuch zu nehmen und
tat einen tüchtigen Schneuz, worauf sie stolz und zornig um
sich blickte. In dieses Blicken hinein geriet Melchior Böhni,
der sich ihr freundlich, demütig und lächelnd näherte und ihr

die Notwendigkeit darstellte, nunmehr einen Führer und Begleiter nach dem väterlichen Hause zurück zu haben. Den Teich Bethesda, sagte er, werde er hier im Gasthause zurücklassen und dafür die Fortuna mit der verehrten Unglücklichen sicher nach Goldach hin geleiten.

Ohne zu antworten, ging sie festen Schrittes voran nach dem Hofe, wo der Schlitten mit den ungeduldigen wohlgefütterten Pferden bereit stand, einer der letzten, welche dort waren. Sie nahm rasch darin Platz, ergriff das Leitseil und die Peitsche, und während der achtlose Böhni, mit glücklicher Geschäftigkeit sich gebärdend, dem Stallknechte, der die Pferde gehalten, das Trinkgeld hervorsuchte, trieb sie unversehens die Pferde an und fuhr auf die Landstraße hinaus in starken Sätzen, welche sich bald in einen anhaltenden muntern Galopp verwandelten. Und zwar ging es nicht nach der Heimat, sondern auf der Seldwyler Straße hin. Erst als das leichtbeschwingte Fahrzeug schon dem Blick entschwunden war, entdeckte Herr Böhni das Ereignis und lief in der Richtung gegen Goldach mit Hoho! und Haltrufen, sprang dann zurück und jagte mit seinem eigenen Schlitten der entflohenen oder nach seiner Meinung durch die Pferde entführten Schönen nach, bis er am Tore der aufgeregten Stadt anlangte, in welcher das Ärgernis bereits alle Zungen beschäftigte.

Warum Nettchen jenen Weg eingeschlagen, ob in der Verwirrung oder mit Vorsatz, ist nicht sicher zu berichten. Zwei Umstände mögen hier ein leises Licht gewähren. Einmal lagen sonderbarerweise die Pelzmütze und die Handschuhe Strapinskis, welche auf dem Fenstersimse hinter dem Sitze des Paares gelegen hatten, nun im Schlitten der Fortuna neben Nettchen; wann und wie sie diese Gegenstände ergriffen, hatte niemand beachtet und sie selbst wußte es nicht; es war wie im Schlafwandel geschehen. Sie wußte jetzt noch nicht, daß Mütze und Handschuhe neben ihr lagen. Sodann sagte sie mehr als ein Mal laut vor sich hin: »Ich muß noch zwei Worte mit ihm sprechen, nur zwei Worte!«

Diese beiden Tatsachen scheinen zu beweisen, daß nicht

ganz der Zufall die feurigen Pferde lenkte. Auch war es seltsam, als die Fortuna in die Waldstraße gelangte, in welche jetzt
der helle Vollmond hineinschien, wie Nettchen den Lauf der
Pferde mäßigte und die Zügel fester anzog, so daß dieselben
beinah nur im Schritt einhertanzten, während die Lenkerin die
traurigen, aber dennoch scharfen Augen gespannt auf den Weg
heftete, ohne links und rechts den geringsten auffälligen Gegenstand außer Acht zu lassen.

Und doch war gleichzeitig ihre Seele wie in tiefer schwerer
unglücklicher Vergessenheit befangen. Was sind Glück und
Leben! von was hangen sie ab? Was sind wir selbst, daß wir
wegen einer lächerlichen Fastnachtslüge glücklich oder unglücklich werden? Was haben wir verschuldet, wenn wir
durch eine fröhliche gläubige Zuneigung Schmach und Hoffnungslosigkeit einernteten? Wer sendet uns solche einfältige
Truggestalten, die zerstörend in unser Schicksal eingreifen,
während sie sich selbst daran auflösen wie schwache Seifen-
blasen?

Solche mehr geträumte als gedachte Fragen umfingen die
Seele Nettchens, als ihre Augen sich plötzlich auf einen länglichen dunklen Gegenstand richteten, welcher zur Seite der
Straße sich vom mondbeglänzten Schnee abhob. Es war der
langhingestreckte Wenzel, dessen dunkles Haar sich mit dem
Schatten der Bäume vermischte, während sein schlanker Körper deutlich im Lichte lag.

Nettchen hielt unwillkürlich die Pferde an, womit eine tiefe
Stille über den Wald kam. Sie starrte unverwandt nach dem
dunklen Körper, bis derselbe sich ihrem hellsehenden Auge
fast unverkennbar darstellte und sie leise die Zügel festband,
ausstieg, die Pferde einen Augenblick beruhigend streichelte
und sich hierauf der Erscheinung vorsichtig, lautlos näherte.

Ja, er war es. Der dunkelgrüne Samt seines Rockes nahm
sich selbst auf dem nächtlichen Schnee schön und edel aus; der
schlanke Leib und die geschmeidigen Glieder, wohl geschnürt
und bekleidet, alles sagte noch in der Erstarrung, am Rande
des Unterganges, im Verlorensein: Kleider machen Leute!

Als sich die einsame Schöne näher über ihn hinbeugte und ihn ganz sicher erkannte, sah sie auch sogleich die Gefahr, in der sein Leben schwebte, und fürchtete, er möchte bereits erfroren sein. Sie ergriff daher unbedenklich eine seiner Hände, die kalt und fühllos schien. Alles andere vergessend, rüttelte sie den Ärmsten und rief ihm seinen Taufnamen ins Ohr: »Wenzel! Wenzel!« Umsonst, er rührte sich nicht, sondern atmete nur schwach und traurig. Da fiel sie über ihn her, fuhr mit der Hand über sein Gesicht und gab ihm in der Beängstigung Nasenstüber auf die erbleichte Nasenspitze. Dann nahm sie, hiedurch auf einen guten Gedanken gebracht, Hände voll Schnee und rieb ihm die Nase und das Gesicht und auch die Finger tüchtig, soviel sie vermochte und bis sich der glücklich Unglückliche erholte, erwachte und langsam seine Gestalt in die Höhe richtete.

Er blickte um sich und sah die Retterin vor sich stehen. Sie hatte den Schleier zurückgeschlagen; Wenzel erkannte jeden Zug in ihrem weißen Gesicht, das ihn ansah mit großen Augen.

Er stürzte vor ihr nieder, küßte den Saum ihres Mantels und rief: »Verzeih mir! Verzeih mir!«

»Komm, fremder Mensch!« sagte sie mit unterdrückter zitternder Stimme, »ich werde mit dir sprechen und dich fortschaffen!«

Sie winkte ihm, in den Schlitten zu steigen, was er folgsam tat; sie gab ihm Mütze und Handschuh, ebenso unwillkürlich, wie sie dieselben mitgenommen hatte, ergriff Zügel und Peitsche und fuhr vorwärts.

Jenseits des Waldes, unfern der Straße, lag ein Bauernhof, auf welchem eine Bäuerin hauste, deren Mann unlängst gestorben. Nettchen war die Patin eines ihrer Kinder sowie der Vater Amtsrat ihr Zinsherr. Noch neulich war die Frau bei ihnen gewesen, um der Tochter Glück zu wünschen und allerlei Rat zu holen, konnte aber zu dieser Stunde noch nichts von dem Wandel der Dinge wissen.

Nach diesem Hofe fuhr Nettchen jetzt, von der Straße ablenkend und mit einem kräftigen Peitschenknallen vor dem Hause haltend. Es war noch Licht hinter den kleinen Fenstern; denn die Bäuerin war wach und machte sich zu schaffen, während Kinder und Gesinde längst schliefen. Sie öffnete das Fenster und guckte verwundert heraus. »Ich bin's nur, wir sind's!« rief Nettchen. »Wir haben uns verirrt wegen der neuen oberen Straße, die ich noch nie gefahren bin; macht uns einen Kaffee, Frau Gevatterin, und laßt uns einen Augenblick hineinkommen, ehe wir weiterfahren!«

Gar vergnügt eilte die Bäuerin her, da sie Nettchen sofort erkannte, und bezeigte sich entzückt und eingeschüchtert zugleich, auch das große Tier, den fremden Grafen, zu sehen. In ihren Augen waren Glück und Glanz dieser Welt in diesen zwei Personen über ihre Schwelle getreten; unbestimmte Hoffnungen, einen kleinen Teil daran, irgend einen bescheidenen Nutzen für sich oder ihre Kinder zu gewinnen, belebten die gute Frau und gaben ihr alle Behendigkeit, die jungen Herrschaftsleute zu bedienen. Schnell hatte sie ein Knechtchen geweckt, die Pferde zu halten, und bald hatte sie auch einen heißen Kaffee bereitet, welchen sie jetzt hereinbrachte, wo Wenzel und Nettchen in der halbdunklen Stube einander gegenübersaßen, ein schwach flackerndes Lämpchen zwischen sich auf dem Tische.

Wenzel saß, den Kopf in die Hände gestützt, und wagte nicht aufzublicken. Nettchen lehnte auf ihrem Stuhle zurück und hielt die Augen fest verschlossen, aber ebenso den bittern schönen Mund, woran man sah, daß sie keineswegs schlief.

Als die Gevattersfrau den Trank auf den Tisch gesetzt hatte, erhob sich Nettchen rasch und flüsterte ihr zu: »Laßt uns jetzt eine Viertelstunde allein, legt Euch aufs Bett, liebe Frau, wir haben uns ein bißchen gezankt und müssen uns heute noch aussprechen, da hier gute Gelegenheit ist!«

»Ich verstehe schon, Ihr macht's gut so!« sagte die Frau und ließ die zwei bald allein.

»Trinken Sie dies«, sagte Nettchen, die sich wieder gesetzt hatte, »es wird Ihnen gesund sein!« Sie selbst berührte nichts.

Wenzel Strapinski, der leise zitterte, richtete sich auf, nahm eine Tasse und trank sie aus, mehr weil sie es gesagt hatte als um sich zu erfrischen. Er blickte sie jetzt auch an, und als ihre Augen sich begegneten und Nettchen forschend die seinigen betrachtete, schüttelte sie das Haupt und sagte dann: »Wer sind Sie? Was wollten Sie mit mir?«

»Ich bin nicht ganz so, wie ich scheine!« erwiderte er traurig, »ich bin ein armer Narr, aber ich werde alles gut machen und Ihnen Genugtuung geben und nicht lange mehr am Leben sein!« Solche Worte sagte er so überzeugt und ohne allen gemachten Ausdruck, daß Nettchens Augen unmerklich aufblitzten. Dennoch wiederholte sie: »Ich wünsche zu wissen, wer Sie eigentlich seien und woher Sie kommen und wohin Sie wollen?«

»Es ist alles so gekommen, wie ich Ihnen jetzt der Wahrheit gemäß erzählen will«, antwortete er und sagte ihr, wer er sei und wie es ihm bei seinem Einzug in Goldach ergangen. Er beteuerte besonders, wie er mehrmals habe fliehen wollen, schließlich aber durch ihr Erscheinen selbst gehindert worden sei, wie in einem verhexten Traume.

Nettchen wurde mehrmals von einem Anflug von Lachen heimgesucht; doch überwog der Ernst ihrer Angelegenheit zu sehr als daß es zum Ausbruch gekommen wäre. Sie fuhr vielmehr fort zu fragen: »Und wohin gedachten Sie mit mir zu gehen und was zu beginnen?« »Ich weiß es kaum«, erwiderte er; »ich hoffte auf weitere merkwürdige oder glückliche Dinge; auch gedachte ich zuweilen des Todes in der Art, daß ich mir denselben geben wolle, nachdem ich –«

Hier stockte Wenzel und sein bleiches Gesicht wurde ganz rot.

»Nun, fahren Sie fort!« sagte Nettchen, ihrerseits bleich werdend, indessen ihr Herz wunderlich klopfte.

Da flammten Wenzels Augen groß und süß auf und er rief: »Ja, jetzt ist es mir klar und deutlich vor Augen, wie es gekommen wäre! Ich wäre mit dir in die weite Welt gegangen, und nachdem ich einige kurze Tage des Glückes mit dir gelebt, hätte ich dir den Betrug gestanden und mir gleichzeitig den Tod gegeben. Du wärest zu deinem Vater zurückgekehrt, wo du wohl aufgehoben gewesen wärest und mich leicht vergessen hättest. Niemand brauchte darum zu wissen; ich wäre spurlos verschollen. – Anstatt an der Sehnsucht nach einem würdigen Dasein, nach einem gütigen Herzen, nach Liebe lebenslang zu kranken«, fuhr er wehmütig fort, »wäre ich einen Augenblick lang groß und glücklich gewesen und hoch über allen, die weder glücklich noch unglücklich sind und doch nie sterben wollen! O hätten Sie mich liegen gelassen im kalten Schnee, ich wäre so ruhig eingeschlafen!«

Er war wieder still geworden und schaute düster sinnend vor sich hin.

Nach einer Weile sagte Nettchen, die ihn still betrachtet, nachdem das durch Wenzels Reden angefachte Schlagen ihres Herzens sich etwas gelegt hatte:

»Haben Sie dergleichen oder ähnliche Streiche früher schon begangen und fremde Menschen angelogen, die Ihnen nichts zuleide getan?«

»Das habe ich mich in dieser bitteren Nacht selbst schon gefragt und mich nicht erinnert, daß ich je ein Lügner gewesen bin! Ein solches Abenteuer habe ich noch gar nie gemacht oder erfahren! Ja, in jenen Tagen, als der Hang in mir entstanden, etwas Ordentliches zu sein oder zu scheinen, in halber Kindheit noch, habe ich mich selbst überwunden und einem Glück entsagt, das mir beschieden schien!«

»Was ist dies?« fragte Nettchen.

»Meine Mutter war, ehe sie sich verheiratet hatte, in Diensten einer benachbarten Gutsherrin und mit derselben auf Reisen und in großen Städten gewesen. Davon hatte sie eine feinere Art bekommen als die anderen Weiber unsers Dorfes und war wohl auch etwas eitel; denn sie kleidete sich und mich, ihr einziges Kind, immer etwas zierlicher und gesuchter als es bei uns Sitte war. Der Vater, ein armer Schulmeister, starb aber früh, und so blieb uns bei größter Armut keine Aussicht auf glückliche Erlebnisse, von welchen die Mutter gerne zu träumen pflegte. Vielmehr mußte sie sich harter Arbeit hingeben, um uns zu ernähren, und damit das Liebste, was sie hatte, etwas bessere Haltung und Kleidung, aufopfern. Unerwartet sagte nun jene nun verwitwete Gutsherrin, als ich etwa sechszehn Jahre alt war, sie gehe mit ihrem Haushalt in die Residenz für immer; die Mutter solle mich mitgeben, es sei schade für mich, in dem Dorfe ein Tagelöhner oder Bauernknecht zu werden, sie wolle mich etwas Feines lernen lassen, zu was ich Lust habe, während ich in ihrem Hause leben und diese und jene leichten Dienstleistungen tun könne. Das schien nun das Herrlichste zu sein, was sich für uns ereignen mochte. Alles wurde demgemäß verabredet und zubereitet, als die Mutter nachdenklich und traurig wurde und mich eines Tages plötzlich mit vielen Tränen bat, sie nicht zu verlassen, sondern mit ihr arm zu bleiben; sie werde nicht alt werden, sagte sie, und ich würde gewiß noch zu etwas Gutem gelangen, auch wenn sie tot sei. Die Gutsherrin, der ich das betrübt hinterbrachte, kam her und machte meiner Mutter Vorstellungen; aber diese wurde jetzt ganz aufgeregt und rief einmal um das andere, sie lasse sich ihr Kind nicht rauben; wer es kenne –«

Hier stockte Wenzel Strapinski abermals und wußte sich nicht recht fortzuhelfen. Nettchen fragte: »Was sagte die Mutter, wer es kenne? Warum fahren Sie nicht fort?«

Wenzel errötete und antwortete: »Sie sagte etwas Seltsames, was ich nicht recht verstand und was ich jedenfalls seither nicht verspürt habe; sie meinte, wer das Kind kenne, könne nicht mehr von ihm lassen, und wollte wohl damit sagen, daß ich ein gutmütiger Junge gewesen sei oder etwas dergleichen. Kurz, sie war so aufgeregt, daß ich trotz alles Zuredens jener Dame entsagte und bei der Mutter blieb, wofür sie mich doppelt lieb hatte, tausendmal mich um Verzeihung bittend, daß sie mir vor dem Glücke sei. Als ich aber nun auch etwas verdienen lernen sollte, stellte es sich heraus, daß nicht viel anderes zu tun war als daß ich zu unserm Dorfschneider in die Lehre ging. Ich wollte nicht, aber die Mutter weinte so sehr, daß ich mich ergab. Dies ist die Geschichte.«

Auf Nettchens Frage, warum er denn doch von der Mutter fort sei und wann? erwiderte Wenzel:

»Der Militärdienst rief mich weg. Ich wurde unter die Husaren gesteckt und war ein ganz hübscher roter Husar, obwohl vielleicht der dümmste im Regiment, jedenfalls der stillste. Nach einem Jahre konnte ich endlich für ein paar Wochen Urlaub erhalten und eilte nach Hause, meine gute Mutter zu sehen; aber sie war eben gestorben. Da bin ich denn, als meine Zeit vorbei war, einsam in die Welt gereist und endlich hier in mein Unglück geraten.«

Nettchen lächelte, als er dieses vor sich hin klagte und sie ihn dabei aufmerksam betrachtete. Es war jetzt eine Zeitlang still in der Stube; auf einmal schien ihr ein Gedanke aufzutauchen.

»Da Sie«, sagte sie plötzlich, aber dennoch mit zögerndem spitzigen Wesen, »stets so wertgeschätzt und liebenswürdig waren, so haben Sie ohne Zweifel auch jederzeit Ihre gehörigen Liebschaften oder dergleichen gehabt und wohl schon mehr als ein armes Frauenzimmer auf dem Gewissen – von mir nicht zu reden?«

»Ach Gott«, erwiderte Wenzel, ganz rot werdend, »eh ich zu Ihnen kam, habe ich niemals auch nur die Fingerspitzen eines Mädchens berührt, ausgenommen –«

»Nun?« sagte Nettchen.

»Nun«, fuhr er fort, »das war eben jene Frau, die mich mitnehmen und bilden lassen wollte, die hatte ein Kind, ein Mädchen von sieben oder acht Jahren, ein seltsames heftiges Kind und doch gut wie Zucker und schön wie ein Engel. Dem hatte ich vielfach den Diener und Beschützer machen müssen und es hatte sich an mich gewöhnt. Ich mußte es regelmäßig nach dem entfernten Pfarrhof bringen, wo es bei dem alten Pfarrer Unterricht genoß, und es von da wieder abholen. Auch sonst mußte ich öfter mit ihm ins Freie, wenn sonst niemand gerade mitgehen konnte. Dieses Kind nun, als ich es zum letzten Mal im Abendschein über das Feld nach Hause führte, fing von der bevorstehenden Abreise zu reden an, erklärte mir, ich müßte dennoch mitgehen, und fragte, ob ich es tun wollte. Ich sagte, daß es nicht sein könne. Das Kind fuhr aber fort, gar beweglich und dringlich zu bitten, indem es mir am Arme hing und mich am Gehen hinderte, wie Kinder zu tun pflegen, so daß ich mich bedachtlos wohl etwas unwirsch frei machte. Da senkte das Mädchen sein Haupt und suchte beschämt und traurig die Tränen zu unterdrücken, die jetzt hervorbrachen, und es vermochte kaum das Schluchzen zu bemeistern. Betroffen wollte ich das Kind begütigen; allein nun wandte es sich zornig ab und entließ mich in Ungnaden. Seitdem ist mir das schöne Kind immer im Sinne geblieben und mein Herz hat immer an ihm gehangen, obgleich ich nie wieder von ihm gehört habe –«

Plötzlich hielt der Sprecher, der in eine sanfte Erregung geraten war, wie erschreckt inne und starrte erbleichend seine Gefährtin an.

»Nun«, sagte Nettchen ihrerseits mit seltsamem Tone, in gleicher Weise etwas blaß geworden, »was sehen Sie mich so an?«

Wenzel aber streckte den Arm aus, zeigte mit dem Finger auf sie, wie wenn er einen Geist sähe, und rief:

»Dieses habe ich auch schon erblickt. Wenn jenes Kind zornig war, so hoben sich ganz so, wie jetzt bei Ihnen, die schönen Haare um Stirne und Schläfe ein wenig aufwärts, daß man sie sich bewegen sah, und so war es auch zuletzt auf dem Felde in jenem Abendglanze.«

In der Tat hatten sich die zunächst den Schläfen und über der Stirne liegenden Locken Nettchens leise bewegt wie von einem ins Gesicht wehenden Lufthauche.

Die allezeit etwas kokette Mutter Natur hatte hier eines ihrer Geheimnisse angewendet, um den schwierigen Handel zu Ende zu führen.

Nach kurzem Schweigen, indem ihre Brust sich zu heben begann, stand Nettchen auf, ging um den Tisch herum dem Manne entgegen und fiel ihm um den Hals mit den Worten: »Ich will dich nicht verlassen! Du bist mein, und ich will mit dir gehen trotz aller Welt!«

So feierte sie erst jetzt ihre rechte Verlobung aus tief entschlossener Seele, indem sie in süßer Leidenschaft ein Schicksal auf sich nahm und Treue hielt.

Doch war sie keineswegs so blöde, dieses Schicksal nicht selbst ein wenig lenken zu wollen; vielmehr faßte sie rasch und keck neue Entschlüsse. Denn sie sagte zu dem guten Wenzel, der in dem abermaligen Glückeswechsel verloren träumte:

»Nun wollen wir gerade nach Seldwyl gehen und den Dortigen, die uns zu zerstören gedachten, zeigen, daß sie uns erst recht vereinigt und glücklich gemacht haben!«

Dem wackern Wenzel wollte das nicht einleuchten. Er wünschte vielmehr, in unbekannte Weiten zu ziehen und geheimnisvoll romantisch dort zu leben in stillem Glücke, wie er sagte.

Allein Nettchen rief: »Keine Romane mehr! Wie du bist, ein armer Wandersmann, will ich mich zu dir bekennen und in meiner Heimat allen diesen Stolzen und Spöttern zum Trotze dein Weib sein! Wir wollen nach Seldwyla gehen und dort durch Tätigkeit und Klugheit die Menschen, die uns verhöhnt haben, von uns abhängig machen!«

Und wie gesagt, so getan! Nachdem die Bäuerin herbeigerufen und von Wenzel, der anfing seine neue Stellung einzunehmen, beschenkt worden war, fuhren sie ihres Weges weiter. Wenzel führte jetzt die Zügel, Nettchen lehnte sich so zufrieden an ihn, als ob er eine Kirchensäule wäre. Denn des Menschen Wille ist sein Himmelreich, und Nettchen war just vor drei Tagen volljährig geworden und konnte dem ihrigen folgen.

In Seldwyla hielten sie vor dem Gasthause zum Regenbogen, wo noch eine Zahl jener Schlittenfahrer beim Glase saß. Als das Paar im Wirtssaale erschien, lief wie ein Feuer die Rede herum: »Ha, da haben wir eine Entführung! wir haben eine köstliche Geschichte eingeleitet!«

Doch ging Wenzel ohne Umsehen hindurch mit seiner Braut, und nachdem sie in ihren Gemächern verschwunden war, begab er sich in den Wilden Mann, ein anderes gutes

Gasthaus, und schritt stolz durch die dort ebenfalls noch hausenden Seldwyler hindurch in ein Zimmer, das er begehrte, und überließ sie ihren erstaunten Beratungen, über welchen sie sich das grimmigste Kopfweh anzutrinken genötigt waren.

Auch in der Stadt Goldach lief um die gleiche Zeit schon das Wort »Entführung!« herum. In aller Frühe schon fuhr auch der Teich Bethesda nach Seldwyla, von dem aufgeregten Böhni und Nettchens betroffenem Vater bestiegen. Fast wären sie in ihrer Eile ohne Anhalt durch Seldwyla gefahren, als sie noch rechtzeitig den Schlitten Fortuna wohlbehalten vor dem Gasthause stehen sahen und zu ihrem Troste vermuteten, daß wenigstens die schönen Pferde auch nicht weit sein würden. Sie ließen daher ausspannen, als sich die Vermutung bestätigte und sie die Ankunft und den Aufenthalt Nettchens vernahmen, und gingen gleichfalls in den Regenbogen hinein.

Es dauerte jedoch eine kleine Weile, bis Nettchen den Vater bitten ließ, sie auf ihrem Zimmer zu besuchen und dort allein mit ihr zu sprechen. Auch sagte man, sie habe bereits den besten Rechtsanwalt der Stadt rufen lassen, welcher im Laufe des Vormittags erscheinen werde. Der Amtsrat ging etwas schweren Herzens zu seiner Tochter hinauf, überlegend, auf welche Weise er das desperate Kind am besten aus der Verirrung zurückführe, und war auf ein verzweifeltes Gebaren gefaßt.

Allein mit Ruhe und sanfter Festigkeit trat ihm Nettchen entgegen. Sie dankte ihrem Vater mit Rührung für alle ihr bewiesene Liebe und Güte und erklärte sodann in bestimmten Sätzen: erstens sie wolle nach dem Vorgefallenen nicht mehr in Goldach leben, wenigstens nicht die nächsten Jahre; zweitens wünsche sie ihr bedeutendes mütterliches Erbe an sich zu nehmen, welches der Vater ja schon lange für den Fall ihrer Verheiratung bereit gehalten; drittens wolle sie den Wenzel Strapinski heiraten, woran vor allem nichts zu ändern sei; viertens wolle sie mit ihm in Seldwyla wohnen und ihm da ein tüchtiges Geschäft gründen helfen, und fünftens und letztens werde alles gut werden; denn sie habe sich überzeugt, daß er ein guter Mensch sei und sie glücklich machen werde.

Der Amtsrat begann seine Arbeit mit der Erinnerung, daß Nettchen ja wisse, wie sehr er schon gewünscht habe, ihr Vermögen zur Begründung ihres wahren Glückes je eher je lieber in ihre Hände legen zu können. Dann aber schilderte er mit aller Bekümmernis, die ihn seit der ersten Kunde von der schrecklichen Katastrophe erfüllte, das Unmögliche des Verhältnisses, das sie festhalten wolle, und schließlich zeigte er das große Mittel, durch welches sich der schwere Konflikt allein würdig lösen lasse. Herr Melchior Böhni sei es, der bereit sei, durch augenblickliches Einstehen mit seiner Person den ganzen Handel niederzuschlagen und mit seinem unantastbaren Namen ihre Ehre vor der Welt zu schützen und aufrecht zu halten.

Aber das Wort Ehre brachte nun doch die Tochter in größere Aufregung. Sie rief, gerade die Ehre sei es, welche ihr gebiete, den Herren Böhni nicht zu heiraten, weil sie ihn nicht leiden könne, dagegen dem armen Fremden getreu zu bleiben, welchem sie ihr Wort gegeben habe und den sie auch leiden könne!

Es gab nun ein fruchtloses Hin- und Widerreden, welches die standhafte Schöne endlich doch zum Tränenvergießen brachte.

Fast gleichzeitig drangen Wenzel und Böhni herein, welche auf der Treppe zusammengetroffen, und es drohte eine große Verwirrung zu entstehen, als auch der Rechtsanwalt erschien, ein dem Amtsrate wohlbekannter Mann, und vorderhand zur friedlichen Besonnenheit mahnte. Als er in wenigen vorläufigen Worten vernahm, worum es sich handle, ordnete er an, daß vor allem Wenzel sich in den Wilden Mann zurückziehe und sich dort still halte, daß auch Herr Böhni sich nicht einmische und fortgehe, daß Nettchen ihrerseits alle Formen des bürgerlichen guten Tones wahre bis zum Austrag der Sache und der Vater auf jede Ausübung von Zwang verzichte, da die Freiheit der Tochter gesetzlich unbezweifelt sei.

So gab es denn einen Waffenstillstand und eine allgemeine Trennung für einige Stunden.

In der Stadt, wo der Anwalt ein paar Worte verlauten ließ von einem großen Vermögen, welches vielleicht nach Seldwyla käme durch diese Geschichte, entstand nun ein großer Lärm. Die Stimmung der Seldwyler schlug plötzlich um zu Gunsten des Schneiders und seiner Verlobten, und sie beschlossen, die Liebenden zu schützen mit Gut und Blut und in ihrer Stadt Recht und Freiheit der Person zu wahren. Als daher das Gerücht ging, die Schöne von Goldach solle mit Gewalt zurückgeführt werden, rotteten sie sich zusammen, stellten bewaffnete Schutz- und Ehrenwachen vor dem Regenbogen und vor den Wilden Mann und begingen überhaupt mit gewaltiger Lustbarkeit eines ihrer großen Abenteuer, als merkwürdige Fortsetzung des gestrigen.

Der erschreckte und gereizte Amtsrat schickte seinen Böhni nach Goldach um Hilfe. Der fuhr im Galopp hin, und am nächsten Tage fuhren eine Anzahl Männer mit einer ansehnlichen Polizeimacht von dort herüber, um dem Amtsrat beizustehen, und es gewann den Anschein, als ob Seldwyla ein neues Troja werden sollte. Die Parteien standen sich drohend gegenüber; der Stadttambour drehte bereits an seiner Spannschraube und tat einzelne Schläge mit dem rechten Schlägel. Da kamen höhere Amtspersonen, geistliche und weltliche Herren, auf den Platz, und die Unterhandlungen, welche allseitig gepflogen wurden, ergaben endlich, da Nettchen fest blieb und Wenzel sich nicht einschüchtern ließ, aufgemuntert durch die Seldwyler, daß das Aufgebot ihrer Ehe nach Sammlung aller nötigen Schriften förmlich stattfinden und daß gewärtigt werden solle, ob und welche gesetzliche Einsprachen während dieses Verfahrens dagegen erhoben würden und mit welchem Erfolge.

Solche Einsprachen konnten bei der Volljährigkeit Nettchens einzig noch erhoben werden wegen der zweifelhaften Person des falschen Grafen Wenzel Strapinski.

Allein der Rechtsanwalt, der seine und Nettchens Sache nun führte, ermittelte, daß den fremden jungen Mann weder in seiner Heimat noch auf seinen bisherigen Fahrten auch nur der

Schatten eines bösen Leumunds getroffen habe und von überall her nur gute und wohlwollende Zeugnisse für ihn einliefen.

Was die Ereignisse in Goldach betraf, so wies der Advokat nach, daß Wenzel sich eigentlich gar nie selbst für einen Grafen ausgegeben, sondern daß ihm dieser Rang von andern gewaltsam verliehen worden; daß er schriftlich auf allen vorhandenen Belegstücken mit seinem wirklichen Namen Wenzel Strapinski ohne jede Zutat sich unterzeichnet hatte und somit kein anderes Vergehen vorlag als daß er eine törichte Gastfreundschaft genossen hatte, die ihm nicht gewährt worden wäre, wenn er nicht in jenem Wagen angekommen wäre und jener Kutscher nicht jenen schlechten Spaß gemacht hätte.

So endigte denn der Krieg mit einer Hochzeit, an welcher die Seldwyler mit ihren sogenannten Katzenköpfen gewaltig schossen zum Verdrusse der Goldacher, welche den Geschützdonner ganz gut hören konnten, da der Westwind wehte. Der Amtsrat gab Nettchen ihr ganzes Gut heraus und sie sagte, Wenzel müsse nun ein großer Marchand-Tailleur und Tuchherr werden in Seldwyla; denn da hieß der Tuchhändler noch Tuchherr, der Eisenhändler Eisenherr u. s. w.

Das geschah denn auch, aber in ganz anderer Weise als die Seldwyler geträumt hatten. Er war bescheiden, sparsam und fleißig in seinem Geschäfte, welchem er einen großen Umfang zu geben verstand. Er machte ihnen ihre veilchenfarbigen oder weiß und blau gewürfelten Sammetwesten, ihre Ballfräcke mit goldenen Knöpfen, ihre rot ausgeschlagenen Mäntel, und alles waren sie ihm schuldig, aber nie zu lange Zeit. Denn um neue, noch schönere Sachen zu erhalten, welche er kommen oder anfertigen ließ, mußten sie ihm das Frühere bezahlen, so daß sie untereinander klagten, er presse ihnen das Blut unter den Nägeln hervor.

Dabei wurde er rund und stattlich und sah beinah gar nicht mehr träumerisch aus; er wurde von Jahr zu Jahr geschäftserfahrener und gewandter und wußte in Verbindung mit seinem bald versöhnten Schwiegervater, dem Amtsrat, so gute Spekulationen zu machen, daß sich sein Vermögen verdoppelte und er nach zehn oder zwölf Jahren mit ebenso vielen Kindern, die inzwischen Nettchen, die Strapinska, geboren hatte, und mit letzterer nach Goldach übersiedelte und daselbst ein angesehener Mann ward.

Aber in Seldwyla ließ er nicht einen Stüber zurück, sei es aus Undank oder aus Rache.

Der Schmied seines Glückes

John Kabys, ein artiger Mann von bald vierzig Jahren, führte den Spruch im Munde, daß jeder der Schmied seines eigenen Glückes sein müsse, solle und könne, und zwar ohne viel Gezappel und Geschrei.

Ruhig, mit nur wenigen Meisterschlägen schmiede der rechte Mann sein Glück! war seine öftere Rede, womit er nicht etwa die Erreichung bloß des Notwendigen, sondern überhaupt alles Wünschenswerten und Überflüssigen verstand.

So hatte er denn als zarter Jüngling schon den ersten seiner Meisterstreiche geführt und seinen Taufnamen Johannes in das englische John umgewandelt, um sich von vornherein für das Ungewöhnliche und Glückhafte zuzubereiten, da er dadurch von allen übrigen Hansen abstach und überdies einen angelsächsisch unternehmenden Nimbus erhielt.

Darauf verharrte er einige Jährchen ruhig, ohne viel zu lernen oder zu arbeiten, aber auch ohne über die Schnur zu hauen, sondern klug abwartend.

Als jedoch das Glück auf den ausgeworfenen Köder nicht anbeißen wollte, tat er den zweiten Meisterschlag und verwandelte das i in seinem Familiennamen Kabis in ein y. Dadurch erhielt dies Wort (anderwärts auch Kapes), welches Weißkohl bedeutet, einen edlern und fremdartigern Anhauch, und John Kabys erwartete nun mit mehr Berechtigung, wie er glaubte, das Glück.

Allein es vergingen abermals mehrere Jahre, ohne daß selbiges sich einstellen wollte, und schon näherte er sich dem einunddreißigsten, als er sein nicht bedeutendes Erbe mit aller Mäßigung und Einteilung endlich doch aufgezehrt hatte. Jetzt begann er aber sich ernstlich zu regen und sann auf ein Unternehmen, das nicht für den Spaß sein sollte. Schon oft hatte er viele Seldwyler um ihre stattlichen Firmen beneidet, welche durch Hinzufügen des Frauennamens entstanden. Diese Sitte war einst plötzlich aufgekommen, man wußte nicht wie und woher; aber genug, sie schien den Herren vortrefflich zu den roten Plüschwesten zu passen, und auf einmal erklang das ganze Städtchen an allen Ecken von pompösen Doppelnamen. Große und kleine Firmatafeln, Haustüren, Glockenzüge, Kaffeetassen und Teelöffel waren damit beschrieben und das Wochenblatt strotzte eine Zeitlang von Anzeigen und Erklärungen, deren einziger Zweck das Anbringen der Alliance-Unterschrift war. Insbesondere gehörte es zu den ersten Freuden der Neuverheirateten, alsobald irgend ein Inserat von Stapel laufen zu lassen. Dabei gab es auch mancherlei Neid und Ärgernis; denn wenn etwa ein schwärzlicher Schuster oder sonst für gering Geachteter durch Führung solchen Doppelnamens an der allgemeinen Respektabilität teilnehmen wollte, so wurde ihm das mit Naserümpfen übel vermerkt, obgleich er im legitimsten Besitze der anderen Ehehälfte war. Immerhin war es nicht ganz gleichgültig, ob ein oder mehrere Unbefugte durch dieses Mittel in das allgemeine vergnügte Kreditwesen eindrangen, da erfahrungsgemäß die geschlechterhafte Namensverlängerung zu den wirksameren, doch zartesten Maschinenteilchen jenes Kreditwesens gehörte.

Für John Kabys aber konnte der Erfolg einer solchen Hauptveränderung nicht zweifelhaft sein. Die Not war jetzt gerade groß genug, um diesen lang aufgesparten Meisterstreich zur rechten Stunde zu führen, wie es einem alten Schmied seines Glückes geziemt, der da nicht in den Tag hinein hämmert, und John sah demgemäß nach einer Frau aus, still, aber entschlossen. Und siehe! schon der Entschluß schien das Glück endlich heraufzubeschwören; denn noch in derselben Woche langte an, wohnte in Seldwyla mit einer mannbaren Tochter eine ältere Dame und nannte sich Frau Oliva, die Tochter Fräulein Oliva. Kabys-Oliva! klang es sogleich in Johns Ohren und widerhallte es in seinem Gemüte! Mit einer solchen Firma ein bescheidenes Geschäft begründet, mußte in wenig Jahren ein großes Haus daraus werden. So machte er sich denn weislich an die Sache, ausgerüstet mit allen seinen Attributen.

Diese bestanden in einer vergoldeten Brille, in drei emaillierten Hemdeknöpfen, durch goldene Kettchen unter sich verbunden, in einer langen goldenen Uhrkette, welche eine geblümte Weste überkreuzte, mit allerlei Anhängseln, in einer gewaltigen Busennadel, welche als Miniaturgemälde eine Darstellung der Schlacht von Waterloo enthielt, ferner in drei oder vier großen Ringen, einem großen Rohrstock, dessen Knopf ein kleiner Operngucker bildete in Gestalt eines Perlmutterfäßchens. In den Taschen trug, zog hervor und legte er vor sich hin, wenn er sich setzte: ein großes Futteral aus Leder, in welchem eine Zigarrenspitze ruhte, aus Meerschaum geschnitzt, darstellend den aufs Pferd gebundenen Mazeppa; diese Gruppe ragte ihm, wenn er rauchte, bis zwischen die Augbrauen hinauf und war ein Kabinettsstück; ferner eine rote Zigarrentasche mit vergoldetem Schloß, in welcher schöne Zigarren lagen mit kirschrot und weiß getigertem Deckblatt, ein abenteuerlich elegantes Feuerzeug, eine silberne Tabaksdose und eine gestickte Schreibtafel. Auch führte er das komplizierteste und zierlichste aller Geldtäschchen mit unendlich geheimnisvollen Abteilungen.

Diese sämtliche Ausrüstung war ihm die Idealausstattung eines Mannes im Glücke; er hatte dieselbe, als kühn entworfenen Lebensrahmen, im voraus angeschafft, als er noch an seinem kleinen Vermögen geknabbert, aber nicht ohne einen tiefern Sinn. Denn solche Anhäufung war jetzt nicht sowohl das Behänge eines geschmacklosen eitlen Mannes als vielmehr eine Schule der Übung, der Ausdauer und des Trostes zur Zeit des Unsterns sowie eine würdige Bereithaltung für das endlich einkehrende Glück, welches ja kommen konnte wie ein Dieb in der Nacht. Lieber wäre er verhungert als daß er das geringste seiner Zierstücke veräußert oder versetzt hätte; so konnte er weder vor der Welt noch vor sich selbst für einen Bettler gelten und lernte das Äußerste erdulden, ohne an Glanz einzubüßen. Ebenso war, um nichts zu verlieren, zu verderben, zu zerbrechen oder in Unordnung zu bringen, eine fortwährend ruhige und würdevolle Haltung geboten. Kein

Räuschchen und keine andere Aufregung durfte er sich gestatten, und wirklich besaß er seinen Mazeppa schon seit zehn Jahren, ohne daß an dem Pferde ein Ohr oder der fliegende Schweif abgebrochen wäre, und die Häkchen und Ringelchen an seinen Etuis und Necessaires schlossen noch so gut als am Tage ihrer Schöpfung. Auch mußte er zu all dem Schmucke Rock und Hut säuberlich schonen, so wie er auch stets ein blankes Vorhemdchen zu besitzen wußte, um seine Knöpfe, Kettchen und Nadeln auf weißem Grunde zu zeigen.

Freilich lag eigentlich mehr Mühe darin als er in seinem Spruche von den wenigen Meisterschlägen zugestehen wollte; allein man hat ja immer die Werke des Genies fälschlich für mühelos ausgegeben.

Wenn nur die beiden Frauenzimmer das Glück waren, so ließ es sich nicht ungern in dem ausgespannten Netze des Meisters fangen, ja er schien ihnen mit seiner Ordentlichkeit und seinen vielen Kleinodien gerade der Mann zu sein, den zu suchen sie ins Land gekommen waren. Sein geregelter Müßiggang deutete auf einen behaglichen und sichern Zinsleinpicker oder Rentier, der seine Werttitel gewiß in einem artigen Kästchen aufbewahrte. Sie sprachen einiges von ihrem eigenen wohlbestellten Wesen; als sie aber merkten, daß Herr Kabys nicht viel Gewicht darauf zu legen schien, hielten sie klüglich inne und ihre Persönlichkeit für das, was diesen guten Mann allein anziehe. Kurz, in wenig Wochen war er mit dem Fräulein Oliva verlobt, und gleichzeitig reiste er nach der Hauptstadt, um eine reichverzierte Adreßkarte mit dem herrlichen Doppelnamen stechen zu lassen, anderseits ein prächtiges Firmaschild zu bestellen und einige Handelsverbindungen mit Kredit für ein Geschäft mit Ellenwaren zu eröffnen. Im Übermut kaufte er gleich noch zwei oder drei Ellenstäbe von poliertem Pflaumenholz, einige Dutzend Wechselformulare mit vielen merkurialischen Emblemen, Preiszettel und kleine Papierchen mit goldenem Rande zum Aufkleben, Handlungsbücher und derartiges mehr.

Vergnügt eilte er wieder in seine Heimatstadt und zu seiner

Braut, deren einziger Fehler ein etwas unverhältnismäßig großer Kopf war. Freundlich, zärtlich wurde er empfangen und seinem Reiseberichte die Eröffnung entgegengesetzt, daß die Papiere der Braut, so für die Hochzeit erforderlich waren, angekommen seien. Doch geschah diese Eröffnung mit einer lächelnden Zurückhaltung, wie wenn er auf eine zwar unbedeutende, aber immerhin nicht ganz ordnungsgemäße Nebensache müßte vorbereitet werden. Alles dies ging endlich vorüber und es ergab sich, daß die Mutter allerdings eine verwitwete Dame Oliva, die Tochter hingegen ein außereheliches Kind von ihr war aus ihrer Jugendzeit und ihren eigenen Familiennamen trug, wenn es sich um amtliche und zivilrechtliche Dinge handelte. Dieser Name war: Häuptle! Die Braut hieß: Jungfer Häuptle, und die künftige Firma also: »John Kabys-Häuptle«, zu deutsch: »Hans Kohlköpfle«.

Sprachlos stand der Bräutigam eine gute Weile, die unselige Hälfte seines neuesten Meisterwerkes betrachtend; endlich rief er: »Und mit einem solchen Hauptkopfschädel kann man Häuptle heißen!« Erschrocken und demütig senkte die Braut ihr Häuptlein, um das Gewitter vorübergehen zu lassen; denn noch ahnte sie nicht, daß die Hauptsache an ihr für Kabyssen jener schöne Name gewesen sei.

Herr Kabys schlechtweg aber ging ohne weiteres nach seiner Behausung, um sich den Fall zu überlegen; allein schon auf dem Wege riefen ihm seine lustigen Mitbürger Hans Kohlköpfle zu, da das Geheimnis bereits verraten war. Drei Tage und drei Nächte suchte er das gefehlte Werk in tiefer Einsamkeit umzuschmieden. Am vierten Tage hatte er seinen Entschluß gefaßt, ging wieder dorthin und begehrte die Mutter statt der Tochter zur Ehe. Allein die entrüstete Frau hatte nun ihrerseits in Erfahrung gebracht, daß Herr Kabys gar kein Mahagonikästchen mit Werttiteln besitze, und wies ihm schnöde die Türe, worauf sie mit ihrer Tochter um ein Städtchen weiter zog.

So sah Herr John das glänzende Oliva entschwinden wie eine schimmernde Seifenblase im Ätherblau, und höchst be-

treten hielt er seinen Glücksschmiedehammer in der Hand.
Seine letzte Barschaft war über diesem Handel fortgegangen.
Daher mußte er sich endlich entschließen, etwas Wirkliches zu
arbeiten oder wenigstens zur Grundlage seines Daseins zu machen, und indem er sich so hin und her prüfte, konnte er gar
nichts als vortrefflich rasieren, ebenso die Messer dazu im
Stande halten und scharf machen. Nun stellte er sich auf mit
einem Bartbecken und in einem schmalen Stübchen zu ebener
Erde, über dessen Türe ein »John Kabys« befestigte, welches er aus jener stattlichen Firmatafel eigenhändig herausge-
sägt und von dem verlorenen Oliva wehmütig abgetrennt
hatte. Der Spitzname Kohlköpfle blieb ihm jedoch in der Stadt
und führte ihm manchen Kunden zu, so daß er mehrere Jahre
lang ganz leidlich dahinlebte, Gesichter schabend und Messer
abziehend, und seinen übermütigen Wahlspruch fast ganz zu
vergessen schien.

Da sprach eines Tages ein Bürger bei ihm ein, der soeben
von langen Reisen zurückgekehrt war und jetzt nachlässig, indem er sich zum Einseifen setzte, hinwarf: »So gibt es, wie ich
aus Ihrem Schilde ersehe, doch noch Kabisse in Seldwyla?«
»Ich bin der Letzte meines Geschlechtes«, erwiderte der Bar-
bier nicht ohne Würde, »doch warum frugen Sie das, wenn ich
fragen darf?« Der Fremde schwieg jedoch, bis er barbiert und
gesäubert, und erst als alles beendigt und der Ehrensold entrichtet war, fuhr er fort: »In Augsburg kannte ich einen alten
reichen Kauz, welcher öfter versicherte, seine Großmutter sei
eine geborene Kabis von Seldwyla in der Schweiz gewesen,
und es nehme ihn höchlich wunder, ob da noch Leute dieses
Geschlechtes lebten.«

Hierauf entfernte sich der Mann.

Hans Kohlköpfle dachte nach und dachte nach und kam in
eine große Aufregung, als er sich endlich dunkel erinnerte,
daß eine Vorfahrin von ihm sich wirklich vor langen Jahren
nach Deutschland verheiratet haben sollte, die seither verschollen war. Ein rührendes Familiengefühl erwachte plötzlich in ihm, ein romantisches Interesse für Stammbäume, und

es ward ihm bange, ob der Gereiste auch wiederkommen würde. Nach der Art seines Bartwuchses mußte er in zwei Tagen wieder erscheinen. In der Tat kam der Mann pünktlich um diese Zeit. John seifte ihn ein und schabte ihn beinahe zitternd vor Neugierde. Als er fertig war, platzte er heraus und erkundigte sich angelegentlich nach den näheren Umständen. Der Mann sagte: »Es ist einfach ein Herr Adam Litumlei, hat eine Frau, aber keine Kinder, und wohnt in der und der Straße zu Augsburg.«

John beschlief sich den Handel noch eine Nacht und faßte in derselben den Mut, doch noch tüchtig glücklich zu werden. Am nächsten Morgen schloß er seinen Ladenstreifen, packte seinen Sonntagsanzug in einen alten Tornister und alle seine wohlerhaltenen Wahrzeichen in ein besonderes Paketlein, und nachdem er sich mit hinlänglichen Ausweisschriften und pfarrbücherlichen Auszügen versehen, trat er unverweilt die Reise nach Augsburg an, still und unscheinbar, wie ein älterer Handwerksbursche.

Als er die Türme und die grünen Wälle der Stadt vor sich sah, überzählte er seine Barschaft und fand, daß er sich sehr knapp halten müsse, wenn er im ungünstigen Falle den Rückweg wieder bestehen wolle. Darum kehrte er in der bescheidensten Herberge ein, welche er nach einigem Suchen auffinden konnte; er trat in die Gaststube und sah verschiedene Handwerkszeichen über den Tischen hangen, worunter auch dasjenige der Schmiede. Unter dieses setzte er sich als ein Schmied seines Glückes, der guten Vorbedeutung wegen, und stärkte sein Leibliches durch ein Frühstück, da es noch zeitig am Tage. Dann ließ er sich ein eigenes Kämmerchen geben, wo er sich umkleidete. Er stutzte sich auf jegliche Weise auf und behing sich mit dem ganzen Zierat; auch schraubte er das Perspektivfäßchen auf den Stock. So trat er aus der Kammer hervor, daß die Wirtin erschrak ob all der Pracht.

Es dauerte ziemlich lang, eh er die Straße fand, nach der sein Herz begehrte. Doch endlich sah er sich in einer weiten Gasse, worin mächtige alte Häuser standen; aber kein lebendes Wesen war zu erblicken. Endlich wollte doch ein Mägdlein mit einem blanken schäumenden Kännchen Bier an ihm vorüberhuschen. Er hielt es fest und fragte nach Herrn Adam Litumlei, und das Mädchen zeigte ihm das Haus, vor welchem er gerade stand.

Neugierig schaute er daran hinauf. Über einem ansehnlichen Portale türmten sich mehrere Stockwerke mit hohen Fenstern empor, deren starke Gesimse und Profile ein senkrechtes Meer von kühnen Verkürzungen vor dem Auge des armen Glücksuchers ausbreiteten, so daß es ihm fast bänglich wurde und er befürchtete, eine zu großartige Sache unternommen zu haben; denn er stand vor einem förmlichen Palast. Dennoch drückte er sachte an dem schweren Torflügel, schlüpfte hinein und befand sich in einem prächtigen Treppenhaus. Eine steinerne Doppeltreppe baute sich mit breiten Absätzen in die Höhe, von einem reich geschmiedeten Geländer eingefaßt. Unter der Treppe hindurch und durch die hintere offene Haustüre sah man Sonnenschein und Blumenbeete. John ging leise dahin, um vielleicht einen Dienstboten oder einen Gärtner zu finden, sah aber nichts als einen großen altfränkischen Garten, der voll der schönsten Blumen war, sowie einen steinernen Brunnen mit vielen Figuren.

Alles war wie ausgestorben; er ging wieder zurück und begann die Treppe hinaufzusteigen. An den Wänden hingen große vergilbte Landkarten, Pläne alter Reichsstädte mit ihren Festungswerken, mit stattlichen allegorischen Darstellungen in den Ecken. Eine eichene Türe unter mehreren war bloß angelehnt; der Eindringling öffnete sie zur Hälfte und sah eine ziemlich hübsche Frau auf einem Ruhebette ausgestreckt, welcher das Strickzeug entfallen war und die ein geruhiges Schläfchen tat, obgleich es erst zehn Uhr vormittags war. Mit klopfendem Herzen hielt John Kabys, da das Zimmer sehr tief war, seinen Stock ans Auge und betrachtete die Erscheinung durch das Perspektivchen von Perlmutter; das seidene Kleid, die rundlichen Formen der Schläferin ließen ihm das Haus immer mehr wie ein verzaubertes Schloß erscheinen, und höchst gespannt zog er sich zurück und stieg weiter hinauf, sachte und vorsichtig.

Zuoberst war das Treppenhaus eine ordentliche Rüstkammer, da es behangen war mit Rüstungen und Waffen aus allen Jahrhunderten; rostige Panzerhemden, Eisenhüte, Galakürasse aus der Zopfzeit, Schlachtschwerter, vergoldete Luntenstäbe, alles hing durcheinander, und in den Ecken standen ziervolle kleine Geschütze, grün vor Alter. Kurz, es war das Treppenhaus eines großen Patriziers und Herrn. John wurde es feierlich zu Mute.

Da ließ sich plötzlich eine Art Geschrei vernehmen, ganz in der Nähe, wie von einem größern Kinde, und als es nicht aufhörte, benutzte John den Anlaß, ihm nachzugehen und so zu Leuten zu kommen. Er öffnete die nächste Türe und sah einen weitläufigen Ahnensaal, von unten bis oben mit Bildnissen angefüllt. Der Boden bestand aus sechseckigen Fliesen verschiedener Farbe, die Decke aus Gipsstukkaturen mit lebensgroßen, fast frei schwebenden Menschen- und Tiergestalten, Fruchtkränzen und Wappen. Vor einem zehn Fuß hohen Kaminspiegel aber stand ein winziges eisgraues Greischen, nicht schwerer als ein Zicklein, in einem Schlafrock von scharlachrotem Sammet, mit eingeseiftem Gesicht. Das stampelte vor Ungeduld, schrie weinerlich und rief: »Ich kann mich nicht mehr rasieren! Ich kann mich nicht mehr rasieren! Mein Messer schneidt nicht! Niemand hilft mir, o je, o je!« Als es im Spiegel den Fremden sah, schwieg es still, kehrte sich um und sah mit dem Messer in der Hand verblüfft und furchtsam auf Herrn John, welcher, den Hut in der Hand, mit vielen Bücklingen vordrang, den Hut abstellte, lächelnd dem Männchen das Messer aus der Hand nahm und dessen Schneide prüfte. Er zog sie einigemal auf seinem Stiefel, dann auf dem Handballen ab, prüfte hierauf die Seife und schlug einen dichtern Schaum, kurz er barbierte das Männchen in weniger als drei Minuten aufs herrlichste.

»Verzeihen Sie, hochgeehrter Herr!« sagte hierauf Kabys, »die Freiheit, die ich mir genommen habe! Allein da ich Sie in

solcher Verlegenheit sah, glaubte ich mich dergestalt auf die
natürlichste Weise bei Ihnen einzuführen, insofern ich etwa
die Ehre habe vor Herren Adam Litumlei zu stehen.«

Das Alterchen betrachtete noch immer erstaunt den Fremden; dann schaute es in den Spiegel und fand sich sauber ra-
siert, wie lange nicht mehr, worauf es, Wohlgefallen mit
Mißtrauen vermischend, den Künstler abermals besah und mit
Zufriedenheit wahrnahm, daß es ein anständiger Fremder sei.
Doch fragte es mit immer noch unwirschem Stimmchen, wer
er sei und was er wolle?

John räusperte sich und versetzte: er sei ein gewisser Kabys
aus Seldwyla, und da er sich gerade auf Reisen befinde und
hiesige Stadt passiere, so habe er nicht versäumen wollen, die
Nachkommen einer Ahne seines Hauses aufzusuchen und zu
begrüßen. Und er tat, als ob er von Kindheit auf nur von Herren Litumlei sprechen gehört hätte. Dieser war auf einmal
freudig überrascht und rief freundlich und wohlgemut:

»Ha! so blüht also das Geschlecht der Kabisse noch! Ist es
zahlreich und angesehen?«

John hatte schon gleich einem Wandergesellen, der vor dem
Torschreiber steht, seine Schriften ausgepackt und vorgelegt.
Indem er auf sie wies, sprach er ernst: »Zahlreich ist es nicht
mehr, denn ich bin der Letzte des Geschlechtes! Aber seine
Ehre steht noch unbewegt!« Erstaunt und gerührt ob solchen
Reden bot ihm der Alte die Hand und hieß ihn willkommen.
Die beiden Herren verständigten sich schnell über den Grad
ihrer Verwandtschaft; abermals rief Litumlei: »So nahe
berühren sich unsere Lebenszweige! Kommen Sie, lieber Vetter, hier sehen Sie Ihre edle und treffliche Urgroßtante, meine
leibliche Großmama!« Und er führte ihn im mächtigen Saale
umher, bis sie vor einem schönen Frauenbilde standen in der
Tracht des vorigen Jahrhunderts. In der Tat bezeichnete ein
Papierkärtchen, welches in der Ecke des Rahmens befestigt
war, die besagte Dame, so wie auch eine Anzahl der andern
Bildnisse mit solchen Zetteln versehen war. Freilich zeigten
die Gemälde selbst noch andere Inschriften in lateinischer

Sprache, welche mit den angehefteten Papierchen nicht über-
einstimmten. Aber John Kabys stand und stand und überlegte
in seinem Innern: »So hast du denn doch gut geschmiedet!
Denn hier blickt auf dich hernieder, hold und freundlich, die
Ahnfrau deines Glückes im reichen Rittersaal!«

Melodisch zu dieser Selbstansprache klangen die Worte des
Herren Litumlei, welcher sagte, daß nun von einer Weiterreise
keine Rede sein dürfe, sondern der werteste Vetter zur Begründung eines engern Verhältnisses vorerst, solange als dessen Zeit es erlaube, sein Gast sein müsse. Denn das flunkernde
Ziergeräte des Herren Großneffen, welches ihm schon in die
Augen gefallen, versah trefflich seinen Dienst und erfüllte ihn
mit Vertrauen.

Darum zog er jetzt mit aller Macht an einer Glocke, worauf
allmählig einige Dienstboten herbeischlurften, um nach ihrem
kleinen Gebieter zu sehen, und endlich erschien auch die
Dame, welche im ersten Stock geschlafen hatte, noch gerötet
von ihrem Schläfchen und mit halb offenen Augen. Als ihr
aber der angekommene Gast vorgestellt wurde, tat sie dieselben ganz auf, neugierig und vergnüglich, wie es schien, über
die unerwartete Begebenheit. John wurde nun in andere
Räume geführt und mußte eine gehörige Erfrischung einnehmen, wobei ihm das Ehepaar so eifrig half wie Kinder, die zu
jeder Stunde Eßlust haben. Dies gefiel dem Gast über die
Maßen, da er sah, daß es Leute waren, die sich nichts abgehen
ließen und welche noch Freude an den guten Dingen hätten.
Seinerseits aber verfehlte er auch nicht, stündlich einen ange-
nehmern Eindruck zu machen, ja schon beim bald folgenden
Mittagessen stellte sich derselbe entschieden fest, als jedes der
beiden Leutchen seine eigenen Leibgerichte auftragen ließ und
John Kabys von allem aß und alles trefflich fand und seine an-
gewöhnte ruhige Würde seinem Urteil einen noch höhern
Wert gab. Es wurde aufs rühmlichste gegessen und getrunken,
und noch nie genossen drei wackere Leute zusammen ein
reichlicheres und zugleich schuldloseres Dasein. Es war für
John ein Paradies, in welchem kein Sündenfall möglich schien.

Genug, es begab sich alles auf das beste. Bereits lebte er acht Tage in dem ehrwürdigen Hause und kannte dasselbe schon in allen Ecken. Er vertrieb dem Alten die Zeit auf tausenderlei Weise, ging mit ihm spazieren und rasierte ihn so leicht wie ein Zephir, was dem Männchen vor allem aus gefiel. John merkte, daß Herr Litumlei über irgend etwas nachzusinnen begann und erschrak, wenn jener von seiner Abreise sprach, was er etwa in ernsten Andeutungen tat. Da fand er, es sei Zeit, jetzt wieder einen kleinen Meisterschlag zu wagen, und kündigte seinem Gönner am Ende des achten Tages deutlicher seine demnächstige Abreise an, zum Grunde nehmend, daß er sich durch längeres Zaudern den Abschied und die Gewöhnung an ein einfacheres Leben nicht erschweren dürfe. Denn männlich wolle er sein Schicksal ertragen, das Schicksal eines Letzten seines Geschlechtes, der da in strenger Arbeit und Zurückgezogenheit die Ehre des Hauses bis zum Erlöschen zu wahren habe.

»Kommen Sie mit mir hinauf, in den Rittersaal!« erwiderte Herr Adam Litumlei; sie gingen; als dort der Alte einigemal feierlich auf und ab gewandelt, begann er wieder: »Hören Sie meinen Entschluß und meinen Vorschlag, lieber Großneffe! Sie sind der Letzte Ihres Geschlechtes, es ist dies ein ernstes Schicksal! Allein ein nicht minder ernstes habe ich zu tragen! Blicken Sie auf mich, wohlan! Ich bin der Erste des meinigen!«

Stolz richtete er sich auf, und John sah ihn an, konnte aber nicht entdecken, was das heißen sollte. Aber jener fuhr fort: »Ich bin der Erste des meinigen will so viel heißen als: Ich habe mich entschlossen, ein solch großes und rühmliches Geschlecht zu gründen, wie Sie hier an den Wänden dieses Saales gemalt sehen! Dieses sind nämlich nicht meine Ahnen, sondern die Glieder eines ausgestorbenen Patriziergeschlechtes dieser Stadt. Als ich vor dreißig Jahren hier einwanderte, war das Haus mit all seinem Inhalt und seinen Denkmälern eben käuflich und ich erstand sogleich den ganzen Apparat als Grundlage zur Verwirklichung meines Lieblingsgedankens. Denn ich besaß ein großes Vermögen, aber keinen Namen, keine Vorfahren, und ich kenne nicht einmal den Taufnamen

meines Großvaters, welcher eine Kabis geheiratet hat. Ich ent-
schädigte mich anfänglich damit, die hier gemalten Herren
und Frauen als meine Vorfahren zu erklären und einige zu Li-
tumleis, andere zu Kabissen zu machen mittelst solcher Zettel,
wie Sie sehen; doch meine Familienerinnerungen reichten nur
für sechs oder sieben Personen aus, die übrige Menge dieser
Bilder, das Ergebnis von vier Jahrhunderten, spottete meiner
Bestrebungen. Um so dringender war ich an die Zukunft gewiesen, an die Notwendigkeit, selbst ein lang andauerndes Geschlecht zu stiften, dessen gefeierter Stammvater ich bin. Mein
Bild habe ich längst anfertigen lassen, sowie einen Stamm-
baum, an dessen Wurzel mein Name steht. Aber ein hartnäckiger Unstern verfolgt mich! Schon habe ich die dritte
Frau, und noch hat mir keine ein Mädchen, geschweige denn
einen Sohn und Stammhalter geschenkt. Die beiden früheren
Weiber, von denen ich mich scheiden ließ, haben seither mit
andern Männern aus Bosheit verschiedene Kinder gehabt, und
die gegenwärtige, welche ich auch schon sieben Jahre besitze,
würde es gewißlich gerade so machen, wenn ich sie laufen
ließe.

Ihre Erscheinung, teurer Großneffe! hat mir nun eine Idee
eingegeben, diejenige einer künstlichen Nachhilfe, wie sie in
der Geschichte, in großen und kleinen Dynastieen, vielfach
gebraucht wurde. Was sagen Sie hiezu: Sie leben bei uns wie
das Kind im Hause, ich setze Sie gerichtlich zu meinem Erben
ein! Dagegen haben Sie zu leisten: Sie opfern äußerlich Ihre eigene Familienüberlieferung (sind Sie ja doch der Letzte Ihres
Geschlechtes) und nehmen nach meinem Tode, d. h. bei An-
tritt des Erbes, meinen Namen an! Ich verbreite unter der
Hand das Gerücht, daß Sie ein natürlicher Sohn von mir seien,
die Frucht eines tollen Jugendstreiches; Sie nehmen diese Auffassung an, widersprechen ihr nicht! Vielleicht läßt sich in der
Folge eine schriftliche Kundgebung darüber aufsetzen, ein
Memoire, ein kleiner Roman, eine denkwürdige Liebesgeschichte, worin ich eine feurige, wenn auch unbesonnene Figur mache, Unheil anrichte, das ich im Alter wieder gut ma-

che. Endlich verpflichten Sie sich, diejenige Gattin von meiner Hand anzunehmen, die ich unter den angesehenen Töchtern der Stadt für Sie aussuchen werde, zur weiteren Verfolgung meines Zieles. Das ist im Ganzen und im Besondern mein Vorschlag!«

John war während dieser Rede abwechselnd rot und bleich geworden, aber nicht aus Scham und Schreck, sondern vor Freude und Erstaunen über das endlich eingetroffene Glück und über seine eigene Weisheit, welche dasselbe herbeigeführt habe. Aber mit nichten ließ er sich davon überrumpeln, sondern er tat, als ob er sich nur schwer entschließen könnte wegen der Aufopferung seines ehrbaren Familiennamens und seiner ehelichen Geburt. Er nahm sich eine Bedenkzeit von vierundzwanzig Stunden, in höflichen und wohlgesetzten Worten, und fing darnach an, in dem schönen Garten höchst nachdenklich auf und ab zu spazieren. Die lieblichen Blumen, die Levkojen, Nelken und Rosen, die Kaiserkronen und Lilien, die Geranienbeete und Jasminlauben, die Myrten- und Oleanderbäumchen, alle äugelten ihn höflich an und huldigten ihm als ihrem Herren.

Als er eine halbe Stunde lang den Duft und Sonnenschein, den Schatten und die Frische des Brunnens genossen, ging er ernsthaft hinaus auf die Straße, um die Ecke, und trat in einen Gebäckladen, wo er drei warme Pastetchen samt zwei Spitzgläsern feinen Weines zu sich nahm. Hierauf kehrte er in den Garten zurück und spazierte abermals eine halbe Stunde, doch diesmal eine Zigarre dazu rauchend. Da entdeckte er ein Beet voll kleiner zarter Radieschen. Er zog ein Büschel davon aus der Erde, reinigte sie am Brunnen, dessen steinerne Tritonen ihn mit den Augen ergebenst anzwinkerten, und begab sich damit in ein kühles Bräuhaus, wo er einen Krug schäumendes Bier dazu trank. Er unterhielt sich vortrefflich mit den Bürgern und versuchte schon seinen Heimatdialekt in das weichere Schwäbische umzuwandeln, da er voraussichtlich unter diesen Leuten einen hervorragenden Mann abgeben würde.

Absichtlich versäumte er die Mittagsstunde und verspätete

sich beim Essen. Um dort eine kritische Appetitlosigkeit durchzuführen, aß er vorher noch drei Münchner Weißwürste und trank einen zweiten Krug Bier, der ihm noch besser schmeckte als der erste. Endlich runzelte er doch seine Stirn und begab sich mit derselben zum Essen, wo er die Suppe an-starrte.

Das Männchen Litumlei, welches durch unerwartete Hin-dernisse einem leidenschaftlichen Eigensinn zu verfallen pflegte und keinen Widerspruch ertragen konnte, empfand schon zornige Angst, daß seine letzte Hoffnung, ein Ge-schlecht zu gründen, zu Wasser werde, und beobachtete den unbestechlichen Gast mit mißtrauischen Blicken. Endlich er-trug er die Ungewißheit, ob er ein Stammvater sein solle oder keiner, nicht länger, sondern forderte den Bedenkzeitler auf, jene vierundzwanzig Stunden abzukürzen und seinen Ent-schluß sogleich zu fassen. Denn er fürchtete, die strenge Tu-gend seines Vetters möchte mit jeder Stunde wachsen. Er holte eigenhändig eine uralte Flasche Rheinwein aus dem Keller, von welchem John noch keine Ahnung gehabt. Als die entfes-selten Sonnengeister unsichtbar über den Kristallgläsern duf-teten, die gar fein erklangen, und mit jedem Tropfen des flüs-sigen Goldes, das man auf die Zunge brachte, schnell ein Blu-mengärtlein unter die Nase zu wachsen schien, da erweichte endlich der rauhe Sinn John Kabyssens und er gab sein Jawort. Schnell wurde der Notar geholt und bei einem herrlichen Kaf-fee ein rechtsgültiges Testament aufgesetzt. Schließlich um-armten sich der künstlich-natürliche Sohn und der geschlech-tergründende Erzvater; aber es war nicht wie eine warme Um-armung von Fleisch und Blut, sondern weit feierlicher, eher wie das Zusammenstoßen von zwei großen Grundsätzen, die auf ihren Wurfbahnen sich treffen.

Nun saß John im Glücke. Er hatte jetzt weiter nichts zu tun als seiner angenehmen Bestimmung inne zu sein, etwas rück-sichtsvoll sich gegen seinen Herren Vater zu benehmen und ein reichliches Taschengeld auf die Art zu verzehren, die ihm am meisten zusagte. Dies geschah alles auf die anständigste und ruhigste Weise, und er kleidete sich dabei wie ein Baron. Von Wertgegenständen brauchte er nicht einen einzigen mehr anzuschaffen; es zeigte sich jetzt sein Genie, indem die vor Jahren erworbenen auch jetzt noch gerade ausreichten und einem genau entworfenen Schema glichen, welches durch die Fülle des Glückes nun vollkommen gedeckt wurde. Die Schlacht von Waterloo blitzte und donnerte auf einer zufriedenen Brust; Ketten und Klunkern schaukelten sich auf einem wohlgefüllten Magen, durch die goldene Brille guckte ein vergnügtes und stolzes Auge, der Stock zierte mehr einen klugen Mann als er ihn stützte, und die schöne Zigarrentasche war mit guten Stengeln angefüllt, welche er aus dem Mazepparöhrchen mit Verstand rauchte. Das wilde Pferd war schon glänzend braun, der Mazeppa darauf aber erst hell rötlich, beinahe fleischfarbig, so daß das doppelte Kunstwerk des Schnitzers und des Rauchers die gerechte Bewunderung der Sachverständigen erregte. Auch Papa Litumlei wurde höchlich davon eingenommen und lernte bei seinem Pflegesöhnchen eifrig Meerschäume anrauchen. Es wurde eine ganze Sammlung solcher Pfeifen angeschafft; doch der Alte war zu unruhig und ungeduldig in der edlen Kunst; der Junge mußte überall nachhelfen und gutmachen, was jenem wiederum Achtung und Zutrauen einflößte.

Jedoch fand sich bald eine noch wichtigere Tätigkeit für die beiden Männer vor, als der Papa darauf drang, nun gemeinschaftlich jenen Roman zu erfinden und aufzuschreiben, durch welchen John zu seinem natürlichen Sohn erhoben wurde. Es sollte ein geheimes Familiendokument werden in der Form fragmentarischer Denkwürdigkeiten. Um Eifersucht und Unruhe der Frau Litumlei zu verhüten, mußte es in geheimen Sitzungen abgefaßt und sollte ganz im stillen in das zu gründende Familienarchiv verschlossen werden, um erst in künftigen Zeiten, wenn das Geschlecht in Blüte stände, an das Tageslicht zu treten und von der Geschichte des Litumleiblutes zu reden.

John hatte sich schon vorgenommen, nach dem Absterben

des Alten sich nicht schlechtweg Litumlei, sondern Kabys de Litumley zu nennen, da er für seinen eigenen Namen, den er so zierlich geschmiedet, eine verzeihliche Vorliebe hegte; ebenso nahm er sich vor, das zu errichtende Schriftstück, wodurch er um seine ehrliche Geburt und zu einer liederlichen Mutter kommen sollte, dereinst ohne weiteres zu verbrennen. Aber dennoch mußte er jetzt daran mitarbeiten, was eine leise Trübung seines Wohlseins verursachte. Doch schickte er sich weislich in die Sache und schloß sich eines Morgens mit dem Alten in einem Gartenzimmer ein, um das Werk zu beginnen. Da saßen sie nun an einem Tische sich gegenüber und entdeckten plötzlich, daß ihr Vorhaben schwieriger war als sie gedacht, indem keiner von ihnen je hundert Zeilen nacheinander geschrieben hatte. Sie konnten durchaus keinen Anfang finden, und je näher sie die Köpfe zusammensteckten, desto weniger wollte ihnen etwas einfallen. Endlich besann sich der Sohn, daß sie eigentlich zuerst ein Buch starkes und schönes Papier haben müßten, um ein dauerhaftes Schriftstück zu errichten. Das leuchtete ein; sie machten sich sogleich auf, ein solches zu kaufen, und durchstreiften einträchtig die Stadt. Als sie gefunden, was sie suchten, rieten sie einander, da es ein warmer Tag war, in ein Schenkhaus zu gehen und sich allda zu erfrischen und zu sammeln. Vergnügt tranken sie mehrere Kännchen und aßen Nüsse, Brot, Würstchen, bis John plötzlich sagte, er hätte jetzt den Anfang der Geschichte erfunden und wolle stracks nach Hause laufen, um ihn aufzuschreiben, damit er ihn nicht wieder verliere. »So lauf nur schnell«, sagte der Alte, »ich will unterdessen hier die Fortsetzung erfinden, ich merke, daß sie mir schon auf dem Weg ist!«

John eilte wirklich mit dem Buch Papier nach jenem Zimmer und schrieb:

»Es war im Jahr 17.., als es ein gesegnetes Jahr war. Der Eimer Wein kostete 7 Gulden, der Eimer Äpfelmost 1/2 Gulden und die Maß Kirschbranntwein 4 Batzen. Ein zweipfündiges Weißbrot 1 Batzen, ein ditto Roggenbrot 1/2 Batzen und ein Sack Erdäpfel 8 Batzen. Auch war das Heu gut geraten und der Scheffel Haber kostete 2 Gulden. Auch waren die Erbsen und die Bohnen gut geraten und der Flachs und Hanf waren nicht gut geraten, dagegen wieder die Ölfrüchte und der Talg oder Unschlitt, so daß alles in allem die merkwürdige Sachlage stattfand, daß die bürgerliche Gesellschaft gut genährt und getränkt, notdürftig gekleidet und wiederum wohl beleuchtet war. So ging das Jahr ohne weiteres zu Ende, wo nun jedermann mit Recht neugierig war zu erleben, wie sich das neue Jahr anlassen würde. Der Winter bezeigte sich als ein gehöriger und regelrechter Winter, kalt und klar; eine warme Schneedecke lag auf den Feldern und schützte die junge Saat. Aber dennoch ereignete sich zuletzt etwas Seltsames. Es schneite, taute und fror wieder während des Monats Hornung in so häufigem Wechsel, daß nicht nur viele Menschen krank wurden, sondern auch eine solche Menge Eiszapfen entstand, daß das ganze Land aussah wie ein großes Glasmagazin und jedermann ein kleines Brett auf dem Kopfe trug, um von den fallenden Spitzen nicht angestochen zu werden. Im übrigen behaupteten sich die Preise der Lebensmittel noch immer wie oben bemerkt und schwankten endlich einem merkwürdigen Frühling entgegen.«

Hier kam der kleine Alte eifrig hergerannt, nahm den Bogen an sich, und ohne das bisher Geschriebene zu lesen oder etwas zu sagen, schrieb er weiter:

»Nun kam Er und hieß Adam Litumlei. Er verstand keinen Spaß und war geboren anno 17... Er kam dahergestürmt wie ein Frühlingswetter. Er war einer von Denjenigen. Er trug einen roten Sammetrock, einen Federhut und einen Degen. Er trug eine goldene Weste mit dem Wahlspruch: Jugend hat keine Tugend! Er trug goldene Sporen und ritt auf einem weißen Hengst; er stellte denselben in den ersten Gasthof und rief: Ich kümmere mich den Teufel darum, denn es ist Frühling und Jugend muß austoben! Er zahlte alles bar und alles wunderte sich über ihn. Er trank den Wein, er aß den Braten, er sagte: Das taugt mir alles nichts! Ferner sagte er: Komm, du holdes Liebchen, du taugst mir besser als Wein und Braten, als

Silber und Gold! Was kümmere ich mich darum? Denke was du willst, was sein muß, muß sein!«

Hier blieb er plötzlich stecken und konnte durchaus nicht weiter. Sie lasen zusammen das Geschriebene, fanden es nicht übel und sammelten sich wieder während acht Tagen, wobei sie ein lockeres Leben führten; denn sie gingen öfter ins Bierhaus, um einen neuen Anlauf zu gewinnen; allein das Glück lachte nicht alle Tage. Endlich erwischte John wieder einen Zipfel, lief nach Hause und fuhr fort:

»Diese Worte richtete der junge Herr Litumlei nämlich an eine gewisse Jungfrau Liselein Federspiel, welche in den äußersten Häusern der Stadt wohnte, wo die Gärten sind und bald ein Wäldchen oder Hölzchen kommt. Dieses war eine der reizendsten Schönheiten, welche die Stadt je hervorgebracht hat, mit blauen Augen und kleinen Füßen. Sie war so schön gewachsen, daß sie kein Korsett brauchte und aus dieser Ersparnis, denn sie war arm, allmählig ein violettes Seidenkleid kaufen konnte. Aber alles dies war verklärt durch eine allgemeine Traurigkeit, welche nicht nur über die lieblichen Gesichtszüge, sondern über die ganze Gliederharmonie des Fräulein Federspiel zitterte, daß man in aller Windstille die wehmütigen Akkorde einer Äolsharfe zu hören glaubte. Denn es war jetzt ein gar denkwürdiger Maimonat angebrochen, in welchem sich alle vier Jahreszeiten zusammenzudrängen schienen. Es gab im Anfang noch einen Schnee, daß die Nachtigallen mit Schneeflocken auf dem Kopfe sangen, als ob sie weiße Zipfelmützchen trügen; dann trat eine solche Wärme ein, daß die Kinder im Freien badeten und die Kirschen reiften, und die Chronik bewahrt davon den Reim auf:

> Eis und Schnee,
> Buben baden im See,
> Reife Kirschen und blühender Wein
> Mocht alles in einem Maimond sein.

Diese Naturerscheinungen machten die Menschen nachdenklich und wirkten auf verschiedene Weise. Die Jungfer

Liselein Federspiel, welche besonders tiefsinnig war, grübelte auch nach und ward zum ersten Mal inne, daß sie ihr Wohl und Wehe, ihre Tugend und ihren Fall in der eigenen Hand trage, und indem sie nun die Waage hielt und diese verantwortliche Freiheit erwog, ward sie ebenso traurig darüber. Wie sie nun dastand, kam jener verwegene Rotrock und sagte unverweilt: Federspiel, ich liebe dich! Worüber sie durch eine sonderbare Fügung plötzlich ihren vorigen Gedankengang änderte und in ein helles Gelächter ausbrach.«

»Jetzt laß mich fortfahren!« rief der Alte, welcher erhitzt nachgelaufen kam und dem Jungen über die Schulter las, »es paßt mir nun eben recht!« und setzte die Geschichte folgendermaßen fort:

»Da ist nichts zu lachen! sagte jener, denn ich verstehe keinen Spaß! Kurz, es kam, wie es kommen mußte; wo das Wäldchen auf der Höhe stand, saß mein Federspiel im Grünen und lachte noch immer; aber schon sprang der Ritter auf seinen Schimmel und flog so schnell in die Ferne, daß er durch die platzgreifende Luftperspektive in wenig Augenblicken ganz bläulich aussah. Er verschwand, kehrte nicht mehr zurück; denn er war ein Teufelsbraten!«

»Ha, nun ist's geschehen!« schrie Litumlei und warf die Feder hin, »nun habe ich das Meinige getan, führe du nun den Schluß herbei, ich bin ganz erschöpft von diesen höllischen Erfindungen! Beim Styx! Es nimmt mich nicht wunder, daß man die Ahnherren großer Häuser so hoch hält und in Lebensgröße malt, da ich spüre, welche Mühe mich die Gründung des meinigen kostet! Aber habe ich das Ding nicht kühn behandelt?«

John schrieb nun weiter:

»Die arme Jungfer Federspiel empfand eine große Unzufriedenheit, als sie plötzlich vermerkte, daß der verführerische Jüngling entschwunden war, fast gleichzeitig mit dem denkwürdigen Maimonat. Doch hatte sie die Geistesgegenwart, schnell das Vorgefallene in ihrem Innern für ungeschehen zu erklären, um so den frühern Zustand einer gleichschwebenden

Waage wieder herzustellen. Aber sie genoß dieses Nachspiel der Unschuld nur kurze Zeit. Der Sommer kam, man schnitt das Korn; es ward einem gelb vor den Augen, wohin man blickte, vor all dem goldnen Segen; die Preise gingen wieder bedeutend herunter, Liselein Federspiel stand auf jenem Hügel und schaute allem zu; aber sie sah nichts vor lauter Verdruß und Reue. Es kam der Herbst, jeder Weinstock war ein fließender Brunnen, vom Fallen der Äpfel und Birnen trommelte es fortwährend auf der Erde; man trank, man sang, kaufte und verkaufte. Jeder versorgte sich, das ganze Land war ein Jahrmarkt, und so reichlich und wohlfeil alles war, so wurde doch das Überflüssige noch gelobt und gehätschelt und dankbar angenommen. Nur allein der Segen, den Liselein brachte, sollte nichts gelten und keiner Nachfrage wert sein, als ob der im Überfluß schwimmende Menschenhaufen nicht ein einziges Mäulchen mehr brauchen könnte. Da hüllte sie sich in ihre Tugend und gebar, einen Monat zu früh, ein munteres Knäblein, welches so recht darauf angewiesen war, der Schmied seines eigenen Glückes zu werden.

Dieser Sohn führte sich auch so wacker durch ein vielbewegtes Leben, daß er, durch wunderbare Schicksale endlich mit seinem Vater vereinigt, von demselben zu Ehren gezogen und in seine Rechte eingesetzt wurde, und ist dies der zweite bekannte Stammherr des Geschlechtes der Litumlei.«

Unter dieses Dokument schrieb der Alte: »Eingesehen und bestätigt, Johann Polykarpus Adam Litumlei.« Und John unterschrieb ebenfalls. Dann drückte Herr Litumlei noch sein Siegel bei, dessen Wappenschild drei halbe goldene Fischangeln im blauen Felde und sieben weiß und rot quadrierte Bachstelzen auf einem schräg laufenden grünen Balken zeigte.

Sie wunderten sich aber, daß das Schriftstück nicht größer geworden; denn sie hatten kaum einen Bogen von dem Buch Papier beschrieben. Nichtsdestoweniger legten sie es in das Archiv, wozu sie einstweilen eine alte eiserne Kiste bestimmten; und waren zufrieden und guter Dinge.

Unter solchen und andern Beschäftigungen verging die Zeit

auf das angenehmste; es wurde dem glückhaften John beinahe unheimlich, daß es auch gar nichts mehr zu hoffen und zu fürchten, zu schmieden und zu spekulieren gab. Indem er sich so nach neuer Tätigkeit umsah, wollte es ihn bedünken, daß die Gemahlin des Hausherren ein etwas unzufriedenes und verdächtiges Gesicht gegen ihn zeige; es dünkte ihn nur, bestimmt konnte er es nicht behaupten. Er hatte diese Frau, welche fast immer schlief oder, wenn sie wachte, etwas Gutes aß, über seinen anderweitigen Bestrebungen wenig beachtet, da sie sich in nichts mischte und mit allem zufrieden schien, wenn ihre Ruhe nicht gestört wurde. Jetzt fürchtete er plötzlich, sie könnte ihm irgend eine nachteilige Wandlung der Dinge bereiten, ihren Mann umstimmen und dergleichen.

Er legte den Finger an die Nase und sagte: »Halt! Hier dürfte es geraten sein, dem Werke noch die letzte Feile zu geben! Wie konnte ich nur diese wichtige Partie so lange aus den Augen setzen! Gut ist gut, aber besser ist besser!«

Der Alte war eben fort, um im stillen an der Ausmittelung einer zweckmäßigen Gattin für seinen Stammhalter tätig zu sein, wovon er selbst diesem nichts verriet. John beschloß unverweilt, sich zu der Dame zu begeben mit der unbestimmten Vorstellung, ihr auf irgend eine Weise den Hof zu machen und sich bei ihr einzuschmeicheln, um das Versäumte nachzuholen. Er säuselte ehrbarlich die Treppe hinunter bis zu dem Gemach, wo sie sich aufzuhalten pflegte, und fand wie gewöhnlich die Türe halb offen stehen; denn sie war bei aller Trägheit neugierig und liebte immer gleich zu hören, was vorging.

Er trat vorsichtig hinein und sah sie wieder schlummernd daliegen, ein halb aufgegessenes Himbeertörtchen in der Hand. Ohne recht zu wissen, was eigentlich beginnen, ging er endlich auf den Zehen hin, ergriff ihre runde Hand und küßte sie ehrerbietig. Sie regte sich nicht im mindesten; doch öffnete sie die Augen zur Hälfte und sah ihn, ohne den Mund zu verziehen, mit einem höchst seltsamen Blick an, solang er dastand. Verblüfft und stotternd zog er sich endlich zurück und lief in sein Zimmer. Dort setzte er sich in eine Ecke, jenen

Blick aus schmaler Augenzwinkerung immer vor sich. Er eilte
wieder hinunter, die Frau verhielt sich unbeweglich wie vorhin, und wie er näher trat, taten sich die Augen wieder halb
auf. Wiederum zog er sich zurück, wiederum saß er in der
Ecke seiner Kammer, zum dritten Mal fuhr er in die Höhe,
stieg die Treppe hinunter, huschte hinein und blieb nun dort,
bis der Patriarch nach Hause kehrte.

Es verging nun kaum ein Tag, wo die zwei Leute sich nicht
zusammenzutun und den Alten zu hintergehen wußten, daß
es eine Art hatte. Die schläfrige Frau wurde auf einmal munter in ihrer Weise; John aber ergab sich dem leidenschaftlichsten Undank gegen seinen Wohltäter, immer in der Absicht,
seine Stellung zu befestigen und das Glück recht an die Wand
zu nageln.

Beide Sünder taten indessen nur um so freundlicher und er-
gebener gegen den betrogenen Litumlei, der dabei sich ganz
behaglich fühlte und sein Haus auf das beste bestellt zu haben
glaubte, so daß man nicht entscheiden konnte, welcher von
beiden Herren mehr mit sich zufrieden war. Eines Morgens
schien jedoch der Alte den Sieg davonzutragen infolge einer
vertraulichen Unterredung, welche seine Frau mit ihm gepflogen; denn er ging ganz sonderbar herum, stand keinen Augenblick still und suchte fortwährend allerlei Sätzchen zu pfeifen,
was aber wegen Mangels an Zähnen nicht gelang. Er schien um
mehrere Zoll gewachsen zu sein über Nacht, kurz, er war der
Inbegriff der Selbstzufriedenheit. Aber denselben Tag noch
neigte sich der Sieg wieder auf die Seite des Jüngern, als ihn der
Alte unversehens frug, ob er nicht Lust habe, eine tüchtige
Reise zu machen, um auch noch die Welt ein wenig kennen zu
lernen und besonders auch, indem er sich selber bilde, die verschiedenen Arten der Jugenderziehung in den Ländern in Betracht zu nehmen und sich über die diesfalls herrschenden
Grundsätze zu unterrichten, namentlich mit Bezug auf die
vornehmeren Stände?

Nichts konnte ihm willkommener sein als solch herrlicher
Antrag, und freudig genehmigte er denselben. Er wurde

schnell für die Reise ausgerüstet und mit Wechseln versehen, und er fuhr in höchster Gloria davon. Zuerst bereiste er Wien, Dresden, Berlin und Hamburg; dann wagte er sich nach Paris, und überall führte er ein prächtiges und weises Leben. Er patrouillierte alle Vergnügungsorte, Sommertheater und Spektakelplätze ab, lief durch die Raritätenkammern der Schlösser und stand allmittags in der Sonnenhitze auf den Paradeplätzen, um die Musik zu hören und die Offiziere anzugaffen, eh er zur Tafel ging. Wenn er all die Herrlichkeiten unter tausend andern Menschen mit ansah, so wurde er ganz stolz und schrieb sich von allem Glanz und Getön das alleinige Verdienst zu, jeden für einen unwissenden Tropf haltend, der nicht dabei war. Mit dem behenden Genießen verband er aber die größte Weisheit, um seinem Wohltäter zu zeigen, daß er keinen Hasen auf Reisen geschickt habe. Keinem Bettler gab er etwas, keinem armen Kinde kaufte er je etwas ab, den Dienstbaren in den Gasthäusern wußte er beharrlich mit dem Trinkgelde durchzugehen, ohne Schaden zu leiden, und um jeden Dienst feilschte er lange, ehe er ihn annahm. Am meisten Spaß machte ihm das Vexieren und Foppen der verlorenen Wesen, mit denen er sich im Vereine mit zwei oder drei Gleichgesinnten auf den öffentlichen Bällen unterhielt. Mit Einem Wort: er lebte so sicher und vergnügt wie ein alter Weinreisender.

Zum Schlusse konnte er sich nicht versagen, einen Abstecher nach seiner Heimat Seldwyla zu machen. Dort logierte er im ersten Gasthof, saß geheimnisvoll und einsilbig an der Mittagstafel und ließ seine Mitbürger sich die Köpfe darüber zerbrechen, was aus ihm geworden sei. Sie waren überzeugt, daß nicht viel hinter der Sache stecke, und doch lebte er zur Zeit unzweifelhaft im Wohlstand, so daß sie einstweilen ihren Spott zurückhielten und mit krausen Nasenflügeln nach dem Golde blinzelten, das er sehen ließ. Er aber regalierte sie nicht mit einer einzigen Flasche Wein, obgleich er vor ihren Augen vom besten trank und sann, wie er ihnen noch Weiteres antun könne.

Da gedachte er, am Ende seiner Reise, plötzlich des Auftrages, der ihm zur Erforschung des Erziehungswesens in den durchreisten Ländern geworden, um die Grundsätze festzustellen, nach welchen die Kinder des von Litumlei gegründeten und von Kabys fortzupflanzenden Geschlechtes erzogen werden sollten. Diese Aufgabe in Seldwyla zu lösen kam ihm nun trefflich zustatten, da er in den Mantel einer höheren Mission gehüllt als eine Art Edukationsrat auftreten und die Seldwyler noch mehr foppen konnte. Er kam auch gerade vor die rechte Schmiede. Denn seit einiger Zeit schon waren sie auf einen herrlichen Erwerbszweig geraten, indem sie alle ihre Mädchen zu Erzieherinnen machten und versandten. Kluge und unkluge, gesunde und kränkliche Kinder wurden in dieser Weise zubereitet in eigenen Anstalten und für alle Bedürfnisse. Wie man Forellen verschiedentlich behandelt, sie blau absiedet oder backt oder spickt u. s. w., so wurden die guten Mädchen entweder mehr positiv christlich oder mehr weltlich, mehr für die Sprachen oder mehr für die Musik, für vornehme Häuser oder für mehr bürgerliche Familien zugerichtet, je nach der Weltgegend, für welche sie bestimmt waren und von wo die Nachfrage kam. Das Seltsame dabei war, daß die Seldwyler für alle diese verschiedenen Zweckbestimmungen sich vollkommen neutral und gleichgültig verhielten und auch von den betreffenden Lebenskreisen durchaus keine Kenntnis besaßen, und der gute Absatz ließ sich nur dadurch erklären, daß die Abnehmer des Exportartikels ebenso gleichgültig und kenntnislos waren. Ein Seldwyler, der den unversöhnlichsten Kirchenfeind spielte, konnte seine nach England bestimmten Kinder auf Gebet und Sonntagsheiligung einüben lassen; ein anderer, der in öffentlichen Reden von der edlen Stauffacherin, der Zierde des freien Schweizerhauses, schwärmte, hatte seine fünf oder sechs Töchter nach den russischen Steppen oder in andere unwirtliche Gegenden verbannt, wo sie in ferner Trostlosigkeit schmachteten.

Die Hauptsache war, daß die wackeren Bürger die armen Wesen so bald als möglich, mit einem Reisepaß und Regenschirm versehen, hinausjagen und mit dem heimgesandten Erwerbe derselben sich gütlich tun konnten.

Aus alledem war aber bald eine gewisse Überlieferung und Geschicklichkeit für die äußerliche Zurichtung der Mädchen entstanden und John Kabys hatte vollauf zu tun, die kuriosen Grundsätze, die hierin walteten, mit noch kurioserer Auffassungsgabe einzusammeln und sich zu notieren. Er ging in den verschiedenen Fabriklein herum, wo die Mädchen zubereitet wurden, befragte Vorsteherinnen und Lehrer und suchte sich vorzüglich ein Bild davon zu entwerfen, wie die Erziehung eines Knäbchens in einem großen Hause von Anfang an standesmäßig betrieben würde und zwar so recht auf Kosten der hiefür bezahlten Leute und ohne Mühsal noch Verdruß der Eltern.

Hierüber fertigte er ein merkwürdiges Memorandum an, welches in einigen Tagen, dank seinen fleißigen Notizen, zu mehreren Bogen anschwoll und mit dem er sich Aufsehen erregend beschäftigte. Er verwahrte die Schrift zusammengerollt in einer runden Blechkapsel und trug dieselbe an einem Lederriemchen beständig an der Hüfte. Als aber die Seldwyler das bemerkten, glaubten sie, er sei abgesandt ihnen das Geheimnis ihrer Industrie abzustehlen und in das Ausland zu verpflanzen. Sie erbosten sich über ihn und trieben ihn drohend und scheltend davon.

Erfreut, daß er sie habe ärgern können, reiste er ab und langte endlich in Augsburg an, gesund und fröhlich wie ein junger Hecht. Er trat wohlgemut ins Haus und fand dasselbe ebenso froh belebt. Eine muntere schöne Landfrau mit hohem Busen war das erste, was er antraf; sie trug eine Schüssel mit warmem Wasser und er hielt sie für eine neue Köchin und betrachtete sie vorläufig nicht ohne Wohlgefallen. Doch drängte es ihn, die Hausfrau schnell zu begrüßen; allein sie war nicht zu sprechen und lag im Bett, obgleich das Haus von einem seltsamen Geräusch widerhallte. Dieses rührte vom alten Litumlei her, welcher herumrannte, sang, rief, lachte und krakeelte und endlich zum Vorschein kam, blasend, pustend, die

Augen rollend und ganz rot vor Freude, Stolz und Hochmut. Ausgelassen und würdeatmend zugleich hieß er seinen Günstling willkommen und eilte wieder davon, um etwas anderes zu verrichten; denn er schien alle Hände voll zu tun zu haben.

Zwischendurch ließ sich von einer Gegend her wiederholt ein gedämpftes Quieken vernehmen wie von einem Kreuzertrompetchen; die vollbusige Bäuerin ging wieder über die Szene mit einer Handvoll weißer Tüchelchen und rief aus ihrer weißen Kehle: »Gleich, mein Schätzchen! gleich, mein Bübchen!«

»Daß dich!« sagte John, »was ist das für ein leckerer Bissen!«

Aber er horchte wieder auf jenes Quieken, das sich fort und fort vernehmen ließ.

»Nun?« rief Litumlei, der wieder hergeträppelt kam, »singt der Vogel nicht schön? Was sagst du dazu, mein Bursche?«

»Welcher Vogel?« fragte John.

»Ei, Herr Jesus! Du weißt am Ende noch gar nichts?« rief der Alte; »ein Sohn ist uns allendlich geboren, ein Stammhalter, so munter wie ein Ferkel, liegt uns in der Wiege! Alle meine Wünsche, meine alten Pläne sind erfüllt!«

Der Schmied seines Glückes stand wie eine Bildsäule, ohne jedoch die Folgen des Ereignisses schon zu übersehen, so einfach sie auch sein mochten; er fühlte nur, daß es ihm höchst widerstrebend zu Mute war, machte ganz runde Augen und spitzte den Mund, wie wenn er einen Igel küssen müßte.

»Nun«, fuhr der vergnügte Alte fort, »sei nur nicht zu verdrießlich! Etwas verändert wird allerdings unser Verhältnis, habe auch bereits das Testament umgestoßen und verbrannt sowie jenen lustigen Roman, dessen wir nun nicht mehr bedürfen! Du aber bleibst im Hause, du sollst bei der Erziehung meines Sohnes die Oberleitung übernehmen, du sollst mein Rat sein und mein Helfer in allen Dingen und es soll dir nichts abgehen, solang ich lebe! Nun ruh dich aus, ich muß dem kleinen Kreuzkerl einen rechten Namen zusammensuchen! Schon dreimal hab ich den Kalender durchgesehen, will jetzt noch

eine alte Chronik durchstöbern, dort gibt's so alte Stammbäume mit ganz merkwürdigen Taufnamen!«

John begab sich endlich auf sein Zimmer und setzte sich in
jene Ecke; die Blechkapsel mit der Erziehungsdenkschrift
hatte er noch umhängen und er hielt sie unbewußt zwischen
den Knieen. Er sah die Sachlage ein, er verwünschte die böse
Frau, welche ihm diesen Streich gespielt und einen Erben un-
tergeschoben; er verwünschte den Alten, der da glaubte, er
hätte einen rechtmäßigen Sohn; nur sich selbst verwünschte er
nicht, der doch der wirkliche und alleinige Urheber des kleinen Schreiers war und sich so selbst enterbt hatte. Er zappelte
in einem unzerreißlichen Netze, rannte aber wieder nach dem
Alten, um ihm törichterweise die Augen zu öffnen.

»Glauben Sie denn wirklich«, sagte er mit gedämpfter
Stimme zu ihm, »daß das Kind das Ihrige sei?«

»Wie, was?« sagte Herr Litumlei und sah von seiner Chronik auf.

John fuhr fort, in abgebrochenen Redensarten ihm zu verstehen zu geben, daß er selbst ja nie imstande gewesen sei, Vater zu werden, daß seine Frau wahrscheinlich sich eine Untreue habe zu Schulden kommen lassen u. s. f.

Sobald ihn das kleine Männchen ganz verstand, fuhr es wie
besessen in die Höhe, stampfte auf den Boden, schnaubte und
schrie endlich: »Aus den Augen mir, undankbares Scheusal,
verleumderischer Schuft! Warum sollte ich nicht imstande sein
einen Sohn zu haben? Sprich, Elender! Ist das der Dank für
meine Wohltaten, daß du die Ehre meines Weibes und meine
eigene Ehre begeiferst mit deiner niederträchtigen Zunge?
Welch ein Glück, daß ich noch rechtzeitig erkenne, welch eine
Schlange ich an meinem Busen genährt habe! Wie werden
doch solche große Stammhäuser gleich in der Wiege schon
vom Neid und von der Selbstsucht attackiert! Fort! aus dem
Hause mit dir von Stund an!«

Er lief zitternd vor Wut nach seinem Schreibtische, nahm
eine Handvoll Goldstücke, wickelte sie in ein Papier und warf
es dem Unglücklichen vor die Füße.

»Hier ist noch ein Zehrpfennig und damit fort auf immer!« Hiemit entfernte er sich, immer zischend wie eine Schlange.

John hob das Päcklein auf, ging aber nicht aus dem Hause, sondern schlich auf seine Kammer, mehr tot als lebendig, zog sich aus bis auf das Hemde, obschon es noch nicht Abend war, und legte sich ins Bett, schlotternd und erbärmlich stöhnend. In allem Jammer zählte er, da er keinen Schlaf finden konnte, das erhaltene Geld und das, welches er auf der Reise in oben beschriebener Weise erspart. »Unnütz!« sagte er, »ich denke nicht daran, fortzugehen, ich will und muß hier bleiben!«

Da klopften zwei Polizeimänner an die Türe, traten herein und hießen ihn aufstehen und sich anziehen. Voll Angst und Schrecken tat er es; sie befahlen ihm, seine Sachen zusammenzupacken; es war aber alles noch auf das schönste beisammen, da er seine Reisekoffer noch gar nicht geöffnet hatte. Darauf führten sie ihn aus dem Hause; ein Knecht trug die Sachen nach, setzte sie auf die Straße und schloß die Türe vor seiner Nase zu. Hierauf lasen ihm die Männer von einem Papier ein Verbot vor, bei Strafe nicht mehr dies Haus zu betreten. Dann gingen sie fort; er aber blickte nochmals an das Haus seines verlorenen Glückes hinauf, als eben einer der hohen Fensterflügel sich ein wenig öffnete, jene hübsche Amme eine in ländlicher Weise dort getrocknete Windel hereinlangte und gleichzeitig das Stimmchen des Kindes sich wieder vernehmen ließ.

Da floh er endlich mit seiner Habe in einen Gasthof, zog sich dort wiederum aus und legte sich nun ungestört ins Bett.

Am andern Tage lief er aus Verzweiflung noch zu einem Advokaten, um zu erfahren, ob denn gar nichts mehr zu machen sei? Sobald der aber seine Rede halb angehört, rief er zornig: »Machen Sie, daß Sie fortkommen, Sie Esel, mit Ihrer einfältigen Erbschleicherei, oder ich lasse Sie verhaften!«

Ganz verstürmt reisete er allendlich nach seinem guten Seldwyla, wo er erst vor einigen Tagen gewesen war. Er setzte sich wieder in den Gasthof und zehrte einige Zeit nachdenklich von seiner Barschaft, und je mehr sie sich verminderte, desto kleinlauter wurde er. Humoristisch gesellten sich die Seldwyler zu ihm, und als sie, da er nun zugänglicher geworden, sein Schicksal so ziemlich erforscht hatten und ihn im Besitze seines abnehmenden kleinen Vermögens sahen, verkauften sie ihm eine kleine alte Nagelschmiede vor dem Tore, die gerade feil stand und, wie sie sagten, ihren Mann nährte. Er mußte aber, um den Kaufschilling voll zu machen, alle seine Attribute und Kleinode veräußern, was er um so leichter tat als er nun keine Hoffnung mehr auf diese Dinge setzte; sie hatten ihn ja immer betrogen und er mochte nicht mehr um sie Sorge tragen.

Mit der Nagelschmiede, in der zwei oder drei Arten einfacher Nägel gemacht wurden, ging ein alter Geselle in den Kauf, von dem der neue Inhaber die Hantierung selbst ohne viel Mühe erlernte und dabei noch ein wackerer Nagelschmied wurde, der erst in leidlicher, dann in ganzer Zufriedenheit so dahin hämmerte, als er das Glück einfacher und unverdrossener Arbeit spät kennen lernte, das ihn wahrhaft aller Sorge enthob und von seinen schlimmen Leidenschaften reinigte.

Dankbarlich ließ er schöne Kürbisstauden und Winden an dem niedrigen schwärzlichen Häuschen emporranken, das außerdem von einem großen Holunderbaum überschattet war und dessen Esse immer ein freundliches Feuerlein hegte.

Nur in stillen Nächten bedachte er etwa noch sein Schicksal, und einige Mal, wenn der Jahrestag wiederkehrte, wo er die Dame Litumlei bei dem Himbeertörtchen gefunden hatte, stieß der Schmied seines Glückes den Kopf gegen die Esse, aus Reue über die unzweckmäßige Nachhilfe, welche er seinem Glück hatte geben wollen.

Allein auch diese Anwandlungen verloren sich allmählig, je besser die Nägel gerieten, welche er schmiedete.

Die mißbrauchten Liebesbriefe

Viktor Störteler, von den Seldwylern nur Viggi Störteler genannt, lebte in behaglichen und ordentlichen Umständen, da er ein einträgliches Speditions- und Warengeschäft betrieb und ein hübsches, gesundes und gutmütiges Weibchen besaß. Dieses hatte ihm außer der sehr angenehmen Person ein ziemliches Vermögen gebracht, welches Gritli von auswärts zugefallen war, und sie lebte zutulich und still bei ihrem Manne. Ihr Geld aber war ihm sehr förderlich zur Ausbreitung seiner Geschäfte, welchen er mit Fleiß und Umsicht oblag, daß sie trefflich gediehen. Hiebei schützte ihn eine Eigenschaft, welche, sonst nicht landesüblich, ihm einstweilen wohl zustatten kam. Er hatte seine Lehrzeit und einige Jahre darüber nämlich in einer größeren Stadt bestanden und war dort Mitglied eines Vereines junger Comptoiristen gewesen, welcher sich wissenschaftliche und ästhetische Ausbildung zur Aufgabe gestellt hatte. Da die jungen Leute ganz sich selbst überlassen waren, so übernahmen sie sich und machten allerhand Dummheiten. Sie lasen die schwersten Bücher und führten eine verworrene Unterhaltung darüber; sie spielten auf ihrem Theater den Faust und den Wallenstein, den Hamlet, den Lear und den Nathan; sie machten schwierige Konzerte und lasen sich schreckbare Aufsätze vor, kurz, es gab nichts, an das sie sich nicht wagten.

Hievon brachte Viggi Störteler die Liebe für Bildung und Belesenheit nach Seldwyla zurück; vermöge dieser Neigung aber fühlte er sich zu gut, die Sitten und Gebräuche seiner Mitbürger zu teilen; vielmehr schaffte er sich Bücher an, abonnierte in allen Leihbibliotheken und Lesezirkeln der Hauptstadt, hielt sich die »Gartenlaube« und unterschrieb auf alles, was in Lieferungen erschien, da hier ein fortlaufendes, schön verteiltes Studium geboten wurde. Damit hielt er sich in seiner Häuslichkeit und zugleich seine Umstände vor Schaden bewahrt. Wenn er seine Tagesgeschäfte munter und vorsichtig durchgeführt, so zündete er seine Pfeife an, verlängerte die Nase und setzte sich hinter seinen Lesestoff, in welchem er mit großer Gewandtheit herumfuhr. Aber er ging noch weiter. Bald schrieb er verschiedene Abhandlungen, welche er seiner Gattin als »Essais« bezeichnete, und er sagte öfter, er glaube, er sei seiner Anlage nach ein Essaiist. Als jedoch seine Essais von den Zeitschriften, an welche er sie sandte, nicht abgedruckt wurden, begann er Novellen zu schreiben, die er unter dem Namen »Kurt vom Walde« nach allen möglichen Sonntagsblättchen instradierte. Hier ging es ihm besser, die Sachen erschienen wirklich feierlich unter dem herrlichen Schriftstellernamen in den verschiedensten Gegenden des Deutschen Reiches, und bald begann hier ein Roderich vom Tale, dort ein Hugo von der Insel und wieder dort ein Gänserich von der Wiese einen stechenden Schmerz zu empfinden über den neuen Eindringling. Auch konkurrierte er heimlich bei allen ausgeschriebenen Preisnovellen und vermehrte hiedurch nicht wenig die angenehme Bewegtheit seines eingezogenen Lebens. Neuen Aufschwung gewann er stets auf seinen kürzeren oder längeren Geschäftsreisen, wo er dann in den Gasthöfen manchen Gesinnungsverwandten traf, mit dem sich ein gebildetes Wort sprechen ließ; auch der Besuch der befreundeten Redaktionsstübchen in den verschiedenen Provinzen gewährte neben den Handelsgeschäften eine gebildete Erholung, obgleich diese hie und da eine Flasche Wein kostete.

Ein Haupterlebnis feierte er eines Tages an der abendlichen Wirtstafel in einer mittleren deutschen Stadt, an welcher nebst einigen alten Stammgästen des Ortes mehrere junge Reisende saßen. Die würdigen alten Herren mit weißen Haaren führten ein gemächliches Gespräch über allerlei Schreiberei, sprachen von Cervantes, von Rabelais, Sterne und Jean Paul sowie von Goethe und Tieck und priesen den Reiz, welchen das Verfolgen der Kompositionsgeheimnisse und des Stiles gewähre, ohne daß die Freude an dem Vorgetragenen selbst beeinträchtigt werde. Sie stellten einläßliche Vergleichungen an und suchten den roten Faden, der durch all dergleichen hindurchgehe; bald lachten sie einträchtig über irgend eine Erinnerung, bald erfreuten sie sich mit ernstem Gesicht über eine neu gefundene Schönheit, alles ohne Geräusch und Erhitzung, und endlich, nachdem der eine seinen Tee ausgetrunken, der andere sein Schöppchen geleert, klopften sie die langen Tonpfeifen aus und begaben sich auf etwas gichtischen Füßen zu ihrer Nachtruhe. Nur Einer setzte sich unbeachtet in eine Ecke, um noch die Zeitung zu lesen und ein Glas Punsch zu trinken.

Nun aber entwickelte sich unter den jüngeren Gästen, welche bislang horchend dagesessen hatten, das Gespräch. Einer fing an mit einer spöttischen Bemerkung über die altväterische Unterhaltung dieser Alten, welche gewiß vor vierzig Jahren einmal die Schöngeister dieses Nestes gespielt hätten. Diese Bemerkung wurde lebhaft aufgenommen, und indem ein Wort das andere gab, entwickelte sich abermals ein Gespräch belletristischer Natur, aber von ganz anderer Art. Von den verjährten Gegenständen jener Alten wußten sie nicht viel zu berichten als das und jenes vergriffene Schlagwort aus schlechten Literargeschichten; dagegen entwickelte sich die ausgebreitetste und genaueste Kenntnis in den täglich auftauchenden Erscheinungen leichterer Art und aller der Personen und Persönchen, welche sich auf den tausend grauen Blättern stündlich unter wunderbaren Namen herumtummeln. Es zeigte sich bald, daß dies nicht solche Ignoranten von alten Gerichtsräten und Privatgelehrten, sondern Leute vom Handwerk waren. Denn es dauerte nicht lange, so hörte man nur noch die Worte Honorar, Verleger, Clique, Koterie und was noch mehr den Zorn solchen Volkes reizt und seine Phantasie beschäftigt. Schon tönte und schwirrte es, als ob zwanzig Personen sprächen, die tückischen Äuglein blinkerten und eine allgemeine glorreiche Erkennung konnte nicht länger ausbleiben. Da entlarvte sich dieser als Guido von Strahlheim, jener als Oskar Nordstern, ein dritter als Kunibert vom Meere. Da zögerte auch Viggi nicht länger, der bisher wenig gesprochen, und wußte es mit einiger Schüchternheit einzuleiten, daß er als Kurt vom Walde erkannt wurde. Er war von allen gekannt so wie er ebenso alle kannte, denn diese Herren, welche ein gutes Buch jahrzehntelang ungelesen ließen, verschlangen alles, was von ihresgleichen kam, auf der Stelle, es in allen Kaffeebuden zusammensuchend, und zwar nicht aus Teilnahme, sondern aus einer sonderbaren Wachsamkeit.

»Sie sind Kurt vom Walde?« hieß es dröhnend, »ha! willkommen!« Und nun wurden mehrere Flaschen eines unechten wohlfeilen und sauren Weines bestellt, der billigste unter Siegel, der im Hause war, und es hob erst recht ein energisches Leben an. Nun galt es zu zeigen, daß man Haare auf den Zähnen habe! Alle Männer, die es zu irgend einem Erfolge gebracht und in diesem Augenblicke Hunderte von Meilen entfernt vielleicht schon den Schlaf der Gerechten schliefen, wurden auf das gründlichste demoliert; jeder wollte die genauesten Nachrichten von ihrem Tun und Lassen haben, keine Schandtat gab es, die ihnen nicht zugeschrieben wurde, und der Refrain bei jedem war schließlich ein trocken sein sollendes: Er ist übrigens Jude! Worauf es im Chor ebenso trocken hieß: Ja, er soll ein Jude sein!

Viggi Störteler rieb sich entzückt die Hände und dachte: Da bist du einmal vor die rechte Mühle gekommen! Ein Schriftsteller unter Schriftstellern! Ei! was das für geriebene Geister sind! Welches Verständnis und welch sittlicher Zorn!

In dieser Nacht und bei diesem Schwefelwein ward nun, um der schlechten Welt vom Amte zu helfen und ein neues Morgenrot herbeizuführen, die förmliche und feierliche Stiftung einer »neuen Sturm- und Drangperiode« beschlossen, und zwar mit planvoller Absicht und Ausführung, um diejenige Gärung künstlich zu erzeugen, aus welcher allein die Klassiker der neuen Zeit hervorgehen würden.

Als sie jedoch diese gewaltige Abrede getroffen, konnten sie nicht weiter, sondern senkten alsbald ihre Häupter und mußten das Lager suchen; denn diese Propheten ertrugen nicht einmal guten, geschweige denn schlechten Wein und büßten jede kleine Ausschreitung mit großer Abschwächung und Übelkeit.

Als sie abgezogen waren, fragte der alte Herr, welcher zurückgeblieben war und sich höchlich an dem Treiben ergötzt hatte, den Kellner, was das für Leute wären? »Zwei davon«, sagte dieser, »sind Geschäftsreisende, ein Herr Störteler und ein Herr Huberl; der dritte heißt Herr Stralauer, doch nur den vierten kenn ich näher, der nennt sich Dr. Mewes und hat sich vergangenen Winter einige Wochen hier aufgehalten. Er gab im Tanzsaal beim Blauen Hecht, wo ich damals war, Vorlesungen über deutsche Literatur, welche er wörtlich abschrieb aus einem Buche. Dasselbe mußte aus irgend einer Bibliothek gestohlen worden sein, dem Einbande nach zu urteilen, und war ganz voll Eselsohren, Tinten- und Ölflecke. Außer diesem Buche besaß er noch einen zerzausten Leitfaden zur französischen Konversation und ein Kartenspiel mit obszönen Bildern darin, wenn man es gegen das Licht hielt. Er pflegte jenes Buch im Bett auszuschreiben, um die Heizung zu sparen; da verschüttete er schließlich das Tintenfaß über Steppdecke und Leintuch, und als man ihm eine billige Entschädigung in die Rechnung setzte, drohte er, den Blauen Hecht in seinen Schriften und ›Feuilletons‹ in Verruf zu bringen. Da er sonst allerlei häßliche Gewohnheiten an sich hatte, wurde er endlich aus dem Hause getan. Er schreibt übrigens unter dem Namen Kunibert vom Meere allerhand süßliche und nachgeahmte Sachen.«

»Was Teufel!« sagte der Alte, »Ihr wißt ja wie ein Mann vom Handwerk über diese Dinge zu reden, Meister Georg!« Der Kellner errötete, stockte ein wenig und sagte dann: »Ich will nur gestehen, daß ich selbst anderthalb Jahre Schriftsteller gewesen bin!« – »Ei der Tausend!« rief der Alte, »und was habt Ihr denn geschrieben?« »Das weiß ich kaum gründlich zu berichten«, fuhr jener fort, »ich war Aufwärter in einem Kaffeehaus, wo sich eine Anzahl Leute von der Gattung unserer heutigen Gäste beinahe den ganzen Tag aufhielt. Das lag herum, flanierte, räsonierte, durchstöberte die Zeitungen, ärgerte sich über fremdes Glück, freute sich über fremdes Unglück und lief gelegentlich nach Hause, um im größten Leichtsinn schnell ein Dutzend Seiten zu schmieren; denn da man nichts gelernt hatte, so besaß man auch keinen Begriff von irgend einer Verantwortlichkeit. Ich wurde bald ein Vertrauter dieser Herren, ihr Leben schien mir meiner dienstbaren Stellung weit vorzuziehen und ich wurde ebenfalls ein Schriftsteller. Auf meiner Schlafkammer verbarg ich einen Pack zerlesene Nummern von französischen Zeitungen, die ich in den verschiedenen Wirtschaften gesammelt, wo ich früher gedient hatte, ursprünglich um mich darin ein wenig in die Sprache hineinzubuchstabieren, wie es einem jungen Kellner geziemt. Aus diesen verschollenen Blättern übersetzte ich einen Mischmasch von Geschichtchen und Geschwätz aller Art, auch über Persönlichkeiten, die ich nicht im mindesten kannte. Aus Unkenntnis der deutschen Sprache behielt ich nicht nur öfter die französische Wort- und Satzstellung, sondern auch alle möglichen Gallizismen bei, und die Salbadereien, welche ich aus meinem eigenen Gehirne hinzufügte, schrieb ich dann ebenfalls in diesem Kauderwelsch, welches ich für echt schriftstellerisch hielt. Als ich ein Buch Papier auf solche Weise überschmiert hatte, anvertraute ich es als ein Originalwerk meinen Herren und Freunden, und siehe, sie nahmen es mit aller Aufmunterung entgegen und wußten es sogleich zum Druck zu befördern. Es ist etwas Eigentümliches um die schlechten Skribenten. Obgleich sie die unverträglichsten und gehässigsten Leute von der Welt sind, so haben sie doch eine unüberwindliche Neigung, sich zusammenzutun und ins Massenhafte zu vermehren, gewissermaßen um so einen mechanischen Druck nach der oberen Schicht auszuüben. Mein Büchlein wurde sofort als das sehr zu beachtende Erstlingswerk eines geistreichen jungen Autors verkündet, welcher deutsche Schärfe des Urteils mit französischer Eleganz verbinde, was wohl von dessen mehrjährigem Aufenthalt in Paris herrühre. Ich war nämlich in der Tat ein halbes Jahr in dieser Stadt bei einem deutschen Gastwirt gewesen. Da unter dem übersetzten Zeuge mehrere pikante, aber vergessene Anekdoten waren, so zirkulierten diese, unter Anführung meines Bu-

ches, alsbald durch eine Menge von Blättern. Ich hatte mich
auf dem Titel George d'Esan, welches eine Umkehrung meines ehrlichen Namens, Georg Nase ist, genannt. Nun hieß es
überall: George Desan in seinem interessanten Buche erzählt
folgenden Zug von dem oder von jenem, und ich wurde dadurch so aufgeblasen und keck, daß ich auf der betretenen
Bahn ohne weitern Aufenthalt fortrannte wie eine abgeschos-
sene Kanonenkugel.«

»Aber zum Teufel!« sagte jetzt der Alte, »was hattet Ihr
denn nur für Schreibestoff? Ihr konntet doch nicht immer von
Eurem Pack alter Zeitungen zehren?«

»Nein! Ich hatte eben keinen Stoff als sozusagen das Schreiben selbst. Indem ich Tinte in die Feder nahm, schrieb ich über
diese Tinte. Ich schrieb, kaum daß ich mich zum Schriftsteller
ernannt sah, über die Würde, die Pflichten, Rechte und Bedürfnisse des Schriftstellerstandes, über die Notwendigkeit
seines Zusammenhaltens gegenüber den andern Ständen, ich
schrieb über das Wort Schriftsteller selbst, unwissend, daß es
ein echt deutsches und altes Wort ist, und trug auf dessen Ab-
schaffung an, indem ich andere, wie ich meinte, viel geistrei-
chere und richtigere Benennungen ausheckte und zur Erwä-
gung vorschlug, wie z. B. Schriftner, Tinterich, Schriftmann,
Buchner, Federkünstler, Buchmeister u. s. f. Auch drang ich
auf Vereinigung aller Schreibenden, um die Gewährleistung
eines schönen und sichern Auskommens für jeden Teilnehmer
zu erzielen, kurz, ich regte mit allen diesen Dummheiten einen
erheblichen Staub auf und galt eine Zeitlang für einen Teufels-
kerl unter den übrigen Schmierpetern. Alles und jedes bezogen wir auf unsere Frage und kehrten immer wieder zu den
›Interessen‹ der Schriftstellerei zurück. Ich schrieb, obgleich
ich der unbelesenste Gesell von der Welt war, ausschließlich
nur über Schriftsteller, ohne deren Charakter aus eigener Anschauung zu kennen, komponierte ›ein Stündchen bei X.‹ oder
›ein Besuch bei N.‹ oder ›eine Begegnung mit P.‹ oder ›einen
Abend bei der Q.‹ und dergleichen mehr, was ich alles mit
unsäglicher Nasenweisheit, Frechheit und Kinderei ausstattete.

Überdies betrieb ich eine rührige Industrie mit sogenannten ›Mitgeteilts‹ nach allen Ecken und Enden hin, indem ich allerlei Neuigkeitskram und Klatsch verbreitete. Wenn gerade nichts aus der Gegenwart vorhanden war, so übersetzte ich die Sesenheimer Idylle wohl zum zwanzigsten Male aus Goethes schöner Sprache in meinen gemeinen Jargon und sandte sie als neue Forschung in irgend ein Winkelblättchen. Auch zog ich aus bekannten Autoren solche Stellen, über welche man in letzter Zeit wenig gesprochen hatte, wenigstens nicht meines Wissens, und ließ sie mit einigen albernen Bemerkungen als Entdeckung herumgehen. Oder ich schrieb wohl aus einem eben herausgekommenen Bande einen Brief, ein Gedicht aus und setzte es als handschriftliche Mitteilung in Umlauf, und ich hatte immer die Genugtuung, das Ding munter durch die ganze Presse zirkulieren zu sehen. Insbesondere gewährte mir der Dichter Heine die fetteste Nahrung; ich gedieh an seinem Krankenbette förmlich wie die Rübe im Mistbeete.«

»Aber Ihr seid ja ein ausgemachter Halunke gewesen!« rief der alte Herr mit Erstaunen, und Meister Georg versetzte: »Ich war kein Halunke, sondern eben ein armer Tropf, welcher seine Kellnergewohnheiten in eine Tätigkeit übertrug und in Verhältnisse, von denen er weder einen sittlichen noch einen unsittlichen, sondern gar keinen Begriff hatte. Überdies brachte mein Verfahren niemandem einen wirklichen Schaden.«

»Und wie seid Ihr denn von dem schönen Leben wieder abgekommen?« fragte der Alte.

»Ebenso kurz und einfach, wie ich dazu gekommen!« antwortete der Exschriftner, »ich befand mich trotz alles Glanzes doch nicht behaglich dabei und vermißte besonders die bessere Nahrung und die guten Weinrestchen meines frühern Standes. Auch ging ich ziemlich schäbig gekleidet, indem ich einen ganz abgetragenen Aufwärterfrack unter einem dünnen Überzieher Sommer und Winter trug. Unversehens fiel mir aus der Heimat eine kleine Geldsumme zu, und da ich von früher her noch eine alte Sehnsucht nährte, ordentlich gekleidet zu sein, so bestellte ich mir sofort einen feinen neuen Frack, eine gute Weste und kaufte ein gut vergoldetes Uhrkettchen sowie ein feines Hemd mit einem Jabot. Als ich mich aber, dergestalt ausgeputzt, im Spiegel besah, fiel es mir wie Schuppen von den Augen; ich fand mich plötzlich zu gut für einen Schriftsteller, dagegen reif genug für einen Oberkellner in einem Mittelgasthofe und suchte demgemäß eine Anstellung.«

»Aber wie kommt es«, fragte der Gast noch, »daß Ihr nun so einsichtig und ordentlich über jenes Treiben zu urteilen wißt?«

»Das mag daher kommen«, erwiderte Georg Nase lächelnd, »daß ich mich erst jetzt in meinen Mußestunden zu unterrichten suche, aber bloß zu meinem Privatvergnügen!«

Worauf der Alte endlich seine Zeche bezahlte und sich entfernte, nachdem er den Aufwärter eingeladen, in Zukunft doch an den Gesprächen der Gäste teilzunehmen und ja nicht zu versäumen, von seinen lustigen Taten und Erlebnissen so viel mitzuteilen als er immer wüßte. So fügte es sich, daß in diesem Gasthofe die täglichen Stammgäste samt dem Kellner mehr Bildung und Schule besaßen als der kleine Schriftstellerkongreß, der zur Stunde unter dem gleichen Dache schlummerte.

Am nächsten Tage zerstreuten sich die Herren nach allen Winden, nicht ohne nochmals die zu gründende Sturm- und Drangperiode kräftiglichst besprochen zu haben. Indem sie vorläufig schon einige Rollen verteilten, wurde es als eine glückliche Fügung gepriesen, daß in Viggi Störteler die schweizerischen Beziehungen trefflich angebahnt seien, und er übernahm es, einstweilen Bodmer und Lavater zusammen darzustellen, um die reisenden neuen Klopstocks, Wieland und Goethe zu empfangen und aufzumuntern.

So kehrte er ganz aufgebläht von neuen Aussichten und Entwürfen in seine Heimat zurück. Er ließ die Haare lang wachsen, strich sie hinter die Ohren, setzte eine Brille von lauterm Fensterglas auf und trug ein kleines Spitzbärtchen, um sein Äußeres dem bedeutenden Inhalte entsprechen zu lassen, den er durch seine neuen Bekanntschaften mit einem Schlage gewonnen. Seiner Sendung gemäß, die er übernommen, begann er sich mehr unter seinen Mitbürgern umzutun und suchte Anhänger. Wo er wußte, daß einer ein Histörchen in den Kalender geschickt oder einige spöttische Knittelverse verfaßt hatte, die einzige Literatur, so in Seldwyla betrieben wurde, da strebte er ein Mitglied für die Sturm- und Drangperiode zu erwerben. Allein sobald die wackeren Leute seine Absichten merkten und seine wunderlichen Aufforderungen verstanden, machten sie ihn zum Gegenstande ihres Gelächters und neuer Knittelverse, welche zu seinem Verdruß in den Wirtschaften verlesen wurden. Als er vollends an einem Bürgermahle den Stadtschreiber verblümt fragte, was er von »Kurt vom Walde« für eine Meinung hege, und jener erwiderte: »Kurt vom Walde? Was ist das für ein Kalb?« da hatte er für einmal genug und spann sich wieder in seine Häuslichkeit ein.

Dort betrachtete er sein Weib, und da er sah, wie anmutig Gritli in ihrem Häubchen am Spinnrädchen saß, mit rosigem Munde, mit stillbewegtem Busen und mit zierlichem Fuße, da ging ihm ein Licht auf; er beschloß sie zu erhöhen und zu seiner Muse zu machen. Von Stund an hieß er sie das mit beinernen Ringen und Glöckchen kunstreich gezierte Spinnrad zur Seite stellen und das grüne Band vom seidigen Flachse wickeln. Dafür gab er ihr eine alte Anthropologie in die Hand und befahl ihr darin zu lesen, während er in seinem Comptoir arbeite, damit die große Angelegenheit in der Zeit nicht brach liege. Hierauf ging er an seine Geschäfte, sehr zufrieden mit seinem Einfall. Als er aber zum Essen kam und begierig war auf die erste geistige Rücksprache mit seiner Muse, da schüttelte sie den Kopf und wußte nichts zu sagen.

»Ich muß zartere Saiten aufziehen für den Anfang!« dachte er und gab ihr nach Tisch einen Band »Frühlingsbriefe von einer Einsamen«, darin sollte sie lesen bis zum Abend. Dann ging er in sein Magazin, einen Haufen Farbhölzer wegführen zu lassen, dann in den Wald, um einer Steigerung von Eichenrinde beizuwohnen. Dort machte er einen guten Handel und, vergnügt darüber, noch einen Spaziergang, aber nicht ohne abermaligen Nutzen. Er steckte das geschäftliche Notizbuch beiseite und zog ein kleineres hervor mit einem Stahlschlößchen.

Damit stellte er sich vor den ersten besten Baum, besah ihn genau und schrieb: »Ein Buchenstamm. Hellgrau mit noch helleren Flecken und Querstreifen. Zweierlei Moos bekleidet ihn, ein fast schwärzliches und dann ein samtähnliches glänzend grünes. Außerdem gelbliche, rötliche und weiße Flechten, welche öfter ineinander spielen. Eine Efeuranke steigt an der einen Seite hinauf. Die Beleuchtung ist ein andermal zu studieren, da der Baum im Schatten steht. Vielleicht in Räuberszenen anzuwenden.«

Dann blieb er vor einem eingerammelten Pflock stehen, auf welchen irgend ein Kind eine tote Blindschleiche gehängt hatte. Er schrieb: »Interessantes Detail. Kleiner Stab in Erde gesteckt. Leiche von silbergrauer Schlange darum gewunden, gebrochen im Starrkrampf des Todes. Ameisen kommen aus dem hohlen Innern hervor oder gehen hinein, Leben in die tragische Szene bringend. Die Schlagschatten von einigen schwanken Gräsern, deren Spitzen mit rötlichen Ähren versehen sind, spielen über das Ganze. Ist Merkur tot und hat seinen Stab mit toten Schlangen hier stecken lassen? Letztere Anspielung mehr für Handelsnovelle tauglich. NB. Der Stab oder Pflock ist alt und verwittert, von der gleichen Farbe wie die Schlange; wo ihn die Sonne bescheint, ist er wie mit silbergrauen Härchen besetzt. (Die letztere Beobachtung dürfte neu sein.)«

Auch vor einem Karrengeleise stellte er sich auf und schrieb: »Motiv für Dorfgeschichte: Wagenfurche halb mit Wasser gefüllt, in welchem kleine Wassertierchen schwimmen. Hohlweg. Erde feucht, dunkelbraun. Auch die Fußstapfen sind mit Wasser gefüllt, welches rötlich, eisenhaltig. Großer Stein im Wege, zum Teil mit frischen Beschädigungen, wie von Wagen-

rädern. Hieran ließe sich Exposition knüpfen von umgeworfe-
nen Wagen, Streit und Gewalttat.«

Weiter gehend, stieß er auf eine arme Landdirne, hielt sie an,
gab ihr einige Münzen und bat sie fünf Minuten still zu stehen,
worauf er, sie von Kopf zu Füßen beschauend, niederschrieb:
»Derbe Gestalt, barfuß, bis über die Knöchel voll Straßen-
staub; blaugestreifter Kittel, schwarzes Mieder, Rest von Na-
tionaltracht, Kopf in rotes Tuch gehüllt, weiß gewürfelt –« allein urplötzlich rannte die Dirne davon und warf die Beine
auf, als ob ihr der böse Feind im Nacken säße. Viktor, ihr begierig nachsehend, schrieb eifrig: »Köstlich! dämonisch-populäre Gestalt, elementarisches Wesen.« Erst in weiter Entfernung stand sie still und schaute zurück; da sie ihn immer noch
schreiben sah, kehrte sie ihm den Rücken zu und klopfte sich
mit der flachen Hand mehrere Male hinter die Hüften, worauf
sie im Walde verschwand.

So kehrte er heimwärts, beladen wie eine Biene mit seiner
Ausbeute. »Nun, liebes Mus'chen!« rief er seine Frau an, »hast
du dein Buch gelesen? Mir ist es sehr gut gegangen, ich bringe
treffliche Studien nach Hause, über deren Benutzung wir
heute noch plaudern wollen!« Allein sie wußte abermals
nichts zu sagen, weil sie den ganzen Nachmittag im Garten gesessen und mit großer Behaglichkeit grüne Erbsen ausgehülst
hatte. Diesmal schüttelte er seinerseits den Kopf und dachte:
Seltsam! Vielleicht ist es besser, gleich mit der Praxis zu beginnen und sich auf den weiblichen Scharfsinn zu verlassen!
Demgemäß las er ihr beim Nachtessen seine heutigen Notizen
vor, entwickelte ein Gespräch über den Nutzen solcher Beob-
achtungen, und indem er ihr riet, sich ebenfalls dergleichen
Wahrnehmungen aufzuzeichnen und ihm das Gesammelte
mitzuteilen, forderte er sie auf, ihre Meinung über alles dies zu
sagen. »Ich verstehe dies alles nicht!« war ihre ganze Antwort.
Sich zur Geduld zwingend, sagte er: »So wollen wir gleich ein
Ganzes vornehmen, welches dir vielleicht klarer sein wird und
worin du vielleicht die Verflechtung solcher Teile, so kunstreich sie auch ist, wahrnehmen magst!«

Also nahm er seine neueste Handschrift hervor und begann sie vorzulesen, oft unterbrochen durch die Störungen, welche die allerorts durchstrichene und verbesserte Schreiberei veranlaßte, sowie durch das Hin- und Herrücken der Brille, welche ihn blendete. Dennoch gewahrte er erst nach einem halben Stündchen, daß seine Gattin eingeschlummert war.

Da klingelte er mit dem Messer gegen den metallenen Leuchter und sagte, als sich Gritli zusammenraffte, ernst und mißfällig: »Das kann so nicht gehen, liebe Frau! Du siehst, wie ich mir alle Mühe gebe, dich zu mir heranzubilden, und du kommst mir dennoch nicht entgegen! Du weißt, daß ich die dornenvolle Laufbahn eines Dichters betreten habe, daß ich des Verständnisses, der begeisternden Anregung, des liebevollen Mitempfindens eines weiblichen Wesens, einer gleichgestimmten Gattin bedarf, und du lässest mich im Stich, du schläfst ein!«

»Ei, mein lieber Mann!« erwiderte Frau Gritli, indem sie über diese Reden errötete, »mich dünkt, ein rechter Dichter soll seine Kunst verstehen ohne eine solche Einbläserin!«

»Gut!« rief Viggi, »verhöhne mich nur noch, statt mich zu erheben und aufzurichten! Gut! Ich werde in Gottes Namen meinen Weg allein wandeln!«

Und er legte sich kummervoll schmollend zu Bett und sein Weib legte sich neben ihn in Sorgen, daß es um seinen Verstand übel stehen möchte. Er schmollte nun mehrere Tage und wandelte seinen Weg allein; doch hielt er das nicht aus, sondern beschloß, nunmehr mit männlicher Strenge seinen Willen durchzusetzen und die Gattin zu dem zu zwingen, wofür sie ihm einst danken würde. Er machte schnell einen Erziehungsplan, legte eine Anzahl Bücher zurecht, trat fest vor die Frau hin und wies sie an, unfehlbar zu lesen und zu lernen, was er ihr vorlege. Dadurch geriet sie in große Not; sie sah, daß der Friede Gefahr lief gänzlich zerstört zu werden; auch getraute sie sich nirgends Rats zu holen, um ihren Mann nicht zu verraten und dem Spotte der Leute auszusetzen, welchen diese Geschichte ein gefundenes Fressen wäre.

Sie fügte sich also, obgleich mit zornigem Herzen, und tat, wie er verlangte, indem sie die Bücher in die Hand nahm und so aufmerksam als möglich darin zu lesen suchte; auch hörte sie seinen Reden und Vorträgen fleißig zu, nahm sich vor dem Einschlafen in Acht und stellte sich sogar, als ob ihr das Verständnis für manches aufginge, weil sie glaubte, dadurch dem Unglück bälder zu entrinnen. Heimlich aber vergoß sie bittere Tränen; sie schämte sich vor sich selber in dieser törichten und schimpflichen Lage und schleuderte die Bücher oft in eine Ecke oder trat sie unter die Füße. Denn der Teufel ritt ihren Mann, daß er ihr alles in die Hand gab, was er von langweiliger und herzloser Ziererei und Schöntuerei nur zusammenschleppen konnte.

Anfänglich war er nicht übel zufrieden mit ihrer Fügsamkeit; als er aber nach einigen Wochen bemerkte, daß sie immer noch keine begeisternde Anregung von sich ausgehen ließ, sagte er eines Morgens: »Das führt uns vorderhand nicht weiter! Darum frisch nun das Leben selbst, die schöne Leidenschaft zu Hilfe gerufen! Eine längere Reise werde ich heute antreten, da ich das Herbstgeschäft einleiten muß. Wohlan, wir werden einen Briefwechsel führen, der sich einst darf sehen lassen! Nun gilt es, mein liebes Weibchen, deine Empfindungen und Gedanken in Fluß zu bringen! Ich werde dir gleich von der nächsten Stadt aus den ersten Brief schreiben; diesen beantwortest du im gleichen Sinne. Daß du mir ja nicht schreibst, das Sauerkraut sei bereits geschnitten und du habest mir neue Nachthemden bestellt und du wollest mich am Ohrläppchen zupfen, wenn ich nach Hause komme, und du habest neulich in meiner Nachtmütze geschlafen und es am Morgen nicht mehr gewußt, sondern darin gefrühstückt, und was dergleichen Trivialitäten mehr sind, die du sonst zu schreiben pflegst! Nein doch! Ermanne dich oder vielmehr erweibe dich einmal! möchte ich beinahe sagen, d. h. kehre deine höhere Weiblichkeit hervor, lasse voll und rein die Harmonien ertönen, die in dir schlafen müssen, so gewiß als in einem schönen Leibe eine schöne Seele wohnt! Kurz, merke auf den Ton und

Hauch in meinen Briefen und richte dich danach, mehr sag ich nicht!«

Als er wirklich reisefertig in der Stube stand, überraschte ihn Gritli mit einem allerliebsten Handköfferchen aus buntem Korbgeflecht, in welchem ein gebratenes Huhn, einige Brötchen, zwei Kristallfläschchen mit altem Wein und Likör, ein silbernes Becherchen, ein Besteck und zwei kleine Servietten auf das bequemste und appetitlichste zusammengepackt waren. Das hatte sie alles nach ihrer Angabe herrichten lassen, weil er sich schon oft über den Hunger und Durst beklagt, welchen man auf den endlosen Eisenbahnen erleiden müsse. Er nahm es, von seinen Ideen eingenommen, zerstreut entgegen, sagte aber beim Abschiede noch kalt und streng: »Wende deine Gedanken nun von dergleichen materiellen Dingen ab und sinne an das, was ich dir gesagt! Bedenke, daß von dieser letzten Probe der Frieden und das Glück unserer Zukunft abhangen!«

Hiemit entfernte er sich und öffnete, eh noch zwei Stunden vergangen waren, das Körbchen, eine leckere Mahlzeit zu halten und die Reisegefährten zu reizen. Das Huhn war vortrefflich zerschnitten und kunstreich wieder zusammengefügt, die Brötchen besonders wohlgebacken; nur war er unschlüssig, ob er von dem alten Sherry oder von dem feinen Kirschbranntwein trinken solle; nahm aber zuletzt von beidem. So lebte er lecker und fröhlich und zündete sich dann eine Zigarre an aus dem reichen Täschchen, das ihm seine Frau gestickt.

Diese saß indessen nicht in der besten Gemütsverfassung zu Hause; das Herz war ihr recht schwer; denn als ein sehr eingefleischter Narr hatte Herr Viggi Störteler einen herrlichen Ausweg gefunden, sie auch aus der Ferne zu quälen, und anstatt daß durch seine Abreise ein Alp von ihr genommen wurde, welcher Gedanke ihr auch neu und verwirrend war, hatte sie nun in dem Postboten ein neues Schreckgespenst zu erwarten. Und daß die ganze Geschichte bedenklich wurde, bewiesen seine letzten Worte. So harrte sie denn voll Bangigkeit der Dinge, die da kommen sollten, und nahm sich vor, wenn immer möglich, die Briefe ihres Mannes zu beantworten nach ihren besten Kräften. Richtig erschien noch vor Ablauf von sechzig Stunden folgender Brief:

»Teuerste Freundin meiner Seele!

Wenn sich zwei Sterne küssen, so gehen zwei Welten unter! Vier rosige Lippen erstarren, zwischen deren Kuß ein Gifttropfen fällt! Aber dieses Erstarren und jener Untergang sind Seligkeit und ihr Augenblick wiegt Ewigkeiten auf! Wohl hab ich's bedacht und hab es bedacht und finde meines Denkens kein Ende: – Warum ist Trennung? – ? – Nur Eines weiß ich dieser furchtbaren Frage entgegenzusetzen und schleudere das Wort in die Waagschale: Die Glut meines Liebeswillens ist stärker als Trennung, und wäre diese die Urverneinung selbst – – solange dies Herz schlägt, ist das Universum noch nicht um die Urbejahung gekommen!! Geliebte! fern von Dir umfängt mich Dunkelheit – ich bin herzlich müde! Einsam such ich mein Lager – – schlaf wohl! – –«

Bei diesem Briefe lag noch ein Zettel des Inhalts:

»P. S. Ich habe absichtlich, liebe Frau! diesen ersten Brief kurz gehalten, daß der Anfang Dir nicht zu schwierig erscheinen möge! Du siehst, daß es sich in diesen Zeilen nur um ein einziges Motiv handelt, um den Begriff der Trennung. Äußere nun hierüber Deine Gefühle und füge eine neue Anregung hinzu, welche zu finden nun eben die Sache Deines Herzens und Deines guten Willens sein wird. Heute schlaf ich zum ersten Mal in einem Bette seit meiner Abreise; wenn's nur keine Wanzen hat! Der junge Müller an der Burggasse, welchen ich angetroffen, hat mich um 40 Francs angepumpt in Gegenwart von andern Reisenden und ganz en passant, so daß ich es in der Eile nicht abschlagen konnte. Da ich weiß, daß seine Eltern noch eine Partie Ölsamen haben, so soll unser Kommis gleich hingehen und den Ölsamen kaufen und auf Rechnung setzen. Es muß aber gleich geschehen, ehe sie wissen, daß der Junge mir Geld schuldig ist, sonst bekommen wir weder Ölsamen noch Geld.

NB. Wir wollen die geschäftlichen und häuslichen Angelegenheiten auf solche Extrazettel setzen, damit man sie nachher absondern kann. In Erwartung Deiner baldigen Antwort, Dein Gatte und Freund Viktor.«

Mit diesem Briefe in der Hand saß sie nun da und las und wußte nichts darauf zu antworten. Wenn sie sich auch über die Grausamkeit oder Nützlichkeit der Trennung einige hausbackene Gedanken zurechtgezimmert, so fehlte ihr für die neue Anregung, die sie hinzufügen sollte, jeder Einfall, oder wenn sich einer einstellen wollte, so blieb er weit hinter den küssenden Sternen und hinter der Urbejahung zurück, und darüber verbleichten auch wieder ihre Trennungsbetrachtungen, welche sich doch nur um die Notwendigkeit und Einträglichkeit einer Geschäftsreise drehten, da ihr sonst kein anderer Grund bekannt war.

Sie ging mit dem Briefe auch in den Garten und ging auf und nieder, in immer größerer Angst befangen; da sah sie den Handlungsdiener ihres Mannes und geriet auf den Einfall, ihn ins Vertrauen zu ziehen, ihm ihre Not zu klagen und ihn zur Mithilfe zu veranlassen. Allein sie gab diesen Gedanken sofort auf, um den Respekt gegen ihren Mann nicht zu untergraben. Da fiel ihr Blick auf das Gärtchen eines Nachbarhauses, welches von ihrem Garten nur durch eine grüne Hecke getrennt war, und plötzlich verfiel ihre Frauenlist auf den wunderlichsten Ausweg, welchen sie auch, ohne sich lange zu besinnen und wie von einem höhern Licht erleuchtet, alsobald betrat.

In dem Nachbarhäuschen wohnte ein armer Unterlehrer der Stadt, namens Wilhelm, ein junger, für unklug oder beschränkt geltender Mensch, mit etwas schwärmerischen und dunklen Augen. Derselbe sah für sein Leben gern die Frauen, war aber außerordentlich still und schüchtern und durfte überdies seiner beschränkten und ärmlichen Stellung wegen nicht daran denken, sich zu verheiraten oder sonst dem schönen Geschlechte den Hof zu machen. Er begnügte sich daher, die Schönheit mehr aus der Ferne zu bewundern, und da es für sein Verlangen gleich erfolglos war, ob er eine Frau oder ein Mädchen zum Gegenstande seiner Bewunderung machte, so wechselte er in aller Ehrbarkeit und wählte bald diese, bald jene zum Ziel seiner Gedanken. So lebte er in seinem Herzen wie ein Pascha, und alles Schöne, was Kaffee trank und Strümpfe strickte oder auch müßig ging, gehörte ihm. Dies doch einigermaßen leichtfertige Wesen wissenschaftlich zu begründen oder zu beschönigen war der gute Wilhelm auch vom Christentum abgefallen und, obgleich er des Sonntags in der Kinderlehre vorsingen mußte, wo er immer aufs neue den Katechismus erläutern hörte, einer wahrhaft heidnischen Philosophie zugesteuert. Alle Götter und Göttinen der Mythologien, welche er gelesen, rief er ins Leben zurück und bevölkerte damit sich zur Kurzweil die Landschaft; je nach der Stimmung des Himmels, der über Seldwyla hing, war er entweder Germane, Grieche oder Indier und behandelte seine Weiber heimlich nach der Art dieser Landsleute. Nur wenn das Wetter gar zu graulich, sein Brot gar zu knapp und nirgends ein freundliches Frauenauge zu erblicken war, blies er zuweilen alle diese Götter auseinander und behauptete bei sich selbst, zu einem solchen Leben brauche man gar keinen Gott.

Diesen jungen Schulmeister wählte sich die schöne Frau zu ihrem Retter, sobald er ihr in den Sinn kam. Daß er sie gern sah, wußte sie seit einiger Zeit, und daß er ein ganz stiller und schüchterner Mensch war, ebenso, weil er errötete und die Augen niederschlug, wenn er ihr begegnete, und er schien ihr gerade von der rechten Art zu sein, um ein Geheimnis zu verschweigen. Sie ging also hin und schrieb den Brief ihres Mannes ab und zwar dergestalt, daß sie einige Worte veränderte oder hinzusetzte, als ob eine Frau an einen Mann schreiben würde. Dann faltete sie das Papier zierlich zusammen und versiegelte es, ohne aber eine Adresse darauf zu setzen.

Dann ging sie zur Abendzeit wieder in den Garten, als Wilhelm eben seine paar Blümchen begoß, nahe der Hecke. Sie trat so dicht davor als sie konnte, und rief ihn leise beim Namen. Zitternd und verstohlen zeigte sie ihm das Briefchen, als er aufblickte, und fragte, indem sie einen ganz seltsam sonnigen Blick hinüber schoß: ob er schweigsam sein könne? Diesmal vergaß er die Augen niederzuschlagen, lachte sie unbewußt vielmehr an, wie ein halbjähriges Kind, welchem man ein glänzendes Ding zeigt, und war im Begriff, indem er die Gießkanne fallen ließ, mit den Händen nach ihrem Kopfe zu fahren, um ihn auch nach dem Munde zu führen, wie es die Kinder machen, die den Raum noch nicht zu beurteilen wissen. Doch antwortete er nicht, bis sie ihn nochmals gefragt hatte, worauf er ernsthaft nickte. »So nehmt das Briefchen hier, wenn es niemand sieht, und legt mir eine hübsche passende Antwort dafür hin! Es handelt sich um einen Scherz und Ihr sollt nicht am Schaden bleiben!« sagte sie, steckte die Epistel durch das Laub des Hages und eilte davon, wie von einer Schlange gebissen, sich auf ihrem Stübchen verbergend.

Wilhelm schaute ihr nach, wie einer, der eine Erscheinung sah; dann nahm er den Brief sachte aus dem Weißdorn, machte einen Umweg, so groß ihn das kleine Grüngärtchen erlaubte, und schlüpfte dann in sein kleines Gemach, welches unmittelbar am Gärtchen lag. Dort las er hastig den Brief, einmal, zweimal, und rief, indem ihm das Herz übermächtig zu schlagen anfing: »O Herr Jesus! Das ist wahrhaftig ein Liebesbrief!« Sogleich zerküßte er das Papier, dann stutzte er wieder, erinnerte sich jedoch des Blickes, welchen sie ihm zugeworfen, und hielt sich für geliebt. Er sah sich um in seinem Stübchen. Dichte Winden mit blauen und roten Blumen verhüllten fast ganz die niederen Fenster, doch drang die Abendsonne hindurch und streute einige goldene Lichter an die Wand, über sein ärmliches Bett und seine drei oder vier Götterlehren und das Schreibzeug. Der erste Gedanke, der sein dankbares Gemüt durchblitzte, war der liebe Gott, und zwar der alleinige und christlich anständige. »Versteht sich!« rief er auf und nieder gehend, den Brief in der Hand, wie eine Depesche, »versteht sich, gibt es einen Gott! Versteht sich, natürlich!« Und er fühlte sich ganz glückseliglich, daß er auf so angenehme Weise seinen Frieden mit dem Schöpfer schließen konnte, der die schönen Frauen geschaffen. Aber aufs neue stutzte er. »Was Teufel tue ich mit ihr? Sie hat ja einen Mann! – Aber halt! das ist ihre Sache! Was sie befiehlt, das tu ich! Will sie's, so sprech ich nie ein Wort zu ihr, verlangt sie's, so kriech ich mit ihr in die Erde hinein, und begehrt sie's, so tue ich's allein!« Nun setzte er sich auf das Bett und ergab sich einem entzückten Träumen; endlich überlas er in der späten Dämmerung nochmals das Briefchen; es schien ihm doch etwas kurios und töricht geschrieben zu sein. »Ach!« sagte er lächelnd vor sich hin, »auch bei einem geschenkten Herzen heißt es: dem geschenkten Gaul sieh nicht ins Maul! Ich will die Antwort in ihrer Weise schreiben, da sie es so liebt und versteht!«

Also zündete er ein Lichtstümpfchen an, suchte ein Blatt Papier hervor und schrieb darauf eine Antwort auf Viggis Brief, wie sie dieser nur wünschen konnte, nicht ohne Geist, aber dazu noch mit aller herzlichen Glut durchwärmt, welche er in diesem Augenblicke empfand. Er faltete das Blatt zusammen und trug es hinaus in die Hecke. Sodann ging er zurück und zu seiner Wirtin, um seine Abendsuppe zu essen; aber siehe da! er war ganz erstaunt, daß er nur wenige Löffel hinunterbrachte, so gesättigt fühlte er sich von allen guten Dingen, während er sonst bei seinen geträumten Liebesverhältnissen allzeit die größte Eßlust empfunden hatte. Darum legte er sich ungesäumt zu Bett und war nur begierig, ob er auch von seiner Geliebten träumen würde; denn ohne das schienen ihm die langen Stunden des Schlafes ein unverantwortlicher Zeit- und Sachverlust zu sein. Kaum lag er im Bette, so fing er, seit geraumer Zeit zum ersten Male, ganz von selbst an zu beten und begann dem lieben Herrgott inniglich und angelegentlich zu danken für die gute Gabe einer Liebsten, die er so unerwartet gewonnen; aber mitten im Gebet brach er kleinlaut ab, da ihm einfiel, daß der Handel doch nicht ganz zum Beten eingerichtet sei, und er bedauerte fast, daß er so unvorsichtig den christlichen Gott seiner Kindheit wieder eingesetzt hatte, der nicht so lustig mit sich umspringen ließ wie die Alphabetgötter aus seinen Wörterbüchern. Und doch war es ein schönes

Leben, was ihn beseelte; denn in den schlimmsten Tagen hatte er nie um ein Stück Brot gebetet. So dachte er denn auch, gewissermaßen hinterrücks, an die schöne Frau, bis der Morgen anbrach und er fest einschlief. Da hatte er einen Traum. Ihm träumte, er sitze und mahle ein Pfund duftig gerösteten Kaffee, und die Kaffeemühle spielte eine süße himmlisch klingende Musik, daß ihm ganz selig zu Mute ward, und doch träumte er nicht von Frau Gritli.

Diese hatte inzwischen seinen Brief richtig gesucht und gefunden und noch während der Nacht abgeschrieben mit den nötigen Veränderungen. Hiebei begegneten ihr zwei Dinge: erstens klopfte ihr das Herz ziemlich bang und ungestüm, als sie gar wohl die Wärme fühlte, welche in Wilhelms Worten glühte, und sie dieselben so bedächtig abschrieb; zweitens aber fiel es ihr diesmal im Traume nicht ein, in der befohlenen geschäftlichen Nachschrift oder auch im Briefe selbst eine jener munteren Redensarten von Zupfen am Ohrläppchen oder von der Nachtmütze einfließen zu lassen, und das Verbot ihres Mannes erwies sich als ganz überflüssig. Aber auf beide Dinge gab sie nicht weiter Acht, da die Sorge, ihren Mann zufrieden zu stellen, sie zu sehr beschäftigte. Ihre Nachschrift aber lautete: »Unser Schreiber ist heute gleich zu Müllers an der Burggasse gegangen und hat den Ölsamen gekauft; aber kaum zwei Minuten nachher, noch ehe wir ihn herbringen konnten, ließen sie für den Betrag 100 blaue Wetzsteine holen. Derweil müssen sie die Nachricht von ihrem Sohne bekommen haben, daß er von Dir 40 Franken entlehnt; denn als man hierauf den Ölsamen holen wollte, ließen sie sich entschuldigen, die Frau habe ohne Wissen des Mannes denselben schon vor zwei Tagen an einen Bauer verhandelt. So haben sie nun die 40 Franken und die Wetzsteine dazu. Gebe Gott, daß Dir mein Brief nicht gänzlich mißfallen möge; er hat mich ziemliche Anstrengung gekostet, jedoch nicht allzu große, und ich merke, daß das Ding schon gehen kann.«

Mit der ersten Post versandte sie den Brief und erhielt schon nach zwei Tagen eine Antwort von vier Seiten mit folgendem

Beizettel: »Hier wäre der zweite Brief von mir, liebe Frau! Ich bin ordentlich stolz darauf, daß ich nun endlich das richtige Verfahren eingeschlagen; denn, ohne Schmeichelei, Du hast Dich vortrefflich gehalten! Aber nun nicht locker gelassen! Du siehst, daß ich schon tüchtig ins Zeug mit Dir gehe und vier Seiten mit lauter energischen Gedanken und Bildern angefüllt habe. Ich sage abermal nichts weiter als: mach Dich dahinter! Die Müllers soll der Teufel holen, wenn ich nach Hause komme! Es hat mich gekränkt, was sie taten, und mir einen schönen Tag verbittert, wo ich die interessantesten Bekanntschaften gemacht! Ich habe vergessen, den ersten Brief zu unterzeichnen, schreibe doch darunter, aber genau: Kurt v. W. Oder laß es lieber bleiben, ich werde doch die ganze Sammlung nachher durchgehen.«

Während der letzten zwei Tage hatte Gritli sich die Sache ernstlicher überlegt und beschlossen, mit Wilhelm abzubrechen. Sie wollte ihm noch zu rechter Zeit sagen, daß es sich um einen Scherz gehandelt habe, den sie ihm auf irgend eine Weise schon noch zu erklären gedenke; auch hatte sie durch das Abschreiben der beiden Briefe etwas Mut geschöpft und hoffte, am Ende allein zurechtzukommen. Als sie aber das neue Geschreibsel in Händen hielt, ward es ihr rot und blau vor den Augen, und wenn sie bedachte, daß das nun fortschreitend immer toller werde, so gab sie jede Hoffnung auf und beeilte sich in ihrer erneuten Angst, die vier Seiten nur wieder abzuschreiben und an den bewußten Ort zu tun.

Wilhelm, welcher zwei schlimme Tage zugebracht hatte, weil er von seiner Dame nichts hörte oder sah, stürzte sich wie ein Habicht auf die Beute und stellte in weniger als einer Stunde eine Antwort her, welche an Schwung und Zärtlichkeit Viggis Kunstwerk weit hinter sich ließ. Als Gritli dies abschrieb, fühlte sie sich tief bewegt und es fielen ihr sogar einige Tränen auf das Papier, denn dergleichen hatte ihr noch niemand gesagt. Fast wollte es sie bedünken, wenn sie an einen Menschen wie Wilhelm zu schreiben hätte, so würde ihr das Werk leichter, aber an Viggi? Sie gab nun jeden Gedanken auf, den Briefwechsel allein zu führen, und ließ den Dingen ihren Lauf, auf ihre List vertrauend, welche in der Not schon einen neuen Ausweg finden sollte. Diesmal fügte sie folgende Nachschrift hinzu: »Neues weiß ich von hier nichts zu melden als eine kleine närrische Geschichte, welche ich nicht in den Hauptbrief zu setzen wagte. Der arme Schorenhans vor dem Tore, welcher, wie Du weißt, mehr Witze macht als er Fleisch zu sehen kriegt, sollte jüngsten Sonntag einen schweren Zins nach der Hauptstadt tragen. Weil er fast nichts übrig behielt, um dort einzukehren und etwas zu genießen, so sagte er zu seiner Frau: ›Ich werde mich früh um vier Uhr auf die Beine machen und streng laufen, denn es sind sieben Stunden, so werde ich bis zum Mittagessen eintreffen und wohl einen Teller Suppe und vielleicht auch ein Glas Wein vom Zinsherren bekommen.‹ So tat er es denn auch und lief mit seinem Gelde wie besessen. Um 10 Uhr ungefähr verspürte er einen solchen Hunger, daß er kaum glaubte hinzugelangen, und fragte daher die Leute, welche des Weges kamen, wie weit es noch sei? ›Wenn Ihr gut lauft‹, hieß es, ›so habt Ihr noch eine Stunde!‹ Und wann man denn dort Mittag esse? fragte er noch ängstlich. ›Am Sonntag um 11 Uhr!‹ sagten die Leute. So lief der arme Kerl aus allen Leibeskräften, denn es handelte sich um den langen Rückweg und er trug nicht einen eigenen Batzen in der Tasche. Endlich langte er an, als es eben 11 Uhr läutete, und drang atemlos gleich hinter der anmeldenden Dienstmagd in die Stube, mit seinem Geldsäckchen ein Geräusch erregend. Die Familie saß schon am Tische und die Suppe wurde eben weggetragen. Etwas ungehalten über das Eindringen sagte der Zinsherr: ›Gut, lieber Mann! setzt Euch nur dort auf die Ofenbank und geduldet Euch eine Weile!‹ So setzte er sich erschöpft und wehmütig auf die Bank und sah der Herrschaft zu, wie sie aß und trank, und hörte die Kinder plaudern und lachen und roch den mächtigen Braten, der jetzt hereingebracht wurde. Niemand gedachte seiner, bis zufällig der Herr sich zu ihm wandte und sagte: ›Und was gibt es Neues bei Euch draußen, guter Freund?‹ ›Nichts Apartes!‹ erwiderte der Schorenhans schnell besonnen, ›als daß merkwürdigerweise diese Woche eine Sau dreizehn Ferkel geworfen hat!‹ Auf diese Worte schlug die Zinsfrau erbarmungsvoll die Hände über dem Kopf zusammen und rief: ›O du lieber Gott! Was machen sie doch aus deiner Weltordnung! Ein Mutterschwein hat ja nur zwölf Zitzchen, wo soll denn das dreizehnte Säulein saugen!‹ Schorenhans zuckte lächelnd die Achsel und erwiderte: ›Es hat's eben wie ich, es muß zusehen!‹ Darüber lachte der Hausherr und rief: ›Frau, laß dem Bauer einen Teller bringen und gib ihm zu essen von allem, was wir gehabt haben!‹ So geschah es, er bekam Suppe, Braten und alles Gute, und der Herr schenkte ihm von dem alten Weine in das Glas und gab ihm ein gutes Trinkgeld, als er fortging. Ich teile Dir, lieber Mann! diesen Spaß nur deswegen mit, weil mir etwas dabei eingefallen ist. Ich wünschte nämlich, da Du so viele Verbindungen hast, daß Du die kleine Geschichte als einen artigen Beitrag für eines Deiner Unterhaltungsblätter abfassen oder aufsetzen und ein bißchen ausschmücken möchtest, bis sie beträchtlich genug ist. Dann würdest Du, indem Du ja den Zweck angeben könntest, ein kleines Honorar, etwa zehn Franken, dafür verlangen, und diese gäben wir dem Schorenhans, der gewiß eine komische Freude hätte über diesen unverhofften Ertrag seines Einfalls!«

Auf diesen Brief erfolgte von Viggis Seiten ein noch größerer mit folgender Beilage: »Die Sache geht gut, liebes Gritli! Wir können nun keck ausschreiten und wollen uns täglich schreiben, hörst du, täglich! Vielleicht in einiger Zeit zweimal des Tages, um die Dauer meiner Abwesenheit gut zu benutzen und eine ansehnliche Sammlung zustande zu bringen. Ich denke auch schon auf einen idealen Namen für Dich; denn Deinen prosaischen Hausnamen können wir hier nicht brauchen. Wie gefällt Dir Isidora oder Alwine? Mit Deiner Geschichte vom Schorenhans hast Du nichts erreicht als daß sie mir die doppelte Brieftaxe verursachte; denn erstens ist aus diesem albernen Witze nichts zu machen, und wenn es wäre, so kannst Du doch nicht verlangen, daß ich meine Muse mit dergleichen kleinlichen Angelegenheiten beschäftige! Für eine öffentliche wohltätige Unternehmung ließe sich das eher hören; ich bin auch schon bei einigen solchen ehrenvollen Missionen engagiert. Wenn Du jedoch den Leuten ein paar Franken aus der Tasche magst zukommen lassen, so habe ich nichts dagegen; denn ich möchte Deinem mildtätigen Sinne nicht gerade hinderlich sein. Ich wünschte, daß Du Dich für den Namen Alwine entscheidest.«

Nun ging also die seltsame Briefpost tagtäglich und nach einiger Zeit in der Tat zweimal des Tages. Gritli hatte nun alle Tage vier lange Briefe abzuschreiben, weshalb ihre feinen rosigen Finger fast immer mit Tinte befleckt waren. Sie seufzte reichlich bei diesem ungewohnten Tun, mußte bald lachen, bald weinen über die Einfälle und Mitteilungen der beiden Briefsteller, die durch ihre Hand gingen, und sie unterschrieb die Briefe an Viggi mit Alwine, diejenigen an Wilhelm mit Gritli, wobei sie dachte: der ist wenigstens zufrieden mit meinem armen Namen! Seit einiger Zeit hatte sie bemerkt, daß Wilhelm nicht zum besten mit Papier versehen war, indem er immer andere Farben und Abschnitzel verwandte. Sie kaufte daher ein Paket schönes Briefpapier und legte es ihm hin mit der Anweisung: »Es muß jetzt täglich zweimal geschrieben werden! Fragt nicht warum, kennt mich nicht, seht nicht nach mir! Das Geheimnis wird sich aufklären!«

Sie rechnete fest auf seine Gutherzigkeit, Einfalt und stille Ergebenheit, welche, wenn auch eines Tages enttäuscht, dennoch das Geheimnis bewahren würde, froh darüber, ein solches zu besitzen. So ging denn der Verkehr wie besessen, und an drei Orten häufte sich ein Stoß gewaltiger Liebesbriefe an. Viggi sammelte die vermeintlichen Briefe seiner Frau sorgfältig auf, Gritli verwahrte die Originale von beiden Seiten und Wilhelm bewahrte Gritlis feine Abschriften in einer dicken Brieftasche auf seiner Brust, während er sich um seine eigenen Erzeugnisse nicht mehr kümmerte.

In einer Nachschrift bemerkte Viggi: »Ich habe mit Vergnügen gesehen, daß Spuren von vergossenen Tränen zwischen Deinen Zeilen zu sehen sind (wenn Du nicht etwa den Schnupfen hattest!). Aber gleichviel, ich trage mich jetzt mit dem Gedanken, ob solche Tränen zwischen den Zeilen bei einer allfälligen Herausgabe im Druck nicht durch einen zarten Tondruck könnten angedeutet werden? Freilich, fällt mir ein, müßte dann wohl die ganze Sammlung faksimiliert werden, was sich indessen überlegen läßt.« Wilhelm schrieb dagegen in einem Briefe: »O liebes Herz, es ist doch traurig, so unerbittlich getrennt zu sein und immer mit der schwarzen Tinte zu sprechen, wo man das rote Blut möchte reden lassen! Ich habe heute schon zweimal einen frischen Bogen nehmen müssen, weil mir Tränen darauf gefallen sind, und soeben konnte ich einen dritten nur dadurch retten, daß ich schnell die Hand darauf legte. Wenn Du mich nur ein wenig liebst, so verachtest Du mich nicht wegen dieser Schwachheit!«

Solche Stellen, welche sie nach ihrer Meinung besonders angingen, merzte sie sorgfältig aus in der Abschrift; dafür verwechselte sie manchmal die hochtrabenden Anreden: »Teurer Freund meiner Seele!« und dergleichen in den Sendungen an Wilhelm mit vertraulichen Benennungen, wie »mein liebes Männchen« oder »mein gutes Kind«, was sie dann wieder in Reu und Sorgen setzte, während sie die großen, hohlen Worte in den Briefen an den Mann großartig stehen ließ. Kurz, sie wünschte endlich sehnlich die Heimkehr ihres Eheherrn, damit alle Gefährde ein Ende nehmen und zum Schluß gebracht werden möchte. Da schrieb er unversehens, seine Geschäfte jeder Art seien nun zu Ende. Allein der Briefwechsel sei nun in einen so glücklichen Zug geraten, daß er noch vierzehn Tage fortbleiben wolle, damit diese Angelegenheit, an welcher ihm sehr viel liege, recht ausgebildet und zur glücklichen Vollendung geführt werden könne. Er werde sich diese zwei Wochen noch ausschließlich damit beschäftigen und ermahne auch sie, getreulich auszuhalten und das Ziel, welches ihr auf immer eine Stelle in den Reihen ausgezeichneter Frauen sichere, bis ans Ende zu verfolgen.

Daher wurde aufs neue geschrieben und geschrieben, daß die Federn flogen. Gritli wurde bleich und angegriffen, denn sie mußte schreiben wie ein Kanzlist; und der Schulmeister magerte ganz ab und wußte nicht mehr, wo ihm der Kopf stand, da er dazu noch in voller Leidenschaftlichkeit schrieb und nicht mehr aus alledem klug wurde. Gritli wagte nicht mehr sich im Garten aufzuhalten, um ihn nicht zu sehen, und wenn sie ihn auf der Straße etwa traf, wagte er seinerseits nicht, sie anzusehen, wie wenn er der Übeltäter wäre.

Viggi indessen, soviel er auch schrieb, ließ sich wohl sein und lebte in allen Stücken wie ein echter Weltfahrer, da er überhaupt gewohnt war, nach der Art mancher Leute, seine Geschäftsreisen als Ausnahmezustand zu betrachten und sich von aller häuslichen Ordnung zu erholen. Jeden Abend führte er eine andere Schöne ins Theater oder auf die öffentlichen Bälle, wobei er die Sucht hatte, sich von jeder die Geschichte ihres Schicksals erzählen und tüchtig anlügen zu lassen. Gegen das Ende wurde er dann regelmäßig gefühlvoll, fand alles höchst bedeutsam, fing an zu notieren und wurde hinter dem Rücken verspottet, während man seinen Champagner trank. Zuletzt jedoch begab er sich auf den Heimweg, nachdem er noch Gelegenheit gefunden, einen guten Handel in Strohwaren abzuschließen.

Auf der letzten Station stieg er aus; da es ein schöner Herbsttag war, wollte er zu Fuß Seldwyla erreichen, das Notizbüchlein in der Hand, um eine »Wanderers Heimkehr« zu studieren und in der goldenen Abendluft einen recht famosen Titel für den Briefwechsel auszudenken. Er war zufrieden mit sich, mit der Welt, mit seiner Frau, mit dem Himmel und trug ein höchst wunderbares Hütchen auf dem Kopf, halb von Stroh, halb von Seide, dessen Band ihm auf den Rücken fiel. »Im Grunde«, sagte er, »braucht es da keinen besonders künstlichen Titel! Das Einfachste wird das Beste sein, etwa, die beiden Namen zusammengezogen, gibt ein famos klingendes Wort: Kurtalwino, Briefe zweier Zeitgenossen! Das ist gut, ganz gut!« Und übermütig froh fing er in dem Gehölz, durch das er ging, plötzlich an zu singen in der Melodie des Rinaldiniliedes: Kurtalwino, rief sie schmeichelnd, Kurtalwino wache auf! Deine Leute sind schon munter, längst ging schon die

Sonne auf u. s. f. Mit diesem verrückten Gesange weckte er einen schlanken jungen Mann auf, welcher unter einer Tanne saß und, den Kopf auf die Hand gestützt, in tiefen Gedanken in das Tal schaute. Es war Wilhelm, welcher sich auf den ersten Ton von Herrn Störtelers Gesang erhob und davoneilte. Dafür setzte sich dieser an seinen Platz, als er eine dicke Brieftasche dort liegen sah, die jener offenbar vergessen. »Was hat«, sagte er, »dieser Hungerschlucker im Freien zu tun anstatt seine Schulhefte zu mustern? Was Kuckucks hat er hier für ein Archiv bei sich gehabt?« Und ohne weiteres öffnete er das Bündel und fand die Unzahl Briefe Gritlis, welche, obschon auf feines Postpapier geschrieben, doch kaum zusammenzuhalten waren. Er machte sogleich den ersten auf; denn, dachte er, wer weiß, welch interessantes Geheimnis, welche gute Studie hier zu erbeuten ist!

Der Brief fing an: »Wenn sich zwei Sterne küssen« u. s. f. Er besah die Handschrift genauer, es war die seiner Frau. Er tat den zweiten Brief auf, den dritten, es waren seine Briefe, er fing von hinten an und stieß genau auf den letzten, welchen er geschrieben, alle waren zierlich abgeschrieben und an den Schulmeister adressiert. Er sprang in die Höhe und rief: »Was Kreuz Millionenhagel ist denn das? Bin ich konfus oder nicht?«

Einige Minuten stand er wie verstört; dann stieß er die Brieftasche mit den Papieren kunterbunt in das Reisetäschchen, das er umgehängt hatte, schwang seinen Stab, drückte sein Hütchen in die Augen, daß das arme Ding knitterte und sich verbog, und schritt gestrengen Schrittes vollends heimwärts. Auf dem Wege lief der Schulmeister ängstlich und hastig an ihm vorüber wieder zurück, offenbar seine Briefe zu suchen. Viggi tat, als sähe er ihn nicht, und ging vorwärts.

Als er durch die Stadt zog, waren die Seldwyler verwundert über seine starre Haltung und daß er niemand grüßte. »Viggi Störteler ist zurück!« hieß es; »jeder Zoll ein Mann! Potz Tausend, da geht er hin!« Er aber drang unaufhaltsam vor und in sein Haus. Dort sah er die Kellertür offen stehen, ging hinein und sah sein Weib einige Äpfel auswählen, das Licht in der

Hand. Unversehens trat er vor sie hin, daß sie leicht erschrak und noch etwas blasser wurde. Er bemerkte dies und betrachtete sie einen Augenblick, sie sah ihn auch an und keines sagte ein Wort. Plötzlich nahm er ihr das Licht aus der Hand, riß ihr den Schlüsselbund von der Seite, ging hinaus, schloß die Kellertür zu und steckte den Schlüssel zu sich. Darauf ging er in die Wohnstube hinauf, wo ihr Schreibtischchen stand, ein zerbrechliches kleines Ziermöbel, ihr einst zum Namenstage geschenkt und nicht geeignet, gefährliche Geheimnisse zu beherbergen. Daher brauchte er auch den Schlüsselbund nicht und die Behältnisse öffneten sich von selbst, wie man sie nur recht berührte. In einem Schubkästchen fand er denn auch seine eigenen Briefe und zu seinem neuen Erstaunen im andern die Originale zu den Briefen seiner Frau, von fremder Hand, ja mit der Unterschrift des Schulmeisters. Er besah einen nach dem andern, machte sie auf und wieder zu und wieder auf und warf alle auf einen runden Tisch, der im Zimmer stand. Dann zog er auch die Briefe aus seiner Reisetasche hervor, beschaute sie auch nochmals und warf sie ebenfalls auf den Tisch; es gab einen ganz artigen Haufen.

Dann ging er mit halb irrem Blick um den Tisch herum, hier und da mit seinem Stock auf die Papiermasse schlagend, daß die Briefe emporflogen. Endlich erschnappte er etwas Luft und sagte: »Kurtalwino! Kurtalwino! fahre wohl, du schöner Traum!«

Als er noch einigemal um den Tisch herumgegangen, stand er still, reckte den Arm mit dem Stocke aus und fuhr fort: »Eine Buhlerin mit glattem Gesicht und hohlem Kopfe, zu dumm, ihre Schande in Worte zu setzen, zu unwissend, um den Buhlen mit dem kleinsten Liebesbrieflein kitzeln zu können, und doch schlau genug zum himmelschreiendsten Betrug, den die Sonne je gesehen! Sie nimmt die treuen, ehrlichen Ergüsse, die Briefe des Gatten, verrenkt das Geschlecht und verdreht die Namen und traktiert damit, prunkend mit gestohlenen Federn, den betörten Genossen ihrer Sünde! So entlockt sie ihm ähnliche Ergüsse, die in sündiger Glut brennen, schwelgt darin, ihre Armut zehrt wie ein Vampyr am fremden Reichtum; doch nicht genug! Sie dreht dem Geschlechte abermals das Genick um, verwechselt abermals die Namen und betrügt mit tückischer Seele den arglosen Gemahl mit den neuen erschlichenen Liebesbriefen, das hohle und doch so verschmitzte Haupt abermal mit fremden Federn schmückend! So äffen sich zwei unbekannte Männer, der echte Gatte und der verführte Buhle, in der Luft fechtend, mit ihrem niedergeschriebenen Herzblut; einer übertrifft den andern und wird wiederum überboten an Kraft und Leidenschaft; jeder wähnt, sich an ein holdes Weib zu richten, während die unwissende, aber lüsterne Teufelin unsichtbar in der Mitte sitzt und ihr höllisches Spiel treibt! O ich begreife es gar, aber ich fasse es nicht! – Wer jetzt als ein Fremder, Unbeteiligter diese schöne Geschichte betrachten könnte, wahrhaftig, ich glaube, er könnte sagen, er habe einen guten Stoff gefunden für –«

Hier brach er ab und schüttelte sich, da eine Ahnung in ihm aufging, daß er nun selbst der Gegenstand einer förmlichen Geschichte geworden sei, und das wollte er nicht, er wollte ein ruhiges und unangefochtenes Leben führen. – »Wo ist meine Ruhe, meine Fröhlichkeit«, sagte er, »nur bewegt von leichten Geschäftssorgen, die ich spielend beherrschte? Dies Weib zerstört mir das Leben, nach wie vor; ich hielt sie für eine Gans; sie ist auch eine, aber eine Gans mit Geierkrallen!«

Er lachte und rief: »Eine Gans mit Geierkrallen! das ist gut gesagt! Warum fallen mir dergleichen Dinge nicht ein, wenn ich schreibe? Ich werde noch verrückt, es muß ein Ende nehmen!«

Damit ging er hinaus, schloß das Zimmer ab und begab sich aus dem Hause. Auf der Treppe stieß er das Dienstmädchen zur Seite, welches verwundert und ratlos die Herrschaft suchte.

Voll von Ärger und Kummer über die verletzte Eitelkeit und Eigenliebe ging er durch die dunklen Straßen. Die Hauptsache, die verlorene Liebe seiner Frau, schien ihm nicht viel Beschwerde zu machen; wenigstens aß er ein großes Stück trefflicher Lachsforelle auf der Rathausstube, wohin er sich begab und wo die Angesehenen den Samstagabend zuzubrin-

gen und die Nacht durchzuzechen pflegten. Dort saß er einsilbig und verwirrt, oder er mischte sich hastig mit fremden Gegenständen ins Gespräch, und beides zog ihm bald Sticheleien
zu, da er eine ungewohnte Erscheinung war und die Gesellschaft störte. Er trug immer noch sein neuestes Modehütchen
auf dem Kopfe, welches den Herren nicht genehm war. Denn
wenn sie auch jede Mode, sobald sie im Zuge war, alsobald
mitmachten, so konnten sie die verfrühten Erstlinge derselben
nie leiden und hüteten sich überhaupt vor dem Allzuzierlichen
und Närrischen. Nun hatte jüngst einer von Paris den Witz
heimgebracht, den hohen runden Männerhut Hornbüchse
(boîte à cornes) zu nennen, welchen Ausdruck sie mit Jubel
aufgriffen. Seither sagten sie statt Deckel, Angströhre, Ofen-
rohr, Schlosser, Läusepfanne, Grützmaß, noli me tangere, Kü-
bel, Witzschale, Filz und dergleichen für jede Art Hut nur
Hornbüchse, und sie benannten Viggis Kopfbedeckung demgemäß ein artiges Hornbüchschen und meinten, seine Hörn-
chen müßten noch ganz jung, zart und klein sein, ansonst er
eine festere Büchse brauchte. Er glaubte, sein Unglück sei also
stadtbekannt und sie zielten schnurstracks auf das, was ihn
dermal bewege; er spitzte die Ohren, stichelte wieder, um sie
zu mehrerem Schwatzen zu verleiten, und hielt mehrere Stunden einen peinlichen Krieg aus, ganz allein gegen die ganze
Ratsstube, ohne daß etwas Mehreres herauskam als daß er sich
im Zorne betrank und höchst unglückselig wurde. Als er kein
anderes Ziel erreichte, gab er ihnen endlich klar zu verstehen,
daß er sie samt und sonders für Lumpenkerle halte, worauf sie
ihn, nun selber höchlich aufgebracht, hinausfuhrwerkten. Er
rückte sich sein armes mißhandeltes Hütchen zurecht und tor-
kelte bitterlich weinend nach seinem Hause, legte sich zu Bett
und schlief wie ein Murmeltier, bis es zur Kirche läutete, und
er würde noch lange geschlafen haben, wenn ihn nicht Knecht
und Magd geweckt hätten mit der Frage und Klage nach der
Hausfrau. Da stellten sich ihm alle Erfahrungen des letzten Tages plötzlich dar, verzerrt und vergrößert durch die Verwirrung seines Kopfes; in fürchterlichem Zorn und mit wilden

Gebärden raffte er sich auf, rieb sich aber dann die Stirn und besann sich, bis ihm der Kellerschlüssel einfiel. Es war ihm zu Mut, als ob er seine Frau schon seit Wochen eingesperrt hätte, so sehr war er aus dem Häuschen; aber das dünkte ihn nur desto wichtiger und großartiger, und er eilte mit rollenden Augen, das Gericht zu Ende zu bringen. Er öffnete den Keller, in welchem Gritli totenblaß und erfroren auf einem alten Schemel saß. Sie hatte sich bisher ruhig und still verhalten in der Hoffnung, der Mann werde ohne Zeugen kommen und aufmachen und sie könne alsdann mit ihm reden; denn bei seinem ersten unerwarteten Anblicke hatte sie gefühlt, daß er ihres Mißgriffs mit den Briefen bereits inne geworden, ohne daß sie erraten konnte, auf welchem Wege. Wie sie seiner daher nun ansichtig wurde, stand sie auf, ergriff seine Hand und wollte ihn beschwören, nur einige Minuten zuzuhören; doch da sie sah, daß die Dienstboten hinter ihm standen, konnte sie nichts sagen, und überdies nahm er sie sofort beim Arme und führte sie unsanft mit den Worten auf die Gasse hinaus: »Hiemit verstoße und verjage ich dich, verbrecherisches Weib! und nie mehr wirst du diese Schwelle betreten!«

Worauf er die Haustür zuschlug und seine Leute barsch an ihre Geschäfte wies.

Hierauf begab er sich, da seine Munterkeit bereits erschöpft war, wieder ins Bett und schlief abermals wie ein Ratz bis in den Nachmittag hinein.

Vor dem Hause hatte sich schon seit einer Stunde ein Häufchen Nachbarweiber gesammelt, welche die Ausgestoßene neugierig umgaben und mit Lamentieren auf jedem Schritte begleiteten. Sie glaubte vor Erschöpfung, Scham und Verwirrung in die Erde zu sinken, wagte nicht aufzusehen und wandte sich unschlüssig bald auf diese, bald auf jene Seite; denn sie hatte keine Eltern oder Verwandte mehr zu Seldwyla, ausgenommen eine alte Base, welche ihr endlich einfiel. Sie schlug den Weg nach der Wohnung derselben ein und erreichte sie, ohne die vielen Kirchgänger zu sehen, durch welche sie hindurch mußte; es herrschte bei einem Teile der Einwohner gerade wieder eine stärkere religiöse Strömung, welche jedoch nicht hinderte, daß nicht einige vom Wege zum Tempel Gottes abschweiften und mit dem Kirchenbuche in der Hand der irrenden Frau nachliefen.

Gritli wurde übrigens von der Alten gut und sorglich aufgenommen. Nachdem sie sich etwas erholt, fing sie heftig an zu schluchzen, und als auch dies vorüber war, schwur sie, nie mehr in das Haus Viggi Störtelers zurückzukehren, und die Base, schnell beraten, ließ noch am gleichen Tage Gritlis notwendigste Sachen bei ihm abholen.

Als er endlich ausgeschlafen hatte, fühlte er einen gewaltigen Hunger und wollte sich stracks zu Tisch setzen; doch die ratlose Magd hielt nichts bereit und statt mit dem Essen war der Tisch noch mit dem Briefwechsel zweier Zeitgenossen gedeckt. Er tobte aufs neue, befahl sogleich zu kochen, was das Haus vermöchte, und verschloß die Briefe bis auf weiteres in sein Pult. Nachdem er gegessen, war er endlich etwas beruhigt und begann seiner Einsamkeit inne zu werden, und erst jetzt wurde es ihm unheimlich; denn nach den Vorfällen der letzten Nacht konnte er nicht einmal Zuflucht in der Gesellschaft seiner Mitbürger suchen. Als vollends eine Person kam und er das lieblich duftende Zeug seiner Frau aus den Schränken herausgeben mußte, liefen ihm die Augen über und er wünschte beinahe, daß sie noch da wäre, und überlegte, ob sich die Übeltat nicht vielleicht verzeihen ließe nach genauerer Prüfung.

Er wartete daher zwei Tage, ob sie nichts von sich hören ließe, und als sie das nicht tat, begab er sich zum Stadtpfarrer, um die Scheidung anhängig zu machen. Über den Versöhnungsversuchen, welche der geistlichen Behörde oblagen, dachte er, werde sich das Ding vielleicht aufklären. Er war aber sehr verwundert, als er vernahm, daß Gritli in gleicher Sache soeben dagewesen sei, und als ihm der Pfarrer bereits mitteilen konnte, wie es mit den Briefen zugegangen sei, wie Gritli ihren Fehlgriff einsehe, denselben aber schon für abgebüßt halte und wegen des Überschusses an Strafe und sonstiger unvernünftigen Behandlung sich von ihm zu trennen wünsche.

Er hielt diese Erzählung für Flausen und gedachte die Sünderin schon noch herumzubringen, ließ also der Sache ihren Lauf. Als er nach Hause kam, fand er einen Brief vor von einer Dame namens Kätter Ambach. Es war dies ein Fräulein von sechs- bis achtunddreißig Jahren, welche seit ihrem vierzehnten Jahre auf allen Liebhaberbühnen zu Seldwyla, sooft deren errichtet worden, die erste Liebhaberin gespielt hatte, und zwar nicht wegen ihrer schönen Gestalt, sondern wegen ihres höhern Geistes und ihrer kecken Vordringlichkeit. Denn was ihre Gestalt betraf, so besaß sie einen sehr langen hohen Rumpf, der auf zwei der allerkürzesten Beinen einherging, so daß ihre Taille nur um ein Drittel der ganzen Gestalt über der Erde schwebte. Ferner hatte sie einen unverhältnismäßigen Unterkiefer, mit welchem sie beträchtliche Gaben von Fleisch und Brot zermalmen konnte, der aber ihr Gesicht zum größten Teile in Kinn verwandelte, so daß dieses wie ein ungeheurer Sockel aussah, auf welchem ein ganz kleines Häuschen ruhte mit einer engen Kuppel und einem winzigen Erkerlein, nämlich der Nase, welche sich vor der vorherrschenden Kinnmasse wie zerschmettert zurückzog. Auf jeder Seite des Gesichts hing eine lange einzelne Locke weit herunter, während am Hinterhaupte ein dünnes Rattenschwänzchen sich ringelte und mit seiner äußersten Spitze stets dem Kamme und der Nadel zu entfliehen trachtete. Denn steckte man eine Nadel hindurch, so ging es auseinander und spaltete sich in eine Schlangenzunge, und zwischen den engsten Kammzähnen schlüpfte es hindurch, hast du nicht gesehen!

Was ihren Geist betrifft, so war er, wie schon gesagt, ein höherer, was man alsobald aus ihrem Schreiben ersehen wird, welches Viggi zu Hause fand:

»Edler Mann!

Es gibt Lagen, welche uns die Rücksichten der beschränkten Alltagswelt vergessen lassen und selbst dem zartern Weibe den Mut geben, ja die Pflicht auferlegen, aus sich herauszutreten und seine edelste Teilnahme offen dahin zu wenden, wo verkannte und mißhandelte Männergröße sich in unverdienten Leiden verzehrt. In einer solchen Lage scheine ich Endesunterzogene mich zu befinden, und über alle kleinlichen Bedenken erhaben durch meine Weltkenntnis wie durch meine Bildung, wage ich es daher mich in der edelsten Absicht Ihnen zu nähern, geehrter Herr! und Ihnen freimütig diejenigen Dienste anzubieten, welche Ihr Unglück vielleicht lindern können! Längst habe ich die Blüten Ihres Geisteslebens im stillen bewundert und um so inniger in mich aufgenommen als ich darüber trauerte, daß ein Mann wie Sie so unverstanden und einsam in dieser barbarischen Gegend bleiben muß. Um so vertrauter und glücklicher, dachte ich, muß er im Allerheiligsten seiner Häuslichkeit, an der Seite einer seelenvollen Gattin sich fühlen! Nun steht auch Ihr Haus verödet, eine peinliche Kunde durchschweift unsere Stadt – verzeihen Sie, wenn ich hier den Schleier edler Weiblichkeit vorziehe! Um es kurz zu sagen: sollten Sie in Ihrer jetzigen Verlassenheit der Teilnahme eines mitfühlenden Herzens, des ordnenden Rates und der Tat einer sorglichen weiblichen Hand irgendwie bedürfen, so würde ich Sie bitten, mir die Freude zu machen und ganz ungeniert über meine Zeit und meine Kräfte zu verfügen; denn ich bin durchaus unabhängig in der Verwendung meiner Muße und könnte täglich leicht das ein und andere Stündchen Ihren Angelegenheiten widmen. Gewiß, wenn auch Ihr starker Geist keiner erleichternden Mitteilung bedarf, so ist dafür Ihr Haushalt dann und wann der vorsorgenden Aufsicht um so bedürftiger; das weiß der sichere Takt gebildeter Frauen noch besser als der rohe Instinkt jener platten Weiber es ahnt, und so werde ich mir es nicht nehmen lassen, heute oder morgen persönlich an Ihrem verwaisten Herde zu erscheinen, um Ihre etwaigen Wünsche und Bedürfnisse entgegenzunehmen. Sobald Ihre Verhältnisse wieder gücklicher geordnet sind, werde ich mich mit der edelsten Uneigennützigkeit sogleich zurückziehen in die geweihte Stille meines Arbeitszimmers.

Genehmigen Sie die herzlichste Versicherung der aufrichtigsten Hochachtung, womit ich mich zeichne
Ihre ergebenste Käthchen Ambach.«

Als Viggi diesen Brief gelesen, beschlich ihn eine sehr gemischte Empfindung. Er war wie alle Welt gewohnt gewesen über die Kätter zu lachen und hegte nicht die angenehmsten Vorstellungen von ihrem Äußern. Und doch war es ihm, als ob er schon lange nur auf einen solchen Brief gewartet habe, als ob hier eine Stimme aus einer besseren Welt sich hören ließe, als ob hier ein verständnisvolles Gemüt sich vor ihm enthülle. Indem er so darüber brütete, erschien Kätter selbst.

Sie trug ein Kleid von schwarzem Baumwollsammet, einen roten Shawl und ein rundes graues Hütchen mit einer Feder. Diese Erscheinung bestach ihn plötzlich, und als sie nun ihm schweigend die Hand gab und ihn mit einem wehmütig tröstenden Blick ansah, da vergaß er vollends, daß er jemals über diese Person gelacht; vielmehr fand er sich sogleich trefflich in die Weise hinein.

Die Unterredung, welche zwischen diesen beiden Geistern nun erfolgte, ist nicht zu beschreiben; genug, als sie zu Ende war, fühlte Viggi sich getröstet und durchaus für Kätter eingenommen. Am meisten hatte sie ihn gerührt, als er ihr die Geschichte mit den Briefen erzählte und den ganzen Haufen vorwies. Sie hatte kein Wort erwidert, sondern nur geseufzt und einige stille Tränen vergossen, und zwar ziemlich aufrichtig, weil sie bedachte, wieviel weiser und geschickter sie für eine solch glückliche Stellung eingerichtet gewesen wäre; denn sie schrieb für ihr Leben gern Briefe.

Zum Schlusse stellte sie mit der Magd ein Verhör an, besichtigte die Küche, gab einige überflüssige Anweisungen und stieg endlich, das Kleid aufnehmend, mit großen Umständen und laut sprechend die geräumige Treppe hinunter, welche ihr, verglichen mit ihrer Hühnerstiege zu Hause, ausnehmend wohl gefiel. Der angehende Witwer begleitete sie bis auf die Straße, und es fand ein gespreizter und ansehnlicher Abschied statt.

»Berg und Tal kommen nicht zusammen, aber die Leut!« sagte ein Seldwyler, der eben vorbeiging und den stattlichen Auftritt besah.

Der Unglücklichste von allen war Wilhelm, der Schulmeister. Er hatte sich halbwegs ein Herz gefaßt und gesucht, mit Frau Gritli zu sprechen; allein es mißlang ihm gänzlich, da sie sich nirgends blicken und nichts von sich hören ließ. Da schrieb er einen Brief an sie, in welchem er den Hergang mit seiner Brieftasche erzählte und sie um Aufschluß bat, wie er sich zu ihrem Besten zu verhalten habe? Weiter wagte er nichts mehr zu schreiben als daß er alles tun wolle, was sie für gut erachte. Diesen Brief trug er mehrere Stunden weit auf die Post und erhielt darauf nur wenige Zeilen zur Antwort, des Inhalts: Er solle sich ganz ruhig verhalten, bis er gerichtlich befragt würde; dann solle er sagen, was er wüßte, nicht mehr und nicht weniger, nämlich er habe auf ihren Wunsch die Antworten auf die ihm mitgeteilten Briefe geschrieben.

So sich selbst überlassen, von allerlei Gerüchten gequält und in voller Ungewißheit, was alles das zu bedeuten habe, getraute er sich nicht einmal mehr vor seine Türe hinaus, um sein Gärtchen zu besorgen, und der rüstige Briefsteller empfand nun eine nicht unverdiente Furcht vor allem, was in dem Hause des Nachbar Viggi lebte und webte.

Während so die beschuldigten Sündersleute sich niemals sahen, lebten Störteler und die Kätter bald im vertrautesten Umgange. Sie besuchte täglich zweimal sein Haus und gab sich in der ganzen Stadt das Ansehen, als ob sie aus reiner Aufopferung den Mann aus den traurigsten Zuständen, wenigstens aus dem Gröbsten, erretten müßte. Dabei schilderte sie, wo sie hinkam, die von Gritli hinterlassene Ordnung als die schlimmste, kehrte auch richtig in Viggis Hause das Unterste zu oberst, indem sie alle Möbeln anders stellte, in alle Ecken Efeuranken anbrachte, die schönen Vorhänge zerschnitt und wunderliche gezackte Fähnchen daraus machte. Unter dem Vorwande des Ordnungschaffens leerte sie alle Schränke aus und wühlte besonders in Gritlis stattlicher Aussteuer herum, die noch im Hause war. Auch kommandierte sie die Küche; Viggi war erstaunt und erfreut, immer frisches Fleisch zu genießen und nie aufgewärmtes Gemüse zu sehen; denn Kätter aß in der Küche das kalte Fleisch mit großen Stücken Brot, und wenn nichts anderes da war, so tat sie die Fettscheiben von der Bratenbrühe auf das Brot. Ebenso aß sie halbe Schüsseln voll kalter Bohnen, Kohlrabi und Kartoffeln, und sechs große Töpfe, welche Gritli noch mit eingemachten Früchten gefüllt, hatte sie in weniger als vier Wochen ausgehöhlt, aber auch vollkommen. Nach diesen Taten setzte sie sich auf ein Stündchen zu Viggi, tröstete ihn, las mit ihm seine Arbeiten durch, schwärmte mit ihm und wußte ihn gegen seine Frau aufzustacheln, ohne den Anschein zu haben, und endlich packte sie noch sein neuestes Schriftstellerwerk ein, um es die Nacht durchzustudieren. Überdies schleppte sie lernbegierig von seinen Büchern nach Hause, was sie unter den Arm fassen konnte, las aber dort nur die kurzweiligsten Sachen daraus, wie Kinder, welche die Rosinen aus dem Kuchen klauben.

Unter diesen Umständen war es nicht zu verwundern, wenn die Schlichtungsversuche der Behörden keinen Erfolg hatten und der Endprozeß der Scheidung endlich heranrückte. Frau Gritli wurde nicht im mindesten geschont, indem eine ziemliche Anzahl Zeugen, deren Auffindung Kätter Ambach betrieben hatte, vernommen wurden. Auch Wilhelm wurde wiederholt verhört, aber alles dies ergab nichts, was die beiden Übeltäter belasten konnte. Nur ein Kind hatte mehrmals die Briefe in die Hecke tun oder daraus nehmen sehen; aber dieser briefliche Verkehr wurde von Gritli und Wilhelm selbst eingestanden.

So erschien denn der große Gerichtstag und Viggi hielt eine strenge und beredte Anklage. Er schilderte auf das anmutigste sein edles, geistiges Streben, wie er mit heiliger Mühe gesucht habe, seine Gattin an demselben teilnehmen zu lassen und jene Harmonie in der Gesinnung zu erringen, ohne welche ein glückliches Ehebündnis unmöglich sei; wie sie aber erst durch eigensinniges Verharren in der Unwissenheit und Geistesträgheit ihm das Leben verbittert, dann durch schlaue Verstellung ihn getäuscht und endlich während seiner mühevollen Geschäftsreisen, die er sich durch einen innigen und gebildeten Briefwechsel mit der Gattin habe erleichtern und erheitern wollen, zum förmlichsten Treubruch geschritten sei und die empörendste Komödie mit dem vertrauensseligen Gatten gespielt habe! Er überlasse zutrauensvoll den Richtern zu beurteilen, ob das fernere Zusammenleben mit einer solchen mit Geierkrallen bewaffneten Gans möglich sei!

Mit diesem schimpflichen Trumpf, den er sich nicht versagen konnte, schloß er seinen Vortrag. Ein allgemeines leises Gelächter erfolgte darauf; die gekränkte Frau verhüllte ihr Gesicht einige Augenblicke und weinte. Doch dann erhob sie sich und verteidigte sich mit einer Entrüstung und mit einer Beredsamkeit, welche ihren eiteln Mann sogleich in Erstaunen setzte und in die größte Beschämung.

Ob sie roh und unwissend sei, könne sie selbst nicht beurteilen, sagte sie, aber noch seien die Lehrer und die Geistlichen alle am Leben, welche sie erzogen, denn es sei noch nicht so lange her, daß sie ein Kind gewesen. Ihr Mann habe sie als ein einfaches Bürgermädchen geehlicht und sie ihn als einen Kaufmann und nicht als einen Gelehrten und Schöngeist. Nicht sie habe ihren Charakter geändert, sondern er, und bis dahin habe sie treulich und zufrieden mit ihm gelebt und er scheinbar mit ihr. Selbst als er seine neuen Künste angefangen, wie jedermann bekannt sei, habe sie nicht mit den Leuten darüber gelacht, sondern, als sie gesehen, daß es sich um den häuslichen Frieden handle, sei sie ehrlich beflissen gewesen, in seine Weise einzugehen, solange nur immer möglich, ungeachtet der peinlichen und wenig rühmlichen Lage, in welche sie dadurch geraten. Zuletzt aber habe er das Unmögliche von ihr verlangt, nämlich ihre Frauengefühle in einer geschraubten und unnatürlichen Sprache und in langen Briefen für die Öffentlichkeit aufzuschreiben und, statt ihrem häuslichen Leben nachzugehen, die schöne Zeit mit einer ihr fremden und widerwärtigen, nutzlosen Tätigkeit zu verbringen. Nicht sie habe sich der Verstellung hingegeben, sondern gerade er, in-

dem er, bei trockenen und durchaus nicht begeisterten Gewohnheiten, sich selbst und sie damit gezwungen habe, eine
höchst lächerliche Komödie in Briefen zu spielen. Dennoch
habe sie, von ihm geängstigt und in der Hoffnung, diese ganze
Störung werde um so eher vorübergehen, ihn zufriedenzustel-
len gesucht, allerdings auf einem in der Not und Verwirrung
falsch gewählten Wege, wie sie unverhohlen bekenne.

Jede Frau in Seldwyla wisse, daß der junge Lehrer Wilhelm
ein ebenso verliebter als bescheidener, schüchterner und ehrbarer Mensch sei, mit welchem man zur Not einen unschuldigen Scherz ausführen könne, ohne in eine bedenkliche Stellung zu geraten. Um so eher habe sie geglaubt, eine harmlose
List gebrauchen und ihm die Beantwortung der Briefe ihres
Mannes aufgeben, ja förmlich bestellen zu können, wie man
öfter schriftliche Arbeiten und namentlich auch Liebesbriefe
durch Schullehrer anfertigen lasse; sie berufe sich hierin auf
manch wackeres Dienstmädchen. Nicht sie habe die zu beant-
wortenden Briefe verfaßt, sondern Störteler, und hiemit sei
wohl die Anklage der Untreue kurz abgeschnitten. Der Handel gehöre nach ihrer Meinung und nach ihren schwachen Begriffen vor ein literarisches Gericht und nicht vor ein Ehegericht. Dennoch habe sie sich dem letztern unterzogen, weil das
Geschehene ein unvermutetes Licht über den innern Zustand
dieser Ehe aufgesteckt habe. Sie empfinde keine Zuneigung
mehr für Herrn Störteler, für sie Grund genug, da die Dinge
einmal so weit gediehen, ebenfalls auf gänzlicher Trennung zu
bestehen.

Obgleich das Gericht, da sich der Treubruch als ein bloßes
äußerliches Fehlgreifen herausstellte, wenigstens für ein streng
altväterisches Ehegericht, nun die Scheidung nicht hätte aussprechen müssen, so machte es den Herren und der ganzen
Stadt zu viel Spaß, den armen Viggi seiner schmucken und feinen Frau zu berauben und ihn mit der komischen Kätter zu-
sammenrennen zu lassen als daß sie die Scheidung nicht ausgesprochen hätten. Sie ward also erkannt auf Grund unverein-
barer Neigungen und Gewohnheiten, roher Mißhandlung von

Seite des Mannes, wie Einsperrung in den Keller und rücksichtslose Ausstoßung auf die Straße, und leichtsinniger Fehlgriffe der Frau, wie der Briefverkehr mit dem Lehrer. Doch solle die Frau als unbescholten und unverdächtig gelten, jeder Teil in seinem Vermögen bleiben und zu keinerlei Leistungen verpflichtet sein, so daß Störteler das Vermögen Gritlis, das sie zugebracht, von Stund an herauszugeben oder sicherzustellen habe.

Viggi ging mehr niedergeschlagen als fröhlich nach Hause und wunderte sich selbst darüber, da er doch nun frei war von der bedrückenden Last einer geistesträgen und nichtsnutzigen Hausfrau. Allein es fehlte ihm nicht an Aufklärungen und Erläuterungen; denn schon unter der Tür des Gerichtshauses riefen ihm einige Herumsteher zu: »O du Erznarr! Du mußt Tinte gesoffen haben, daß du ein solches Weibchen kannst fahren lassen! Und das artige Vermögen, die runden Schultern, der treffliche Anstand!« »Hast du gesehen«, sagte einer zum andern, »wie auf allen Seiten glänzende Locken unter ihrem Hute hervorrollten?« »Ja!« erwiderte der, »und hast du gesehen den allerliebsten Zorn, das sanfte Feuer, das noch in ihren lachenden Augen brannte? Wahrlich, wenn ich die hätte, ich machte sie alle Tage bös, nur um sie in ihrem Zorne dann abküssen zu können! Nun, Gott sei Dank, die wird jetzt schon noch an einen Kenner geraten!«

Auf dem Wege rief jemand: »Da geht einer, der wirft Aprikosen aus dem Fenster und ißt Holzäpfel!« – »Wohl bekomm's ihm!« antwortete es von der anderen Seite. Ein Schuster rief: »Der gibt dem Quark eine Ohrfeig und meint, er sei ein Fechtmeister!« Und ein Knopfmacher: »Laßt ihn, er ist halt ein Grübler, es gibt aber verschiedene Grübler, es gibt auch Mistgrübler.« Der Kupferschmied endlich, der mit dem Werg in einer verzinnten Pfanne herumfuhr, setzte hinzu: »Er hat's wie der Teufel; ich muß mich verändern! sagte der, nahm eine Kohle unter den Schwanz und setzte sich auf ein Pulverfaß.«

Diese Reden kränkten und betrübten den Viggi über die Maßen; er trat recht mutlos in seine Stube und verfiel in große

Traurigkeit. Allein bald zerstreuten sich diese Wolken vor der Sonne, die ihm aufging. Kätter Ambach trat herein in flottem Taffetkleide, geschmückt mit einem dünnschaligen, brüchigen, goldenen Ührchen, das seit fünfzehn Jahren nie aufgezogen war, weil es längst keine Feder mehr in sich barg. Sie warf das Tuch ab und setzte sich, seine Hand teilnehmend ergreifend, neben Viggi auf das Sofa; sie bestrickte ihn völlig und das treffliche Paar wurde stracks einig, sich zu heiraten und das Musterbild einer Ehe im Geist und schöner Leidenschaft darzustellen. So hatte sich die lustige Kätter glücklich zur Braut gemacht; sie blieb gleich zum Essen da und sie trieben ein solches Karessieren, daß die Magd, welche der früheren Frau anhing, sich schämte. Sie bespitzten sich leicht in Viggis bestem Weine und zogen am Nachmittage Arm in Arm durch die Straßen, bis sie endlich in Kätters Wohnung einmündeten, einige Bekannte zusammenriefen und die Verlobung feierten. Das Beste war, daß Kätters alte Mutter bei dieser Gelegenheit reichliches Essen und Trinken herbeischleppen sah und sich seit langen Jahren einmal satt essen konnte, denn sie hatte seit dreißig Jahren nur besorgt sein müssen, die heißhungrige Tochter zu füttern, und derselben mehr zugesehen als selbst gegessen. Doch da Kätter endlich noch einen wohlhabenden Schwiegersohn ins Haus führte, dachte sie nun gern zu sterben, weil die Tochter, die nichts zu arbeiten wußte, nicht verlassen und hilflos in der Welt zurückblieb. So ist jedes Unwesen noch mit einem goldenen Bändchen an die Menschlichkeit gebunden.

Die Hochzeit wurde so bald als möglich gehalten, glänzend, reichlich und geräuschvoll; denn Kätter wollte diese Aktion in allen Einzelheiten recht durchgenießen und sich als den holden Mittelpunkt eines großen Festes sehen, und Viggi benutzte die Gelegenheit, indem er eine Menge Menschen einlud, sich mit den gut bewirteten Mitbürgern wieder auf einen bessern Fuß zu stellen. Die neue Frau Störteler war nicht gesonnen, ein stilles und beschauliches Leben zu führen, sondern veranlaßte ihren Mann, die Lustbarkeit, welche mit der

Hochzeit begonnen, fortzusetzen, alle Gesellschaften mit ihr zu besuchen, sein eigenes Haus aufzusperren und im vollen Galopp zu fahren.

Er befand sich übrigens herrlich dabei und lebte zufrieden mit ihr in solchem Trubel, denn überall gab sie ihn für ein Genie aus und machte ihn allerorten zum Gegenstande des Gesprächs, bezog alles auf ihn und nannte ihn nur Kurt. »Mein Kurt hat dies gesagt und jenes geäußert«, sagte sie alle Augenblicke; »wie hast du dich doch neulich ausgedrückt, lieber Kurt? es war zu köstlich! Ich muß dich nur bewundern, bester Kurt, daß du nicht gänzlich abgespannt bist bei deinen Arbeiten und Studien! Ach! ich fühle recht die schwere Pflicht und was eine Gattin einem solchen Manne sein könnte und sollte! Wollen wir auch nicht lieber nach Hause gehen, guter Kurt? Du scheinst mir doch müde; wickle ja deinen Plaid recht um dich, mein Kind! Heute darfst du mir aber nicht mehr schreiben, wenn wir heimkommen, das sage ich dir schon jetzt!«

Alles dies schwatzte sie vor vielen Leuten und Viggi schlürfte es ein wie Honig, nannte seine Frau dafür »mein kühnes Weib« oder »trautes Weib« und stellte sich leidend oder feurig, je nach den Reden seiner kurzbeinigen Fama.

Den Seldwylern aber schmeckte alles das noch besser als Austern und Hummersalat, ja ein gebratener Fasan hätte sie schwerlich weggelockt, wo Viggi und Kätter sich aufspielten. Für Jahre waren sie mit neuem Lachstoff versehen; doch benahmen sich die abgefeimten Schlingel mit der äußersten Vorsicht, um das Vergnügen zu verlängern, und es entstand daraus eine neue Übung, nämlich einen tollen Witz vorzuschieben und scheinbar über diesen zu lachen, wenn die Mundwinkel nicht mehr gehorchen wollten. Es wurde stets ein Vorrat solcher Schwänke in Bereitschaft gehalten, vermehrt und verbessert, und gedieh zuletzt zu einer Sammlung von selbständigem Werte. Es gab Seldwyler, Handwerker und Beamte, welche Tage, ja Wochen über der Erfindung und Ausfeilung eines neuen Geschichtchens zubringen konnten. Schien der Schwank gehörig durchdacht und abgerundet, so wurde er erst in einem Kneipchen probiert, ob die Pointe die rechte Wirkung täte, und je nach Befund, oft unter Zuziehung von Sachverständigen, nochmals verbessert, nach allen Regeln eines künstlerischen Verfahrens. Wiederholungen, Längen und Übertreibungen waren strenge verpönt oder nur statthaft, wenn eine besondere Absicht zu Grunde lag.

Von diesem gewissenhaften Fleiße besaß Viggi keine Ahnung. Mit bedauerndem Hochmut saß er in der Gesellschaft, wenn dergleichen vorgetragen wurde und das Gelächter von ihm ablenkte. »Wie glücklich ist man doch zu preisen«, sagte er zu seiner Gemahlin, »wenn man über solche Kindereien hinweg ist und etwas Höheres kennt!«

Auf diesem Höheren fuhr er nun mit vollen Segeln dahin, aufgeblasen durch den gewaltigen Odem seiner Frau. Und er fuhr so trefflich, daß er binnen Jahr und Tag mit Kätters Hilfe da landete, wo es den meisten Seldwylern zu landen bestimmt ist, besonders da sein Kapital mit Gritlis Vermögen aus dem Geschäfte geschieden war. Statt diesem obzuliegen, trieb er mit einer Handvoll ähnlicher Käuze, die er im Lande aufgegabelt, eine wilde und schülerhafte Literatur, welche so neben der vernünftigen Welt herlief und sich mit ewigen Wiederholungen als etwas Nagelneues und Unerhörtes ausgab, obgleich sie nur an weggeworfenen Abschnitzeln kaute oder reinen Unsinn hervorbrachte. Gegen jeden, der sich nicht auf ihren zudringlichen Ruf stellte, wurde der Spieß gedreht und der Einzelne als bösartige und feindliche Clique bezeichnet. Sie selbst verachtete sich gegenseitig unter der Hand, und Viggi, der sonst ein so einfaches und sorgloses Leben geführt, war jetzt nicht nur von Sorgen und Verwickelungen, sondern auch von törichten Leidenschaften und den Qualen des gehänselten und ohnmächtigen Ehrgeizes geplagt. Bereits machte es ihm Beschwerde, das Postgeld zu erlegen für all die inhaltlosen Briefe, für die gedruckten oder lithographierten Sendschreiben, Aufrufe und Prospekte, die täglich hin und her flogen und weniger als nichts wert waren. Seufzend schnitt er schon die Frankomarken von dem immer kürzer werdenden

Riemchen, während die soliden, einträglichen und frankierten Geschäftsbriefe immer seltener wurden. Endlich hatte er überhaupt keine Marken mehr im Hause und Kätter ging gemäß ihrer Mission mit den Sachen auf die Post, um sie dort zu frankieren; aber sie warf die Briefe in den Kasten und vernaschte das Geld. War es Vormittag, so ging sie in den Wurstladen und aß einen Schweinsfuß; nach Tische dagegen besuchte sie den Zuckerbäcker und aß eine Apfeltorte. Dafür bekam Viggi dann von den rachsüchtigen Korrespondenten doppelt so viele unfrankierte Zusendungen mit »Gruß und Handschlag« und heimlichen Verwünschungen.

Während dieser Zeit war Gritli wie von der Erde verschwunden. Man sah sie nirgends und hörte nichts von ihr, so eingezogen lebte sie. Wenn sie ausging, so trat sie aus der Hintertür ihres Hauses, welches an der Stadtmauer lag, ins Freie und machte einsame Spaziergänge; auch war sie öfter abwesend, manchmal monatelang, wo sie sich dann an andern Orten bescheidentlich erholen und ihrer Freiheit freuen mochte. In Seldwyla war sie für keinen Freier zu sprechen; doch hieß es mehrmals, sie habe sich auswärts von neuem verlobt, ohne daß jemand etwas Näheres wußte. Daß sie sich auch nichts um Wilhelm zu kümmern schien und ihn niemals sah, wunderte niemand; denn niemand glaubte, daß sie ernstlich dem armen jungen Menschen zugetan gewesen sei.

Desto schlimmer erging es ihm. Von ihm zweifelte keiner, daß er nicht bis über die Ohren in Gritli verliebt sei, und Männer wie Frauen nahmen es ihm äußerst übel, die Augen auf sie gerichtet zu haben, während er zugleich wegen seiner leichtgläubigen Briefstellerei verhöhnt wurde. Sogar die Mädchen am Brunnen sangen, wenn er vorüberging:

> Schulmeisterlein, Schulmeisterlein,
> Des Nachbars Äpfel sind nicht dein!

Er schämte sich auch gewaltig und zwar nicht so sehr vor den Leuten als vor sich selbst. Die Art, wie ihn Gritli vor Gericht hingestellt hatte, war ihm als ein Stich ins Herz gegangen, öffnete ihm, wie er meinte, die Augen über sich und die Weiber, und er stieß die ganze Schar von nun an aus seinen Gedanken. Also ging er in sich, ließ alle Narrheit fahren und wandte sich mit Fleiß und Liebe seinen Schulkindern zu. Aber im besten Zuge ging just seine Amtsdauer zu Ende, da er nur Verweser und nicht fest angestellt war. Wie er nun aufs neue gewählt werden sollte, wußte der Stadtpfarrer als Vorstand der Schulpflege seine Bestätigung bei den Behörden zu hintertreiben, indem er Bericht erstattete von Wilhelms Verwicklung in einem bedenklichen Ehehandel und den jungen Sünder einer heilsamen Bestrafung empfahl. Er haßte den Schulmeister wegen seines Unglaubens und seiner mythologischen Hantierungen; denn er wußte nicht, daß Wilhelm sich zum alleinigen und wahren Gott bekehrt hatte, sobald er sich geliebt glaubte. So wurde er für zwei Jahre außer Amts gesetzt und stand brot- und erwerblos da.

Er schnürte darum sein Bündel, um anderwärts ein Unterkommen zu suchen, und zwar entschloß er sich in seinem Reumut, sich in die Dunkelheit zu begeben und als ein armer Feldarbeiter bei den Bauern sein Brot zu verdienen; denn als der Sohn einer verschwundenen Bauernfamilie aus der Umgegend kannte er die ländlichen Arbeiten, denen er sich von Kindesbeinen auf hatte unterziehen müssen. In dieser Absicht wanderte er an einem trüben Märzmorgen über den Berg; als er aber auf die Höhe gekommen, verwandelte sich der feuchte Nebel in einen heftigen Regen; Wilhelm sah sich nach einem Obdach um, da er hoffte, der Regen würde bald vorübergehen. Er bemerkte in einiger Entfernung ein Rebhäuschen, welches zu oberst in einem großen Weinberge stand, am Rande des Gehölzes. Das Vordach dieses Winzerhäuschens gewährte guten Schutz und er ging hin, sich auf die steinerne Treppe darunter zu setzen. Es war ein malerisches altes Häuslein mit einer Wetterfahne und runden Fensterscheiben. Das Vordach ruhte auf zwei hölzernen Säulen, die Treppe war mit einem eisernen Geländer versehen und bildete zugleich einen Balkon, von welchem man, wenn es schön war, weit ins Land hinein

sah, nach Süden und Westen in die Schneeberge. Das Holzwerk und die Fensterläden waren bunt bemalt, alles jedoch etwas verwittert und verwaschen.

Wie er so da saß, regte sich's in der kleinen Stube, die Tür tat
sich auf und der Eigentümer des Weinberges trat heraus und
lud Wilhelm ein, ins Innere zu kommen und mit ihm gemeinschaftlich den Regen abzuwarten. Es stand eine Flasche mit
Kirschgeist auf dem Tisch; der Mann holte noch ein Gläschen
aus einem Wandschränkchen und füllte es für seinen Gast.
»Brot habe ich keines hier oben«, sagte er, »doch wollen wir
eine Pfeife zusammen rauchen!« Er holte also aus dem
Schränklein zwei neue lange Tonpfeifen nebst gutem Knaster;
denn es war bei den Männern von Seldwyla, da ihnen die
Zigarren verleidet waren, soeben Mode geworden, wieder
würdevoll aus altertümlichen Tonpfeifen zu rauchen wie
holländische Kaufherren.

Dieser Seldwyler, obgleich er ein Tuchscherer war, hatte den
Einfall bekommen, Landwirtschaft zu treiben, weil deren Erzeugnisse hoch im Preise standen und die Betreibung zahlreiche Spaziergänge veranlaßte. Der Weinberg bildete mit mehreren großen Wiesen und einigen Bergäckern eine ehemalige
Staatsdomäne, welche der Tuchscherer gekauft, und er war
jetzt hinaufgestiegen, um den Zustand der Reben zu untersu-
chen, weil die Frühlingsarbeit in denselben beginnen sollte. Er
fragte Wilhelm, wo er hin wolle, was er im Sinne habe; denn er
wußte noch nichts von seiner Absetzung. Wilhelm sagte, daß
er bei Landleuten sein Auskommen suchen wolle, indem er ihnen in allem an die Hand gehe, was zu tun sei; da er nicht viel
bedürfe, so hoffe er, sich im stillen durchzubringen. Der Tuchscherer wunderte sich hierüber und drang weiter in ihn, bis er
die Ursache von des Schulmeisterleins Auszug erfahren. »Das
ist«, sagte er, »ein recht hämischer Streich von dem Pfaffen, der
eine Kinderei nicht von einer Schlechtigkeit unterscheiden
kann. Wir wollen ihm übrigens sein ewiges Gehätschel und
Getätschel mit seinen Unterweisungsschülerinnen auch einmal abschaffen; die Hübschen und Feinen hält er sich allfort

dicht in der Nähe, die Buckligen aber, die Einäugigen und die Armseligen setzt er in den Hintergrund und spricht kaum mit ihnen, und das ist ärgerlicher als Eure ganze Briefschreiberei. Wenn diese Stilübungen ihm übel angebracht schienen, so ist uns sein Schönheitssinn noch weniger am rechten Ort! Aber verstehen Sie denn etwas von der Feldarbeit und den ländlichen Dingen überhaupt?«

»O ja, ziemlich!« antwortete Wilhelm, »ich habe während der Krankheit meiner verstorbenen Eltern alles gemacht und bin erst im achtzehnten Jahre, als sie gestorben und unser Gut verkauft wurde, mit dem kleinen Vermögensreste ins Lehrerseminar gegangen; es sind erst fünf Jahre seither, und im Seminar mußten wir auch Feldarbeit betreiben.« »Und warum wollen Sie nicht lieber Ihre Kenntnisse benutzen und eine bessere Tätigkeit suchen als den Bauern zu dienen?« fragte jener; allein Wilhelm hatte seinen Entschluß gefaßt und war nicht aufgelegt, sich mit dem Manne weiter über seine Lage einzulassen.

Indessen hatte sich der Regen wirklich gelegt und die Sonne beschien sogar die weite Gegend. Der Eigentümer schickte sich an, den Weinberg zu besehen, und forderte Wilhelm auf, ihm noch eine Stunde Gesellschaft zu leisten, weil er für heute noch weit genug kommen würde.

In den Reben sah der Seldwyler, daß Wilhelm in diesen Dingen ebenso sichere Kenntnis als guten Verstand besaß, und als er hier und da eine Rebe schnitt und aufband, um seine Meinung zu zeigen, erwies sich auch eine geübte Hand. Er ging daher mit ihm auch in die Matten und Äcker und befragte ihn dort um seine Meinung. Wilhelm riet ihm kurzweg, die Äcker ebenfalls wieder in Matten umzuschaffen, was sie früher auch gewesen seien; denn was an Ackerfrüchten hier oben gedeihe, sei nicht der Rede wert, während vom Walde her genug Feuchtigkeit da sei, die Wiesen zu tränken. Dadurch würde ein Viehstand erhalten, der an Milch und verkäuflichen Tieren schönen Vorteil verspräche, schon die Herbstweide allein sei reiner Gewinn. Das leuchtete dem

Tuchscherer ein; er besann sich kurze Zeit, worauf er dem Lehrer antrug, in seinen Dienst zu treten. Er solle arbeiten, was er leicht möge, und im übrigen das Gut in Ordnung halten und alles beaufsichtigen. Was er irgend zu verdienen gedächte, das wolle er ihm auch geben und ihn darüber hinaus noch mit Rücksicht behandeln. Wilhelm bedachte sich auch einige Minuten und schlug dann ein, aber unter der Bedingung, daß er in dem Rebhäuschen auf dem Berge wohnen dürfe und nicht in der Stadt zu verkehren brauche. Das war jenem sogar lieb, und so hatte der Flüchtling schon am Beginne seiner Wanderschaft ein Obdach gefunden.

Der Tuchscherer ließ noch denselben Tag ein Bett hinaufbringen und etwas Lebensmittel, welche von Zeit zu Zeit erneuert werden sollten. Eine kleine Küche war vorhanden, um zur Zeit der Weinlese sieden und braten zu können; ebenso enthielt das Erdgeschoß einen Vorratsraum und unter der Treppe war mit wenig Mühe ein Ziegenstall hergestellt für eine solche Milchträgerin. So ward Wilhelm plötzlich zu einem einsiedlerischen Arbeitsmanne und fügte sich mit Geschick und Fleiß in seine Lage. Er ließ die Äcker von den Tagelöhnern, welche der Tuchscherer anstellte, sorgfältig zubereiten und besonders die Steine hinaustragen und besäte sie mit Heusamen. Die Reben bearbeitete er fast ganz allein und kam damit zu Ende, ehe man es gedacht; wie es denn öfter vorkommt, daß solche, die ausnahmsweise oder nach langer Unterbrechung ein Werk beginnen, im ersten Eifer mehr vor sich bringen als die immer dabei sind. In wenigen Wochen gewann er Zeit, sich zunächst dem Häuschen ein Gemüsegärtchen anzulegen, um etwas Kohl und Rüben mit dem Fleische kochen zu können, welches man ihm wöchentlich zweimal schickte. In einer dunklen Nacht holte er sich sogar in der Stadt Schößlinge von seinen Nelken und Levkojen und setzte sie, wo sich ein Raum bot; um das Gärtchen her zog er eine Hecke von wilden Rosen, an Geländer und Säulen empor ließ er Geißblatt ranken, und als der Sommer da war, sah das Ganze aus fast so bunt und zierlich wie ein Albumblatt.

Noch ehe die Sonne im Osten heraufstieg, war er täglich auf den Füßen und suchte seinen Frieden in rastloser Bewegung, bis der letzte Rosenschimmer im Hochgebirge verblichen war. Dadurch wurde seine Zeit ausgiebig und reichlich, daß er frei wurde in der Verwendung der Stunden, ohne seine Pflicht zu vernachlässigen. Um sich seinen Holzbedarf zu sammeln, machte er weite Rundgänge durch den Wald, auf welchen sich eine Bürde fast von selbst zusammenfand. Er benutzte dazu die heiße Tageszeit, um im Schatten zu sein und zugleich für die Erdschwere der Handarbeit ein erbauliches Gegengewicht zu suchen. Denn der Wald war jetzt seine Schulstube und sein Studiersaal, wenn auch nicht in großer Gelehrsamkeit, so doch in beschaulicher Anwendung des wenigen, was er wußte. Er belauschte das Treiben der Vögel und der andern Tiere, und nie kehrte er zurück, ohne Gaben der Natur in seinem Reisigbündel wohlverwahrt heimzutragen, sei es eine schöne Moosart, ein kunstreiches, verlassenes Vogelnest, ein wunderlicher Stein oder eine auffallende Mißbildung an Bäumen und Sträuchern. Aus einem verfallenen Steinbruche klopfte er manches Stück mit uralten Resten heraus von Kräutern und Tieren. Auch legte er eine vollständige Sammlung an von den Rinden aller Waldbäume in den verschiedenen Lebensaltern, indem er schöne viereckige Stücke davon, mit Moosen und Flechten bewachsen, herausschnitt oder sinnig zusammensetzte, die Nadelhölzer sogar mit den glänzenden Harztropfen, so daß jedes Stück ein artiges Bild abgab. Mit alledem schmückte er in Ermangelung anderen Raumes die Wände und die Decke seines Stübchens. Nur nichts Lebendiges heimste er ein; je schöner und seltener ein Schmetterling war, den er flattern sah, und es gab auf diesen Höhen deren mehrere Arten, desto andächtiger ließ er ihn fliegen. Denn, sagte er sich, weiß ich, ob der arme Kerl sich schon vermählt hat? Und wenn das nicht wäre, wie abscheulich, die Stammtafel eines so schönen, unschuldigen Tieres, welches eine Zierde des Landes ist und eine Freude den Augen, mit einem Zuge auszulöschen! Abzutun, ab und tot, das Geschlecht einer zarten fliegenden Blume, die sich durch so viele Jahrtausende hindurch von Anbeginn erhalten hat und welche vielleicht die letzte ihres Geschlechtes in der ganzen Gegend sein könnte! Denn wer zählt die Feinde und Gefahren, die ihr auflauern?

Für diesen frommen Sinn wurde er von einem untergegangenen Geschlechte belohnt, indem eine Erderhöhung mitten im Forste, welche ihm verdächtig erschien und die er aufgrub, das Grab eines keltischen Kriegsmannes enthüllte. Ein langes Gerippe mit Schmuck und Waffen zeigte sich vor seinen Blicken. Aber er baute das Grab sorgfältig wieder auf, ohne jemand davon zu sagen, weil er nicht aus seiner Verborgenheit treten mochte. Indessen durchforschte er den Wald aufmerksam, entdeckte noch mehrere solche Erhöhungen mit darauf zerstreuten Steinen und behielt sich vor, in späterer Zeit davon Anzeige zu machen. Die gefundenen Schmuck- und Waffensachen fügte er den Merkwürdigkeiten seiner Einsiedelei bei.

Auf diese Weise erfuhr er, wie das grüne Erdreich Trost und Kurzweil hat für den Verlassenen und die Einsamkeit eine gesegnete Schule ist für jeden, der nicht ganz roh und leer.

Um so schneller machte er sich unsichtbar, wenn der Tuchscherer etwa mit großer Gesellschaft heraufkam, um sie in dem luftigen Winzerhäuschen zu bewirten und auf den Matten herumspringen zu lassen. Insbesondere die lustigen Damen suchten neugierig des einsiedlerischen Jünglings ansichtig zu werden, der sich so gut anschickte und in Freiheit, Sonne und Bergluft ein hübscher brauner Gesell geworden. Es schien auf einmal der Mühe wert, den Flüchtling nicht zu unabhängig von der Macht ihrer Augen werden zu lassen. Auch einzeln dehnte dann und wann eine Vorwitzige ihre Spaziergänge bis zu dieser Höhe aus und spukte wie von ungefähr um das Häuschen herum. Allein Wilhelm war wie umgewandelt. Anstatt die Augen niederzuschlagen und heimlich verliebt zu sein, blickte er die Streifzüglerinnen ruhig und halb spöttisch an und ging seiner Wege ohne alle Anfechtung. Das war ein neues Wunder und vermehrte das Gerede über ihn in der Stadt.

Der Tuchscherer war zufrieden über seinen Besitz. In der Ebene, wo er auch ein Stück Land besaß, hatte er eine geräumige Stallung und eine Scheune gebaut. Dort stand das Vieh, dessen Zucht und Verkauf Wilhelm mit gutem Verstande bereit. Die zweimalige Heuernte brachte er ebenfalls glücklich unter Dach, und die Weinlese, welche darauf folgte, zeigte, daß der Berg trefflich besorgt war.

Als der Tuchscherer nun seine Rechnung machte, fand er, daß er für die Zukunft wohl bestehen würde, wenn es so fortginge, und statt nur seinen vorübergehenden Spaß an der Sache zu haben, wie es am Orte Sitte war, entschloß er sich, mit Ernst dabei auszuharren und zu trachten, daß er ein gutes Ende gewänne. Obgleich er auch ein lustiger Tuchscherer war, barg er doch eine gute Anlage in sich von irgend einem Äderchen her, weshalb er durch die frische Arbeitslust, Verständigkeit und Ausdauer Wilhelms aufmerksam wurde, besonders da er sah, daß der träumende und verliebte Schulmeister ganz plötzlich diese Tugenden hervorgekehrt, als wenn er sie auf der Straße gefunden hätte. Was ein anderer könne, dachte er, das werde er auch imstande sein; und so wurde er in ehrgeiziger Laune ein sorgfältiger und wachsamer Mann. Er stand früh auf und nahm seine Geschäfte der Ordnung nach an die Hand. Statt in seiner Tuchschererei alles den Arbeitern zu überlassen, sah er selbst dazu und förderte die Arbeit, daß sie gut getan wurde und rasch vor sich ging, und er gewann noch hinlängliche Zeit für seine Landwirtschaft. Den Aufenthalt in den Versammlungen und Wirtshäusern, wo die Spottvögel saßen, kürzte er immer mehr ab und gewöhnte sich, zu jeder beliebigen Zeit aufzubrechen und sich loszureißen, ohne gerade ein sogenannter Leimsieder zu werden. Er bemerkte, daß die rechte Lustigkeit erst nach getaner Arbeit entsteht und daß Leute, welche immer in derselben Wirtshausluft, bei denselben Manieren sitzen, zur schönsten Krähwinkelei gedeihen; daß der liederliche Spießbürger um kein Haar geistreicher ist als der solide und daß überhaupt Männer, die sich immerwährend und täglich mehrmals sehen, einander zuletzt dumm schwatzen. Dennoch stieß seine Bekehrung auf große Schwierigkeiten und er mußte die tapfersten Anstrengungen machen, um nicht zurückzufallen. Aber wenn die Verlockung und das Geräusch zu stark wurden, verließ er die Stadt und floh zu Wilhelm hinauf, den er liebgewonnen und zu seinem Vertrauten machte. Hiedurch wurde dieser wiederum angefeuert, daß er in seinem löblichen Wesen nicht mürbe wurde. Allein der Teufel suchte abermals Unkraut zu säen, indem des Tuchscherers Frau nicht von der alten Weise lassen wollte und den Verkehr mit den Müßigen und Lustigmachern stets erneuerte. Der Mann klagte dem Einsiedler seine Not; Wilhelm dachte nach und riet ihm dann, der Frau das Haar dicht am Kopfe wegzuschneiden, damit sie ein Jahr lang nicht ausgehen könne. Denn er hielt sich für einen Weiberfeind und freute sich, einer eine Buße anzutun. Doch der Tuchscherer sagte, das ginge nicht an, das Haar seiner Frau sei zu schön und, da sie sonst nicht viel tauge, ein Hauptstück seines Inventars. Da besann sich Wilhelm aufs neue und riet ihm dann, der Frau den Milchverkauf zu übergeben und ihr einen Teil des Gewinns zu lassen. Dadurch würde ihre Habsucht gereizt, sie werde nicht verfehlen Wasser unter die Milch zu mischen, sich deshalb mit der ganzen Stadt verfeinden und in eine wohltätige Isolierung geraten. Dieser Plan ward nicht übel befunden und bewährte sich auch so ziemlich. Die Frau fand Freude an dem Gewinn und war, besonders des Abends, ans Haus gebunden, um das Melken der Kühe zu überwachen und zu sehen, daß sie nicht zu kurz käme.

Inzwischen war der Herbst gekommen und für Wilhelm nichts weiter zu tun als das Vieh zu hüten, welches jetzt auf die Weide getrieben wurde. Er ließ sich das demütige Amt nicht nehmen und wollte wenigstens einen Herbst entlang mit den schönen Tieren allein auf der Weide sein. Allein gerade diese Übertreibung, da er den Dienst eines kleinen Hirtenbuben verrichtete, bekam ihm übel und beraubte ihn plötzlich wieder der Freiheit und Gemütsruhe, welche er sich erarbeitet hatte. Denn als er so dasaß auf den sonnigen Hügeln, beim Getön der Herdenglocken, und die Stadt im goldenen Herbstrauch liegen sah, tauchte die Gestalt Gritlis immer deutlicher wieder empor, fast nach dem Sprichworte: Müßiggang ist aller Laster Anfang! Im Grunde war es eine von den unfertigen und abgebrochenen Geschichten, welche wie ein abgeschossenes Bein mit der Veränderung der Jahreszeiten und des Wetters sich immer bemerklich machen. Jedes zurückgebliebene Restchen von Hoffnung auf ein verlorenes Glück erneut tausend Schmerzen, sobald die Seele müßig wird und die Sonne durchscheinen läßt.

Als er eines Tages, da es in den Tälern Mittag läutete, nach seinem Häuschen ging, um sein einfaches Essen zu bereiten, entdeckte er plötzlich eine zierliche Frau, welche unter dem Vordache stand und in die Ferne hinaussah. Er war kaum noch zweihundert Schritte entfernt und glaubte Gritli zu erkennen. Heftig erschreckend, stand er still und sagte: »Was will sie hier? was sucht sie da?«

Er verbarg sich hinter einem wilden Birnbaum und wagte wohl fünf Minuten lang nicht mehr hinzusehen. Als er es aber endlich tat, hatte sich die Erscheinung umgekehrt, guckte durch das Fenster in das Innere des Winzerhäuschens und schien die kleine Stube aufmerksam zu betrachten, darauf setzte sie sich auf die oberste Treppenstufe, zog, wie es schien, ein Brötchen oder dergleichen aus der Tasche und fing an es zu essen, und kurz, es war keine Aussicht, daß die Dame so bald wieder abziehen wolle. Wilhelm machte Kehrtum und ging ohne Umsehen und ohne gegessen zu haben zu seiner Herde zurück, da er seine Behausung solchergestalt bewacht fand. In großer Aufregung blieb er bis zum Abend fort, aber endlich trieb ihn der Hunger wieder hin; vorsichtig näherte er sich seiner Klause und fand den Platz geräumt. Der Engel mit dem feurigen Schwert war abgezogen vor der Pforte. Wilhelm betrachtete alles wohl, das Fenster und die Treppe, und fand alles, wie es gewesen, still und unverfänglich. Doch seine Ruhe war dahin, wenngleich er nicht einmal bestimmt wußte, ob es Gritli gewesen sei.

Ohne es sich gestehen zu wollen, kleidete er sich von dem Tage an sorgfältiger, daß er für einen Rinderhirten fast zu gut aussah, und näherte sich nicht selten behutsam dem Häuschen; aber die Erscheinung kehrte nicht wieder. Dafür bevölkerte sich der ganze Berg mit ihrem Bilde, auf Weg und Steg trat es ihm entgegen und guckte ihm durch die runden Scheiben; es schien ihm unerträglich, so nahe bei ihr zu wohnen, und doch hätte er nicht wegziehen mögen; denn der Umstand, daß sie jetzt frei und einsam war, vermehrte die Unordnung seiner Gedanken. Doch zuletzt wurde er nochmals Meister über dies Wesen und stellte sich wieder steif auf die Beine.

Als der erste Schnee fiel, war es mit dem Hirtenleben vorbei; der Tuchscherer wollte Wilhelm nun zu sich ins Haus nehmen. Der aber sträubte sich dagegen und bat, ihn auf dem Berge zu lassen; jener mochte ihn in seiner Laune nicht hindern, schaffte ihm einen kleinen Ofen hinauf und versah ihn mit allerhand Arbeit von sich und andern. Auch kaufte sich Wilhelm für den Lohn, den er erhielt, einige Bücher, die ihm der Tuchscherer besorgte, damit er der Pflege seiner Geisteskräfte obliegen könne, und so wurde er bald eingeschneit und sah sich einsamer als je.

Eigentlich nur so einsam als ein rechter Einsiedel sein kann, denn ein solcher hat noch allerlei Zuspruch. So bekam auch Wilhelm jetzt eine wunderliche Kundschaft. Die Bauern der Umgegend, mehrere Stunden in die Runde, sprachen von ihm als von einem halben Weisen und Propheten, was hauptsächlich von seinem Treiben im Walde und der seltsamen Ausstaffierung seiner Wohnung herrührte. Sobald die Bauern einen solchen Heiligen aufspüren, der, von Reue über irgend einen geheimnisvollen Fehltritt ergriffen, sich auf außerordentlichem Wege zu helfen sucht, in die Einsamkeit geht und ein ungewöhnliches Leben führt, so wird alsobald ihre Phantasie aufgeregt und sie schreiben dem Sonderling besondere Einsichten und Kräfte zu, welche zu nutznießen sie eine unüberwindliche Lust verspüren, im Gegensatze zu den Städtern und Aufgeklärten, so ihren Rat bei denen holen, die niemals von der goldenen Mittelstraße abweichen und nie über die Schnur gehauen haben.

Zuerst kam eine bedrängte Witwe mit einem ungeratenen Kinde, welches in der Schule nichts lernen wollte und sonst allerlei Streiche verübte, und bat ihn um Rat, indem sie vor dem Kinde ihre bittere Klage vorbrachte. Wilhelm sprach freundlich mit dem Sünder, fragte, warum es dies und jenes tue und nicht tue, und ermahnte es zum Guten, indem es sich besser dabei befinden werde. Der weite Gang, die feierliche Klage der Mutter, die abenteuerliche Einrichtung des Propheten und dessen freundlich-ernste Worte machten einen solchen Eindruck auf das Kind, daß es sich in der Tat besserte, und die Witwe verbreitete den Ruhm Wilhelms.

Bald darauf kam eine andere Frau, welche über eine böse Nachbarin klagte; dann kam ein alter Bauer, der sich das Schnupfen abgewöhnen wollte, weil er es für Sünde hielt; Wilhelm sagte, er solle nur fortschnupfen, es sei keine Sünde, und dieser lobte und pries den Ratgeber, wo er hinkam. Endlich verging kaum ein Tag, wo er nicht solchen Besuch empfing, und alle möglichen moralischen und häuslichen Gebrechen enthüllten sich vor ihm. Am meisten besuchten ihn Mädchen und Weiber, um geheime Briefe von ihm schreiben zu lassen, welchen sie eine besondere Wirkung zutrauten, und sogar abergläubische Leute kamen, denen er gestohlene oder verlorene Sachen wieder verschaffen oder geheimnisvolle Mittel gegen körperliche Übel oder am Ende gar weissagen sollte. Das wurde ihm denn doch lästig und bedenklich, und er suchte die Bittsteller mit Scherzen oder barschen Worten abzuweisen. Allein nun hieß es erst recht, er habe seine Mucken und stehe nicht jedem Rede, woran er ganz recht tue. Am liebsten verkehrte er mit Kindern, die in der Schule nicht fortkamen und deren man ihm häufig brachte, so daß sie nachher allein kommen konnten. Mit diesen gab er sich liebevoll ab und war froh, öfter eines oder mehrere um sich zu haben. Er brachte fast alle ins Geleise und erwarb sich dadurch Dank und Ansehen und unter den Kleinen eine große Anhängerschaft, die ihn an schönen Sonntagen manchmal in ganzen Scharen besuchte und ihm kindliche Geschenke brachte, z. B. jedes einen schönen Apfel, so daß alle zusammen ein Körbchen voll gaben, oder jedes zehn Nüsse, so daß sich eine Lade damit füllte. Sie mußten dann singen und er geleitete sie eine Strecke weit heimwärts.

Von diesen Taten hörte Frau Gritli häufig erzählen und sie nahm lebendigen Anteil, ohne es merken zu lassen. Sie war sehr neugierig und wünschte eifrig, seine Wirtschaft selbst einmal zu sehen und ihn sprechen zu hören. Als eine auswärtige vertraute Freundin sie für einige Zeit besuchte, um ihr die Tage verbringen zu helfen, beschlossen die beiden, zu dem Einsiedel zu gehen. Sie verkleideten sich in junge Bäuerinnen, färbten ihre Gesichter mit vieler Kunst und verhüllten überdies die Köpfe mit großen Tüchern. So machten sie sich an einem hellen Wintermorgen auf den Weg und bestiegen den Berg, der in seiner weißen Decke blendend vom blauen Himmel abstach. Als sie vor dem Rebhäuschen anlangten, standen sie still und betrachteten es neugierig und mit erstaunten Blicken. Denn es glitzerte und leuchtete wie lauter Kristall und Silber. Vom Dache hingen ringsherum große Eiszacken nieder mit feinen Spitzen, manche beinahe bis auf den Boden. Die Wetterfahne, die eisernen Verzierungen des Geländers, noch aus der Zopfzeit, und die Geißblattranken waren mit Reif besetzt, und das alles wurde von der Sonne mit siebenfarbigen Strahlen umsäumt. Unter dem Vordache auf den Steinplatten wimmelte es von größern und kleinen Waldvögeln, die da ihr Futter pickten und lustig durcheinander hüpften; sie waren so zahm, daß sie kaum Platz machten vor den Füßen der Pilgerinnen und sich der Reihe nach auf das Geländer und vor das Fenster setzten. Jede der Frauen stieß die andere an, daß sie anklopfen sollte; die eine hustete, die andere kicherte, aber keine wollte klopfen. Doch wagte es endlich die Freundin, pochte nun so stark wie ein Bauer und öffnete zugleich die Tür, mit patzigen Schritten eintretend.

Wilhelm saß über einem großen Buche mit Pflanzenbildern; er war nicht sehr erfreut über die frühe Störung, zumal er zwei junge frische Weibsbilder ankommen sah. Aber Ännchen, die Freundin, begann sogleich ein geläufiges Kauderwelsch, in welchem sie eine Anzahl Fragen und Anliegen bunt durcheinander vorbrachte. Sie wollte eine Rechnung über verkauftes Stroh berichtigt haben, gegen welches sie eine Zeitkuh eingetauscht, zog ein Papier voll gegossenen Bleies hervor und forderte die Erklärung desselben; dann sollte er aus ihrer Hand wahrsagen, Auskunft geben, wann es am besten Hafer zu säen sei, ob man im gleichen Jahre zweimal die Ehe versprechen dürfe, ob er nicht eine verhexte Kaffeemühle herstellen könne, in welcher ein Kobold sitze; ferner brachte sie ein dickes Bündel Hühner-, Enten- und Gänsefedern zu Tage und bat ihn, dieselben zu schneiden für Geld und gute Worte, sie wolle sie dann schon gelegentlich abholen; denn sie schreibe für ihr Leben gern, habe aber keine Federn; und endlich verlangte sie zu wissen, ob das neue Jahr gedeihlich zum Heiraten sein würde für eine ehrbare junge Bäuerin. Dies alles, Stroh, Zeitkuh, Hafer, Blei, Kaffeemühle, Kobold, Federn und Heirat, warf sie so behend und verworren untereinander, daß kein Mensch darauf antworten konnte, und wenn Wilhelm den Mund auftat, unterbrach sie ihn sogleich, widersprach ihm, sie habe nicht das, sondern jenes gemeint, und machte den ergötzlichsten Auftritt. In der Zeit stand Gritli da, die Hände unter der Schürze, und rührte sich nicht, aus Furcht sich zu verraten. Sie beschaute sich eifrig Wilhelms sonderliche Behausung, welche inwendig noch märchenhafter aussah als von außen. Die Wände waren mit bemooster Baumrinde, mit Ammonshörnern, Vogelnestern, glänzenden Quarzen ganz bekleidet, die Decke mit wunderbar gewachsenen Baumästen und Wurzeln, und allerhand Waldfrüchte, Tannzapfen, blaue und rote Beerenbüschel hingen dazwischen. Die Fenster waren herrlich gefroren; jedes der runden Gläser zeigte ein anderes Bild, eine Landschaft, eine Blume, eine schlanke Baumgruppe, einen Stern oder ein silbernes Damastgewebe; es waren wohl hundert solcher Scheiben, und keine glich der anderen, gleich dem Werk eines gotischen Baumeisters, der einen Kreuzgang baut und für die hundert Spitzbogen immer neues Maßwerk erfindet.

Das alles gefiel der Frau, welche von Viggi und seiner Kätter als eine platte und prosaische Natur verschrieen wurde, über die Maßen wohl; doch ließ sie zuweilen auch einen Blick über den Bewohner dieses Raumes gleiten, und derselbe gefiel ihr nicht minder. Er war in einen rötlichen Fuchspelz gehüllt, den ihm der Tuchscherer für den Winter gegeben; sein dunkles Haar war dicht und lang gewachsen, ein dunkles Bärtchen war auf seiner Oberlippe erstanden und der ganze Gesell hatte an selbstbewußter und freier Haltung gewonnen. Ein langes rotes Tuch, welches er lose um den Hals geschlungen trug, vermehrte noch die kecke Wirkung seines Aussehens, welche freilich kaum so keck gewesen wäre, wenn er gewußt hätte, wen er vor sich habe.

Ännchen machte aber ihre Sache so gut, daß er keinen Verdacht schöpfte und ein tolles Weibsstück zu sehen glaubte, begleitet von einer blöden und schüchternen Person. Als ihm der Handel endlich zu bunt wurde, unterbrach er die Schwätzerin gewaltsam und sagte: »Eure Rechnung über Stroh und Kuh beträgt so und so viel, alles übrige ist dummes Zeug, das Ihr anderwärts anbringen mögt, liebe Frau!«

»So!« sagte Ännchen in köstlichem Tone, und Wilhelm: »Ja, so! Geht in Gottes Namen und laßt mich in Ruhe!«

»Auf diese Weise!« erwiderte Ännchen, »aha! So so! Nun, so habt denn Dank, Herr Hexenmeister! und nichts für ungut! Behüt Euch Gott wohl und zürnet nicht! Komm, Frau Barbel!«

Doch als sie bereits unter der Tür war, kehrte sie nochmals um und rief: »Ei, so hätte ich bald vergessen Euch den Gruß auszurichten! Oder hab ich's schon getan?« »Nein! von wem?« »Ei, von einer gar feinen und hübschen Frau, Ihr werdet sie besser kennen als ich, denn ich weiß ihren Namen nicht zu sagen!« »Ich weiß nicht, ich kenne keine solche Frau!« »He, so besinnt Euch nur, sie wohnt an der Stadtmauer, ist nicht gar groß, aber ebenmäßig gewachsen und trägt den Kopf voll brauner Haarlocken wie ein Pudel! Da die Barbel und ich haben ihr Eier gebracht, wir sagten, daß wir da hinaufgehen wollten, um uns wahrsagen zu lassen, und da war's, daß sie uns den Gruß bestellte!«

Wilhelm wurde hochrot, rief hastig: »Ich weiß nicht, wen Ihr meint!« und wandte sich stracks zu seinem Buche, ohne die Frauen weiter eines Blickes zu würdigen. So trollten sich diese davon und polterten in ihren schweren Schuhen mutwillig die Stufen hinunter.

Kaum waren sie außer dem Bereiche des Häusleins, so sagte Ännchen: »Höre, wenn ich nicht schon einen Mann hätte, so würde ich dir den wegfangen! Dies ist ja ein netter Kerl, obgleich er ein grober Lümmel ist!«

»Ach, er gefällt mir nur gar zu wohl«, seufzte Gritli, »aber ich trau ihm nicht! Er könnte trotz der soliden Manier, die er angenommen hat, leicht wieder ein verliebter Zeisig werden oder noch sein, der sich in alle Welt vergafft und dann käme ich vom Regen in die Traufe. Man müßte ihn auf irgend eine Art auf die Probe stellen!«

»Nun, das kann man ja tun!« sagte die Freundin; sie berieten sich über den Weg, den sie einschlagen wollten, und Ännchen versprach die Sache auszuführen, sobald der Winter vorüber sei. Da seufzte Gritli abermals und meinte: »Ach, das ist noch lange hin und im Frühling sollte es schon getan sein!«

Lachend erwiderte Ännchen: »Da kann ich nicht helfen, meine Liebe! Ich muß jetzt wieder zu meinem Mann; auch habe ich doch nicht Lust, durch diesen Schnee öfter in die Wildemannshütte zu klettern, so hübsch eingefroren sie auch ist! Also Geduld! Sobald die Veilchen blühen, werde ich wieder kommen und deine Bergamsel probieren, aber auf deine Gefahr hin!«

Gritli fügte sich darein; sie verbrachte den Rest des Winters in größter Stille; aber der Schnee schien ihr nicht weichen zu wollen und sie schwankte manchmal, ob sie die Probe überhaupt anstellen und nicht lieber die Sache gleich zu Ende führen wolle. Da kam endlich der gewaltige Südwind und goß seine warmen Regenfluten schief über Berg und Tal hin. In eilender Flucht schmolzen die Schneemassen und Wasser sprangen von allen Abhängen, lachend, redend und singend mit tausend Zungen. Gritli lauschte dem Klingen, als ob es ein Hochzeitgeläute wäre. Sobald die nächste Wiese trocken war, lief sie hinaus, um nach den Veilchen zu sehen; sie fand keines, dafür aber einige Schneeglöckchen, und als sie zurückkam, war dennoch die Freundin angekommen mit einem großen Koffer, worin sie das nötige Handwerkszeug für ihr Vorhaben mitbrachte.

Es war die vollständige stattliche Sonntagstracht einer Landfrau mit mehreren Stücken zum Wechseln, alles neu und zierlich, beinahe köstlich gemacht. Am ersten Sonntag in aller Frühe kleidete sich Ännchen mit Gritlis Hilfe sorgfältig darein und ließ ihrer Schönheit, die nicht gering war, mit übermütiger Berechnung den Zügel schießen. Über eine kurze Scharlachjuppe wurde eine genau so lange schwarze angezogen, so daß der Scharlach nur bei einer raschen Bewegung sichtbar wurde und das blendende Weiß der Strümpfe um so reizender erscheinen ließ. Rücken, Schultern und die runden Arme zeichnete eine knappe braune seidene Jacke vortrefflich und ließ die hohe Brust frei, welche dafür mit einem Brustlatz von schwarzem Sammet bedeckt und mit dergleichen Bändern eingeschnürt war, die durch silberne Haken gingen. Über der Stirn wurden einige kokette bäuerliche Löcklein gebrannt, das übrige Haar hing in dicken Zöpfen fast bis auf die Erde und endigte in breiten, mit Spitzen besetzten Sammetbändern. Mit jedem Stück, das sie der lachenden Freundin nesteln half, wurde Frau Gritli ernsthafter und besorgter, und als endlich die Übermütige ganz geschmückt war und sich in bewußter Schönheit spiegelte, bereute jene die ganze Erfindung und erhob allerlei Bedenklichkeiten. Doch sie wurde nur ausgelacht und Ännchen rief: »Was man tun will, das soll man recht tun! Willst du deinen Waldbruder mit einer Vogelscheuche versuchen? Dergleichen Heilige hatten von je einen bessern Geschmack!«

Da meinte Gritli, sie sollte wenigstens die weißen Strümpfe mit schwarzen wollenen vertauschen, es sei noch kühl und feucht! »Dafür hab ich starke Schuhe«, sagte Ännchen, »die Waden erkältet keine Frau, das weißt du wohl, mein Schatz!« »Jedenfalls mußt du den Hals besser verwahren!« bat die Besorgte noch kläglich und die Unverbesserliche antwortete: »Da hast du recht! Gib mir jenes seidene Tüchlein, ich kann es nachher in die Tasche stecken, sobald ich an die warme Sonne komme!«

Dann öffnete sie das Fenster und guckte in die Sonntagsfrühe hinaus; es war noch alles still und die Zeit schien günstig, rasch hinweg zu huschen. Allein Gritli hielt sie mit dem Frühstück so lange als möglich auf und brockte ihr alle möglichen Lieblingsbissen vor, um den Augenblick hinauszuschieben; dennoch erschien er, und als Ännchen nun ging, brach die Bekümmerte in Tränen aus. Da kehrte jene mit großen Augen um und sagte ernsthaft: »Nun, du närrisches Ding! wenn du wirklich meinst, es sei nicht zu trauen, so lassen wir's einfach bleiben! Entscheide dich! Ich bin bald wieder umgekleidet!«

Gritli weinte heftiger, aber sie kämpfte mit sich und rief dann entschlossen: »Nein! geh nur und tu, was du für gut findest! Es muß ja sein!«

Frau Ännchen ging also wohlgemut durch das Frühlingsland und badete unternehmungslustig ihre Gestalt in der glänzenden Luft. Ihre Röcke schwangen sich hin und wieder, daß der rote Scharlachsaum bei jedem Schritt aufleuchtete; im Arme trug sie einen frisch gebackenen Eierzopf und eine Schiefertafel in ein weiß und blau gewürfeltes Tuch gewickelt. Dergestalt erreichte sie das Rebhäuschen; diesmal klopfte sie nur mittelmäßig stark an die Tür und trat mit gutem Anstande in die Stube. Wilhelm erkannte sie nicht sogleich, war aber betroffen über die anmutvolle Erscheinung. Er kochte eben seinen Sonntagskaffee, welcher angenehm durch den Raum duftete. Ännchen machte einen zierlichen Knicks und sagte: »Da komme ich gerade recht! Habt Ihr meine Federn geschnitten,

Herr Hexenmeister? Ich will sie abholen; und hier habt Ihr
auch eine kleine Gabe für Eure Mühe, nur um den guten Willen zu zeigen!« Damit entwickelte sie das Gebäck, das sie trug,
und legte es auf den Tisch. »So könnt Ihr das Geschenk wieder mitnehmen«, erwiderte Wilhelm, »denn Eure Federn sind
nichts zum Schreiben und ich habe sie weggeworfen!« »So?
nun, da muß ich mir Federn in der Stadt kaufen; aber das tut
nichts, ich lasse den Zopf dennoch hier und esse selbst einen
Zipfel davon, wenn Ihr mir eine Tasse Kaffee dazu gebt! Das
tut Ihr doch, nicht wahr?« Sie setzte sich ohne Umstände zum
Tische und fing an, das feine Brot zu schneiden. Wilhelm
wußte nicht, was er daraus machen sollte, es war ihm zu Mute,
wie wenn da ein gefährlicher Geist durch sein stilles Häuschen
wehte, und die Frühlingssonne funkelte gar seltsam durch die
klaren Fenster und über die schöne Bäuerin her. Doch fügte er
sich, holte eine von des Tuchscherers Porzellantassen, welche
dieser hier aufbewahrte, und teilte seinen Kaffee ehrlich mit
dem Eindringling.

»Ihr könnt wahrlich guten Kaffee machen, Herr Hexenmeister«, sagte sie, »wo habt Ihr's nur gelernt?« »Freut mich,
wenn er Euch schmeckt!« sagte Wilhelm, »doch bitte ich
Euch, mich nicht immer Hexenmeister zu nennen; denn ich
kann leider nicht hexen!« »Nicht? ich hab's geglaubt!« sagte
sie lächelnd, indem sie einen glänzenden Blick zu ihm hin-
überschoß, »wenigstens habt Ihr mir es schon ein weniges angetan, obgleich Ihr nicht der Höflichste seid! Aber ein hübscher Mensch seid Ihr! Ist es Euch nicht langweilig so ganz allein?« »Es scheint nicht so!« erwiderte Wilhelm errötend,
»sonst würde ich wohl unter die Leute gehen; Ihr scheint aber
gut aufgelegt, schöne Frau!«

»Schöne Frau? Ei seht, das tönt schon besser! Ihr solltet
noch ein wenig in die Schule gehen, ich glaube, es könnte doch
noch gut mit Euch kommen! Aber leider muß ich selbst in die
Schule gehen. Da habe ich noch ein Anliegen, daß ich es nicht
vergesse, das ist die Hauptsache, warum ich gekommen bin,
wenn's erlaubt ist! Die Rechnung, die Ihr mir neulich so

schnell gemacht, daß ich es nicht einmal merkte, hat mir guten
Dienst geleistet. Ich habe aber einen großen Hof und kein
Mann ist da, der das Wesen in Ordnung hält und rechnet; ich
selbst habe als Schulkind niemals aufgemerkt und nichts gelernt, wie ich denn auch sonst nicht viel taugte. Nun muß ich
es erst büßen und bereuen, denn ich weiß nie, wie ich stehe
und ob ich betrogen werde oder nicht? Gut! dacht ich, du bist
noch nicht zu alt zum Lernen, ein Jahr fünf- oder sechsund-
zwanzig, du gehst also zum Hexenmeister und bittest ihn, daß
er dir zeige, wie man dies und jenes ausrechnet. Für guten
Lohn wird er's gewiß tun, ein Sack Erdäpfel oder eine halbe
Speckseite sollen mich nicht reuen, wenn er's zurecht bringt,
daß ich mit den verwünschten Zahlen umgehen kann. Seht, da
habe ich schon eine Tafel mitgebracht und auch eine Kreide,
nun, wo hab ich die Kreide?«

Sie legte die Tafel auf den Tisch, fuhr mit der Hand in die
Rocktasche und klapperte ungeduldig darin. Dann zog sie eine
Handvoll Zeug heraus und warf es auf den Tisch, ein geringes
Taschenmesser, einen eisernen Fingerhut, einige Geldstücke,
Brotkrumen, eine Hundepfeife, eine gedörrte Birne und ein
kleines Stück Kreide. Die Birne steckte sie schnell in den
Mund und rief kauend: »Da ist die Teufelskreide! Jetzt fangt
nur an!« Zugleich rückte sie mit ihrem Stuhle ihm dicht zur
Seite und schaute ihm erwartungsvoll ins Gesicht.

»So große Schülerinnen bin ich eigentlich nicht gewöhnt«,
sagte Wilhelm verlegen und rückte ein bißchen zur Seite,
»doch wenn Ihr gut aufmerken wollt, so will ich wohl sehen,
was zu machen ist!« Hierauf begann er der Frau die vier Spezies vorzumachen, und sie stellte sich, als ob sie nagelneue
Dinge hörte. Sie rückte ihm wieder näher, nahm ihm alle Augenblicke die Kreide aus der Hand, verdarb die Rechnung und
trieb tausend schnackische Dinge, über welchen sie zuweilen
plötzlich die Augen voll zu ihm aufschlug. Er sah sie dann verwundert und nicht ohne Wohlgefallen an, ohne jedoch aus der
Fassung zu geraten, und auch wenn sie auf die Tafel blickte,
betrachtete er ruhig den hübschen Kopf, wie man etwa ein ed-

les Gewächs betrachtet. Indessen wurde er dabei still und vergaß ein paarmal zu antworten. Unversehens stand sie auf und sagte: »Für heute muß es gut sein, sonst werde ich zu gelehrt! Übermorgen auf den Abend komm ich wieder, wenn Ihr dann Zeit habt; behüt Euch Gott, Herr!«

Womit sie, ohne seine Antwort abzuwarten, sich entfernte, so unerwartet als sie gekommen war.

Wilhelm sah ihr nach, ohne von seinem Stuhle aufzustehen. Dann grübelte er etwas in seinen Gedanken herum und sagte schließlich: »Am Ende werde ich hier auch fortgetrieben; es scheint mir mit dieser Person nicht ganz richtig zu sein!«

Frau Ännchen gefiel sich so gut in der ländlichen Tracht, daß sie auf einsamen Feldwegen herumspazierte, bis es Mittag läutete. Sie betrachtete gedankenvoll bald die junge Saat, bald den emsigen Lauf eines Bächleins; doch sie bedachte weder die Saat noch das Wasser, sondern erwog, wie weit sie die Probe mit dem jungen Manne treiben wolle; sie glaubte den Erfolg in ihrer Gewalt zu haben und war nur unschlüssig, ob sie denselben erst ein wenig zu ihrer eigenen Lustbarkeit lenken oder ob sie als ehrliche Frau und Freundin handeln solle. Denn der Einsiedler schien ihr wie geschaffen zu einer ersprießlichen Zerstreuung und zu einem Lustspiel für eigene Rechnung. Wenn Wilhelm sich verlocken ließ, so war ja ihrer Freundin von einem unbeständigen Mann geholfen und trefflich gedient und er selbst wurde durch einen lustigen Betrug gehörig bestraft. Sie stand eben vor einer stillen Ansammlung eines Wässerleins und beschaute darin ihr Spiegelbild. Sie kam sich fast zu schön vor für ihren eigenen teilnahmlosen Mann; auf der anderen Seite aber schien das Abenteuer doch bedenklich und konnte ihr zuletzt übel bekommen und ihre behagliche Ruhe in die Luft sprengen; auch war der Freundin ein freundliches Los zu gönnen und sie wußte wohl, daß Gritli den Vogel festhalten würde, wenn sie ihn nur erst unversehrt in der Hand hielte. So schwebten ihre ernsten Erwägungen im Gleichgewicht; sie stellte die Entscheidung endlich auf ein welkes Blatt, das in der Wasserstille langsam kreiste und einen Ausweg suchte. Legte es sich ans rechte Bord, so wollte sie der Freundin dienen, wenn ans linke, für sich selbst sorgen! Allein das Blatt schwamm plötzlich abwärts und ins Weite, und sie beschloß, der Sache den Lauf zu lassen, wie es gehen möge. Da erklang die Mittagsglocke und Ännchen schritt, von keinem menschlichen Auge gesehen, nach der Hintertür in der Stadtmauer; denn es war die Zeit, da in der alten Welt der große Pan schlief und in der neuen die Seldwyler mit Kind und Kegel so vollzählig um den Sonntagsbraten saßen, daß die Straßen stiller waren als in dunkler Mitternacht.

Mit ängstlicher Erwartung verschlangen Gritlis Augen die mutwillige Freundin, als sie lachend in die Stube trat. Diese umarmte und küßte sie sogleich, indem sie rief: »Komm, es ist mir ganz küsserlich zu Mute geworden bei deinem Schatz!« »O! sei nicht so häßlich!« rief jene vorwurfsvoll, »du hast doch nicht so tolles Zeug getrieben! Wie ist es gegangen? Wie hat er sich gehalten?« »Sei ruhig, wie ein Stück Holz hat er sich gehalten!« sagte Ännchen und Gritli rief: »Gott sei Dank! So wollen wir es denn dabei bewenden lassen!« »Bewenden lassen? das wäre eine schöne Geschichte!« fuhr Ännchen dazwischen, »da wüßten wir erst recht nichts! Er war wie ein Sück Holz, aber nun kommt erst die Hauptsache, wo er sich immer noch zum Schlimmen wenden kann, freilich auch zum Guten! Nun, wie er sich bettet, so wird er liegen!«

Da ermannte sich Gretchen abermals und sagte: »Ja! es muß durchgeführt sein! Wenn er deinen Teufeleien entrinnt, so hat er sich gründlich gebessert und wird um so preiswürdiger sein!«

Also machte sich die Versucherin am zweiten Tage wieder auf den Weg und zwar in der Abenddämmerung. Sie trug dieselbe Tracht, nur mit einiger Abwechselung und größerer Einfachheit, wie eine Bäuerin etwa während der Woche zu tragen pflegt, wenn sie über Land geht. Sie trug aber Sorge, daß nichtsdestoweniger alles gut und reizend saß. Die Haare waren merkwürdigerweise städtisch geflochten und mit einem Tuche bedeckt.

Wilhelm war absichtlich weggegangen und dachte, die sonderbare Schöne, wenn sie wirklich wiederkommen sollte, einen vergeblichen Gang tun zu lassen. Als es aber dunkelte, beschleunigte er mehr als notwendig seine Schritte, die Wohnung zu erreichen, sei es aus Neugier oder aus dem Bedürfnisse, sich an der scherzhaften Dame zu erheitern. Er traf richtig mit ihr an der Tür zusammen, als sie eben vergeblich gepocht hatte. »Ach, da kommt Ihr!« sagte sie sanft, »ich habe schon geglaubt, Ihr hättet mich im Stich gelassen! Nun, da bin ich wieder, wenn's erlaubt ist, ich konnte den Tag über nicht abkommen.« Er zündete das Licht an und sagte: »Wie steht's? Habt Ihr noch was behalten vom neulichen Unterricht oder habt Ihr's schon wieder vergessen?« »Ich weiß es selber kaum«, erwiderte sie bescheidentlich und schien überhaupt in einer weichen Stimmung zu sein, so daß der Lehrer wieder nicht aus ihr klug wurde.

Als sie zu rechnen begannen, war die Frau still und zerstreut, und in der Zerstreuung machte sie nicht nur keinen Fehler, sondern rechnete die Aufgaben wie aus Versehen rasch und richtig zu Ende und machte von selbst die Proben dazu. Sie konnte plötzlich so gut rechnen wie der Schulmeister selbst, schien es aber durchaus nicht zu wissen. Er sah ihr eine geraume Weile zu, während es ihm pricklig im Gemüt wurde. Da fiel es ihm endlich auf, welch weiße Hand die Bauersfrau besaß, und ihr künstlich geflochtenes Haar duftete nicht weit von seiner Nase. Einesmals sagte er: »Sie sind keine Bäuerin! Woher kommen Sie? Was wollen Sie hier?«

Sie legte erschrocken die Kreide hin, sah ihn furchtsam an und dann vor sich nieder, indem sie die Hände ineinander legte. Es herrschte eine große Stille. Endlich begann sie mit einem leichten Seufzer und leise: »Ich bin eine junge Witfrau, die aus langer Weile schon mehr als eine Torheit begonnen hat. Neulich wurde ich mit einer Freundin einig, den weisen Einsiedler zu beschauen, der so viel von sich reden macht. Sie haben gesehen, wie wir unsern Vorsatz ausführten; aber die Neugierde ist mir nicht gut bekommen!«

»Und warum nicht?« fragte Wilhelm lachend, obgleich es ihm anfing schwül zu werden. Da sagte sie noch leiser: »Ich habe mich leider in Sie verliebt!« und zugleich schlug sie lächelnd die Augen zu ihm empor. Es war freilich kein echter und ursprünglicher Blick, sondern einer aus der Fabrik, ein böhmischer Brillant, das fühlte Wilhelm wohl; dennoch war er feurig genug, in ihm eine Reihe von Gefühlen und Gedanken zu erwecken, welche sich schnell wie der Blitz aneinander entzündeten.

»Man muß am Ende die Weiber nehmen wie die Skorpione, den Stich des einen heilt man mit dem Safte, den man dem andern ausquetscht! Was nützt es, die Süßigkeit der Frauen zu verschmähen, weil sie schwach und betrüglich sind? Pflücke die Rosen vorsichtig oben weg und lasse den Stock unberührt, so wirst du nicht gestochen! Trinke den Wein und stelle den Becher dahin, so wirst du in Frieden leben! Wer durch die Wüste wandelt, der trinke vom Brunnen der Gelegenheit, und wer einsam ist, der locke die Amsel! Sieh! die eine geht, die andere kommt, die ist braun und jene golden; gut ist nur die, so dich küßt!«

Nicht diese ausführlichen Worte, aber deren frevelhafter Sinn drängte sich in Wilhelms Empfindung zusammen, als er Ännchens Hand ergriff und sie unschlüssig, aber lächelnd ansah. Freilich waren seine Handlungen viel zaghafter als seine Gedanken, und so kam es, daß nach einer Minute nicht er die Schöne, sondern sie ihn im Arme hielt und ihm eben einen Kuß aufdrücken wollte, als abermals eine Reihe von Gedanken und Vorstellungen sich in dem Augenblick und in Wilhelms Gemüte zusammendrängte.

»Das ist also«, dachte er ungefähr, »das vielgewünschte Glück in Frauenarmen! Nun, schön genug ists und gar nicht unangenehm! Gott sei Dank, daß ich mal eine dicht bei mir habe! Was würde wohl Gritli dazu sagen, wenn sie mich so sähe?«

Zugleich sah er Gritli im Geiste auf der Treppe vor dem Häuschen stehen und dann sitzen. »Wie«, dachte er, »wenn sie dich gesucht, wenn sie dich doch lieb hätte?« Ein großes Mitleiden mit ihr ergriff ihn, er erschrak ordentlich über seine Hartherzigkeit; kurz, zerstreut und in Gedanken verloren fuhr er zurück und entzog damit plötzlich und unerwartet seinen Mund dem Kusse, den Ännchen eben darauf absetzen wollte. Er starrte ins Blaue hinaus und sah immer deutlicher Frau Gritlis vermeinte Gestalt, wie sie still vor seiner Tür saß und auf ihn zu warten schien. Dann besann er sich und sagte unversehens zu Ännchen: »Was hatte es denn für eine Bewandtnis mit dem Gruße, den Sie mir das erste Mal, da Sie hier waren, von jener Frau gebracht haben? Und was macht sie, wie geht es ihr?«

»Welche Frau, welcher Gruß?« fragte sie etwas betroffen und verlegen, und als er sich genauer erklärt, sagte sie kalt: »Ach, das war nur eine Neckerei von mir! Ich kenne die Frau gar nicht!« Diese schnöde und kühle Antwort gefiel ihm nicht und kränkte ihn; unwillkürlich machte er sich frei und trat ans Fenster, öffnete es und guckte verstimmt hinaus in die Nacht.

Der gestirnte Himmel spannte sich über das Tal, in welchem die Lichter von Seldwyla in einem dichten Haufen glänzten; darüber vergaß er, was in der Stube war, seine Gedanken irrten um die dunkle Stadtmauer in der Tiefe, und eben tat er einen ordentlichen Seufzer, als dicht unter seinem Fenster eine weibliche Gestalt vorüberging mit den Worten: »Gute Nacht, Herr Hexenmeister!« Es war Frau Ännchen, welche unbemerkt aus dem Häuschen gehuscht war und lachend den Berg hinuntersprang. Er machte eine Bewegung und eine Stimme rief in ihm: Laß sie nicht entwischen! Aber dennoch wich er nicht von der Stelle und seine Sehnsucht flog über die spukhafte Bäuerin hinweg in das Tal, wo Gritli war. Alle Geister der Leidenschaft waren nun aufgeweckt und taumelten wie trunken in seinem Herzen umher, und er verbrachte die Nacht schlaflos und aufgeregt.

»Dem wollen wir abhelfen!« rief er, als die Sonne schon hoch am Himmel stand und er aus dem unruhigen Morgenschlaf erwachte, »ich will für einige Zeit den Platz räumen und

andere Luft suchen!« Gesagt, getan! Er hing zum zweiten Mal
die Reisetasche um, ergriff einen Stecken, schloß Fensterladen
und Tür und machte sich auf den Weg, dem Tuchscherer den
Schlüssel zu bringen und sich bei ihm zu beurlauben.

Ein leichter und rascher Schritt weckte ihn aus dem Brüten,
in dem er alles getan hatte. Er kannte den Schritt und lauschte
ihm einige Augenblicke, eh er aufzuschauen wagte. Schon
warf die Morgensonne den leichten Schatten eines Schleiers
auf den glänzenden Weg, dicht unter seine Augen; der Flor-
schatten umflatterte ein Paar rund gezeichnete Schultern. Wilhelm war plötzlich wie in ein Fegefeuer gesteckt und bemerkte
dennoch in aller Verwirrung, daß der wohlklingende Schritt
fast unmerklich zögerte. Endlich blickte er in die Höhe und
sah Frau Gritli nahe vor sich, welche ihrerseits errötete und
verlegen lächelnd vor sich hinsah. Beide Personen beschleu-
nigten in der Verwirrung ihren Gang und eilten sich vorüber,
wahrscheinlich um sich nie wieder zu treffen. Da zog Wilhelm
doch noch seinen Hut und Gritli erwiderte den Gruß mit einer raschen Verbeugung. Wie an einem Drahte gezogen sah jedes zurück, stand still und wendete sich mit mehr oder weniger langsamer Bewegung; endlich schossen sie zusammen wie
zwei Hölzchen, die auf einem Wasserspiegel dahintreiben,
und stehenden Fußes gingen sie eilig nebeneinander fort. »Sie
wollen doch nicht verreisen, weil Sie Tasche und Stab tragen?«
sagte Gritli. Wilhelm erwiderte, er wolle allerdings fortgehen,
und als sie fragte, warum und wohin? erzählte er von Geschäften, von schönem Wetter, von diesem und jenem, und
Gritli flocht ebenso inhaltlose Dinge dazwischen, aber alles in
tiefster Bewegung. Sie gingen rasch, atmeten schnell und sahen
sich abwechselnd an; so waren sie, ohne es zu sehen, auf einen
Waldpfad geraten und gingen schon tief in den Bäumen, als
Gritli endlich rief: »Wo sind wir denn hingekommen? Ist das
Ihr Weg?« »Meiner?« sagte Wilhelm ernsthaft, »nein!« »Nun,
das ist gut!« meinte sie lachend, »so müssen wir nur sehen, daß
wir bald wieder hinauskommen!« Er sagte: »Da wollen wir
hier quer durchgehen!« und wanderte auf einem schmalen Sei-

tenpfade voran durch den Forst. Nach einer Weile kamen sie auf eine kleine Lichtung, die von hohen Föhren eingeschlossen war, deren Kronen sich ineinander bauten. Unter den Föhren lagen große rötliche Steine übereinander, denn es war das Grab des keltischen Mannes, und rings herum war der Platz von den weißen Sternen der Anemonen bedeckt.

»Hier ist's schön!« rief Gritli, »hier muß ich ein wenig ausruhen, ich bin müde geworden!« Sie setzte sich auf die Steine und Wilhelm blieb vor ihr stehen. »Machen Sie nicht, daß der aufwacht, der da unten liegt!« sagte er; erschreckt fragte sie, was er meine, und er erzählte ihr die Geschichte von dem Grabe. Nach einer Weile bemerkte sie: »Wo mag wohl seine Frau liegen? Gewiß nicht weit!« »Das kann man freilich nicht wissen!« antwortete Wilhelm lachend, »vielleicht liegt sie auf einem Schlachtfelde in Gallien, vielleicht auf einem andern Berge in dieser Gegend, vielleicht hier ganz in der Nähe, und vielleicht hat er gar keine gehabt!«

Hierauf trat eine Stille zwischen die zwei Leute und jedes schien in eigentümliche Gedanken vertieft. Gritli hatte ihren Hut abgelegt und zeigte plötzlich statt der Locken, die dem Schulmeister sonst in die Augen gestochen, ein glänzend glattgekämmtes Haar, einen schlichten runden Kopf. Das verblüffte und verblendete ihn gänzlich, denn durch die ungewohnte Veränderung erschien sie ihm schöner als je. Auch war sie außerordentlich fein und anmutig gekleidet, obschon einfach, aber alles frisch und wohlgemacht; nichts Einzelnes fiel auf und doch machte alles einen angenehmen Eindruck, der sich wieder der Herrschaft des schlichten blühenden Kopfes durchaus unterordnete. Diese Frau war in ihren Kleidern und bei sich selbst zu Hause, und wer da einkehrte, befand sich in keiner Marktbude. Das alles versetzte Wilhelm in tiefe Melancholie und er sah die schöne Frau vor sich, wie man in die frühlingsblaue Ferne sieht, in die man nicht hinein kann.

Als die tiefe Stille einige Minuten gedauert, während Gritlis Busen unruhig wallte, rief der Kuckuck aus der Tiefe des Waldes, zwar nur ein einziges Mal, aber hell und widerhallend.

Beide sahen sich an, und ohne weitere Zeit zu verlieren, sagte Gritli mit einem freundlichen Lächeln: »Es ist mir lieb, Sie noch getroffen zu haben; denn halb und halb hatte ich die Absicht, Sie in Ihrem Häuschen aufzusuchen!«

Wilhelm sah sie mit großen Augen an; diese Worte weckten ihn aus seiner Vergessenheit und machten ihm das Verhältnis gegenwärtig, in welchem er eigentlich zu der Frau stand. Er brachte deswegen nur ein mißtrauisches und kurzes »Warum?« hervor und glaubte sich mit heißen Wangen einer neuen Komödie ausgesetzt. Sie aber sagte: »Ich wollte Sie gern fragen, ob Sie mir noch zürnen wegen der Geschichte mit den Liebesbriefen?«

»Ich habe Ihnen nie gezürnt«, erwiderte er, »sondern nur mir selbst; dennoch war das, was Sie vor Gericht von mir sagten, nicht gut und auch undankbar; denn ich habe Ihre Schönheit und Lieblichkeit so hoch gehalten, daß ich mir nicht anders zu helfen wußte als an einen Gott zu glauben, der Sie geschaffen und mir geschenkt habe, was freilich ein eitler und eigennütziger Gedanke war!«

Eine prächtige Röte überflog Gritlis Gesicht. »Ich war nicht undankbar!« sagte sie, indem sie die Handschuhe auszog und ihre Fingerspitzen betrachtete; »als ich jene Worte sprach, dachte ich –« sie stockte und Wilhelm sagte mit fast tonloser Stimme: »Nun, was dachten Sie?« »Ich dachte«, flüsterte sie, die Augen niederschlagend, »nun, ich dachte in meinem Herzen, daß dafür meine Person, wie sie ist, Ihnen für immer angehören sollte, wenn die Zeit gekommen sei! Und da bin ich nun!«

Zugleich reichte sie beide Hände hin und schlug die Augen zu ihm auf. Es war kein so blitzender Blick, wie sie ihm einst über die Hecke zugeworfen, aber doch viel tiefer und klarer. Er ergriff ihre Hände, sie stand auf; doch wußte der gute Pascha, der in seinen Gedanken eine ganze Stadt voll Weiber beherrscht hatte, mit dieser einzigen sogleich nichts anzufangen als daß er wie betäubt mit ihr auf der Lichtung hin und her ging und sie anlachte, ohne ihre Hand loszulassen. Endlich setzten sie den Weg wieder fort, Wilhelm ging voraus, sah sich aber von Zeit zu Zeit wieder um, ob sie ihm auch folge auf dem schmalen Pfade, und immer war sie lächelnd hinter ihm. Da trat sie einsmals hinter eine dicke Buche und verbarg sich dort, und als er wieder rückwärts blickte, fand er sie nicht mehr. Ungewiß und erschrocken stand er still, und als er nichts mehr von ihr hörte und sah, ging er langsam etwa zwanzig Schritte zurück, und mit jedem Schritte stieg schwärzer der betrübte Verdacht in ihm auf, daß er abermals der Gegenstand einer Posse geworden sei, so abenteuerlich das auch gewesen wäre; denn er konnte sich kaum in seine Stellung als beglückter Liebhaber finden. Da hustete es schalkhaft hinter der Buche, und als er näher trat, breitete die Vermißte die Arme nach ihm aus. Jetzt endlich umschlang er sie, bedeckte sie mit Küssen, die mit jeder Sekunde besser gelangen, und sie hielt ihm schweigend still und fand, daß sie bis jetzt auch nicht viel von Liebe gewußt habe.

Nachdem Wilhelm sich fürs erste in etwas beruhigt, ließ er sich mit der Geliebten auf eine mächtige bemooste Wurzel der Buche nieder, streichelte ihr die Wangen und fragte, ob sie nicht einmal eines Mittags im Herbste schon vor seinem Häuschen gewesen sei? »Hast du mich also doch gesehen?« erwiderte sie und bejahte seine Frage. Er erzählte ihr das Abenteuer und offenherzig auch dasjenige mit der Frau Ännchen und wie nur die Erinnerung an jenen Anblick, da Gritli auf seiner Treppe gesessen, ihn vor dem Abfalle bewahrt habe.

Gritli streichelte ihn hinwieder, küßte ihn und sagte: »So bist du also einer von den Rechten, bei denen keine Mühe verloren ist!«

Als der Mai gekommen, hielten sie unter blühenden Bäumen eine fröhliche Hochzeit. Während sie die Reise machten, suchte der Tuchscherer in der Gegend für sie ein beträchtliches Landgut, welches sie nach ihrer Rückkehr kauften und bezogen. Wilhelm baute den Besitz mit Fleiß und Umsicht und mehrte ihn, so daß er ein angesehener und wohlberatener Mann wurde, während seine Frau in gesegneter Anmut sich immer gleich bleib. Wenn ein Schatten des Unmutes über ihren Mann kam oder ein kleiner Streit entstand, so entrollte sie ihre Locken, und wenn deren Macht nicht mehr vorhalten wollte, so strich sie dieselben wieder hinter die Ohren, worauf Wilhelm aufs neue geschlagen war. Sie hatten wohlerzogene Kinder, welche sich, als sie erwachsen waren, andere Wohlerzogene zur Ehe herbeiholten. Auch der Tuchscherer blieb in der Freundschaft und erhielt sich als ein geborgener Mann, so daß nach und nach eine kleine Kolonie von Gutbestehenden anwuchs, welche, ohne einem heitern Lebensgenusse zu entsagen, dennoch Maß hielten und gediehen. Sie wurden von den Seldwylern ironisch »die halblustigen Gutbestehenden« oder »die Schlauköpfe« genannt, waren aber wohl gelitten, weil sie in manchen Dingen nützlich waren und dem Orte zum Ansehen gereichten.

Viktor Störteler aber und seine Kätter waren samt jenen Liebesbriefen, welche sie aus Hunger und Not doch wieder hergestellt, auf sich bezogen und unter vielem Gezänke vermehrt hatten, längst vergessen und verschollen.

Dietegen

An den Nordabhängen jener Hügel und Wälder, an welchen südlich Seldwyla liegt, florierte noch gegen das Ende des fünfzehnten Jahrhunderts die Stadt Ruechenstein im kühlen Schatten. Grau und finster war das gedrängte Korpus ihrer Mauern und Türme, schlecht und recht die Rät und Burger der Stadt, aber streng und mürrisch, und ihre Nationalbeschäftigung bestand in Ausübung der obrigkeitlichen Autorität, in Handhabung von Recht und Gesetz, Mandat und Verordnung, in Erlaß und Vollzug. Ihr höchster Stolz war der Besitz eines eigenen Blutbannes, groß und dick, den sie im Verlauf der Zeiten aus verschiedenen zerstreuten Blutgerichten von Kaiser und Reich so eifrig und opferfreudig an sich gebracht und abgerundet hatten, wie andere Städte ihre Seelenfreiheit und irdisches Gut. Auf den Felsvorsprüngen rings um die Stadt ragten Galgen, Räder und Richtstätten mannigfacher Art, das Rathaus hing voll eiserner Ketten mit Halsringen, eiserne Käfige hingen auf den Türmen, und hölzerne Drehmaschinen, worin die Weiber gedrillt wurden, gab es an allen Straßenecken. Selbst an dem dunkelblauen Flusse, der die Stadt bespülte, waren verschiedene Stationen errichtet, wo die Übeltäter ertränkt oder geschwemmt wurden, mit zusammengebundenen Füßen oder in Säcken, je nach der feineren Unterscheidung des Urteils.

Die Ruechensteiner waren nun nicht etwa eiserne, robuste und schreckhafte Gestalten, wie man aus ihren Neigungen hätte schließen können; sondern es war ein Schlag Leute von ganz gewöhnlichem, philisterhaftem Aussehen, mit runden Bäuchen und dünnen Beinen, nur daß sie durchweg lange gelbe Nasen zeigten, eben dieselben, mit denen sie sich gegenseitig das Jahr hindurch beschnarchten und anherrschten. Niemand hätte ihrem kümmelspälterischen Leiblichen, wie es erschien, so derbe Nerven zugetraut als zum Anschaun der unaufhörlichen Hochnotpeinlichkeit erforderlich waren. Allein sie hatten's in sich verborgen.

So hielten sie ihre Gerichtsbarkeit über ihrem Weichbilde ausgespannt gleich einem Netz, immer auf einen Fang begierig; und in der Tat gab es nirgends so originelle und seltsame Verbrechen zu strafen wie zu Ruechenstein. Ihre unerschöpfliche Erfindungsgabe in neuen Strafen schien diejenige der Sünder ordentlich zu reizen und zum Wetteifer anzuspornen; aber wenn dennoch ein Mangel an Übeltätern eintrat, so waren sie darum nicht verlegen, sondern fingen und bestraften die Schelmen anderer Städte; und es mußte einer ein gutes Gewissen haben, wenn er über ihr Gebiet gehen wollte. Denn sobald sie von irgend einem Verbrechen, in weiter Ferne begangen, hörten, so fingen sie den ersten besten Landläufer und spannten ihn auf die Folter, bis er bekannte oder bis es sich zufällig erwies, daß jenes Verbrechen gar nicht verübt worden. Sie lagen wegen ihren Kompetenzkonflikten auch immer im Streit mit dem Bunde und den Orten und mußten öfter zurechtgewiesen werden.

Zu ihren Hinrichtungen, Verbrennungen und Schwemmungen liebten sie ein windstilles, freundliches Wetter, daher an recht schönen Sommertagen immer etwas vorging. Der Wanderer im fernen Felde sah dann in dem grauen Felsennest nicht selten das Aufblitzen eines Richtschwertes, die Rauchsäule eines Scheiterhaufens, oder im Flusse wie das glänzende Springen eines Fisches, wenn etwa eine geschwemmte Hexe sich emporschnellte. Das Wort Gottes hätte ihnen übel geschmeckt ohne mindestens ein Liebespärchen mit Strohkränzen vor dem Altar und ohne Verlesen geschärfter Sittenmandate. Sonstige Freuden, Festlichkeiten und Aufzüge gab es nicht, denn alles war verboten in unzähligen Mandaten.

Man kann sich leicht denken, daß diese Stadt keine widerwärtigeren Nachbaren haben konnte als die Leute von Seldwyla; auch saßen sie diesen hinter dem Walde im Nacken, wie das böse Gewissen. Jeder Seldwyler, der sich auf Ruechensteiner Boden betreten ließ, wurde gefangen und auf den zuletzt gerade vorgefallenen Frevel inquiriert. Dafür packten die Seldwyler jeden Ruechensteiner, der sich bei ihnen erwischen ließ,

und gaben ihm auf dem Markt ohne weitere Untersuchung,
bloß weil er ein Ruechensteiner war, sechs Rutenstreiche auf
den Hintern. Dies war das einzige Birkenreis, was sie gebrauchten, da sie sich selbst untereinander nicht weh zu tun
liebten. Dann färbten sie ihm mit einer höllischen Farbe die
lange Nase schwarz und ließen ihn unter schallendem Jubel-
gelächter nach Hause laufen. Deshalb sah man zu Ruechenstein immer einige besonders mürrische Leute mit geschwärz-
ten, nur langsam verbleichenden Nasen herumgehen, welche
wortkarg nach Armensünderblut schnupperten.

Die Seldwyler aber hielten jene Farbtunke stets bereit in
einem eisernen Topfe, auf welchen das Ruechensteiner Stadt-
wappen gemalt war und welchen sie den »freundlichen
Nachbar« benannten und samt dem Pinsel im Bogen des
nach Ruechenstein führenden Tores aufhingen. War die Beize
aufgetrocknet oder verbraucht, so wurde sie unter närri-
schem Aufzug und Gelage erneuert zum Schabernack der
armen Nachbaren. Hierüber wurden diese einmal so er-
grimmt, daß sie mit dem Banner auszogen, die Seldwyler zu
züchtigen. Diese, noch rechtzeitig unterrichtet, zogen ihnen
entgegen und griffen sie unerschrocken an. Allein die Ruechensteiner hatten ein Dutzend graubärtige verwitterte Stadtknechte, welche neue Stricke an den Schwertgehängen trugen, ins Vordertreffen gestellt, worüber die Seldwyler eine
solche Scheu ergriff, daß sie zurückwichen und fast verloren
waren, wenn nicht ein guter Einfall sie gerettet hätte; denn sie
führten Spaßes halber den »freundlichen Nachbar« mit sich
und statt des Banners einen langen ungeheuren Pinsel. Diesen tauchte der Träger voll Geistesgegenwart in die schwarze
Wichse, sprang mutig den vordersten Feinden entgegen
und bestrich blitzschnell ihre Gesichter, also daß alle, die
zunächst von der verabscheuten Schwärze bedroht waren,
Reißaus nahmen und keiner mehr der vorderste sein wollte.
Darüber geriet ihre Schar ins Schwanken; ein unbestimmter
Schreck ergriff die hintern, während die Seldwyler ermutigt
wieder vordrangen unter wildem Gelächter und die Rue-

chensteiner gegen ihre Stadt zurückdrängten. Wo diese sich zur Wehre setzten, rückte der gefürchtete Pinsel herbei an seinem langen Stiele, wobei es keineswegs ohne ernsthaften Heldenmut zuging; schon zweimal waren die verwegenen Pinselträger von Pfeilen durchbohrt gefallen, und jedesmal hatte ein anderer die seltsame Waffe ergriffen und von neuem in den Feind getragen.

Am Ende aber wurden die Ruechensteiner gänzlich zurückgeschlagen und flohen mit ihrem Banner in hellem Haufen durch den Wald zurück, die Seldwyler auf den Fersen. Sie konnten sich mit Not in die Stadt retten und das Tor schließen, welches ihre Verfolger samt der Zugbrücke so lange mit dem verwünschten Pinsel schwarz beklecksten, bis jene sich etwas gesammelt und die lärmenden Maler mit Kalktöpfen bewarfen.

Weil nun einige angesehene Seldwyler in der Hitze des Andranges in die Stadt geraten und dort abgeschlossen, dafür aber auch ein Dutzend Ruechensteiner von den Siegern gefangen worden waren, so verglich man sich nach einigen Tagen zur Auswechslung dieser Gefangenen, und hieraus entstand ein förmlicher Friedensschluß, so gut es gehen wollte. Man hatte sich beiderseitig etwas ausgetobt und empfand ein Bedürfnis ruhiger Nachbarschaft. So wurde ein freundnachbarliches Benehmen verheißen; zum Beginn desselben versprachen die Seldwyler den eisernen Topf auszuliefern und für immer abzuschaffen, und die Ruechensteiner sollten dagegen auf jedes eigenmächtige Strafverfahren gegen spazierende Seldwyler feierlich Verzicht leisten sowie die diesfälligen Rechte überhaupt sorgfältig ausgeschieden werden.

Zur Bestätigung solchen Übereinkommens wurde ein Tag angesetzt und die Berglichtung zur Zusammenkunft gewählt, auf welcher das Haupttreffen stattgefunden hatte. Von Ruechenstein fanden sich einige jüngere Ratsherren ein; denn die Alten brachten es nicht über sich, in Minne mit den Leuten von Seldwyla zu verkehren. Diese erschienen auch wirklich in zahlreicher Abordnung, brachten den »freundlichen Nachbar« mit lustigem Aufwand und führten ein Fäßchen ihres ältesten Stadtweines mit, nebst einigen schönen silbernen und vergoldeten Ehrengeschirren. Damit betörten sie denn die jungen Ruechensteiner Herren, denen ein ungewohnter Sonnenblick aufging, so glücklich, daß sie sich verleiten ließen, statt unverweilt heimzukehren, mit den Verführern nach Seldwyla zu gehen. Dort wurden sie auf das Rathaus geleitet, wo ein gehöriger Schmaus bereit war; schöne Frauen und Jungfrauen fanden sich ein, immer mehrere Stäuffe, Köpfe, Schalen und Becher wurden aufgesetzt, so daß über all dem Glänzen der feurigen Augen und des edlen Metalles die armen Ruechensteiner sich selbst vergaßen und ganz guter Dinge wurden. Sie sangen, da sie nichts anderes konnten, einen lateinischen Psalm um den andern zwischen die Zechlieder der Seldwyler und endeten höchst leichtsinnig damit, daß sie diese dringend einluden, ihrer Stadt mit ihren Frauen und Töchtern einen Gegenbesuch zu machen, und ihnen den freundlichsten Empfang versprachen. Hierauf erfolgte die einmütige Zusage, hierauf neuer Jubel, kurz, die Geschäftsherren von Ruechenstein verabschiedeten sich in vollständiger Seligkeit und hielten sich, Schnippchen schlagend, dazu noch für glückliche Eroberer, als die lachenden Damen ihnen bis zum Tore das Geleit gaben.

Freilich verzog sich das liebliche Antlitz der Sache, als die fröhlichen Herren am andern Tage in ihrer finstern Stadt erwachten und nun Bericht erstatten mußten über den ganzen Hergang. Wenig fehlte, als sie zum Punkte der Einladung gediehen, daß sie nicht als Behexte inhaftiert und untersucht wurden. Indessen fühlten sie auch obrigkeitliches Blut in ihren Adern, und obgleich sie das Ding selbst schon gereute, so blieben sie doch fest bei der Stange, ihr gegebenes Wort zu lösen, und stellten den Alten vor, wie die Ehre der Stadt es schlechterdings erfordere die Seldwyler gut zu empfangen. Sie gewannen einen Anhang unter der Bürgerschaft, vorzüglich durch ihre Beschreibung des reichen Stadtgerätes, womit die Seldwyler so herausfordernd geprahlt hätten, sowie durch das

Herausstreichen ihrer Frauen und deren zierlicher Kleidung. Die Männer fanden, das dürfe man sich nicht bieten lassen, man müsse den eigenen Reichtum dagegen auftischen, der in den eisernen Schränken funkle, und die Frauen juckte es, die strengen Kleidermandate zu umgehen und unter dem Deckmantel der Politik sich einmal tüchtig zu schmücken und zu putzen. Denn das Zeug dazu hatten sie alle in den Truhen liegen, sonst wären ihnen die strengen Verordnungen längst unerträglich gewesen und durch ihre Macht gestürzt worden.

Der Empfang der neuen Freunde und alten Widersacher ward also durchgesetzt, zum großen Verdruß der Bejahrteren. Auch beschlossen diese sogleich, den ärgerlichen Tag durch eine vorzunehmende Hinrichtung zu feiern und damit eine zu lebhafte Fröhlichkeit heilsam und würdig zu dämpfen. Während die jüngeren Herren mit den Zurichtungen zum Feste betätigt waren, trafen jene in aller Stille ihre Anstalten und nahmen einen ganz jungen, unmündigen armen Sünder beim Kragen, der gerade im Netze zappelte. Es war ein bildschöner Knabe von eilf Jahren, dessen Eltern in kriegerischen Zeitläuften verschollen waren und der von der Stadt erzogen wurde. Das heißt, er war einem niederträchtigen und bösen Bettelvogt in die Kost gegeben, welcher das schlanke, wohlgebildete und kraftvolle Kind fast wie ein Haustier hielt und dabei an seiner Frau eine wackere Helferin fand. Der Knabe wurde Dietegen genannt, und dieser Taufname war sein ganzes Hab und Gut, sein Morgen- und Abendsegen und sein Reisegeld in die Zukunft. Er war erbärmlich gekleidet, hatte nie ein Sonntagsgewand besessen und würde an den Feiertagen, wo alles besser gekleidet ging, in seinem Jammerhabitchen wie eine Vogelscheuche ausgesehen haben, wenn er nicht so schön gewesen wäre. Er mußte scheuern und fegen und lauter solche Mägdearbeit verrichten, und wenn die Bettelvögtin nichts Schnödes für ihn zu tun hatte, so lieh sie ihn den Nachbarsweibern aus gegen Mietsgeld, um ihnen alle Lumpereien zu tun, die sie begehrten. Sie hielten ihn trotz seiner Anstelligkeit für einen dummen Kerl, weil er sich stillschweigend allem unterzog und nie Widerstand leistete; und dennoch vermochten sie nicht lang ihm in die feurigen Augen zu blicken, wenn er in unbewußter Kühnheit blitzend umhersah.

Vor mehreren Tagen nun war Dietegen gegen Abend zum Küfer geschickt worden, um Essig zu holen, da es seine Pflegeeltern nach einem Salat gelüstete. Der Essig wurde seit alter Zeit in einem kleinen Kännchen gehalten, welches, schwarz angelaufen, wie es war, für schlechtes Blech angesehen wurde und schon von der Mutter der Bettelvögtin einst für ein paar Pfennige nebst anderm Gerümpel gekauft worden, das aber in der Tat von gutem Silber war. Der Küfer, der den Essig machte, wohnte in einer einsamen Gegend hinter der Stadtmauer. Wie nun der Knabe mit seinem Kännchen so daherkam, schlich ein alter Jude mit seinem Sack vorbei, welcher schnell einen Blick auf das zierlich gearbeitete, obwohl schmutzige Gefäß warf und es dem Burschen mit schmeichlerischen Worten zur näheren Betrachtung abforderte. Dietegen gab es hin, der Jude schürfte heimlich mit seinem großen Daumnagel daran und bot dem Erstaunten sogleich eine hübsch aussehende Armbrust dafür zum Tausch an, welche er aus dem Sacke zog, nebst einigen Bolzen in einer Tasche von zerfressenem Otterfell. Begierig griff der Junge nach der Waffe und spannte sie sogleich mit geschickter und kräftiger Hand, während der Hebräer sachte seines Weges ging, ohne daß jener sich weiter um ihn kümmerte. Im Gegenteil fing er alsobald an, nach der Türe eines kleinen Turmes zu schießen, der dort an die Mauer gebaut war, und ohne von jemand gestört zu werden, setzte er, die ganze Welt vergessend, das Spiel fort, bis es dunkelte, und schoß immer fort im Scheine des aufgegangenen Mondes.

Unterdessen hatte der Bettelvogt auch noch einen Gang um die Stadt gemacht und den Juden gefangen, welcher eben aus dem Tore schlüpfen wollte. Als der Sack des Juden untersucht wurde, erkannte der Vogt verwundert sein Essigkrüglein, das er soeben dem Pflegling selbst in die Hand gegeben. Der Jud, in der Angst um seinen Hals, gestand sogleich, daß es von Silber sei, und gab vor, ein junger Mensch habe es ihm mit Gewalt für eine herrliche Armbrust aufgedrängt, die gleichwohl nicht so viel wert sein möge. Jetzt lief der Bettelvogt und holte einen Goldschmied; der prüfte das Kännchen und bestätigte, daß es ein altes feines Ding von Silber sei und von trefflicher Arbeit. Da gerieten der Bettelvogt und sein Weib, das mittlerweile auch herbeigelaufen, in die größte Aufregung und Wut, erstens weil sie, ohne es zu wissen, ein so kostbares Essighäfelchen besessen, und zweitens weil sie fast darum gekommen wären. Die Welt schien ihnen voll des ungeheuersten Unrechtes zu gären, das Kind erschien ihnen als der Erbfeind, der ihre ewige Seligkeit, den Lohn unendlicher Duldungen und Verdienste, beinah entführt hätte. Sie stellten sich plötzlich, als ob sie von je gewußt hätten, daß die Kanne von Silber sei, und als ob sie immer in ihrem Hause dafür gegolten. Mit den tollsten Verwünschungen klagten sie den Knaben des schweren Diebstahles an, und während der Arglose noch immer mit seinen Pfeilen beschäftigt war und mit jedem Schusse das Ziel besser traf, zogen schon zwei Haufen von Häschern aus, den Entflohenen zu suchen; an der Spitze des einen zog der Bettelvogt einher, vor dem andern die Frau, die es sich nicht nehmen ließ. So stießen sie von verschiedenen Seiten bald auf den Schützen, welcher rüstig im Mondlicht hantierte und wie aus einem Traum erwachte, als er unversehens umringt war. Nun fiel ihm erst seine Versäumnis ein und zugleich der Mangel des Kännchens. Aber er glaubte, einen guten Handel gemacht zu haben, reichte auch lächelnd dem Bettelvogt die Armbrust hin, um ihn zu begütigen. Nichtsdestoweniger wurde er auf der Stelle gebunden, ins Gefängnis geschleppt, verhört, und er gab den ganzen Hergang zu, ohne sich im mindesten verteidigen zu können.

Dies arme Kind wurde nun zum Galgen verurteilt und die Hinrichtung auf den Tag verlegt, da die Seldwyler zum Besuch kommen wollten.

Sie erschienen denn auch in stattlichem Zuge, in leuchtenden Farben und ihre Stadttrompeter an der Spitze; übrigens waren sie alle mit guten Schwertern und Dolchen bewaffnet, führten aber nichtsdestominder ein Dutzend ihrer kecksten jungen Frauen, reich geschmückt, in der Mitte und sogar einige Kinder in den Stadtfarben, welche Geschenke trugen. Die jungen Ratsherren von Ruechenstein, ihre Freunde, ritten ihnen eine Strecke vor das Tor entgegen, bewillkommten sie und führten sie etwas kleinmütig in die Stadt. Das Tor war möglichst abgekratzt, frisch übertüncht und mit etwas magerm Kranzwerk behangen. Innerhalb des Tores aber standen die sämtlichen Stadtknechte aufgestellt in voller Rüstung, welche rasselnd und klirrend den Zug durch die schattig dunklen Straßen begleiteten. Die Leute guckten stumm, aber neugierig aus den Fenstern, wie wenn ein Meerwunder sich durch die Gasse gewälzt hätte, und wo ein Seldwyler lustig hinaufsah und grüßte, da fuhren die Weiber scheu mit den Köpfen zurück. Ihre Männer hingegen drückten sich seltsam die Nasenspitzen an den grünlichen Glasscheiben platt, um die ungewohnte Erscheinung bloßer Frauenhälse zu beobachten.

Also erreichte der Zug die große Ratsstube. Die war reich, aber düster anzusehen, Wände und Decke ganz mit schwarz gefärbtem Eichenholz getäfert mit etwas Vergoldung. Eine lange Tafel war mit gewirktem Linnenzeug gedeckt, worein Laubwerk mit Hirschen, Jägern und Hunden mit grüner Seide und Goldfäden gewoben war. Darüber lagen noch feine Tüchlein von ganz weißem Damast, welche bei näherm Hinsehen ein gar kunstreiches Bildwerk von sehr fröhlichen Göttergeschichten zeigten, wie man sie in diesem gravitätischen Saale am wenigsten vermutet hätte. Auf diesem prächtigen Gedecke stand nun alles bereit, was zu einer öffentlichen Mahlzeit gehörte, und darunter besonders eine große Zahl köstlicher Geschirre, welche wiederum in getriebener Arbeit, bald halb erhoben, bald rund, eine glänzende Welt bewegter Nymphen, Najaden und anderer Halbgötter zur Schau trugen; sogar das Hauptstück, ein hoch aufgetakeltes silbernes Kriegsschiff, sonst ganz ehrbar und staatsmäßig, zeigte als Galion eine Galatea von den verwegensten Formen.

Längs dieser Tafel ging eine Anzahl von Ratsfrauen auf und ab, in starre schwarze oder blutrote Seidengewänder gekleidet, von steifem Spitzenschmuck bis an das Kinn verhüllt. Sie trugen vielfache goldene Ketten, Gürtel und Hauben und über den Handschuhen eine Menge Ringe an allen Fingern. Diese Frauen waren nicht häßlich, sondern eher hübsch zu nennen; wenigstens waren fast alle mit einer zarten durchsichtigen Gesichtsfarbe und zierlichen roten Wänglein begabt; aber sie sahen so unfreundlich, streng und sauer aus, daß man zweifelte, ob sie je in ihrem Leben gelacht, wenn nicht höchstens einmal in dunkler Nacht, wenn sie dem Mann die erste Nachtmütze aufgeschwatzt hatten.

Die Begrüßung war denn auch befangen genug und man war allerseits froh, bald am Tische zu sitzen und die Verlegenheit mit Essen und Trinken zu vertreiben. Die Seldwyler fanden zuerst ihre natürliche Heiterkeit wieder und zwar durch die Bewunderung des reichen Tafelzeuges. Dies gefiel den Ruechensteinern nicht übel und sie schickten sich eben an, ein steifes Gespräch zu führen, als die Sache eine Wendung nahm, die sie sich nie geträumt hätten. Denn die Seldwyler, welche ihre Augen gebrauchten, entdeckten alsobald die heitern und anmutigen Darstellungen der gewirkten Decken sowohl wie der Trinkgeschirre, ließen die Blicke voll lachenden Vergnügens über die freien und üppigen Szenen schweifen, machten sich gegenseitig aufmerksam und wußten scherzend und zierlich das Dargestellte zu deuten und zu benennen, und die Damen hielten sich so wenig zurück als die Herren. Dies dünkte die Wirte und Wirtinnen doch etwas kindisch und sie sahen jetzt auch näher zu, was denn da so lustig zu betrachten wäre. Wie vom Himmel gefallen, erstarrten sie mit offenem Munde! Sie hatten in ihrem beschränkten Sinne all die Herrlichkeit noch gar nie genauer beschaut und Zierat schlechtweg für Zierat genommen, der seinen Dienst zu tun habe, ohne daß ernsthafte Leute ihn eines schärfern Blickes würdigen. Nun sahen sie mit Entsetzen, welch eine heidnische Greuelwelt sie dicht unter ihren ehrbaren Augen hatten. Aber sie waren empört

über die neugierige und ungezogene Art, mit welcher die Seldwyler den unbedeutenden Tand ans Licht zogen anstatt gesetzt und würdig darüber wegzusehen und nur die Kostbar-
keit der Stoffe zu bewundern. Die Herren lächelten sauer und
mißvergnügt, wenn hier eine Leda und dort eine Europa entdeckt wurde; die Frauen aber erröteten und wurden blaß vor
Zorn, und sie waren eben daran, entrüstet aufzubrechen, als
der traurige Klang einer Glocke sie plötzlich beruhigte. Es war
das Armensünderglöckchen von Ruechenstein; ein dumpfes
Geräusch auf der Straße verkündete, daß der junge Dietegen
jetzt zum Galgen hinausgeführt werde. Die ganze Tischgesell-
schaft erhob sich und eilte an die Fenster, wobei die Ruechensteiner ihren aufgeräumten Gästen mit hämischem Lächeln
den Platz freiließen.

Ein Pfaffe, ein Henker mit seinem Knecht, einige Gerichts-
personen und Scharwächter zogen vorbei und an ihrer Spitze
ging der gute Dietegen barfuß und nur mit einem weißen,
schwarzgesäumten Armesünderhemde bekleidet, die Hände
auf den Rücken gebunden und vom Henker an einem Stricke
geführt. Das schöne Haar fiel ihm auf den glänzenden bloßen
Nacken, verwirrt und flehend sah er, wie Hilfe und Erbarmen
suchend, an die Häuser hinauf. Unter dem Portale des Rat-
hauses standen die festlich geputzten Knaben und Mädchen
der Seldwyler, welche nach Kinderart vom Tische gesprungen
und ins Freie geeilt waren. Als der arme Sünder diese hübschen und glücklichen Kinder erblickte, dergleichen er noch
nie gesehen, wollte er vor ihnen stehen beiben und die Tränen
liefen ihm heiß über die Wangen; doch der Henker stieß ihn
vorwärts, daß der Zug vorüberging und bald verschwand. Die
Seldwylerinnen oben erblaßten und auch ihre Männer faßte
ein tiefes Grauen, da sie überhaupt nicht Liebhaber von dergleichen Vorgängen waren. Es ward ihnen unheimlich bei diesen Menschen, so daß sie dem Drängen ihrer Frauen, welche
fort wollten, nachgaben und sich, so höflich sie konnten,
beurlaubten. Die Ruechensteiner dagegen waren mit dem
Trumpf, welchen sie ausgespielt, zufrieden und fast heiter ge-

worden; sie führten daher ihre werten Gäste, wie sie sagten, guter Dinge wieder zum Tore hinaus, galant und gesprächig.

Vor dem Tore stieß der Zug auf die zurückkehrenden Richtmenschen, welche mürrisch vorbeigingen. Gleich darauf folgte ein einzelner Knecht, der einen Karren vor sich her stieß, auf welchem der Gerichtete in einem schlechten Sarge lag. Scheu und ehrerbietig hielt der arme Teufel an und stellte sich zur Seite, um die glänzenden Leute vorüberziehen zu lassen, und er rückte den losen Sargdeckel zurecht, welcher stets herabzufallen und den Gehängten zu enthüllen drohte. Nun war unter den Kindern der Seldwyler ein siebenjähriges Mädchen, keck, schön und lockig, das hatte nicht aufgehört zu weinen, seit es den Knaben hatte dahinführen sehen, und konnte nicht getröstet werden. Wie der Zug jetzt an dem Karren vorbeiging, sprang das Kind wie ein Blitz hinzu, stieg auf das Rad und warf den Deckel hinunter, so daß der leblose Dietegen vor aller Augen lag. In demselben Augenblicke schlug er die Augen auf und tat einen leisen Atemzug; denn er war in der Zerstreuung des Tages schlecht gehenkt und zu früh vom Galgen genommen worden, weil die Beamteten noch etwas von der Mahlzeit zu erschnappen gedachten. Das heftige Mädchen schrie laut auf und rief: »Er lebt noch! er lebt noch!« Sogleich drängten sich die Frauen von Seldwyla um den Sarg, und als sie den schönen erbleichten Knaben sich regen sahen, bemächtigten sie sich seiner, nahmen ihn vom Karren und riefen ihn vollends ins Leben zurück, indem sie ihn rieben, mit Wasser besprengten, ihm Wein einflößten und ihn auf jede Weise pflegten. Die Männer unterstützten sie dabei, während die Herren Ruechensteiner ganz betroffen umherstanden und nicht wußten, was sie tun sollten. Als der Knabe endlich wieder auf den Füßen stand und sich umschaute, wie wenn er im Paradies erwacht wäre, erblickt' er plötzlich den Henkersknecht, der ihm den Strick umgelegt hatte, und entsetzt, daß auch dieser, wie er meinte, mit in den Himmel gekommen sei, flüchtete und drängte er sich aufs neue in die Frauen hinein. Gerührt baten diese die gestrengen Nachbaren, daß sie ihnen

den Buben schenken möchte, zum Zeichen guter Freundschaft; die Männer stimmten ihnen bei, und die Ruechensteiner, nachdem sie eine Weile geratschlagt, erklärten, daß sie
nichts dagegen einzuwenden hätten, wenn sie den kleinen
Sünder mitnähmen, und daß er ihnen, wie er da wäre, geschenkt sein solle samt seinem Leben. Da waren die hübschen
Frauen und ihre Kinder voll Freuden, und Dietegen zog, wie
er war, in seinem Armsünderhemde mit ihnen davon. Es war
aber ein schöner Sommerabend, weswegen, als die Seldwyler
auf der Höhe des Berges und auf ihrem Gebiete angekommen
waren, sie beschlossen, sich hier in dem abendlichen Sommer-
walde noch auf eigene Rechnung zu belustigen und von dem
gehabten Schrecken zu erholen, zumal ihnen aus ihrer Stadt
noch ein ansehnlicher Zuzug entgegenkam, voll Neugierde,
wie es ihnen ergangen sei. So mußten denn die Musikanten
wieder aufspielen und die mitgeführten Becher kreisten erst
jetzt in voller Fröhlichkeit. Dietegen blickte so glückselig,
neugierig und harmlos umher, daß man von weitem sah, daß
das ein unschuldiges Kind war, was seine Erzählung auch bestätigte. Die Seldwylerinnen konnten sich nicht satt an ihm sehen, flochten ihm einen Kranz von Laub und Waldblumen auf
den Kopf, daß er in seinem langen weiten Hemde gar lieblich
aussah, und endlich küßten sie ihn der Reihe nach, und wenn
ihn die letzte aus den Armen ließ, nahm ihn die erste wieder
beim Kopf.

Aber jenes kleine Mädchen, welches den Dietegen eigentlich gerettet hatte, trat jetzt plötzlich aus der Menge hervor
und stellte sich zornig zwischen den Knaben und die Frau,
welche ihn eben küssen wollte; es nahm ihn eifrig bei der
Hand, um ihn in den Kreis der Kinder zu führen, so daß die
Gesellschaft in neue Heiterkeit ausbrach und rief: »So ist es
recht! die kleine Küngolt hält ihre Eroberung fest! und Geschmack hat sie auch, seht nur, wie gut das Männchen zu ihr
paßt!« Küngolts Vater aber, der Forstmeister der Stadt, sagte:
»Der Bub gefällt mir wohl, er hat sehr gute Augen! Wenn es
den Herren recht ist, so nehme ich ihn einstweilen bei mir auf,

da ich doch nur ein Kind habe, und will sehen, daß ich einen ehrlichen Waidmann aus ihm mache!«

Dieser Vorschlag erhielt den Beifall der Seldwyler, und so ließ Küngolt, wohl zufrieden, ihren Dietegen nicht mehr von der Hand, sondern hielt ihn fest bei sich. Das Pärchen nahm sich in der Tat höchst anmutig aus; auch das Mädchen trug einen üppigen Kranz auf dem Köpfchen und war in Grün und Rot gekleidet. Deshalb gingen sie wie ein Bild aus alter Märchenzeit vor dem fröhlichen Volke her, als dieses endlich beim glühenden Abendrot berghinunter heimwärts zog. Bald jedoch trennte sich der Forstmeister von dem Zuge und ging mit den Kindern seitwärts nach seinem Forsthause, welches unweit der Stadt im Walde lag. Ein dunkler Baumgang führte zu dem Hause, in welchem die stille Frau des Försters saß und mit Erstaunen die Kinder eintreten sah. Sogleich sammelte sich auch das Gesinde, und während die Frau den müden Kindern zu essen gab, erzählte der Mann das Abenteuer mit dem Knaben. Der war aber jetzt gänzlich erschöpft, auch fror es ihn in seiner allzuleichten Tracht; daher wurde herumgefragt, wer den Ankömmling für die erste Nacht in seinem Bette aufnehmen wolle? Aber die Knechte sowie die Magd wichen scheu zurück und hüteten sich, ein Kind zu berühren, das soeben am Galgen gehangen hatte. Da rief Küngolt eifrig: »Er soll in meinem Bettchen schlafen, es ist groß genug für uns beide!« Als hierüber alles lachte, sagte die Forstmeisterin freundlich: »Das soll er, mein Kind!« Und den Jungen liebevoll betrachtend, setzte sie hinzu: »Gleich als der arme Schelm hereintrat, befiel mich eine sonderbare Ahnung, als ob ein guter Engel erschiene, der uns noch zum Heil gereichen würde. Soviel ist sicher nach meinem Gefühle: Unheil wird er uns nicht bringen!«

Damit führte sie die Kinder in das Kämmerchen neben der großen Stube und beförderte sie zu Bette. Dietegen, welcher kaum mehr sah und hörte, was um ihn vorging, machte die gewohnten Bewegungen, um sich zu entkleiden; da er aber sozusagen schon im Hemde war, so machten seine schlaftrunkenen vergeblichen Versuche einen so komischen Eindruck auf das Mädchen, welches inzwischen schon unter die Decke geschlüpft war, daß es vor Vergnügen laut auflachte und rief: »O seht mir den Hemdlemann! Er will sich immer ausziehen und hat doch weder Wämschen noch Stiefelchen an!« Auch die Mutter mußte lächeln und sagte: »Geh in Gottes Namen nur in deinem Armsünderhemdchen zu Bett, du lieber Schelm! Es ist ja ganz neu und dazu von guter Leinwand! Wahrlich, die bösen Leute zu Ruechenstein betreiben ihre Greuel wenigstens mit einem gewissen Aufwand!«

Damit deckte sie die Kinder behaglich zu und konnte sich nicht enthalten, beide zu küssen, so daß nun Dietegen herrlicher aufgehoben war als er es sich noch am Morgen oder je in seinem Leben geträumt hätte. Aber seine Augen waren schon geschlossen und seine Seele in tiefem Schlafe. »Nun hat er aber gar nicht gebetet!« sagte Küngolt halblaut und bekümmert, worauf die Mutter erwiderte: »So bete du auch für ihn, mein Kindchen!« und in die Stube zurückging. In der Tat sprach das Mädchen nun zwei Vaterunser, eines für sich und eines für seinen Schlafkameraden, worauf es still wurde im dunklen Kämmerlein.

Geraume Zeit nach Mitternacht erwachte Dietegen, weil nun erst ihn sein Hals zu schmerzen begann von dem unfreundlichen Strick. Das Gemach war ganz hell vom Mondschein, aber er konnte sich durchaus nicht entsinnen, wo er war und was aus ihm geworden sei. Nur das erkannte er, daß es ihm, vom Halsweh abgesehen, unendlich wohl ergehe. Das Fenster stand offen, ein Brunnen klang lieblich herein, die silberne Nacht webte flüsternd in den Waldbäumen, über welchen der Mond schwebte: alles dies schien ihm unbegreiflich und wunderbar, da er noch nie den Wald, weder bei Tag noch bei Nacht, gesehen hatte. Er schaute, er horchte, endlich richtete er sich auf und sah neben sich Küngoltchen liegen, welcher der Mond gerade ins Gesicht schien. Sie lag still, aber ganz wach, weil sie vor Freude und Aufregung nicht schlafen konnte. Deshalb glänzten ihre Augen weit geöffnet und ihr

Mund lächelte, als ihr der nahe Dietegen ins Gesicht schaute
und sich nun besann. »Warum schläfst du nicht? du mußt
schlafen!« sagte das Mädchen; allein er klagte nun, daß ihm der
Hals weh täte. Sogleich schlang Küngolt ihre zarten Ärmchen
um seinen Hals und schmiegte mitleidig ihre Wangen an die
seinigen, und wirklich glaubte er bald nichts mehr von dem
Schmerze zu verspüren, so heilsam schien ihm dieser Verband.
Nun plauderten sie halblaut; Dietegen mußte von sich erzählen; allein er war einsilbig, weil er nicht viel zu sagen
wußte, was ihn freute, und vom erlebten Elend konnte er
keine Darstellung machen, weil er noch keinen Gegensatz davon kannte, den heutigen Abend ausgenommen. Doch fiel ihm
plötzlich sein Vergnügen mit der Armbrust ein, das er seither
ganz vergessen, und er erzählte von dem alten Juden, wie der
ihn in die Tinte gebracht, wie er aber herrlich geschossen habe
länger als eine Stunde und wie er sich nur wieder eine solche
Armbrust wünsche. »Armbrüste und Schießzeug hat mein Vater genug, da kannst du gleich morgen anfangen zu schießen,
soviel du willst!« sagte Küngoltchen, und nun fing sie an her-
zuzählen, was alles für gute Dinge und schöne Sachen im
Hause seien, was sie selbst für Hauptsachen in einer kleinen
Truhe besitze, zwei goldene Regenbogenschüsselchen, ein
Halsband von Bernstein, ein Legendenbüchlein mit bunten
Heiligen und auch einen schönen Schnecken, in welchem eine
kleine Mutter Gottes sitze in Gold und roter Seide, mit einem
Glasscheibchen bedeckt. Auch gehöre ihr ein vergoldeter silberner Löffel mit einem gewundenen Stiel, mit dem dürfte sie
aber erst essen, wenn sie einst groß sei und einen Mann habe;
dann bekomme sie zur Hochzeit den Brautschmuck ihrer
Mutter und deren blaues Brokatkleid, welches ganz allein aufrecht stehen könne, ohne daß jemand drin stecke. Hierauf
schwieg sie ein Weilchen; dann ihren Schlafgesellen fester an
sich schließend, sagte sie leiser: »Du, Dietegen!« »Was?« fragte
er, und sie erwiderte: »Du mußt mein Mann werden, wenn wir
groß sind, du gehörst mein! Willst du freiwillig?« »Ja freilich«,
sagte er. »So gib mir die Hand darauf!« meinte die Heiratslu-

stige; er tat es, und nach diesem Eheversprechen schliefen sie endlich ein und erwachten nicht, bis die Sonne schon hoch am Himmel stand. Denn die gute Mutter hatte absichtlich, um dem Knaben seine Erholung zu gönnen, auch ihr Kind nicht geweckt.

Jetzt aber trat sie sorglich in die Kammer, ein vollständiges Knabengewand auf dem Arme tragend. Vor zwei Jahren war ihr von einer gefällten Eiche ein Sohn erschlagen worden, dessen Kleider, obgleich er ein Jahr älter gewesen als Dietegen, diesem recht sein mochten, da er vollkommen die Größe jenes verlorenen Kindes besaß. Es war das Feiertagskleid, welches sie mit Leid und Weh aufbewahrt; darum war sie mit der Sonne aufgestanden, um einige bunte Bänder davon abzutrennen, welche dasselbe zierten, und die Schlitze zuzunähen, die das seidene Unterfutter durchschimmern ließen. Ihre Tränen waren über dieser Arbeit wieder geflossen, als sie die rote Seide, welche wie ein verlorener Frühling hervorglänzte, allmählig hinter dem schwarzen Tuche des Wämschens und der kleinen Pumphose verschwinden sah. Aber ein süßer Trost beschlich sie, da ihr das Schicksal jetzt ein so schönes, dem Tod abgejagtes Menschenkind zusandte, welches sie mit der dunklen Hülle ihres eigenen Kindes bekleiden konnte, und sie ließ nicht nur aus Eile, sondern absichtlich die helle Seide darunter, wie das verborgene Feuer ihres eigenen Herzens; denn sie meinte es viel besser und lieblicher mit allen Wesen als sie in ihrer Stille zu zeigen vermochte. Wenn der Junge sich gut anließ, so wollte sie die Schlitze wieder auftrennen; er sollte das Kleid ohnehin nur einige Tage für die Woche tragen, bis ein handfesteres Werkelkleid gezimmert war. Während sie aber dem Knaben Anleitung gab, das ungewohnte Staatskleid sich anzuziehen, war Küngoltchen längst aus dem Bette und hatte unversehens das abgelegte Galgenhemd erwischt und aus Mutwillen sich über den Kopf gezogen, so daß sie jetzt darin herumspazierte und es auf dem Boden nachschleppte. Dazu trug sie die Hände auf dem Rücken, wie wenn sie gebunden wären, und sang: »Ich bin ein armes Sünderlein und habe keinen Strumpf am Bein!« Darüber erschrak die Frau Forstmeisterin tödlich und erbleichte. »Um Christi willen«, sagte sie dennoch sanft und leise, »wer lehrt dich nur solche schlimmen Späße!« und sie nahm dem vergnügten Kinde das böse Hemd. Dietegen aber ergriff es voll Zorn und zerriß es mit wenig Zügen in zwanzig Stücke.

Nun die Kinder angekleidet waren, ging es endlich zum Frühstück in die Stube. Es war in der Frühe Brot gebacken worden, daher gab es frische Kümmelkuchen zu der Milchsuppe, und statt des kleinen Extrabrötchens, das sonst für Küngolt sorglich gebildet und gebacken werden mußte, daß es in seiner Gestalt den großen Broten gleichsah, waren heute zwei gemacht worden, und das Mädchen ruhte nicht, bis Dietegen das vollkommnere gewählt hatte. Er aß ohne Schüchternheit alles, was man ihm gab, wie wenn er von fremden bösen Leuten in das Vaterhaus zurückgekommen wäre. Aber er war ganz still dabei und besah sich fortwährend die freundliche milde Frau, die helle Stube und die stattlichen Geräte; als er gegessen, setzte er diese Betrachtungen fort; denn die Wände waren mit Tannenholz getäfert und mit buntem Blumenwerk übermalt und in den Fenstern glänzten zwei gemalte Scheiben mit den Wappen des Mannes und der Frau. Als er auch das Buffet mit dem blanken Zinngeschirr aufmerksam beschaut, erinnerte er sich plötzlich des schmutzigen Silberkännchens, das ihn ins Unglück gebracht, und der unfreundlichen Bettelvogtswohnung, und in der Meinung, er müsse wieder dahin zurückkehren, sagte er ängstlich: »Muß ich jetzt wieder nach Haus gehen? Ich weiß den Weg nicht!«

»Den brauchst du auch nicht zu wissen«, sagte die Mutter gerührt und streichelte ihm das Kinn; »hast du noch nicht gemerkt, daß du bei uns bleiben mußt? Geh jetzt mit ihm herum, Küngoltchen, und zeig ihm das Haus und den Wald und alles, aber geht nicht zu weit!«

Da nahm ihn Küngoltchen bei der Hand und führte ihn in des Forstmeisters Kammer, wo er seine Waffen bewahrte. Sechs oder sieben schöne Armbrüste hingen dort, ferner Jagdspieße, Hirschfänger, Waidmesser und Dolche; auch des Forstmeisters langes Schwert stand in einer Ecke. Dietegen beschaute alles, ohne ein Wort zu sprechen, aber mit glänzenden Augen; Küngolt stieg auf einen Stuhl, um ihm die Armbrüste herunter zu reichen, von denen einige mit eingelegter Arbeit künstlich verziert waren. Er bewunderte alles mit ehrerbietigen Blicken, wie etwa ein talentvoller Junge sich in der Werkstatt eines großen Malers umsieht, während dieser nicht zu Hause ist. Küngolts Versprechen, eine Schießbelustigung anzustellen, konnte freilich nicht ausgeführt werden, weil die Bolzen in einem Kasten verschlossen waren; dafür gab sie ihm einen schönen kurzen Spieß in die Hand, damit er eine Waffe trage, und führte ihn nun in den Forst hinaus. Zunächst kamen sie durch einen eingehegten Wildgarten, in welchem die Stadt zahmes Rotwild pflegen ließ, damit es ja nie an einem guten Braten fehle zu ihren öffentlichen Schmausereien. Das Mädchen lockte einen Hirsch herbei und einige Rehe; solche Tiere hatte Dietegen bisher nur tot gesehen; er stand deshalb ganz verzückt mit seinem Spieß auf der Schulter und konnte sich nicht satt schauen an dem Stehn und Gehen des schönen Wildes. Begierig streckte er die Hand aus nach dem stolzen Hirsch, um ihn zu streicheln, und als derselbe mit einem Satze seitwärts sprang und lässig davontrabte, lief er ihm aufjubelnd und jauchzend nach und sprang mit ihm in die Wette im weiten Kreise herum. Es war vielleicht das erste Mal in seinem Leben, daß er auf diese Weise seine Glieder brauchte und seiner Lebenslust inne ward, und der Hirsch, voll Anmut und Kraft, schien den behenden Knaben zu seinem Vergnügen zu verlocken und, indem er vor ihm floh, seine schönsten Sprünge zu üben.

Doch Dietegen wurde wieder still und beschaulich, als sie den Hochwald betraten, in welchem die Tannen und die Eichen, die Fichten und die Buchen, der Ahorn und die Linde dicht ineinander zum Himmel wuchsen. Das Eichhörnchen blitzte rötlich von Stamm zu Stamm, die Spechte hämmerten, hoch in der Luft schrieen die Raubvögel und tausend Ge-

heimnisse rauschten unsichtbar in den Laubkronen und im
dichten Gestäude. Küngolt lachte wie närrisch, weil der arme
Dietegen nichts von allem verstand und kannte, obgleich er in
einem Berg- und Waldstädtchen aufgewachsen, und sie wußte
ihm alles geläufig zu weisen und zu benennen. Sie zeigte ihm
den Häher, der hoch in den Zweigen saß, und den bunten
Specht, der eben um einen Stamm herumkletterte, und über alles wunderte er sich höchlich und daß die Bäume und Sträucher so viele Namen hatten. Nicht einmal die Haselnuß- und
die Brombeersträucher hatte er gekannt. Sie kamen an einen
rauschenden Bach, in welchen, von ihren Füßen aufge-
scheucht, eben eine Schlange schlüpfte und davonschwamm
oder sich in den Steinen verkroch. Schnell riß sie ihm den
Spieß aus der Hand und wollte damit in dem Wasser herum-
stechen, um die Schlange aufzustöbern. Aber als Dietegen sah,
daß sie die blankgeschliffene schöne Waffe mißhandeln wollte,
nahm er ihr dieselbe stracks wieder aus den Händen und
machte sie aufmerksam, wie sie die glänzende scharfe Spitze an
den Steinen verderben würde. »Das ist wohlgetan von dir, du
wirst gut zu brauchen sein!« sagte plötzlich der Forstmeister,
der mit einem Knechte hinter den Kindern stand. Sie hatten
ihn wegen des Bachgeräusches nicht kommen hören. Der
Knecht trug einen geschossenen Auerhahn an der Hand, denn
sie waren in der Morgenfrühe schon ausgezogen. Dietegen
durfte den prächtigen Vogel an seinen Spieß hängen und über
der Schulter vorantragen, daß die entfächerten Flügel seine
schlanken Hüften verhüllten, und der Forstmeister betrachtete voll Wohlgefallen den schönen Knaben und verhieß, einen
rechten Gesellen aus ihm zu machen.

Vorderhand jedoch sollte er nun notdürftig etwas lesen und
schreiben lernen und mußte zu diesem Ende hin jeden Tag mit
Küngoltchen zur Stadt gehen, wo in einem Nonnen- und in einem Mönchskloster für die Bürgerkinder einiger Unterricht
erteilt wurde. Aber die Hauptunterweisung erhielt Dietegen
auf dem Hin- und Herwege, auf welchem das Mädchen ihm
die Welt auftat und ihm Auskunft gab über alles, was am Wege

stand oder darüber lief. Hiebei befolgte die kleine Lehrjungfer eine Erziehungsart von eigentümlicher Erfindung. Sie neckte, hänselte und belog den unwissenden und leichtgläubigen Knaben erst über alle Dinge, indem sie ihm die dicksten Bären und Erfindungen aufband, und wenn er dann ihre Lügen und Märchen gutmütig glaubte und sich darüber verwunderte, so beschämte sie ihn mit der Erklärung, daß alles nicht wahr sei; nachdem sie ihm dann seinen blinden Glauben spottend verwiesen, verkündigte sie ihm mit großer Weisheit den wahren Bestand der Welt, soweit er ihrem Kinderköpfchen bekannt war, und er befliß sich errötend eines größern Scharfsinnes, bis sie ihm eine neue Falle stellte. Nach und nach aber wurde er dadurch gewitzigt, den Weltlauf besser zu verstehen, was ein anderer Junge zu seinem Schrecken erfahren mußte; denn als dieser es dem Mädchen nachtun wollte und den Dietegen mit einem frechen Aufschnitt bewirtete, schlug der ihn unverweilt ins Gesicht. Küngolt, hierüber verblüfft, war neugierig, ob sich ein solcher Zorn auch gegen sie wenden könnte, und probierte den Schüler auf der Stelle, aber sachte, mit neuen Lügen. Von ihr jedoch nahm er alles an, und sie setzte ihren wunderlichen Unterricht kecklich fort, bis sie entdeckte, daß er gutmütig mit ihren Lügen zu spielen anfing und einen zierlichen Gegenunterricht begann, indem er ihre mutwilligen Erfindungen mit nicht unwitzigen Querzügen durchkreuzte, so daß sie manchmal auf ein glattes Eis gesetzt wurde. Da fand sie, daß es Zeit sei, ihn aus dieser Schule zu entlassen und einen Schritt weiter zu führen. Sie begann ihn jetzt zu tyrannisieren, daß er fast in ärgere Dienstbarkeit verfiel als er einst bei dem Bettelvogt erduldet hatte; alles gab sie ihm zu tragen, zu heben, zu holen und zu verrichten; jeden Augenblick mußte er um sie sein, ihr das Wasser schöpfen, die Bäume schütteln, die Nüsse aufklopfen, das Körbchen halten und die Schuhe binden; und selbst ihr das Haar zu strählen und zu flechten wollte sie ihn abrichten; aber das schlug er ab. Da schmollte und zankte sie mit ihm, und als ihn die Mutter unterstützte und sie zur Ruhe verwies, wurde sie sogar gegen diese ungebärdig.

Doch Dietegen erwiderte ihre Unart nicht, gab ihr kein böses Wort und war immer gleich geduldig und anhänglich. Das sah die Forstmeisterin mit großem Wohlgefallen, und um ihn dafür zu belohnen, erzog sie den Knaben wie ihr eigenes Kind, indem sie ihm alle jene zarteren und feineren Zurechtweisungen und unmerklichen Leitungen gab, welche man sonst nur dem eigenen Blute zukommen läßt und durch welche man ihm die schöne Farbe herkömmlicher guter Sitte verleiht. Freilich hatte sie davon den Gewinn, daß sie in dem Pflegling einen kleinen Sittenspiegel für das mutwillige Mädchen schuf, und es war drollig anzusehen, wie die unruhige Küngolt bald beschämt ihrem bessern Vorbild nachzuleben trachtete, bald eifersüchtig und zornig auf dasselbe wurde. Einmal war sie so gereizt, daß sie mit einer Schere leidenschaftlich nach ihm stach; Dietegen fing rasch und still ihr Handgelenk, und ohne ihr weh zu tun, ohne einen bösen Blick, wand er die Schere sanft, aber sicher aus ihrer Hand. Dieser Auftritt, welchem die Mutter im Verborgenen zugesehen, bewegte sie so heftig, daß sie hervortrat, den Knaben in die Arme schloß und liebevoll küßte. Still und bleich vor Aufregung ging das Mädchen hinaus. »Geh, versöhne dich mit ihr und mach den Trotzkopf wieder gut!« sagte die Mutter; »du bist ihr guter Engel!«

Dietegen suchte sie und fand sie hinter dem Hause unter einem Holunderbaum; sie weinte wild und krampfhaft, zerriß ihre Halsschnur, indem sie dieselbe zusammenzog, als ob sie sich erdrosseln wollte, und zerstampfte die zerstreuten Glasperlen auf dem Boden. Als Dietegen sich ihr näherte und ihre Hände ergreifen wollte, rief sie schluchzend: »Niemand darf dich küssen als ich! Denn du gehörst mir allein, du bist mein Eigentum, ich allein habe dich aus dem Sarge befreit, in dem du auf ewig geblieben wärest!«

Da der Knabe gar stattlich heranwuchs, erklärte der Forstmeister eines Tages, daß es nun Zeit für ihn sei, mit in den Wald zu gehen und die Jägerkunst zu lernen. So wurde er von Küngolts Seite genommen und war die meisten Tage vom Morgengrauen bis zur sinkenden Nacht mit den Männern in den Wäldern, auf Moor und Heide. Erst jetzt reckten sich seine Glieder aus, daß es eine Freude war; rasch und gelenksam wie ein Hirsch gehorchte er auf den Wink und lief zur Stelle, wohin man ihn schickte. Schweigsam und gelehrig war er überall zur Hand, trug die Geräte, half die Netze stellen, sprang über Halden und Gräben und erspähte den Stand des Wildes. Bald kannte er die Fährten aller Tiere, wußte den Lockruf der Vögel nachzuahmen, und ehe man sich's versah, ließ er ein junges Schwarzwild auf den Sauspieß rennen. Nun gab ihm der Forstmeister auch eine Armbrust. Mit derselben übte er sich zu jeder Stunde nach der Scheibe sowohl wie nach lebendigen Zielen, kurz, als Dietegen sechszehn Jahre zählte, war er bereits ein junger Waidmann, den man überall hinstellen durfte, und der Forstmeister sandte ihn schon etwa allein hinaus, die Knechte anzuführen und die Stadtforste zu überwachen.

Dietegen war daher nicht nur mit der Armbrust auf dem Rücken, sondern auch mit dem Schreibzeug im Gürtel auf den Bergen zu sehen, und er gereichte mit seinen wachsamen Augen, mit seinem frischen Gedächtnis seinem Pflegevater zu guter Aushilfe. Da er sich nun so gut anließ, gewann ihn der Forstmeister täglich lieber und sagte, er müsse ihm gänzlich ein ehr- und wehrbarer Stadtmann werden.

Es war begreiflich, daß Dietegen dem Forstmeister mit Leib und Seele anhing; denn nichts gleicht der Neigung eines Jünglings zu dem Manne, von welchem er weiß, daß er ihm sein Bestes zuwenden und lehren will und den er für sein untrügliches Vorbild hält.

Der Forstmeister war ein Mann von etwa vierzig Jahren, groß und fest, von breiten Schultern und schönen Ansehens. Sein goldblondes Haar war bereits von einem Silberschimmer überflogen, dagegen die Gesichtsfarbe frisch gerötet und die blauen Augen groß, offen und voll Feuer. In seiner Jugend war er denn auch der lustigste und wildeste der Seldwyler gewesen, der stets die wunderlichsten Streiche angegeben; als er aber seine junge Frau heimgeführt, änderte er sich augenblicklich

und blieb seit der Zeit der gesetzteste und ruhigste Mann von
der Welt. Denn die Frau war von äußerst zarter Beschaffenheit, von einer wehrlosen Herzensgüte, und obgleich nicht un-
witzig, hätte sie doch mit keinem scharfen Worte einer Unbilde zu widerstehen vermocht. Eine rüstig Streitbare würde
den lebhaften Mann wahrscheinlich zu weiterm Tun gereizt
haben; gegen die anmutige Schwäche der zarten Frau aber benahm er sich wie die wahre Stärke; er hütete sie wie seinen
Augapfel, tat was ihr Freude gewährte und blieb nach voll-
brachtem Tagewerk ruhig an seinem Herde.

Nur bei den wichtigsten Festlichkeiten der Stadt, des Jahres
etwa drei- oder viermal, ging er unter die Rät und Burger,
führte dort mit frischer Kraft den Reigen, und nachdem er die
Alltagszecher einen um den andern unter den Tisch getrunken, ging er als der Letzte aufrecht von der Ratsstube und stieg
fröhlich in den Wald hinauf.

Aber die Hauptlustbarkeit ergab sich jedesmal am andern
Tag, wenn ihm dann doch der Kopf gelinde summte und der
Mann mit einer halb verdrießlichen, halb heiteren Löwenlaune
erwachte, welche sich in der Tat zu dem kleinen Katzenjam-
mer der Heutigen verhielt wie der Löwe zur Katze. Zeitig in
der hellen Morgensonne erschien er beim Frühstück, und das
Unwohlsein bezwingend, eröffnete er dasselbe mit einem
mürrischen Scherzworte, einem drolligen Einfall. Seine Frau,
welche stets hungrig nach den Witzen ihres sonst schweigsa-
men Mannes war, lachte sogleich mit so hellem Geklingel, wie
man hinter dem sanften Wesen nie gesucht hätte; es lachten die
Kinder, die Jäger und das Gesinde. Auf diese Art ging es fort;
unter allgemeinem Gelächter wurden die Geschäfte getan, der
Forstmeister immer voran, die Axt schwingend oder Lasten
hebend. An einem solchen Tage war einst Feuer in der Stadt
ausgebrochen; über brennenden Dächern ragte ein unzugäng-
liches hölzernes Fachwerk, in welchem eine vergessene alte
Frau jammerte und auf deren Schulter ein zahmer Star sich
kläglich und drollig gebärdete. Niemand wußte ihr beizukom-
men, als der Forstmeister zur Stelle kam. Der erklomm einen

Absatz an einer gegenüberstehenden hohen Mauer, zog mit gewaltiger Kraft eine Leiter nach sich, schwenkte sie in der Luft und legte sie nach dem Fenster der Verlassenen hinüber. Auf dieser Schwindelbrücke ging er hin und schritt wieder herüber, das Weib auf den Armen, den Vogel auf dem Kopfe und das leckende Feuer unter sich. Alles dies tat er wie zum Scherze, mit launigen Ausdrücken und Bewegungen.

War dann ein tüchtiges Stück Arbeit getan, so bewirtete er sein Haus auf das beste und hielt eine lustige Nachfeier mit den Seinen. Dabei war er ungewöhnlich zärtlich gegen seine Frau, nahm sie wohl auf die Kniee, zum großen Vergnügen der Kinder, und nannte sie sein Weißkehlchen und seine Schwalbe, und sie, die Arme übereinander gelegt in selbstvergessener Behaglichkeit, verwandte lachend kein Auge von ihm.

An einem solchen Tage war es auch, daß er einen Tanz veranstaltet, da es gerade der erste Mai war. Er ließ einen Spielmann holen und einige junge Leutchen aus der Stadt dazu laden. So wurde denn auf dem glatten Rasen, unter den blühenden Bäumen zunächst des Hauses zierlich getanzt, und der Forstmeister eröffnete den Reigen mit seiner Frau, die sich bescheiden geschmückt hatte, aber ihre feine Gestalt lächelnd herumdrehte. Da sah auch Dietegen, welcher sich die letzten Jahre eifrig zu den Männern gehalten, daß Küngolt ein schönes Weib zu werden begann. Ihr Gesicht, von zarten und lieblichen Zügen, erinnerte an die Mutter; der Wuchs aber artete dem Vater nach; denn sie schoß wie eine junge Tanne in die Höhe, die Brustknochen waren so kühn gewölbt, daß sie trotz ihrer vierzehn Jahre fast vollbusig schien; goldgelbes Ringelhaar fiel üppig über den Rücken und verhüllte die noch eckigen, aber schön und fest geformten Schulterblätter. Sie ging grün gekleidet, trug um den bloßen Hals ihr Bernsteinband und auf dem Haupte, gleich den andern Mädchen, nach damaliger Sitte ein Rosenkränzchen. Ihre Augen leuchteten offen und freundlich umher; aber unversehens blitzten sie einmal mutwillg auf und streiften wie Pfeile über die Jünglinge hin, bis sie einen Augenblick auf Dietegen ruhten und dann wieder

weiter fuhren. Dietegen sah unverwandt hin, sie flüchtig noch
einmal zurück, worauf er den Blick errötend niederschlug und
Küngolt sich an ihrem Haar zu schaffen machte. Das war das
erste Mal, daß sie sich nicht mehr unbefangen ansahen; aber
bald darauf waren sie wieder in der Nähe und fanden sich
Hand in Hand in einem Ringreihen. Ein neues süßes Gefühl
durchströmte ihn und verließ ihn auch nicht mehr, als der Ring
sich wieder löste. Küngolt aber ging von ihm wie von einer Sache, die einem zu eigen gehört und deren man sicher ist; nur
zuweilen warf sie einen Blick über ihn, und wenn er etwa in
die Nähe anderer Mädchen geriet, war sie unversehens da und
stand dazwischen.

Dergestalt herrschte ein glückseliges Leben bis in die Nacht;
die Jungen wurden so munter und flügge wie die jungen Holz-
tauben und taten es bald dem lustigen Forstmeister zuvor, und
dieser spiegelte sich wohlgemut in dem fröhlichen Nach-
wuchs, gab aber vor allen seiner Frau die Ehre, deren Wohlgefallen ihn höchlich zu erquicken schien, besonders da sie nun
anfing, ihm auch allerlei lustige Spitznamen anzuhängen. So
ehrbar nun all die Lustbarkeit war, so hätte sie doch der Bürger einer anderen Stadt vielleicht um ein kleines Maß zu warm
befunden; der Würzwein, welchen die Leutchen tranken, war
untadelhaft gemischt, aber in ihnen selbst war ein klein
bißchen zuviel Zucker und in ihrer Freude um ein weniges zuviel Süßigkeit. Die Hände der jungen Mädchen lagen fortwährend auf den Schultern der Jünglinge und das Völkchen
nahm sich auf den Schoß und küßte sich gelegentlich, ohne ein
Pfänderspiel vorzuschützen wie die heutigen Philister. Kurz,
es fehlte ihnen das Glas und der Kristall einer gewissen Sprödigkeit, mit welcher Dietegen dafür zu reichlich gesegnet war
als ein Abkömmling von Ruechenstein. Denn obgleich er bereits verliebt war, floh er das Liebkosen, welches ziemlich allgemein begonnen hatte, wie das Feuer und hielt sich vorsichtig außerhalb der gefährlichen Linie. Desto kecker und zutulicher wurde Küngolt, welche in kindlicher Unwissenheit, nach
Art unerwachsener Mädchen, sich nicht beherrschte, sondern

den spröden Knaben aufsuchte, der im Schatten dunkler Bäume saß, und sich neben ihn setzte, seine Hand ergreifend und halb kindlich mit seinen Fingern spielend. Als er dies geschehen ließ und ihr mit der Hand gönnerhaft und sanft, fast wie wenn er ihr Pate wäre, durch das Ringelhaar fuhr, legte sie sogleich den Arm um seinen Hals und liebkoste ihn mit der Unbefangenheit, aber auch mit all dem rückhaltlosen Ungestüm eines Kindes, während es doch schon die Jungfrau in ihr war, die sie bewegte. Dietegen, der kein Kind mehr war, wollte für beide Verstand brauchen und war ängstlich beflissen, sich aus ihren Armen loszumachen, als die fröhlich erregte Forstmeisterin herbeikam und mit Vergnügen die Kinder beisammen sah.

»Das ist recht, daß ihr euch zusammenhaltet«, sagte sie, indem sie beide zumal in die Arme schloß, »sei nur dem Dietegen recht gut, mein Kind! er verdient es, daß er eine Heimat nicht nur in unserm Hause, sondern auch in deinem Herzchen behält; und du, Dietegen! sei meinem Küngoltchen allezeit ein treuer Wächter und Beschützer und laß es nie aus deinen Augen, denen ich alles Gute zutraue!«

»Er gehört niemand als mir, und das schon lange!« sagte Küngolt fast trotzig und küßte ihn keck und leichthin auf die Wange, halb wie einen Bräutigam und halb wie ein Kind ein junges Kätzchen küßt. Jetzt ward dem armen Burschen zu heiß und unheimlich zwischen Tochter und Mutter; er machte sich ziemlich unsanft von ihnen los und trat einige Schritte weit hinweg, Küngolt verfolgte ihn mutwillig, und als er fliehend wieder in die Nähe der hübschen Mutter kam, fing ihn diese scherzend auf, hielt ihn fest und rief: »Hier hast du ihn, mein Töchterchen! Komm und halt ihn fest!«

Als er aufs neue so gefangen war, klopfte ihm das Herz vor großer Aufregung, und indem er sich so wohl geborgen sah, empfand er erst recht seine Einsamkeit in der Welt. Er kam sich vor wie eine vom Baume des Lebens geschüttelte verlorene Seele, welche, von weichen Händen aufgehoben und gepflegt, nun für immer des eigenen freien Daseins beraubt wäre.

Deshalb, wie nun das Gefühl der persönlichen Freiheit mit der zärtlichen Zuneigung in ihm rang, stand er zitternd und schweigend, halb in Empörung gegen die eigenmächtige Zutulichkeit der Frauen, halb in Versuchung, das Mädchen ungestüm an sich zu ziehen und beim Kopf zu nehmen. Er liebte die Mutter mit der treusten und dankbarsten Anhänglichkeit; aber ihre unbefangene Aufmunterung zum Kosen machte ihm wunderlich und schwül zu Mute; er betrachtete sich als dem Töchterchen ganz zu eigen gehörig; aber höchst ernsthaft war er um ihre gute Sitte besorgt, und als ihn Küngolt nun heftig auf den Mund küssen wollte, hielt er plötzlich die Hand dazwischen und sagte wohlwollend, aber mit dem Tone eines alten Schulmeisters: »Du bist noch zu jung zu diesem! Das schickt sich nicht für dich!«

Das Mädchen wurde blaß vor Unmut und Beschämung; plötzlich ging sie hinweg und mischte sich wieder unter die Gesellschaft, wo sie mit zorniger Ausgelassenheit einigemal herumsprang und sich dann finster zur Seite setzte. Die Forstmeisterin streichelte dem jungen Sittenprediger lächelnd die Wange und sagte: »Ei du bist ja ein gar gestrenger Gespan! Aber um so treuer wirst du um mein Kind sorgen! Versprich mir, es nie zu verlassen! Sieh, wir sind alle ein lustiges Völklein und es mag sein, daß wir zu wenig an die Zukunft denken!«

Dietegen gab ihr mit nassen Augen die Hand und sie führte ihn ebenfalls zu den Leuten zurück. Doch Küngolt kehrte ihm schnöde den Rücken und schaute mit wirklichem Kummer und Zorn in die Mainacht hinaus.

Wunderbar! Nun war das Kind auf einmal groß genug, dem spröden Jünglinge Liebessorge zu machen; denn traurig und betreten stand er auch zur Seite und war noch mehr beschämt als das Mädchen. »Was ist das? Was gibt's da zu grämen?« sagte der vergnügte Forstmeister, als er es bemerkte; und leidenschaftlich fing Küngolt an zu weinen und rief vor aller Welt: »Er ist mir geschenkt worden von den Richtern, da er nichts als ein Leichnam war, den ich zum Leben erweckt habe! Drum hat nicht er über mich zu richten, sondern ich allein über ihn, und er muß tun alles, was ich will, und wenn ich ihn gern küsse, so habe ich es allein zu verantworten und er hat nur still zu halten!«

Alles lachte über diese wunderliche Äußerung; die Forstmeisterin aber nahm den Dietegen bei der Hand, führte ihn zu dem Kinde hin und sagte: »Komm! versöhne dich mit ihr und laß dich diesmal noch küssen! Nachher sollst du auch deinen Willen haben und ihr Vorgesetzter sein in solchen Sachen!« Errötend wegen der vielen Zuschauer bot Dietegen dem Mädchen halbwegs den Mund hin; sie ergriff ihn herrisch bei den Locken, küßte ihn, und nachdem sie noch einen Blick voll Zorn auf ihn geworfen, ging sie so rasch und trotzig hinweg, daß der goldene Flug ihres Ringelhaares in der Nachtluft wehte und Dietegens Gesicht im Vorübergehen streifte. Jetzt glühte auch in ihm ein leidenschaftliches Wesen auf; er verließ bald nach ihr den Kreis und suchte die wilde Küngolt schnell und schneller, bis er sie auf der anderen Seite des Hauses fand, wie sie träumerisch am Brunnen saß und mit der Bernsteinkette an ihrem Halse spielte. Dort ergriff er ihre beiden Hände, preßte sie in seine rechte Hand, faßte mit der linken ihre Schulter, daß das glänzende, noch unvollkommene Gebilde unter seiner festen Hand zusammenzuckte, und sagte hastig: »Höre, du Kind! Ich lasse nicht mit mir spielen! Von heut an bist du so gut mein Eigentum wie ich das deinige, und kein anderer Mann soll dich lebendig bekommen! Daran denke, wenn du einst groß genug bist!«

»O du großer und alter Mann!« sagte Küngolt leise lächelnd, indem sie etwas erblaßte, »du bist mein und nicht ich dein! Aber das hat dich nicht zu kümmern; denn ich werde dich wohl niemals fahren lassen!«

Damit stand sie auf und ging, ohne den Gespielen weiter anzusehen, um das Haus herum.

Die gute Forstmeisterin aber erkältete sich in der kühlen Mainacht und trug eine tödliche Krankheit davon, welcher sie in wenigen Monaten erlag. Auf dem Todbette war sie sehr bekümmert um ihren Mann und um das Kind; auch suchte sie

hartnäckig die Ursache der Krankheit zu leugnen; denn sie
fühlte wohl, daß das nicht die rechte Todesart für eine Haus-
mutter sei, die von Unvorsichtigkeit in der Freude herrührt.

Weil sie nun tot im Hause lag, waren alle sehr traurig und
die ganze Stadt bedauerte sie, da sie keinen einzigen Feind
hatte. Der Forstmeister selbst weinte des Nachts in seinem
Bette; des Tages sprach er kein Wort und ging nur ab und zu
vor den Sarg und besah sich die stille anmutige Leiche, worauf
er kopfschüttelnd wieder wegging.

Er ließ einen schweren Kranz von jungem Tannengrün binden und legte ihn auf den Sarg; Küngolt häufte noch ein Ge-
birg von Waldblumen darauf, und dergestalt wurde die Leiche
von der Höhe hinunter zur Kirche getragen, gefolgt von den
Verwandten und Freunden und den Jägerknechten.

Als sie in der kühlen Erde lag, führte der Forstmeister das
Leichenbegleit in die Herberge, wo er ein reichliches Toten-
mahl hatte anrichten lassen. Das Wildbret dazu, einen Reh-
bock und zwei prächtige Auerhähne, hatte er eigenhändig geschossen, voll Schmerz über seinen Verlust, und als die schön
gefiederten Vögel nun auf dem Tische prangten, gedachte er
abermals des hohen Bergwaldes, in welchem sie gesessen und
welchen er in den jungen Jahren seiner Liebe so oft durchstreift hatte, das Bild der Toten im Sinne tragend. Doch durfte
der Forstmeister nicht lange solchen Gedanken nachhängen;
denn als der Klaret und der Malvasier nun kredenzt und die
Tafel mit einem großen Korbe voll vermischten Zuckerwerkes
überschüttet wurde, belebten sich die Gäste und der Trauer-
anlaß war bald von einem Taufmahle nicht mehr zu unterscheiden.

Der Forstmeister saß zwischen Küngolt und Dietegen, die
sich wegen seiner großen Gestalt nicht sehen konnten, ohne
sich vornüberzubeugen oder hinter ihm durch, und dies
mochten sie nicht tun, da sie allein in der erwachenden Fröhlichkeit traurig und ernst blieben. Ihm gegenüber saß eine Person von vielleicht bald dreißig Jahren, eine Base des Forstmei-

sters namens Violande. Diese Dame fiel auf wegen ihrer ausgesuchten, sonderbaren Kleidung, welches nicht die Kleidung einer Zufriedenen und Glücklichen, sondern eher einer Unruhigen und Hohlherzigen zu sein schien. Sie war schön und wußte anmutig zu blicken, wenn nicht gerade etwas unselig Verlogenes und Selbstsüchtiges über ihr Wesen zuckte.

Als vierzehnjähriges Mädchen schon war sie in den nachmaligen Forstmeister verliebt gewesen, weil er just der größte und schönste junge Mann war unter denen, die ihr zu Gesicht kamen. Er merkte aber nichts von dieser frühen Leidenschaft, da er überhaupt auf das kleine Bäschen nicht achtete und seinen Sinn mehr auf erwachsene Personen richtete, die ihm gefielen. Voll Neid und Eifersucht und ebenso schon voll Ränke wußte das junge Wesen nun zwei oder drei Liebesverhältnisse des Forstmeisters zu zerstören, indem es durch fast unbemerkbare Zwischenträgereien die Dinge entstellte und verwirrte. Wenn er eine Schöne zu gewinnen im Begriffe war, so erfand und verbreitete das verschlagene Kind unter der Hand ganz unbefangen Züge und Tatsachen, woraus hervorzugehen schien, daß er eigentlich die in Rede stehende Person gar nicht leiden könne, vielmehr eine andere im Auge habe und überhaupt ein hinterlistiger und verstellter Mensch sei. So wußte er wiederholt nicht, wie es kam, daß die, welche er liebte, sich plötzlich und mißtrauisch von ihm abwandte, während eine andere, an die er nicht gedacht, ihn unversehens mit ihrer Gunst beehrte und, einmal im Zuge, nicht mehr nachließ, bis er mit ihr im Gerücht war. Dann pflanzte er in Ungeduld und Verwirrung die eine wie die andere hin und ergab sich auf kurze Zeit der Freiheit. Auf diese Weise verdarb ihm, obgleich er ein schöner und tüchtiger Gesell war, alles, bis er an die nun verstorbene Forstmeisterin geriet. Diese hielt ihn fest, da sie so ehrlich war wie er selbst, und alle Künste der kleinen Hexe waren vergeblich, ja sie bemerkte dieselben nicht einmal, weil sie nur auf die Augen des Geliebten sah. Hiefür war er ihr auch dankbar und treu geblieben und hielt sie für eine teure Errungenschaft, solang sie lebte.

Violande dagegen, als sie den Mann endlich versorgt sah, übte die erworbenen Geschicklichkeiten, um sie nicht brach liegen zu lassen, nun auch anderwärts aus, und je älter sie wurde, mit desto mehr Einsicht und Erfolg, aber ohne Glück für sie selber; denn sie blieb unverheiratet und die Männer, welche sie ihren Freundinnen abspenstig machte, wendeten sich deswegen nicht zu ihr, da sie eher Haß und Verachtung für sie empfanden. Da wandte sie sich dem Himmel zu und sagte, sie wolle eine Nonne werden; doch überlegte sie sich das Ding noch in der letzten Stunde und trat statt in ein Kloster in ein solches Ordenshaus, aus welchem sie allenfalls wieder herausgehen und sogar noch heiraten konnte. Sie verschwand nun aus den Augen der Leute, da sie von einem Haus ins andere in verschiedenen Städten herumzog und nirgends Ruhe fand. Plötzlich, als die Forstmeisterin auf dem Krankenbette lag, erschien sie wieder in weltlicher Tracht zu Seldwyla, und so fügte es sich, daß sie am Totenmahle dem trauernden Witwer gegenüber saß.

Sie bezwang ihre Unruhe und sah manche Augenblicke bescheiden und kindlich aus, und als die Frauen sich erhoben und unter sich umhergingen, während die zechenden Männer am Tisch blieben, ging sie auf Küngolt zu, küßte sie und schloß Freundschaft mit ihr. Das Mädchen fühlte sich geehrt durch diese Annäherung einer halbgeistlichen Frau, die weit herumgekommen war und voll Weltkenntnis schien; sie führten sogleich ein langes und vertrautes Gespräch, als ob sie seit Jahren bekannt wären, und beim allgemeinen Aufbruch bat Küngolt ihren Vater, er möchte Violanden in sein Haus berufen, dasselbe zu besorgen, denn sie selbst fühle sich noch zu jung und unerfahren dazu. Der Forstmeister, dessen Stimmung jetzt aus einer wunderbaren Mischung von Trauer und Weinlaune bestand und dessen Gedanken weit abwesend bei der Toten waren, gab ohne weiteres Nachdenken seine Zustimmung, obgleich er sich nicht viel aus der Base machte und sie für eine schnurrige Person hielt.

Sie zog also in den nächsten Tagen ins Forsthaus und stellte sich mit gutem Anstand und nicht ohne Rührung an dessen Herd, an welchem ihr endlich, nach langem Irrsal, die Wünsche ihrer frühesten Jugend in ruhige Erfüllung zu gehen schienen. Sie öffnete bescheiden die Schränke ihrer Vorgängerin und sah das Linnen und die Vorräte wohlgeordnet und im tiefen Frieden liegen; zierlich gereiht sah sie die Töpfe und die Kessel, die Krüge und die Büchsen, und lauschig hingen die Flachsbüschel unter dem Dache. In diesem Frieden ließ sie alles ein paar Wochen bestehen; dann aber begann sie allmählig die kleinen Töpfe zwischen die großen zu stellen, die Leinwand durcheinander zu werfen, den Flachs zu zerzausen, und bis sie damit zu Ende war, hatte sie auch die menschlichen Dinge im Hause in beginnende Unordnung gebracht.

Da sie beabsichtigte, endlich doch noch des Forstmeisters Frau zu werden, um sich wenigstens zu versorgen, so galt es vor allem sein Kind und den jungen Dietegen, deren Lage sie bald inne geworden, auseinander zu bringen und für immer zu trennen. Denn sie dachte richtig, daß Dietegen, wenn er das Mädchen zur Frau bekäme, als des Forstmeisters Nachfolger im Hause bleiben und dieser, bei seiner Anhänglichkeit an seine tote Frau, dann nicht mehr heiraten würde, was dagegen leichter geschehen dürfte, wenn beide Kinder fort kämen und er sich in seinem Hause vereinsamt sähe.

Wie nun Küngolt mit jedem Tage zusehends sich entwickelte und schöner wurde, weckte sie in ihr das frühzeitige Bewußtsein dieser Schönheit und den Geist einer, wenn auch noch kindischen Buhlsucht, indem sie, ohne daß es jemand merkte, das Mädchen mit wenigen Worten zu allen jungen Leuten in ein befangenes Verhältnis zu bringen wußte, so daß das Kind jeden drum ansehen lernte, ob er seine Schönheit auch fühle und anerkenne, und hinwieder jeder vermeinte, er sei dem jungen hübschen Mädchen besonders ins Auge gefallen.

Dann zog Violande noch anderes junges Frauenzimmer herbei, daß da öfter gute Kompagnie beisammen war und unter ihrer Führung immer gelinde courtoisiert wurde.

So kam es, daß Küngolt, noch ehe sie völlig sechszehn Jahre zählte, schon einen Kreis unruhiger Gemüter um sich versammelt sah. Es gab allerlei kleine und größere Festlichkeiten, Geschichtchen, Streitigkeiten, Geräusch und Gesang, und wie es zu gehen pflegt, machten sich vorwitzige oder törichte Leutchen unangenehm und wurden dabei am ehesten gelitten. Hierüber wurde Dietegen nicht glücklich. Im Anfang sah er mit einer gewissen scheuen Wehmut zu, welche heranwachsenden Jünglingen nicht sonderlich geschickt ansteht; als aber die Gesellschaft davon eher belustigt als gerührt schien und Küngolt selbst es kalt beachtete, wollte er sich gegen solche Unlust mit linkischem Schmollen und Trotz erwehren. Allein das brachte ihn noch weniger auf einen grünen Zweig und endigte damit, daß er eines Tages zu bemerken glaubte, wie Küngolt allein in einem Kreise von spöttisch aussehenden Jünglingen saß und mit Wohlgefallen die Mißreden mit anhörte, die sie offenbar über ihn führten.

Da wendete er sich ab und mied von nun an schweigend die Gesellschaft. Er war ohnehin in das Alter getreten, in welchem die kräftigeren Knaben sich wehrbar zu machen begannen. Auf dem Grundstücke der Försterei ruhte von alters her die Verpflichtung zum Bereithalten von drei oder vier Mannsrüstungen, und der Forstmeister hatte immer darauf gesehen, eigene Leute dazu stellen zu können. Mit Wohlgefallen fand er, daß Dietegen, schlank und wohlgebaut aufwachsend, bald in einen zierlichen Harnisch taugen würde, in dem er einst seinen eigenen Sohn zu erblicken gehofft hatte.

So ging denn Dietegen mit andern jungen Knechten an den langen Winterabenden in die Fechtschule, wo er die kürzeren Waffen führen lernte nach heimischer Kriegsart; und im Frühjahr, den Sommer hindurch, weilte er manchen Sonn- und Feiertag auf dem weiten Felde oder in Waldlichtungen, wenn die Jünglinge sich im behenden Marsche und im festgeschlossenen Vordrange übten, an ihren langen Spießen über breite Gräben setzten und die Körper in jeder Weise sich dienstbar machten oder endlich der Kunst der Büchsenschützen oblagen.

Da durch alles dies das Leben im Hause sich änderte und besonders das weibliche Treiben ihn störte, ohne daß er recht beachtete, wie es eigentlich damit beschaffen war, so nahm seinerseits der Forstmeister, öfter als zu Lebzeiten seiner Frau geschehen, den Weg in die Trinkstuben seiner Stadtgenossen. Fern von der kindischen Torheit des Hauses lag er der reiferen Torheit der Männer ob und trug sein Haupt zuweilen beladen, aber immer aufrecht den Forst hinan, wenn die Mitternachtglocke verhallte.

So gingen die Dinge ihre verschiedenen Wege und die Zeit vorüber, bis an einem sonnenhellen Johannistag allerlei Geschicke sich zu erfüllen begannen.

Der Forstmeister ging in die Stadt auf seine Zunft, welche ihr Hauptgebot mit großem Jahresschmaus abhielt, und er gedachte bis in die Nacht zu zechen. Dietegen ging zeitig ins Schützenhaus, da er einmal einen langen Sommertag hindurch nach Herzenslust schießen wollte. Die übrigen Knechte gingen auch ihres Weges, der eine über Land zu den Seinigen, der andere zum Tanz mit seinem Schatz, der dritte auf einen Markt, um sich Tuch für Gewand zu erstehen oder ein Paar neue Schuhe.

So saßen nun die Frauen allein im Forsthause, einerseits wenig erbaut über die schnöde Art, wie die Männer an diesem Freudentage alle davongegangen, ohne sich zu kümmern, wie jene ihre Zeit vertreiben sollten; anderseits aber äugelten sie in das webende Sonnenlicht hinaus und spähten, wie sie sich auch eine Lustbarkeit schaffen möchten.

Zunächst fingen sie an Kuchen zu backen und allerhand Süßwerk zu bereiten; auch brauten sie einen großen gewürzten Wein für alle Fälle und um den heimkehrenden Männern einen Nachttrunk bieten zu können, wie sie meinten. Dann kleideten sie sich feiertäglich und schmückten sich mit Blumen, während andere Jungfräulein, die sie zu einer Frauenlust hatten entbieten lassen, eins nach dem andern ebenso geschmückt herankamen und auch das letzte Dienstmägdlein im Hause geputzt und fröhlich dreinsah.

Unter schönen Lindenbäumen, die vor dem Forsthause standen, war der Tisch gedeckt, als der Abend nahte und goldenes Licht über der Stadt und dem Tale ruhte.

Da saßen nun die Frauen um den Tisch gereiht, taten sich gütlich und sangen bald mit wohlklingenden Stimmen vielstrophige Lieder mit sehnsüchtigem Ton, von Liebesglück und Herzeleid, von den zwei Königskindern oder »Es spielt ein Ritter mit einer Maid« und dergleichen. Der Gesang tönte lockend ins Land hinaus; die Vögel in den Linden und im nahen Walde, die erst ein wenig zugehört, sangen wetteifernd mit. Aber bald ließ sich noch ein dritter Chor vernehmen, indem vom Berge her Geigen und Pfeifen erklangen, vermischt mit Männerstimmen. Ein Trupp Jünglinge war von Ruechenstein herübergekommen, trat jetzt aus dem Holze hervor und beschritt den Weg, der mitten durch die Försterei in das Tal führte, ein paar Spielleute an der Spitze. Es war der Sohn des Schultheißen von Ruechenstein, ein halbwegs fröhlicher Gesell, der aus der Art schlug; von der Schule nach Hause gekehrt, hatte der einige wilde Studenten mitgebracht, worunter ein paar geistliche Schüler und dabei auch ein junger Mönch sowie Hans Schafürli, der Ratsschreiber von Ruechenstein, eine buckelige, gebogene Gestalt mit einem langen Degen, der letzte im Zuge, da sie wegen der Schmalheit des Weges einer hinter dem andern daherkamen.

Als sie jedoch der sangbaren Frauen ansichtig wurden, stellten sie die eigene Musik ein und schienen das Ende des Liedes abwarten zu wollen, welches jene sangen. Indessen verstummten die Frauen ebenfalls; sie waren überrascht und lächelten zugleich erwartungsvoll den Dingen entgegen, die jetzt geschehen würden. Nur Violande zeigte sich nicht betroffen, sondern trat auf den Schultheißensohn zu, welcher sie höflich begrüßte und erklärte, wie er mit seinen Freunden einen kurzweiligen Besuch in der fröhlichen Nachbarstadt habe machen wollen, um den Johannistag nicht allzu trostlos zu verleben, wie nun aber hier noch ein schönerer Aufenthalt winke, sofern es gestattet sei, den Jungfrauen einen ehrbaren Tanz anzubieten.

In weniger als drei Minuten war die Angelegenheit geordnet, und sie tanzten alle auf dem großen Flur des Forsthauses, Küngolt mit dem Schultheißensohn, Violande mit dem Mönch und die übrigen mit den Schülern; aber am gewandtesten und leidenschaftlichsten tummelte sich der Ratsschreiber herum, der trotz seines Buckels mit seinen Beinen weiter ausgriff als alle andern, da sie gleich unter dem Kinn schon sich zu spalten schienen.

Küngolt war nicht froh und wußte nicht, was ihr fehlte. Als daher Violande ihr zuflüsterte, sie sollte es auf das Schultheißenkind absehen, damit sie Schultheißin von Ruechenstein würde, blieb sie kalt und teilnahmlos, bis sie plötzlich den Bucklidgen mit seinem gewaltigen Tanzen sah und hoch auflachte. Sie begehrte sofort mit ihm zu tanzen, und es sah aus wie ein Märchen, als ihre schöne Gestalt in grünem Kleide und das Haupt mit dunkelroten Rosen geschmückt am Arme des spukhaften Schreibers dahinflog, der seinen Höcker in Scharlach gehüllt trug.

Doch unversehens änderte sie ihre Laune und sie geriet an den Mönch, von diesem an einen der Studenten, und eh eine halbe Stunde vergangen, hatte sie mit allen anwesenden jungen Männern sich gedreht, so daß alle seltsam aufgeregt die Blicke an ihr haften ließen, indessen die übrigen Frauen allmählig auch wieder zu den Ihrigen zu kommen suchten. Damit das geschehe, rief Violande die Gesellschaft zum Tische unter den Linden, um sich dort auszuruhen und zu erquicken, indem je ein Jüngling neben eine Jungfer zu sitzen kam und Küngolt zu dem Schultheißensohn.

Küngolt aber war von einer Sehnsucht gequält, alle diese Jünglinge sich unterworfen zu sehen. Sie rief, sie wolle die Schenkin sein, und eilte ins Haus noch mehr Wein zu holen. Dort schlich sie schnell in Violandes Kammer und suchte etwas in deren Kleidertruhe. Violande hatte ihr einst im Geheimen ein kleines Fläschchen gezeigt und anvertraut, das sei ein Philtrum oder Liebestrank, »Gang mir nach« genannt; wer es von der Hand einer Weibsperson zu trinken bekomme, der sei derselbigen ohne Gnade verfallen und müsse ihr nachgehen. Es sei in dem Fläschlein zwar nicht das starke und gefährlichere Gift Hippomanes, aus dem Stirngewächs eines erstgebornen Füllens gebraut, sondern das Tränklein sei aus den Gebeinlein eines grünen Frosches gemacht, welcher in einen Ameisenhaufen gelegt und von diesen zernagt und zierlich präpariert worden sei. Aber es sei immerhin noch stark genug, um einem halben Dutzend unbotmäßiger Männer die Köpfe zu verdrehen. Sie habe das Fläschlein von einer Nonne geschenkt bekommen, deren Geliebter vor der Anwendung plötzlich an der Pest gestorben, so daß sie entsagend ins Kloster gegangen sei. Violande selbst getraue sich weder dasselbe zu gebrauchen noch es wegzuwerfen, weil hieraus ein unbekanntes Unheil entstehen könnte.

Dieses Fläschchen fand Küngolt und goß seinen Inhalt schnell und verstohlen in eine frische Kanne Wein, mit welcher sie klopfenden Herzens hinauseilte. Sie hieß die Jünglinge alle ihre Gläser leeren, weil sie ihnen einen neuen süßen Trunk einschenken wolle, und sie wußte es so einzurichten, daß in dem Kruge nichts übrig blieb, nachdem sie alle Gläser der Männer gefüllt und jedem nachträglich etwas zugegossen hatte, während sie ihn wie ein Wetterleuchten süß und schalkhaft anblickte.

In diesen gleichmäßig und unparteiisch verteilten Blicken lag das Zaubergift, welches nebst dem starken Wein jetzt die Knaben betörte, daß alle voll Verblendung und Leidenschaft das glänzende Mädchen umwarben mit jener Selbstsucht, welche sich allaugenblicklich stets dahin wendet, wo sie ein von andern gewünschtes oder allgemein erstrebtes Gut locken sieht. Alle ließen die übrigen Frauen stehen, welche blaß aus Ärger vor sich niedersahen oder ihre Verlegenheit unter lautem Geplauder zu verbergen suchten. Selbst der Mönch ließ plötzlich ein braunes Dienstmägdlein fahren, das er soeben kosend umfangen hatte, und Schafürli der Ratsschreiber drängte sich mit einem langen Schritte vor den Schultheißensohn, der die Küngolt sponsierend an der Hand hielt.

Diese aber ließ keinen aufkommen; kalt wie Eis gegen jeden Einzelnen in ihrem Herzen, wußte sie wie eine Schlange sich unter ihnen umzutun und, als sie sah, daß sie alle umstrickt hielt, selbst die anderen Frauen wieder freundlich zu machen und herbeizulocken.

Es war nun dunkel geworden. Die Sterne funkelten am Himmel und die Mondsichel stand über dem Walde, erbleichte jedoch bald hinter einem hellen Johannisfeuer, das von einer Anhöhe aufflammte, vom jungen Landvolke angezündet.

»Laßt uns zum Feuer gehen!« rief Küngolt, »der Weg ist kurz und lieblich durch den Wald! Aber wie es sich geziemt, die Frauen voran und die Knaben hintendrein!« So geschah es und sie zogen mit angezündeten Kienfackeln durch den Wald mit lautem Gesange.

Nur Violande blieb zurück, das Haus zu hüten und den Forstmeister zu erwarten; denn auch sie gedachte heute ihren Fang zu tun. Es dauerte auch nicht lange, bis er ankam, in starker Stimmung und mit umflorten Sinnen. Als er die Tische unter den Linden sah, setzte er sich hin und verlangte wohlgelaunt einen Schlaftrunk von Violanden, die ihm denselben davoneilend zu bereiten ging.

Aber auch sie schlüpfte vorher schnell in ihre Kammer hinauf, das lang gehütete Fläschlein mit dem »Gang mir nach« zu holen, und sie fand es nicht. Sie konnte es auch auf dem Wege nicht finden, den sie verlegen und sinnend zurücksann; denn dort, wo es Küngolt hastig und achtlos hingeworfen, hatte es bereits das vom Mönche zur Seite gestellte Mägdlein aufgehoben, das sich grollend ins Haus zurückgezogen.

Doch Violande besann sich nicht lange. Sie machte den Trank um so süßer und stärker und gesellte sich, als er ihn trank, nah zum Forstmeister. Es strömte ein zärtlich-trautes Wesen von ihr aus; auch trug sie ein blaßgelbes Kleid, das überall rot eingefaßt war und ihr untadelig weißes Fell, wie man damals sagte, am Halse wohl sehen ließ. Die Blumen hatte sie aus dem Haar getan, um nicht kindisch zu erscheinen, und sie wand ihre starken dunklen Zöpfe frisch um den Kopf.

»Ei Base«, sagte der Forstmeister, als er sie über den Becher weg von ungefähr erblickt hatte, ganz nah bei ihm, »wie seht Ihr gut aus!«

Da lächelte sie wie selig und sah ihn mit süß funkelnden Augen unverhohlen an, indem sie sagte: »Gefall ich Euch endlich und so spät? Wenn Ihr wüßtet, wie gern ich Euch schon gesehen habe, als ich noch ein Kind war!«

Das ging dem guten Mann ein, stärker als ein Liebestrank von Froschbeinchen; wunderliche Vorstellungen, eine dunkle Erinnerung an ein schönes Mädchenkind, zogen durch seine Sinne, während das Kind jetzt als lange schön bleibende Weibesgestalt in Lebensreife bei ihm war, wie aus weiter Ferne unversehens herangetreten. Sein großmütiges Herz stieg in das aufgeregte Hirn empor und schaffte dort in aller Eile an allerlei Bildwerk herum. Violande erschien ihm plötzlich als eine durch Leiden und viele Erfahrung höchst wertvoll gewordene Person, mit der man ein bedeutendes und geheimnisreiches Stück Leben in die Arme schlösse und welcher Heimat und Ruhe zu geben dem Schenker selbst ein goldenes Gut verleihen würde.

Er nahm ihre Hand, streichelte ihr die Wangen und sagte: »Wir sind nicht alt, Violande, liebe Base! Wollt Ihr noch meine Frau werden?« Und da sie ihm die Hand ließ und sich näher zu ihm neigte, von wirklicher Glückesgüte erglänzend, machte er den Brautring seiner ersten Frau, den er seit ihrem Tode an einer Verzierung seines Dolchgriffes trug, los und steckte das Kleinod an Violandes Finger. Sie drückte ihr Gesicht in sein breites blondgraues Löwenantlitz, sie umfingen und küßten sich zärtlich unter den rauschenden Nachtlinden, und der kluge Mann glaubte den Stein der Weisen gefunden zu haben.

In diesem Augenblicke kam Dietegen mit seinen Waffen nach Hause. Da er quer über den Rasen daherging, hörten ihn die Kosenden nicht und er schaute in höchster Betroffenheit, was er da vor sich sah. Beschämt und errötend zog er sich so still als möglich zurück und umging das Haus, um die hintere

Türe zu gewinnen. Dort aber hörte er mit einem Mal vom Walde her ein lautes Schreien und Rufen, wie wenn Menschen in Streit oder Gefahr wären. Ohne Zögern ging Dietegen dem Lärmen nach. Bald fand er die so fröhlich ausgezogene Gesellschaft in schrecklichem Zustande. Von Wein und allgemeiner Eifersucht toll geworden, waren die jungen Männer auf dem Rückwege vom Johannisfeuer, als sie mit den Weibern vermischt gingen, hintereinander geraten und hatten sich mit ihren Dolchen angegriffen, so daß mehr als einer blutete. Gerade aber als Dietegen ankam, hatte der krumme Ratsschreiber wütend den jungen Schultheißen mit seinem Degen niedergestochen, der, gleichfalls das Schwert in der Hand, im grünen Kraute lag und eben den Geist aufgab, während die übrigen sich schön paarweise noch an den Gurgeln gepackt hielten und die Weiber entsetzt um Hilfe schrien, mit Ausnahme Küngolts, die totenblaß, aber neugierig und mit offenem Munde in das schreckhafte Schauspiel starrte.

»Küngolt, was ist das?« sagte Dietegen zu ihr, als er sie rasch erblickt; es war das erste Wort, das er seit langem an sie gerichtet. Sie zuckte zusammen, sah ihn aber wie erleichtert an. Doch sprang er jetzt ohne Aufenthalt unter die Streitenden und es gelang ihm mit einigen kräftigen Anstrengungen, die tollen Jünglinge auseinander zu bringen und ihnen den Toten zu zeigen, worauf sie stracks die Arme sinken ließen und ganz ernüchtert bald auf die Leiche, bald auf den grimmigen Schafürli schauten, der wie wahnsinnig um sich stierte.

Inzwischen waren Bauern und auch die heimkehrenden Knechte herbeigekommen, welche die Ruechensteiner einstweilen gefangen nahmen und den Schafürli banden.

Das war nun ein schlimmer Morgen, der darauf folgte. Der Forstmeister war mit der bösen Violande verlobt, sein Kopf summte sehr unleidlich, ein toter Ruechensteiner lag im Hause, die andern waren eingetürmt, und eh es Mittag war, erschien eine Abordnung aus Ruechenstein mit dem alten Schultheißen selbst, um nach dem Unglücke und dessen Entstehung zu fragen und alle Rechenschaft zu fordern.

Aber schon hatte im Turm der gefangene Ratschreiber, der wußte, daß es ihm als Mörder des Schultheißensohnes an den Kragen ging, grimmige Klage gegen die Weiber von Seldwyla und hauptsächlich gegen Küngolt erhoben, die er der Zauberei und Behexung beschuldigte. Jenes grollende Mägdlein hatte dem Mönch, dem es nun verzieh, das Fläschlein mit einigen Worten zuzustecken gewußt und dieser es dem Schafürli gegeben.

Zum Schrecken der Seldwyler drehte sich der Handel noch am gleichen Tage gegen das Kind des Forstmeisters und gegen dessen Haus; denn jedermann in Seldwyla sowohl als in Ruechenstein glaubte an die Wirkung der Zaubertränke, und die anwesenden Ruechensteiner traten so drohend auf, daß das Ansehen und die Beliebtheit des Forstmeisters die Gefangensetzung der Küngolt nicht abwenden konnten, zumal er sich in seinen Gedanken wie gelähmt fühlte.

Sie gestand die Tatsache alsobald ein, halb bewußtlos vor Schrecken, und der Schafürli mit seinen Gesellen wurde freigelassen. Die Ruechensteiner verlangten nun, die Zauberhexe, welche ihre Angehörigen geschädigt und den Tod eines ihrer Bürger verursacht habe, solle ihnen zur Bestrafung ausgeliefert werden. Dies wurde nicht gewährt und jene zogen grollend mit der Leiche des Schultheißensohnes von dannen. Als sie aber nachher vernahmen, daß die Seldwyler das Mädchen nur zu einer einjährigen milden Gefängnisstrafe verurteilt hätten, erwachte die alte Feindschaft wieder, welche eine Reihe von Jahren geschlafen, und es wurde für jeden Seldwyler gefährlich, ihren Bann zu betreten.

Die Stadt Seldwyla hielt nun für Vergehen, die sie nach ihrer Lebensanschauung zu den leichteren zählte und nach Umständen mit Nachsicht behandeln wollte, kein Gefängnis, sondern verdingte die Verurteilten, besonders wenn es sich um Frauen und jugendliche Personen handelte, an irgend eine Haushaltung zur Haft und Pflege. So sollte denn die arme Küngolt auf die Ratstube gebracht und dort zu einer öffentlichen Steigerung ausgestellt werden.

Der Forstmeister, dessen Fröhlichkeit dahin war, sagte seufzend zu Dietegen, es sei ein saurer Gang für ihn, aufs Rathaus zu gehen und bei dem Kind zu wachen; denn es müsse jemand von den Seinigen bei ihm sein während dieser bitteren Stunde. Da erwiderte Dietegen: »Ich will es schon tun, wenn ich Euch gut genug dazu bin!« Der Forstmeister gab ihm die Hand. »Tu's«, sagte er, »du sollst Dank dafür haben!«

Dietegen ging hin, wo die Abgeordneten des Rats saßen und einige Steigerungslustige sowie ein Häuflein Neugieriger sich sammelten. Er hatte sein Schwert umgetan und sah mannhaft und düster blickend aus.

Als nun Küngolt hereingeführt wurde, blaß und bekümmert, und sie vor dem Tische stehen sollte, zog Dietegen rasch einen Stuhl herbei und ließ sie darauf sitzen, indem er sich hinter den Stuhl stellte und die Hand auf dessen Lehne stützte. Sie hatte ihn überrascht angeblickt und sah noch mit einem schmerzlichen Lächeln nach ihm zurück; allein er schaute scheinbar ruhig und streng über sie hinweg.

Der erste, welcher ein Angebot auf ihre Gefangenhaltung tat, war der Stadtpfeifer, ein vertrunkener Mann, der von seiner Frau hergeschickt war, um mit dem Erwerbe die zerrütteten Umstände etwas zu verbessern, insonderlich weil zu hoffen war, daß der Gefangenen aus ihrem elterlichen Hause offen oder heimlich allerhand Gutes zufließen würde, dessen man sich bemächtigen oder wenigstens teilhaftig machen könnte.

»Willst du zum Stadtpfeifer?« fragte Dietegen die Küngolt kurz, und sie sagte nein! nachdem sie den beduselten und rotnasigen Musikus angesehen. Der rief lachend: »Ist mir auch recht!« und schwankte ab.

Hierauf bot ein alter Seckler und Pelzkappenmacher auf Küngolt, welcher sie tapfer zum Nähen anzuhalten gedachte, um einen schönen Nutzen aus ihr zu ziehen. Er hatte aber einen offenen Schaden am Bein, welchen er den ganzen Tag salbte und pflasterte, und auf dem Kopf ein Gewächs wie ein Hühnerei, welches Küngolt als Kind schon gefürchtet hatte, wenn sie in die Schule und an seiner Werkstatt vorbei gegangen. Als daher Dietegen fragte, ob sie zu diesem wolle, sagte sie wiederum nein, und er zog keifend davon.

Nunmehr trat ein Geldwechsler hervor, der einerseits wegen seines wucherischen und häßlichen Geizes und anderseits wegen seiner widerwärtigen Lüsternheit verrufen war. Kaum hatte der aber seine roten Augen auf Küngolt gerichtet und den schiefen Mund zum Angebote geöffnet, so winkte ihm Dietegen, ihn drohend anblickend, mit der Hand hinweg, ohne das erschrockene Mädchen zu befragen.

Jetzt kamen nur noch einige ordentliche Leute, gegen welche nicht wohl etwas einzuwenden war, und diese wurden nun zur eigentlichen Steigerung oder Gant zugelassen. Am mindesten forderte für ihre Aufnahme und Ernährung der Totengräber an der Stadtkirche, ein stiller ehrbarer Mann, welcher eine brave Frau und auch, nach seiner Meinung, ein geeignetes Lokal besaß und schon einige Sträflinge dieser Art beherbergt hatte.

Diesem wurde Küngolt von der Ratsabordnung zugeschlagen und sofort in sein Haus geführt, das zwischen dem Kirchhof und einer Seitengasse gelegen war. Dietegen ging mit, um zu sehen, wo sie untergebracht würde. Das war in einer offenen kleinen Vorhalle des Hauses, welche unmittelbar an den Totengarten grenzte und von demselben durch ein eisernes Gitter abgeschlossen war. Dort pflegte nämlich der Totengräber in der wärmeren Jahrszeit seine Gefangenen einzusperren, während er sie über den Winter einfach in die Stube nahm und mit einer leichten eisernen Kette an einen Fuß des Ofens band.

Als aber Küngolt in ihrem Gefängnis war und sich nur durch ein Eisengitter von den Gräbern der Toten getrennt sah, überdies in nächster Nachbarschaft das alte Beinhaus bemerkte, das mit Schädeln und andern Gebeinen angefüllt war, fing sie an zu zittern und bat flehentlich, man möchte sie nicht da lassen, wenn es Nacht werde. Die Frau des Totengräbers dagegen, welche eben einen Strohsack und eine Decke herbeischleppte, auch eine Art Vorhang an dem Gitter anbrachte, sagte, das könne nicht sein und der ernste Aufenthalt gereiche ihr nur zur wohltätigen Buße für ihren sündigen Sinn.

Da sagte Dietegen: »Sei ruhig, ich fürchte mich nicht vor den Toten und Gespenstern und will des Nachts so lange hieher kommen und vor dem Gitter wachen, bis du dich auch daran gewöhnt hast!«

Dies sagte er aber so zu ihr, daß die Frau es nicht hören konnte, und begab sich hierauf nach Hause. Dort fand er den traurigen Forstmeister, wie er sich eben mit Violanden verständigt hatte, daß sie ihre Hochzeit erst halten wollten, wenn Küngolts Strafzeit vorüber und die schlimme Sache einigermaßen ausgeglichen wäre. Violande hielt sich hiebei mäuschenstill, zufrieden, daß sie als die eigentliche Urheberin der unglücklichen Hexerei und ihrer Folgen so gut davongekommen war. Bei dem strengen Verhör, dem sie auch unterworfen gewesen, hatte man ihrer Aussage, daß sie jenen Liebestrank nur verwahrt, damit er nicht in unrechte Hände gerate, zur Not geglaubt und sie entlassen.

Als nun die Dämmerung vorüber und die Mitternacht im Anzuge war, machte sich Dietegen ungesehen auf, nahm sein Schwert und ein kleines Fläschchen mit gutem Wein und stieg wieder in die Stadt hinunter, wo er unverweilt sich über die Kirchhofmauer schwang und furchtlos über die Gräber hin vor Küngolts unheimliche Wohnstätte ging. Sie saß lautlos auf ihrem Strohsack zusammengekauert hinter dem Vorhang und lauschte zitternd jedem Geräusche; denn sie hatte, ehe die Geisterstunde gekommen, schon einige Schrecknisse erlebt. Im Beinhause war eine Katze über die Knochen weggestrichen, so daß dieselben sachte etwas geklappert hatten. Dann wurden vom Nachtwind die Sträucher über den Gräbern bewegt, daß sie leise rauschten, und der Hahn auf dem Dachreiter der Kirche gedreht, welches einen seltsamen Ton gab, den man im Tagesgeräusch nie vernahm.

Als daher Küngolt die nahenden Schritte hörte, erschrak sie von neuem und fuhr zusammen; als er aber durch das Gitter griff und den Vorhang zurückschob, daß der Vollmond den

Raum erhellte, und sie leise anrief, da stand sie eilig auf, lief ihm entgegen und streckte beide Hände durch das Gitter.

»Dietegen!« rief sie und brach in Tränen aus, die ersten, die sie seit dem Unglückstag vergießen konnte; denn sie hatte bis jetzt wie in einer starren Betäubung gelebt.

Dietegen gab ihr aber die Hand nicht, sondern das Weinfläschchen, und sagte: »Nimm einen Schluck Wein, es wird dir gut tun.« Sie trank und nahm auch von dem guten Brot ihres Vaterhauses, das er ihr gebracht. So wurde es ihr besser zu Mut, und als sie sah, daß er nicht weiter mit ihr sprechen wollte, zog sie sich schweigend auf ihr Lager zurück und weinte leise, bis sie in einen ruhigen Schlaf versank.

Dietegen aber hielt sie nach seinen jugendlich spröden Begriffen und in seiner Unerfahrenheit für ein bös gewordenes Wesen, das nicht recht tun könne, und er wachte bei ihr, indem er sich auf einen an der Wand lehnenden alten Grabstein setzte, ihrer toten Mutter zuliebe und weil er ihr selbst sein Leben verdankte.

Küngolt schlief, bis die Sonne aufging, und als sie erwachte, sah sie, daß Dietegen still weggegangen war.

Dergestalt kam er eine Nacht um die andere, bei ihr zu wachen; denn er hielt nach seinem Glauben den Ort für in der Tat gefährlich für jemand, der kein gutes Gewissen habe und voll Furcht sei. Jedesmal brachte er ihr etwas zur Labung mit und frug sie etwa, was sie sich wünschte, und er brachte ihr alles, was ihm recht schien. Er kam auch, wenn es regnete und stürmte, und versäumte keine Nacht, und wenn es nach damaligem Volksglauben in Ansehung der Toten und ihres Treibens besonders verrufene Nächte waren, so erschien er um so pünktlicher.

Küngolt ihrerseits richtete sich unvermerkt so ein, daß sie während des Tages ihren Vorhang zog, um sich vor den Neugierigen zu verbergen, wie sie sagte, wenn Leute auf den Kirchhof kämen, in der Tat aber, um zu schlafen; denn sie liebte es, während der Nacht munter zu sein, kein Auge von der dunklen Gestalt ihres Wächters zu verwenden und über ihn und sich, und wie alles gekommen sei, nachzudenken, während er sie schlafend wähnte.

Sie fühlte sich von einem neuen ungeahnten Glücke umflossen, sobald er kam und sie ihren Gedanken in seiner Gegenwart still und stumm nachhängen konnte. Sein hartes Urteil ahnte sie nicht und hoffte ihr Anrecht an ihn wieder erringen zu können, da er sich so treu erwies. Nicht so dachte ihr Vater, der sie jede Woche einmal besuchte; wenn sie dann fast jedesmal schüchtern auf irgend eine Weise Dietegens Namen nannte und er wohl merkte, daß sie sich ihm wieder zugewendet, seufzte er innerlich, weil er wohl wünschte, daß das halb verlorene Kind durch den braven Pflegesohn gerettet werden möchte, aber fürchtete, der werde schwerlich eine angehende und schon eingesperrt gewesene Hexe erwerben wollen.

Mittlerweile hatte sich auch noch anderer Besuch bei Küngolt eingestellt. Der Ratsschreiber von Ruechenstein, der gewalttätige Krummbuckel Schafürli, konnte das schöne Wesen nicht vergessen und fühlte sein stark durch die Krümmungen seines Körpers strömendes Blut von ihrem Bilde bewohnt und befahren, nach seinem Glauben wie von einer Hexe, welche nächtlich einsam auf einem Strome in dunklem Kahne dahinschieße.

Er gedachte daher, da er ein verwegener Kerl war, statt bei den Kapuzinern, bei der Urheberin selbst seine Heilung und Befreiung zu versuchen und wanderte in dunkler Nacht über den Berg und bis auf den Kirchhof, wo sie gefangen saß. Da es noch nicht die Zeit war, um welche Dietegen zu erscheinen pflegte, und auch seine Schritte fremd klangen, so erschrak Küngolt und duckte sich hinter ihren Vorhang. Schafürli aber zündete ein kleines Licht an, das er mitgenommen, riß das Tuch zurück und leuchtete in den vergitterten Raum hinein, bis er sie entdeckte.

»Komm heran, Hexenmädchen!« flüsterte er heftig und halblaut, »und gib mir beide Hände und deinen Mund, denn du mußt mir heilen, was du verdorben hast!«

Sie erkannte ihn an seiner Gestalt, und die Erinnerung an all

das geschehene Unheil sowie die Gegenwart des Mannes erfüllten sie mit solcher Angst, daß sie, ohne einen Laut zu geben, zitterte wie Espenlaub.

Da begann der Ratsschreiber an dem Gitter zu rütteln, und
weil es keineswegs besonders fest war, vielmehr nur für
schwächere Gefangene zu dienen hatte, schickte er sich an, es
mit Gewalt aus den Angeln zu heben. In demselben Augenblicke kam aber Dietegen, sah den Vorgang und packte den
Schafürli an der Schulter. Der schrie wild auf und wollte seinen Dolch ziehen. Doch Dietegen hielt ihm die Hände fest
und rang mit ihm, bis er ihn bezwungen hatte. Er besann sich,
ob er ihn gefangen nehmen und anzeigen oder ob er ihn bloß
verjagen solle, und weil er den Zusammenhang des Vorfalls
noch nicht kannte und nicht eine neue Verwicklung für Küngolt herbeiführen wollte, ließ er den krummen Mann laufen,
indem er ihm bei Sicherheit seines Lebens verbot, je wieder an
den Ort zu kommen. Zugleich aber ging er in das Haus hinein
und veranlaßte den Totengräber, die Gefangene nunmehr in
die Stube zu nehmen, da ohnehin der Herbst vor der Türe sei
und die Nächte zu kühl würden für den bisherigen Aufenthalt.

Küngolt wurde also noch in dieser Nacht mit der her-
kömmlichen leichten Kette am Fuße an den Ofen gefesselt. Es
war das ein schlankes Gebäude von grünen Kacheln, welche in
erhabener Arbeit die Geschichte der Erschaffung des Menschen und des Sündenfalls darstellten; an den vier Ecken des
Ofens standen die vier großen Propheten auf vorstehenden gewundenen Säulchen, und das Ganze bildete ein nicht unzier-
lich gegliedertes Monument, an welches hingeschmiegt nun
Küngolt auf der Ofenbank saß.

Sie freute sich der geschützteren Lage und der Rettung, welche sie dem Dietegen dankte, und schrieb alles seiner treuen
Gesinnung für sie zu, obgleich er in dieser Nacht kein Wort
mit ihr gesprochen und sich nach getaner Sache ohne weiteres
hinwegbegeben hatte.

Als nun aber die gute Küngolt dergestalt installiert war, fand
sich ein neuer Liebhaber ihrer Schönheit ein in der Person ei-

nes Kaplanes, welcher allerhand kleine Priestergeschäfte an der Kirche besorgte und auch den geistlichen Beistand bei den Siechen und Gefangenen auszuüben hatte. Dieses Pfäfflein kam nun, da Küngolt in der warmen Stube saß, fleißig zu ihr, um ihr Zusprache zu halten, ihr die Neigung zur Zauberei und Spendierung von Liebesträken auszutreiben und sich dabei ihres schönen Anblickes und lieblichen Wesens zu erfreuen. Denn seit der Zeit ihres Leidens war eine neue Art von Schönheit über sie gekommen; sie war ein reifes, schlankes, obgleich blasses Frauenbild geworden, dessen Augen in sanftem und lieblichem Feuer strahlten, von einem Trauerschatten umgeben. Sie wurde, vom Anbinden abgesehen, wie ein Glied des Hauses gehalten, in dem auch einige Kinder sich befanden, und wenn der Kaplan kam, so wurde er mit einem Glase Wein oder Bier bewirtet, für welches der Forstmeister etwa sorgte. Wenn nun der Geistliche sein Sprüchlein getan hatte, seine Erfrischung zu sich nahm und ersichtlich nur noch blieb, um die getröstete Sünderin ein bißchen anzugucken und etwa bescheidentlich ihre Hand zu streicheln, so überließ sich Küngolt einer aufwachenden, kleinen anmutigen Heiterkeit, indem sie bedachte, welch einen prächtigen Liebhaber sie, nach ihrer Meinung, diesem Pfäfflein gegenüber in Dietegen besaß.

So kam es, daß das Mädchen in seiner bescheidenen Fröhlichkeit, nachdem sie den Tag über von der besseren Zukunft geträumt hatte, des Abends der Liebling der Totengräbersleute war und sie den Tisch zu ihr an den Ofen rückten. Auch in der Neujahrsnacht, die nun gekommen, ging es so, und der Priester gesellte sich hinzu, so daß der Totengräber, seine Frau und Kinder und der Kaplan bei der angebundenen Küngolt um den Tisch herum saßen, mit Nüssen spielten und Küngolt eben laut über etwas lachte, was der Pfaffe gesagt hatte, während er ihre Hand hielt, als Dietegen hereintrat, um seinem Schützling und Kind seines Herrn einige gute Sachen von Hause zu bringen. Ein unbewußter Zug des Herzens, das eingeschlafene Heimweh nach ihr hatte ihn doch den Vorsatz fassen lassen, etwa eine Stunde dort zu verweilen, damit Küngolt, welche die erste Neujahrsnacht ihres jungen Lebens außer dem Hause zubrachte, jemand von den Ihrigen bei sich hätte.

Als er aber den fröhlichen Auftritt und den Priester sah, der die Hand der lachenden Küngolt streichelte, ergriff ihn eine eisige Kälte, daß ihm das Blut beinah erstarrte, und er ging, nachdem er dem Mädchen die Sachen mit zwei Worten als Sendung des Vaters übergeben, ohne weitern Aufenthalt wieder fort, während zwischen seinen Zähnen sich die Worte lösten: hin ist hin!

Jetzt ahnte Küngolt plötzlich den Inhalt dieses Augenblickes und auch ihr trat alles Blut zum Herzen zurück. Sie sank erbleichend an den Ofen hin und die Leutchen gingen betreten auseinander; das Licht in der Totengräberwohnung erlosch, noch eh die erste Stunde des neuen Jahres angebrochen war.

Küngolt blieb nun fast wie vergessen von den Ihrigen, zumal in diesen Tagen die Eidgenossenschaft immer lauter von Kriegslärm ertönte und jene Ereignisse sich folgten, welche man den Burgunderkrieg nennt. Als das Frühjahr da war und der Tag von Grandson nahte, zogen auch die Städte Seldwyla und Ruechenstein, wie andere ihrer Nachbarorte, mit ihren Fähnlein in das Feld, und es war für den Forstmeister sowie für Dietegen eine Erlösung, aus dem gestörten Hause hinauszutreten und die frische rauhe Kriegsluft zu atmen.

Festen Schrittes gingen sie mit ihrem Banner, obwohl schweigsamer als die anderen, und stießen mit den übrigen herbeieilenden Scharen zu dem Gewalthaufen der Eidgenossen, welcher den schon im Streite Stehenden zu Hilfe kam.

Wie ein eiserner Garten stand das lange Viereck geordnet und in seiner Mitte wehten die Fahnen der Länder und Städte. Mann an Mann standen die Tausende, jeder in Zuverlässigkeit und Furchtlosigkeit wieder eine Welt für sich, und alle zusammen doch nur ein Häuflein Menschenkinder.

Da harrte der Leichtsinnige und der Verschwender neben dem Geizigen und dem Sorgenfreund seiner Stunde; der

Zanksüchtige und der Friedliebende hielten mit gleicher Geduld ihre Kraft bereit; wer schweren Herzens war, hielt sich so still wie der Prahler und der Redselige; der Arme und Verlassene stand ruhig und stolz neben dem Reichen und Gebietenden. Ganze Gassen sonst im Streite liegender Nachbaren standen gedrängt; aber Neid und Mißgunst hielten den Spieß oder die Helebarte so fest wie die Großmut und die Leutseligkeit, und der Ungerechte richtete wie der Gerechte sein Auge allein auf die nächste Pflicht. Wer mit seinem Leben abgeschlossen und einen Rest seiner Kraft unbeweint zu opfern hatte, galt nicht mehr oder weniger als der aufblühende Knabe, auf dessen Augen die Hoffnung der Mutter und einer ganzen Zukunft stand. Der düster Gesinnte ertrug ohne Murren die halblauten Einfälle des Possenmachers und dieser wiederum ohne Gelächter die kleinen heimlichen Vorkehrungen des Spießbürgers, der neben ihm stand.

Neben dem Banner von Seldwyla ragte dasjenige von Ruechenstein, so daß die Reihen der grollenden Nachbarstädte sich dicht berührten und der Forstmeister, der einen Teil seiner Mitbürger führte und ihren Eckstein bildete, der Nachbar des Ratsschreibers von Ruechenstein war, welcher am Ende einer Rotte der Seinigen stand; allein keiner von ihnen schien dessen zu gedenken, was vorgefallen. Dietegen ging mit den Schützen und verlorenen Knaben außerhalb des Gewalthaufens und lebte schon mitten im furchtbaren Getümmel, als dieser sich jetzt plötzlich in Bewegung setzte und in die Schlacht ging, um einen der ersten Kriegsfürsten mit seinem in Glanz und Üppigkeit strahlenden Heerzuge wie einen Fabelkönig in die Flucht zu schlagen.

Im Drange des harten Streites war der Forstmeister mit einigen seiner Knechte durch burgundische Reiterei von seinem Banner getrennt worden und schlug sich durch die Reiter hindurch, aber nur um einsam unter feindliches Fußvolk zu geraten; in diesem arbeitete er sich getreulich ein Kämmerlein aus, wie ein fleißiger Bergmann; aber eben als er sich auch ein Pförtlein in dasselbe gebrochen hatte, kam durch diese Öffnung eine verspätete und verirrte Stückkugel Karls des Kühnen und zerschlug ihm die breite Brust, also daß er in einem kurzen Augenblicke im Frieden der ewigen Ruhe da lag und nichts ihn mehr beschwerte.

Als Dietegen frisch und gesund aus dem Kampfe und von der Verfolgung der fliehenden Burgunder zurückkam und nach kurzer Nachfrage den gefallenen Freund und Vater fand, begrub er ihn samt seinem Schwerte selbst zwischen die Wurzelarme einer mächtigen Eiche, welche unweit des Schlachtfeldes am Rande eines Haines stand.

Dann zog er mit dem Heere nach Hause und wurde von der Stadt wegen seiner Tapferkeit und Tüchtigkeit für einstweilen in das Forsthaus gesetzt, um dort die Aufsicht zu führen. Mit dem Tode des Forstmeisters war dessen Hausstand aufgelöst. Sein Gut war in den letzten Jahren wegen Unachtsamkeit geschwunden, und Küngolt hatte nichts mehr auf dieser Welt als sich selbst und die Vorsorge Dietegens, soweit er etwa sorgen konnte, da er selbst ein armes Blut war.

Sie saß unbewegt an ihrem Ofen, die Wangen an die rauhen Bildwerke desselben gelehnt, welche den Verlust des Paradieses darstellten in vier oder fünf Bildern, die sich um den ganzen Ofen herum immer wiederholten: die Erschaffung Adams, diejenige der Eva, der Baum der Erkenntnis und die Verstoßung aus dem Garten. Wenn das Gesicht sie von dem Drucke schmerzte, so löste sie es ab und kehrte es gegen die harten Darstellungen, dieselben immer wieder von neuem betrachtend, indessen ihr Tränen entfielen, wenn sich hiezu etwa wieder so viel Kraft gesammelt hatte. Ja, wenn sie jeweilen zu demjenigen Bildwerke kam, welches die Verstoßung aus dem Garten vorstellte, so empfand sie sogar einen Lachreiz. Denn durch die Unaufmerksamkeit des Töpfers oder Bildners hatte auf dieser Platte Adam statt eines vertieften Nabels ein erhabenes rundes Knöpfchen auf dem Bauche, welches regelmäßig auf jeder Verstoßung wiederkehrte. Wenn dann aber Küngolt lachen sollte über diese harmlose Erscheinung, so schnürte ihr dagegen das Elend das Herz und die Kehle zusammen, so daß ein erbärmliches Ringen und ein körperlicher Schmerz daraus entstand für einen Augenblick, bis ihr die Augen übergingen und sie das Gesicht verzog wie jemand, der niesen sollte und nicht kann. Sie vermied daher zuletzt, dieses Bild anzuschauen.

Indessen war auch die Schlacht von Murten geschlagen worden und um die gleiche Zeit die Strafdauer Küngolts zu Ende. Dietegen hatte angeordnet, daß sie in das Forsthaus kommen solle, um dort mit Violanden vorderhand zu hausen, welche jetzt bescheiden, traurig und ziemlich ordentlich geworden war; denn sie hatte in der späten Verlobung mit dem Forstmeister und seinem Tode doch noch etwas Rechtes erlebt und einigen Halt daran genommen. Dietegen selbst aber kam nicht nach Hause, sondern tummelte sich bis ans Ende jener Kriegszüge im Felde herum.

Damit aber auch er nicht ohne Fehl und Tadel aus diesen Schicksalsläufen hervorgehe, hatten die Gewohnheiten des Krieges, verbunden mit dem stummen Schmerze wegen des Verlorenen, eine gewisse Wildheit in ihn gebracht. Er schloß sich jenen rauhen jungen Gesellen an, welche unter dem Namen des törichten Lebens sich aufgemacht hatten, um die der Stadt Genf im Friedensvertrage auferlegte und von ihr hinterhaltene Brandschatzung auf eigene Faust einzutreiben. Aus burgundischen Beutestücken, die ihm zugefallen, hatte er sich Prunkkleider machen lassen; er trug, hinter der tollen Eberfahne herziehend, Gewand von blaßrotem Burgunderdamast; das eidgenössische Kreuz auf Brust und Rücken war von Silberstoff und mit Perlen besetzt. Den Hut überragte rings eine breite Last von wogenden Straußfedern, den in eroberten Lagern zerstreuten Ritterhüten entnommen. Dolch und Schwert trug er reich an kostbarem Wehrgehänge und neben der Feuerbüchse einen langen Speer, an welchem seine tannenschlanke breitschulterige Gestalt sich lässig lehnte und wiegte, wenn er drohend unter seinem Hute hervorschaute, um einen feigen Lärmmacher oder eine Dirn zu schrecken. Er liebte es, etwa eine schreiende Magd bei den Zöpfen zu packen, ihr einen Au-

genblick forschend ins Gesicht zu sehen und die Erschrockene
oder auch Lachende dann wieder laufen zu lassen.

In solcher Tracht war er, ehe er sich zu dem Zuge des törichten Lebens gesellt hatte, auch einen Augenblick auf dem För-
sterhofe zu Seldwyla erschienen, einem Abkömmling aus ur-
altem reinem Volksstamme gleichend, so kühn, sicher, stark
und zugleich gelenk bewegte er sich.

Als Küngolt ihn so sah, der er im Vorübergehn ein kaltes
wildes Lächeln zugeworfen, wie er es sich im Felde angewöhnt, waren ihre Augen wie geblendet. Während er nun in
Welschland lag, war es ihr einziges Tun, über die Vergangenheit zu grübeln und in den glücklichen Tagen der verlorenen
Kindheit zu leben. Besonders verweilte ihr Sinnen fast zu jeder Stunde auf jener Waldhöhe, wo die Seldwyler Frauen das
vom Tode errettete Kind Dietegen einst in seinem Armensünderhemde gekost und mit Blumen geschmückt hatten, und sie
eilte, so oft sie konnte, hinauf und schaute voll Sehnsucht nach
dem fernen Südwesten, wo man sagte, daß die drohende Schar
der unbezwinglichen Jünglinge sich gelagert habe.

Aber in der gleichen Berggegend, welche vom Ruechensteiner Grenzbanne durchschnitten war, kreiste der Ratsschreiber
Schafürli herum, der stetsfort nach Heilung des ihm angetanen
Schadens oder aber nach Rache dürstete; denn es waltete in
Ruechenstein trotz der vermeintlichen Hexerei wegen der Tötung des Schultheißensohnes doch ein offener und geheimer
Haß gegen ihn, den er durch den Tod der zwei von den Seldwylern
nach Ruechensteiner Ansicht unbestraft gelassenen Küngolt
zu sühnen hoffte. Als daher eines Tages die arme Küngolt
achtlos gerade auf einem Grenzsteine saß, und zwar so, daß
ihre Füße auf dem Ruechensteiner Boden ruhten, trat
Schafürli unversehens mit einem Ratsknechte aus den Bäumen
hervor, nahm sie gefangen und führte sie gebunden nach seiner
Stadt, wo ihr wegen des durch ihre Zauberei herbeigeführten
ungesühnten Todes des Schultheißensohnes sofort von neuem
der Prozeß gemacht wurde.

In Seldwyla war, zumal in diesen aufgeregten Zeitläufen,

niemand mehr, der sich ihrer angenommen hätte, auch wenn ein Erfolg in Aussicht gewesen wäre. Es hieß daher bald, ihr Leben werde wohl dahin sein. Nun war es die einst so schlimme Violande, welche, von Reue und Mitleid erschüttert, sich aufraffte und die einzige Hilfe aufsuchte, die ihr denkbar schien. Sie machte sich auf und wanderte Tag und Nacht gegen Westen, um die Bande des tollen Lebens und Dietegen zu finden. Das Gerücht von dem Treiben der verwegenen Schar leitete sie auch bald auf den rechten Weg und sie fand den Gesuchten, wie er eben mit einigen Gefährten in einer Schenke gleichgültig um Geld würfelte.

Sie gab ihm Kunde von dem neuen Unglücke Küngolts und er hörte ihr wider Erwarten aufmerksam zu, sagte aber dann: »Hier kann ich nichts machen! Das ist eine Rechtssache, und da die Seldwyler selbst nichts tun, so würde ich keine zehn Gesellen finden, die mir folgen würden, um das Kind zu befreien!«

Violande aber, welche von ihrem frühern Wesen und Treiben her alle möglichen Heiratsfälle im Gedächtnisse hatte, erwiderte: »Gewalt ist auch nicht nötig. Die Ruechensteiner haben seit altem her die Satzung, daß ein zum Tode verurteiltes Weib von jedem Manne gerettet werden kann und demselben übergeben wird, der sie zu ehelichen begehrt und sich auf der Stelle mit ihr trauen läßt!«

Dietegen schaute der Sprecherin verwundert und wunderlich ins Gesicht, nicht ohne sein spöttisches Soldatenlächeln.

»Ich soll also eine Art Dirne zur Frau nehmen, meint Ihr?« sagte er, indem er seinen hervorsprossenden Schnurrbart drehte und sich sehr ungläubig anstellte, obgleich es ihm durch das Antlitz zuckte.

»Sag nicht Dirne«, antwortete Violande, »sie ist es nicht!«

Und plötzlich in Tränen ausbrechend, ergriff sie Dietegens Hände und fuhr fort: »Was sie gefehlt hat, ist meine Schuld, laß es mich bekennen; denn ich wollte euch trennen und beide aus dem Hause bringen, um den Vater zu bekommen! Darum habe ich das Kind zu allen seinen Torheiten verleitet!«

»Sie hätte sich nicht sollen verleiten lassen«, rief Dietegen, »ihre Eltern sind von guter Art gewesen; aber sie ist nicht geraten!«

»Und ich schwöre dir bei meiner Seligkeit«, rief Violande, »es ist alles wie vom Feuer weggebrannt, was sie verunziert hat; sie ist gut und sanft und liebt dich so, daß sie schon längst sich ein Leid angetan hätte, wenn du nicht in der Welt zurückbleiben würdest! Übrigens gedenke doch dessen, was du ihr schuldest! Würdest du jetzt in deiner Kraft und Schönheit dastehen, wenn sie dich nicht aus dem Sarge des Henkers genommen hätte? Und gedenke auch der Mutter Küngolts und ihres braven Vaters, die dich erzogen haben wie ihr eigenes Kind. Und bist denn du der einzige Richter über den Fehl eines schwachen Kindes? Hast du selbst noch nie Unrecht getan? Hast du keinen Mann erschlagen in deinen Kriegen, dessen Tod nicht gerade nötig gewesen wäre? Hast du keine Hütten von Armen und Wehrlosen verbrannt? Und wenn du auch dies nicht getan, hast du immer Barmherzigkeit geübt, wo du es gekonnt hättest?«

Dietegen errötete und sagte: »Ich will nichts geschenkt haben und niemandem etwas schuldig bleiben! Wenn es sich verhält, wie Ihr sagt, mit dem Ruechensteinischen Rechtsbrauche, so will ich hingehen und das Kind zu mir nehmen! Möge Gott mir und ihr dann weiter helfen, wenn sie nicht mehr recht tun kann!«

Sogleich gab er der gänzlich erschöpften Frau, die ihm nicht hätte folgen können, einiges Geld, womit sie sich etwas pflegen und zur Rückreise stärken sollte. Er selbst ging augenblicklich, seine Waffen ergreifend, auf und davon, quer durch das Land, und ruhte nicht, bis er die finstere Stadt Ruechenstein erblickte.

Dort hatten sie nicht lange Spaß gemacht, sondern nach wenig Tagen die Küngolt, die im kalten Turme saß, zum Tode verurteilt, und zwar wegen ihres unbescholtenen Vaters, der für das Vaterland gefallen sei, aus besonderer Milde zum Tode durch Enthauptung, statt durch Feuer oder Rad oder eine andere ihrer üblichen Praktiken.

Sie wurde demgemäß zum Tore hinaus geführt nach dem Richtplatze, barfüßig und mit nichts als dem Armensünderhemde bekleidet, Nacken und Rücken von dem schweren flatternden Haare bedeckt. Schritt für Schritt ging sie ihren Todespfad inmitten ihrer Peiniger, zuweilen strauchelnd, aber gefaßten Mutes, da sie sich ergeben und aller weiteren Lebens- und Glückeshoffnung entschlagen hatte. »So kann es einem ergehen!« dachte sie mit einem fast merklichen Lächeln, und erst als sie plötzlich wieder an Dietegen dachte, entfielen ihren Augen süße Tränen; denn sie bedachte auch, daß er ihr sein blühendes Leben danke, und sie fühlte sich durch dieses Erinnern getröstet, so selbstlos und gut war ihr Herz geworden.

Schon saß sie auf dem Stuhle und war gewissermaßen froh, daß sie nur sitzen und ausruhen konnte von dem mühseligen Gang. Sie schaute zum letzten Mal über das Land hin und in den blauen Schmelz der Ferne. Da verband ihr der Henker die Augen und schickte sich an, ihr das reiche Haar abzunehmen, soweit es unter der Binde hervorquoll, als Dietegen in einiger Entfernung zum Vorschein kam und mächtig rufend seinen Hut und seinen Spieß schwenkte. Gleichzeitig aber, um die Handlung aufzuhalten, riß er seine Büchse von der Schulter und sandte eine Kugel über den Kopf des Henkers weg. Überrascht und erschreckt hielten die Richter inne und alles griff zu den Waffen, als der reisige Jüngling in weiten Sätzen heran und auf das Blutgerüste sprang, daß dasselbe von der Wucht seines Sprunges beinahe zusammenbrach. Die sitzende Küngolt bei der Schulter fassend, da ihre Hände auf dem Rücken gebunden waren, suchte er eine Weile nach Atem, eh er sprechen konnte. Die Ruechensteiner, als sie sahen, daß er allein war und kein weiterer Überfall erfolgte, harrten der Dinge, die da kommen sollten, und als er endlich sein Begehren erklären konnte, traten sie zur Beratung der Angelegenheit zusammen.

Sowohl ihre Art, an den einmal herrschenden Rechtsgewohnheiten unverbrüchlich festzuhalten, als das Ansehen, welches Dietegen in diesen kriegerischen Tagen und mit seiner ganzen Erscheinung behauptete, ließen den Handel ohne

Schwierigkeiten beilegen, nachdem der grämliche Verdruß über die ungewöhnliche Störung einmal überwunden war. Selbst der Ratsschreiber, der sich nicht versagt hatte, sein Amt in dieser Sache selbst zu versehen und sich von dem Untergange der Hexe zu überzeugen, verbarg sich, so gut er konnte, um den wilden Kriegsmann, dessen Hand er trotz seines Mutes fürchtete, nicht auf sich aufmerksam zu machen.

Der gleiche Priester, der vorher mit der Verurteilten gebetet hatte, mußte nun stehenden Fußes die Trauung auf dem Gerüste vornehmen. Küngolt wurde losgebunden, auf die schwankenden Füße gestellt und befragt, ob sie diesem Manne, der sie zu ehelichen begehre, als seine rechte Ehefrau folgen und ihm ihre Hand geben wolle.

Stumm blickte sie zu ihm auf, der das erste war, was sie nach abgenommener Augenbinde von der Welt wieder sah, und sie blickte wie in einen Traum hinein; doch um, auch wenn es ein solcher wäre, nichts zu verfehlen, nickte sie, da sie nicht reden konnte, mit Geistesgegenwart und geisterhaft drei oder vier Mal, und gleich darauf noch ein paar Mal, so daß selbst die düstern Ratsmänner gerührt wurden und die Zitternde stützten, als sie hierauf in aller Form mit dem Manne verbunden wurde.

Erst jetzt wurde sie ihm mit Leib und Leben, wie sie stand und ging, ohne Nachwähr noch irgend einigen Anspruch auf Gut oder Schadensersatz übergeben, gegen Erlegung der Gebühr für den Trauschein dem Pfaffen und Bezahlung von zehn Kopf Weins für den Scharfrichter und seine Knechte, als Hochzeitgabe, auch drei Pfund Heller für ein neues Wams dem Scharfrichter.

Als er alles bezahlt hatte, nahm Dietegen sein Weib bei der Hand und verließ mit ihr den Richtplatz. Weil er sie aber nehmen mußte, wie sie stand und ging, und sie barfuß und mit nichts als dem Totenhemde bekleidet, auch die Jahrszeit noch früh und kühl war, so befand sie sich nicht gut und konnte nicht wohl neben dem Manne fortkommen. Er hob sie daher vom Boden auf den Arm, schob seinen Hut über die Schultern zurück, sie schlang sogleich ihre Arme um seinen Nacken, legte ihr Haupt auf das seinige und schlief nach wenigen Schritten ein, die er mit dem Speer in der anderen Hand zurücklegte. So wandelte er rüstig weiter auf einsamer Höhe und fühlte, wie sie im Schlafe leise weinte und ihr Atem in süßer Erlösung freier wurde, und als ihre Tränen seine Stirne benetzten, da wurde es ihm zu Mute, als ob er vom seligen Glücke selbst getauft würde, und dem rauhen starken Gesellen rollten die eigenen Tränen über die Wangen. Sein war das Leben, das er trug, und er hielt es, als ob er die reiche Welt Gottes trüge.

Als sie auf der Stelle anlangten, wo er selbst als Kind im Sünderhemdchen unter den Frauen gesessen und kürzlich Küngolt gefangen worden war, schien die Märzensonne so hell und warm, daß ein kurzes Ausruhen erlaubt schien. Dietegen setzte sich auf den Grenzstein und ließ seine reiche Last sachte auf seine Kniee nieder; der erste Blick, den die Erwachende ihm gab, und die ersten armen Wörtchen, die sie nun endlich stammelte, bestätigten ihm, daß er nicht sowohl eine Pflicht treu erfüllt als eine neue eingegangen habe, nämlich diejenige, so gut und wacker zu werden, daß er des Glückes, das ihn jetzt beseelte, auch allezeit wert sei.

Der Boden um den Markstein her war schon mit Maßliebchen und andern frühen Blumen besät, der Himmel weit herum blau, und kein Ton unterbrach die Nachmittagsstille als der Gesang der Buchfinken in den Wäldern.

Weiter sprachen sie nun nichts, sondern atmeten einträchtiglich in die laue Luft hinaus; endlich aber erhoben sie sich, und weil der Weg nur noch über weichen Moosboden durch die Buchenwaldung abwärts führte nach dem Forsthause, so gingen sie nun nebeneinander hin.

Unversehens griff Küngolt an ihr Goldhaar, welches sie erst jetzt abgeschnitten glaubte, und da sie es noch fand, wie es gewesen, stand sie still und sagte zu Dietegen, indem sie ihn treuherzig ansah: »Kann ich nicht noch ein Brautkränzchen bekommen?«

Er sah sich um und gewahrte eine glänzend grüne Stechpalme. Rasch schnitt er einen starken Zweig von dem Strauche, machte einen Kranz daraus und setzte ihr denselben sorgsam aufs Haupt mit den Worten: »Es ist ein rauher Brautkranz, aber wehrhaft, wie unsere Ehre es jederzeit sein soll! Wer sie mit Wort oder Tat beleidigen will, wird die Strafe fühlen!«

Er küßte sie hierauf ein einziges Mal fest unter ihrem Kranze und sie ging zufrieden weiter mit ihm.

Das Forsthaus stand leer und verlassen, als sie es erreichten. Das Gesinde hatte sich wegen der vermeintlichen Hinrichtung teils aus Trauer, teils aus ungetreuem Leichtsinn verlaufen und niemand kehrte an diesem Tage mehr zurück. Um so traulicher wurde das rasch auflebende junge Weib mit jedem Augenblick. Sie eilte von Schrank zu Schrank, von Kammer zu Kammer, und bald erschien sie in dem köstlichen Brautkleid ihrer Mutter, von welchem sie ihrem jetzigen Manne in jener Nacht erzählt, als sie zusammen im gleichen Kinderbettchen gelegen. Dann deckte sie den Tisch mit festlichem Linnen und trug auf, was sie an Speise und Wein hatte finden und bereiten können.

In tiefer Stille und Einsamkeit saßen sie nun nebeneinander, sie in ihrem Kranze und er mit abgelegten Waffen, und nachdem sie ihr einfaches Mahl genossen, gingen sie zur Ruhe. »So kann es einem ergehen!« sagte Küngolt heute zum zweiten Male und mit leichterm Herzen leise vor sich hin, als sie zufrieden an der Seite ihres Mannes lag; denn es blieb immer ein Restchen von Schalkheit in ihr.

Dietegen wurde ein angesehener Mann durch das Kriegswesen, nicht besser als andere jener Zeit, vielmehr den gleichen Fehlern unterworfen. Er wurde ein Feldhauptmann, der für oder wider die fremden Herren Partei nahm, Söldner warb, Gold und Beute raffte und so von Krieg zu Krieg sein Wesen trieb, gleich den Ersten seines Landes, so daß er emporkam und einen oft gewalttätigen Einfluß übte. Allein mit seiner Frau lebte er in ununterbrochener Eintracht und Ehre und gründete mit ihr ein zahlreiches Geschlecht, das jetzt noch in Blüte steht in verschiedenen Ländern, wohin der kriegerische Zug der Zeiten die Vorfahren einst getrieben.

Violande ihrerseits war bald nach der Hochzeit Dietegens und Küngolts, die ihr zum Troste gereicht hatte, in ein wirkliches Kloster gegangen und eine wirkliche Nonne geworden, welche den Kindern Küngolts zuweilen allerlei Backwerk und Näschereien sandte. Auch gefiel sie sich darin, wenn Herr Dietegen auf der Höhe seines Ansehens etwa große Gasterei hielt und mit langem Bart und goldener Ritterkette dasaß, als geistliche Frau auf Besuch zugegen zu sein, mit einem goldenen Kreuze auf der Brust, und intrigante höfliche Reden mit den Kriegsherren zu wechseln.

Wie Küngolt im Anfange des sechzehnten Jahrhunderts ausgesehen, ist noch aus dem Bilde eines guten Malers zu entnehmen, welches in einer bekannten Galerie hängt und laut Inschrift ihr Bildnis ist. Man sieht da eine schlanke feine Patrizierfrau, deren schöne Gesichtszüge einen gewissen tiefen Ernst verkünden, durchblüht aber von sanfter kluger Laune.

Auch sie starb noch in guten Jahren an einer Erkältung, gleich ihrer Mutter, der Forstmeisterin, als nämlich ihr Mann in einem der Mailänder Feldzüge endlich ums Leben kam und auf dem Friedhofe eines lombardischen Kirchleins begraben wurde. Sie eilte hin, in der Absicht ihm ein Grabmal zu errichten, in der Tat aber um ungesehen eine lange Regennacht hindurch auf seinem Grabe zu sitzen, so daß ein Fieber sie in zwei Tagen dahinraffte und sie an der Seite Dietegens ihre Ruhestatt fand.

Das verlorne Lachen

Erstes Kapitel

Drei Ellen gute Bannerseide,
Ein Häuflein Volkes, ehrenwert,
Mit klarem Aug, im Sonntagskleide,
Ist alles, was mein Herz begehrt!
So end ich mit der Morgenhelle
Der Sommernacht beschränkte Ruh
Und wandre rasch dem frischen Quelle
Der vaterländ'schen Freuden zu.

Die Schiffe fahren und die Wagen,
Bekränzt, auf allen Pfaden her;
Die luft'ge Halle seh ich ragen,
Von Steinen nicht noch Sorgen schwer;
Vom Rednersimse schimmert lieblich
Des Festpokales Silberhort:
Heil uns, noch ist bei Freien üblich
Ein leidenschaftlich freies Wort!

Und Wort und Lied, von Mund zu Munde,
Von Herz zu Herzen hallt es hin;
So blüht des Festes Rosenstunde
Und muß mit goldner Wende fliehn!
Und jede Pflicht hat sie erneuet,
Und jede Kraft hat sie gestählt
Und eine Körnersaat gestreuet,
Die niemals ihre Frucht verhehlt.

Drum weilet, wo im Feierkleide
Ein rüstig Volk zum Feste geht
Und leis die feine Bannerseide
Hoch über ihm zum Himmel weht!

In Vaterlandes Saus und Brause,
Da ist die Freude sündenrein,
Und kehr nicht besser ich nach Hause,
So werd ich auch nicht schlechter sein!

Dieses Lied sang der Fahnenträger des Seldwyler Männerchores, welcher an einem prachtvollen Sommermorgen zum Sängerfeste wanderte. Nachdem die Herren am Abend vorher aufgebrochen und einen Teil des Weges auf der Schienenbahn befördert worden waren, hatten sie beschlossen, den Rest in der Morgenkühle zu Fuß zu machen, da es nur noch durch schöne Waldungen ging.

Schon breitete sich der glänzende See vor ihnen aus mit der bunt beflaggten Stadt am Ufer, als die sechzig bis siebzig jüngeren und älteren Männer des Vereines in zerstreuten Gruppen durch einen herrlichen Buchenwald hinabstiegen und das hinter den großen Stämmen wohnende Echo mit Jauchzen und einzelnen Liederstrophen widerhallen ließen, auch etwa einem weiterhin niedersteigenden Fähnlein antworteten.

Nur der allen vorausziehende Fahnenträger, ein schlank gewachsener junger Mann mit bildschönem Antlitz, sang sein Lied vollständig durch mit freudeheller und doch gemäßigter Baritonstimme. Geschmückt mit breiter reichgestickter Schärpe und stattlichem Federhut, trug er die ebenso reiche, schwere Seidenfahne, halb zusammengefaltet, über die Schulter gelegt, und deren goldene Spitze funkelte hin und wieder im grünen Schatten, wo die Strahlen der Morgensonne durch die Laubgewölbe drangen.

Als er nun sein Lied geendet, schaute er lächelnd zurück und man sah das schöne Gesicht in vollem Glücke strahlen, das ihm jeder gönnte, da ein eigentümlich angenehmes Lachen, wenn es sich zeigte, jeden für ihn gewann.

»Unser Jukundi«, sagten die hinter ihm Gehenden zueinander, »wird wohl der schönste Fähnrich am Feste sein.« Er führte nämlich den heiter klingenden Namen Jukundus Meyenthal und wurde mit allgemeiner Zärtlichkeit schlechtweg

der Jukundi genannt. Es erwahrte sich auch die Hoffnung;
denn als die Seldwyler, am Orte angekommen, sich zum Ein-
zuge unter die langen Sängerscharen reihten, erregte seine Erscheinung, wo sie durchzogen, überall großes Wohlgefallen.

Denjenigen, welche schon mehrere Feste gesehen hatten,
war er auch schon auf das vorteilhafteste bekannt als eine mu-
stergültige Festerscheinung. Von steter Fröhlichkeit und Ausdauer vom ersten bis zum letzten Augenblicke, war Jukundi
dennoch die Ruhe und Gelassenheit selbst; immer sah man ihn
Teil nehmend an jeder allgemeinen Freude und an jeder besonderen Ausführung, ausharrend und hilfreich, nie überlaut
oder gar betrunken. Den schreienden Possenmacher wußte er
zu ertragen wie den übellaunischen Festgast, der sich übernommen und die Freude verdorben hatte, und beide verstand
er voll Duldung und Freundlichkeit aus allerlei Fährlichkeiten
zu erlösen, wenn die allgemeine Geduld zu brechen drohte,
und sie aus beschämendem Schiffbruche zu erretten. Selbst
den bewußtlosen Jähzornigen führte er, alle Schmähungen
überhörend, mit stillem Geschick aus dem Gedränge und erwarb sich Dank und Anhänglichkeit des Nüchterngewor-
denen.

In dieser Übung konnte er übrigens nur als eine Darstellung
aller Seldwyler gelten, wenn sie zu Feste zogen. So ungeregelt
und müßig sie sonst lebten, so sehr hielten sie auf Ordnung,
Fleiß und gute Haltung bei solchen Anlässen. Rühmlich zogen
sie auf und wieder ab, eine gut gemusterte einige Schar, solange
die Lustbarkeit dauerte, und sich im voraus auf die zwanglose
Erholung freuend, welche zu Hause nach so ernster Anstrengung sich langehin zu gönnen sein werde.

In dieser Weise hatten sie auch den Gesang, mit welchem sie
am Sängertage um den Preis zu ringen gedachten, trefflich eingeübt und schonten ihre Stimmen mit großer Entbehrung. Sie
hatten eine Tondichtung gewählt, welche »Veilchens Erwa-
chen!« betitelt und auf irgend ein nichtssagendes Liedchen
aufgebaut, aber so künstlich und schwer auszuführen war, daß
es schon Monate vorher ein großes Gerede gab an allen Orten,

als ob die Seldwyler zu viel unternommen und sich dem Untergang ausgesetzt hätten.

Als aber der Tag der Wettgesänge vorgerückt war und in der mächtigen weiten Halle Tausende von Hörern vor fast so viel tausend Sängern saßen und das Häuflein der Seldwyler, da ihre Stunde gekommen, mit dem Banner einsam vortrat in dem Menschenmeere, da hielten sie den ebenso zarten als schweren Gesang durch alle schwierigen Harmonieen und Verwickelungen hindurch aufrecht ohne Wanken und ließen ihn so weich und rein verhauchen, daß man das blaue Veilchenknöspchen glaubte leise aufplatzen und das erste Düftlein durch die Halle schweben zu hören.

Rauschend, tosend brach der Beifall nach der atemlosen Stille los, die erhabenen Kampfrichter nickten vor allem Volke sichtbar mit den Häuptern und sahen sich an, die goldenen Dosen ergreifend, Ehrengeschenke entlegen wohnender Fürsten und Völker, und sich gegenseitig Prisen anbietend; denn es befanden sich von den ersten Kapellmeistern darunter.

Die Seldwyler selbst traten mit ruhiger Haltung zurück und wußten ohne Aufsehen aus der Schlachtordnung sich hinauszuwinden, um in einem schattigen Garten ein mäßiges Champagnerfrühstück einzunehmen. Keiner begehrte mehr als seine drei Gläser zu trinken, niemand merkte, wo sie gewesen seien, als sie wieder in der Halle sich einfanden.

Dergestalt würdig verhielten sie sich während der Dauer des ganzen Festes, bis die Stunde der Preisverteilung kam. Das Gold der Nachmittagssonne durchwebte den bis zum letzten Platz angefüllten Festbau, welcher mit rotem Tuch und Grün ausgeschlagen, mit vielen Fahnen geschmückt, in feierlichem Glanze wie zu schwimmen schien. Auf erhöhter Stelle, wo die zu Preisen und Festgeschenken bestimmten Schalen und Hörner in Gold und Silber leuchteten, saßen einige Jungfrauen, auserwählt die Kränze an die gekrönten Sängerfahnen zu binden.

Oder vielmehr dienten sie der Schönsten und Größten unter ihnen zum Geleit, der schönen Justine Glor von Schwanau, welche sich mit vieler Mühe hatte erbeten lassen, das Anbinden der Kränze zu übernehmen. Sie sah auch aus wie eine Muse; im reichgelockten braunen Haar trug sie einen frischen Rosenkranz und das weiße Gewand rot gegürtet.

Aller Augen hafteten an ihr, als sie sich erhob und den ersten Kranz ergriff, welcher soeben den Seldwylern unter Trometen- und Paukenschall zugesprochen worden war. Zugleich sah man aber auch den Jukundus, der unversehens mit seiner Fahne vor ihr stand und in frohem Glücke lachte. Da strahlte wie ein Widerschein das gleiche schöne Lachen, wie es ihm eigen, vom Gesichte der Kranzspenderin, und es zeigte sich, daß beide Wesen aus der gleichen Heimat stammten, aus welcher die mit diesem Lachen Begabten kommen. Da jedes von ihnen sich seiner Eigenschaft wohl mehr oder weniger bewußt war und sie nun am andern sah, auch das Volk umher die Erscheinung überrascht wahrnahm, so erröteten beide, nicht ohne sich wiederholt anzublicken, während der Kranz angeheftet wurde.

Eine Stunde später ordnete sich der letzte und rauschendste Zug durch die Feststadt, unter den unzähligen Wimpeln und Kränzen und durch das wogende Volk hindurch, indem die gewonnenen Festgeschenke und die gekrönten Fahnen umhergetragen wurden. Da sahen sich die beiden wieder, als Justine von der Gartenzinne ihrer Gastfreunde aus den Zug anschaute und Jukundus vorüberziehend seine Fahne schwenkte; und am Abend ereignete es sich, da das gute Glück heute besonders fleißig war, daß Jukundus während des Schlußbankettes der Schönen am gleichen Tische gegenüber zu sitzen kam, so daß sie um Mitternacht schon in aller Fröhlichkeit und Freundlichkeit aneinander gewöhnt waren.

Sie trafen sich auch am nächsten Morgen als gute Bekannte auf einem großen beflaggten Dampfboote, welches die Festregierung mit einer Zahl eingeladener Verdienst- und Ehrenpersonen und auswärtiger Freunde zu einer Lustfahrt den See entlang tragen sollte. Ein wolkenloser Himmel breitete sich über Wasser, Land und Gebirge und öffnete die letzten Quellen edler Freude, welche noch verschlossen sein konnten. Das Schiff durchfurchte das tiefgrüne kristallene Wasser, bald von den Klängen guter Musik getragen, bald von Liedern umtönt. Von den blühenden Ortschaften an den weithin sich ziehenden Ufern rechts und links schallten Grüße und winkten Fahnen herüber, und mit Stolz wies man den Gästen das wohlbebaute Land, die reichen Wohnsitze und Ortschaften. Ein stattlicher Kranz von Frauen saß auf erhöhtem Platze des Schiffes, unter ihnen Justine Glor in schöner einfacher Modekleidung, den Sonnenschirm in der Hand, so daß Jukundus, als er in seiner Fahnenträgertracht grüßend vor sie trat, überrascht von ihrem veränderten und fast noch feinern Aussehen, beinahe befangen wurde. Sie wechselten jedoch nur wenige Worte, wie zu geschehen pflegt, wenn ein reichlich langer Sommertag zu Gebote steht.

Als eine Weile später Jukundus wieder in ihre Nähe kam, winkte sie ihm und teilte ihm mit, daß ihre Eltern in Schwanau, welches am obern Teile des Sees lag, die ganze Gesellschaft auf den Abend in ihre Gärten einladen, daß das Schiff dort vor Anker gehen würde und daß sie hoffe, er werde auch so lange dabei bleiben. Diese vertrauliche Mitteilung, von der nur noch wenige wußten, trug ihm sofort Anspielungen und Glückwünsche der Umstehenden ein, die er bescheidentlich ablehnte, aber gerne vernahm.

In der Tat wurde es bald kund, daß das Schiff gegen Abend in Schwanau anhalten würde und daß alle gebeten seien, die letzte Erfrischung im Besitztume der Familie Glor einzunehmen. Dieselbe tat das der Tochter zu Ehren, um zu zeigen, daß sie wo zu Hause sei und eigentlich nicht nötig habe, an fremden Festtafeln zu sitzen, sondern selbst ein Fest geben könne. Denn es waren Leute, die auf ihre Besitztümer, als selbsterworbene, etwas viel hielten.

Um also den vielverheißenden Abend unverkürzt zu genießen, wurden die Aufenthalte an den übrigen Uferorten, wo das Schiff erwartet wurde, genau abgemessen und innegehalten, und das tönende und singende Schiff fuhr rechtzeitig quer

über den funkelnden See, von Kanonenschlägen begrüßt, nach
Schwanau hinüber und legte an, wo die hohen Bäume der
Glorschen Gärten sich im Wasser spiegelten und darüber weg
von den Terrassen und Hügeln ihre Häuser glänzten.

Während das Sängervolk sich unter den Bäumen ausbreitete, verschwand Justine im Hause, um den Ihrigen Handrei-
chung zu tun, wogegen der Vater und die Brüder sich um die
zahlreichen Gäste und deren Begrüßung bemühten. In Lauben
und Veranden waren Niederlassungen für die Frauen mit den
entsprechenden Erfrischungen bereitet; in einer frischgemäh-
ten Wiese, unter Fruchtbäumen, lange Tische für die Männer
gedeckt. Es dauerte aber nicht lange, so waren auch alle Frauen
auf der Wiese, angelockt von den Scherzen, Possen und
Neckereien, welche die junge Männerwelt unter sich trieb, um
ein Aufsehen zu erregen. Und es gab genug zu schauen und zu
lachen, da Laune und Geschicklichkeit der Einzelnen hundert
kleine artige Erfindungen und Stücklein hervorbrachten, wobei das Naivste, mit guter Art entstanden, in der allgemeinen
glücklichen Stimmung den herzlichsten Beifall weckte. Selbst
ein unvermutet geschlagener Purzelbaum fand seine Gönner
und sogar der unglückliche Virtuose, welcher auf seinem Fri-
sierkamm allen Ernstes eine gefühlvolle Weise hatte blasen
wollen und daran scheiterte, freute sich über die ungetrübte
Heiterkeit, die er erweckt, und tat den ihm aufgesetzten Stroh-
kranz nicht mehr vom Kopfe.

Nur Jukundus fühlte sich etwas vereinsamt in dem Treiben,
weil er Justinen gar zu lange nicht mehr erblickte, an die er
schon ein kleines Anrecht zu haben glaubte, wenigstens für
diesen letzten Tag. Indessen fand sich eine holde Erlösung, da
unversehens die Jungfrau dicht bei ihm stand, ohne daß er
wußte, wo sie herkam, und ihn dem Vater und den Brüdern
vorstellte als den Bannerherren des erstgekrönten Vereines. Er
wurde von den Männern höflich und auch freundlich gegrüßt
und willkommen geheißen, aber nicht ohne jene feste kühle
Haltung, welche so reiche Arbeitsherren einem nichts oder
wenig besitzenden Seldwyler gegenüber bewahren mußten,

insofern er etwa Mehreres vorzustellen gedächte als einen stattlichen Festbesucher.

Der gutmütige Sänger fühlte das doch augenblicklich und wurde etwas verlegen; so auch Justine, welche ihn darum zur Entschädigung weiter führte, als die Herren weggegangen, und ihm das Gut zu zeigen vorschlug.

Zwei gleichgebaute villenartige Häuser neuesten Stiles, welche zunächst dem See in den schattigen Anlagen standen, bezeichnete sie ihm als die Wohnungen der beiden Brüder, wovon jeder schon seine eigene Familie gegründet hatte, ohne deswegen aus der Gesamtfamilie auszuscheiden. Dann stieg sie mit ihm Wege und Treppen empor, bis wo über den Wipfeln der untern Bäume die Wohnung der Eltern stand, worin sie selber lebte, von etwas älterer Bauart, aber immerhin ein stattliches Herrenhaus, umgeben von Wirtschaftsgebäuden und Ställen; weiterhin sah man lange hohe Gewerbshäuser mit zahllosen Fenstern, welche an die staubige Landstraße grenzten, die hier vorüberführte. Jenseits der Straße aber, an dem ansteigenden Bergabhang, dehnten sich Äcker, Weinberge und Wiesen mit Wäldern von Obstbäumen, und hoch über allem diesem zeigte ihm Justine das Haus der Großeltern als den Stammsitz der Ihrigen, in der Abendsonne weit über das Land hin schimmernd, ein weitläufiges vornehmes Bauernhaus von altertümlicher Bauart, mit hellen Fensterreihen, weißem Mauerwerk und buntbemaltem Holzwerk an Dach und Scheunen, mit steinernen Vortreppen und künstlich geschmiedeten eisernen Geländern. Hier hausten der Großvater und die Großmutter mit ihrem Gesinde, beide achtzigjährige Landleute, beide noch täglich und stündlich schaffend und befehlend, zähe und gestrenge alte Personen von einfachster Lebensweise und stets fertig mit ihrem Urteil über alle Jüngeren, wie Justine ihrem Begleiter sie schilderte. »Wollen wir noch schnell hinaufgehen und sie grüßen, da sie es verschmähen, von ihrer Höhe herunterzusteigen und unsere Lustbarkeit anzusehen? Es ist eine herrliche Aussicht dort oben!« so sagte das Mädchen. Aber Jukundus empfand eine Art Scheu vor den Alten und dankte höflich für weitere Bemühung seiner Führerin, da ihn überdies all das ausgedehnte Wesen eher ängstigte als erfreute.

Sie kehrten daher wieder zurück und mischten sich unter die Festgenossen, die je länger je lustiger wurden, bis im Osten der Vollmond aufging und nach dem Niedergang der Sonne hinüberschaute, so daß Rosen und Silber sich in den Lüften und auf den Wassern vermengten und das Schiff zur Abfahrt bereitet, auch bald bestiegen wurde.

Es gab ein Gedränge hiebei, da jeder den Wirten, die am Ufer standen, die Hand geben wollte, während die Schiffleute zur Eile mahnten. So kam es, daß Jukundus Meyenthal von seinem Vorhaben, von der schönen Justine Abschied zu nehmen, abgedrängt wurde und dem Strome folgen mußte, da sie nicht am Wege stand. Freilich schüttelten auch ihm Vater und Brüder die Hand, flüchtig sprechend: »Es hat uns gefreut«; aber der eine nannte ihn Herr Thalmeyer, der andere Meienberg, der dritte gar Herr Meierheim, und keiner sagte: Auf Wiedersehen!

Als das Schiff in den Abendglanz hinausfuhr, sah er sie auch nicht mehr, da sie mit den anderen Frauen im dunkelnden Schatten der Bäume stand.

Zu Hause lebte Jukundus bei seiner Mutter, deren einziger Sohn und Jukundi er war und deren große Hoffnung. Weil der Vater früh gestorben, so hatte er das von auswärts zugebrachte Vermögen der Frau nur halb aufbrauchen und sie mit der anderen Hälfte den Sohn aufziehen können; und es war auch jetzt noch etwas da, obschon er noch keinen entschiedenen Anlauf gemacht und noch wenig erworben hatte. Aber es war von ihm auch noch nichts verschwendet worden, weil er der Mutter, von welcher er seine Schönheit und Gesundheit besaß und die ihn mit Freundlichkeit liebte, leidlich gehorchte und sich von ihr leiten ließ.

Bei einem bestimmten Berufe war er noch nicht geblieben. Zuerst hatte es geschienen, daß er für technisches Wesen Neigung zeige, und er war deshalb eine Zeitlang auf die Bureaus eines Ingenieurs gegangen. Dann änderte sich aber diese Stimmung zugunsten des Kaufmannsstandes und er trat in ein Geschäft ein, welches bald darauf aus Mißgeschick sich auflöste, ohne daß er viel einbüßte; jetzt war er gerade in der Richtung, sich dem Militärwesen zu widmen, indem er sich zu einem Unterrichts- und Stabsoffizier ausbildete. Da er hiebei den größten Teil des Jahres auf den Waffenplätzen zuzubringen hatte und Sold empfing, so gewährte das für einstweilen ein stattliches Dasein, ohne daß es bei seiner mäßigen Lebensweise großen Zuschuß eigener Mittel erforderte.

Als er nun nach dem Feste in schmuckem Kriegsgewand und den Säbel an der Seite zu Pferde saß, beschaute ihn seine Mutter mit Wohlgefallen und bemerkte dabei, daß sein anmutiges Lächeln eine kleine Beimischung von Melancholie oder dergleichen gewonnen hatte. Er schien auszusehen wie einer, der irgend ein Heimweh oder eine Sehnsucht aufgelesen hat. Sie dachte darüber nach und stellte auch einige vorsichtige Forschungen an, und als sie von dem Abenteuer mit der Kranzjungfrau hörte und wie er etwa von den andern damit geneckt wurde, ging ihr ein Licht auf, bei dessen Scheine sie sofort still an die Arbeit ging, um ein Glück zu schaffen, wohl angemessen und gut genäht.

Nachdem sie mehr aus den Mienen als aus den wenigen Äußerungen Jukundis gemerkt hatte, daß sich dem also verhielte, wie sie meinte, daß er aber als ein bescheidener und die Verhältnisse wohl durchschauender Mensch kaum große Unternehmungslust verspürte, sagte sie vorderhand nichts mehr. Als aber der Sommer vorgerückt war, verkündigte sie, zum ersten Male in ihrem Leben, daß sie in ihren Jahren doch anfangen müsse etwas für die Gesundheit zu tun und für einige Wochen einen schönen Kurort zu besuchen Lust habe, wenn Jukundus die Kosten nachher mit ihr gemeinschaftlich durch Sparsamkeit wieder einbringen wolle. Er erklärte sich sofort dazu bereit und sie reiste vergnügt hierüber und in bester Gesundheit ab, mit ihrem schönsten Staate beladen.

Sie gab ihrem Sohn die Weisung, dannzumal, wenn sie ihn benachrichtigen würde, sie heimzuholen und es aber so einzurichten, daß er auch noch einige Tage an jenem Orte verweilen könne.

Bald darauf tauchte sie in der nicht unberühmten und herrlich in einer Gebirgsgegend gelegenen Kuranstalt auf und setzte sich wohlgeputzt, aber mit unbefangener Haltung unten an die Tafel, an welcher oben die reiche und hochangesehene Frau Gertrud Glor von Schwanau mit ihrer schönen Tochter Justine saß und die Gelegenheit beherrschte. Sie war ebenso hoch gewachsen wie die Mutter Jukundi, aber bedeutend fester, mit weisen und etwas strengen Blicken, und gab gern zu verstehen, daß man sie nicht nur im Kreise der Ihrigen, sondern auch in der Gemeinde, ja wohl noch in weiteren Bezirken, eine »Stauffacherin« nenne, wahrscheinlich weil sie auch Gertrud heiße, wie die rat- und tugendreiche Ehewirtin in Schillers berühmtem Schauspiel »Wilhelm Tell«.

Sie ließ sich aber etwan belehren, daß man gar wohl wisse, was der Name zu bedeuten habe, und daß er das Ideal einer klugen und starken Schweizerfrau bezeichne, einen Stern und Schmuck des Hauses und Trost des Vaterlandes.

Frau Meyenthal hörte das am ersten halben Tage, den sie am Orte zubrachte, hielt sich aber ganz still und zurückgezogen, und erst gegen Ende des zweiten Tages, als Frau Gertrud nicht mehr dulden konnte, daß ein weiblicher Ankömmling von ihr ungekannt sei, ließ die Mutter Jukundi sich von ihr abfangen und in ein höfliches kurzes Gespräch verwickeln. Doch fand sie im Verlaufe desselben rasch die Gelegenheit, die Hand der festen Dame zu ergreifen und in herzlichem Tone mitzuteilen, sie fühle sich gedrängt, ihre Freude darüber zu äußern, daß sie eine solche wahrhafte Stauffacherinnengestalt kennen gelernt habe! Man erwarte jeden Augenblick, sie aus einem wappen- und spruchgezierten Schwyzerhause hervortreten zu sehen und wie sie die trostreiche Hand auf die Schulter des sorgenvollen Eheherren lege!

Während Frau Glor von Schwanau wohlgefällig errötete,

erschrak ihrerseits Frau Meyenthal, als während ihrer Rede ihre Augen die schöne Tochter Justine überflogen, die dabei stand; sie sah deren holdes Lächeln, welches dasjenige ihres Sohnes war, genau mit dem gleichen Schatten einer leisen Sehnsucht gemischt wie das seinige.

Frau Meyenthal erschrak über dieses wundervolle Naturspiel, diese unverkennbare Willensäußerung des Schicksals und diese offenbare Tatsache überhaupt, zumal Justine, welcher das Gesicht der Mutter des Fahnenträgers bekannt und vertraut erschienen war, keinen Augenblick zweifelte, wen sie vor sich habe, als sie ihren Namen und Herkunft hörte, und daher ein kurzes unbewachtes Weilchen eben mit jenem Lächeln erfreut an ihren Augen hing.

Als die Sonne niederging, beglänzte sie die drei hohen Frauengestalten, welche, seltsam bewegt von der Liebe zu sich selbst oder von der Liebe und Sorge für andere, auf der Bergeshöhe beisammen standen und einigermaßen verwirrt auseinander zu schweben schienen.

Die Mutter Jukundi faßte sich jedenfalls am schnellsten, indem sie noch am gleichen Abend ihrem Sohne schrieb, er solle in etwa einer Woche sie besuchen, um nach einigen Tagen Aufenthalt mit ihr heimreisen zu können. Gegen die Frauen von Schwanau tat sie hierauf, als ob sie keine Ahnung von der Begegnung auf der Sängerfahrt hätte, und die Frau Gertrud erinnerte sich der Sache auch kaum und hatte den hübschen Fahnenträger zu jener Zeit gar nicht gesehen, da sie wegen der Bewirtung meist im Innern eines Gartenhauses geblieben war.

Nur Justine war befangen und in Unruhe; sie wagte nicht die neue Bekannte nach dem Sohne zu fragen, und doch glaubte sie auch nicht gerne, daß er so gar nichts von dem Festerlebnisse und von ihr zu Hause erzählt haben sollte. Frau Meyenthal wollte aber, daß die jungen Leute sich ganz unerwartet und unverhofft wiedersähen, und hielt sich daher zurück, ohne die Gelegenheit indessen zu versäumen, bei der alten Stauffacherin mehr als einen Stein im Brett zu erobern durch kluges Benehmen. Denn man konnte jene insofern schon die alte Stauffacherin nennen als die schöne, gute Justine in ihrer vollsten Lebensblüte stand und ihr nichts mehr fehlte zur Würde und Übung eigenen Stauffachertums als ein für die Geschicke des Landes in Sorgen stehender Gemahl.

Daß ein solcher nicht schon vorhanden war, lag in den seltsamen Geschicken, welche gerade ausgezeichnete Jungfrauen so oft zu Jahren kommen lassen wegen der scheinbaren Kälte, für welche ihre edle Ruhe gehalten wird, wegen der eifersüchtigen Hut, deren sie sich seitens der Ihrigen erfreuen, und vor allem auch durch Wahrung des größern Rechtes, das sie besitzen, nur auf die Stimme des Herzens zu achten.

Endlich kam aber ein schöner Abend über das Gebirge und mit ihm langte Jukundus an, und zwar, da er aus einem Feldlager kam und nur wieder in ein anderes gehen mußte, in militärischer Tracht, mit etwas Rot und mit etwas Gold am dunklen Kleide. Nachdem er sich erfrischt und genugsam mit der Mutter geplaudert hatte, ging er ahnungslos mit ihr spazieren und sie lenkte den Weg dahin, wo sie die beiden Schwanauerinnen wußte, durch das Gehölz auf einen einsamen Felsvorsprung, der mit Sitzen und Geländern versehen war, hoch über einer blauenden Taltiefe.

Die plötzliche Glückseligkeit der beiden jungen Personen, die sich beim unverhofften Wiedersehen auf ihren Gesichtern zeigte, die Gleichartigkeit derselben und das eigentümliche kindliche Lächeln, das sie begleitete, gingen so über alle Vorstellung und Erwartung selbst der Mutter Meyenthal, daß von Kunst und Durchspielen einer Rolle bei ihr keine Rede mehr sein konnte und sie nur froh war, so ruhig und besonnen als möglich den Dingen zuzusehen.

Frau Gertrud aber wendete ganz verstaunt kein Auge von den Kindern und lenkte ihre Blicke immer von einem Gesichte auf das andere. Zuletzt legten sich aber die sanften Wellen der allgemeinen unversehenen Aufregung und es entspann sich ein höchst angenehmes Geschwätz und Gezwitscher, über welchem der Mond aufging, der in der Tiefe der Täler verborgen

gewesene Bäche und Weiher beglänzte, daß sie wie goldene
Sterne heraufleuchteten.

Frau Gertrud Glor empfand eine Art von Wonne, wie wenn
sie ein eigenes verschollenes Jugendglück neu erlebte, und
nahm die Mama Meyenthal an den Arm, als auf dem Wege
zum Kurhause die Kinder nebeneinander vorangingen und
abwechselnd plauderten oder schwiegen. Frau Meyenthal ihrerseits war gerührt und betroffen von der Wichtigkeit der
Tatsache und in beide Kinder gleichmäßig verliebt und zugleich in Sorgen, wie das nun enden würde.

Bei der Abendtafel erhöhte sich die glückliche Stimmung
womöglich, wie es zu geschehen pflegt, wenn eine eingekehrte
schöne Hoffnung die Beteiligten und Mitwissenden belebt
und sie reizt, das Geheimnis ungefährdet an der allgemeinen
Fröhlichkeit zu sonnen.

Frau Gertrud Glor trank ein kleines Spitzchen mit Jukundus aus lauter Wohlgefallen an seiner guten und schönen Haltung, und als beim Schlafengehen die Tochter sie umhalste und
einige schwere Tränen in der Mutter Halskrause niederlegte,
wie einen sauer ersparten Zinsgroschen, da war sie gar nicht
verwundert, sondern streichelte dem Kind teilnahmvoll die
Wangen.

Aber kaum war das Spitzchen notdürftig ausgeschlafen, was
schon bald nach Mitternacht getan war, da es nur klein gewesen, wie es einer Stauffacherin geziemt, so wachte sie sorgen-
voll auf und besah sich den Schaden die übrige Nacht hindurch, während Justine auch nicht schlief und wohl merkte,
daß die Mutter wachte. Aber sie hielt sich mäuschenstill und
war nur glücklich, daß sie keine Zeit mit Schlafen verlor und
unaufhörlich an die Sache denken konnte.

Der Mutter indessen wurde es mit der zunehmenden Morgendämmerung immer deutlicher, daß ja unmöglich ein Mann
aus Seldwyla in die Familie heiraten dürfe, aus dem Orte, in
welchem noch nie einer auf einen grünen Zweig gekommen sei
und wo niemand etwas besitze. Sie wachte daher mit Sorge,
aber auch mit Entschlossenheit dem Morgen entgegen, um das

entstehende Übel im Werden zu ersticken, das ihr um so größer erschien, wenn sie noch der strengen Gesinnung der Männer ihres Hauses in diesem Punkte gedachte.

Bestärkt wurde sie noch in diesen Vorsätzen, als um die Zeit des Sonnenaufganges ein später Schlafgänger, offenbar angetrunken, die Treppen heranstieg und von einem Hausbediensteten an den verschiedenen Zimmertüren vorbeigeleitet wurde, nicht ohne vor derjenigen der Glorschen Frauen über deren Schuhe zu stolpern und dieselben mit dem Fuße wegzuschleudern. Die Schuhe der Mama fuhren, der eine überzwerch, der andere mit dem Hinterteil voran, den ganzen Korridor entlang; die Stiefelchen der Tochter aber reisten, infolge eines rückwärts scharrenden Stoßes, wie zwei wettfahrende Schifflein der Treppe zu und über dieselbe hinunter.

»Aha!« rief drinnen die wachsame Frau, »da haben wir den Seldwyler!«

Und das Herz wurde ihr schon leichter über diesen rechtzeitigen Enthüllungen.

Justine saß aber auch schon aufrecht in ihrem Bette und lauschte mit angstvoller Spannung; als sie noch ein paar Worte oder Laute des draußen Hinwandelnden gehört, rief sie ihrerseits erleichtert, ja mit sündlicher Freude:

»Es ist nicht der Hauptmann! Es ist ja unser Rudolf, der Stimme nach zu urteilen!«

Die Mutter sah sich überrascht nach der Tochter um und sagte fast erbost: »Bist du bei Verstand? Wie soll unser Rudolf hieher kommen und zu dieser Stunde? Und seit wann stolpert der betrunken in den Gasthäusern herum? Und ist er nicht eben jetzt weit weg bei einer Militärübung?«

Es war aber dennoch der jüngere Sohn und Augapfel der Frau Gertrud, der soeben zu Bett gegangen auf diesem hohen Berge.

Er war spät in der Nacht noch eilig mit einem Führer angekommen, erschöpft und anscheinend mit einem Kummer belastet. Auch er trug den Soldatenrock und kam soeben von seinem Waffenplatze hergeflüchtet, wo er von einem andern Offizier, den er beleidigt hatte, gefordert worden war. Da er sich mehr auf die Buchführung und die Kurszettel verstand als auf Duellangelegenheiten und eine junge Frau mit zwei kleinen Kindlein besaß und sich beklemmt fühlte, so hatte er sich Bedenkzeit genommen und war schnell hieher gelaufen, um seine Mutter zu Rate zu ziehen, wie er sich verhalten solle.

Im Speisesaal hatte er noch den Jukundus getroffen, welcher, keine Schlaflust verspürend, in angenehmer Träumerei noch ein Stündchen allein verwachte. Der gemeinsame Kriegspfad, auf dem sie wandelten, zwang die beiden Herren sich zu begrüßen und eine Unterhaltung zu eröffnen, als der Leutnant Glor sich an den Tisch setzte, um noch ein Nachtessen einzunehmen. Weil er kürzlich von dem guten Ansehen vernommen, in welchem der Hauptmann Meyenthal in militärischen Kreisen bereits stand, erneuerte er jetzt gern dessen Bekanntschaft und fühlte sich gleich vertrauensvoll zu ihm hingezogen. Von einigen Gläsern Weines, die er in seiner Aufregung rasch getrunken, hingerissen, erzählte er dem Jukundus bald seinen Handel und wie er nun hergekommen sei, seine Mutter, welche nämlich eine wahre Stauffacherin genannt werden müsse und für alles einen Rat besitze, um ihre Meinung zu befragen.

Jukundus gab ihm aber den Rat, das nicht zu tun, wenn er den Handel nicht verschlimmern wolle. Er setzte ihm auseinander, wie nach der einmal herrschenden Anschauung in solchen Sachen er Gefahr laufe, als Offizier unmöglich zu werden, sobald es ruchbar würde, daß er seine Duellangelegenheiten der Mutter anvertraue und ihre Weisungen befolge.

Da versank Herr Rudolf in neue Kümmernis; denn es wollte ihm vernünftigermaßen durchaus nicht einleuchten, warum er wegen solcher Dummheiten von Frau und Kindern wegsterben solle.

Jukundus befragte ihn jetzt um die eigentliche Natur des Streites und was denn vorgefallen sei?

Rudolf hatte mit drei andern Kriegern eine Partie Karten gespielt. Nach Beendigung einer Tour, in welcher sein Partner nicht nach Rudolfs Wunsch ausgespielt hatte, ward der Verlauf, während die Karten neu gegeben wurden, kritisiert und zwar mit den Konjugationen der gegenwärtigen Zeit. Ich spiele also dies, hieß es, und du jenes; nun muß er so spielen und nicht so, und ich werde hierauf zu ihm halten und das spielen, worauf du wieder jenes spielen wirst, das ist doch klar, wenn wir gewinnen wollen. Nein, das ist nicht klar, hatte Rudolfs Partner erwidert, sondern ich steche zunächst den Trumpf ab und spiele dann jenes!

»Dann spielst du wie ein Esel!« hatte Rudolf gerufen, worauf dann sogleich allgemeiner Aufbruch und am andern Morgen die Forderung erfolgt war in so feierlicher und barscher Form, daß der gute junge Mann gar nicht hatte dazu kommen können, sich in genugtuender Weise zu erklären.

Als Jukundus über diese Geschichte lächelte und noch den Namen des Forderers erfuhr, sagte er: »So, der! Nun der muß in Gottes Namen alle Jahr eine Forderung vom Stapel lassen, damit seine Ehre nicht schimmelig wird! Die Ihrige aber, Herr Leutnant, erfordert allerdings, daß Sie wegen dieses Vorfalls Ihr Leben nicht aufs Spiel setzen und also dem Gegner einfach erklären, daß er nicht wie ein Esel gespielt haben würde, sondern in jeder beliebigen anderen Eigenschaft, welche er vorzöge! Sie können daraus immerhin die Lehre ziehen, daß man sich in Uniform stets einer etwas gemessenen Sprache bedienen sollte, auch in den Stunden der Erholung. Nun darf es aber durchaus nicht den Anschein haben, als ob Ihre Erklärung das Ergebnis einer Unterredung mit der Mutter wäre, wenn Sie, wie ich schon gesagt, nicht noch schlimmere Folgen herbeiführen wollen. Wenn Ihnen daher damit gedient ist, will ich als Ihr Ratgeber und Helfer auftreten und dem Herren gleich jetzt mit drei Zeilen schreiben, daß Sie mit mir gesprochen und jene genugtuende Erklärung abgegeben haben und zwar auf meinen Rat! Morgen früh wird der Brief abgehen und die Sache wird damit zu Aller Zufriedenheit abgetan sein, dafür kann ich Ihnen bürgen!«

Jetzt war von dem Herzen des jungen Kriegers ein großer Stein gefallen, und um seine Dankbarkeit zu beweisen und zugleich sich für die ausgestandene Sorge zu entschädigen, hatte er in gewaltsamer Weise vieles und gutes Getränke kommen lassen und den hilfreichen Freund bis zum anbrechenden Morgen festgehalten. Der war auch gern bei ihm sitzen geblieben und hatte gar willig dem frohen Geplauder des jungen Mannes zugehört, der Justines Bruder war. Allein der Wein verzichte unschädlich in der Tiefe seiner warmen Neigung und er ging still und mit guten Sinnen zu Bette, während jener so geräuschvoll sein Lager suchte.

So hatten sich nun für die Stauffacherin, während sie über das Übel mit der aufgehenden Sonne zu triumphieren glaubte, die Dinge nur schlimmer gestaltet; denn nicht nur war es ihr eigenes Blut, welches so angeheitert dahin gewallt, sondern in demselben auch ein guter Parteigänger für den Feind erstanden.

Justine hatte durch die halbgeöffnete Türe eine Magd herbeizurufen gewußt und von derselben vernommen, daß in der Tat ihr Herr Bruder angekommen und die Nacht hindurch in guter Gesellschaft mit dem Herrn Hauptmann geblieben sei. Darauf war sie wieder ins Bett geschlüpft und endlich vergnügt eingeschlafen.

Jukundus schlief auch ziemlich lang und Rudolf war bis tief in den Vormittag hinein nicht zu erwecken, bis die Mutter mit Gewalt in sein Zimmer drang und ihn zur Rede stellte. Weil er nun den Ehrenhandel für abgetan erachten konnte, so vertraute er die Sache doch noch seiner Mutter an und erzählte ihr, wie der gute Rat und die Tat des Seldwyler Hauptmanns die Schwierigkeit gelöst und sein Leben, man könne wohl sagen, erhalten habe. Denn er könne sich gar nicht vorstellen, wie er mit einer wirklichen Pistolenkugel auf einen gesunden Menschen hätte schießen sollen, während er diesem dann doch hätte stillhalten müssen. Und er pries in seiner immer noch aufgeregten Redseligkeit die Weisheit und Bravheit des Seldwylers so gewaltig an, daß sie von Betroffenheit und Ärger verwirrt in ihr Zimmer eilte und sich vorderhand dort einschloß.

Sie war überdies eifersüchtig auf ihren Stauffacherruhm und auf ihr mütterliches Ansehen und Recht und ganz erbost, wieso ihr Rat dem Sohne übler hätte bekommen sollen als derjenige eines jungen Seldwylers. Sie stürmte daher bald wieder aus ihrem Versteck hervor, um dem unberufenen Ratgeber selbst den Kopf zu waschen und damit zugleich nützliche Händel mit ihm anzufangen, welche die Freundschaft aufhöben. Allein sie fand die ganze Gesellschaft in fröhlicher Eintracht in einer Laube beisammen sitzen, jedes mit einem verspäteten Frühstück eigener Erfindung versehen und alle untereinander damit Tauschhandel treibend. Kaum hatte sie das junge Paar wieder so schön und glücklich nebeneinander erblickt, so war auch schon jeder Vorsatz vergessen und sie half sogleich für den Nachmittag einen schönen Ausflug beraten und festsetzen; denn sie war eine fröhliche Frau, wie alle Stauffacherinnen, wenn gerade keine Gewitterwolken über den Männern schweben, die sie zerstreuen sollen.

Wie nun gar während des Tages sie den Jukundus, den sie doch zur Rede stellte, mit höflichen und klugen Worten die Duellsache auseinandersetzen hörte, sah sie wohl ein, daß er recht und ihrem Sohne einen guten Dienst geleistet habe, was sie mit einem dankbaren Gefühl und Zutrauen erfüllte.

Sie machte sich daher gleichen Tags auch an die Mutter des Jukundi und stellte auch diese zur Rede mit allerlei ausholenden Sprüchen und Anschraubungen von wegen der zwei Kinder. Frau Meyenthal fing das Garn ihrer Rede auch sofort ein und wickelte es behende auf ein Spülchen, welches sie der Gegnerin mit dem Trumpfe zurückgab, daß sie das Übel von Seldwyla gar wohl kenne. Allein es komme alles auf die Umstände an. Auch sie habe von außen her sich da eingeheiratet und sei eine gute Partie geheißen worden, und es sei, abgesehen von dem frühen Hinscheiden des seligen Mannes, nicht übel gegangen, so daß, wie sie glaube, der Sohn, Gott sei Dank, gut geraten und für ein gutes und ehrbares Leben empfänglich sei; was Frau Glor auch glaubte.

Hiemit war die maßgebende Geheimverhandlung durchgeführt und, was mächtige Naturstimmen wünschten, im Lauf. Die beim übrigen Teil der Schwanauer Familie noch harrenden Schwierigkeiten wurden still und anständig überwunden und in wenig Monaten Jukundus und Justine als Verlobte ausgerufen.

Es erschien das allgemein als ein so hübsches und gerechtes Ereignis, daß keine Mißrede zu vernehmen war. Die Verlobten erhielten nicht einen einzigen anonymen Schmäh- oder Warnungsbrief, wie das sonst so zu geschehen pflegt, wenn ein großer Neid erregt wird. Der klarste Morgenhimmel lachte über ihrem Brautstande und die Hochzeit selbst ward zu einem sonnigen und klangvollen Feste mit Fahnen und Gesängen, welches das teilnehmende Volk wie ein altes schönes Lied anmutete.

Zweites Kapitel

Die jungen Eheleute wohnten im elterlichen Hause zu Seldwyla. Es war das ein ziemlich großes Gebäude mit hohen Zimmern und Sälen, im vorigen Jahrhundert von einem Bürger erbaut, der im Auslande reich geworden und sein Gut in der Vaterstadt prächtig hatte ausbreiten wollen. Ehe es aber wohnlich eingerichtet und ausgestattet war, hatte der Mann sein ganzes Vermögen in den eingetretenen Revolutions- und Kriegsjahren wieder verloren, so daß er, statt das Haus zu beziehen, wieder fortgezogen war, um dort, wo er die früheren Glücksgüter gefunden, nachzusehen, ob nicht solche von neuem zu erhaschen wären. Das Haus aber war seither von Hand zu Hand gegangen in der Art, daß immer derjenige Seldwyler, der am meisten Lust und Mittel zu einem herrschaftlichen Dasein verspürte, dasselbe übernahm und eine Zeitlang bewohnte, ohne daß es jedoch im Innern jemals ganz fertig wurde.

Am längsten hatten es jetzt die Meyenthal besessen und im Verlaufe der Zeit hier eine Tapete, dort einen Anstrich aufgewendet; vor der Hochzeit hatte Jukundus noch die Außenseiten des Hauses auffrischen und den Garten in gute Ordnung bringen lassen, und als nun Justine mit einer gewaltigen Aussteuer an fahrender Habe allerart eingezogen und diese in den stattlichen Räumen auf das schönste verteilt und untergebracht war, schien das geschmiedete oder in diesem Falle das genähete Glück endlich für eine gute Dauer in dem Hause zu wohnen. Auch residierte die Urheberin desselben, die Mutter Meyenthal, zufrieden und stolz in ihrer Abteilung, besonders da sie sah, daß die schöne Justine einen festen und klaren Sinn für den Besitz und dessen Erhaltung zeigte und Jukundus seine gutgeartete Lenksamkeit auch der jungen Gattin gegenüber nicht zu verlieren Miene machte.

Mit der Verheiratung hatte er verabredetermaßen die militärische Laufbahn als Berufssache wieder aufgegeben wegen der fortwährenden Abwesenheit, die sie mit sich brachte. Um sich aber dafür einen ehrbaren Erwerb und eine geordnete Tätigkeit zu sichern, hatte er ein Handelsgeschäft errichtet, welches sich auf den Holzreichtum der Stadtgemeinde und der umgebenden Landschaft gründete. Zu den großen Allmenden, die von der alemannischen Bodenteilung herrührten, waren später noch die Waldungen von Burg und Stift gekommen, an deren Mauern die Stadt sich angebaut hatte.

Diese hatte bisher die Quellen ihrer Behaglichkeit geschont und auch aus bürgerlichem Stolz erhalten, wie sie ihre reichen Trinkgeschirre und den alten Wein im Stadtkeller sorgfältig erhielt. Allein durch irgend eine Spalte war die Verlockung und die Gewinnsucht endlich hereingeschlüpft und es wandelte ungesehen schon der Tod durch die weiten Waldeshallen, schlich längs den Waldsäumen hin und klopfte mit seinen Knochenfingern an die glatten Stämme. Als daher eben um diese Zeit Jukundus auftrat, um das Bau- und Brennholz anzukaufen und auszuführen, kam sein Geschäft alsobald in Schwung; denn die Seldwyler zogen die Vermittlung des ihnen wohlbekannten ehrlichen Mitbürgers dem Andringen der fremden Händler, durch die das Unheil eingeschlichen, vor.

Jetzt begannen die hundertjährigen Hochwaldbestände zu fallen und auch sofort dem Strich der Hagelwetter den Durchlaß auf die Weinberge und Fluren zu öffnen. Allein sie waren auch einmal jung und niedrig gewesen oder schon mehrmals vielleicht, und sie konnten wieder alt und hoch werden. Doch als die Axt auch an die jüngern Wälder geriet, für das zuströmende Geld immer schönere Zwecke erfunden und die Berghänge dafür immer kahler wurden, fing es den Jukundus innerlich an zu frieren, da er von Jugend auf ein großer Freund und Liebhaber des Waldes gewesen. Während er an dem Handel einen ordentlichen Gewinn machte, begann er sich desselben mehr und mehr zu schämen; er erschien sich als ein Feind und Verwüster aller grünen Zier und Freude, wurde unlustig und oft traurig und vertraute sich seiner Frau an, da sie sein frohes Lächeln, das zu dem ihrigen wie ein Zwillingsgeschwister war, fast seltener werden sah und ihn ängstlich befragte. Sie dachte aber, die Dinge würden mit oder ohne den Mann ihren Lauf gehen und wahrscheinlich nur noch schlimmer, und sie war nur darauf bedacht, ihn bald aus eigenen Kräften wohlhabend und unabhängig zu wissen, um auch von dieser Seite her stolz auf ihn sein zu können. Sie bestärkte daher den Mann nicht in seiner Unlust, sondern ermunterte ihn vielmehr zum Ausharren und er fuhr dann so fort.

Da wurde an einer schief und spitz sich hinziehenden Berglehne, welche der Wolfhartsgeeren hieß, ein schönes Stück Mittelwald geschlagen. Aus demselben hatte von jeher eine gewaltige Laubkuppel geragt, welches eine wohl tausendjährige Eiche war, die Wolfhartsgeereneiche genannt. In ältern Urkunden aber besaß sie als Merk- und Wahrzeichen noch andere Namen, die darauf hinwiesen, daß einst ihr junger Wipfel noch in germanischen Morgenlüften gebadet hatte. Wie nun der Wald um sie her niedergelegt war, weil man den mächtigen Baum für den besondern Verkauf aufsparte, stellte die Eiche ein Monument dar, wie kein Fürst der Erde und kein Volk es mit allen Schätzen hätte errichten oder auch nur versetzen können. Wohl zehn Fuß im Durchmesser betrug der untere Stamm, und die waagrecht liegenden Verästungen, welche in weiter Ferne wie zartes Reisig auf den Äther gezeichnet schienen, waren in der Nähe selbst gleich mächtigen Bäumen. Meilenweit erblickte man das schöne Baumdenkmal und viele kamen herbei, es in der Nähe zu sehen.

Als man nun gewärtigte, welcher Käufer den höchsten Preis dafür bieten würde, erbarmte sich Jukundus des Baumes und suchte ihn zu retten. Er stellte vor, wie gut es dem Gemeinwesen anstehen würde, solche Zeugen der Vergangenheit als Landesschmuck bestehen zu lassen und ihnen auf allgemeine Kosten Luft und Tau und die Spanne Erdreich ferner zu gönnen; wie die verhältnismäßig kleine Summe des Erlöses nicht in Betracht kommen könne gegenüber dem unersetzlichen innern Wert einer solchen Zierde. Allein er fand kein Gehör; gerade die Gesundheit des alten Riesen sollte ihn sein Leben kosten, weil es hieß, jetzt sei die rechte Zeit, den höchsten Ertrag zu erzielen; wenn der Stamm einmal erkrankt sei, sinke der Wert sofort um vieles. Jukundus wandte sich an die Regierung, indem er ihr die Erhaltung einzelner schöner Bäume, wo solche sich finden mögen, als einen allgemeinen Grundsatz belieben wollte. Es wurde erwidert, der Staat besitze wohl für Millionen Waldungen und könne diese nach Gutdünken vermehren, allein er besitze nicht einen Taler und nicht die kleinste Befugnis, einen schlagfähigen Baum auf Gemeindeboden anzukaufen und stehen zu lassen.

Er sah wohl, daß man überall nicht zugänglich war für seinen Gedanken und daß er sich nur als Geschäftsmann bloßstellte und heimlich belächelt wurde. Da kaufte er selbst die Eiche und das Stück Boden, auf welchem sie stund, säuberte den Boden und stellte eine Bank unter den Baum, unter dem es eine schöne Fernsicht gab, und jedermann lobte ihn nun für seine Tat und ließ sich den Anblick gefallen. Aber von diesem Augenblicke an suchte auch jedermann ihn zu benutzen und zu übervorteilen, wie einen großen Herren, der keiner Schonung bedürfe.

Aus Widerwillen gegen die Baumschlächterei änderte Jukundus nach und nach, aber so rasch als möglich, sein Geschäft, indem er den Holzhandel verließ und dafür sich auf den Verkehr mit jenen Schätzen warf, welche aus dem Schoße der Erde kommen und das Holz ersetzen. Er errichtete Magazine von Stein- und Braunkohlen, führte Ton- und Eisenrohre ein, um die hölzernen Wasserleitungen zu verdrängen, Backsteine zu leichteren Baulichkeiten, die man sonst von Holz zu erstellen pflegte, Zement für allerlei Behälter, und verleitete einen reichen Bauer, sich ein gewaltiges festes und kühles Mostfaß aus Zement errichten zu lassen. Als dies gelang, sah er im Geiste schon statt der hölzernen Fässer in jedem Keller solche Vorratsgefäße, gleich den großen in der Erde ruhenden Weinkrügen der Alten, und das gute Eichenholz gespart. Auch kaufte er Massen von ausgedienten Eisenbahnschienen, welche in hundert Fällen einen Holzbalken vertreten.

Natürlich ging die Holzausfuhr ohne ihn und über ihn hinweg nach den alles aufzehrenden Städten; allein er war nun mit seinem Gewissen im reinen, ohne welchen stillen Gesellschafter er sich als Handelsherr nicht glücklich fühlte. Auch wären die neuen Geschäfte an sich nicht ohne Gewinn geblieben, wenn nicht bei jener Geschäftsänderung eine gewisse Störung stattgefunden und, seit er den Baum als Pensionär an seine Kost genommen, sich das Gebaren der Geschäftsfreunde verändert hätte, so daß diese nun das wahre Gesicht zeigten.

Jukundus sagte immer die Wahrheit und glaubte dafür auch alles, was man ihm sagte. Er eröffnete stets im Anfang seine ganze Meinung und was er tun und halten konnte und nahm als richtig an, was ihm der andere von seinen Kauf- und Verkaufsbedingungen und von der Beschaffenheit der Ware mitteilte, erst in der Meinung, daß jener schon sich bemühen werde, der Sache näher auf den Grund zu kommen, später, als das nicht geschah, gleich mit dem kecken Vorsatz der Täuschung. Und alle Erfahrung half hier nichts und jede Ermahnung der Frauen, nicht so leichtgläubig zu sein, war fruchtlos. Denn gleich das nächste Mal glaubte er wieder, weil er nicht anders konnte, oder es war ihm zu widerwärtig und verächtlich, lange zu zanken und zu feilschen. Dazu kam, daß er nichts weniger als ein geschickter Finanzmann war, der Geld und Kredit zu wenden wußte, und so fügte es sich, daß eines Tages seine Mittel erschöpft waren und das Ende herangekommen. Es geschah dies plötzlich, weil er nicht lange von einem Nagel an den andern gehängt und keinen Scheinverkehr getrieben hatte.

Er überlegte, ob er sich zuerst der Mutter oder der Gattin oder aber beiden gleichzeitig anvertrauen und ihnen mitteilen solle, daß der Wohlstand dahin sei und von unten auf wieder angefangen werden müsse, was und wo, wisse er noch nicht. Er entschied sich für die Frau. Als er nun mit ihr allein in seiner Handelsstube stand und schweren Herzens von seiner Lage zu erzählen begann, trat sie ganz nahe zu ihm hin, strich ihm mit der Hand über die sorgenvolle Stirn und unterbrach ihn mit der Frage, ob seine Bücher richtig und vollständig geführt seien? Als er die Frage bejahte, lachte sie ihn so schön an, daß ihm das Herz aufging, und sagte, in diesem Falle kenne sie den Sachbestand schon, da sie neugierig gewesen sei und neulich in seiner Abwesenheit seine oder vielmehr ihre gemeinschaftlichen Angelegenheiten studiert habe.

In der Tat hatte sie, da sie inne geworden, daß er Kummer verbarg, eines stillen Sonntags, als er verreisen mußte und, wie gewohnt, die Schlüssel auf ihr Arbeitstischchen legte, diese genommen und sich auf seiner Schreibstube eingeschlossen; dort hatte sie seine Bücher und Papiere untersucht, was sie gar wohl verstand. Es war alles klar und durchsichtig und jede Zahl an ihrem Platze. Sie sah, daß es nicht lange mehr gehen könne, jedoch die Gefahr eines schimpflichen Vorgangs nicht vorhanden sei, wenn zur rechten Zeit der Strich unter die Rechnung gemacht werde. Bei seiner Offenheit gewiß, daß seine Beichte nicht lange auf sich warten lassen werde, hatte sie seither bereits gehandelt und ihre Eltern ins Vertrauen gezogen. Schon bei der Einwilligung zu der Heirat war in dem stolzen Sinne der reichen Leute der Fall vorausgesehen und im geheimen festgesetzt worden, daß die jungen Leute nach Schwanau kommen sollten, wenn es, wie wahrscheinlich wäre, in Seldwyla nicht ginge. So war denn Justine über ihre Entdeckung nicht eben sehr erschrocken, sondern empfand fast eher eine geheime Freude, daß sie den lieben schönen guten Mann in ihr Vaterhaus ziehen und dort mit aller Vorsorge einspinnen und in Seide wickeln könne wie ein zerbrechliches Glasmännchen.

Wie sie ihm diese Pläne nun aber mitteilte und eröffnete, daß man nur eine rasche, stille Abwicklung der Geschäftslage in Seldwyla vorzunehmen und nach Schwanau überzusiedeln brauche, wo Jukundus sich schon werde nützlich machen können, erblaßte er und sagte: »Da würde meine Freiheit und mein Selbstbewußtsein dahin sein! Lieber will ich Holz hacken!«

»Nun, da kann ich auch dabei sein!« erwiderte Justine, »da helfe ich dir sägen, und wenn wir alsdann so im Regenwetter auf der Straße sind und beide an der Säge hin und her ziehen, zanken wir miteinander, daß die Leute stillstehen, wie wir es auf unserer Hochzeitsreise in jener großen Stadt gesehen haben!«

Sie setzte sich und fuhr fort: »Erinnerst du dich noch, welch einen seltsamen Eindruck es auf uns machte? Das regnete, regnete unaufhörlich, das Holz war naß und die Säge war naß und der Mann und die Frau waren durchnäßt und sie rissen die Säge unablässig hin und her und zankten bitterlich mit harten Worten! Weißt du warum? Sie stritten um die Not, um das Elend, um die Sorge, und schämten sich nicht im geringsten vor den Leuten, die zuhörten –«

»Schweig«, rief Jukundus, »wie kannst du mein Wort so ausmalen und ausbeuten, da du wohl weißt, wie es zu nehmen ist!«

»Es kann alles darin liegen, was ich gesagt habe!« antwortete Justine. »Komm«, sagte sie und legte den Arm um seine Schultern, »alles liebt dich und alles hilft dir, du bist ein ganzer Mann, wenn du nur erst einen vernünftigen Boden unter den Füßen hast! Aber hier gedeihen wir nicht!«

Jukundus brach die Unterredung ab, um sich zu sammeln; denn er war verwirrt und gestört, weil er die Sache nicht so trost- und mutlos angesehen hatte wie seine Frau, und er fühlte sich gekränkt. Er ging zu seiner Mutter; die fing aber sogleich an zu weinen, als sie von der Lage Kenntnis erhielt. Alles schien ihr verloren, wenn der Sohn sich nicht an die Frau und deren Haus hielte, und sie beschwor ihn, sein und der Seinigen Glück nicht zu Grunde zu richten.

Die gute Mutter hatte sich gegen die Armut nun so lange zu wehren und derselben durch ihre kluge Verheiratung des Sohnes, wie sie glaubte, für immer zu entgehen gewußt, und sie fürchtete die Armut wie ein geschliffenes Schwert.

Justine dagegen haßte und verachtete die Armut wie etwas an sich Böses und Verächtliches, wenn es sich nicht etwa um fremde arme Leute handelte, denen man gemächlich Gutes tun kann. Sie übte sogar eine eifrige und geordnete Mildtätigkeit, ging in die Hütten der Armen und suchte sie auf. Aber wo die Armut in ihre engeren Lebenskreise der Blutsverwandtschaft oder Freundschaft eindringen wollte, empfand sie einen harten Abscheu, wie gegen die Pest, und floh ordentlich davor.

Es half daher nichts, daß Jukundus wieder zu ihr ging und ihr vorstellte, sie könne ja das ungewisse Schicksal immer ein wenig mit ihm versuchen und ertragen, da ihr ja schließlich die elterliche Zuflucht und ihr reiches Erbe gesichert sei. Nicht einen Tag wollte sie ihn und sich der Not und der Erniedrigung ausgesetzt sehen, und als ihr Vater kam und ihm freundlich zuredete als zu einer Sache, die ja selbstverständlich sei und sich für alle aufs beste ordnen lasse, mußte er sich ergeben.

Die Arbeitsleute Jukundis wurden ausbezahlt und verabschiedet, der Grundbesitz verkauft, weil die Mutter, welche noch Teil daran hatte, nicht allein in Seldwyla bleiben wollte, und alle Verbindlichkeiten gelöst. Jukundus behielt hierauf nicht einen Taler mehr in der Hand für den Augenblick, was ihm eine höchst seltsame Empfindung verursachte. Justine indessen betrieb guten Mutes und voll Munterkeit das Einpacken der fahrenden Habe und die Übersiedlungsanstalten;

bald war sie in Schwanau, um dort die Wohnung einzurichten, bald wieder in Seldwyla, um hier die Dinge zu besorgen, war reichlich mit Geldmitteln versehen und vergaß in ihrem frohen Eifer gänzlich, daran zu denken, ob auch Jukundus noch etwas bedürfe oder in der Hand habe.

Da wurde es ihm zu Mute, wie wenn er ohne einen Zehrpfennig in ein fernes Land unter wildfremde Menschen wandern müßte, deren Sprache er nicht verstehe, und er sah sich besorgt um, wo er noch wenigstens ein Stück eigenes Handgeld erraffen könne für alle Fälle. Es war noch der große Eichbaum vergessen worden, den er gerettet und erhalten hatte. Mit wehmütigem Lächeln verkaufte er den alten Riesen nun doch samt dem Boden, auf dem er stand, und erhielt einige tausend Franken, welche er sorgfältig aufbewahrte.

Der Käufer des Baumes stellte sogleich ein Dutzend Männer an, welche dessen Wurzeln frei machten und untergruben und volle acht Tage damit zu schaffen hatten. Als man endlich so weit war, daß der Baum umgezerrt werden konnte, strömte ganz Seldwyla auf die Berghalde hinaus, um den Fall mit anzusehen, und Tausende von Menschen waren rings herum gelagert, mit Speise und Trank wohl versehen.

Starke Taue wurden in der Krone befestigt, lange Reihen von Männern daran gestellt, welche auf den Befehlsruf zu ziehen begannen; die Eiche schwankte aber nur ein weniges und es mußte stundenlang wieder gelöst und gesägt werden in den mächtigen Wurzeln. Das Volk aß und trank unterdessen und machte sich einen guten Tag, aber nicht ohne gespannte Erwartung und erregtes Gefühl.

Endlich wurde der Platz wieder weithin geräumt, das Tauwerk wieder angezogen und nach einem minutenlangen starken Wanken, während einer wahren Totenstille, stürzte die Eiche auf ihr Antlitz hin mit gebrochenen Ästen, daß das weiße Holz hervorstarrte. Nach dem ersten allgemeinen Aufschrei wimmelte es augenblicklich um den ungeheuren Stamm herum. Hunderte kletterten an ihm hinauf und in das grüne Gehölz der Krone hinein, die im Staube lag. Andere krochen in der Standgrube herum und durchsuchten das Erdreich. Sie fanden aber nichts als ein kleines Stück gegossenen dicken Glases aus der Römerzeit, das vor Alter wie Perlmutter glänzte, und eine von Rost zerfressene Pfeilspitze.

Auf einer fernen Berghöhe, über welche eben Jukundus mit den Seinigen langsam hinwegfuhr, riefen arbeitende Landleute plötzlich, nach dem Horizont hinweisend: »Seht doch, wie die alte Wolfhartsgeereneiche schwankt! weht denn dort ein Sturmwind?« Denn sie konnten die Leute nicht sehen, die daran zogen. Jukundus blickte auch hin und sah, wie sie plötzlich nicht mehr dort und nur der leere Himmel an der Stelle war.

Da ging es ihm durchs Herz, wie wenn er allein schuld wäre und das Gewissen des Landes in sich tragen müßte.

Die Seldwyler aber lebten an jenem Abend eher betrübt als lustig, da der Baum und der Jukundi nicht mehr da waren.

Im Beginne seines Aufenthaltes zu Schwanau verbrachte Jukundus seine meiste Zeit bei den Großeltern auf dem Berge, die er einst wegen ihres scheinbar unfreundlichen, herben und rastlosen Wesens beinah gefürchtet hatte. Im Verlaufe der Zeit war er aber auf einen guten Fuß mit ihnen geraten und sogar der Liebling der Alten geworden, wie denn öfter geschieht, daß solche Landleute in ihrer uralten Sicherheit gern etwas Müßiges und ihnen Ungleiches um sich leiden mögen, das ihre Heiterkeit weckt. In dem jungen Manne sahen sie etwas fremdartig Unpraktisches, aber Liebenswürdiges, das vermutlich keinen Stern haben würde und daher Mitleid und Teilnahme verdiene. So dachten die Ehgaumers, wie sie im Volke noch hießen von dem verschollenen Ehgaumeramte her, das der Großvater vor einem halben Jahrhundert einst bekleidet hatte und eine Art Sitten- und Eherichteramt gewesen war. So alt wie dieser Titel war auch der Schnitt der weißen Haube und des großen weißen Halstuches, womit die Ehgaumerin sich schmückte, und alles stammte noch aus jener Zeit, da schon Goethe bei einem Besuch in dieser Gegend schrieb, der Ort gebe von der schönsten und höchsten Kultur einen reizenden und idealen Begriff, die Gebäude stehen weit auseinander, Weinberge, Felder, Gärten, Obstanlagen breiten sich zwischen ihnen aus u. s. w., und: was man von Ökonomen wünschen höre, den höchsten Grad von Kultur mit einer gewissen mäßigen Wohlhabenheit, das sehe man hier vor Augen.

Dieser Zustand war nun auf diesem Hochsitz noch der nämliche bis auf das Wohnhaus, das Nußbaumgeräte in der Stube und das Geschirr in den Schränken, während die neue Zeit mit ihrem veränderten Angesicht und ihren gesteigerten Verhältnissen sich gegen das Ufer hinab lagerte. Jukundus erfreute sich der reinen Luft auf der Höhe und half den Alten und ihren Dienstleuten so eifrig bei ihren Arbeiten, daß er bald aller Dinge kundig und ein Offizier wurde bei den Patriarchen, den sie nicht wieder entlassen wollten.

Justine freute sich des guten Ansehens, das ihr Mann sich bei den Großeltern erwarb, und kam öfter vergnügt auf den Berg gestiegen, um ihn abends herunterzuholen; oder sie freute sich auch, oben ein Gewitter zu erleben während der Heuernte, das die jungen Leute zwang dort die Nacht zuzubringen. Dann zog sie ihr modisches Oberkleid aus, schlug eines der weißen Halstücher der Großmutter um, die Zipfel auf dem Rücken verbunden, und kochte die gebrannte Mehlsuppe, buk den duftenden Eierkuchen oder briet die leckere Fettwurst, die sie eigenmächtig zum Nachtmahl aus der Vorratskammer geraubt. Wenn sie dann mit gerötetem Gesicht gar fröhlich und lieblich dreinschaute und vollends die glänzende Zinnkanne mit klarem leichtem Weine regierte, so bezeugten die Alten, daß sie erst jetzt wie eine rechte alte Landjungfer aussehe, und es gab etwa noch eine kleine Mummerei, indem die Großmutter ihren verjährten Granatschmuck sowie Sonntagshäubchen und seidene Jacken herbeibrachte, die sie vor sechzig Jahren in blühender Jugend getragen. Damit kleidete sich die Enkelin zum allgemeinen Wohlgefallen; aber anstatt in den Spiegel schaute Justine dann mit ihrem glückseligen Lachen dem Jukundus ins Gesicht, das die wie aus weiter Zeitferne herüberleuchtende Erscheinung anstaunte.

Auch an Sonntagen ging er meistens in den Berg hinauf, da es ihm dort wohler zu Mut war als in dem lauten, aber eintönigen Gesellschaftslärm, welchen die viel sprechenden Leute bei ihren Zusammenkünften unten erhoben.

An Feiertagen lag auf dem Berge immer die Bibel geöffnet auf dem Tisch, damit die Ehgaumerin die langen Stunden hindurch bequem ab und zu darin lesen konnte, wenn es ihr einfiel, wie man einen Krug Wein, eine Schüssel mit Kirschen oder anderen Näschereien an solchen Ruhetagen zur Erquickung bereit stehen läßt.

Hatte sie ihren Rosmarinzweig und ihre Brille dann auf das Buch gelegt, wenn sie des Lesens müde war, so pflegte Jukundus gern sich hinter die Bibel zu setzen und darin zu lesen, weil ihm das Buch sonst selten zur Hand war, wie es so geht, wo man stets Neueres und Notwendigeres lesen soll oder dann jenes Alte in der Zwangszeit der Schuljahre sich genugsam angeeignet zu haben meint. Er betrachtete die schwülen Gewittergründe des Alten Testamentes, die leidenschaftlichen Gestalten darin, oder entdeckte die hamletartige Szene im Johannesevangelium, wo Jesus nachdenklich mit dem Finger etwas auf den Boden schreibt, ehe er sagt, wer ohne Sünde sei, möge den ersten Stein auf die Sünderin werfen, wo er dann wieder schreibt und, als er aufsieht, alle Ankläger hinweggegangen sind und das Weib einsam vor ihm steht im still gewordenen Tempel.

Die Großmutter sah das sehr gern; denn sie war ganz alt- und rechtgläubig und überzeugt, daß das Lesen in der Bibel jedem ohne weiteres gedeihlich sei. Justine hatte ihn, um sein unkirchliches Wesen zu beschönigen, bei den Alten für einen Philosophen ausgegeben; denn sie selbst hing der unbestimmten Zeitreligion an und war darin um so eifriger, je gestaltloser ihre Vorstellungen waren. Einst setzte sich die Alte traulich zu ihm, als er wieder las; die fein gefältelten Spitzenflügel ihrer Haube streiften seine Wange und sie streichelte ihm die Hand, indem sie sagte:

»Nun, Herr Philosoph, ich glaube immer, du hast doch ein klein wenig Gottesfurcht!«

Jukundus war von dieser Frage überrascht und dachte darüber nach. Es dünkte ihn, er könnte wohl antworten; allein sollte er der alten Frau das anvertrauen, was ihn seine eigene Frau eigentlich noch nie gefragt hatte, wenn er es recht überlegte? Und wie sollte diese auch nach dem fragen, was sie nicht kannte? Denn sie besaß warmes religiöses Gefühl, aber sie war in Hinsicht auf göttliche Dinge viel zu neugierig und indiskret und hatte auch ein zu großes persönliches Sicherheitsgefühl, um das haben zu können, was man in reinerem Sinne sonst unter Gottesfurcht verstanden hat. Daß es mit dem lieben Gott selbst nun kritisch beschaffen war, hatte sie schon von den gesuchtesten Kanzelrednern vernommen, deren Vorträgen sie nachreiste. Für Christum aber, den schönsten und vollkommensten Menschen, wie ihn diese Priester nannten, hegte sie mehr die Gesinnung schwesterlicher Verehrung oder schwärmerischer Freundschaft; ihm hätte sie das schönste Sofakissen und die herrlichsten Pantoffeln sticken können, seinem Haupt und seinen Füßen zur würdigen Ruhe! Ja, die tiefste Rührung hatte sie einst ergriffen, als sie auf Reisen jenes berühmte Bild Correggios gesehen, welches das Antlitz Christi auf dem Schweißtuch der Veronika mit magischer Wirkung darstellt. In den Anblick des träumerisch starren Ausdruckes des höchsten Leidens versunken, hatte sie tief aufgeseufzt und alsbald Mitgefühl suchend ihren Mann angelächelt, der ihr zur Seite stand, und noch jetzt gehörte jener Augenblick zu ihren liebsten Erinnerungen; aber alles dies glich nicht der Gottesfurcht.

Als die Alte indessen auf einer Antwort bestand, sagte Jukundus bedächtig:

»Ich glaube, der Sache nach habe ich wohl etwas wie Gottesfurcht, indem ich Schicksal und Leben gegenüber keine Frechheit zu äußern fähig bin. Ich glaube nicht verlangen zu können, daß es überall und selbstverständlich gut gehe, sondern fürchte, daß es hie und da schlimm ablaufen könne, und hoffe, daß es sich dann doch zum Bessern wenden werde. Zugleich ist mir bei allem, was ich auch ungesehen und von andern ungewußt tue und denke, das Ganze der Welt gegenwärtig, das Gefühl, als ob zuletzt alle um alles wüßten und kein Mensch über eine wirkliche Verborgenheit seiner Gedanken und Handlungen verfügen oder seine Torheiten und Fehler nach Belieben totschweigen könnte. Das ist einem Teil von uns angeboren, dem andern nicht, ganz abgesehen von allen Lehren der Religion. Ja, die stärksten Glaubenseiferer und Fanatiker haben gewöhnlich gar keine Gottesfurcht, sonst würden sie nicht so leben und handeln, wie sie wirklich tun.

Wie nun dieses Wissen aller um alles möglich und beschaffen ist, weiß ich nicht; aber ich glaube, es handelt sich um eine ungeheure Republik des Universums, welche nach einem einzigen und ewigen Gesetze lebt und in welcher schließlich alles gemeinsam gewußt wird. Unsere heutigen kurzen Einblicke lassen eine solche Möglichkeit mehr ahnen als je; denn noch nie ist die innere Wahrheit des Wortes so fühlbar gewesen, das in diesem Buche hier steht: In meines Vaters Hause sind viele Wohnungen!«

»Amen!« sagte die Alte, die aufmerksam zugehört hatte; »das ist doch etwas und besser als gar nichts, was du da predigst. Lies nur fleißig in meiner Bibel, da wirst du für deine Republik schon noch einen Bürgermeister bekommen!«

»Wohl möglich«, erwiderte Jukundus lachend, »daß zuweilen ein solcher gewählt wird und somit der Herrgott eine Art Wahlkönig ist!«

Die Alte lachte auch über diese Idee, indem sie rief: »So ein ordentlich angesehener Herr Weltammann! Wie sie da drüben Landammänner haben!« Sie deutete hiebei durch das offene Fenster nach dem Gebirge hinüber, wo in den alten Landrepubliken die obersten Amtleute so genannt wurden.

Sie lachte immer mehr darüber; denn da sie in ihrem hohen Alter allezeit an Gott und die Ewigkeit zu denken liebte, so war ihr auch das unschuldige Spiel mit dem Namen Gottes willkommen, um ihn zur Hand zu haben.

Wie beide nun in ihrem nicht gerade schulgerechten Religionsgespräche sich vergnügten und lachten, schaute Justine durch die Nelkenstöcke herein, die vor dem Fenster standen, und ihr Gesicht glühte trotz den Nelken, da sie den Berg erstiegen hatte, um ihren Mann herunter zu holen. Ihr schönes Gesicht überglühte aber fast noch die roten Nelken, als die Großmutter lustig rief: »Komm schnell herein, Kind! Eine Neuigkeit! Dein Mann hier hat ein bißchen ganz ordentliche Gottesfurcht, er hat es soeben mir selber gestanden!« Es ergriff sie augenblicklich eine seltsame Eifersucht, daß die Großmutter mehr von den Gedanken Jukundis wissen sollte als sie, seine Frau, und sie sagte: »Wahrscheinlich tut er mir darum kein einziges Mal die Ehre an, mit mir zur Kirche zu gehen!«

»Sei still!« sagte Jukundus, »zanke nicht! Wir zanken ja auch nicht ums klare Wasser, das jedes trinkt, wann und wo es will!«

Dieses Wort nahm Justine wieder auf, als sie am Arme ihres Mannes die abendliche Höhe entlang wandelte, um auf einem entferntern Wege hinunter zu gehen.

»Wir zanken nicht ums Wasser! Aber wir müssen sorgen, daß wir auch nie ums liebe Brot streiten müssen, weder unter uns noch mit andern!« sagte sie und erzählte ihm, wie die Familie und sie selbst wünschen, daß er nun sich in fester Weise in dem großen Gewerbs- und Handelsgeschäfte des Hauses betätigen und Stellung nehmen möchte. Die ländliche Beschäftigung bei den Alten auf dem Berge passe auf die Dauer nicht recht für ihn und führe zu nichts, während unten alle bereit seien, ihn in die Geschäfte einzuführen und Arbeit wie Gewinn redlich mit ihm zu teilen.

Jukundus fühlte die Meinung wohl, die es hiebei hatte; man wollte niemand in der Familie dulden, der nicht reich zu werden fähig und willig war, und da er im Grunde keine bessere Meinung verlangen konnte, so ergab er sich ohne weiteres Zögern darein, obgleich mit geheimem Mißtrauen gegen sich selbst. Er sagte also der Justine, er werde gleich am nächsten Morgen, da es Montag sei, anfangen und einen vollen Wochenlohn zu verdienen suchen.

So wurde er denn früh am andern Tage in die Schreibstuben

und Arbeitsräume des Hauses eingeführt, um der Reihe nach die verschiedenen Zweige des Geschäftes kennen zu lernen und derselben Herr zu werden. Das Haus Glor betrieb seit mehr als dreißig Jahren die Seidenweberei, welches Geschäft mit der Zeit zu bedeutendem Umfange gediehen war. In hundert ländlichen Wohnungen an den sonnigen Berglehnen, hinter klaren Fenstern, standen die Webestühle der Mädchen und jüngeren Frauen der Bevölkerung, welche die glänzenden Stoffstücke mit leichter fleißiger Hand webten und so selber allwärts den Grund zu einem kleinern Wohlstande legten. Auf allen Wegen eilten die rüstigen Gestalten mit den Weberbäumen auf der Schulter heran, um das fertige Stück abzugeben und die Seide für ein neues Stück zu holen. In großen Sälen waren aber auch Maschinen aufgestellt, an welchen schwerere und reichere Stoffe verfertigt und männliche Arbeiter beschäftigt wurden. Der Ankauf der rohen Seide, die Vorbereitung derselben durch die verschiedenen Stadien, die Beaufsichtigung und Beurteilung der Arbeit, der Verkauf der gehäuften Vorräte, der Ausblick in den allgemeinen Verkehr und die Berechnung des richtigen Augenblickes für jede Geschäftshandlung, endlich die vorteilhafteste Verwendung der eingehenden Wertsummen, alles dies bedingte eine unaufhörliche, rasch laufende Tätigkeit und eine Reihe ineinandergreifender Erfahrungen.

Der Verkehr mit den zuströmenden Mäklern, welche die aus verschiedenen Weltteilen herkommenden Würmergespinste anboten, derjenige mit den Männern, welche die Ausfuhr der fertigen Gewebe nach anderen Weltteilen vermittelten und hiebei wieder eigenen Reichtum zu gewinnen trachteten, erheischte fortwährende Gewandtheit und rasche Überlegung. Die täglich sich mehrende Konkurrenz forderte ein peinliches Zuratehalten der aufzuwendenden Mittel und zugleich die genaueste Prüfung der gelieferten Arbeit in bezug auf ihre Güte und Reinheit, während die gleichen arbeitenden Hände, die man so streng überwachen mußte, von anderer Seite eifrig gesucht und abwendig gemacht wurden, wenn die Unternehmungslust im Schwange war; ging sie aber zurück, so mußten dieselben auf die besseren Tage hin mit Opfern in Tätigkeit erhalten bleiben.

Wiederum mußte der Wechsel des Geschmackes und der Bedürfnisse unter den verschiedensten Himmelsstrichen aufmerksam verfolgt werden. Hier mußte das gefällige und dauerhafte Seidenkleid der Bürgersfrau altgeordneter Gesellschaftsländer geliefert werden; dort handelte es sich um das billige Prunkkleid, das die Weiber der kalifornischen oder australischen Abenteurer einige Jubeltage hindurch schmückte, um nachher weggeworfen zu werden. Je nach der Bestimmung mußte die Kunst der großen Färbereien in Anspruch genommen und der Krieg mit denselben geführt werden um die schönsten und dauerhaftesten Farben für das Kennerauge der echten Hausfrau oder um den trügerischen Schein für die farbigen Schönheiten im entlegensten Westen.

In dies verwickelte Getriebe war nun Jukundus hineingestellt, um darin schwimmen zu lernen, und er bestand die Probe nicht gut. Im Anfang, bei den einzelnen einfacheren Hantierungen, ging es ordentlich, weil er aufmerksam und sorgfältig arbeitete. Allein man klagte bald über Langsamkeit, da die Beweglichkeit und der leichte Sinn der ersten Jugend vorüber war, und es hieß, er käme nicht recht von der Stelle. Um ihn nun mit Gewalt schwimmen zu lehren, wurde er köpflings in den Strudel gestürzt, und er trieb sich auch mit gezwungener Lustigkeit oder vielmehr mit einer gewissen Angst hastig in demselben herum, daß ihm Hören und Sehen verging. Arbeiter betrogen ihn um die anvertraute Seide, indem sie das Gewebe zu leicht und locker machten und ihn über die Ursache belogen. Andere wußten ihm Geschäftsgeheimnisse abzuschwatzen, um auf eigene Faust eine schädliche Konkurrenz zu eröffnen. Den Mäklern und Zwischenhändlern glaubte er gegen alle gefaßten Vorsätze immer wieder aufs Wort und genehmigte alle ihre Angebote schon, wenn die andern erst begannen, ihnen halbwegs zuzuhören und Antwort zu geben. In diese Ungeschicklichkeit arbeitete er sich recht eigentlich noch hinein, mehr als es in seinem Wesen bedingt war; eine Art unnatürlicher Dummheit legte sich auf seine Seele und umschleierte seine Gedanken, sobald es sich um Geschäfte handelte, und ehe ein halbes Jahr vorüber war, hatte er wie ein verborgener Marder einen merklichen Schaden in Gestalt eines Mindergewinns angerichtet, welchem nachgespürt wurde.

Als Justine bemerkte, daß die fremden Leute und Angestellten des Hauses ihren Mann bereits nicht mehr für ein Kirchenlicht hielten und ihn mitleidig belächelten, weinte sie heimlich vor Aufregung und Bekümmernis und verfiel in eine beklemmende Angst, daß sie werde anfangen müssen ihn für einen unglücklichen beschränkten Menschen zu halten. Die Aussprüche des Vaters und der Brüder, wenn die Angelegenheit geheim beraten wurde, waren auch nicht angetan, ihren Mut und ihr Selbstgefühl zu erhöhen, und selbst die Trostworte der Stauffacherin, daß man in einem solchen Hause wohl vermöge, einen blinden Passagier mitreisen zu lassen, wenn er sonst gesittet sei, vermochten nicht sie aufzurichten.

Ging sie aber zu Jukundis Mutter, um zu fragen und zu klagen, so weinte diese mit ihr und beschwor sie, nur auszuharren, Jukundus sei gewiß kein dummer Kerl, er werde sich schon noch bewähren u. s. w.

Jukundus hatte keine Ahnung, wie es um ihn her tönte, und doch war ihm keineswegs wohl bei der Sache. Da jeder überzeugt war, daß es nicht lange so gehen und ohnehin eine Aufklärung eintreten werde, so wollte niemand zuerst mit ihm reden und niemand ihm zuerst weh tun; allein es verbreitete sich doch ein leichter Nebel um ihn her, welcher die Augen der Umstehenden zu verhüllen und den Ton ihrer Stimmen zu dämpfen schien.

Als er aber eines Tages wieder einen Vorrat roher Seide gekauft hatte zu einem Preise, der noch vor zwölf Stunden gegolten, jetzt aber schon etwas gefallen war, und er gebeten wurde, diesen Teil der Geschäfte lieber lassen zu wollen, und als diese Bitte sich in einigen Tagen auch auf einem andern Gebiete wiederholte, hörte er, etwas betreten, ganz auf. Erst als niemand ihn um die Ursache seiner genommenen Muße fragte und alles seinen Weg fortging, als ob nichts geschehen wäre, erkannte Jukundus endlich seine Lage und seine völlige Vereinsamung.

Am gleichen Tage wurde ihm auch seine Erkenntnis bestätigt.

Justine war auf den Abend ins Pfarrhaus eingeladen, wo der Pfarrherr eine Abhandlung über die zeitgemäße Wiederbelebung und Erneuung der Kirche durch die Künste vorlesen wollte, ein Thema, welches sie sehr ansprach und auch nach Maßgabe der kleinen Verhältnisse schon beschäftigte. Jukundus seinerseits verhielt sich kühl in dieser Sache und liebte so wenig als möglich in der Sprechweite des Geistlichen zu weilen. Doch hatte er, da es ein dunkler Herbsttag war, versprochen, die Gattin abzuholen.

Der Pfarrer stand auf der äußersten Linie der Streiter für die zu reformierende Kirche, die religiöse Gemeinde der Zukunft. Die Jugendjahre hindurch hatte er im allgemeinen freisinnig und schön gepredigt, so daß die Herden, die er gehütet, sehr erbaut, wenn auch nicht durchaus klar waren, auf welchem Boden sie eigentlich standen. Unter dem Schutze der weltlichen Macht und nach dem Beispiel altbewährter Führer hatte das jüngere Geschlecht die freiere Weltbetrachtung auf der Kanzel sowie die freiere Bewegung im Leben errungen. Die strenggläubige Richtung war unvermerkt zur bloßen Verteidigung ihres Daseins hinübergedrängt worden, ohne daß von alledem an der äußeren Form des Gottesdienstes viel zu merken war. Die alten Lieder, die alten Gebetformen, die alten Bibeltexte herrschten und nur bei gegebenem Anlasse wurde das Übermenschliche menschlich behandelt; im übrigen blieb Christus der Erlöser und Herr und an der Einheit und Persönlichkeit der Weltordnung sowie an der Unsterblichkeit der Seele durfte nicht gerüttelt werden. Die Theologie galt noch für eine geschlossene Wissenschaft, auch wo ihre Träger längst im stillen allen möglichen zweifelhaften Anschauungen nachhingen und den lieben Gott einen guten Mann sein ließen, auch mit geheimen Seufzern das mögliche Ende ihres Selbstbewußtseins bedachten.

Dabei wurde mit Geringschätzung auf die früheren Aufklärer und Rationalisten herabgesehen, welche mit ihrer trockenen Tapferkeit doch die jetzige Zeit vorbereitet hatten, und die philiströsen Wundererklärer wurden selbstzufrieden belächelt, während man selbst immer das eine oder andere Wunder ausnahm und dasselbe halb natürlich, halb übernatürlich geschehen ließ.

Allein diese glückliche Zeit, wo alles so behaglich und rühmlich verlief für jeden, der gewandt in der Rede war und dem es nicht an Keckheit mangelte, verwandelte sich, wie alles in der Welt.

Gerade durch die wachsende Ausbreitung und Macht der freien Richtung wurde die Lust zur festeren Vereinigung und Gestaltung und der Wunsch nach der Herrschaft genährt, was zugleich ein deutlicheres Aussprechen dessen mit sich brachte, was man eigentlich bekannte und meinte.

Nun war aber gerade wieder die Zeit, wo die Physiker eine Reihe merkwürdiger Erfahrungen und Entdeckungen machten und die Neigung, das Sehen mit dem Begreifen zu verwechseln, überhand nahm und naturgemäß vom Stückweisen auf das Ganze geschlossen wurde, öfter aber nur da nicht, wo es am nötigsten war.

Auch verbreiteten neue Philosophen, welche ihre Stichwörter wie alte Hüte von einem Nagel zum andern hingen, böse verwegene Redensarten, und es geschah ein großer Zwang in nachgesagten Meinungen und Sprüchen.

Wer nun unter den Priestern ruhiger und bescheiden war, dachte, es komme auf ein gewisses Maß des Mehr oder Weniger in der Unklarheit nicht gerade an, und verhielt sich klüglicherweise friedlich auf dem gewonnenen Standort, streitbar nur gegen die alten Feinde und Unterdrücker. Andere dagegen wollten um keinen Preis den Anschein haben, als ob sie hinter irgend einer Sache zurückblieben, nicht alles wüßten und nicht an der Spitze der Dinge ständen. Diese rüsteten sich mit schweren Waffen und setzten sich auf die äußersten Zweige des Baumes hinaus, von wo sie einst mit großem Klirren herabfallen werden.

Der Pfarrer von Schwanau hatte sich zu dieser Schar gesellt, weil auch ihm es nicht möglich war, im Widerspruche mit dem Geiste und der Bildung der Zeit zu leben, wie er sie verstand.

Er lehrte daher, es sei der Wissenschaft zuzugeben, daß ein persönlicher Lenker der Welt und hierüber eine Theologie nicht mehr bestehen könne. Aber da, wo die Wissenschaft aufhöre, fange das Glauben und Ahnen des Unerklärten und Unbestimmten an, welches allein das Gemüt ausfüllen könne, und diese Ausfüllung sei eben die Religion, die nach wie vor verwaltet werden müsse, und die Verwaltung dieses Gebietes sei jetzt Theologie, Priester- und Kirchentum. Das göttliche Wort sei demnach unsterblich und heilig und seine Verwaltung heilig und weihevoll. Nach wie vor stehe der Tabernakel aufgerichtet, um welchen alle sich scharen sollen, die nicht an trostloser Leere des Herzens zu Grunde gehen wollen. Ja, das geheimnisvolle Ausfüllsel des Tabernakels bedürfe mehr als je der weihenden und räuchernden Priester, als Lenker der hilflosen Herde. Keiner dürfe hinter dem Tabernakel herumgehen, sondern jeder müsse sich vertrauensvoll an dessen Verwalter wenden; dafür dürfen die Priester nichts Menschlichem mehr fern bleiben, das sie immer noch am besten verständen, und sie seien erbötig, überall nach wie vor zu helfen und beizustehen, daß die Wurst am rechten Zipfel angeschnitten würde. Nur verlangen sie dafür Heilighaltung des Tabernakels des Unbekannten und allgemeine Aufmerksamkeit bei Verkündung und Beschreibung desselben.

Hiebei beklagte der Pfarrer in ergreifender Weise die Unwahrhaftigkeit auf der Kanzel, welche die Dinge nicht beim rechten Namen nenne und dem Volke keinen reinen Wein einzuschenken wage, als ob es denselben nicht vertragen könnte, und er beschrieb die Unwahrhaftigkeit und Kunst des Verwi-

schens so trefflich, daß die zuhörende Gemeinde von neuem
hingerissen ausrief: Wie schön, wie wahr und tief hat er das
wieder gesagt!

Dann aber forderte er die Versammlungen wiederum auf,
alle Schlacken auszuwerfen und sich zu weihen für den Gedanken der Unsterblichkeit durch die Heiligung alles Tuns.
Zwar sei der Wissenschaft zuzugeben, daß die persönliche
Fortdauer der Seele ein Traum der Vergangenheit sein dürfte.
Wolle und müsse inzwischen einer doch darauf hoffen, so sei
ihm das unbenommen; im übrigen aber sei die Unsterblichkeit
jetzt schon und in jedem Augenblicke da. Sie bestehe in den
unaufhörlichen Wirkungen, die aus jedem Atemzug in den andern folgen und in denen die Gewähr ewiger Fortdauer liege.
Seinen Schilderungen konnte dann die unvermählt gebliebene
Greisin entnehmen, daß wir in unsern Kindern und Enkeln
fortleben; der Arme im Geiste getröstete sich der unsterbli-
chen Fortwirkung seiner Gedanken und Werke; der durch
haushälterischen und sparsamen Sinn oft Geplagte freute sich,
daß nicht ein Atom seines Leiblichen wirklich verloren gehe,
sondern in dem Haushalte der Natur in ewig wechselnder Gestaltung zu Ehren gezogen bleiben und verschwenderisch zur
Hervorbringung von tausend neuen Keimen beitragen werde.
Der Mühselige und Beladene endlich durfte auf ein durchgrei-
fendes Ausruhen von aller Beschwerde hoffen.

Das Gebäude seiner Rede tapezierte er schließlich mit tausend Verslein und Bildern aus den Dichtern aller Zeiten und
Völker auf das schönste aus, wie nie zuvor gesehen worden; es
war wie in dem Stübchen eines Zolleinnehmers, der die Armut
seiner vier Wände mit Bildausschnitten und Fragmenten, mit
Briefköpfen und Wechselvignetten aus allen Ecken der Welt
überklebt und vor dem Fenster ein Kapuzinerchen stehen hat,
das die Kapuze auf- und abtut.

Es galt aber nicht nur den Tempel des gesprochenen Wortes
also auszuschmücken, sondern auch der wirkliche gemauerte
Tempel mußte der neuen Zeit entsprechend wieder hergestellt
werden. Die Kirche zu Schwanau war noch ein paar Jahrhun-

derte vor der Reformation erbaut worden und jetzt in dem schmucklosen Zustande, wie der Bildersturm und die streng geistige Gesinnung sie gelassen. Seit Jahrhunderten war das altertümliche graue Bauwerk außen mit Efeu und wilden Reben übersponnen, innen aber hell geweißt, und durch die hellen Fenster, die immer klar gehalten wurden, flutete das Licht des Himmels ungehindert über die Gemeinde hin. Kein Bildwerk war mehr zu sehen als etwa die eingemauerten Grabsteine früherer Geschlechter, und das Wort des Predigers allein waltete ohne alle sinnliche Beihilfe in dem hellen, einfachen und doch ehrwürdigen Raume. Die Gemeinde hatte sich seit drei Jahrhunderten für stark genug gehalten, allen äußern Sinnenschmuck zu verschmähen, um das innere geistige Bildwerk der Erlösungsgeschichte um so eifriger anbeten zu können. Jetzt, da auch dieses gefallen vor dem rauhen Wehen der Zeit, mußte der äußere Schmuck wieder herbei, um den Tabernakel des Unbestimmten zieren zu helfen.

Hiefür war vorzüglich Justine gewonnen worden, welche, um den lauen Sinn ihres Mannes soviel als möglich gut zu machen, dem wunderlichen Reformwerke doppelt zugetan war und sowohl mit eigenen reichen Gaben als mit dem eifrigen Sammeln fremder Spenden voranging und kräftig eingriff.

Das sonnige, vom Sommergrün und den hereinnickenden Blumen eingefaßte Weiß der Wände hatte zuerst einem bunten Anstrich gotischer Verzierung von dazu unkundiger Hand weichen müssen. Die Gewölbefelder der Decke wurden blau bemalt und mit goldenen Sternen besäet. Dann wurde für gemalte Fenster gesammelt und bald waren die lichten Bogen mit schwächlichen Evangelisten- und Apostelgestalten ausgefüllt, welche mit ihren großen schwachgefärbten modernen Flächen keine tiefe Glut, sondern nur einen kränklichen Dunstschein hervorzubringen vermochten.

Dann mußte wieder ein gedeckter Altartisch und ein Altarbild her, damit der unmerkliche Kreislauf des Bilderdienstes wieder beginnen könne mit dem »ästhetischen Reizmittel«, um unfehlbar dereinst bei dem wundertätigen, blut- oder tränenschwitzenden Figurenwerk, ja bei dem Götzenbild schlechtweg zu endigen, um künftige Reformen nicht ohne Gegenstand zu lassen.

Endlich wurden die Abendmahlkelche von weißem Ahornholze, die weißen reinlichen Brotteller und die zinnernen Weinkannen verbannt und silberne Kelche, Platten und Schenkkrüge vergabt bei jedem Familienereignis in reichen Häusern, auf Justines Betreibung hin, deren reichstolzes Gemüt sich an dem Glanze erfreute, nicht fühlend, daß sie der neuen Kirche zur Grundlage eines artigen alten Kirchenschatzes verhalf, der sich ja jeden Tag still, aber beharrlich vermehren und auch den Äckern und Weinbergen und dem Zehnten von jeder Hand Arbeit wieder locken konnte, zumal ein leerer Tabernakel noch mehr Platz hat als ein besetzter.

Schon waren alle Künste, selbst die Bildhauerei mit einigen übermalten Gipsfiguren, vertreten, ausgenommen die Musik, welche daher eiligst herbeigeholt wurde. Weil zu einem Orgelwerk die Mittel noch nicht beisammen waren, stiftete einer einen trompetentönigen Quiekkasten; ein gemischter Chor studierte kurzerhand alte katholische Meßstücke ein, die man der erhöhten Feierlichkeit wegen, und weil niemand den Text verstehen konnte, lateinisch sang. Dieser Chor spaltete sich in verschiedene Abteilungen; Kindergruppen wurden zugezogen und eingeübt, und unter dem Namen einer den Gottesdienst neu belebenden Liturgie wurde, nur versuchsweise, ein wackeres kleines Dramolet in Szene gesetzt, aus welchem sich mit der Zeit wieder die pomphafte Darstellung eines Weltmysteriums gestalten konnte.

Alles Geschaffene wäre aber salzlos gewesen ohne die Übung heilsamer Zucht. Um das erneuerte Tempelhaus zu füllen, duldete der Pfarrherr keinen, der nicht hineingehen wollte. Er kehrte also den Spieß vor allem gegen diejenigen, welche sich draußen hielten und sich vermaßen, das, was er verkündige, selbst schon zu wissen.

»Nicht die Jesuiten und Abergläubigen«, rief er von der Kanzel mit lauter Stimme, »sind jetzt die gefährlichsten

Feinde der Kirche, sondern jene Gleichgültigen und Kalten, welche in dünkelhafter Überhebung, in trauriger Halbwisserei unserer Kirche und religiösen Gemeinschaft glauben entraten zu können und unsere Lehren verachten, indem sie in schnödem Weltsinne nur der Welt und ihren materiellen Interessen und Genüssen nachjagen. Warum sehen wir diesen und jenen nicht unter uns, wenn wir in unserm Tempel vereinigt uns über das Zeitliche zu erheben und das Göttliche, Unvergängliche zu finden trachten? Weil er glaubt, nachdem wir in hundertjährigem Kampfe die Kirche befreit vom starren Dogmenpanzer, *er* habe jetzt nichts mehr zu glauben, nichts mehr zu fürchten, nichts mehr zu hoffen, was er sich nicht selbst besser sagen könne als jeder Priester! Weil er nicht weiß, daß alles vergangene und gegenwärtige Glauben und Wissen von göttlichen Dingen nur *eine* zusammenhängende große und tiefe Wissenschaft bildet, die fortlebt und verwaltet werden muß von denen, die es gelernt haben und verstehen. Weil er endlich nicht weiß, daß er in der bitteren Stunde seines Todes nach unserm Beistande schmachten und des geheimnisvollen Trostes des Tabernakels bedürftig sein wird!

Aber jetzt ist er noch in Selbstsucht und Dünkel befangen. Weil *er* frei und ungehindert ist durch *unser* Verdienst, so verschmäht er es voll Undank, an unserm Zusammenhalte gegen die Gewalt der Finsternis und der Lüge teilzunehmen, den Kampf des Lebens gemeinschaftlich mit uns zu kämpfen, unsere Freude zu der seinigen zu machen und, indem er sich einen Christen nennt, den Altar mit uns zu zieren! Da geht er denn nun so hin, der Dieser und Jener, der Gleichgültling, der Indifferentist, der Stölzling. Freilich weiß er nicht, wie dürftig und betrübt er uns vorkommt in seiner Sicherheit, die wir ihm freilich nicht mehr nehmen können oder wollen, obgleich er sie nur von uns hat! Freilich weiß er nicht, wie dürr der Pfad ist, auf dem er so dahinwandelt, an welchem keine Sonntagsglocken läuten, auf dem keine Ostern und keine Auferstehung blüht, nicht die Auferstehung des Fleisches meine ich, sondern die Auferstehung des Geistes, die ewige Ostern des Herzens!

Es geht ihm auch darnach! Kein Segen begleitet ihn, sein Gemüt verbittert sich und grollt mit uns, die wir uns unserer Errungenschaften und des Werkes unseres Herren Jesu Christi erfreuen und das Osterlamm genießen jetzt und alle Tage. Wenn dann Strom und Bäche vom Eise befreit sind und selig und jubelvoll ›bis zum Sinken überladen, entfernt sich unser letzter Kahn‹, dann wird er traurig am Ufer stehen und uns trotzig nachschauen, ein Selbstausgeschlossener und Selbstverurteilter! Denn *wir* verurteilen niemanden und verdammen keinen. Nein, wir lassen jedem seine Freiheit, eingedenk des allerdings furchtbar doppelsinnigen Wortes: ›Vor dem Sklaven, wenn er die Kette bricht, vor dem freien Menschen erzittert nicht!‹

Du aber laß ihn nicht entrinnen aus den diamantenen Ketten deiner ewigen Sittengesetze, die du gegründet hast, o alliebender Schöpfer und Herr, Urheber der Grundfesten des Landes und der gürtenden Flut des Meeres, o du Spanner des ewigen Himmelszeltes! Führe ihn zurück in dein schützendes Heiligtum, das wir dir errichtet nach deinem Gebote, das du uns verkündet durch den Mund Mose:

Und wer unter euch verständig ist, der komme und mache, was der Herr geboten hat:

Nämlich die Wohnung mit ihrer Hütte und Decke, Ringen, Brettern, Riegeln, Säulen und Füßen;

die Lade mit ihren Stangen, den Gnadenstuhl und Vorhang;

den Tisch mit seinen Stangen und allem seinem Geräte, und die Schaubrote;

den Leuchter zu leuchten, und sein Geräte und seine Lampen, und das Öl zum Licht;

den Räuchaltar mit seinen Stangen, die Salbe und Spezerei zum Räuchwerke, das Tuch vor der Wohnung Tür;

das Handfaß mit seinem Fuße;

die Kleider des Amtes zum Dienst im Heiligen, die heiligen Kleider Aarons, des Priesters, mit den Kleidern seiner Söhne, zum Priestertum.

Bringe ihn herein in deine Wohnung, daß er mit uns bete:

Geist der Liebe, Weltenseele, Vaterohr, das keine
 Stimme überhöret der dich lobenden Gemeine!
Eine Reihe Dankgebetes, Lobgesangs ein Faden,
 Zieht sich hin vom Duft des Morgens zu des Abends
              Scheine.
Eine Reihe Lobgesanges, Dankgebets ein Faden,
 Zieht sich hin vom Duft des Abends zu des Morgens
              Scheine.
Gib, daß diese Seele auch durch der Gebetesflammen
 Schürung dir die innere Lebendigkeit bescheine!

Gib, daß er das Land der Unvergänglichkeit suche mit
der Sehnsucht der Goetheschen Priesterjungfrau, die da sagte:

   Und an dem Ufer steh ich lange Tage,
   Das Land der Griechen mit der Seele suchend!

daß er einst mit der sterbenden Blume des Dichters singe:

     Ew'ges Flammenherz der Welt,
     Laß verglimmen mich an dir!
     Himmel, spann dein blaues Zelt,
     Mein vergrüntes sinket hier.
     Heil, o Frühling, deinem Schein!
     Morgenluft, Heil deinem Wehn!
     Ohne Kummer schlaf ich ein,
     Ohne Hoffnung aufzustehn.

und ihm die Antwort werde:

     O bescheidenes Gemüt,
     Tröste dich, beschieden ist
     Samen allem, was da blüht.

> Laß den Sturm des Todes doch
> Deinen Lebensstaub verstreun,
> Aus dem Staube wirst du noch
> Hundertmal dich selbst erneun.

Amen!«

Hatte er dermaßen wohlklingend und nicht selten mit wirklich feuchten Augen, von seinem Galimathias selbst aufgeregt, geendet, so geschah es häufig, daß auf dem Kirchwege die Zuhörer herbeieilten und ihm dankend die Hände drückten, und an den wohlbesetzten Mittagstafeln wurde er aus schönem Munde gefühlsbedürftig gepriesen, von klugen Männern gelobt, daß man jetzt auch wieder einmal kirchlich und christlich sein könne, ohne sich dem Verdachte der Beschränktheit und des Zurückbleibens auszusetzen.

Zu den also bescholtenen Gleichgültigen und Indifferenten gehörte auch Jukundus. Er war der neuen Kirche nicht feindlich gesinnt und wünschte ihr nichts in den Weg zu legen, wohl wissend, daß alle Dinge in der Welt ihren Verlauf haben müssen. Allein mit seiner naiven Wahrheitsliebe war es ihm unmöglich, den Schein einer solchen wenigstens für gedankengeübte Männer unwahren Kirchlichkeit mitzutragen, und machte von dem Rechte seiner persönlichen Freiheit ohne Geräusch und Prahlen Gebrauch. Er tat dies um so hartnäckiger als dieses Gebiet fast das einzige war, auf welchem er seine volle Unabhängigkeit von der Sorge wie von der Liebe noch bewahrte.

Der Pfarrer aber, welcher die Frau Justine zu seinen Hauptstützen zählte, da sie mit ihrem Ansehen fast für einen Kirchenältesten gelten konnte, mochte nicht gerne leiden, daß deren Mann die Sache durch sein Fernstehen nicht zu billigen und so über derselben stehen zu wollen schien. Er empfand alles solches Fernstehen als einen stillen Vorwurf gegen sich selbst und eine schweigende Kritik seines Tuns, und er hatte daher einen Groll gegen Jukundus gefaßt und predigte gegen ihn. Denn auch diese Untugend hatten einige der neuen Priester von den alten herübergenommen, daß sie auf der Kanzel, wo sie allein das Wort führten und niemand erwidern durfte, aussprachen, was sie irgend persönlich bedrückte, und nach Gutdünken anklagten und verzeigten. Jener wußte aber hievon nichts, weil er nicht viel Acht gab auf der Leute Reden und dem Sinne undeutlicher Anspielungen nicht nachfragte.

Als Jukundus am spätern Abend also auf den Pfarrhof kam, um seine Frau versprochenermaßen abzuholen, hatte der Pfarrer seinen Vortrag über die gegenseitige Verjüngung der Kirche und der schönen Künste vor einigen Freunden eben beendigt. Jukundus mußte noch ein wenig Platz nehmen.

»Wenn Sie mir gegönnt hätten, meine kleine Arbeit mit Ihrem Mitanhören zu beehren«, sagte der Pfarrherr, »so würden Sie vielleicht einen Ausgleichspunkt gefunden haben in dem Gedanken, daß jetzt die Zeit da ist, wo die Kunst ihr Dasein der Religion danken und der guten reichen und doch jetzt so armen Mutter vergelten kann! Sie würden vielleicht selbst einige Befriedigung in der Aussicht finden, wenigstens in einem bedeutenden Tonwerk etwa einst in Gemeinschaft mit uns Ihr Herz aussingen zu können, möchten Sie auch dabei denken, was Sie wollten, und uns überlassen das gleiche zu tun!«

Justine schaute bei diesen Worten ihren Mann hoffnungsvoll an. Es war ihre schönste Erinnerung, in dem ersten Jahre ihrer Ehe mit ihm in einer größeren Stadt an einem musikalischen Feste mitgewirkt zu haben. Bei der Aufführung eines mächtigen biblischen Oratoriums hatten sie sich, jedes bei seiner Stimme, so nahe gestanden, daß sie in den Pausen einander die Hand geben konnten. Am Abend hatte Jukundus seine Frau zärtlich in die Arme geschlossen und ihr gestanden, daß er trotz allem Erlebten noch nie so glücklich gewesen sei wie heute, da er in dem wohltönenden Sturme der Musik und des Gesanges mitgesungen und dabei neben sich noch ihre liebe Stimme mit gehört habe.

Allein jetzt erwiderte er dem Geistlichen, schon in trüber Stimmung gekommen und durch dessen Gewaltsamkeit nicht aufgeheitert, etwas trocken:

»Ich bin nicht Ihrer Ansicht, daß die Religion die Kunst hervorgebracht habe. Ich glaube vielmehr, daß die Kunst für sich allein da ist von jeher und daß sie es ist, welche die Religion auf ihrem Wege mitgenommen und eine Strecke weit geführt hat!«

Der Pfarrer wurde ganz rot; er ertrug im Kreise seiner engsten Gemeinde solchen Widerspruch nicht leicht und sagte: »Nun, wir wollen die Sache nicht weiter verfolgen; Sie sind wohl in mehr als einer Beziehung ein Laie, sonst würde Ihnen bekannt sein, daß wir Theologen heutzutage manche Kreise des Wissens in unsere theologische Wissenschaft hereingezogen haben, die ihr sonst nicht verpflichtet waren und deren Übersicht Ihnen in Ihrer Lebensstellung fehlt!«

Jukundus versetzte etwas hart: »Dieses Bedürfnis mögt Ihr Theologen fühlen; ich glaube aber nicht, daß Euere Theologie dadurch den Charakter einer lebendigen Wissenschaft wiedergewinnt, so wenig als die ehemalige Kabbalistik, die Alchymie oder die Astrologie noch eine solche genannt werden könnten!«

Hiedurch in seinem Innersten getroffen und beleidigt, rief der Geistliche: »Ihr Haß gegen uns macht Sie blind und töricht! Aber es ist genug, wir stehen über Ihnen und Ihresgleichen, und Ihr werdet in Euerem verblendeten Dünkel die Köpfe an unserm festen Bau einrennen!«

»Immer gleich das Gefährlichste!« sagte Jukundus, der inzwischen ganz ruhig geworden war; »wir rennen gegen keine Wand! Auch handelt es sich nicht um Haß und nicht um Zorn! Es handelt sich einfach darum, daß wir nicht immer von neuem anfangen dürfen, Lehrämter über das zu errichten, was keiner den andern lehren kann, wenn er ehrlich und wahr sein will, und diese Ämter denen zu übertragen, welche die Hände danach ausstrecken. Ich als Einzelner halte es vorläufig so und wünsche Euch indessen alles Wohlergehen; nur bitte ich, mich vollkommen in Ruhe zu lassen; denn hierin verstehe ich keinen Scherz!«

Er hatte diese letzten Worte mit fester Stimme gesprochen,

und diese Stimme zerriß seiner Frau, die seinen Arm zum Weggehen ergriffen hatte, das Herz. Sie hatte in der neuen Kirchenkultur, die ihr so freisinnig, so gebildet, so billig schien, zuletzt fast den einzigen Halt gegen den geheimen Kummer gefunden, der sie drückte; nun war ihr Mann in offene Auflehnung dagegen ausgebrochen. Denn sie hielt ihn dem Pfarrer gegenüber für unwissend und unzulänglich, für einen Unglücklichen! Das Unheil eines Glaubenszwiespaltes in Verbindung mit einem beginnenden häuslichen Unglück war plötzlich da, mitten in der so erleuchteten und wohlredenden Kirchenwelt.

Kaum auf die Straße gekommen, ließ Justine den Arm ihres Mannes fahren und ging wie taumelnd neben ihm her, leise weinend. Da es herbstlich stürmte und regnete, so glaubte Jukundus, sie wolle bequemer allein gehen, und achtete nicht auf ihren Zustand. Bis sie zu Hause angekommen, hatte sie sich äußerlich gefaßt; inwendig aber zitterte sie vor Aufregung und Entrüstung.

Jukundus, den Vorfall schnell vergessend und von andern Sorgen erfüllt, wollte mit ihr jetzt die gemeinsame Lage besprechen und ihr darstellen, wie er glaube, daß sein rechter Platz nicht in diesem Hause sei, daß er doch versuchen müsse, auf eigenen Füßen zu stehen, wozu wohl noch schöne Zeit sei; daß sie ihm in die Hauptstadt folgen sollte, wo er gute Verbindungen und Freunde habe. Wenn sie einige Mittel von den Eltern mitnehmen könnte für den Anfang, nur so viel als sie etwa für den Kirchenkultus und die andern Lieblingssachen schon ausgegeben habe, so wäre ihm für die Zukunft nicht bange.

Er berührte diesen letztern Punkt nur kleinlaut, weil er für sich nichts zu bedürfen glaubte und nur die Scheu Justines vor aller Mittellosigkeit ins Auge faßte.

Kaum war er aber hier angelangt, so schwieg sie nicht länger; die rauhe Ursprünglichkeit der emporgekommenen Volksfamilie, welche die Männer zuweilen überfiel, brach mit aller Herbigkeit auch bei ihr unversehens zu Tage. Leidenschaftlich und rücksichtslos und ebenso unbesonnen rief sie, er möge gehen, wohin er wolle, sie werde ihm nicht folgen, wenn er in ihrem Hause nicht zu gedeihen vermöge, wo es ihm an nichts und an keinem Entgegenkommen gemangelt habe. Weder den Ihrigen noch ihr selbst fiele es ein, noch das geringste Opfer an ein solch verlorenes Leben zu wagen und das Geld einem solchen ...... nachzuwerfen.

Sie brauchte dabei einen Ausdruck, den sie kaum je im Munde geführt und welchen, ohne daß es gerade ein eigentliches Schimpfwort war, doch kein rechter Mann von Seite seiner Frau erträgt.

Kaum war das Wort ihrem Munde entflohen, so erblaßte Justine und sie schaute ihren Mann mit großen Augen an, der schon vorher erbleicht war und jetzt schweigend hinausging.

Justine eilte ihre Mutter zu suchen; die war aber noch im Hause eines der Brüder, und jene ging daher dorthin, um Rat und Zuflucht zu finden.

Jukundus aber weckte seine eigene Mutter, welche ermüdet schon zu Bette gegangen war, hieß sie sich ankleiden, packte dann das Notwendigste zusammen, holte in der Nacht selbst einen Mietwagen herbei und fuhr unbemerkt in der stürmischen Regennacht mit seiner Mutter davon, versehen mit dem wenigen Gelde, das er noch von dem Verkaufe jenes alten Eichbaums übrig behalten und aufbewahrt hatte.

Von diesem Augenblicke an war aus dem Gesichte der beiden Ehegatten jenes anmutige und glückliche Lachen verschwunden, so vollständig, als ob es niemals darin gewohnt hätte.

In dem dunklen Wagen, neben der alternden Mutter, die in Ergebung und Schlaftrunkenheit wieder eingeschlummert war, sah Jukundus das schöne Gesicht Justinens vor sich, wie es ihn zum ersten Mal angelacht hatte. Dieses Lächeln, sagte er sich bitter, sind die Künste eines Muskels, der gerade so und nicht anders gebildet ist; durchschneidet ihn mit einem kleinen leichten Schnitt, und alles ist vorbei für immer!

In der Morgendämmerung stand Justine, die nicht zu Bette gegangen war, vor einem Spiegel und sah ihre starren bleichen

Lippen; sie versuchte schmerzlich zu lächeln über den schönen schlimmen Traum des entschwundenen Glückes. Allein ihr Mund und beide Wangen waren starr und unbeweglich wie Marmor, und der Mund blieb von nun an verschlossen, vom Morgen bis zum Abend und einen Tag wie den andern.

Drittes Kapitel

Jukundus hatte sich nach der Landeshauptstadt begeben, wo es seine erste Sorge war, die vor Schreck und Kummer erkrankte Mutter zu pflegen und zu begraben; denn sie erholte sich nicht mehr, weil sie keine Hoffnung mehr barg, daß es dem Sohne noch wohlgehen und das, was sie nicht gesponnen und gewebt, vorhalten könne.

Auf dem Rückweg von ihrem Grabe begegnete er einem militärischen Vorgesetzten, der ihn wohl kannte, aber lang nicht gesehen hatte. Der fragte ihn nach seinen jetzigen Umständen, und als er dieselben, soweit sie mitteilbar waren, kennen gelernt, sagte er zu Jukundus, er wäre gerade der Mann, den er suche, um in seinem ausgebreiteten Handels- und Unternehmungswesen eine bestimmte Lücke auszufüllen. Er suche einen zuverlässigen ruhigen Mann, von dem er wisse, daß er seine Obliegenheiten kurzweg und pünktlich erfülle, nicht nach rechts oder links schaue, ohne die Wachsamkeit zu verlieren, und hauptsächlich keine eigenen Spekulationen betreibe.

Jukundus verband sich mit dem Manne und übernahm sofort die ihm zugedachte Stelle, und es ging vom ersten Augenblicke an gut. Die ihm angewiesene Tätigkeit war der Art, daß er weder selbst zu täuschen und zu lügen noch die Lügen anderer zu glauben brauchte. Er hatte nicht nötig zu überfordern oder zu unterbieten, zu feilschen oder zu überlisten und Überlistungen abzuwehren. Was darüber hinaus an Menschenkenntnis und deren Anwendung erfordert wurde, ward ihm geläufig wie ehedem, da ihm mit der verschwundenen Befangenheit es wie Schuppen von den Augen fiel.

So flossen seine Tage ernst und still dahin und nicht die kleinste Freude erhellte seine Augen. Mit Justine lebte er ohne jede Verbindung; er erwartete vergeblich ein Zeichen von ihr, daß sie die geschehene Beleidigung bereue und zurückzunehmen wünsche, während sie hieran von den Ihrigen verhindert wurde, welche fanden, es sei besser die Dinge einstweilen liegen zu lassen, wie sie lägen, und das weitere Glück des Jukundus abzuwarten, ob dasselbe auch Bestand habe. Sie hatten nicht unrecht, es ein Glück zu nennen; denn das Finden seiner selbst in dunklen Tagen ist meistens mehr Glückssache als die Menschen gewöhnlich eingestehen wollen, und hier hatte es vielleicht einzig von der zufälligen Begegnung mit dem erfahrenen und einsichtigen fremden Manne abgehangen.

Jukundis kalte und bittere Ruhe dauerte aber nicht lange. Während er in seiner Geschäftsstellung sich täglich brauchbarer erwies und bald über die anfänglich angewiesene Stufe hinausgehoben wurde, fast ohne jemandes Zutun, so daß der früher so schwer erreichbar erschienene reichere Erwerb und die gegründete Aussicht auf Besitz sich wie von selbst einstellte, trat im öffentlichen Leben eine Bewegung ein, in welche er mehr seiner verbitterten Gemütsstimmung als eigentlicher Neigung gemäß leidenschaftlich hineingezogen wurde.

In der Republik waren seit der letzten jener politischen Umgestaltungen, durch welche das Volk sich verlorene Rechte erneuert oder vorhandene erweitert, vierzig Jahre verflossen und es war im jüngern Geschlechte der Wille einer neuen Zeit reif geworden, ohne daß die noch herrschenden Träger der früheren Gestaltung denselben kannten oder anerkennen wollten. Sie hielten die Welt und den Staat, wie sie gerade jetzt bestanden, für fertig und gut und wiesen ihre Mitwirkung zu jeder erheblichen Änderung mit einem beharrlichen Nein von sich, indem sie sich auf eine ununterbrochene Tätigkeit in der mähligen Ausbildung des Bestehenden, einst so Gepriesenen zurückzogen. Durch diesen Widerstand erwarben sie sich das Aussehen von Stehenbleibenden, ja Feinden des Fortschrittes und erweckten eine je länger je heftiger gereizte Stimmung ge-

gen sich. Da sie aber die Geschäfte sachlich und redlich be-
sorgten und alle Mühe auf allerlei Dinge verwendeten, welche
an sich keineswegs wie Rückschritt aussahen, so war der Anfang zu einer großen Aktion schwer zu finden. Denn wenn das
Volk hiebei nicht den Anstoß zu gewaltsamen Ereignissen gewinnt, woraus an einem Tage von selbst das Gewünschte sich
gestaltet, so bedarf es einer ungeheuren moralischen Aufregung, um auf dem Wege der gesetzlichen Ordnung zu seinem
Ziele zu gelangen und eine selbstgegebene Verfassung, selbst-
gewählte Vertreter zu beseitigen und an deren Stelle das Neue
zu setzen.

Diese Aufregung, welche bei der gewaltsamen Umwälzung
durch einige Tropfen rauchenden Blutes hervorgebracht wird,
erreicht das Volk auf dem andern Wege, um schlüssig zu werden, nur dadurch, daß es das erste Unrecht begeht mittelst einer falschen Anschuldigung und sodann getreu dem Satze, daß
der Unrechttuende den leidenden Teil mit wachsendem Hasse
verfolgt, nicht mehr ruht, bis der Stein des Anstoßes hinweg-
geräumt und der neue Rechtsboden, den es will, errungen ist.

Aber auch zu einer vollen runden Hauptanschuldigung,
welche für solch eine allgemein um sich greifende Gemütsbe-
wegung ausgereicht hätte, fand sich keine rechte Handhabe
vor. Jedes einzelne der unerfüllten Begehren war nicht eine
Frage der Unehrlichkeit oder des Volksbetruges, sondern nur
eine Frage der Zweckmäßigkeit, welche bestritten war.

Da aber ein Volk oder eine Republik, wenn sie durchaus
Händel suchen mit ihren Führern und Verwaltern, nicht auf
die Dauer wegen des Anfanges verlegen sind und immer neue
Mittel erfinden, so stellte man sich zuletzt einfach vor die Personen hin und sagte: Euere Gesichter gefallen uns nicht mehr.

Dies geschah mittelst einer dämonisch seltsamen Bewegung, welche mehr Schrecken und Verfolgungsqualen in sich
barg als manche blutige Revolution, obgleich nicht ein Haar
gekrümmt wurde und kein einziger Backenstreich fiel.

Es entstand zuerst ein Ausspotten einiger nicht bedeutenden Personen, an irgend einem Punkte, dann ein Verhöhnen

einiger anderer, die schon mehr Bedeutung hatten, wegen halb lächerlichen, halb unzukömmlichen, immerhin entstellten Eigenschaften. Eine spott- und verfolgungslustige Laune verbreitete sich mehr und mehr, es bildeten sich Anführer und Virtuosen im Hohn und der Entstellung aus, und bald verwandelte sich der lustige Spott in grimmige Verleumdung, welche umherraste, die Häuser ihrer Opfer bezeichnete und das persönliche Leben auf das Straßenpflaster hinausschleifte.

Nachdem diese Opfer in einen Teig von Lächerlichkeit, bestehend aus erfundenen körperlichen Gebrechen und Gewohnheiten, meist nur etwa linkischen Gebärden, eingeknetet waren und so herumgestoßen wurden, legte man ihnen plötzlich längst begangene geheime Verbrechen, einen abscheulichen Lebenswandel, eine Niedrigkeit der Denk- und Handlungsweise zur Last, welche durch das Ansehen, das sie bisher genossen, nur um so greller und unerträglicher hervorgehoben wurden. Zwar wurden die Anschuldigungen bestimmter Übeltaten, welche sofort einem Kriminalverfahren nach allen Seiten hin rufen mußten, beim ersten Aufschrei der Betroffenen lächelnd fallen gelassen; allein der Abscheu blieb an den Personen haften und aller übrige gestaltlose Unfug wurde festgehalten durch die Ratlosigkeit der Verfolgten, und bei dem allgemeinen Schrecken und Widerwillen entstand eine förmliche Straflosigkeit, zumal jede Prozeßverhandlung zu einem Feste für die Verfolger zu werden begann und mit den schwersten Drohungen begrüßt wurde.

So eilten denn aus allen Ritzen und Schlupfwinkeln die Teilnehmer an dem allgemeinen Reichstage der Verleumdung und der Beschimpfung herbei. Personen, deren eigene physiognomische Beschaffenheit, Lebensarten und Taten sie selbst zum Gegenstande der Schilderung, des Unwillens und des Spottes zu machen geeignet waren, stellten sich gerade in die vorderste Reihe und erhuben als rechte Herzoge der Schmähsucht und der Verleumdung ihre Stimme, und je lauter der grimmige Lärm war, desto stiller und kleinlauter wurden die Geschmähten. Ein für die Betroffenen furchtbarer Gemeinplatz wurde von den gedankenlosen Gaffern ausgesprochen: wenn nur der hundertste Teil der Anschuldigungen wahr wäre, so würde das mehr als genug sein! hieß es, und sie bedachten hiebei nicht, daß ja jeder von ihnen einen solchen hundertsten Teil auf den Schultern trüge, wenn gerecht gemessen würde.

Neben den Angesehenen und Bekannten im Lande wurde wohl auch etwa in irgend einem Winkel ein armer Unbekannter vernichtet, daß es anzuhören war wie das Schreien eines Hühnchens, das ein Marder nächtlicher Weile einsam erwürgt. Oder es fielen ein paar der Herzoge unter den reißenden Tieren einander selbst an auf irgend einem besondern Wechselplatz, kehrten aber mit zerbissenen und blutigen Schnauzen zum allgemeinen Reichstage zurück, ohne daß es ihnen dort etwas geschadet hätte. Sie beleckten sich die zerzausten Bälge und nahmen frech wieder das Wort.

Die ganze Erscheinung war so neuer und eigentümlicher Art, daß der Geschichtsfreund sie mit keiner vorangegangenen zu vergleichen wußte, wo doch auch mehr als einmal aus einem ungerechten Anlaß oder unwahren Vorwand die Staatsveränderung und die Erweiterung der Freiheit hervorgegangen war.

Männer, die in ihrer entstellten Gestalt mitten in der Not und Verfolgung standen, in der doch kein Tropfen Blut floß und kein Arm berührt wurde, sahen sich von alten Freunden verlassen, die unentschlossen ihren Unschuldsbeteuerungen zuhörten und für sich selber darum nicht um so besser fuhren. Andere, die ein entscheidendes Wort des Mutes hätten sprechen können, schwiegen still, um nicht vor der Braut oder der Gattin eine infame Beschmutzung erleiden zu müssen, und wiederum andere schwiegen aus Sorge für den Frieden und die Unschuld ihrer unmündigen Kinder. Mancher dankte nur Gott, daß er bis jetzt verschont geblieben, wenn er bedachte, daß diese oder jene menschliche Schwäche, die ihn vielleicht schon angewandelt, dem Unheil einen Angriffspunkt bieten könnte, und er hielt sich mäuschenstille. Dicht dabei stand ein offenkundiger Bösewicht ebenso stille, der doch zu notorisch

war, um sich zu den Verfolgern gesellen zu können, und nun
mit stechenden Augen gewärtigte, was an ihn kommen wolle.
Auch der blieb verschont, nicht nur weil er als gefährlicher
Bösewicht von den Verleumdern gefürchtet war, sondern weil
die merkwürdige Bewegung bei aller scheinbaren Maßlosig-
keit ein gewisses Gesetz der Ökonomie innehielt und keine
Opfer verlangte, die ihr nicht gerade im Wege standen.

Übrigens war nicht zu verkennen, daß das Bewußtsein, es
sei eigentlich nur ein großer, etwas grober Spaß, nicht fehlte.
Denn während die Menge kein Bedenken trug, das Land als
von der Schlechtigkeit unterfressen, angefüllt und beherrscht
vor aller Welt darzustellen, blieb die wirkliche unterirdische
Schicht der Niedertracht, die in keinem Lande fehlt, unange-
fochten in ihrer Ruhe, wo sie nicht freiwillig ans Licht empor-
stieg, um auch an den Reichstag zu kommen und die verhaßte
Ehrbarkeit auszuplündern zu helfen. Der aktive Lügnerhaufen
glich der volkstümlichen Dorfklätscherin, welche in ihrem
Humor es für selbstverständlich hält, daß jeder zusehe, was er
glauben wolle, und daß jeder Angeschwärzte ihr den Spaß
nicht allzu übel nehme.

Von diesem Humore war nun Jukundus nicht. In der Verfassung, in der er sich befand, war er doppelt aufgelegt alles zu
glauben, wenn er auch nicht sonst schon durch seine einfache
Natur darauf angelegt gewesen wäre. Während er im Ge-
schäftsleben schon vorsichtiger geworden war, wurde er von
dieser Bewegung überrascht wie ein Kind und glaubte jede
Schändlichkeit, die man vorbrachte, wie ein Evangelium, über
die Maßen erstaunt, wie es also habe zugehen können und was
in einer Republik möglich sei.

Seine besondern Mitbürger, die Seldwyler, hatten von Anfang an diese Ereignisse wie ein Goldenes Zeitalter begrüßt.
Nichts Lustigeres konnte es für sie geben als das Auslachen
und Heruntermachen so vieler betrübter langer Gesichter, die
so lange besser hatten sein wollen als andere Leute. Sie taten
sich nicht gerade hervor in der Erfindung von Abscheulichkeiten, waren aber um so tätiger im Aufbringen von Lächer-

lichkeiten. Immer kamen einige oder ganze Gesellschaften von ihnen nach der Hauptstadt, um zu sehen, was es Neues gäbe, und an der täglich höher gehenden Bewegung teilzunehmen. Weil Jukundus die beste Gestalt unter ihnen war, so machten sie ihn zu ihrem Häuptling, und er ging im tiefsten Ernste vor der lachenden und stets zechenden Zunft der Seldwyler her, traurig und bekümmert, aber auch entrüstet und straflustig.

Denn er hatte die Welt noch nie in diesem Lichte gesehen; es war ihm zu Mut, als ob der Frühling aus derselben entflohen und eine graue, heiße, trostlose Sandwüste zurückgeblieben wäre, an deren fernem verschleiertem Saume der Schatten seiner Frau einsam entschwinde. Wenn er in den Klubs und Versammlungen neben handfesten und bekannten Agitatoren allerlei aus dunklen Löchern hervorgekrochene Gesellen sah, die langjährigen Unstern in der allgemeinen Sündflut mit schmutzigen Händen zu ersäufen suchten oder die obere Schicht wie mit Feuerhaken zu sich herunterzureißen bestrebt waren, so sah er wohl, daß es keine Oberkirchenräte waren, die ihm die Hand drückten. Aber er empfand jetzt eher ein tiefes Mitleid mit solchen Heiligen, die er als die Opfer einer Welt betrachtete, von der er auch ein Lied singen zu können glaubte. Wie die heilige Elisabeth eine Vorliebe für unreinliche Kranke und Elende bezeigte und sich sogar in das Bett eines Aussätzigen legte, so hegte auch Jukundus eine wahre Zärtlichkeit für seine Räudigen und ging täglich mit Leuten, die er früher, wie man zu sagen pflegt, nicht mit einem Stecklein hätte anrühren mögen.

Er tat dies, während die Volksbewegung schon über den Anfangsstrudel hinaus war und das Volk, auf seine Ziele zusteuernd, jene Schattengestalten laufen ließ und seine neuen Rechte feststellte, wie man glänzende Farben und Wohlgerüche aus dunklen Stoffen und Schmutz hervorbringt und diesen wegwirft. Er merkte kaum, daß er mit dem verlornen Haufen schon seitwärts der Heerstraße stand; und als er es einzusehen begann, überfiel ihn neues Mitleiden mit den armen Propheten, die wiederum betrogen sein sollten. Es half nichts, daß einige klügere Seldwyler ihm zuraunten, die Verleumder und Ehrenfeinde seien bereits nicht mehr Mode, man halte sich jetzt an das rein Politische und Staatsmäßige, und er solle sich nicht bloßstellen; man brauche eben auch wieder einen Staat mit Einrichtungen und Ehrbarkeiten, wo man mit Lügnern und Schubiaken nicht kutschieren könne. Er glaubte den Armen und Verstoßenen und nicht jenen Warnern.

Um seinen Mut offenkundig zu bewähren und zu zeigen, daß er sie beschütze, lud er eines Tages eine schöne Auswahl seiner Freunde zu einem Festmahle ein, das er ihnen in einem Gasthause gab, und bewirtete sie so reichlich, daß sie in die allerbeste Laune versetzt wurden.

Verkommene Winkeladvokaten, ungetreue und bestrafte kleine Amtsleute, betrügerische Agenten, müßiggängerische Kaufleute und Bankerottierer, verkannte Witzlinge und Sandführer verschiedener Art saßen um ihn geschart und jubelten und sangen, als ob das tausendjährige Reich da wäre. Aber je lustiger sie wurden, desto ernster sah Jukundus aus, und nicht das leiseste Lächeln überflog sein trauriges Gesicht; er gedachte der Tage, wo er auch froh gewesen und harmlos sich des Lebens gefreut, und alles war dahin!

Als nun der Wein den fröhlichen Gesellen immer mehr die Zungen löste und die Besonnenheit ersterben ließ, fingen sie an, ihre Schicksale und Taten zu besprechen und das Unrecht zu erzählen, das sie erduldet. Es erhob sich jedoch da oder dort ein Widerspruch des einen gegen den andern oder die Auflehnung eines dritten, die Einsprache eines vierten, die nähere Erläuterung eines fünften, woraus ein wirrer Lärm gegenseitiger Vorwürfe und Anschuldigungen wurde und für den unbefangenen Zuhörer sich ergab, daß es sich um ein ziemlich ausgebreitetes und verknotetes Gewebe von geringen, wenig rühmlichen Verrichtungen handelte, wegen welcher alle sich gegenseitig die ausgezeichnetsten Spitzbuben schalten, und zwar in einer so künstlichen Durch- und Überkreuzung, daß, wenn man, etwa nach Art der Chladnischen Klangfiguren, ein sichtbares Bild davon hätte machen können, dieses die schönste

Brüsseler Spitzenarbeit dargestellt hätte oder das zierlichste Genueser Silberfiligran, so wunderbar und mannigfaltig sind Gottes Werke.

Jukundus bemühte sich, zuerst aus Liebe, dann von Verwunderung bewegt, das Gewebe zu verstehen und zu entwirren, und sein Gesicht wurde immer ernsthafter, je deutlicher und gewisser ihm seine abermalige Leichtgläubigkeit wurde. Als das bedenkliche Kreuzgespräch immer lauter und drohender wurde und an verschiedenen Punkten in Tätlichkeiten überging, so daß mehrere Paare sich schon an den Kehlen gepackt hielten oder sich an den Bärten zerrten, immer hinter dem Tische sitzend, schritt der kundige Wirt mit einem sichern Mittel ein, den ausbrechenden Sturm zu beschwören. Er besetzte hurtig den Tisch mit einem bereit gehaltenen zweiten Essen, welches aus groben, aber reichlichen Salatspeisen bestand, gemacht von Ochsenfüßen, von Bohnen, Kartoffeln, Zwiebeln, Heringen und Käse. Kaum erblickten die Streitenden diese Erquickungen, so beruhigten sie sich und letzten sich in tiefstem Schweigen, welches nicht eher gebrochen wurde als bis alles aufgezehrt war.

Dann aber erfolgte eine feierliche allgemeine Versöhnung, wie nach einem geistlichen Liebesmahl, und alle beklagten die Torheit, sich dergestalt einander selbst angefallen zu haben, während Eintracht so not tue. Viel besser und zweckmäßiger wäre, hieß es, wieder einmal über einen Volksfeind und Unterdrücker Gericht zu halten und eine lustige Jagd nach einem solchen einzuleiten. Noch mancher laufe ungebeugt und trotzig herum oder halte sich geduckt in der Meinung, daß das Wetter an ihm vorübergehe. Allein Zeit sei es, ihn jetzt hervorzuziehen, und Zeit sei es, den Schrecken zu erneuern.

Ein solches Vorgehen wurde im Grundsatz beschlossen und sodann zur Benennung der einzelnen Opfer geschritten, welche um Glück und Ehre gebracht werden sollten. Es waren bald zwei oder drei Namen solcher Personen gekürt, welche diesem oder jenem aus der Gesellschaft irgend einmal in den Weg getreten und deshalb von ihm gehaßt waren. Wie man aber die Art und Weise des Angriffes und die anzugreifenden Schwächen und Vergehen der Betreffenden festsetzen wollte, wußte die Versammlung sich nicht zu helfen, entweder weil die Erfindungsgabe nicht mehr lebendig genug war oder weil die natürliche Klugheit der Ratschlagenden in der späten Nachtstunde etwas Not gelitten hatte. Nachdem manches Vergebliche und Gehaltlose vorgeschlagen und verworfen worden, rief endlich einer: »Da muß das Ölweib wieder helfen, es geht nicht anders!«

Jukundus, der immer aufmerksamer wurde, fragte, wer oder was das Ölweib sei? Das sei eine alte Frau, wurde ihm erklärt, die man so nenne nach der biblischen Witwe mit dem unerschöpflichen Ölkrüglein, weil ihr der gute Ratschlag und die üble Nachrede so wenig ausgehe wie jener das Öl. Wenn man glaube, es sei gar nichts mehr über einen Menschen vorzubringen und nachzureden, so wisse diese Frau, die in einer entlegenen Hütte wohne, immer noch ein Tröpflein fetten Öles hervorzupressen, denselben zu beschmutzen, und sie verstehe es, in wenig Tagen das Land mit einem Gerüchte anzufüllen.

Jukundus anerbot sich, die Mission zu übernehmen und zu dem alten Ölweib zu gehen, was ihm fröhlich gewährt wurde. Er ließ sich die Namen der Opfer, welche fallen sollten, deutlich vorsagen. Es betraf, soviel ihm bewußt war, rechtliche Leute, die noch nicht viel von sich reden gemacht, und er schrieb sie genau und sorgfältig in sein Taschenbuch.

Hierauf bestellte er eine neue Ladung guten Wein, um die Gesellschaft zu weiterer Redseligkeit anzufeuern, und lehnte sich seufzend zurück, um zuzuhören.

Allein die Herren waren jetzt der ernsteren Arbeit müde und wieder mehr zum Singen gereizt, und sie sangen mit hoher Stimme die ersten Verse aller ihnen bekannten Lieder.

Der Saal, in welchem sie sich befanden, war groß, aber sehr niedrig und mehr dunkel als hell, und seltsam verziert. Denn der Wirt hatte aus einem größern Hause eine abgelegte Tapete gekauft und seinen Saal damit austapeziert.

Dieselbe stellte eine großmächtige und zusammenhängende

Schweizerlandschaft vor, welche um sämtliche vier Wände herumlief und die Gebirgswelt darstellte mit Schneespitzen, Alpen, Wasserfällen und Seen. Da aber der Saal, für welchen dieses prächtige Tapetenwerk früher bestimmt gewesen, um die Hälfte höher war als der Raum, in welchen es jetzt verpflanzt worden, so hatte zugleich die Decke damit bekleidet werden können, also daß die gewaltigen Bergriesen, nämlich die Jungfrau, der Mönch, der Eiger und das Wetterhorn, das Schreck- und das Finsteraarhorn, sich in ihrer halben Höhe umbogen und ihre schneeigen Häupter an der Mitte der niedrigen Zimmerdecke zusammenstießen, wo sie jedoch von Dunst und Lampenruß etwas verdüstert waren. An der Wand hingegen thronten die grünen Alpen, mit roten und weißen Kühen besäet, weiter unten leuchteten die blauen Seen, Schiffe fuhren darauf mit bunten Wimpeln, auf Gasthofterrassen sah man Herren und Damen spazieren in blauen Fräcken und gelben Röcken und mit altmodischen hohen Hüten. Auch standen Soldaten gereiht mit weißen Hosen und schönen Tschakos; bei einer ganzen schnurgraden Reihe war das linke rote Wänglein ein wenig neben die gehörige Stelle abgesetzt oder gedruckt durch den Tapetendrucker, was der kommandierende Oberst mit seinem großen Bogenhut und ausgestrecktem Arm eben zu mißbilligen schien; denn die halbwegs neben den leeren Backen stehenden roten Scheibchen waren anzusehen wie der aus der Mondscheibe tretende Erdschatten bei einer Mondfinsternis.

Auf dem ganzen gemalten Lande herum ging jedoch in der Höhe eines sitzenden Mannes eine dunkle Beschmutzung von den fettigen Köpfen der Stammgäste, die sich im Verlaufe der Zeit schon daran gerieben hatten.

Plötzlich entdeckte ein bleicher Genosse, der vorzugsweise als der Idealist bezeichnet wurde, das gemalte nächtliche Tapetenvaterland und benutzte es sofort zu einem feurigen Trinkspruche auf das herrliche, teure, das schöne Vaterland, das den Verein wackerer Eidgenossen hier so recht als engere Heimat umschließe. Und da auch diese Armen im Geiste und an Glück das Vaterland liebten, so fand er einen lauten Widerhall und es wurden alle bekannten Vaterlandslieder angestimmt. Nur einige ungerührte Gesellen machten sich nichts daraus und schleuderten, da sie eben Heringe aßen, die Heringsseelen geschickt an die ewigen Eisfirnen empor, die über ihren Häuptern hingen, daß jene dort kleben blieben.

Hierüber murrten die andern und der ideale Redner verwies den Übeltätern ihre gemeine Gesinnung und rief, sie hätten ihre eigenen Heringsseelen dem Vaterlande ins Angesicht geschleudert und die reinen Alpenfirnen beschmutzt. Doch jene lachten nur und riefen: »Selbst Heringsseelen!« so daß es abermals Streit und Lärmen gab.

Jukundus legte die Arme auf den Tisch und den Kopf darauf und seufzte tief.

Jetzt ertönte mitten in dem Tumult die dünne Fistelstimme eines gewesenen Gemeindesäckelmeisters, der vergeblich jenes Lied zu singen suchte, welches Jukundus auf dem Wege zum Gesangfeste durch den Wald gesungen hatte; endlich besann sich der Sänger auf die Schlußworte und kreischte in schrillem Tone:

> In Vaterlandes Saus und Brause,
> Da ist die Freude sündenrein,
> Und kehr ich besser nicht nach Hause,
> So werd ich auch nicht schlechter sein!

Da erinnerte sich Jukundus des schönen und glücklichen Tages, an dem er Justinen zum ersten Male gesehen hatte, und verbarg sein Gesicht noch tiefer, indem er mit Mühe bittere Tränen zurückhielt.

Inzwischen gedachte auch Justine mit größerer Sehnsucht der Tage, wo sie dem Jukundus zuerst begegnet war, und sie hätte ihn gern aufgesucht und ihr Unrecht gut gemacht, wenn nicht immer die Verhältnisse dazwischen getreten wären. Vorerst war sein Anschluß an die Volksbewegung und sein besonderer Umgang mit dem verlornen Häuflein das Hindernis, weil ihre ganze Familie und Freundschaft auf der anderen Seite stand und man dort nur die düstersten Anschauungen von der Sache hegte.

Sie hatte sich daher, um ihre Gedanken zu beschäftigen und ihr Gemüt zu befriedigen, mit erneutem Eifer dem Pfarrer und der kirchenpflegerischen Tätigkeit hingegeben und ihr Wirken auch auf weltliche Dinge ausgedehnt. Sie wurde Vorsteherin nach allen möglichen Richtungen hin und brauchte jetzt viele und gute Schuhe, die sie sich stärker als früher anfertigen ließ, da sie stets auf der Straße zu sehen war von Schule zu Schule, von Haus zu Haus, von Sitzung zu Sitzung. Bei allen Zeremonien und Verhandlungen, öffentlichen Vorträgen und Festlichkeiten saß sie auf den vordersten Bänken, aber ohne daß sie Ruhe gefunden hätte oder das leiseste Lächeln auf ihr blasses Gesicht zurückgekehrt wäre. Die Unruhe trieb sie selbst wieder in einen musikalischen Verein, den sie seit lange verlassen, und sie sang ernsten Gesichtes und mit wohltönender Stimme, ohne jedoch die mindeste Fröhlichkeit zu erreichen. Der Arzt wurde sogar bedenklich und sagte aus, der melodisch vibrierende Klang ihrer Stimme lasse auf beginnende Brustkrankheit schließen und man müsse zusehen, daß sie sich schone.

Alle fühlten wohl, was ihr fehle, wußten ihr aber nicht zu helfen und wurden unversehens selber hilfsbedürftig. Denn es brach eine jener grimmigen Krisen von jenseits des Ozeanes über die ganze Handelswelt herein und erschütterte auch das Glorsche Haus, welches so fest zu stehen schien, mit so plötzlicher Wut, daß es beinahe vernichtet wurde und nur mit großer Not stehen blieb. Schlag auf Schlag fielen die Unglücksberichte innerhalb weniger Wochen und machten den stolzen Menschen die Nächte schlaflos, den Morgen zum Schrecken und die langen Tage zur unausgesetzten Prüfung. Große Warenmassen lagen jenseits der Meere entwertet, alle Forderungen waren so gut wie verloren und das angesammelte Vermögen schwand von Stunde zu Stunde mit den hochprozentigen Papieren, in welchen es angelegt war, so daß zuletzt nur noch der Grundbesitz und einiges in alten Landestiteln bestehendes Stammvermögen vorhanden war. Aber auch dieses sollte dahingeopfert werden, um die eigenen Verbindlichkeiten zu erfüllen, welche im Augenblicke des Sturmes bei dem großen Verkehre gerade bestanden.

Die Männer rechneten und sprachen miteinander bleich und still Tage und Nächte lang, und die Hausordnung schien erstarrt zu sein. Die Dienstboten arbeiteten ohne Befehl und bereiteten das Essen, aber niemand aß oder wußte, was er aß. Die Uhren liefen ab und wurden kummervoll aufgezogen, nachdem sie tagelang still gestanden. Die Zeit mußte dann zusammengesucht werden, wie man in der Finsternis ein Lichtlein am andern anzündet, um sehen zu können. Einige junge Kätzchen, welche bis zum Tage des Unglücks der Zeitvertreib und das Spiel von alt und jung gewesen waren, wurden plötzlich gar nicht mehr gesehen und zogen sich mit ihren kleinen Sprüngen schüchtern in einen Winkel zurück, und als nach geraumer Zeit einige Seelenruhe wieder in das Haus gekommen war, wunderten sich alle, daß die Katzen unter ihren Augen auf einmal groß geworden seien.

Als es hieß, daß, wenn die Ehre des Hauses gerettet und alle Schulden bezahlt sein werden, nicht eines Talers Wert mehr im Besitze der Familie bleibe und sie, gänzlich verarmt, von neuem anfangen müßten, stand die Frau Gertrud, die Stauffacherin, und schlotterte an ihrem ganzen Leibe; sie mußte niedersitzen.

Justine dagegen, Schreck und Furcht vor der Armut im Herzen, faßte sogleich Gedanken der Selbsthilfe. Sie wollte mit ihren Kenntnissen augenblicklich in die Welt hinaus und nicht nur sich selbst, sondern auch Vater und Mutter erhalten, und sie entwarf abenteuerliche Pläne mit fiebriger Hast.

Allein nun trat die Mutter wiederum auf und erklärte, daß sie einen guten Teil des Vermögens als Weibergut beanspruche, um das Haus zu retten und ein ferneres Bestehen möglich zu machen. Die Männer sollen mit den Gläubigern ein Abkommen treffen, wie das fast an allen Orten jetzt geschehe.

Die Männer schüttelten finster die Köpfe und sagten, das

könnten und wollten sie nicht tun; lieber wollen sie arm werden und auswandern und in anderm Lande Tag und Nacht arbeiten, um wieder zu etwas zu kommen.

Doch die Stauffacherin hatte jetzt ihre Kraft und Beredsamkeit wieder gewonnen; sie bestand auf ihrer Meinung und zeigte an mehreren Beispielen, wie durch ein solch besonnenes Verfahren der Sturm überstanden, die Zukunft gerettet und später auch jede billige Verpflichtung noch gelöst und zu Ehren gezogen worden sei.

Alles dieses war gewissermaßen noch das Geheimnis des Hauses. Die vielen Arbeiter kamen nach wie vor mit ihren Geweben und Gespinsten und erhielten ihren Lohn und neue Arbeit, weil jede Entschließung angstvoll hinausgeschoben wurde. Mit jedem Tage längerer Zögerung wankten die Männer mehr in ihrem Vorsatze strenger Pflichterfüllung, bei welcher sie als wahrhaft Freie vor niemandem die Augen niederzuschlagen brauchten. Schon war die Stauffacherin im Begriffe obzusiegen und in der festen Überzeugung, daß sie nur im besten Rechte handle, denn sie besaß ein Weibergut; da stiegen aber die Alten vom Berge herunter, der Ehgaumer und seine Frau, um gegen die Machenschaft aufzutreten und sie zu verhindern. Der Alte konnte nicht sprechen, weil er von dem den Kindern widerfahrenen Unheil, selber stark am Besitze hängend, angegriffen war. Er setzte sich hustend auf einen Stuhl und hieß die Alte reden.

Diese legte ein Bündel vergilbter Pfandbriefe auf den Tisch und sagte, da brächten sie, die Alten, was sie erhauset, um den guten Namen retten zu helfen; aber es müßten alle Schulden bezahlt werden und keine Machenschaft mit dem Frauenvermögen dürfe stattfinden. Sie sprach mit so beredten und starken Worten, daß sie in ihrer weißen Zipfelhaube die wahre Stauffacherin zu sein schien und die letztere sich weinend ans Fenster stellte.

Solcher Kleinmut wurde ihr von der Alten verwiesen, die aber gleichzeitig bemerkte, daß in dem wohleingerichteten Zimmer, wo die ganze Familie sich eben befand, das Klavier und die Spiegeltische mit Staub bedeckt waren; und unverweilt begann sie denselben mit ihrem Schnupftuche abzuwischen.

Die Familie entschloß sich zu der strengen, gegen sich selbst harten Handlungsweise und blieb in Frieden und Ansehen. Der freie Grundbesitz wurde verpfändet und der Geschäftsverkehr nicht unterbrochen; allein zur Zeit waren alle Glieder des Hauses arm wie die Kirchenmäuse und keines hatte einen Franken für etwas Unnötiges oder für eine Liebhaberei auszugeben.

So fiel auch die Vorsteherschaft und der Glanz Justines in Kirche und Gesellschaft dahin und sie hielt sich still und beschämt im Verborgenen. Sie ertrug aber diese gänzliche Mittellosigkeit nicht und verschaffte sich im Geheimen, nach Art verarmter Frauen aus der oberen Schicht, allerlei feine weibliche Handarbeit, um einiges Taschengeld zu verdienen. Sie wußte dabei nicht, daß sie der ganz hilflosen Witwe, der verlassenen Waise, die sich auf gleiche Weise kümmerlich nährte, das Brot vor dem Munde weg nahm, um ihrem Triebe nach Besitz genugzutun. Je merklicher sich die bescheidenen Geldsümmchen vermehrten, welche sie so erwarb, desto eifriger und fleißiger war sie bei der Arbeit, die sie mit ihrer Energie und Geschicklichkeit in beträchtlicher Menge an sich zog und bewältigte, also daß die Leute, welche die Ware bestellten und verkauften, ihr von derselben kaum genug zuwenden konnten und sie anderen entziehen mußten.

Die unausgesetzte Beschäftigung war ihr um so lieber als sie während der Arbeit ihren schweren Gedanken entweder nachhängen oder dieselben zerstreuen, die schwachen Hoffnungen auf ein wiederkehrendes Glück erwägen konnte. Die Mutter war mit im Geheimnis; sie hatte in ihrem Stolze zuerst dagegen angekämpft; doch als sie in Justinens Erwerb für sich selbst auch die Mittel fand, manche Nebenausgabe zu bestreiten, für die sie die Kasse der ängstlich und unverdrossen arbeitenden Männer nicht mehr anzusprechen wagte, fügte sie sich leicht dem Sinne der Tochter.

Allein Vater und Brüder wurden endlich aufmerksam; sie wunderten sich, wo die vielen Stickereien und Strickarbeiten eigentlich blieben, die unaufhörlich zustande kamen, und gerieten schließlich hinter das Geheimnis. Nun wollten sie aber, während sie sich alle Entbehrungen auferlegten und ihre Wagen, Luxuspferde und dergleichen alles verkauft hatten, doch nicht für Leute gelten, die nicht mehr vermöchten, ein paar Weiber zu erhalten, und fanden es ungehörig, daß diese selber um Handarbeit ausgingen, indessen arme Arbeiterinnen solche im Hause suchten und fanden.

Die Sache wurde daher mit Entschiedenheit unterdrückt, Justine angewiesen, für ihre Bedürfnisse, wie früher, das Nötige zu verlangen und sich keinen Zwang anzutun; denn sie wisse ja, daß sie um diesen Preis nicht feil sei. Justine jedoch konnte in ihrem gefangenen Sinn nicht über die Frage hinwegkommen. Sie verfiel immer mehr in die kranke Sucht nach Selbständigkeit, welche die Frauen dieser Zeit durchfieberte wegen der etwelchen Unsicherheit, in welcher die Männer die Welt halten. Sie grübelte und brütete und entwarf zuletzt den Plan, anderwärts als Lehrerin ein Unterkommen zu suchen. Wenn sie dabei an die Hauptstadt mit ihren zahlreichen Schulanstalten dachte, so wirkte die stille Hoffnung mit, dort eher ihrem Manne wieder begegnen zu können als im Elternhause, wo jetzt härter über ihn geurteilt wurde als früher, obwohl bekannt war, daß es ihm nun gut gehe.

Kaum war dieser Entschluß gefaßt, so zögerte sie nicht, ihn auszuführen, und begab sich zu dem Pfarrer, um dessen Rat und Vermittlung zu finden. Erst auf dem Wege nach dem Pfarrhof fiel ihr ein und auf, daß der geistliche Herr, der sonst ein Freund des Hauses gewesen, seit dem Unfall, der es betroffen, nie mehr in demselben erschienen war, daß er auch niemandem gemangelt und niemand daran gedacht hatte, sich ihm mitzuteilen und seinen Trost zu hören. Eine fröstelnde Empfindung durchschauerte sie, als sie ferner plötzlich bedachte, daß sie selber seit mehreren Monaten nicht mehr in der von ihr geschmückten Kirche gewesen sei. Sie stand still und suchte sich den seltsamen Zustand zurecht zu legen, aber es gelang ihr nicht in der Schnelligkeit. Um so rascher eilte sie wieder vorwärts, wie um Licht zu gewinnen.

Im Pfarrgarten traf sie die Gattin des Geistlichen, eine unbeachtete Frau, welche gelassen Petersilie pflückte, und vernahm von ihr, daß er soeben vom Besuche eines Sterbenden zurückgekehrt sei und etwas unwohl scheine. Doch möge Justine nur hinaufgehen, ihr Besuch werde ihn gewiß freuen. Unverweilt eilte sie nach seinem Studierzimmer und trat, wie sie gewohnt war, nach kräftigem Klopfen rasch ein.

Er saß erschöpft und bleich in seinem Lehnstuhl und stützte den Kopf auf die Hand. Als er sich wandte und aufstand, schien er ihr auch abgemagert und leidend zu sein.

»Sie sehen«, sagte der Pfarrherr, nachdem er Justinen begrüßt, »daß ich auch nicht in guten Schuhen stecke, und das mag Ihnen erklären, warum ich mich so lange nicht habe blicken lassen. Ich bin in der Tat, mehr als Sie denken, im gleichen Spitale krank wie Sie und die Ihrigen!«

Als Justine sich verwundert eine deutlichere Auskunft erbat, fuhr er fort:

»Ich habe reich werden wollen und habe daher im Umgange mit den Ihrigen, in Ihrem Hause, gelauscht und mir gemerkt, auf welcherlei Weise die Vermögenssummen dort verwendet werden; ich habe mir die Handelspapiere aufgeschrieben, von welchen der größte Gewinn erwartet wurde, und ich habe die Operationen, die ich machen sah, im Geheimen nachgeäfft mit dem mäßigen Vermögen meiner Frau, und als ich ahnte, daß das Haus Glor erschüttert war, wußte ich zugleich, daß ich selbst alles verloren und das Erbe meiner Gattin und ihrer Kinder vergeudet und verspielt hatte. Sie weiß es noch nicht und ich darf es niemandem sagen, wenn ich nicht meinen Stand verunehren will. Aber Ihnen gegenüber, da Sie mir so unversehens erscheinen, drängt es mich zur Offenheit!«

Justine war erschrocken; dieser neue Verlust machte ihr aufrichtigen Ärger und Verdruß, und sie sagte daher etwas unwillig: »Aber was in aller Welt hat Sie denn gezwungen in Handelsgeschäften zu wagen, da Sie ein Pfarramt und Einkommen besitzen?«

»Ich habe Ihnen gesagt«, erwiderte der Pfarrer mit Traurigkeit, »daß ich meinen Stand nicht bloßstellen dürfe durch das Eingestehen meiner lasterhaften Torheit, und ich gehöre diesem Stande innerlich nicht einmal mehr an, ich habe ihn verlassen und darum reich werden wollen, um unabhängig leben zu können! Nach jenem Unglücksabend, an welchem ich hier mit Ihrem Manne gestritten hatte, war mir ein Stachel im Herzen geblieben, den ich vergeblich hinausreden und wegtrotzen wollte. Ich sah, wie Jukundus bei allem Un- und Mißgeschick religiös so unbeirrt und unbescholten dahin wandelte, und ich konnte nicht umhin alles zu überdenken und zu prüfen, was ich leider mit Beziehung auf die sittliche Seite der Sache, in Ansehung des eigenen Herzens, seit Jahren nicht mehr getan hatte. Ich fand, daß ich nicht religiös oder christlich mehr lebe und kein Priester mehr sei!

Ich mußte mir gestehen, daß ich jahraus jahrein, sobald ich allein war, nicht den leisesten Trieb fühlte, des gekreuzigten Mannes zu gedenken, dessen Namen mein Lebensberuf trug und der mich ernährte, daß mein Herz und alle meine Sinne nur an der Welt und ihren Annehmlichkeiten, wenn Sie wollen, auch an ihren Mühen und Pflichten hing, aber ohne daß der leiseste Schauer eigener persönlicher Andacht, die geringste Furcht vor dem, den wir handwerksmäßig als unsern Herren und Erlöser verkündeten, an mich herantrat, sei es Tag oder Nacht gewesen.

Ja, wenn ich zuweilen noch, ohne vom Berufe dazu veranlaßt zu sein, der von mir für so geheiligt ausgegebenen Person Christi in der Einsamkeit gedachte, so geschah es mehr mit dem hochmütigen Sinn eines Schutzherrn, der sich etwa eines armen Teufels annimmt und ihm im Vertrauen sagt: Lieber, du machst mir viele Mühe!

Ich empfand endlich, daß ich ein beifallsdurstiger Wohlredner und Schwätzer geworden sei, ohne es zu merken; daß ich, wenn ich nicht den goldenen Schlüssel eines wirklichen jenseitigen Gotteswortes besaß, vom Geheimnis meines Nebenmenschen nicht mehr verstand und nicht mehr Gewalt über sein Gemüt hatte als ein Kind, ja daß ich wegen der Halbwahrheit und des Doppelsinns meiner Worte auch einem Kinde gegenüber in schlimmer Lage war.

Ich fing an mich des gedankenlosen Beifalls zu schämen, der mir entgegengetragen wurde; dazu war es mir des Handwerks wegen unmöglich, meine Gedanken für mein stilles Inneres, für den eigenen Frieden zu ordnen, weil sich das mit der lauten Gewaltsamkeit und den Anforderungen des Standes nicht vertrug, und darum wollte ich ihn verlassen und meinen fadenscheinigen Reformatorenrock an den Nagel hängen.

Das ist mir nun unmöglich geworden, wenigstens für jetzt, weil ich mich, indem ich auf dem Wege des Reichtums fliehen wollte, sogar der Mittel beraubt habe, eine nährende Existenz mit einiger Sicherheit zu gründen.«

Justine saß wie versteinert; sie war gekommen, Rat und Beistand zu holen, und sah wieder eine Stütze, einen Lebensinhalt dahinsinken; denn wie ein Blitz leuchtete es in sie hinein, wie es mit diesen Dingen stand und warum sie selbst im Unglück ihre bunte Kirche nicht gesucht hatte. Eine bittere Qual stieg in ihrer arbeitenden Brust auf; aber sie konnte derselben nicht nachgeben, weil ein noch stärkeres Mitgefühl jetzt gefordert wurde, als der Geistliche in Tränen ausbrach und sagte:

»Heute ist mir nun das Äußerste widerfahren, ich bin von einem Sterbebette hinweggewiesen worden! Eine zähe Greisin ringt seit vielen Stunden mit dem Tode, welche eigensinnig alle ihre Kinder wiederzusehen hofft, besonders ihren im Elend gestorbenen ältesten Sohn. Ich komme hin, voll Sorgen und zerstreut, und halte, indem ich mich anschicke, meine selbstverfaßten, wie Sie wissen, etwas pantheistisch klingenden Sterbegebete zu verrichten, auf ihre an mich gerichteten Fragen nach der Gewißheit des ewigen Lebens haltlose, unsichere Reden, so daß die Sterbende mir den Rücken kehrt und die Umstehenden, vom Arzte unterstützt, mich zur Seite führen und leise ersuchen, meine seelsorgerische Funktion hier einzustellen.«

Diesen Vorgang erzählte der Pfarrer mit abgebrochenen Worten und bedeckte am Schlusse das Gesicht mit seinem Taschentuche. Er war so erschüttert, weil keiner auch von einer ungeliebten Berufsart sich gerne nachsagen läßt, daß er sie nicht nach den Regeln der Kunst auszuüben verstehe.

Auf die entsetzte Justine machte die Szene einen Eindruck, als ob sie einen Berg einstürzen sähe. Was ihr einen felsenfesten Bestand zu haben schien, sah sie wanken und vergehen mit dem Selbstvertrauen dieses Priesters und beim Anblick seiner Tempelflucht. Sie empfand wohl die drückende Wucht, welche in dem unscheinbaren, noch verborgenen Vorgange lag, der da, dort, an hundert Punkten vielleicht bald sich wiederholte, aber sie verstand dessen allgemeine Bedeutung nicht und fühlte nur den schmerzlichen Druck.

Verwirrt, ratlos ging sie fort, ohne ihr Anliegen, das sie hergeführt, vorzubringen oder den Pfarrer mit Trostreden beruhigen zu wollen.

Erst auf der Straße, je mehr sie die Äußerungen des Geistlichen überdachte und mit frühern vereinzelten Worten und Vorfallenheiten zusammenhielt, fing es sie recht an zu frieren. Sie ward inne, daß sie zunächst keine Kirche mehr hatte, und in ihrem Frauensinne, durch die Macht der Gewohnheit, wurde es ihr zu Mut wie einer verirrten Biene, welche in der kalten Herbstnacht über endlosen Meereswellen schwebt. Vom Manne verlassen, das Gut verloren, und nun auch noch ohne kirchliche Gemeinschaft: das alles zusammen schien ihr einer fast ehrlos machenden Ächtung gleich zu kommen.

Die Kirchenlosigkeit, so äußerlich ihre Kirchlichkeit gewesen, schien ihr alle übrige Mißwende einzuschließen und zu besiegeln, und merkwürdigerweise glaubte sie jetzt dem Pfarrer aufs erste Wort, daß nichts in seinem Tabernakel sei, während sie ihres Mannes Anschauungen nie hatte annehmen wollen, eben weil er keine geistliche Autorität für sie besaß.

Sie wandelte lautlos nach Hause, nahm dort, um die nächste Stunde zuzubringen und auszufüllen, ein Strickzeug und setzte sich damit an ein Gartentor, dicht an die Straße, wie um zu zeigen, daß sie noch da sei und sich nicht zu scheuen brauche. Aber sie sprach mit niemandem und sah bleich auf ihre Arbeit, während ihre Lippen mechanisch die Strickmaschen zählten.

Der Abend nahte heran, auf dem stillglänzenden See fuhren Schiffe heimwärts und auf der Straße wanderten Arbeitsleute vorüber, ohne daß Justine aufblickte, bis ein steinaltes Weiblein, welches mühselig dahergepilgert kam, vor ihr stillstand, um auszuruhen und Atem zu holen. Das Wesen trug einen hohen gelben Strohhut auf dem Kopfe, einen kurzen roten Rock und solche Strümpfe, auf dem gekrümmten Rücken ein weißes Säcklein und in der Hand einen Stab und stellte sich so als eine Pilgerin dar, die, aus ferner Gegend kommend, nach dem berühmten Wallfahrtsorte wanderte, der wenige Stunden weiter im Gebirge gelegen war.

Als Justine sah, daß das Mütterchen kaum mehr stehen konnte, hieß sie dasselbe zu ihr auf die Bank sitzen. »Das will ich gern tun, wenn Ihr's erlaubt, schöne Frau!« sagte die Pilgerin und säumte nicht, sich neben ihr niederzulassen. Auch kramte sie sogleich in ihrem Reisesack und zog ein Stück Brot hervor, indem sie sich nach einem Brunnen umsah, der ihr einen Trunk Wasser dazu böte. Justine holte aber ein Glas guten alten Weines im Hause und gab es ihr, und sie labte sich vergnüglich daran.

»Warum geht Ihr in Eurem Alter so allein auf der heißen, harten Straße, während alle andern Wallfahrer auf der Eisenbahn und den Dampfschiffen reisen und bequemlich beieinander sitzen?« fragte Justine.

»Ei, das wäre ja kein Verdienst und kein Opfer für mich arme Sünderin!« antwortete die Pilgerin; »die andern, die reisen heutzutage mehr zur Lust und aus Vorwitz und verrichten allenfalls am Gnadenort ein nützliches Gebet. Ich aber wandere auf meinen alten Füßen zur allerseligsten Maria Mutter Gottes, und da bin ich nicht nur vor ihrem heiligen Altare bei ihr, sondern auf dem ganzen langen Wege begleitet sie mich auf jedem Schritt und Tritt und hält mich aufrecht, wenn ich sinken will, wie eine gute Tochter ihre alte schwache Mutter! Eben jetzt hat sie mir durch Euere weiße Hand diesen stärkenden Trunk gereicht! Wenn Ihr wüßtet, wie süß und lieb sie ist, wie schön, wie glänzend! Und welche Macht besitzt sie, welche Klugheit! Für alles weiß sie Rat und alles kann sie!«

Während solcher Lobpreisung ließ das Mütterchen seinen Rosenkranz nicht einen Augenblick aus der Hand. Neugierig sah ihr Justine zu, wie sie fortwährend mit den Kugeln spielte, und verlangte zu wissen, in welcher Weise man ihn gebrauche und um die Hand wickle. Die Alte zeigte es ihr sogleich und wand ihr die ärmliche Kugelschnur um die Hände. Justine hielt diese einige Augenblicke nachdenklich gefaltet und schaute so in Gedanken verloren vor sich hin; dann schüttelte sie aber langsam den Kopf und gab der Pilgersfrau ihren Rosenkranz zurück, ohne ein Wort zu sagen.

Das Pilgerweiblein wollte nun nicht länger ruhen, sondern noch ein gutes Stündchen weitergehen, ehe es die Herberge aufsuchte, und so bedankte es sich, versprach für die gute schöne Frau ein Gebet zu verrichten, ob sie es wolle oder nicht, und wanderte auf den schwachen Füßen in den dämmernden Abend hinaus, so wohlgemut und sicher, wie wenn es zu Hause in seiner Stube herumginge.

Justine lehnte sich zurück und sah der roten, schwankenden Gestalt nach, bis sie in den blauen Schatten des Abends verschwand.

»Katholisch!« rief sie, sich selbst vergessend, und versank wieder in tiefe suchende Gedanken; und sie schüttelte abermals das Haupt.

Aber ihre obdachlose Frauenseele suchte fort und fort; sie ging ungegessen zu ihrem Lager und brachte schlaflos die Nacht zu. Sie konnte jetzt nicht einmal mehr sagen, sie sei arm wie eine Kirchenmaus, da sie nur mehr eine wilde Feldmaus war. In dieser Not erinnerte sie sich einer kleinen armen Arbeiterfamilie, einer Witwe mit ihrer Tochter, welche im Rufe einer ganz eigentümlichen Frömmigkeit standen und unter den armseligsten Umständen einer vollkommenen Zufriedenheit und Seelenruhe genossen, so daß der Pfarrer selbst, obgleich sie einer, wie er sagte, törichten und unwissenden Sekte angehörten, von ihnen geurteilt hatte, sie könnten ganz gut einen Begriff von den Urchristen der ersten Zeiten geben. Die beiden Personen hatten früher in Schwanau gelebt und die Tochter hatte in den Glorschen Fabriksälen gearbeitet. Justine, welche eine gewisse Zuneigung zu den Leutchen empfunden, war zu verschiedenen Malen von dem Vorsatze, dieselben zu bekehren und für ihre artig eingerichtete und verständige Kirche zu gewinnen, unwillkürlich abgestanden, sobald sie an die Ausführung hatte gehen wollen. Dann waren Mutter und Tochter aus der Gegend weg und in die Nähe der Hauptstadt gezogen, und jetzt beschloß die schlaflose Justine, sie aufzusuchen und das Geheimnis ihres Friedens und ihres Glaubens zu erforschen und ihrer Glückseligkeit teilhaftig zu werden, wenn es möglich wäre. Sie beschloß auch, das schon am nächsten Tage ins Werk zu setzen.

Viertes Kapitel

Am Morgen, der einen schönen Tag ansagte, stand Justine denn auch in aller Frühe auf und rüstete sich zum Wandern; denn sie wollte, obschon sie beinahe drei Stunden weit zu gehen hatte, demütig zu Fuß pilgern, angeregt ohne Zweifel von dem wallfahrenden Mütterchen und weil sie so am ehesten ihren Gedanken überlassen war. Sie zog ein Paar ihrer ehmaligen starken Vorsteherinnenschuhe an, welche ihr jetzt trefflich zustatten kamen, und belud sich auch mit einem Korbe, in welchem sie für die guten Urchristen eine Gabe barg, eine Flasche guter reiner Sahne, ein frisches Weizenbrot, ein Dütchen Schnupftabak für die Mutter, welche, wie sie wußte, trotz ihrer Weltentsagung gern ein Prischen nahm, wenn sie es haben konnte, und für die Tochter ein paar gute neue Strümpfe. So schürzte sie ihr Kleid und begab sich auf den Weg, statt des Pilgerstabs freilich einen Sonnenschirm in der Hand, der ihr nebst dem breitrandigen Strohhut genugsam Schatten gab.

Sie überlegte sich während des Gehens noch alles, was sie von den Frauen wußte, und befreundete sich immer mehr mit dem gefaßten Vorsatze.

Die Mutter Ursula war als arme Dienstmagd in die Gegend gekommen und hatte still und brav ihrer Pflicht gelebt. Allein sie liebte damals, wie sie sagte, die Welt und gab einem Sohn wohlhabender Landleute, gerührt von seiner Gutmütigkeit und Herzenseinfalt, Gehör, also daß sie sich zusammentaten, arm wie die Tierlein des Feldes, und ein Paar wurden. Denn der Mann wurde sofort von den Seinigen verstoßen und verlassen und sie gaben ihm nicht einmal einen leeren Holzkorb mit. Sie lebten nun kümmerlich als Tagelöhner in einer elenden entlegenen Hütte und waren verlassener als alle Robinsone auf ihren Inseln. Sie lenkten mit ihrer Einfalt und Geduld alle Hartherzigkeit der Menschen auf sich, mitten in einer reichen und christlich milden Landschaft, wie der Magnet das Eisen; alles, was von hochmütigem Mißverstand ringsum vorhanden war, schien sich vereinigt gegen die Armen zu richten, so daß einer den andern am Helfen hinderte und sie noch dazu lachten; und niemand wußte warum, wie es in der Welt so gehen kann.

Das Frauchen war aber immer noch von Weltlust erfüllt. Sie lockte eine dicke Bauernkatze, die in der Nähe der Hütte im Felde schlich, zog ihr das Pelzröcklein aus und sott sie im Wasser, um den schwarzen Hunger zu stillen; auch nahm sie sorglich das Fett ab zum Kochen einiger Wassersuppen für den Fall, daß ein wenig Mehl oder Brot ins Haus käme. Allein diese Gewalttat wurde entdeckt, und die Geldbuße, welche der Frau dafür auferlegt wurde, nahm den Lohn eines ganzen Monats hinweg, welchen der Mann endlich nach langem Suchen bei einem Straßenbau hatte erwerben können. Deshalb trank derselbe in seiner gutmütigen Einfalt, auf den Rat anderer, vom nächsten Lohn sogleich einen Rausch, ehe man ihm das Geld nehmen konnte, und wurde dabei von einer unterhöhlten Erdlast erschlagen, da er nicht rechtzeitig vor dem Sturze floh.

Damit war aber auch die Zeit der Sünde und der Weltlust für die Frau Ursula vorüber.

Um jene Zeit waren ärmliche namenlose Prediger erschienen, welche unter dem geringen Volke für irgend eine Sekte Anhänger suchten und die bekehrten Leute tauften. Sie lehrten das reine ursprüngliche Christentum, wie es nach ihrer Meinung ohne jede Gelehrsamkeit in der Bibel zu finden war, wenn man nur jedes Wort ganz buchstäblich, und zwar in der deutschen Übersetzung, die ihnen zu Gebote stand, auffaßte. Die Hauptsache war, daß in Tat und Wahrheit ein neues geheiligtes Leben geführt werden müsse, zu jeder Stunde des Tages und an jedem Orte, und daß ferner die Gläubigen unter sich einen festen Verband der Liebe und der gegenseitigen Anhänglichkeit bilden, um sich für die große Stunde des verheißenen Weltgerichtes, das bald kommen werde, zu stärken und bereit zu halten.

Diese Prediger sammelten bald eine Gemeinde um sich, bestehend aus hilfsbedürftigen dunklen Seelen, aus natürlichen Kopfhängern, aus schwachen Hochmütigen, welche selbst an ihrem geringen Orte einen Standpunkt suchten, von welchem aus sie besser sein konnten als der Nachbar, aus guten Herzen, die ihre Liebe trieb, aus Unglücklichen, die einen Trost zu finden hofften, der ihnen anderwärts nirgends blühte. Einige von ihnen, wenn sie katholisch gewesen wären, hätten sich einfach in ein Kloster gemacht, andere, wenn es ihre Lebensverhältnisse mit sich gebracht hätten, wären Freimaurer geworden, wiederum andere, wenn sie bemittelt und gebildet gewesen wären, hätten sich irgend einem gemeinnützigen oder wohltätigen Verein oder einer gelehrten oder einer musikalischen Gesellschaft angeschlossen, um sich aus dem Staube des gemeinen Lebens zu erheben. Alles dies ersetzte ihnen nun die stille gläubige Genossenschaft; da fanden sie nicht nur die Heiligkeit und das ewige Leben, sondern auch Kurzweil und Unterhaltung zur Genüge in fortwährendem Reden, Lehren, Disputieren, Beten und Singen.

Allein sie waren keineswegs geschätzt und beliebt, sondern

von allen Seiten verfolgt und verlacht, von der Kirche, von den Freien, von den Orthodoxen, von den vornehmern Frommen, vom Volke, von den Behörden. Besonders auf dem Lande wurden ihre Zusammenkünfte gestört und auseinandergesprengt, und die Unduldsamkeit, welche sich bei ihnen selbst frühzeitig einnistete, wurde auch reichlich gegen sie geübt.

Am Orte, in welchem die arme Witwe wohnte, waren die Sektierer besonders heftig verfolgt worden und sie durften nicht mehr im Gemeindebann sich versammeln. Sie hielten ihren Gottesdienst daher in einer Wildnis, in dem abgelegenen Gemäuer einer zerstörten Zwingburg, welche man die Teufelsküche nannte. Sie kehrten sich nicht an den neuen Spott, der hiedurch gereizt wurde, und predigten und sangen gar andächtig zwischen dem Gebüsch und Unkraut.

Ursula hörte in ihrer verfallenden Hütte eines Sonntag Abends die frommen Lieder durch die stille Luft herübertönen, just von daher, wo die goldenen Wolken über dem Walde standen. Es zog sie gar tröstlich, dem Glanz und dem Tone nachzugehen; sie nahm also ihr zweijähriges Töchterchen, das Agathchen, auf den Arm und ging, bis sie die verborgene Versammlung fand, setzte sich bescheiden auf ein Trümmerstück im Hintergrunde der Teufelsküche, das Kind auf dem Schoße in den Armen haltend, und lauschte aufmerksam auf jedes Wort, das gesprochen wurde. Verschiedene Prediger standen auf, welche neben der Verwaltung der Heilslehre jeder ein schlichtes Handwerk trieben und das Wort selbst auch ganz schlicht handhabten; denn noch kannten sie nicht einmal den theologischen Unterschied zwischen Peter und Paul und niemand wußte hier so recht, wer eigentlich die Römer gewesen seien, deren Soldaten den Heiland gekreuzigt haben.

Im Anfang war die arme Witwe vom Schatten einer Haselstaude bedeckt; doch wie die Sonne tiefer sank, überstreute sie die Mutter und das Kind mit spielenden Lichtern und zuletzt leuchtete das Bild ganz übergüldet aus dem feurigen Grün heraus. Dadurch fiel es dem Manne in die Augen, der eben predigte. Er unterbrach sich, als er die still aufhorchende Frau sah, und hieß sie mit lauter Stimme näher kommen und in dem Kreise der Gläubigen Platz nehmen, also daß die ganze Gemeinde den Kopf wandte und die Fremde wahrnahm.

Diese rührte sich aber nicht und blieb schüchtern sitzen, bis von einer Reihe von fünf oder sechs älteren Waschfrauen, die an hervorragender Stelle feierlich auf einem Baumstamme saßen, wie ebenso viele Bischöfe, eine sich erhob und das verlorne Schäflein mit seinem Jungen abholte und an der Hand herbeiführte.

So war sie nun in die Gemeinde aufgenommen und wuchs mit ihrem Kinde zu einem angesehenen Mitgliede derselben heran, eigentümlich und verschieden von allen andern, wie aus dem gleichen Erdreiche je nach ihrer Art die verschiedensten Pflanzen wachsen.

Die Waschfrauen zunächst einverleibten sie ihrem Verbande und verschafften ihr genügende Arbeit, so daß sie eine Wäscherin im Herren wurde, welche in den Häusern vierzig Jahre lang ohne Aufhören schaffte und sich abmühte Tag und Nacht, bis ihre Kräfte mehr als erschöpft waren. Während dieser Zeit hatte die Gemeinde sich längst Duldung errungen und zu einer gewissen Stattlichkeit entwickelt; die Glieder waren alle, durch gegenseitige Hilfe und geordnetes Leben emporgehalten, in einem behaglichen Zustande; die Prediger stellten sich schon mehr als Geistliche mit einiger Gelehrsamkeit dar und trugen bessere Röcke; die Versammlungen fanden in einem hellen, freundlichen Betsaale statt, auch wurde der Landeskirche sowohl als anderen sich ausbreitenden Sekten gegenüber schon eine kleine Kirchenpolitik getrieben.

Ursula aber und Agathchen ihre Tochter blieben sich immer gleich, verharrten in der Einfalt der ersten Zeit und wurden ohne ihr Wissen Musterbilder menschlicher Frömmigkeit. Die Tochter war schwach und kränklich von Körper; sie haspelte lange Jahre Seide in den Arbeitsräumen des Glorschen Hauses und lebte so mit ihrer Mutter zusammen, welche wusch. Solange sie so fortarbeiten konnten, erwarben sie zur Genüge, was sie bedurften, und konnten ihren Religionsgenossen helfen und beisteuern, wo es not tat, und ließen sich nicht suchen, und darüber hinaus hatten sie immer noch kleine Mittel, sich freundlich und dankbar zu erweisen gegenüber der Welt, für jeden kleinen Dienst, für jede Freundlichkeit, die ihnen erwiesen wurden. Sie verstanden ohne Absicht die Kunst, in der Armut reich zu sein, allein durch die unaufhörliche Arbeit und die eigene Genügsamkeit und Zufriedenheit. Der einzige Krieg, welchen sie unter sich führten, bestand in dem gegenseitigen Wetteifer mit ebensolchen Freundlichkeiten und Wohltaten, wie sie den Fremden erwiesen, weil jedes, sobald es empfangen sollte, sich dagegen wehrte und behauptete, das sei unnötig und übertrieben.

Sonst lebten sie im tiefsten Frieden mit aller Welt. Jede Kränkung verziehen sie im Augenblicke der Tat und erwiderten nie ein rauhes Wort im gleichen Tone, da sie aus ihrer Frömmigkeit eine Selbstbeherrschung schöpften, welche sonst nur durch Geburt und Erziehung erworben wird. In gleichem Sinne unterdrückten sie ohne Anstrengung unbescheidene Neugierde und Tadelsucht, und wie alle die kleinen Gesellschaftslaster heißen, und gegen die Ungläubigen und Weltkinder waren sie um so wohlwollender und duldsamer, je sicherer sie zu wissen glaubten, daß dieselben tief unglücklich, wohl gar verloren seien.

Das Unrecht nahmen sie hin, ohne sich seiner gerade zu erfreuen, aber auch ohne es zu bestreiten. Brüder des verstorbenen Mannes und Vaters hatten sich emporgeschwungen und lebten scheinbar in Wohlhabenheit und Ansehen, ohne das kleine Erbe, das dem Kinde und seiner Mutter zukam, jemals aushinzugeben oder ihnen auch nur einige Zinsen davon zu gönnen. Die Hochfahrenden waren eben stets in Geldsachen gedrückt und mochten die mäßigsten Summen nicht entbehren, das aber nicht eingestehen und stellten sich daher, als anerkennten sie das Recht nicht, so klar es war. Es hätte die zwei Frauen nur ein Wort gekostet, jene dazu zu zwingen und ihr öffentliches Ansehen bloßzustellen; allein sie waren selbst von ihren Glaubensgenossen nicht dazu zu bewegen und blieben, solange sie lebten, die armen geduldigen Gläubiger der hochfahrenden ungerechten Verwandten, so daß in Wahrheit man sie die Reichen und diese die Armen nennen konnte.

Mit der Zeit nun waren sie älter und alt geworden; die Arbeit fing an, ihnen beschwerlich, ein tägliches Leiden zu werden, ohne daß sie sich derselben entschlagen wollten, und die kränkliche Tochter strengte sich doppelt und dreifach an, um der Mutter wenigstens die nötigste Erleichterung verschaffen zu können, und bei alledem blieben sie heiter und gefaßt und gewährten eher immer noch anderen Trost und kleine Hilfsleistungen als daß sie solche beanspruchten.

Um diese Zeit kam das große Unglück über das Haus Glor, wo die zahlreichen Arbeiter über Bedürfnis und Vermögen hinaus fortbeschäftigt wurden. Während nun manche solcher Arbeiter, die Haus und Hof besaßen und von der Sachlage wohl stille Kenntnis hatten, ihren Verdienst ruhig weiter bezogen und die Ärmeren vollends ihr Auskommen wie eine Schuldigkeit nach wie vor forderten, machte sich das arme schwache Agathchen allein ein Gewissen daraus. Sie und ihre Mutter sagten sich, daß die verunglückten Herren mit jedem Tagelohn, den sie weiter auszahlten, ein gezwungenes Opfer brächten, welches sie nicht annehmen dürften oder wollten; sie beschlossen, ohne alle Überhebung, sondern aus reiner Güte, diesem Opfer aus dem Wege zu gehen, und zogen wirklich aus der Gegend hinweg. Agathchen, das alternde Mädchen, hatte freilich dabei noch den geheimen Plan, die Mutter ihrer Kundschaft zu entführen, bei deren Bedienung sie anfing zusammenzubrechen, wenn die großen Waschfeldzüge eines Morgens um drei Uhr begannen und drei Tage hindurch dauerten. Sie dachte ein Haspel- oder Windewerk ins Haus zu bekommen, wo sie dann die ruhende Mutter den ganzen Tag pflegen und zugleich für beide arbeiten könnte.

Sie fanden in der Nähe der Hauptstadt das gesuchte Unterkommen in einem kleinen Häuschen, welches ihnen der Seidenherr zum Wohnen gab. Dieses Gebäudchen befand sich in einem entlegenen Baumgarten und enthielt zwei kleine

Gemächer in der Art, daß das eine nach dem Baumgarten hinausging und nur zu erreichen war durch das andere, welches an der Landstraße lag. Jenes war ein sonniger, freundlicher Aufenthalt im Grünen, da die Wiese mit den Bäumen dicht am Fenster lag. Dieses dagegen war ein dunkles, unfreundliches Gelaß, dessen Eingang zugleich die Haustüre bildete und auf die staubige Landstraße ging. Neben der Türe gab es als Fenster nur noch ein kleines vergittertes Loch in der Mauer.

In diesem finstern Aufenthalt saß ein unzufriedenes und häßliches altes Weib, welches denselben hätte räumen sollen, aber auf Bitten der frommen Frauen dort gelassen worden war. Sie selbst wohnten in dem freundlichen Gemach. Zwar hatten sie dasselbe schon einmal mit dem dunklen Loch vertauscht, als die böse Alte sich darüber beklagte und zankte, und diese in das helle Stübchen sitzen lassen; allein hier hatte sie wiederum nicht bleiben wollen, weil sie den Eingang nicht bewachen und nicht sehen konnte, was auf der Straße vorging. Die beiden Geduldüberinnen hatten also doch wieder nach hinten ziehen müssen, und sie wohnte wiederum im Loch, wo sie unaufhörlich schalt und drohte und die Ein- und Ausgehenden belauerte, ausfragte und gegen die guten Leutchen einzunehmen versuchte. Denn sie hatten allerlei Zuspruch von Freunden und solchen, welche eines friedlichen Wortes bedürftig waren. Sie teilten auch alle kleinen Liebesgaben, die sie etwa erhielten und mit aufrichtigem Danke annahmen, sogleich mit dem Ungetüm, das die Teilung jedoch unwirsch abmaß und grob zurückwies, wenn sie ihm nicht rasch und pünktlich genug schien.

Sie fürchteten aber das Unwesen keineswegs und lebten in dessen Nähe, wie etwa fromme Einsiedler in der Nachbarschaft eines wilden Tieres oder eines schreckhaften Dämons.

Dies Weib war nun jene Sibylle der Verleumdung, welche man das Ölweib hieß und die Jukundus Meyenthal aufsuchen wollte, um dem Unheil auf den Grund zu kommen, das er in der fröhlichen Nacht entdeckt hatte.

Als Justine das Häuschen erfragt und jetzt hergewandert

kam, saß das Ölweib vor der Türe an der Straße und scheuerte
mürrisch ein Pfännchen.

Die Sage erzählt, daß zur Zeit, als Attila mit seinen Hunnen
erschien, in der Nähe von Augsburg eine wegen ihrer abscheulichen Häßlichkeit verbannte Hexe wohnte, welche dem
zahllosen Heere, als es über den Lech setzen wollte, ganz allein und nackt auf einem abgemagerten schmutzigen Pferde
entgegengeritten sei und »Pack dich, Attila!« geschrieen habe,
also daß Attila mit dem ganzen Heere voll Schrecken sich
stracks gewendet und eine andere Richtung eingeschlagen
habe und so die Stadt von der verstoßenen Hexe gerettet und
diese mit einem guten neuen Hemde belohnt worden sei. Aber
diese Hexe hier verdiente um ihr Vaterland schwerlich ein
neues Hemd.

Auch Justine wäre beinahe umgekehrt und entflohen, als sie
das Ölweib vor der Türe sitzen sah mit dem großen viereckigen, gelblichen Gesicht, in welchem Neid, Rachsucht und
Schadenfreude über gebrochener Eitelkeit gelagert waren, wie
Zigeuner auf einer Heide um ein erloschenes Feuer.

Die Unholdin zischte die schöne und stattliche Justine an
und fragte sie, indem sie sich aufrichtete, wohin sie wolle, was
sie bei den Leuten zu tun habe; aber Justine faßte Mut und
drang bei ihr vorbei durch die Finsternis und stand plötzlich
bei den friedlichen Frauen im Sonnenschein, das frische Grün
vor den Augen.

»Ei, wie schön ist es hier«, rief sie, indem sie Korb und anderes abstellte, den Hut weglegte und sich setzte. Ursula und
Agathe hingegen gerieten vom Erstaunen über die Überraschung in die herzlichste Freude hinein. Ursula saß gicht-
brüchig in einem Lehnstuhle und konnte sich nicht erheben;
Agathchen aber ließ ihr halbes Dutzend Häspelchen, die sich
mit glänzend roter Seide in der Sonne drehten, stille stehen.
Eine vornehme gelassene Herzlichkeit verklärte das bleiche
Gesicht der Tochter, die doch keine vornehme Erziehung genossen hatte. Justine bemerkte, daß auch sie nicht ganz sicher
auf den Füßen stand; Agathchen erklärte lächelnd, daß diese

sie freilich etwas zu schmerzen anfingen und zuweilen ein bißchen geschwollen würden. Aber sie klagte so wenig wie die Mutter mit einem einzigen Wörtchen. Vielmehr beschrieben sie mit unschuldiger Heiterkeit die schnurrige Hexe vor der Türe, als Justine nach der unheimlichen Erscheinung fragte, und wie man Geduld mit der armen Kreatur haben müsse, welche von bösen Geistern bewohnt und gewiß leidend genug sei.

Wie erstaunten sie aber, als Justine ihre einfachen Geschenke hervorholte. Die Strümpfe hätten dem Agathchen nicht willkommener sein können; denn es gestand, daß es doch fast keine Zeit mehr finde zum Stricken, besonders seit die Augen des Nachts und beim Lämpchen nicht mehr recht sehen wollten. Ihrerseits hatte die Mutter das Päcklein frischen Schnupftabak schon geöffnet und mit einer beinahe zu lebhaften Befriedigung ihr kleines Horndöschen damit gefüllt. Hier war der einzige Punkt, wo das Kind die Mutter ein wenig beherrschte, indem es ihr nicht ganz so viel von der schwärzlichen Weltlust zukommen ließ, wie sie vielleicht, im Rückfall in ihre Jugendsünden, zu verbrauchen imstande gewesen wäre. Doch lächelte jetzt Agathchen selbst gegen Justinen hin, als die Mutter die frische Prise so fröhlich zu sich nahm.

Von der Sahne aber füllte Agathchen sogleich eine Schale und schnitt ein Stück von dem weißen duftigen Brot, um es dem armen Weib draußen zu bringen. »Nicht so rasch!« sagte die Mutter leise, »damit sie nicht überrumpelt wird, wenn sie wieder an der Türe horcht! Tritt ein bißchen laut auf mit den Füßen!«

»Ach, sie tun mir ja zu weh, wenn ich damit stampfe!« erwiderte die Tochter und lachte selbst zu dem harmlosen Betrug, welchen sie spielen sollte. Doch hustete sie, ehe sie die Türe aufmachte, ein weniges, und richtig sah man draußen in der Dämmerung des Vorraumes die unförmliche Gestalt des Weibes hinhuschen, behender als man von ihr erwartete.

Als es nun wieder stille war, wollten Mutter und Tochter

doch wissen, auf welche Weise die junge Herrenfrau hieher
gekommen sei und wohin des Weges sie gehe; denn sie bildeten sich nicht ein, daß sie nur zu ihnen allein so weit her habe
kommen wollen.

Die Sonnenlichter, mit den Schatten der schwankenden
Baumzweige vermischt, spielten auf dem Boden und an den
Wänden des kleinen Stübchens; vor den offenen Fenstern
summten die Bienen und ein grünes Eidechschen war von der
Wiese heraufgeklettert und guckte neugierig in das Gemach;
ein zweites gesellte sich dazu und beide schienen der Dinge gewärtig, die da kommen sollten. Justine sah alles und fühlte diesen Frieden; aber sie fand keinen rechten Mut, die Stille zu
unterbrechen, bis sie zu weinen anfing und nun bedrängt und
beklemmt den Frauen anvertraute und erzählte, daß sie religi-
onslos geworden sei und bei ihnen Rat und Aufschluß suche,
worin ihr Glück bestehe und woher ihr Seelenfrieden komme.
Sie hoffte ein Neues, noch nicht Erfahrenes, Übermächtiges
zu erleben, dem sie sich ohne weiteres Grübeln hingeben
könne. Sogleich tat die Ursula ihr Tabaksdöschen weg und
Agathe legte nieder, was sie eben in den Händen hatte; beide
sahen sich erschrocken an, falteten unwillkürlich die Hände,
und Justine sah, wie jedes für sich leise betete und die Lippen
bewegte, Agathchen mit rinnenden Tränen, die Mutter aber
mit der ruhigeren Fassung des Alters. Keines getraute sich ein
Wort zu sagen; sie waren ganz erschüttert von der an sie her-
angetretenen Forderung, eine gelehrte und glänzende Person
für das Heil zu gewinnen, und doch war die himmlische Fügung nicht zu verkennen und anzuzweifeln.

Ursula fing zuerst langsam an, einige Worte zu sprechen,
während Agathchen einen Schemel zu Justinen hinschob, sich
zu ihren Füßen setzte und ihre Hände ergriff und streichelte.
Denn Justine war längst ihre geheime Liebe und der vornehmste Gegenstand all ihres Wohlwollens und ihrer Bewunderung
gewesen.

Indessen kam die Sache in den gesuchten Gang, die Zungen
lösten sich, und nun wetteiferten die beiden Wesen, dem Welt-

kinde die große Angelegenheit darzutun und einander das Wort abzunehmen und zu ergänzen, wie zwei Kinder, welche einem dritten das soeben von der Großmutter gehörte Märchen erzählen.

Aber es war nichts Neues und Unerhörtes, was sie vorbrachten, sondern die alte harte und dürre Geschichte vom Sündenfall, von der Versöhnung Gottes durch das Blut seines Sohnes, der demnächst kommen werde zu richten die Lebendigen und die Toten, von der Auferstehung des Fleisches und der Gebeine, von der Hölle und der ewigen Verdammnis und von dem unbedingten Gauben an alle diese Dinge. Das alles erzählten sie wie etwas, das niemand so recht und gut wisse wie sie und ihre Gemeinde, und sie brachten es vor nicht mit der menschlich schönen Anmut, die ihnen sonst innewohnte bei allem, was sie taten und sagten, sondern mit einer hastigen Trockenheit, eintönig und farblos, wie ein Auswendiggelerntes. Bei keinem Punkte wurden die Worte weicher und milder, nirgends die Augen wärmer und belebter, selbst das Leiden und Sterben Jesu behandelten sie wie einen Lehrgegenstand und nicht wie eine Gemüts- oder Gefühlssache. Es war eine wesenlose Welt für sich, von der sie sprachen, und sie selbst mit ihrem übrigen Wesen waren wieder eine andere Welt.

Dazu redeten sie, in einfältiger Nachahmung ihrer Prediger, unbeholfen und ungefällig, ja befehlshaberisch in Hinsicht auf das bei jedem zweiten Wort wieder geforderte Glauben.

Da sah Justine, daß die guten Frauen ihren Frieden wo anders her hatten als aus ihrer Kirchenlehre und ihn nicht mit dieser verschenken konnten; oder daß vielmehr nur sie mit ihrer besonderen Einrichtung auf diesem dürren Erdreich hatten wachsen können, weil sie die Nahrung aus den freien Himmelslüften zogen. Sie war vergeblich hergekommen; das Herz zog sich ihr zusammen, daß es beinahe still zu stehen drohte, und sie lehnte sich auf ihrem hölzernen Stuhle zurück, um sich zu erholen, während die Predigerinnen immer noch fortsprachen. Sie erholte sich auch nach und nach, war aber immer noch weiß wie die getünchte Wand ringsumher und suchte sich zu besinnen, wie sie, ohne die Frauen zu kränken, die Sache beendigen und fortkommen könne.

Plötzlich ertönte vor der Türe ein häßlicher Schrei, wie wenn einer Katze auf den Schwanz getreten würde. Erschreckt eilte Agathchen hin und öffnete die Türe, daß das volle Licht in die dunkle Vorkammer drang, und man sah einen schlanken hochgewachsenen Mann, welcher das Ölweib an der Kehle festhielt und ein weniges an die Wand drückte. Beschämt und verlegen ließ er die Hexe aber sogleich wieder frei, als das Licht auf die Szene fiel, und auch aus Ekel, weil sie ihm in der Angst und Wut auf die Hand geiferte, die er nun abwischte. Jetzt ließ sich aber ein wohltönender Ausruf hören von Seite Justinens her, welche in dem Manne den Herren Jukundus Meyenthal erkannte; der kehrte sich zu ihr und sofort fielen sich beide Gatten um den Hals und hielten sich lange umfaßt. Dann betrachteten sie sich aufmerksam und sorglich die ernsten traurigen Gesichter und gingen endlich vorderhand in das Stübchen der Frauen hinaus an das Sonnenlicht.

Jukundus war, während Justine ihren Glaubensunterricht empfing, zur guten Stunde in die Höhle der Hexe gekommen. Sie hatte zuerst boshaft und zufrieden gelächelt, weil sie glaubte, der hübsche Mann und die schöne Frau hätten ein verbotenes Stelldichein bei den frommen Weibern und diese böten endlich ihre schwache Seite dar und ein ganzer Krug voll Rosenöl werde aus diesem Abenteuer zu gewinnen sein.

Als aber Jukundus sein Verzeichnis anzuschwärzender Biederleute hervorzog, ihr sagte, um was es sich handle, in wessen Namen und Auftrag er gekommen, und sie ziemlich trocken und kurz zu fragen begann, was sie von jedem wisse oder was sich tun lasse, um denselben als Bösewicht in das verdiente Gerücht zu bringen und zur Strafe zu ziehen, sagte sie mürrisch: »Den kenne ich nicht! Die haben mir nichts getan!«

Dieses Tier hat doch wenigstens den Instinkt, nur diejenigen zu beißen, die es berührt oder gestoßen haben! dachte Jukundus und fragte, was ihr denn dieser oder jener von den früher Angefallenen getan habe?

Sie lachte sogleich heiser, als sie die Namen jener Opfer hörte und sich des gewichtigen Anteils erinnerte, welcher ihr an der lustigen Hetzjagd vergönnt gewesen. Jedoch gab sie keine Antwort auf die Frage, sondern begann mit schwerfälliger Beredsamkeit zu schildern, wie sie bei dem Aufbringen und Ausbreiten der bösen Nachreden und Anschuldigungen verfahren sei. Da brauche es zuerst nur eine bestimmte, an sich unschuldige Eigenschaft, einen Zustand, ein Kennzeichen des Betreffenden, einen Vorfall, das Zusammenkommen zweier Umstände oder Zufälle, irgend etwas, das an sich wahr und unbezweifelt sei und für die zu machende Erfindung einen Kern von Wirklichkeit abgebe. Auch seien nicht nur Erfindungen zu verwenden, sondern man könne auch mit Vorteil die von dem einen verübten Vergehen und Abscheulichkeiten auf den andern übertragen mittelst jener äußern wirklichen Zufälligkeiten oder das, was man selbst zu tun immer Lust verspüre oder vielleicht schon ein bißchen getan habe, einem andern anhängen. Auf solche Weise das oft unbillige Schicksal auszugleichen und zu verbessern gewähre ein gewissermaßen göttliches Vergnügen, wie z. B. wenn man von zwei Menschen den einen wohl leiden möge, den andern hasse, der erste aber ein armer böser mißlungener Schwerenöter, der letztere ein unerträglicher Rechttuer sei, der nichts an sich kommen lasse. Da fühle man sich dann so recht wie eine Vorsehung, wenn man die Unreinlichkeiten und Gebrechen des guten Freundes und Dulders diesem abzunehmen und dem widerwärtigen Rechthaber aufzubürden verstehe. Ja, es sei etwas Großes, mit einem ausgestreuten Wörtlein ein stolzes Haus in Schmach und Ungemach zu stürzen, größer als wenn ein Zauberer einen Sturm erregen und Schiffe auf dem Meer untergehen lassen könne.

Bei diesen Reden verriet das Weib weit mehr Welt- und Personenkenntnis als ihr ungefüges Äußere und die ärmliche Lage hätten erwarten lassen; aber alle diese Kenntnis war verkümmert und verkrüppelt und wucherte nur um die Oberfläche der Dinge herum, wie ein Moosgeflecht. Auch glich sie trotz ihrer Verschmitztheit zuweilen einem Kinde, welches in Unwissenheit mit dem Feuer spielt und dabei eine Stadt anzündet.

Den oft verworrenen Worten und Anspielungen war mit Mühe zu entnehmen, daß das Weib den eigenen Eltern oder Großeltern vorwarf, eine vornehme Herkunft verläppert und sie dem Elend und der Dunkelheit ausgesetzt zu haben, daß sie einst mit einem Schuster verheiratet gewesen, der lang mit ihr gerungen, sie aber zuletzt besiegt und fortgejagt hatte, und daß sie sich jetzt mit Hausieren ernährte, indem sie bald diese, bald jene Ware ausfindig machte, mit welcher sie, wenn sie aufgelegt war, in allen Gassen herumstrich, von Haus zu Haus schleichen und ihrem finstern Treiben obliegen konnte.

Plötzlich unterbrach sich die Hexe in ihrer Rede und verlangte nochmals die Namen derjenigen zu sehen, die neuerdings verleumdet werden sollten; denn sie hatte über ihrem Reden unversehens Lust bekommen wieder zu handeln und Vorsehung zu spielen.

Jukundus gab ihr den Zettel in die Hände, um zum letzten Überfluß noch zu sehen, wie sie im einzelnen zu Werk ging, nachdem er sich im allgemeinen schon überzeugt hatte, auf welcher Grundlage die große öffentliche Verfolgung aufgebaut sei.

Gleich beim ersten Namen, der einem ehrlichen Bürgersmann angehörte, rief sie: »Halt, den kenne ich doch! Wie konnte ich den übersehen? Das ist ja der saubere Herr, der mich einmal aus dem Hause gewiesen hat, als ich in seiner Küche mit den Dienstboten sprach! Der hat rasch hintereinander mehrere Erbschaften gemacht und ist reich geworden, während arme Verwandte am Hungertuch nagen! Das wird ein artiger Erbschleicher sein, wenn man die Sache näher untersucht und in einen vernünftigen Zusammenhang bringt. Denn ein paar alte Basen von ihm, die er beerbt hat, sind unvermutet gestorben, ja, was sage ich? sein eigener Vater ist vor ein paar Jahren gestorben, ohne daß er sehr alt oder krank war, höchst wunderlich!«

Jetzt erschrak aber Jukundus über die Folgen seines Tuns und er entriß der Alten den Zettel, indem er rief: »Schweigt still, abscheuliche Ölhexe! und untersteht Euch nicht, ein einziges Wort von alledem zu wiederholen, was Ihr da lügt, oder Ihr habt es mit mir zu tun!«

»Mit Euch?« erwiderte die Unholdin, die ihn plötzlich mit aufgerissenen Augen anglotzte und dann zischte: »Was ist's mit Euch? Was willst du eigentlich von mir, du Hund? du verfluchter Spion? Willst du mich bestechen und zu Schlechtigkeiten mißbrauchen? Wart, dich wollen wir schön in die Mache nehmen! Man kennt dich schon! Man kennt dich schon, du erzschlechter Kerl!«

Von der häßlichen Wut des Weibes und dem ungeheuerlichen Gesicht, das sie zeigte, gereizt, packte Jukundus, der sich schon zum Gehen gewandt hatte, sie einen Augenblick, sich vergessend, am Kragen und entlockte ihr eben dadurch den Schrei, welcher das Wiedersehen mit Justinen herbeiführte, so daß er die Verletzung des morgenländischen Gebotes:

> Mit einer Blume nur zu schlagen
> Ein Frauenbild, nicht sollst du wagen!

welches ihm nachher einfiel, schließlich doch nicht bereute.

Ursula und ihre Tochter waren von dem Zusammentreffen der getrennten Gatten in ihrer Wohnung gerührt und erfreut; sie betrachteten es als eine weitere Fügung Gottes, wobei ihnen zweifelhaft erschien, ob die begonnene Glaubenslehre ihren Fortgang haben werde; denn sie trauten dem Herren Meyenthal nicht ganz. Sie stellten daher die Sache einem Höheren anheim und schwiegen jetzt bescheiden von derselben; sogleich nahm auch Ursula ihr Tabaksdöschen wieder zur Hand.

Jukundus und Justine sprachen indessen nicht viel und trachteten ins Freie zu kommen. Nachdem sie über ihr Zusammentreffen an diesem Orte das Nötigste sich erklärt hatten, verabschiedeten sie sich von den guten Christinnen, die

Jukundus noch wohl kannte, und versprachen ihnen weitere Nachricht und Teilnahme. Als sie durch das Gelaß des Ölweibes gingen, war dieses nicht zu sehen und mußte sich versteckt haben. Doch kaum waren sie auf der Straße, so erschien ihr Gesicht unter dem Gitterfensterchen, wo sie ihnen greuliche Schimpf- und Drohworte nachrief. Doch sie hörten nichts davon, da sie genugsam mit sich selber beschäftigt waren und mit einem neuartigen Glücksgefühl, doch immerfort in tiefem Ernste nebeneinander hingingen.

Jukundus hatte in einem Gasthause ein Pferd stehen, auf welchem er die ziemlich weite Strecke hergeritten war; Justine hatte mit einem Bruder verabredet, auf einem aus der Stadt kommenden Dampfboote an der nächsten Landungsstelle zur gemeinsamen Rückfahrt zusammenzutreffen. Sie verabredeten daher sich am nächsten Morgen wieder zu sehen, und zwar bei den Großeltern auf dem Berge bei Schwanau, wohin Jukundus sich in aller Frühe aufmachen sollte. Dort wollten sie den ganzen Tag zubringen und sich aussprechen. So gingen sie für heute voneinander und blickten sich dabei treuherzig und innig in die Augen, aber immer im tiefsten Ernste.

Der folgende Tag war ein Sonntag, der mit dem schönsten Junimorgen aufging. Justine war mit der Sonne wach; sie rüstete und schmückte sich, als ob es zu einem Feste ginge, indem sie gegen ihre letzte Gewohnheit das Haar in reiche Locken ordnete, ein duftiges helles Sommerkleid anzog, auch den Hals mit etwelchem feinen Schmucke bedachte. So ging sie, ungesehen von den noch schlafenden Ihrigen, den Weg nach der Höhe, das Gesicht leicht gerötet und rüstigen Schrittes. Die Großmutter war über ihre jugendliche und reizende Erscheinung ganz verwundert und auch zufrieden mit der Wendung, welche das Schicksal zu nehmen schien. Sie zwang, da sie beim Frühstück saß, die Enkelin, die noch nichts genossen hatte, eine Schale Kaffee zu trinken. Doch ruhte Justine nicht lange, sondern brach wieder auf, um auf dem Bergwege, auf welchem Jukundus kommen mußte, ihm entgegen zu gehen. So wandelte sie in bänglich froher Erwartung in die Sonntagsmorgenstille hinein. Die Erde war überall, wo man hinsah, mit Blumen bedeckt, von den eben verblühenden Bäumen wehten die Blüten hinweg, wenn ein Lufthauch sich erhob. Jetzt begannen die Kirchenglocken in der Nähe und in der Ferne zu läuten, rings um den langhin gedehnten See, in den weißschimmernden Ortschaften; die tiefen vollen Töne der mächtigen Glocken flossen zusammen und erfüllten weit und breit die Luft wie ein unendliches Klangmeer, welches an das klopfende Herz Justines hinan schwoll und es in seine Tiefe zurückzuziehen drohte. Allein sie kehrte nicht zurück, sondern eilte, getragen von den tönenden Wogen, dem Manne entgegen, der jetzt im Scheine der Morgensonne raschen Schrittes herankam. Sobald sie einander gewahrten, kehrte das verloren gewesene Lachen in ihre Gesichter zurück, und sie umarmten und küßten sich herzlich.

Ohne darauf zu achten, wohin sie gingen, gerieten sie auf einen Waldpfad und bestiegen Arm in Arm die oberste Höhe des Berges, während sie in gegenseitigem Geplauder sich alles erzählten, was ihnen widerfahren und was sie gelebt und gedacht über die Zeit ihrer Trennung. Das Glockengeläute verlor sich indessen allmählig durch die hinter ihnen liegenden Waldungen sowie durch das endliche Aufhören, und als der letzte Ton mit einem einzelnen Nachschlag verhallte, wurden sie doch der tiefen Stille inne, welche jetzt eintrat. Sie befanden sich am Rande einer geräumigen Waldlichtung, die eine schön gepflegte Baumschule umfaßte. In wohlgeordneten Reihen standen Tausende und wieder Tausende von winzigen Weißtännchen, Rottännchen, Fichtchen, Lärchlein, kaum drei bis vier Zoll hoch, die ihre hellgrünen Köpfchen emporstreckten und einer festlichen Versammlung vieler Kleinkinderschulen glichen. Dann standen die gereihten Scharen kniehoher, dann brusthoher Bäumchen, wie wackere Knabenschulen, bis ein Heer mannshoher Buchen-, Eichen-, Ahornjünglinge folgte und im Rücken derselben die schützende Gemeinde der alten Hochwaldbäume die Versammlung abschloß. Die ganze Pflanzschule war so sorgfältig und zierlich gehalten wie der

Garten eines großen Herren, obwohl sie nur einer bäuerlichen
Genossenschaft gehörte; die feierliche Stille erhöhte den über-
raschenden Eindruck, welchen der Anblick einer liebevollen
Sorge hervorbrachte, die nicht mehr für das eigene Leben,
sondern für ein kommendes Jahrhundert, für die Enkel und
Urenkel waltete.

Im durchsichtigen Schatten junger Ahornstämmchen war
von den Forstleuten eine Ruhebank angebracht worden, auf
welche Jukundus und Justine sich niederließen, den trösti-
chen Anblick schweigend und ruhevoll genießend.

»Siehst du«, sagte endlich Jukundus, indem er Justinens
Hände ergriff, »sowie wir uns nur wieder gefunden haben, sehen wir gleich, daß die Welt überhaupt nicht so schlimm ist als
sie sich gerne stellen möchte. Alle diese hastigen und harten
Selbstsüchtigen geben sich eigentlich doch alle ihre Mühe nur
für ihre Kinder und erfüllen sogar Pflichten der Vorsorge für
die ihnen unbekannten künftigen Geschlechter!«

»Hast du mich auch noch ein bißchen lieb?« erwiderte Justine, welche in diesem Augenblicke nur für sich sorgen
mochte.

Jukundus blickte in die Ferne und sah durch ein paar Tan-
nenwipfel hindurch eine Spanne des blauen Horizontes mit einem länglichen weißen Gebäude schimmern, das mehr zu ahnen als zu erkennen war.

»Kannst du jenes weiß glänzende Ding sehen?« sagte er, »es
ist einst ein Kloster gewesen, das vor siebenhundert Jahren ein
Rittersmann zum Gedächtnis seiner Frau gestiftet hat, als sie
ihm gestorben war. Er selbst ging in das Haus hinein und verließ es in seinem Leben nicht wieder. So lieb bist du mir, wie
dem seine Frau war, obgleich ich in kein Kloster gehen würde,
wenn ich dich verlöre. Aber der ganze glänzende und stille
Weltsaal wäre für mich das Gotteshaus deines Gedächtnisses,
deine Grabkirche! Doch laß uns nun den kleinen Ehrenhandel
schlichten, der noch zwischen uns schwebt. Zur Buße und
Sühnung sollst du mir jenes grobe Wort noch einmal sagen,
das uns entzweit hat, du gröbliches Liebchen, aber mit lachen-

dem Munde, damit es seinen bösen Sinn verliert. Schnell also, wie hieß es?«

Er legte hiebei den Arm um ihre Schultern und hielt mit der anderen Hand ihr Kinn fest. Sie schüttelte aber den Kopf und verschloß, so dicht sie konnte, den Mund. Da klopfte er ihr sachte auf die Wangen, suchte ihr den Mund aufzumachen und sagte immer: »Schnell! heraus mit der Sprache, rühre dein Zünglein!« bis sie voll Zärtlichkeit und Scherz das Wort rasch, aber fast unhörbar hersagte: »Lumpazi!« worauf Jukundus sie küßte.

Wie sie nun so sich umfaßt hielten und eine Weile schweigen, sagte Justine unversehens:

»Jukundus, was wollen wir nun mit der Religion oder mit der Kirche machen?«

»Nichts«, antwortete er. Nach einigem Sinnen fuhr er fort:

»Wenn sich das Ewige und Unendliche immer so still hält und verbirgt, warum sollten wir uns nicht auch einmal eine Zeit ganz vergnügt und friedlich still halten können? Ich bin des aufdringlichen Wesens und der Plattheiten aller dieser Unberufenen müde, die auch nichts wissen und mich doch immer behirten wollen. Wenn die persönlichen Gestalten aus einer Religion hinweggezogen sind, so verfallen ihre Tempel und der Rest ist Schweigen. Aber die gewonnene Stille und Ruhe ist nicht der Tod, sondern das Leben, das fortblüht und leuchtet, wie dieser Sonntagsmorgen, und guten Gewissens wandeln wir hindurch, der Dinge gewärtig, die kommen oder nicht kommen werden. Guten Gewissens und ungeteilt schreiten wir fort; nicht Kopf und Herz oder Wissen und Gemüt lassen wir uns durch den bekannten elenden Gemeinplatz auseinanderreißen; denn wir müssen als ganze unteilbare Leute in das Gericht, das jeden ereilt!«

Justine schaute ihren Mann während dieser Reden unverwandt an und mit errötendem Gesicht, weil sie empfand, daß sie ihn längst so offen hätte zu ihr sprechen hören können, wenn sie sich eher ihm anvertraut hätte als einem Kirchenmanne. Mochten nun Jukundis Worte weise oder töricht sein, so gefielen sie ihr jedenfalls über die Maßen wohl, zum Beweise, daß sie jetzt ganz ihm angehörte.

»Amen!« sagte Jukundus, »ich glaube fast, ich fange auch an zu predigen!«

»Nicht Amen!« rief Justine, »fahre fort und sprich weiter! Denke, diese Baumschule sei deine Gemeinde, und predige ihr wie jener Heilige den Steinen oder ein anderer den Fischen!«

»Nein, die Kirche ist aus! hörst du das Zeichen?« antwortete Jukundus lachend, als wirklich in der Ferne hier und dort die Glocken die Beendigung des Gottesdienstes verkündeten.

Sie erhoben sich und gingen langsam nach der Wohnung der Großeltern, so daß es Mittag wurde, bis sie dort anlangten. Die Alten hatten aber, um ein rechtes Versöhnungsfest bei sich zu sehen, die ganze Familie aus Schwanau heraufbeschieden und ein einfach kräftiges Mahl nach ländlicher Art bereitet. Alles war versammelt, als das versöhnte schöne Paar kam. Es herrschte aber zuerst einige Spannung und Befangenheit; doch als man sah, daß das verlorne Lachen wiedergekehrt war, verbreitete sich der Sonnenschein des alten Glückes im ganzen Hause. Die Stauffacherin glänzte wie ein Stern und ergriff fest wieder das Steuer, um das wiederhergestellte Glücksschiff zu lenken.

Justine zog nun zu ihrem Manne nach der Stadt, wo er ohne Unterbrechung wohl gedieh und seine Leichtgläubigkeit in Geschäfts- und Verkehrssachen verlor, ohne deswegen selbst unwahr und trügerisch zu werden.

Sie bekamen einen Sohn und eine Tochter, welche sie Justus und Jukunde nannten und die blühende, lachende Schönheit weiter vererben werden.

Sie besuchten öfter die frommen Frauen Ursula und Agathchen, wenn sie einen Spaziergang machten, und ließen es ihnen an nichts fehlen. Das Ölweib war fortgezogen, da es die vollkommene Unschuld und Güte nicht vertrug.

Der Pfarrer, dessen schwache Stunde Justine gesehen hatte, kam zuweilen auch wieder herbei und vertraute sich dem

Paare gerne an. Er führte mit schwerem Herzen noch eine Zeitlang seinen bedenklichen Tanz auf dem schwanken Seile aus und war dann froh, durch Jukundis Vermittlung in ein weltliches Geschäft treten zu können, in welchem er sich viel geriebener und brauchbarer erwies als Jukundus selber einst in Seldwyla und Schwanau getan hatte; denn er, der Pfarrer, glaubte nicht leicht, was ihm einer vorgab.

Anhang

Editorische Notiz

Der Text der *Leute von Seldwyla* folgt der Ausgabe: Gottfried Keller, *Sämtliche Werke*, auf Grund des Nachlasses hrsg. von Jonas Fränkel und Carl Helbling, Bd. 7 und 8, Erlenbach–Zürich/München: Eugen Rentsch, 1927. – Die Orthographie wurde behutsam dem heutigen Gebrauch angeglichen, bei Wahrung des Lautstandes und sprachlicher Eigenheiten. Die Interpunktion blieb gewahrt. Offensichtliche Druckfehler wurden stillschweigend verbessert.

Anmerkungen

1. Teil

Vorrede

7,1 *Seldwyla:* abgeleitet von mhd. *sælde* ›Glück, Wonne, Güte‹ und alem. *Wyl* ›Weiler‹; Wortschöpfung Kellers in Anlehnung an schweizerische Ortsnamen (Richterswyl, Wattwyl etc.); vgl. auch den Ort der Handlung in Gotthelfs Erzählung *Geld und Geist:* Liebiwyl. Die geschilderte Lage und Umgebung Seldwylas entspricht weitgehend der Zürichs.

7,25f. *jungen Leuten von etwa zwanzig bis fünf-, sechsunddreißig Jahren:* Anspielung auf die im Dezember 1844 an die Spitze der Züricher Regierung gekommenen jungen Männer Ulrich Zehnder, Alfred Escher und Jonas Furrer (die 1845 36 Jahre alt waren).

7,31f. *Profession:* Gewerbe.

8,3 *Aristokratie:* Adel; hier im übertragenen Sinn: Oberklasse.

8,24 *krabbelige Arbeit:* krabbelig: klein, winzig; Arbeit wie die der Ameisen.

9,1 *Geldklemme:* Zahlungsschwierigkeit.

9,5 *Verfassungsrevisoren und Antragsteller:* Aktivisten im schweizerischen Verfassungskampf 1815–48 (vgl. Anm. zu 9,7f. und 10,6f.).

9,6 *Motion:* (schweiz.) Gesetzesantrag.

9,7 *Großratsmitglied:* Abgeordneter im kantonalen Parlament.

9,7f. *Ruf nach Verfassungsänderung:* Anspielung auf den heftigen schweizerischen Verfassungsstreit in der 1. Hälfte des 19. Jh.s. Die neue Verfassung von 1815 (»Bundesvertrag«) formte die Schweiz zu einem Staatenbund von 22 relativ selbständigen Kantonen um. In der Folge prägten die Auseinandersetzungen um das Verhältnis zwischen zentraler Bundesregierung und Kantonen das politische Leben der Schweiz: Liberale (Republikaner) setzten sich vor allem ab 1830/31 (Einfluß der französischen Julirevolution) für eine Stärkung des Bundes gegenüber den Kantonen ein, ein Vorhaben, dem die katholisch-konservative Partei zähen Widerstand entgegensetzte. Die streng katholischen Urkantone Schwyz, Unterwalden und Uri verlangten gar völlige kantonale Selbständigkeit und schlossen sich mit vier weiteren Kantonen (Freiburg, Luzern, Wallis, Zug) zum »Sonderbund« zusammen, der nach dem »Sonderbundskrieg« im November 1847 aufgelöst werden mußte.

9,12 *radikales Regiment:* freisinnig-liberale Regierung.

9,17 *Traktätchen:* Traktat: religiöse Erbauungsschrift.

9,18 *Baseler Missionsgesellschaft:* bedeutende, 1815 in Basel aus der »Deutschen Christentumsgesellschaft« hervorgegangene protestantische Organisation zur Verbreitung der christlichen Lehre.

9,24 *häklichen:* schwierigen, bedächtigen, sorgfältigen, pedantischen.

9,29 *Veto:* bindender Einspruch.

9,30 *unmittelbarste Selbstregierung:* völlige kantonale Unabhängigkeit von der helvetischen Bundesregierung.

9,32 *blasiert:* hochmütig, übersättigt.

9,33f. *Stillständer:* im Kanton Zürich übliche Bezeichnung für die (politisch konservativen) Mitglieder des Kirchenvorstandes, die oft nach dem Gottesdienst zusammenstanden.

9,34 f. *falliert . . . haben:* zahlungsunfähig geworden sind.

9,35 *rehabilitiert haben:* ihren guten Ruf wiederhergestellt haben.

10,5 *eidgenössische Bundesleben:* helvetische Zentralregierung in Bern.

10,6 f. *daß man Anno achtundvierzig nicht gänzliche Einheit hergestellt habe:* bezieht sich auf die Bundesreform von 1848, die den Bundesvertrag (vgl. Anm. zu 9,7f.) dahingehend revidiert, daß die Selbständigkeit der Kantone stark zugunsten der eidgenössischen Zentralmacht eingeschränkt wird. Die Schweiz ist nun Bundesstaat, Bern dessen Hauptstadt. Regierungsorgan ist der Bundesrat, der von beiden Kammern (National- und Ständerat) gewählt wird. Post, Münze, Maß, Gewicht und Zoll werden zentralisiert. Die trotzdem relativ große Selbständigkeit der Kantone (z. B. im Wahlrecht) wird erst mit der neuen Verfassung von 1874 erneut eingeschränkt.

10,7 f. *Kantonalsouveränetät:* Selbständigkeit der Kantone.

10,8 *Nationalrat:* eine der beiden Kammern des schweizerischen Bundesstaates.

10,25 *Spekulant:* Geschäftsmann, der Gewinn aus künftigen Preisveränderungen ziehen will.

10,34 *Abfällsel:* (schweiz.) Abfall, Reste.

Pankraz, der Schmoller

1855 entstanden als wahrscheinlich erstes Stück des *Seldwyla*-Zyklus.

11,1 *Pankraz:* oder *Pankratius* (griech. *Pankrátios* ›der alles Beherrschende‹): Heiliger, der mit 14 Jahren in Rom (304?) enthauptet wurde; einer der Eisheiligen und der 14 Nothelfer.

Schmoller: von *schmollen* ›gekränkt sein‹; alles Interesse wird von der Außenwelt abgezogen und auf die eigene Person konzentriert.

11,15 *Spinnrocken:* senkrechter Stab, um den das Fasergut so herumgeschlungen ist, daß es sich beim Handspinnen leicht in Fadenform ausziehen läßt.

12,18 *Goldtresse:* Besatzstreifen mit Goldfäden für Kleider.

13,31 *Stollen:* Tunnel.

14,18 *Estherchen:* Verkleinerungsform von *Esther* (›Stern‹), persischer Name der jüdischen Jungfrau Hadassa (›Myrte‹), welche nach dem Alten Testament einen Mordanschlag gegen die Juden verhinderte; ihr gelten Dramen von Racine (1689), Grillparzer (1848); auch ein Oratorium von Händel (1720).

16,19f. *Der Glanz:* Die gesellschaftliche Elite.

16,22 *Falliten:* Bankrotteure, Zahlungsunfähige.

17,8 *Prisen:* Prise: so viel Tabak, wie mit zwei Fingern zu greifen ist.

17,10 *Vesperkaffees:* Nachmittagskaffees.

17,11 *zichorierte:* ein von Keller gebildetes Verb: nach Zichorie roch; Zichorie: Zusatz oder Ersatz für Kaffee aus der gerösteten Wurzel der Wegwarte.

17,36 *Spektakel:* aufsehenerregendes Schauspiel.

18,18 *Abendschöppchen:* Schoppen: urspr. Flüssigkeitsmaß; hier: abendliches Glas Wein.

18,23 *Bestien:* wilden Tieren.

18,29f. *Extrapostillion:* Führer einer besonders schnellen Postkutsche; Postillion (frz.): Postkutscher.

18,36 *Burnus:* in Nordafrika von den Arabern getragener Kapuzenmantel.

19,34 *Oberst:* militärische Rangstufe (Stabsoffizier), meist Regimentskommandeur.

verlorne Sohn: vgl. Lk. 15, 11–32.

20,8 *martialischen:* kriegerischen, grimmigen (von *Mars*, dem römischen Kriegsgott).

21,25 *Tranlämpchen:* Tran: aus Walen und Fischen gewonnenes Öl.

23,7 *Schöpsenfleisch:* Hammelfleisch.

23,15f. *wie ein alter Heros in der Unterwelt von den herbeieilenden Schatten:* Anspielung auf Homers (vgl. Anm. zu 277,19) *Odyssee* (19,36ff.): An der Mündung des Weltstroms angekommen, opfert Odysseus den Toten. Dabei nähern sich ihm die Seelen der Toten aus der Tiefe.

24,8 *schnöde:* lieblos.

24,25 *Rechen:* gärtnerisch-landwirtschaftliches Gerät: Harke.

26,6 *großen Bergwald:* Pankraz durchstreift zunächst den Schwarz-
wald.

26,20 *Patriarchen:* Stammväter, (biblische) Vorfahren.

26,21 *Regiment:* hier: Herrschaft, Leitung.

26,31 *erkleckliche:* genügende, beträchtliche.

27,3 *albernes Gaffen:* unverständiges Anstarren.

27,7 *Kauffahrer:* Handelsschiff.

27,13 *Alten Welt:* Europa, im Gegensatz zur »Neuen Welt«, Amerika.

27,24 *Eilanden:* Inseln.

27,27 *Ostindien:* alter Name für Vorder- und Hinterindien und den
Malaiischen Archipel.

28,1 *sputete:* eilte.

28,5 *Linienschiffe:* bis etwa 1918 die größten und schlagkräftigsten
Schlachtschiffe; als Flottenverband fuhren sie hintereinander »in
Linie«.

28,14 *Rekruten:* Soldaten in der ersten Ausbildungszeit.

28,14 f. *eingeschult:* eingeübt, mit dem Dienst vertraut gemacht.

29,3 *vorzurücken:* hier: in der Dienstgradordnung aufzurücken.

29,5 *großes Tier:* bedeutende Person.

29,6 *Bureaus:* (frz.) Büros.

29,25 f. *Haselanten:* (schweiz.) Prahler.

29,26 *Fischesser:* die, die nun Fische statt Fleisch essen müssen, weil sie
Bankrott gemacht haben.

29,32 *Faktotum:* jemand, der zu allem zu gebrauchen ist; »Mädchen
für alles«.

30,8 *Lydia:* Heilige aus Lydien (Kleinasien).

30,16 f. *Zypressen:* Nadelholzbäume der nördlich gemäßigten Zone.

30,17 *Sykomoren:* ostafrikanische Feigenbäume.

30,32 *Gewildes:* Gewild: Wild.

31,11 *das merkwürdigste Institut:* hier: die seltsamste Erscheinung.

31,12 *gravitätisch:* würdevoll, gemessen.

31,35 *Gouverneur:* Statthalter, Befehlshaber, oberster Beamter.

32,16 *Hag:* Zaun.

33,9 *der wahre Jakob:* der Richtige; nach Jakob, der sich, verkleidet als
Esau, den Segen des Vaters erschlich (vgl. 1. Mose 27).

34,20 *fürder:* veraltet für: weiter, ferner.

35,1 *Würzkrämer:* Händler, Verkäufer.

35,2 *Quentchen:* Quent: altes deutsches Gewicht; hier: ein wenig.

35,3 *Philisterhaftigkeit:* Spießbürgerlichkeit, Engstirnigkeit.

35,6 *Gemeinheit:* Bosheit, Niedertracht.

35,12f. *hypochondrischen:* schwermütigen.

35,31f. *Kopfhängen:* Den-Kopf-hängen-Lassen, Resignieren.

36,26 *Sehr wohl:* Mit »Sehr wohl« übersetzt Pankraz den Seinen das gegenüber Lydia gebrauchte »All right«.

37,34 *Doppelbüchse:* zweiläufiges Jagdgewehr.

38,12 *verbuhltes:* buhlen: um jemanden werben.

39,32 *schelmische Kokette:* zu Späßen aufgelegte, eitle, verführerische Frau.

39,35 *zu salvieren:* zu retten, in Sicherheit zu bringen.

40,4 *resoluten:* zielstrebigen.

40,12 *delikaten:* feinfühligen.

40,16 *ordinärsten:* gewöhnlichsten.

40,28 *unartikuliertes:* unverständliches.

40,35f. *aufgezettelt:* aufgebunden, aufgemacht.

41,18 *englischen Schrift:* Der englisch-amerikanische Sprachraum verwendete ausschließlich Antiqua-Schrift, während im deutschen bis in das 20. Jh. hinein Fraktur-Schrift vorherrschte.

41,19 *Shakespeare:* William Shakespeare (1564–1616), englischer Dramatiker, Schöpfer leidenschaftlicher Renaissance-Charaktere, die ihren Typ jeweils umfassend, »ganz« verkörpern.

41,21 *in die Patsche:* in die Irre, in die Falle.

41,26 *Kristall:* hier: Kristallglas.

41,27 *Skribenten:* abschätzig für: Schriftsteller.

42,1f. *Nachtwandel der Lady Macbeth und das bange Reiben der kleinen Hand:* Die am Königsmord mitschuldig gewordene Gattin des Macbeth verfällt in Shakespeares gleichnamigem Stück (1605) dem Wahnsinn; sie will sich die Blutschuld von den Händen waschen.

42,6 *Hamlet:* Held des gleichnamigen Trauerspiels Shakespeares (um 1601); wird generell zum Prototyp des grüblerischen und zaudernden Intellektuellen.

42,10 *Richard der Dritte:* Hauptfigur von Shakespeares Drama (um 1592/93), die sich durch Skrupellosigkeit und kalt-brillanten Witz auszeichnet.

42,11 *Porzia:* Die schöne und kluge Porzia stellt ihre Freier in Shakespeares Drama *Der Kaufmann von Venedig* (um 1596/97) vor eine symbolische Kästchenwahl.

42,14 *Shylocks:* Shylock: jüdischer Geldverleiher in Shakespeares Schauspiel *Der Kaufmann von Venedig*, der unnachgiebig auf Erfüllung seiner Ersatzforderung (ein Pfund Fleisch vom Leibe des säumigen Schuldners) besteht.

42,17 *Kaufleute von Venedig:* Anspielung auf die Handlung im *Kaufmann von Venedig,* wo der Freund eines leichtsinnigen Edelmannes mit seinem Leib für geborgtes Geld bürgt.

43,1 f. *der Desdemona, der Helena, der Imogen:* drei herausragende Frauengestalten in verschiedenen Dramen Shakespeares: Desdemona wird von ihrem Gatten Othello in der gleichnamigen Tragödie (1603) aus Eifersucht erwürgt; die kluge Helena verschafft sich in *Ende gut, alles gut* (um 1603) durch eine geschickt eingefädelte Intrige einen Ehemann; Imogen ist die schöne, treue und keusche Tochter des Königs Cymbeline in dem nach ihm benannten Romanzendrama (1609/10).

44,23 *Tollhäusler:* umgangssprachl. für: Insasse einer Nervenheilanstalt.

44,31 *zutulicher: zutulich* von Keller oft gebraucht für ›freundlich, zutraulich, angenehm‹.

45,19 *Kombattant:* (Mit-)Kämpfer, Kriegsteilnehmer.

46,6 *provisorischen:* behelfsmäßigen.

46,9 *just:* gerade, eben.

52,30 *Soubrette:* Sopranstimme für weibliche, heitere Nebenrollen in Oper und Operette; hier: leichtfertiges Frauenzimmer.

52,31 *Vaudevilletheatern:* Vaudeville: urspr. Volks- und Trinklied, später burleskes, satirisches Singspiel, im 18. Jh. in Frankreich in eigenen Theatern gespielt; eine der Ursprungsformen der Operette.

53,31 f. *honetter:* anständiger, rechtschaffener.

53,33 f. *Bratenspäßen:* möglicherweise Späße, die das gutsituierte Bürgertum zur Belustigung beim Essen macht (analog zu *Bratenrock?*).

54,13 *Muskete:* schwere Handfeuerwaffe.

54,17 *Kampagne:* Feldzug.

54,18 *ostindischen Kompagnie:* Gemeint ist die Englisch-Ostindische Kompanie (gegründet 1600), eine große Handelsgesellschaft, die vor allem für den Handel mit überseeischen Ländern gegründet worden war und durch Monopole, Privilegien und Unterstützungen begünstigt wurde; wichtiges Mittel bei der Kolonisation, deshalb übte sie auch staatliche Hoheitsrechte aus.

54,25 *hindostanische:* indische.

54,30 *Patent:* Bestallungsurkunde eines (Schiffs-)Offiziers.
Leutnants: unterste Rangstufe der Offiziere.

55,3 f. *christliche Polizei einzuführen:* die Gesetze des (christlichen) Kolonialregimes durchzusetzen.

55,18 *brenzelte:* leicht brannte.

56,14 *fixe Idee:* Zwangsvorstellung.

57,15 *Trivialitäten:* Plattheiten, Alltäglichkeiten.

57,20 *Tambour:* Trommler beim Militär.

57,34 *Hansnarren:* Hanswurste, Dummköpfe.

58,9 *konfus:* verwirrt.

59,4 *Kabylen:* Berberstamm in Nordafrika.

59,31 *avancierte:* aufrückte, befördert wurde.

60,11 *Beduinen:* nomadisierende arabische Wüstenbewohner.

61,9 *Oleandergebüsch:* Rosenlorbeer; Sträucher und Bäume vom Mittelmeer bis Ostasien; giftig.

62,6f. *das versteinerte Weib des Loth:* Nach 1. Mose 1,19 wurden die Städte Sodom und Gomorrha wegen ihrer Lasterhaftigkeit vernichtet. Die Familie des Lot durfte vorher aus der Stadt fliehen, unter der Bedingung, nicht zurückzusehen. Als die Gattin des Lot dem Verbot zuwiderhandelt, erstarrt sie zur Salzsäule.

62,31 *Patrouille:* Spähtrupp, Streife.

62,33 *Ordonnanzgewehre:* gewöhnliche Infanteriegewehre der schweizerischen Armee im 19. Jh.; vgl. Anm. zu 166,17 f.

63,29 *Gelübde:* feierlicher Eid.

64,11 *damit Punktum:* damit Schluß.

Romeo und Julia auf dem Dorfe

Die Novelle entstand im Sommer 1855 nach der Vollendung des *Grünen Heinrich*.

65,2 *müßige:* unnütze, überflüssige.

65,3f. *auf einem wirklichen Vorfall beruhte:* Die Zeitungsnotiz, aus welcher die Idee zu dieser Erzählung stammt, findet sich in der *Zürcher Freitagszeitung* vom 3. September 1847 unter der Rubrik »Sachsen«: »Im Dorfe Altsellerhausen, bei Leipzig, liebten sich ein Jüngling von 19 Jahren und ein Mädchen von 17 Jahren, beide Kinder armer Leute, die aber in einer tödlichen Feindschaft lebten und nicht in eine Vereinigung des Paares willigen wollten. Am 15. August begaben sich die Verliebten in eine Wirtschaft, wo sich arme Leute vergnügten, tanzten daselbst bis nachts 1 Uhr und entfernten sich hierauf. Am Morgen fand man die Leichen beider Liebenden auf dem Felde liegen; sie hatten sich durch den Kopf geschossen.«

65,6 *Fabeln:* Fabel hier i. S. v. ›Geschichte, literarischer Stoff‹.

65,24 *starkem Zwillich:* grobem Leinenstoff.

66,20 *mählig:* allmählich.

66,24 *wüsten:* wilden, unkultivierten.

66,29 *artiges: artig* von Keller oft gebraucht für ›hübsch, nett, ansehnlich, manierlich, tüchtig, geschickt‹ u. ä., nicht i. S. v. ›folgsam‹.

67,32 *Manz:* abzuleiten entweder von *Amantius* oder von *Mannhard;* im Text eher als Nachname gebraucht.
     Marti: (schweiz.) Martin.

67,34 *Bezirksrat:* Die schweizerischen Kantone zerfallen in größere und kleinere Verwaltungsbezirke, die ihrerseits wiederum mehrere Gemeinden umfassen.

68,13 *Steckleinspringer:* Schimpfwort für ›Bankrotteur‹; ebenso Spottname für einen Städter, der mit dem Spazierstock scheinbar geschäftig über Land geht.

68,22 *Heimatlosen:* in die Gemeinde Zugezogene und Nicht-Seßhafte (Zigeuner, Hausierer usw.) ohne Bürgerrecht; besonders im Kanton Zürich akutes soziales Problem.

68,32 *Fetzel:* (schweiz.) liederlicher Mensch, Lump.

68,34 *Kesselvolk:* wandernde Kesselflicker.

69,26 *Mohnblume:* Gemeint ist der Feldmohn: Würz-, Arznei-, Genuß- und Zierpflanze; wächst als scharlachblütiges Feldunkraut in Europa, Nordafrika und Asien. Ihm wird berauschende Wirkung zugeschrieben.

70,8 *Kleiekörner:* beim Mahlen abgesonderte Schalen, Keime und äußere Schichten der Getreidekörner.

71,16 f. *glich der Tönende jetzt einem weissagenden Haupte:* Anspielung auf die mythische Form der Voraussage des Schicksals etwa im Orakel von Delphi.

73,4 *Weberschiffchen des Geschickes:* Anspielung auf die drei Schicksalsschwestern, die Nornen der germanischen und die Parzen der griechischen Mythologie.

73,5 *»was er webt, das weiß kein Weber!«:* Zitat aus Heinrich Heines *Jehuda ben Halevy* (II,5); der Sinn ist, daß niemand Herr des eigenen Schicksals ist.

73,18 *Salomon:* (hebr., ›der Friedliche‹) Seine Regierungszeit als König von Israel und Juda um 965–926 v. Chr. gilt als das Goldene Zeitalter Israels; ihm wird große Weisheit zugeschrieben (»Salomonisches Urteil«), er gilt somit als Idealbild eines weisen und mächtigen Herrschers.
     Sali: Kurzform von Salomon.

73,20 *Vrenchen:* Verkleinerungsform von (rätorom., oberd.) *Vreni:* Kurzform von *Veronika* ›Siegbringerin‹; die heilige Veronika soll

Christus das Schweißtuch gereicht haben, das das »vera ikon«, das ›wahre Bild‹ Christi, zeige (volksetymologisches Wortspiel, altes Anagramm des Namens Veronika).

74,3 f. *sah man sie … darum an:* verübelte es ihnen.

75,5 *Larifari:* Geschwätz, Unsinn.

75,9 *Richtscheit:* Werkzeug zum Geraderichten.

75,12 *Übernamen:* Spitznamen.

75,30 f. *auszureuten:* auszureißen.

77,18 *Gemeindeammann:* Ammann (schweiz.): Amtmann.

77,24 *Häcksel:* kleingeschnittenes Stroh oder Heu als Viehfutter.

77,29 *Symmetrie:* Ebenmäßigkeit, Gleichmäßigkeit.

79,1 *Spelunke:* verrufene Kneipe.

79,80 *Unsterns:* Unglücks.

80,1 f. *ein X für ein U vormachte:* täuschte, betrog; abgeleitet von den römischen Ziffern X = 10, V (früher wie ein U geschrieben) = 5.

81,1 *Hoffart:* Überheblichkeit.

81,16 *Händelführer:* Händel: Streit, Kampf.

83,22 *versimpelter:* versimpeln (schweiz.): physisch und moralisch zugrunde gehen.

83,29 *angemachten Weines:* gepanschten Weines.

84,1 *Stechpalme:* wegen ihres stachligen Laubes als ›Palme‹ bezeichneter Baum oder Strauch in West- und Südeuropa; dient im Winter zu Grabkränzen.

84,24 *Verlag:* einen Verlag machen (schweiz.): Gegenstände anspruchsvoll auslegen (hier ironisch).

84,25 *Falliten:* Bankrotteure, Zahlungsunfähige.

85,3 *melancholische:* trübsinnige, schwermütige.

85,12 *Spenser:* auch: Spenzer; Jacke, Strickweste.

85,13 *schlimmen:* hier: schiefen, unordentlichen.

85,20 *soli:* (schweiz.) Verkleinerungsform von *so.*

85,27 *Potz tausig:* eigtl. *potztausend:* Ausruf der Überraschung.

85,36 *fürnehmere:* vornehmere.

87,15 *falliert hatten:* zahlungsunfähig geworden waren.

87,18 *Spanne:* altes Längenmaß, der Abstand zwischen Daumen und Zeigefinger.

88,9 *Unterwelt:* in den Vorstellungen vieler Religionen das Reich der Verstorbenen, oft verbunden mit der Ansicht eines dort stattfindenden Totengerichts (griech. »Hades«, röm. »Orkus«, germ. »Hel«).

88,10 f. *an den dunklen Wässern:* Anspielung auf die Flüsse der Unterwelt; hier anscheinend auf den Fluß Lethe (griech., ›Vergessen‹), aus dem in der griechischen Sage die Seelen der Verstorbenen Ver-

gessen trinken; oder/und auf den Fluß Styx, bei dem die Götter un-
verbrüchliche Eide schwören und der die Lebenden von den Toten
trennt.

88,16 *Borden:* Ufern.

89,5 *Schelm:* Schuft.

93,24 f. *himmlisches Jerusalem:* Stadt des wiederhergestellten Paradieses; vgl. Hebr. 12,22; Offb. 21,2 und 10–27.

94,8 *ins Gehege zu kommen:* in die Quere zu kommen.

94,26 *Tracht:* eigtl.: Traglast; meist allg. ›Anteil, Portion‹.

95,12 *zerspellten:* zersprungenen, gespaltenen.

95,18 *Staat:* hier: Prunk, Glanz.

95,23 *Goldlack:* Zierpflanze, halbstrauchiger Kreuzblüter, gezüchtet
mit goldbraunen Blüten.

95,26 *Helbarte:* eigtl. *Hellebarde:* Hieb- und Stichwaffe des Fußvolks
im späteren Mittelalter, über 2 m lang, seit dem 16. Jh. durch langen
Spieß oder Pike verdrängt; Paradewaffe der Schweizergarde des
Papstes.
Sponton: von den Infanterieoffizieren im 17. und 18. Jh. getragene
kurze, der Hellebarde ähnliche Pike.

96,36 *schneiden:* hier: das Korn mähen.

97,26 *Vreeli:* Die Koseform des Namens *Vrenchen* ist eine der wenigen Konzessionen Kellers an den Dialekt, dessen Anwendung er für
ein sprachliches Armutszeugnis ansah (in seiner Kritik an Jeremias
Gotthelf).

97,34 *einsmals:* mit einem Mal, plötzlich.

98,10 f. *Kohlenbrennern:* Köhlern, den Herstellern von Holzkohle in
Kohlenmeilern (fast ausgestorbenes Handwerk).

98,11 *Pechsiedern:* auch: Pechbrenner; Hersteller von Pech, hier noch
aus Holzkohlenteer gewonnen.

98,12 *guten Schick:* (schweiz.) gutes Geschäft, guten Verdienst.

98,22 *Klatschrosen:* auch: *Klatschmohn*; vgl. Anm. zu 69,26.

99,17 *Heimatlosen:* vgl. Anm. zu 68,22.

99,19 *den blutigen Pfennig:* blutig: bloß, nackt; den bloßen Pfennig.

99,24 *Item:* Nun, also, kurzum.

101,33 *fabelhaftes:* märchenhaftes.

102,7 *Sie umhalsten sich …:* vgl. die Liebesszene in Shakespeares
Romeo und Julia III,5

105,16 *eine schlechte Suppe:* »schlecht« hier in der alten Bedeutung
von ›schlicht‹; eine einfache Suppe.

106,19 *arme Tröpfe:* Narren, Dummköpfe; hier: Nervenkranke.

106,30 f. *Kapriolen:* Luftsprünge, merkwürdiges Benehmen.

107,8 *Meitli:* (schweiz.) Mädchen.

107,11 *Häfelein:* Verkleinerungsform von *Hafen:* Topf, Gefäß.

107,36 *Unterschleif:* (schweiz.) Unterschlupf.

108,12 *Spittel:* Krankenhaus, Spital.

108,18 *Becken:* Tasse, Schale.

109,4 *Pfühl:* eigtl. ›Kissen‹; hier: weiches, tiefes Lager.

110,6 *Kirchweih:* Jahrmarkt.

113,4 *Maultasche:* geschwätzige Frau.

113,19f. *Mousselinehalstuch:* Musselin, feinfädiger, leichter Damen-kleiderstoff.

113,27f. *Rosmarin:* Im deutschen Volksbrauch ist Rosmarin Sinnbild für Liebe, Treue und auch Tod und wird bei Hochzeit und Taufe getragen.

114,15 *Fahrhabe:* (schweiz.) bewegliches Vermögen; hier: Wohnungs-einrichtung.

114,22f. *Waisenvogt:* von den Behörden eingesetzter Vormund elternloser Kinder.

115,7 *vierschrötige:* plumpe, untersetzte.

116,6 *baß:* (alemann.) besser; hier: gut.

116,7 *Wecken:* Brötchen.

117,1 *Gevatterschaften:* Patenschaften.

117,5 *wofür:* wovor.

117,14 *artlich:* höflich.

118,1f. *Simson:* nach Richt. 13–16 biblischer Volksheld von gewaltiger Körperkraft, die ihm durch das Scheren seines Haupthaars durch seine Geliebte Delila genommen wurde. Deshalb wurde er von den Philistern gefangengenommen, erlangte aber bei einem Fest seine Stärke wieder. Er brachte das Festhaus zum Einsturz und fand dabei selbst den Tod.

118,7 *Tischen:* Tischchen.

119,19 *artige:* vgl. Anm. zu 66,29.

120,2 *wählig:* wohlig, munter.

120,13 *sittig:* gesittet, ehrbar, bescheiden.

120,36 *Promenaden:* Spazierwege.

121,9 *Pönitenz:* Buße.

121,18 *Szepter:* veraltete Nebenform von *Zepter:* Herrscherstab.

122,20f. *getäfelten Wände von gebohntem Nußbaumholz:* eigtl.: gebohntem; gewachste Nußbaumholz-Wandtäfelung.

122,23 *zutulich:* vgl. Anm. zu 44,31.

122,28f. *kopulieren:* hier: trauen.

123,6 *scheelen:* neidischen.

123,10 *Hudelvölkchen:* Hudel: Lumpen, Pack; Gesindel.

123,14 *Jüppe:* (schweiz.) Rock der Frauen, Teil der Tracht; auch allg. ›Kleid‹.

123,16f. *der ist schön petschiert:* petschieren: siegeln; der ist schön angeschmiert.

Gungeline: (schweiz.) liederliche Frau.

123,18 *hässiges:* (schweiz.) mürrisches, verdrießliches.

123,24f. *Essighafen:* sinngemäß ›saurer Topf‹.

124,30 *mit Flitterstaat:* mit billigem Schmuckwerk; meist abwertend.

125,3 *Amörchen:* Verkleinerungsform von *Amor:* römischer Liebesgott.

126,19 *Lyra:* auch *Leier:* altgriechisches Zupfinstrument; im Mittelalter einsaitige Geige; findet sich in dieser Form heute noch auf dem Balkan.

128,10 *Gesinde:* Dienstvolk, Mägde und Knechte; hier wohl: Gesindel.

128,18 *Estrich:* eigtl. ein fugenloser Fußboden; hier (schweiz.): Dachboden.

128,20 *so:* die (Relativpronomen).

128,23 *Zimbel:* im Alten Testament häufig vorkommendes Musikinstrument (Becken).

128,26 *Brustwehr:* Geländer, Brüstung.

128,27 *Freskomalereien:* auf frischem (ital. *fresco*) Kalkmörtel ausgeführte Malereien.

129,4 *Kirchenpatronin:* Schutzheilige einer Kirche, nach der diese benannt ist.

129,11 *Landpartie:* Ausflug aufs Land.

129,30 *tut mir Bescheid!:* prostet mir zu!

130,12f. *Manchesterjacke:* Manchester: Cordsamt; benannt nach seiner Herkunft aus Manchester.

130,12–18 *Bursche … Traube hing:* Anspielung auf den griechischen Weingott Dionysos und sein Gefolge von tanzenden Mänaden.

Kattun: feinfädiges Baumwollgewebe, leicht zu bearbeiten.

Rebenschossen: Trieben des Weinstocks.

130,21 *abgeschossenes:* verschossenes (in der Farbe).

130,24 *Handzwehle:* Handtuch.

132,11 *gewissenfreien:* frei von Gewissensbissen.

132,17 *äufnen:* (schweiz.) häufen, mehren.

132,21 *Exempel:* Beispiel.

133,27 *gemütlichen:* hier und öfter bei Keller: gemütvollen.

133,31 *Heustock:* Heuhaufen.

135,32 *Blocksberg:* volkstümlicher Name für mehrere deutsche Berge, insbesondere den Brocken im Harz; laut Volksglauben Treffpunkt der Hexen in der Walpurgis- und Johannisnacht.

140,7 *in den Zeitungen:* vgl. Anm. zu 65,3 f.

139,36 *überquer:* quer zur Fahrtrichtung.

140,17 f. *Entsittlichung und Verwilderung der Leidenschaften*: Der Schluß der Novelle enthielt in der Erstausgabe (1855) einen Kommentar Kellers. Diesen wollte Keller bald nach Erscheinen gestrichen sehen; in Paul Heyses Novellensammlung *Deutscher Novellenschatz* (1871–76) fehlt dann der ursprüngliche Schluß. Er lautet: »Was die Sittlichkeit betrifft, so bezweckt diese Erzählung keineswegs, die Tat zu beschönigen oder zu verherrlichen; denn höher als diese verzweifelte Hingebung wäre jedenfalls ein entsagendes Zusammenraffen und ein stilles Leben voll treuer Mühe und Arbeit gewesen, und da diese die mächtigsten Zauberer sind in Verbindung mit der Zeit, so hätten sie vielleicht noch alles möglich gemacht; denn sie verändern mit ihrem unmerklichen Einflusse die Dinge, vernichten die Vorurteile, stellen die Ehre her und erneuen das Gewissen, so daß die wahre Treue nie ohne Hoffnung ist. Was aber die Verwilderung der Leidenschaften angeht, so betrachten wir diesen und ähnliche Vorfälle, welche alle Tage im niedern Volke vorkommen, nur als ein weiteres Zeugnis, daß dieses allein es ist, welches die Flamme der kräftigen Empfindung und Leidenschaft nährt und wenigstens die Fähigkeit des Sterbens für eine Herzenssache aufbewahrt, daß sie zum Troste der Romanzendichter nicht aus der Welt verschwindet. Das gleichgültige Eingehen und Lösen von ›Verhältnissen‹ unter den gebildeten Ständen von heute, das selbstsüchtige frivole Spiel mit denselben, die große Leichtigkeit, mit welcher heutzutage junge Leutchen zu trennen und auseinanderzubringen sind, wenn ihre Neigung irgend außer der Berechnung liegt, sind zehnmal widerwärtiger als jene Unglücksfälle, welche jetzt die Protokolle der Polizeibehörden füllen und ehedem die Schreibtafeln der Balladensänger füllten. Wir sehen alle Tage etwa einen wohlgekleideten Herrn, der seine Frau oder Braut mitten auf der Straße plötzlich stehen läßt und auf die Seite springt, weil irgendeinem Schlächter eine alte Kuh entsprungen ist und bedrohlich dahergerannt kommt. Höchstens aus der Ferne, hinter einer Haustür hervor, schwingt er sein Stöckchen und macht: ›Bscht! Bscht!‹ Solche Leute werden sich allerdings nicht aus Eigensinn und Leidenschaft ums Leben bringen, wenn man sie trennen will. Ebenso wenig diejenigen, welche in allen Zeitungen ihre ›stattgefundene‹ Verlobung anzeigen und vierzehn Tage darauf einen Inseratenkrieg führen, wo jeder Part sich rühmt und behauptet, das ›Verhältnis‹ zuerst abgebrochen zu haben.«

Frau Regel Amrain und ihr Jüngster

Die Erzählung ist 1855 entstanden.

141,2 *Regula:* abgeleitet von lat. *regula* ›Regel, Richtschnur‹; zusammen mit ihrem Bruder Felix (›der Glückliche‹) Märtyrerin und Schutzheilige der Stadt Zürich; Steinrelief am Großmünster in Zürich. Kellers Schwester hieß Regula.

141,10 *Verkehrs:* hier: Handels(-Verkehrs) im negativen Sinne: Spekulation.

141,18 *Knopfmacher:* auch: Knopfgießer; handwerklicher Hersteller von Knöpfen.

141,22 *Phäakenaufschwung:* Phäaken: in Homers *Odyssee* (8. Gesang) glücklich und sorglos lebendes Seefahrervolk.

141,23 *liquidierte:* löste auf.

142,26 *weidlich:* gehörig, tüchtig.

142,28 f. *die Honneurs ... zu machen:* Gäste zu empfangen und einander vorzustellen.

142,32 *Weibergutes:* der Mitgift.

143,6 *Werkführers:* Werkmeisters.

145,8 *bisanher:* bis jetzt.

147,7 *Sankt Georg:* hat nach der Legende (12. Jh.) einen Drachen getötet, der eine Königstochter zu verschlingen drohte; Schutzheiliger der Krieger, Waffenschmiede und Bauern, seit dem 13. Jh. englischer Nationalheiliger; einer der 14 Nothelfer.

147,11 f. *Tunika eines Kreuzfahrers:* Tunika: altrömisches Kleidungsstück für Frauen und Männer; weißwollenes Hemd, das bis unter die Knie reichte.

147,19 *Florian:* (lat., ›der Blühende‹) Märtyrer und Schutzheiliger gegen Feuer und Wasser; gutes Beispiel für Kellers ironisch gefärbte Namengebung: Fritz, als St. Georg, rennt gegen den in Liebe entbrannten Schutzheiligen des Feuers an.

148,29 *Bold:* kleiner Kobold, guter Hausgeist.

149,2 *so:* das (Relativpronomen).

149,6 *Tölpel:* Tolpatsch, unbeholfenen Dummkopf.

151,7 *verblümtes ... Wesen:* verblümen: durch ›blumige‹ Redeweise das eigentliche Wesen verdecken.

152,17 *in Einem:* in Einklang.

153,5 *aufgeräumt:* gut gelaunt.

153,13 *überschaute:* durchschaute.

153,20 *Duckmäuser:* Heimlichtuer, Heuchler.

153,21 *Aufpasser:* hier i. S. v. ›überwachender Denunziant‹.

153,33 *auf den breiten Weg:* vgl. Bergpredigt (Mt. 7,13): »Gehet ein
durch die enge Pforte. Denn die Pforte ist weit, und der Weg ist
breit, der zur Verdammnis abführet; und ihrer sind viele, die darauf
wandeln.« Im Calvinismus oft gebrauchtes Bild.

154,7 *Unzukömmlichkeiten:* (schweiz.) Unzulänglichkeiten.

154,17 f. *im Flor waren:* in Blüte standen, d. h. in Mode waren.

154,24 *Ende:* hier: Zweck.

156,17 *Anzug:* Garderobe, Kleid.

156,27 *Galerie:* nach einer Seite offener Laufgang.

157,11 *schlottrige:* nachlässige.

157,19 f. *Firlefanz:* abwertend für überflüssigen Zierat.

157,25 *Satze:* Spieleinsatz.

157,35 *Adele:* (ahd., ›die Edle‹) auch Kurzform von *Adelheid;* Heilige,
Gründerin des Klosters Pfalzel bei Trier.

158,1 *jezuweilen:* (schweiz.) dann und wann.

158,7 *Julie:* auch: Julia; abgeleitet von lat. *Julius* ›aus dem (altrömischen) Geschlecht der Julier‹. Julia heißt die Tochter des Kaisers
Augustus, welche wegen ihres ausschweifenden Lebens aus Rom
verbannt wurde. Die römische Kaiserin Julia Domna (um 200
n. Chr.) hingegen verkehrte mit Philosophen und Gelehrten, förderte Kunst und Wissenschaft, beging Selbstmord; Julius/Julia/Julie
werden in der Renaissance und der mit ihr einsetzenden Verehrung
von Julius Cäsar sehr populäre Namen; auch katholische Heilige.
Vgl. auch Shakespeares *Romeo und Julia.*

158,13 *Emmeline:* Erweiterung von *Emma* (germ., ›die Biene, die
Fleißige‹); oder Kurzform von Zusammensetzungen mit ahd. *amal-*
(z. B. *Amalia, Amanda, Amalinda*) ›Lindenholzschild‹. Evtl. spielt
Keller hier auf die Sage der Emma, der Tochter Karls des Großen,
an, welche ein Liebesverhältnis mit dem Geschichtsschreiber Ein-
hard unterhielt. Als sein Besuch bei ihr durch frischgefallenen Schnee
verraten zu werden drohte, trug sie den Geliebten über den Hof.
Der Kaiser soll die Szene beobachtet und beiden verziehen haben.

158,18 *Lieschen Aufdermauer:* Lieschen: Koseform der Kurzform
Liese: Elisabeth (hebr., ›die Gott verehrt, Gottgeweihte‹); *Aufder-
mauer* spielt an auf ›Mauerblümchen‹, die Außenseiterin, die in der
Liebe zu kurz gekommen ist.

158,24 *Theresa:* (griech., ›die von Thera – heute: Thira, Santorini/ Ägäis – Kommende‹). Die heilige Theresa von Avila (16. Jh., Spanien) gründete mehr als 30 Klöster (»Barfüßerinnen«), reformierte den Karmeliterorden.

158,29 *Käthchen:* Koseform der Kurzform *Käthe:* Katharina (griech., ›die Reine‹); mehrere Heilige innerhalb der katholischen Kirche.

159,1 *amazonenhafter:* Amazonen: kriegerisches Frauenvolk aus Asien in der griechischen Sage; aufgezogen wurden nur die Mädchen; ihnen wurde die rechte Brust ausgebrannt, damit sie beim Bogenspannen nicht behinderte.

159,17f. *obgleich sie sattsam durchgehechelt wurde:* obgleich viel über sie geklatscht wurde.

161,5 *für einmal:* ein für allemal.

161,21 *Vesperbrote:* Vesper: Abendstunde, die vorletzte der für die bürgerliche Tageseinteilung maßgebenden kirchlichen Stunden; Nachmittagsmahlzeit.

163,8 *freisinnig:* liberal, fortschrittlich, offen denkend. Hier Anspielung auf die schweizerische Innenpolitik, die Restaurationszeit von 1815–30, in der die Freisinnigen sich in der liberalen Partei sammelten und die Verfassungsreform von 1848 herbeiführten (vgl. Anm. zu 10,6f.).

163,26 *Sackuhr:* Taschenuhr.

164,9 *Schenkeläufer:* Kneipengänger, eifriger Besucher eines Wirtshauses.

164,11 *gemütlichen:* gemütvollen.

164,11f. *ostländischen Weise:* spielt an auf die Teilung der Welt in den Westen, der Fortschrittskultur und selbstbestimmte, demokratische Lebensweise präsentiert, und den »alten« Osten, der als bewahrend, konservativ, autoritär regiert gilt.

164,22 *nachzufahren:* nachzuahmen.

164,36 *Kannegießern:* nach Ludvig von Holbergs Komödie *Der politische Kannegießer* (1723): oberflächliches Politisieren.

165,16 *Freischaren- und Zuzügerwesen:* Freischaren: eigenmächtig gebildete Freiwilligentruppen; Zuzüger: schweiz. für ›Zugezogene‹, hier: zu den Freischaren Dazugestoßene. 1844/45 zogen Freischarenzüge, an denen Keller teilnahm, aus den protestantisch-liberalen Kantonen gegen das konservativ-katholische Luzern; im April 1845 wurde die Hauptmacht der Freischaren vor Luzern gefangengenommen.

166,1 *Unstern:* Unglück.

166,17f. *Infanteriegewehr:* auch: Ordonnanzgewehr, neben dem Stutzer die gewöhnliche Waffe der zeitgenössischen Schweizer Infanterie (vgl. *Der Landvogt von Greifensee*).

166,19 *Flügelmann:* der bei geschlossener Marschformation am äußersten Truppenrand marschierende Befehlsempfänger des Flügeladjutanten; wichtig für die Befehlsstruktur und den Zusammenhalt eines Truppenteils.

166,22 *loszubrennen:* loszuschießen.

167,25 f. *Eine benachbarte Regierung sollte gestürzt werden:* Gemeint ist Luzern, in dem zwei Parteien um die Macht konkurrierten: die in der Minderheit befindlichen Radikalen und die Katholisch-Konservativen, die sich hauptsächlich auf die Landbevölkerung stützten. Ausgangspunkt der Streitereien war der Beschluß des liberal (»radikal«) regierten Aargaues, die Klöster aufzuheben. Darauf beschloß die Luzerner Regierung, die Jesuiten als Lehrer der höheren Lehranstalten zu berufen. Die Zerwürfnisse weiteten sich aus und gipfelten im Sonderbundskrieg (vgl. Anm. zu 9,7 f.).

168,35 *dasige:* dortige.

169,10 *Putsch:* Aufstand, Versuch, Herrschaftsverhältnisse gewaltsam umzustoßen.

169,19 *Gefährde:* Gefahr.

169,21 *schwankhafte:* hier: schwankende.

169,28 *mannlich:* (schweiz.) mannhaft.

170,29 *vielköpfigen Souverän:* Souverän: urspr. Fürst; allg.: Herrscher, Institution eines Landes, der bzw. die die Hoheitsrechte ausübt. Gemeint ist hier das Volk, und Keller spielt auf die Zersplitterung der Souveränität in den Verfassungskämpfen (vgl. Anm. zu 9,7 f., 10,6 f., 163,8) an.

171,17 *Majorität:* Mehrheit.

171,18 *Hochverrat:* gewaltsamer, vorsätzlicher Angriff auf den inneren Bestand oder die verfassungsmäßige Ordnung eines Staates.

171,21 *Minorität:* Minderheit.

172,4 *Kleinod:* Schmuckstück.

172,4 f. *entfremdet wird:* entwendet wird, abhanden kommt.

174,19 *Standrecht:* das im Ausnahme-, Belagerungs- oder Kriegszustand nach Maßgabe der Verfassung und der Gesetze bestehende Recht, über Verbrechen und Vergehen bestimmter Art in einem abgekürzten gerichtlichen Verfahren (Standgericht) zu entscheiden und eine dabei verhängte Todesstrafe alsbald zu vollstrecken (standrechtliche Erschießung). Mit den Gefangenen der beiden Freischarenzüge verfuhr die Luzerner Regierung verhältnismäßig glimpflich, während man gegen die eigenen Bürger mit aller Strenge vorging. Der Anführer der Luzerner Radikalen, Dr. Robert Staiger, wurde zum Tode verurteilt, dann allerdings zu lebenslänglichem Kerker begnadigt. Durch einen kühnen Handstreich gelang es, ihn zu befreien, was Keller in dem eilends verfaßten Gedicht »Bei Robert Steigers Befreiung und Ankunft in Zürich, am 20. Juni 1845« feierte, das er sogleich im »Boten von Uster« (Nr. 26, 1845) veröffentlichte.

174,23 *eingetürmt:* eingesperrt.

175,4 *Habermus:* Haferbrei.

Bütte: Gefäß, Faß.

175,10 *ehestens:* baldigst.

Amnestie: Straferlaß.

177,12–16 *seinen obersten maßgebenden Rat ... Hauptwahlen:* Gemeint sind die Wahlen zum schweizerischen Nationalrat, einer Kammer des helvetischen Bundesrates (vgl. Anm. zu 10,6f.). Die Bundesverfassung von 1848 sah auf je 20 000 Einwohner die Wahl eines Mitgliedes vor, das auf der Grundlage des allgemeinen, gleichen und direkten Wahlrechts gewählt wurde.

177,18f. *Die Gegensätze hatten sich einigermaßen ausgeglichen:* Nach der Schaffung des Bundesstaates traten in den 50er Jahren politisch ruhigere Zeiten ein, mit einer gemäßigten Weiterentwicklung der gewonnenen Grundlagen.

177,21 *Winkeleien:* ›verwinkelte‹, d. h. komplizierte Vorschriften.

177,24 *ohne Zopf:* ohne überlebte Rückständigkeit; bezieht sich auf das späte Rokoko, in dem Männer einen Zopf trugen (um 1760–80).

177,26 *artig:* vgl. Anm. zu 66,29.

177,27 *Zwinger:* Unterdrücker.

178,13 *philisterhafter:* spießbürgerlicher, engstirniger.

180,5 *hinspediert:* hinbefördert.

180,34f. *Regimentes:* hier: Herrschaft.

181,12 *Jeder Arbeiter ist seines Lohnes wert:* vgl. Lk. 10,7 und 1. Tim. 5,18.

181,36–182,1 *Weibernücken:* Nücken: Launen, Schrullen.

182,9 *Bübisch:* Kindisch, naiv.

183,11 *Kannegießerin:* vgl. Anm. zu 164,36.

183,28 *falliert hatte:* zahlungsunfähig geworden war.

183,31 *Händeln:* Streitigkeiten.

184,2 *häklich:* umständlich, heikel, schwierig zu behandeln; vgl. auch 9,24 mit Anm.

184,9f. *falliert und bürgerlich tot:* Bankrotteure waren nach der Verfassung des Kantons Zürich damals von Stimmrecht und Wählbarkeit ausgeschlossen.

184,24 *Usurpator:* jemand, der widerrechtlich die (Staats-)Gewalt an sich reißt.

184,33 *Magnaten:* früher Angehörige des Hochadels, Großgrundbesitzer.

184,35 *Triviale:* Gemeine, Gewöhnliche.

185,11 *Popanze:* Popanz: urspr. ›Strohpuppe‹; Marionette, willenloses Geschöpf.

186,36 *der Zerfahrenen:* kann hier mit doppelter Bedeutung gelesen werden: 1. der Unkonzentrierten; 2. der Zerstörten.

189,23 *Kursus:* Unterricht.

Die drei gerechten Kammacher

Conrad Ferdinand Meyer berichtet, die Anregung für diese Novelle habe Keller aus Pierre Bayles *Dictionnaire* durch die Bemerkung, ein Staat von lauter Gerechten könne nicht bestehen, erhalten, doch ist eine solche Stelle bisher nicht nachgewiesen. Die Erzählung skizzierte Keller zuerst 1851 in Berlin auf einem Notizblatt, die »Geschichte von den drei Schreinergesellen, welche alle Recht taten und desnahen nicht nebeneinander existieren konnten«. Keller, der mit der Aufzeichnung seiner literarischen Produktionen lange zu warten pflegte, schrieb sie dann 1855 nieder.

190,1 *Kammacher:* vorindustrielles, seltenes und fast sonderbares Handwerk der Herstellung von Kämmen; Keller wählte dieses schon damals außergewöhnliche Handwerk anstatt der populären Schreinerei, um den ungewöhnlichen Charakter der drei Gesellen zu unterstreichen.

190,10f. *Und vergib ... Schuldnern!:* wörtlich dem Vaterunser entnommen.

190,19 *Fährlichkeit:* Gefahr.

190,27 *Kontraventionsbuße:* veraltet: Buße bei Vertragsbruch.

191,2 *Hornstriegeln:* Striegel: gezähntes Gerät zum Reinigen des Fells der Haustiere.

191,6 *Schildpattgewölke:* Schildpatt: Hornplatten der Schildkröte; dient hier als Schmuck für Kämme.

191,26f. *zweispännigen:* von *Spanne,* einer alten Längeneinheit: entsprach dem Abstand der Daumenspitze von der Mitte des Mittelfingers oder des kleinen Fingers bei gespreizter Hand (etwa 20–25 cm).

191,35 *Jobst:* Namenskreuzung aus *Job* (*Hiob*) und dem volkstümlichen *Jost.*

192,16 *Johann der muntere Seifensieder:* Anspielung auf eine Figur aus dem gleichnamigen, seinerzeit populären Gedicht von Friedrich von Hagedorn (1708–54).

192,22 *Vatermörder:* Herrenhemdkragen mit steif emporstehenden Spitzen; die Bezeichnung beruht auf einem sprachlichen Mißverständnis: frz. *parasite* ›Schmarotzer‹ wurde verstanden als *parricide* ›Vatermörder‹.

193,15 *düftelte:* tüftelte, grübelte.

193,17 *Jahrshoffnungen:* Erwartungen über den Ausfall der Ernte.

193,30 *fameses Wergg:* (sächs.) famoses, meisterhaftes Werk.

193,32 *Gewehlbe:* (sächs.) Gewölbe.

193,35 *Tort:* Kränkung, Verdruß.

194,4 f. *wurmisierte … herum:* bewegte sich unruhig hin und her.

194,22 *vakant:* leer, unbesetzt, offen.

194,33 *Deut:* alte niederländische Kupfermünze von geringem Wert.

195,16 *Wo es mir wohl geht, da ist mein Vaterland!:* »Ubi bene, ibi patria«: römisches Sprichwort, zurückgehend auf Aristophanes.

196,17 f. *äufnete:* (schweiz.) häufte, mehrte.

196,25 *Felleisens:* Das Felleisen ist ein lederner Rucksack, Ranzen, der besonders bei wandernden Handwerksgesellen üblich war.

197,28 *zumal:* gleichzeitig, auf einmal.

197,34 f. *kam … zugesprochen:* fragte um Arbeit.

198,1 *wähligem:* wohligem.

198,2 *Pfülmen:* (schweiz.) Kissen; vgl. Anm. zu 109,4.

198,34 *Fridolin:* oberd. Form von *Friedrich* (ahd., ›Friede‹ und ›mächtig, Herrscher‹).

199,3 *Siebensächelchen:* typisch für die Art der Kellerschen Personencharakteristik; vgl. auch die Beschreibung des Hausrats der Züs Bünslin und John Kabys' in *Der Schmied seines Glückes.*

199,9 *Küpe:* (niederd.) Kufe; man bezeichnete damit zuerst den Kessel, dann die darin enthaltene Farbstofflösung.

199,32 *satirisch:* hier Ableitung von *Satyr,* dem lüsternen Fruchtbarkeitsdämon der altgriechischen Mythologie, die als Gegenbilder menschlicher Kultur und Sitte galten; Satyrtreiben stand für bukolisches (d. h. Schäfer-)Idyll oder ausgelassenes erotisches Spiel.

200,8 *Dietrich:* (ahd., ›Volksherrscher‹) im Mittelalter bereits sehr verbreiteter Name, angeregt durch die Heldengestalt des Dietrich von Bern, die auf den Ostgotenkönig Theoderich zurückgeht.

200,22 *strack:* gerade, starr.

201,31 *Gültbrief:* (von mhd. *gülte* ›Zins‹) schweiz. für ›Schuldschein, Hypothek‹.

201,31 f. *Gulden:* zuerst als Goldmünze in den oberitalienischen Städten des 13. Jh.s, dann Verbreitung in ganz Europa.

201,32 *Züs Bünzlin: Züs:* schweiz. Abkürzung für *Susette, Susanna* (hebr., ›Lilie‹); nach dem Buche Daniel eine schöne, gottesfürchtige Jüdin in Babylon, die von zwei zudringlichen Liebhabern im Bade überrascht, des Ehebruchs angeklagt und zum Tode verurteilt wird. Doch entlarvte Daniel die falschen Ankläger, worauf diese das Todesurteil traf. Zahlreiche Darstellungen in der bildenden Kunst (Altdorfer, Rubens, Rembrandt), auch Musik (Händel). – *Bünzlin:* schweiz. Herkunft; Bedeutung: entweder ›Knirps‹ oder abgeleitet von *Bund, binden.*

201,36 *Lade:* Truhe, Kasten.

202,7 *Taft:* glänzendes Gewebe aus Seide, Halbseide oder Chemiefasern.

202,17 f. *Hoffmannstropfen:* nach dem Arzt Friedrich Hoffmann (1660–1742) benanntes Gemisch von 1 Teil Äther und 3 Teilen Alkohol; belebendes, krampflösendes Mittel.

202,19 *Moschus:* aus der Vorhautdrüse des männlichen Moschustiers gewonnenes Fixiermittel für viele Parfüms.

202,19 f. *Marderdreck:* Gemeint sind die Ausscheidungen des Marders, die früher als Parfüm verwendet wurden.

202,21 *Gewürznägelein:* Gewürznelken.

202,25 *Briefsteller:* Anleitung zum Briefeschreiben.

202,26 *Schnepper:* chirurgisches Instrument zum Aderlassen, d. h. Blutablassen zu Heilzwecken.

202,31 *Schröpfköpfe:* gläserne Saugglocken, die mittels Unterdruck Blut aus der Haut ableiten.

203,16 *allfort:* immer.

203,24 *plättete:* bügelte.

203,36 *Gesimse:* auch: Sims; aus der Mauer, hier der Wandtäfelung, hervortretendes, waagerechtes Bauglied, das, mehr oder weniger profiliert, der Horizontalgliederung bzw. hier als Ablage dient. *Tannengetäfels:* Wandtäfelung aus Tannenbrettern.

204,1 *behufs:* zwecks.

204,6 *Zeugschmiedegesell:* Zeugschmied: Hersteller von Eisenwaren des täglichen Bedarfs.

204,8 f. *Gewürzmörser:* hier: ein starkwandiges Gefäß mit halbkugelförmigem Boden, in dem man harte Stoffe, hier Gewürze, zerreibt.

204,11 *artiges:* vgl. Anm. zu 66,29.

204,14 *Nägelein:* Gewürznelken.

205,8 *Schmid:* Christoph Schmid (1768–1854), sehr erfolgreicher deutscher Jugendschriftsteller: *Biblische Geschichte für Kinder* (über 200 Auflagen), Ritter-, Sagen- und Legenden-Erzählungen (*Ostereier, Rosa von Tannenburg*).

205,10 *Schatzkästlein:* Erbauungsbuch.

205,10 f. *Rosengärtchen:* Gedicht- und Geschichtensammlung.

205,13 *Kartenschlagen:* Kartenlegen.

205,23 *heimzuweisen:* zuzuweisen.

206,31 *Phrasen:* abgegriffene, leere Redensarten, Geschwätz.

207,9 *Blumenbouquets:* Bouquet (auch: Bukett): Blumenstrauß.

207,33 *Emanuel:* griech.-lat. Form von *Immanual* (hebr., ›Gott mit uns‹).
Veit: (ahd., ›Holz, Wald‹, latinisiert zu *Vitus*) Der heilige Vitus gehört zu den 14 Nothelfern; wurde gegen die »fallende Sucht«, den »Veitstanz« (Epilepsie), angerufen.

208,8 *Vexiergasse:* vexieren: irreführen, necken; hier: Irrweg, in Ableitung der Spiegellabyrinthe der Jahrmärkte.

208,33 *Perpetuum mobile:* (lat., ›dauernd beweglich‹) ein Gerät, das ohne Energiezufuhr von außen dauernd Arbeit leistet; technisch nicht möglich, da dem Energiesatz widersprechend.

210,4 f. *Kolumbus, der das schöne Land erfunden hatte:* Christoph Kolumbus (1451–1506) entdeckte bei der Suche nach dem Westweg nach Indien 1492 Amerika.

210,10 *Konventikel:* Zusammenkunft; private, religiöse Versammlung der Pietisten.

211,35 *himmlisches Jerusalem:* vgl. Hebr. 12,22: die wiedererstandene, den Juden am Ende aller Tage verheißene Heilige Stadt; vgl. 93,24 f. mit Anm.

212,27 *Lamentieren:* Laut klagen, jammernd um etwas bitten.

213,3 *Wandel auf dem schmalen Wege:* vgl. Anm. zu 155,33.

213,8 *die Palme erringen:* den Sieg gewinnen.

213,25 *Dämon:* im Altertum und bei Naturvölkern übermenschliches Wesen. Dämonen konnten sowohl böse als auch gute Geister sein; die dem Wort jetzt anhaftende Bedeutung des Bösen und Unheimlichen haben Christentum und Zauberglaube des späten Altertums geprägt.

214,8 *Lissabon ... ward:* 1755; vgl. Goethe, *Aus meinem Leben. Dichtung und Wahrheit* I,1 (1811).

214,19 *John Smidt:* Keller wählt hier eine niederländische Namensform.

214,23 f. *Peter Haslers Traktatus:* nicht nachzuweisen. – *Traktatus:* Abhandlung.

214,24 *Gelegenheit:* Lage.

214,27 *Marseilingen:* Marseille.

214,34–36 *Wenn sie gerecht … wie ein Rauch:* vgl. Ps. 37, 2 und 20; Verbindung beider Verse.

214,36–215,1 *Viele sind erwählt, aber wenige sind berufen:* vgl. Mt. 20,16; Verkehrung des biblischen Textes.

215,8 *ich habe das bessere Teil erwählt!:* vgl. Lk. 10,42.

216,24 *glückseligen Inseln:* nach Wilhelm Heinses Roman *Ardinghello und die glückseligen Inseln* (1789).

216,27 *duselnden:* schlaftrunkenen.

217,7 *Pfülmen:* (schweiz.) Pfühl; Lager, Bett.

218,10 *Staubhemden:* Kittel der Wanderburschen.

218,29 *Indiennekleid:* wertvolles Kleid aus ostindischer Baumwolle.

218,29f. *verschollenen:* veralteten.

218,31 *Tombakschnalle:* Tombak: Rotmessing mit viel Kupfergehalt; soll Gold vortäuschen.

218,31f. *Saffianschuhe:* Saffianleder: Ziegenleder für feine Lederwaren.

218,33 *Ritikül:* beutelartige Handtasche.

219,14 *Artilleriewesen:* Abteilung der Artillerie.

219,15 *Batterie:* befestigte und vorbereitete Stellung der Artillerie.

220,10 *Odem:* Atem, Hauch.

220,31 *buhleten:* würben; vgl. Anm. zu 38,12.

223,15 *Unwort:* beleidigendes, tadelndes, ärgerliches Wort.

223,22f. *Lebenselixier:* in der Alchemie ein geheimnisvoller, lebensverlängernder Stoff.

223,29f. *Böhmerwald:* reichbewaldetes Mittelgebirge, das sich 250 km in nordwestlich-südöstlicher Richtung entlang der Grenze zwischen der Tschechischen Republik und Deutschland bzw. Österreich erstreckt.

225,21 *Seid klug wie die Schlangen und einfältig wie die Tauben:* vgl. Mt. 10,16.

225,30 *Kleinod:* Schmuckstück.

226,1 *Schellenspiel:* Glockenspiel.

227,11 *Virtuosen:* ausübende Künstler, insbesondere Musiker, die ihre Kunst bis zur Meisterschaft beherrschen.

227,13 *Panspfeife:* Pan: Hirten- oder Weidegott der griechischen Mythologie, dargestellt mit Bocksbeinen, -hörnern und -ohren und halbtierischem Gesicht. Pan galt als Erfinder der Syrinx, der Panflöte, aber auch als Urheber plötzlicher und unerklärlicher, »panischer« Schrecken.

228,3 *Torenwerk:* törichte Unterfangen.

228,12f. *der Zug des Schicksals ist des Herzens Stimme:* Umkehrung des Schiller-Zitates: »Der Zug des Herzens ist des Schicksals Stimme« (*Die Piccolomini* III,8).

229,21f. *wo Barthel den Most holt:* Wissen, wo Barthel den Most holt: alle Schliche kennen; wahrscheinlich aus der Gaunersprache stammend, wo Barthel (das Brecheisen) das Moos (das Geld) holt.

230,13 *vexieren:* täuschen; vgl. Anm. zu 208,8.

231,18 *Rückgesetzten:* Falliten, Bankrotteure.

231,24f. *Visitenstuben:* Besucherzimmer, Salons.

232,24 *Kobold:* zwergenhafter Hausgeist, bald helfend, bald – so auch hier – strafend.

233,20 *Schwankes:* Schwank: literarisches Genre; hier vereinfacht: Komödie.

Spiegel, das Kätzchen

Die Erzählung entstand 1855. Keller ging nicht von einem Märchen aus, sondern nur vom oberdeutsch-schweizerischen Sprichwort »Der Katze den Schmer (das Fett) abkaufen«. So Keller an Friedrich Theodor Vischer: »Eine kleine Berichtigung muß ich noch anbringen wegen des ›Spiegel, das Kätzchen‹. Dieses Märchen ist stofflich ganz erfunden und hat keine andere Unterlage als das Sprichwort: ›der Katze den Schmeer abkaufen‹, welches meine Mutter an einem unvorteilhaften Einkaufe auf dem Markt zu brauchen pflegte.« (Brief vom 29. Juni 1875.)

235,21 *betreten:* erwischen.

236,6 *molestierten:* belästigten.

236,24 *Don Juan:* Prototyp des bedenkenlosen Frauenhelden.

236,26f. *burschikosen:* ungezwungenen.

237,10f. *gute Natur, seine Vernunft und Philosophie:* Spiegel erinnert hier an einen Philosophen der Aufklärungszeit.

237,20 *artige:* vgl. Anm. zu 66,29.

238,28 *Stadthexenmeister:* Anspielung auf die mittelalterliche Inquisition mit ihrem Aufspüren und Verbrennen angeblicher Hexen?

238,33f. *»Na, Katze! Soll ich dir deinen Schmer abkaufen?«:* In Jean Pauls *Titan* macht Dr. Sphex einen ähnlichen Vertrag mit dem abgemagerten Trommler Malz.

240,20f. *Nebelspalter oder Dreiröhrenhut:* schweiz. für den von Bauern getragenen »Dreispitz«, eine Hutform mit dreiteilig nach oben geklappter Krempe; als Kopfbedeckung insbesondere des Adels und der Offiziere entstand er um 1690 aus dem breitrandigen Hut des 17. Jh.s und fand erst um 1720 Eingang in die bürgerliche Kleidung, wo er sich bis Anfang des 19. Jh.s hielt.

240,23 *Nücken:* Launen, Schrullen.

Finten: Täuschungen, Listen.

240,25 *Tausendsgeschichten:* Teufelsgeschichten (*Tausend* euphemistisch für ›Teufel‹).

240,31 *Rosoli:* italienischer, aus Orangenblüten gewonnener Likör; heutige Bezeichnung: Maraschino.

Heftlein: kleine Spange oder Nadel.

240,33f. *Aderlaßmännchen:* Bild einer Figur, an der angezeigt wurde, an welcher Stelle des Körpers der Jahreszeit entsprechend ein Aderlaß vorgenommen werden konnte; auch in alten Volkskalendern durch besondere Zeichen, kleine Männchen, empfohlene Tage für einen Aderlaß. Vgl. Anm. zu 202,26.

241,8 *redigierte:* bearbeitete.

242,8 *Gründlinge:* 10–15 cm lange, auf dem Grund des Wassers lebende Karpfenfische im Süß- und Brackwasser Europas.

242,22 *Krammetsvogel:* Wacholderdrossel; gibt ein würziges Wildbret.

244,35 *Spinnen:* hier: Schnurren.

245,15f. *Bestie:* wildes Tier.

246,13 *Unsterns:* Unglücks.

246,30 *Schelm:* hier wohl: Schuft, Betrüger.

247,1 *foppe:* zum Narren halte, betröge.

248,16 *Sapperlöter:* euphemistische Entstellung von *Sakramenter*, wie auch 249,1 *Sappermenter:* verfluchter Kerl.

249,4 *entfremdet:* entwendet.

249,10f. *Goldgülden:* Gulden; vgl. Anm. zu 201,31f.

249,24 *zutulich:* vgl. Anm. zu 44,31.

250,3 *Meerwunder:* Merkwürdigkeit.

251,17 *Kavalier:* vornehmer Herr, Höfling; auch: höflicher und taktvoller Mann, besonders den Frauen gegenüber.

zierlich: ehrbar, gesittet, angenehm; auch: prächtig.

252,13 *geriebener:* schlauer.

252,28 *vergabte:* (schweiz.) vermachte, stiftete.

253,6 *Sankt Gotthard:* Gebirgsstock in der mittleren Schweiz, durch den St.-Gotthard-Paß (2109 m) in zwei Teile geteilt.

253,19 *bis dato:* (lat.) bis jetzt.

255,5 *Roman:* hier: Liebesabenteuer, Liebesgeschichte.

256,24 *Unstern:* Unglück.

257,23 *Evangelium:* (griech., ›gute Kunde‹) allg.: die frohe Botschaft, insbesondere die von Jesus als dem in die Welt gekommenen Heiland; speziell: die vier Schriften des Neuen Testamentes über Leben und Wirken Jesu (Matthäus, Markus, Lukas, Johannes).

258,22 f. *sich nicht dazu verstehen wollte:* nicht dazu bereit war.

259,22 f. *Franz von Frankreich:* ein echter Renaissance-Fürst (reg. 1515–47): seine Förderung des Humanismus und die Pracht seiner Schloßbauten gingen einher mit einer absolutistischen Innenpolitik. Außenpolitisch war er äußerst aktiv. Nach anfänglichen politischen und militärischen Erfolgen bewirkten zwei verlorene Kriege gegen Kaiser Karl V. den Verlust Mailands und die spanische Vorherrschaft in Italien (1521–26, 1526–29); auch mußte er noch zwei weitere Kriege gegen die habsburgisch-spanische Übermacht (1536–38, 1542–44) führen.

259,23 *Mailändischen Krieg:* Der erste der vier Kriege um die Vormachtstellung in Europa 1521–26 entschied sich zuungunsten Franz' I.

259,23 f. *Schlacht bei Pavia:* Höhepunkt des Mailändischen Krieges, 1525; König Franz I. von Frankreich wird gefangengenommen.

259,25 *Spaniolen:* Spanier.

260,23 *Fähnleins:* im 16. und 17. Jh. unter einer Fahne zusammengeschlossene Abteilung des Fußvolks (300–600 Mann), meist unter einem Hauptmann.

262,17 *Inzichten:* Verdachtsgründe.

263,23 f. *Weibergut:* Mitgift.

263,33 *Windspiele:* Windhunde.
Bracken: Spürhundrasse.

264,31 *salvieren:* retten, in Sicherheit bringen.

264,32 *uneben:* unpassend, unklug.

264,34 *Schelm:* hier: Schurke.

266,23 *Habit:* hier: Ordenstracht.

266,24 *Begine:* (niederl., ›Klosterfrau‹) In den Niederlanden im 12. Jh. entstanden Frauenvereine zu gemeinsamem, andächtigem Leben unter einer frei gewählten Vorsteherin, ohne Klostergelübde; zahlreiche Beginenhäuser gab es auch in der Schweiz; ihre Blütezeit lag im 13. und 14. Jh.; hier auch in der Bedeutung von ›Betschwester‹.

267,4 *Eingezogenheit:* Zurückgezogenheit, Einsamkeit.

268,15 *schlechten:* hier in der alten Bedeutung: schlichten, einfachen.

269,16 *fehlen:* mißlingen.

270,7 *Mantelsack:* Reisesack, urspr. zum Mitführen des Mantels zu Pferd.

270,21 *Gevattersfrau:* Gevatterin: urspr. ›Taufpatin‹; daneben auch
›Bekannte, weibliche Person‹.
270,29 *darf: dürfen* hier u. ö.: ›müssen, brauchen‹.
271,34 f. *Drachenkopf:* Wasserspeier der Dachrinne.
272,19 *Samtwämschen:* Wams: Weste.
273,2 *Einsiedler:* in der Einsamkeit lebender Mönch.
273,16 *witzigsten:* geistvollsten.

2. Teil

Vorrede

Sie wurde direkt für den Druck geschrieben, Dezember 1872.
277,1–3 *streiten sich etwa ... gemeint sei:* Der Streit der Schweizer
Städte, das Urbild von Seldwyla zu sein und sich damit literarische
Ehre zuzuschreiben, ist eine Anspielung auf den Streit der sieben
Städte über den Ursprung Homers.
277,19 *Homers:* Homer: altgriechischer Dichter (8. Jh. v. Chr.), aus
dem ionischen Kleinasien stammend; gilt als Verfasser der Epen *Ilias*
und *Odyssee.*
277,25 *Nücken:* Launen, Schrullen.
277,31 f. *Spekulationsbetätigung:* vgl. Anm. zu 10,25.
278,4 *Auftrieb:* Ausfindigmachen, Auftreiben.
278,6 *Depeschen:* eiligen Botschaften.
278,8 *Agent:* Geschäftsvermittler, Vertreter.
278,10 *Engadiner Zuckerbäcker:* Die ersten Konditoreien verschiedener Weltstädte gehörten Bündnern, so auch in Berlin das »Café
Josty« am Potsdamer Platz, das Keller selbst besuchte.
278,14 f. *Obligationen:* Schuldverschreibungen eines Unternehmens.
278,34 f. *plebejisch-gemütlichen Konkurse:* plebejisch: zum Plebs, dem
gemeinen Volk im alten Rom, gehörend; hier: ungebildet, un-
kompliziert; Konkurse: gerichtliches Vollstreckungsverfahren zur
gleichmäßigen und gleichzeitigen Befriedigung aller Gläubiger eines
Unternehmens, das die Zahlungen eingestellt hat.
278,35 *Verlumpungen:* verlumpen (schweiz.): Bankrott machen.
278,36 *Accommodements:* (frz.) gütliche Übereinkunft.
279,5–14 *Von der Politik ... solider halten:* Anspielung auf die Um-
orientierung des innenpolitischen Lebens nach der Schaffung des

Bundesstaates 1848. Das öffentliche Interesse ist nun vor allem ökonomisch ausgerichtet.

ganzen alten Pentarchie: Pentarchie: Fünfmächteherrschaft; Anspielung auf die seinerzeit mächtigsten Staaten Europas: England,
Frankreich, Preußen, Österreich und Rußland.

zumal: zugleich.

Kannegießer: vgl. Anm. zu 164,36.

Kleider machen Leute

Die Erzählung entstand Ende der 60er Jahre und geht u. a. auf Arnold
Ruges *Komödie von Wädenswil* (1848) zurück. Ob Keller selbst der
Urheber zu dem Beitrag »Der Schneidergeselle, welcher den Herrn
spielt« im *Bündner Kalender* von 1847 war, gilt als nicht gesichert. Dieser mag, ähnlich dem Schwank *Abraham Tonelli* von Ludwig Tieck,
ihn zum Schreiben der Erzählung bewogen haben.

280,10 *Falliments:* (frz.) Bankrotts.

280,15 *Fechten:* Betteln.

280,18 *Radmantel:* runder ausladender Umhang, wie ihn Keller selbst
in München besaß.

280,23 *Habitus:* Aussehen, Erscheinungsbild.

281,2 f. *Märtyrer seines Mantels:* Märtyrer: »Blutzeuge«, wegen seines
christlichen Glaubens Verfolgter, Leidender; hier: der wegen seines
Mantels Leidende.

281,22 *Waage:* Die topographische Lage (vgl. Anm. zu 303,30 f.) des
Gasthauses weist auf seine besondere Funktion hin: hier wird jedes
Schicksal gleichsam abgewogen, wobei sich allerdings ein anderes
Resultat ergibt als angenommen.

282,18 f. *lamentieren:* laut klagen, jammernd um etwas bitten.

283,19 *Zuckerbeck:* Konditor.

284,25 f. *umgehende Ahnherr:* als Gespenst umhergehender Vorfahre.

285,5 *Blödigkeit:* veraltet für ›Verlegenheit, Einfalt, Schüchternheit‹.

285,13 f. *darauf wollt ich schwören, wenn es nicht verboten wäre:* Die
Bergpredigt in der Bibel verbietet das Schwören.

286,22 *Ränzchen:* Ranzen: Tornister wandernder Gesellen; hier:
Bäuchlein.

286,35 *Kapitelsherren:* Kapitel: geistliche Körperschaft (Domherren,
Mönche).

287,17 *Eulenspiegelei:* zeigt die Überlegenheit bäuerlichen Mutterwit-
zes über städtisches Handwerk durch das wörtliche Ausführen eines

bildlichen Befehls; geht zurück auf Till Eulenspiegel, den Schalk-Helden eines Volksbuchs Ende des 15. Jh.s.

287,21 *Kerbholz:* ein längs gespaltener Holzstab, in dessen beide Hälften Einschnitte, Kerben, zur Zählung und Abrechnung von Schuldforderungen eingeschnitten werden konnten; die Richtigkeit der Eintragungen konnte durch Aneinanderfügen überprüft werden.

287,23 *Wenzel:* Wenzeslaus, böhmischer Nationalheld; später bei den deutschen Kolonisten in Osteuropa i. S. v. ›Knecht‹.

287,24f. *Wanderbuch:* Das Wanderbuch (auch: Kundschaften) öffnete den Handwerkern beim früher vorgeschriebenen Gesellenwandern außerhalb ihres Heimatgebietes fremde Werkstätten und Herbergen.

287,28f. *Tokaier:* ungarischer Süßwein.

287,35 *Bocksbeutel:* bauchige Flasche, exklusiv für danach benannte Frankenweine.

288,11 *Melcher:* alte Nebenform von *Melchior* (hebr., ›König des Lichts‹); einer der Heiligen Drei Könige.

288,14f. *auf den Stockzähnen lächelnd:* Stockzähne: die Mahlzähne mit breiter Kaufläche; hier: heimlich lächelnd.

288,20 *Comptoirstuhl:* Bürostuhl.

289,2 *Smyrna:* türkisch: Izmir; Provinzhauptstadt der kleinasiatischen Türkei mit bedeutender Tabakindustrie.
Kompagnon: (frz.) Gesellschafter, Teilhaber.

289,5 *Damaskus:* Hauptstadt Syriens.

289,6 *Prokurist:* Bevollmächtigter.

289,9 *Virginien:* Virginia, Bundesstaat der USA, gehört zu den führenden Tabakanbaugebieten der Union.

289,20 *Sauser:* neuer Wein.

289,22 *Eisenschimmel:* Schimmel von eisengrauer Farbe.

289,26 *Witz:* Verstand.

290,9 *anprallen:* heftig anhalten (nicht i. S. v. ›zusammenstoßen‹).

290,12 *karneolfarbigen:* hellroten.

291,8 *Junker:* junger Herr; hier: junger Edelmann.

291,11 *Goldacher Putsch:* Goldach: Gemeinde im schweizerischen Kanton St. Gallen; Putsch: hier ›Skandal‹.

291,14f. *Praga oder Ostrolenka:* Anspielung auf die polnische Kriegsgeschichte. Praga, eine Vorstadt von Warschau, spielte in den Napoleonischen Kriegen eine Rolle; bei Ostrolenka unterlagen polnische Aufständische gegen die russische Besatzung 1831.

291,18 *gebüßt:* hier: befriedigt.

291,22 *Hasardspiel:* Glücksspiel.

291,24 *Brabantertaler:* französische Silbermünze, die wegen ihres Vollgehaltes an Edelmetall bis 1828 im Kurs war; da sie häufig überschätzt wurde, diente sie gern zur Übervorteilung.

292,3 *Louisdors:* Goldmünze seit Ludwig XIII. (1641) mit wechselndem Goldgehalt; seit 1803 durch das 20-Francs-Stück ersetzt.

292,18 *artiges:* vgl. Anm. zu 66,29.

292,36 *Nettchen:* Kurzform von Annette.

294,24 *Desna:* Nebenfluß des Dnjepr, entspringt südöstlich von Smolensk und mündet oberhalb von Kiew.

294,28 *Volhyniens:* Landschaft in der nordwestlichen Ukraine, zwischen dem oberen Pripet und dem oberen westlichen Bug. Sie wird als Urheimat der altslawischen Stämme angesehen; die staatliche Zugehörigkeit wechselte oft zwischen Rußland und Polen; 1795–1921 russisch.

295,24 *Expressen:* hier: Eilboten.

295,33–35 *denn um eben diese Zeit wurden viele Polen ... des Landes verwiesen:* Die liberale Schweiz wurde insbesondere nach den gescheiterten Revolutionen von 1848 in ganz Europa zu einem klassischen Asylland, was zu Spannungen mit den Nachbarstaaten und zu gelegentlichen Ausweisungen führte.

297,14 *Schultheiße: Schultheiß* hier in seiner ursprünglichen Bedeutung: der Beamte, der die Mitglieder einer Gemeinde zur Einhaltung ihrer Pflichten gegenüber dem Landesherrn anzuhalten hatte.

297,19 *Kämbel:* Kamel.

297,20 *Aufklärung:* die das europäische 18. Jh. beherrschende Geistesbewegung; ihr Grundgedanke war, daß die Vernunft das eigentliche Wesen des Menschen ausmache und daher diese den allgemeingültigen Wertmaßstab für alle menschlichen Werke, Tätigkeiten und Lebensverhältnisse in sich enthalte.

297,20f. *Philanthropie:* (griech., ›Menschenliebe‹) Erziehungsbewegung Ende des 18. Jh.s, die – in der Folge der Aufklärung – eine vernunft- und naturgemäße Erziehung anstrebte; die Schule soll nun zu weltbürgerlicher und natürlicher Entfaltung führen.

298,9 *Weibergut:* Mitgift.

298,25 *moralisches Utopien:* Utopie: erdachter Idealzustand der Gesellschaft; hier: die Stadt Utopien als real erscheinender Ort, wo die ideale Moral beheimatet ist.

299,4 *Jüngling am Scheidewege:* Anspielung auf den jungen Herakles der griechischen Mythologie, der sich an einem Kreuzweg zwischen einem Leben in Tugend oder in Luxus entscheiden muß und die Tugend wählt.

300,25 *Korrespondenz:* Briefwechsel.

300,30 *Kollekteur:* Lotterieeinnehmer.

303,30f. *genau in der Mitte zwischen Goldach und Seldwyla:* Die topographische Plazierung des Gasthauses in der Mitte zwischen zwei Städten unterstreicht seine Funktion in der Erzählung (vgl. Anm. zu 281,22).

304,3 *Goldacher Schlittenzug:* Das Motiv der Schlittenfahrt, welches die Entdeckung des Geheimnisses und die Lösung bringt, gestaltete Keller nach einem Vorfall, der sich in den 40er Jahren in Wädenswil zutrug und dessen Schilderung er bei Arnold Ruge (*Sämmtliche Werke*, Bd. 10, Mannheim 1846–48, S. 159f.) fand.

304,15 *Fortuna:* altitalische Frauengottheit, deren Kult auf den König Servius Tullius zurückgeführt wurde; die römische Göttin des Glücks.

304,20 *Galions:* Vorbau älterer Schiffe, meist mit der – hier gemeinten – Galionsfigur, dem Bugschmuck, meist mit Bezug zum Schiffsnamen.

304,24 *Jakobsbrunnen:* vgl. Joh. 4,5–7: der Brunnen, an dem Jesus die Samariterin um Wasser bittet; benannt nach dem biblischen Erzvater Jakob.

304,25 *Teich Bethesda:* Jesus heilt hier einen seit 38 Jahren kranken Mann; vgl. Joh. 5.

305,9 *Gazegewänder:* Gaze: lose gewebter, netzartiger Stoff aus Seide, Baumwolle, Leinen oder Kunstseide.

305,32 *historisch-ethnographischer:* geschichtlich-völkerkundlicher.

306,2 *Prälaten:* hohe kirchliche Amtsträger.
Stiftsdamen: Bewohnerinnen eines Altersheims für adelige Damen.
Gravität: Würde.

306,27 *Reihen:* Reigen.

307,9 *Tierfabel:* eine Erzählung, die sich in satirischer oder erzieherischer Absicht der Tiere oder anderer Naturwesen bedient, um menschliche Eigenschaften zu verkörpern und in typischen Lagen darzustellen, so daß sich daraus eine allgemeine Lehre ziehen läßt.

307,13 *Werg:* Ausschuß in der Flachsverarbeitung, Putz- oder Polstermaterial.

307,14 *Carbonarimantel:* Die Mitglieder des italienischen politischen Geheimbundes »Carbonari« (›Köhler‹) der 1. Hälfte des 19. Jh.s hatten sich den Sturz der französischen Fremdherrschaft zum Ziel gesetzt. Ihr Ritual war nach dem Köhlerwesen ausgestaltet; sie trugen einen weiten, ärmellosen Mantel.

308,17 *Wasserpolacken:* Spottname für die polnischgebürtigen Schlesier.

308,26 *Raphael:* einer der Erzengel, Schutzheiliger der Apotheker und Reisenden, dargestellt mit Stab und Kürbisflasche.

308,36 *diabolischen:* teuflischen.

309,1 *Mirakels:* Wunders.

309,11 *steinernen ägyptischen Königspaar:* Anspielung auf die zahlreichen Darstellungen von Königspaaren (Pharaonen) in der altägyptischen Kunst.

310,4 *infam:* gemein, niederträchtig.

314,32 *Zinsherr:* der Grundeigentümer, an den der Zins, die Pacht, zu zahlen ist.

315,8 *Gevatterin:* vgl. Anm. zu 270,21.

319,3 f. *Husaren:* urspr. das ungarische Reiteraufgebot; später in Deutschland (16. Jh.) schwerbewaffnete, seit dem 17. Jh. leichte Reiter in ungarischer Tracht.

322,22 *desperate:* verzweifelte, hoffnungslose.

324,19 *Troja:* Nach dem Raub der Helena durch die Trojaner wurde Troja im Trojanischen Krieg von den Griechen unter Führung von Agamemnon nach 10jähriger Belagerung durch eine Kriegslist (Trojanisches Pferd) schließlich eingenommen, die Bewohner getötet oder gefangengenommen, die Stadt zerstört.

324,20 *Stadttambour:* Tambour: Trommler, oft auch in Kombination als Ausrufer von Neuigkeiten.

325,14 *Katzenköpfen:* kleine Geschütze.

325,18 *Marchand-Tailleur:* (frz.) Tuchhändler und Schneider.

326,6 *Stüber:* seit dem 16. Jh. kleine niederrheinische Scheidemünze, also aus dem Herkunftsgebiet des Brabanter Talers und des Gulden, nach welchen sonst in der Novelle gerechnet wird.

Der Schmied seines Glückes

Die Erzählung entstand 1866 und wurde vor dem Druck (1873) noch einmal überarbeitet.

327,2 *Kabys:* angelehnt an schweiz. *Kabis* ›Weißkohl‹.
artiger: vgl. Anm. zu 66,29.

327,11 *Johannes:* (hebr., ›Gott ist gnädig‹) Die Beliebtheit des Namens geht auf Johannes den Täufer und Johannes den Evangelisten zurück, die mit ihren Namenstagen ziemlich genau an der Sonnenwende des Sommers und Winters das Kalenderjahr halbieren.

327,15 *Nimbus:* Atmosphäre, Aura.

328,7 f. *Alliance-Unterschrift:* Unterzeichnung eines Dokumentes mit den Unterschriften beider Ehegatten.

328,13 *Respektabilität:* Achtbarkeit, Ansehen.

328,30 *Oliva:* ital. Form von *Olivia* (lat.) ›Ölbaum, Olive‹; die Ölbaumzweige sind uraltes Symbol des Friedens.

329,1–20 *Diese bestanden in ... geheimnisvollen Abteilungen:* vgl. Anm. zu 199,3.

329,6 *Schlacht von Waterloo:* Entscheidungsschlacht am 18. Juni 1815, 20 km südlich von Brüssel, der alliierten Engländer und Preußen gegen Napoleon. Sie besiegelte Napoleons militärisches wie politisches Schicksal endgültig (Verbannung nach St. Helena).

329,11 *Meerschaum:* poröses Mineral, besonders für Pfeifenköpfe verwendet.

329,12 *den aufs Pferd gebundenen Mazeppa:* Iwan Stepanowitsch Mazepa (1687–1708), Kosakenführer, kämpfte zunächst für Zar Peter den Großen, suchte dann aber den ukrainischen Kosakenstaat der russischen Oberherrschaft zu entziehen und schloß sich 1708 den Schweden an; nach deren Niederlage bei Poltawa mußte er mit ihnen fliehen. Legendäre Gestalt, die oft in Dichtung (Byron, Puschkin) und Musik (Liszt, Tschaikowsky) gestaltet wurde. Hier wird auf ein Liebesabenteuer Mazepas am polnischen Hof angespielt. Nachdem er von einem Nebenbuhler überrascht wurde, soll man ihn nackt auf das Pferd gebunden haben, welches ihn in die Ukraine zurückbrachte.

329,28 *Unsterns:* Unglücks.

330,5 *Etuis:* Futterale, Schutzhüllen.
Necessaires: (frz., ›Notwendiges‹) (Reise-)Behältnisse für Toiletten-, Nähutensilien.

330,17 *Kleinodien:* hier: Qualitäten, Vorzüge.

330,19 f. *Zinsleinpicker oder Rentier:* jemand, der von den Erträgen seines Vermögens lebt.

330,20 *Werttitel:* Urkunde, die den Anspruch auf Zinsen, Pacht usw. beinhaltet.

330,30 *Ellenwaren:* Textilwaren, die früher generell mit dem Längenmaß der Elle (einer der beiden Unterarmknochen), etwa 50–80 cm, gemessen wurde.

330,31 *Ellenstäbe:* Holzstäbe mit dem jeweiligen Längenmaß der Elle (allein in Deutschland über 100 verschiedene); abgelöst vom Meterstab, Zollstock.

330,33 *merkurialischen Emblemen:* Emblem: Kennzeichen, Wahrzeichen, die hier den altrömischen Gott der Kaufleute, Merkur, oder seine Attribute (Heroldsstab, Flügelschuhe, Reisehut) darstellen.

333,10 *beschlief:* überschlief.

333,16 *pfarrbücherlichen Auszügen:* Bis Ende des 19. Jh.s verzeichneten die Pfarrbücher Personenstand, Taufen, Trauungen usw. der Bevölkerung.

333,31 *Perspektivfäßchen:* vgl. »ein kleiner Operngucker ... in Gestalt eines Perlmutterfäßchens« (329,8 f.).

334,20 f. *altfränkischen:* altväterischen, altmodischen.

334,26 *allegorischen Darstellungen:* Allegorie: in der bildenden Kunst und der Dichtung die gleichnishafte, rational faßbare Darstellung eines Begriffes in einem Bild; sinnbildliche, gleichnishafte Darstellung.

335,5 f. *Galakürasse:* eiserne Brustpanzer, mit Messing oder Tombak (vgl. Anm. zu 218,31) überzogen bzw. verziert.

335,6 *Zopfzeit:* vgl. Anm. zu 177,24.

335,6 f. *Luntenstäbe:* Alte Handfeuerwaffen und Kanonen wurden mit Hilfe einer Lunte, einer langsam glimmenden Zündschnur, abgefeuert; diese konnte auch um einen 2–3 m langen Luntenstock oder -spieß gewickelt werden, um die Treibladung aus sicherem Abstand zu zünden.

335,9 *Patriziers:* Patrizier: im antiken Rom Angehöriger des Geburtsadels (Patriziat); im Mittelalter die Oberschicht der Städte: Kaufleute, Ministerialen, Großgrundbesitzer, die seit der Mitte des 13. Jh.s meist von den Zünften der Handwerker verdrängt wurden.

336,21 *Torschreiber:* Am Stadttor postierter registrierender Schreiber.

337,10 *flunkernde:* glänzende.

338,5 *Zephir:* sanfter Wind, besonders Westwind.

339,34 *Memoire:* Gedenkschrift.

340,29 *Tritonen:* Triton: in der griechischen Mythologie der Sohn des Poseidon und der Amphitrite, Meerdämon mit Fischunterleib.

340,31 *Bräuhaus:* Gastwirtschaft, die im Süden Deutschlands oft mit einer eigenen Brauerei gekoppelt war.

343,33 *Gulden:* vgl. Anm. zu 201,31 f.

343,34 *Batzen:* wohl nach dem Berner Wappentier, dem Bären, benannte Silbermünze; seit dem 15. Jh. in Süddeutschland und der Schweiz gebräuchlich (etwa 10 Rappen).

343,35 *ditto:* richtig *dito:* ebenso, auch.

344,13 *Hornung:* alter Name für den Februar.

344,19f. *wie oben bemerkt:* auf der angegebenen Preishöhe.

345,22 *Äolsharfe:* schon in der Antike bekanntes Instrument aus einem Schallkasten mit aufgespannten, auf den gleichen Ton gestimmten Saiten, die im Wind infolge ihrer unterschiedlichen Stärke obertönig in Dreiklängen erklingen.

346,25 *Styx:* in der griechischen Mythologie ein Fluß der Unterwelt, bei dem die Götter schworen.

347,23 *und ist dies:* Inversion im Stile kaufmännischer Sprache.

347,26 *Polykarpus Adam:* Polykarpus: eigtl. Polykarp; Heiliger, Märtyrer, Bischof von Smyrna im 2. Jh. n. Chr. Adam (hebr., ›Mensch‹): nach 1. Mose 1–4 der erste Mensch, zusammen mit Eva das erste Menschenpaar, die Stammeltern des Menschengeschlechts.

347,32 *Bogen:* Druckbogen; je nach Anzahl der Falzung mit unterschiedlich vielen Seiten (32, 16, 8 usw.).

349,7 *Patriarch:* urspr. ›Erz-, Stammvater‹: Abraham, Isaak, Jakob; hier: Herrscher des Hauses.

350,2 *Gloria:* (lat.) Ruhm, Ehre.

350,4–6 *patrouillierte … ab:* suchte nacheinander auf.

350,5f. *Spektakelplätze:* Schausteller- und Jahrmarktsplätze.

350,20 *Vexieren und Foppen:* Narren und Anführen.

350,33 *regalierte:* unentgeltlich bewirtete, freihielt.

351,8 *Edukationsrat:* Erziehungsrat.

351,10 *Denn seit einiger Zeit …:* Dieser Exkurs über das Seldwyler Erziehungswesen fehlt noch in dem älteren Berliner Entwurf.

351,30 *Stauffacherin:* vgl. Friedrich Schiller, *Wilhelm Tell* I,2, V. 296 bis 305: Hier gibt die mutige Gattin des rebellischen Stauffacher den Anstoß zum Rütli-Schwur.

352,5 *kuriosen:* absonderlichen, merkwürdigen.

352,15 *Memorandum:* Denkschrift.

353,6f. *Kreuzertrompetchen:* billige Kindertrompete.

355,32 *verstürmt:* aufgewühlt.

Die mißbrauchten Liebesbriefe

Die Erzählung entstand 1860; ihr Vorabdruck findet sich 1865 in der *Deutschen Reichszeitung.*

357,2 *Viktor:* (lat., ›Sieger‹) altkirchlicher Beiname für Märtyrer.
  Störteler: vielleicht von niederd. *störten* ›stürzen‹ (G. Kaiser).

357,7 *Gritli:* Kurzform von *Margarethe* (griech.-lat., ›Perle‹); sehr populär war der Name im Mittelalter (die heilige Margareta aus der frühesten Zeit des Christentums) sowohl in Fürstenhäusern als im Volk (»Hans und Grete«).

357,8 *zutulich:* vgl. Anm. zu 44,31.

357,15 *Comptoiristen:* Kontoristen, Büroangestellten.

357,21 *Faust:* Dr. Johann Faust, der mit dem Teufel einen Pakt schließt und ihm schließlich zum Opfer fällt; Grundlage für die Tragödie von Goethe (Teil I, 1808; Teil II, 1832), auf die hier angespielt wird.
Wallenstein: Alfred von Wallenstein (1583–1634), Feldherr und Politiker des Dreißigjährigen Krieges (1618–48) von zentraler Bedeutung; die *Wallenstein*-Trilogie Friedrich Schillers (1800) schildert die Tragödie des »Realisten« Wallenstein, der auf dem Gipfel seiner Macht in den Konflikt zwischen zwei Entscheidungen und in den Kampf mit einem ihn unmerklich umstrickenden und verblendenden Schicksal hineingestellt wird.
Hamlet: vgl. Anm. zu 42,6.
Lear: Held des Trauerspiels *König Lear* (1605/06) von Shakespeare.

357,22 *Nathan: Nathan der Weise*, dramatisches Gedicht Gotthold Ephraim Lessings (1779), das seine aufklärerische Auffassung von tätiger Humanität in der Überwindung aller Gegensätze, auch religiös-konfessioneller, zur Darstellung bringt.

357,30 *»Gartenlaube«:* 1853 in Leipzig gegründete, wöchentlich in Berlin erscheinende Familienzeitschrift (bis 1944, zuletzt nur noch monatlich).

358,5 *Essais:* (frz., ›Versuche‹) kürzere, leichtverständliche, aber geistreiche Abhandlungen über eine literarische oder wissenschaftliche Frage; hier ironisch gebraucht.

358,10 *instradierte:* (von ital. *strada* ›Straße‹) hindirigierte.

358,17 *ausgeschriebenen Preisnovellen:* von der Redaktion einer Zeitschrift ausgeschriebener Wettbewerb, mit der Aufforderung an die Leser, selbstgeschriebene Geschichten einzuschicken, die dann prämiert werden.

358,31 *Cervantes:* Miguel de Cervantes Saavedra (1547–1616), spanischer Dichter (Hauptwerk: der Roman *Don Quijote*, 1605–15).
Rabelais: François Rabelais (um 1494–1553), französischer Schriftsteller, Arzt und Humanist (Romane *Gargantua, Pantagruel*).
Sterne: Laurence Sterne (1713–68), englischer Erzähler (Roman *The Life and Opinions of Tristram Shandy, Gentleman*, 1760–67).
Jean Paul: Schriftstellername von Jean Paul Friedrich Richter (1763–1825), Romancier (u. a. *Hesperus, Quintus Fixlein, Siebenkäs, Titan, Flegeljahre, Der Komet*).

358,32 *Goethe:* Johann Wolfgang von Goethe (1749–1832); hier angesprochen als bedeutender Romancier (u. a. *Die Leiden des jungen Werthers, Wilhelm Meister, Die Wahlverwandtschaften*).

Tieck: Ludwig Tieck (1773–1853), Dichter der Frühromantik; bedeutend vor allem durch seine Märchen und Novellen und die Übersetzung von Cervantes und Shakespeare.

359,15 f. *ein Gespräch belletristischer Natur:* Belletristik: erzählende, »schöngeistige« Literatur; ein Gespräch literarischer Natur.

359,24 *Ignoranten:* ›Nichtwisser‹, Dummkopf.

359,27 *Clique:* Bande, Klüngel.

Koterie: Kaste, Sippschaft.

360,27 *Sturm- und Drangperiode:* Sturm und Drang: Periode, Bewegung der deutschen Literatur Ende der 60er bis Anfang der 80er Jahre des 18. Jh.s; sie setzte ein neues Lebensgefühl, eine neue Erfahrung des Menschen, der Natur und der Kunst gegen die herrschenden Richtungen der Aufklärung, des französischen Klassizismus und des Rokoko durch.

361,16 *auszuschreiben:* hier: abzuschreiben.

361,18 f. *billige:* angemessene.

361,31 *Aufwärter:* Kellner.

361,34 *flanierte:* spazierte herum.

räsonierte: redete viel und laut, schimpfte, kommentierte unangemessen.

362,16 *Gallizismen:* französische Sprachpartikel, -eigentümlichkeiten in einer nicht-französischen Sprache.

Salbadereien: langweilige (frömmelnde) Schwätzereien.

362,18 *Kauderwelsch:* Unverständliches (Deutsch).

362,24 *Skribenten:* Schreiber, Schriftsteller.

364,5 *Sesenheimer Idylle:* Gemeint sind Goethes »Sesenheimer Lieder« (entst. 1770/71), die der Pfarrerstochter Friederike Brion aus Sesenheim im Elsaß gewidmet sind.

364,16 *Heine:* Heinrich Heine (1797–1856), einer der bedeutendsten Lyriker zwischen Romantik und Realismus (*Buch der Lieder, Deutschland, ein Wintermärchen, Romanzero* u. a.).

364,17 *Krankenbette:* Seit 1848 bis zu seinem Tode war Heine wegen eines Rückenmarkleidens bettlägerig.

365,3 *Jabot:* Spitzenrüsche an Kragen und Vorderleiste bei Damenblusen, im 18. Jh. auch an Männerhemden.

365,30 *Bodmer:* Johann Jakob Bodmer (1698–1783), Professor der schweizerischen Geschichte in Zürich, einer der bedeutendsten Autoren und Kritiker der Aufklärung (vgl. Anm. zu 297,20); trat zusammen mit Johann Jakob Breitinger (1701–76), ebenfalls Professor in Zürich, für die Berechtigung des Wunderbaren in der Dichtkunst ein und half damit, die dichterische Einbildungskraft von den beengenden Gesetzen der Aufklärung zu befreien.

Lavater: Johann Kaspar Lavater (1741–1801), schweizerischer Theologe und Schriftsteller (Schriften zur Physiognomik), der von vielen deutschen Schriftstellern besucht wurde.

365,31 *Klopstocks:* Friedrich Gottlieb Klopstock (1724–1803), Dichter, der im Zeitalter des Rationalismus den Durchbruch der Empfindsamkeit, des Sturm und Drang und der Erlebnisdichtung vorbereitete (*Der Messias*).

Wieland: Christoph Martin Wieland (1733–1813) gilt als einer der bedeutendsten Autoren der Vorklassik (erster großer Bildungsroman der deutschen Literatur: *Agathon*).

366,12 *Knittelverse:* auch: Knüppelverse; paarweise reimende, vierhebige deutsche Verse (Goethe, *Faust*; Schiller, *Wallensteins Lager*).

366,17 *für einmal:* ein für allemal.

366,23 *Muse:* in der griechischen Mythologie die Töchter des Zeus und der Mnemosyne; Göttinnen der Künste und Wissenschaften, singend und tanzend unter Führung Apollons vorgestellt. Hesiod kennt neun Musen (z. B. Klio: Muse der Geschichte; Kalliope: erzählende Dichtung; Thalia: Lustspiel usw.).

366,26 *Anthropologie:* (griech.) Wissenschaft vom Menschen, seiner Entstehung, Entwicklung, seinen körperlichen und seelischen Eigenschaften und der räumlichen und zeitlichen Gliederung der Menschheit sowie von den menschlichen Verhaltensweisen in den Auseinandersetzungen mit der Umwelt; hier: ein Lehrbuch, das die Anthropologie zum Inhalt hat.

366,36 *Farbhölzer:* Hölzer, deren Farbstoffe zum Färben von Stoffen dienten.

367,1 *Steigerung:* Versteigerung.

367,24 *Merkur:* vgl. Anm. zu 330,33.

367,25 *Stab mit toten Schlangen:* der Caduceus, Attribut des Merkur.

367,26 *NB:* Notabene (lat.): merke wohl; als Kürzel für Nachschriften verwendet.

367,32 *Dorfgeschichte:* Erzählgattung vor allem des 19. Jh.s, die bäuerliche Verhältnisse in dörflicher Umwelt behandelt; ihr Ursprung liegt in der Schweiz (Johann Heinrich Pestalozzi, Jeremias Gotthelf, Gottfried Keller). In Deutschland wurde sie vor allem von Berthold Auerbach (*Schwarzwälder Dorfgeschichten*) aufgenommen und zum Heimatroman weiterentwickelt.

368,1 *Exposition:* Entwicklung der Handlung.

368,3 *Landdirne:* Landmädchen.

368,10 *der böse Feind:* der Teufel.

368,11 f. *dämonisch-populäre:* vgl. Anm. zu 213,25.

368,12 *elementarisches:* naturhaftes, urwüchsiges.

368,36 *magst:* kannst.

370,31 *Trivialitäten:* Seichtheiten, Plattheiten.

372,18 *P. S.:* Postscriptum (lat.): Nachschrift.

372,28 *en passant:* (frz.) im Vorübergehen.

372,30 *Kommis:* Handlungsgehilfe.

373,28 *Wilhelm:* (ahd., ›Wille‹ und ›Helm‹) Der heilige Wilhelm von
Aquitanien (8./9. Jh.) geht als literarische Gestalt in Wolfram von
Eschenbachs *Willehalm* ein; nach ihm führten vom Mittelalter bis
in die Gegenwart hinein viele Fürstenhäuser diesen Namen; gleichzeitig jedoch ist er bereits seit dem 15. Jh. und dann bis nach dem
1. Weltkrieg einer der volkstümlichsten Vornamen.

375,13 *Epistel:* Brief, Sendschreiben (z. B. der Apostel im Neuen
Testament).

375,14 *Hages:* Hag: Hecke, Gebüsch.

375,26 *Winden:* Kletterpflanzen.

379,14 *Zinsherren:* vgl. Anm. zu 314,32.

379,35 *Apartes:* Besonderes.

380,15 *artigen:* vgl. Anm. zu 66,29.

380,29 *prosaischen:* nüchternen.

380,30 *Isidora:* (griech.) ›Geschenk der Göttin Isis‹, der ägyptischen
Göttin der Fruchtbarkeit.
   Alwine: gebildet nach *Alvinus, Albinus, Alboin* (ahd., ›edel‹ und
›Freund‹).

380,32 *Brieftaxe:* Briefporto.

382,4 *faksimiliert:* der Vorlage getreu nachgebildet.

382,23 *Gefährde:* Gefahr.

383,34 f. *Rinaldiniliedes:* vgl. die 2. Strophe des Rinaldini-Liedes, einer
Romanze aus dem seinerzeit erfolgreichsten Ritter- und Räuber-
roman *Rinaldo Rinaldini* (1797–1800) von Christian August Vul-
pius (1762–1827), dem Schwager Goethes: »›Rinaldini!‹ ruft sie
schmeichelnd, / ›Rinaldini, wache auf! / Deine Leute sind schon
munter, / Längst schon ging die Sonne auf!‹«

384,22 *konfus:* verwirrt.

386,1 *Vampyr:* im slawischen Volksglauben Verstorbene, die nachts
aus ihren Gräbern steigen, um Lebenden das Blut auszusaugen.

387,16 *noli me tangere:* (lat.) berühre mich nicht.

387,23 *dermal:* gegenwärtig, jetzt.

388,30 *Lamentieren:* Laut klagen, jammernd um etwas bitten.

388,35 *Base:* schweiz. für ›Tante‹.

391,4 *Endesunterzogene:* die am Ende des Briefes Unterschreibende.

392,34 *Witwer:* hier: Mann ohne Ehefrau, Strohwitwer.

393,21 *Briefsteller:* Anleitung zum Briefeschreiben.

394,26 *belasten:* Hier schreibt die Nußberger-Ausgabe der Keller-schen Werke das ältere und erläuterungsbedürftige »belästigen«.

397,31 *Werg:* vgl. Anm. zu 307,13.

398,3 *Taffetkleid:* vgl. Anm. zu 202,7.

398,12 *Karessieren:* Liebkosen, Schmeicheln.

398,13 *bespitzten sich:* beschwipsten sich.

399,15 *Plaid:* Decke, Umschlagtuch.

399,21 *Fama:* Ruf, Gerücht.

399,26 *abgefeimten:* (von *abfeimen* ›abschäumen‹) durchtriebenen.

400,14 *Odem:* Atem.

400,36 *Frankomarken:* schweizerische Briefmarken.

401,1 *Riemchen:* Papierstreifen mit den noch nicht perforierten Brief-marken, die man ausschneiden mußte.

402,6 *Verweser:* Stellvertreter.

402,7 f. *Vorstand der Schulpflege:* Vorsitzender eines in einigen Kanto-nen der Schweiz existierenden Ausschusses von Gemeindebürgern, der die Aufgaben der Schulverwaltung, Lehrereinstellung usw. wahrnimmt.

403,12 *Knaster:* billiger Tabak.

403,17 *Tuchscherer:* Handwerker, der vom Wollgewebe die hervor-stehenden Fasern abschneidet.

403,22 *Staatsdomäne:* Staatsgut.

404,28 *Matten:* Weiden in den Hochalpen; hier: Wiesen.

407,8 *keltischen:* Die Ureinwohner der Schweiz waren Kelten, die während der Völkerwanderung in der deutschsprachigen Schweiz von den Alemannen, in der französischsprachigen von den Burgun-dern verdrängt wurden.

408,30 *Leimsieder:* langweiliger Mensch; von der Eintönigkeit des Leimsiedens herstammende Bezeichnung.

408,33 *Krähwinkelei:* nach dem Ortsnamen Krähwinkel in August von Kotzebues *Die deutschen Kleinstädter* (1803) und Johann Nestroys *Freiheit in Krähwinkel* (1848): kleinstädtische Beschränktheit.

410,31 f. *Engel mit dem feurigen Schwert:* Adam und Eva wurden nach dem Sündenfall von einem Engel mit feurigem Schwert aus dem Paradies vertrieben; vgl. 1. Mose 3,24.

411,22 *Einsiedel:* Einsiedler: in der Einsamkeit lebender Mönch.

413,22f. *Zopfzeit:* vgl. Anm. zu 177,24.

414,5 *Zeitkuh:* (alem.) dreijährige, zur Nachzucht reife Kuh.

414,6 *ein Papier voll gegossenen Bleies:* spielt an auf den Volksbrauch des Bleigießens: an bestimmten Tagen, z. B. Silvester, gießt man geschmolzenes Blei in Wasser, um aus den entstehenden Formen die Zukunft zu deuten.

414,11 *Kobold:* vgl. Anm. zu 232,24.

414,25 *sonderliche:* sonderbare.

414,27f. *Ammonshörnern:* nach dem spiraligen Widdergehörn des ägyptischen Gottes Ammun benannte Fossilien einer Weichtiergruppe (Schnecken, Kopffüßler), die besonders im Erdmittelalter häufig war.

415,18 *blöden:* vgl. Anm. zu 285,5.

417,16f. *Scharlachjuppe:* scharlachrote Frauenjacke der schweizerischen ländlichen Tracht.

417,28 *nesteln:* mit Nesteln (Schnüren) binden.

417,34 *Waldbruder:* im Wald lebender Einsiedler.

418,28 *Eierzopf:* Striezel, geflochtenes Weißbrotgebäck.

420,28f. *die vier Spezies:* hier: die vier Grundrechnungsarten in der Mathematik.

420,32 *schnackische:* schnurrige, drollige, sonderbare.

422,1 *Bord:* Ufer.

422,7 *der große Pan:* vgl. Anm. zu 227,13.

423,31 *Witfrau:* Witwe.

424,6 *böhmischer Brillant:* eine in Böhmen hergestellte Brillant-Imitation.

427,15 *Gallien:* in der Antike das Land der Kelten; sein Gebiet im wesentlichen das heutige Frankreich.

Dietegen

Der erste Teil der Erzählung entstand 1860–62, die zweite Hälfte, beginnend mit dem Tod der Forstmeisterin, im Spätsommer 1873. Den ursprünglich geplanten Titel »Das Leben aus dem Tode« strich Keller auf Anraten eines Freundes; es war der Name »Dietegen«, unter dem Keller die Geschichte von den zwei zum Tode Verurteilten in einer schweizerischen Chronik fand.

431,1 *Dietegen:* Gottfried Keller an Paul Heyse, 1. Juni 1882: »Dietdegen [...] gehört in die Familie der Diethelm, Diepold, Dietwald,

Dietrich etc. Der Name figuriert seit Jahrhunderten im Namensverzeichnisse der Züricher Kalender, wo ich dergleichen zu suchen pflege; auch ›Herdegen‹ ist ein alter Zürchername.« Vgl. auch Anm. zu 200,8. Dietegen wird auf der ersten Silbe betont.

431,3 *florierte:* gedieh, blühte.

431,4 *Ruechenstein:* Kellers topographischer Plazierung seiner Städte im Nord-Süd-Gegensatz entspricht der Volkscharakter, der in beiden Städten behaust ist: den abstrakt-rechtlichen, formalistischen Ruechensteinern werden die sich ihrer Natur vertrauensvoll überlassenden Seldwyler gegenübergestellt. Dahinter verbirgt sich der Gegensatz, der auch die Kunsterörterungen im *Grünen Heinrich* beherrscht, die Konfrontation zwischen naturfremdem, lebensfeindlichem Spiritualismus und weltfrommem Sensualismus.

431,5 *Korpus:* hier: Massivität, Gesamtheit.

431,6 *Rät und Burger:* Räte und Bürger; eigtl. Bezeichnung für die Mitglieder des Großen Rates, der Regierung der schweizerischen Stadtrepubliken; hier: die gesamten Einwohner der Stadt.

431,11 *eigenen Blutbannes:* eigener Gerichtsbarkeit, die Todesurteile mit einschloß; hier offenbar das entsprechende Gesetzbuch (»groß und dick«) gemeint.

431,12 *Blutgerichten:* Blutgericht: Rechtsprechung über Leben und Tod; hier sind offenbar ebenfalls die Aufzeichnungen einschlägiger Gesetze gemeint.

431,19 *gedrillt:* gedreht; auch: gequält.

431,21 f. *geschwemmt:* Der Hexerei Verdächtige wurden ins Wasser geworfen, gingen sie unter, waren sie schuldig; *schwemmen* bedeutete auch: zur Strafe in einem Korb ins Wasser tauchen.

431,27 *philisterhaftem:* spießbürgerlichem, engstirnigem.

431,30 *beschnarchten:* beschnüffelten, belauschten; auch: anfuhren.

431,31 *kümmelspalterischen Leiblichen:* dürftigen Äußeren.

431,33 *Hochnotpeinlichkeit:* Folter.

432,1 *Weichbilde:* Stadtbezirk, auch: Stadtgerichtsbezirk.

432,12 *Landläufer:* Landstreicher.

432,15 *Kompetenzkonflikten:* Zuständigkeitskonflikten.

432,16 *Orten:* hier: Kantonen.

432,26 *Liebespärchen mit Strohkränzen:* So wurden unkeusche Liebespaare vorgeführt.

432,27 *geschärfter Sittenmandate:* strenger Vorschriften über die Sitten.

432,34 *betreten:* erwischen.

432,35 *inquiriert:* verhört.

433,19 *mit dem Banner auszogen:* unter der Fahne versammelt zu einem Feldzug auszogen.

434,19 *verglich man sich:* einigte man sich.

434,34 *In Minne:* in Freundschaft, Liebe.

435,9 *Stäuffe, Köpfe:* große Trinkgefäße, Humpen (vgl. auch Anm. zu 488,27).

436,5 *Kleidermandate:* Vorschriften, die Kleidung betreffend.

436,22 *Bettelvogt:* auch: Gassenvogt, Armenvogt; eine im Mittelalter von der städtischen Obrigkeit eingesetzte niedrige Amtsperson, die das Betteln zu verhindern hatte. Die Verhaftung von Herumtreibern gehörte zu seinen Obliegenheiten.

436,29 f. *Jammerhabichen:* jämmerlichen Kleidung.

437,5 *Küfer:* Verfertiger von Weinfässern, aber auch Aufseher über den Weinkeller.

437,20 *Armbrust:* alte Fernwaffe: Bogen und Sehne sind auf einen Schaft montiert; durch Anspannen werden Pfeile oder Bolzen verschossen.

438,11 *Erbfeind:* Teufel.

439,22 *gewirktem:* allg. für ›gewebtem‹; auch: Stoff, der nur aus einem Faden gewebt ist.

439,27 *gravitätischen:* ernsten, würdevollen.

439,31 *getriebener Arbeit:* alte Technik der Formgebung oder Verzierung von Gegenständen aus Metallblech durch Bearbeitung mit Hammer und Punze auf kaltem Wege.

439,33 *Nymphen:* in der griechischen Mythologie niedere weibliche Naturgottheiten.

Najaden: Bach- und Quellnymphen.

439,35 f. *Galion:* vgl. Anm. zu 304,20.

439,36 *Galatea:* in der griechischen Sage eine Tochter des Nereus, deren Geliebter Akis von dem Kyklopen Polyphem erschlagen wurde.

441,5 *Leda:* in der griechischen Mythologie die Gemahlin des spartanischen Königs Tyndareos, Mutter der Dioskuren und der Helena, Geliebte des Zeus, der sie als Schwan besuchte; häufiges Motiv in der darstellenden Kunst.

Europa: in der griechischen Mythologie eine Tochter des Phönix oder des Königs Agenor von Phönikien, durch Zeus in Stiergestalt nach Kreta entführt, wo er – zurückverwandelt – sein Beilager mit ihr hält.

441,16 *Scharwächter:* kleine Wachtruppe.

443,32 *Küngolt:* (ahd., ›Sippe‹ und ›Kampf‹) schweiz. für *Kunigunde,* sehr beliebter Fürstinnen- und Heiligenname; Bauernregel zum Namenstag der heiligen Kunigunde: »An Kunigund' kommt die Wärm von unt'.«

444,16 *Gesinde:* Dienstvolk, Knechte und Mägde.

446,22 *Regenbogenschüsselchen:* kleine hohlgetriebene Goldmünzen, wahrscheinlich keltischen Ursprungs.

446,23 *Legendenbüchlein:* populäre Sammlungen von Legenden, wunderbarer Erzählungen aus dem Leben der Heiligen, teils lehrhaft-erbaulich, teils volkstümlich-phantastisch; im späten Mittelalter entstanden umfangreiche Legendensammlungen, Ausgangspunkt für die Romantik, die sich der Legende wieder annahm.

447,29 *Werkelkleid:* Alltagskleid, Arbeitskleid.

449,1 *Hirschfänger:* Jagdmesser.

450,2 *Gestäude:* Gestrüpp.

451,24 *unwitzigen:* unklugen.

451,33 *strählen:* kämmen.

452,10 *Sittenspiegel:* ein Buch über angemessenes Verhalten; hier: Vorbild für gutes Benehmen.

453,10 *Schwarzwild:* waidmännische Bezeichnung für Wildschweine.
　　　　　Sauspieß: Jagdwaffe, speziell für die Schwarzwild-Jagd.

453,14 *durfte:* hier: konnte.

454,4 f. *Unbilde:* Unrecht, Beleidigung, Bosheit.

456,6 *Ringreihen:* Ringelreihen; Tanz, bei dem alle sich an der Hand fassen und einen Kreis – Ring – bilden.

456,34 f. *zutulicher:* vgl. Anm. zu 44,31.

457,15 *zumal:* zugleich.

458,20 *Gespan:* Gefährte, Kamerad.

460,25 *Klaret:* mit Gewürzen versetzter Wein.
　　　　　Malvasier: urspr. bei Malvasia in Griechenland, heute allgemein im Mittelmeer-Raum gewonnener Wein.
　　　　　kredenzt: serviert.

461,1 *Violande:* Nebenform von *Viola* (lat., ›Veilchen‹); Gestalt in Shakespeares Lustspiel *Was ihr wollt;* populärster Name in Zürich 1854–84.

463,27 *Buhlsucht:* Koketterie; vgl. Anm. zu 38,12.

463,35 *Kompagnie:* hier: Gesellschaft.

463,36 *courtoisiert:* courtoisieren: umeinander werben, sich höflich, ritterlich benehmen.

465,11 *Johannistag:* am 24. Juni, dem Sonnenwendtag, gefeiertes Geburtstagsfest Johannes' des Täufers, gleichzeitig Volksfest mit vielen Volksbräuchen aus den alten Sonnenwendfeiern.

465,14 *Hauptgebot:* Hauptaufgebot, die Jahreshauptversammlung der Mitglieder einer Zunft.

465,33 *Frauenlust:* Lustbarkeit unter Frauen.

466,7 f. *zwei Königskindern oder »Es spielt ein Ritter mit einer Maid«:* zwei in zahlreichen Variationen überlieferte Volkslieder, u. a. von Ludwig Uhland und aus Arnim/Brentanos *Des Knaben Wunderhorn.*

466,17 *Schultheißen:* Bürgermeister.

467,35 *Philtrum:* Liebeszauber.

468,3 *Gift Hippomanes:* eine früher zu Liebestränken benützte zähe Masse auf der Stirn neugeborener Pferde oder der Brunstschleim von Stuten.

468,36 *sponsierend:* um ein Mädchen werbend, den Hof machend.

469,13 *Kienfackeln:* Fackeln aus harzdurchtränktem Kiefernholz.

469,18 *umflorten:* verschleierten.

471,33 *eingetürmt:* eingesperrt.

472,28 *Bann:* Bezirk (der unter der Gewalt des Bannherren steht).

472,36 *Steigerung:* Versteigerung.

473,31 *Seckler:* Beutelmacher.

474,13 *Gant:* gerichtliche Versteigerung.

474,16 f. *Lokal:* Wohnung.

474,31 *Beinhaus:* ein vom Mittelalter bis in die Neuzeit gebräuchlicher Friedhofsbau zur Aufbewahrung ausgegrabener Gebeine, besonders in Gebirgsgegenden, wo es am Raum für Friedhöfe fehlte.

477,24 *Kapuzinern:* nach ihrer Kapuze benannter Zweig des Franziskaner-Ordens.

478,23 f. *in erhabener Arbeit:* als Relief.

478,26 *die vier großen Propheten:* Jesaja, Jeremia, Ezechiel, Daniel.

478,35 *installiert:* untergebracht.

479,3 *Siechen:* Kranken, Hilfsbedürftigen, insbesondere Altersschwachen.

480,20 *Burgunderkrieg:* der vom Herzogtum Burgund verlorene Krieg gegen die Eidgenossen 1476/77.

480,21 *Tag von Grandson:* erster Sieg der Eidgenossen im Burgunderkrieg bei Grandson am Neuenburger See am 2. März 1576.

480,30 *Wie ein eiserner Garten:* Die zuerst in die Schlacht eingreifenden Teile des Schweizer Heeres bildeten, teils mit Spießen, teils mit Hellebarden bewaffnet, ein phalanxartiges Karree. »Sie stiegen durch das Rebengelände hinab, verrichteten mit ›zertanen Armen‹ ihr Gebet und formierten sich zu einem enggeschlossenen Geviert-haufen, dessen äußere Glieder mit dem Spieß von 2–3 Mannslängen

bewaffnet waren, während in der Mitte die Hellebardiere standen.«
(Johannes Dierauer, *Geschichte der Schweizerischen Eidgenossenschaft*, Gotha 1892, Bd. 2, S. 211.)

481,7 *Helebarte:* vgl. Anm. zu 95,26.

481,22 *Rotte:* Gruppe Soldaten.

481,24 *verlorenen Knaben:* junge Freiwillige, die als Einzelschützen
dem Hauptaufgebot vorausgeschickt wurden.

482,1 *Stückkugel:* Kanonenkugel.

482,1 f. *Karls des Kühnen:* letzter Herzog von Burgund (1433–77), gilt
als reichster und ehrgeizigster Fürst seiner Zeit; im Burgunderkrieg
fiel er in der letzten Schlacht bei Nancy.

483,6 *Schlacht von Murten:* die zweite von Burgund verlorene
Schlacht im Burgundischen Krieg am 22. Juni 1476.

483,20–23 *Gesellen … einzutreiben:* geht zurück auf eine Begebenheit in der Folge des Burgunderkrieges: Im Freiburger Frieden war
Savoyen die Zahlung einer Summe auferlegt worden, die wegen starker finanzieller Belastung des Landes nur langsam entrichtet werden
konnte. Daher zog eine Gruppe junger Soldaten, über 1000 Mann,
aus der Innerschweiz nach Genf, um die Summe einzutreiben. Die
Aggressivität der »Gesellen vom torechten Leben« wurde jedoch
durch ein großes Gelage gedämpft; außerdem bezahlte Genf einen
Teil der Summe und stellte Bürgen.

483,25 f. *Eberfahne:* Die Soldaten führten ein Banner mit sich, auf dem
ein Narr einer Sau Eicheln zu fressen gibt, das »Saubanner«, weshalb
man vom »Saubannerzug« spricht.

484,11 *Welschland:* hier: Frankreich.

484,21 *Grenzbanne:* der Bezirk, der unter dem Befehl der Stadt stand.

487,24 *reisige:* gerüstete.

488,24 *Nachwähr:* (schweiz.) Gewährleistung, Absicherung für die
Zukunft.

488,27 *Kopf:* Hohlmaß (3 Liter).

488,28 *Wams:* Jacke.

489,23 f. *Maßliebchen:* Gänseblümchen.

491,9 *Gasterei:* Gelage.

491,12 *intrigante:* ränkevolle, hinterlistige.

491,17 f. *Patrizierfrau:* vgl. Anm. zu 335,9.

491,22 *Mailänder Feldzüge:* vgl. Anm. zu 259,23.

Das verlorne Lachen

Die Erzählung entstand zwischen 1872 und 1874. Das Eingangslied ist unter dem Titel »Wegelied« auch in den *Gesammelten Gedichten* (1883) veröffentlicht. Teile davon entstanden schon in Kellers Heidelberger Zeit (1848–50).

492,3 *Ellen:* vgl. Anm. zu 330,30.

492,15 *Rednersimse:* Sims der Rednertribüne (vgl. Anm. zu 203,36).

492,29 *Bannerseide:* der Seidenstoff der Fahne.

493,8 *Schienenbahn:* Eisenbahn; Überleitung aus der mittelalterlichen Sphäre in *Dietegen* in die moderne Zeit der letzten Novelle im Zyklus.

493,32 *Jukundi:* Koseform von *Jukundus:* abgeleitet vom weiblichen Vornamen *Jucunda* (lat., ›anziehend, liebenswürdig‹).

493,33 *Fähnrich:* im Söldnerheer des 16./17. Jh.s mit dem Tragen der Fahne betrauter Soldat; später jüngster Offizier bzw. Offiziersanwärter.

494,1 *erwahrte:* (schweiz.) bewahrheitete.

494,35 *künstlich:* hier: kunstvoll.

495,17 *Prisen:* vgl. Anm. zu 17,8.

495,36 *Justine Glor von Schwanau:* Weiterbildung von *Justus* (lat., ›gerecht, rechtmäßig‹): humanistische Namensbildung des 16. Jh.s; der Name *Glor*, den Reichtum und das Ansehen von Justinens Familie andeutend, kommt in der Schweiz häufig vor; Schwanau ist nach der Ortschaft Horgen in der Umgebung Zürichs benannt, wo zu Kellers Zeit ein dem geschilderten ähnlicher Reformpfarrer im Amt war und das einen Schwan im Wappen führte.

496,1 *hatte erbeten lassen:* hatte bitten lassen.

496,3 *Muse:* vgl. Anm. zu 366,23.

496,20 *Feststadt:* Als Feststadt kann Zürich gelten; ebenso ist die Rundsicht während der Dampferfahrt nach dem Vorbild der Uferlandschaft des Züricher Sees geschildert.

497,18 *Schwanau, welches am obern Teile des Sees lag:* Gilt das reale Horgen als das Schwanau der Dichtung, so verlegt Keller die Ortschaft in größere Entfernung von Zürich, als das in der Realität der Fall war.

498,17 *artige:* vgl. Anm. zu 66,29.

498,21 *Virtuose:* vgl. Anm. zu 227,11.

498,35 *Arbeitsherren:* Arbeitgeber.

499,28 *Gesinde:* Dienstvolk, Knechte und Mägde.

501,1 *Bureaus:* (frz.) Büros.

501,15 *Melancholie:* vgl. Anm. zu 85,3.

502,10 *Gelegenheit:* hier: Situation, Lage.

502,15 *Stauffacherin:* vgl. Anm. zu 351,30.

502,17 »*Wilhelm Tell*«: Schillers Schauspiel (1804) behandelt den Kampf des mythischen Schweizer Nationalhelden gegen die Tyrannei.

502,18 *etwan:* (schweiz.) manchmal, bisweilen.

502,33 *Schwyzerhause:* Haus, wie es im Kanton Schwyz (nicht der Schweiz!) üblich ist.

505,16 *Spitzchen:* Schwips.

506,10f. *überzwerch:* quer.

507,1 *gefordert:* zum Duell herausgefordert.

507,2 *Kurszettel:* Die Veröffentlichung der Börsenkurse erfolgt jeden Börsentag auf einem von der Börse herausgegebenen amtlichen Kurszettel.

507,35 *Tour:* Runde.

508,2 *Konjugationen der gegenwärtigen Zeit:* Konjugation (lat.): Beugung (von Verben); hier also: im Präsens.

510,25 *Anschraubungen:* Anspielungen.

511,22f. *Revolutions- und Kriegsjahren:* vgl. Anm. zu 9,7f.

512,8 *residierte:* wohnte.

512,20 *Allmenden:* Allmende (ahd., ›Allgemeinheit‹): Teil der Gemeindeflur, in der Regel Wald und Weide, der der Gemeinde gehört und gemeinsam genutzt wird; besonders in Süddeutschland und der Schweiz erhalten.

512,21 *alemannischen Bodenteilung:* Alemannen: westgermanischer Stamm, der sich in der 1. Hälfte des 1. Jahrtausends n. Chr. im Elsaß, in Schwaben und der deutschsprachigen Schweiz niederließ (und dabei Bodenteilung betrieb, die Aufteilung des zu bearbeitenden Bodens nach Stammesgrenzen).

513,16 *fast:* hier: sehr, viel.

513,26 *Wolfhartsgeeren:* Eine aussichtsreiche, waldbewachsene Anhöhe nordöstlich von Zürich heißt auch heute der Geeren.

514,7 *gewärtigte:* darauf wartete.

514,21 *belieben:* schmackhaft machen.

516,6f. *von einem Nagel an den andern gehängt:* wohl: alte Schulden mit neuen bezahlt.
Scheinverkehr: scheinbarer (schuldenfreier) Handel.

520,26 *Stern:* Glück.

520,27 *Ehgaumers:* Ehgaumer: (schweiz.) Kirchenälteste, die neben den Pfarrern über Moral und Ordnung wachen. Das Ehgaumeramt war das Amt desjenigen, der die Ehen zu pflegen (alem. *gaumen*) hatte. (Diese Bedeutung galt allerdings mehr für die Beaufsichtigung von Kindern.)

520,34 *Goethe bei einem Besuch in dieser Gegend:* vgl. Goethe, *Reise in die Schweiz* (1797).

521,13 f. *Patriarchen:* vgl. Anm. zu 349,7.

521,29 *Mummerei:* Verkleidung, Maskerade.

521,30 *verjährten:* altmodischen.

522,11 *Rosmarinzweig:* vgl. Anm. zu 113,27 f.

522,19 *hamletartige Szene im Johannesevangelium:* Joh. 8,6–12; vgl. auch Anm. zu 42,6.

522,29 f. *unbestimmten Zeitreligion:* vgl. Anm. zu 529,9 f.

523,19 f. *berühmte Bild Correggios:* Keller bezieht sich auf das von ihm selbst in Berlin gesehene, aber fälschlicherweise Correggio (um 1489–1534) zugeschriebene Bild.

524,16 f. *In meines Vaters ... Wohnungen:* vgl. Joh. 14,2.

524,24 *Wahlkönig:* ein gewählter König (im Gegensatz zum vererbten Königstitel).

524,26 *Weltamman:* Ammann (schweiz.): (gewählter) Amtmann, auch Regierungsvorsitzender in manchen Kantonen; hier Übertragung auf Gott als gewählter »Vorsitzender der Welt«.

526,4 *Seidenweberei:* Neben der Baumwollspinnerei und -weberei bildete die Seidenverarbeitung einen Hauptzweig der Züricher Industrie.

526,11 *Weberbäumen:* Holzbalken, auf denen gewobenes Tuch aufgespult wird.

526,25 *Mäklern:* Maklern, Zwischenhändlern.

526,32 *Zuratehalten:* Sparen.

528,9 f. *für ein Kirchenlicht:* für besonders klug.

529,9 f. *Abhandlung über die zeitgemäße Wiederbelebung und Erneuung der Kirche:* Anspielung auf die Reformtheologie in der Schweiz in der 2. Hälfte des 19. Jh.s; unter dem Einfluß von Hegel und David Friedrich Strauß setzte sie sich für radikale Freiheit in Bekenntnis und Theologie ein, organisierte sich im »Schweizerischen Verein für freies Christentum« (Alois Emanuel Biedermann, Heinrich Lang, Jeremias Gotthelf, Salomon Vögelin) und gewann Einfluß auf das gesamte religiöse Leben, der sich nach dem Entstehen eines religiösen Sozialismus verlor. Die Darstellung Kellers wurde seinerzeit viel besprochen und leitete eine Reihe von Angriffen des Predigers Heinrich Lang auf Keller ein, weil Lang sich in der Gestalt des Reformpfarrers wiederzuerkennen meinte und getroffen fühlte.

Keller antwortete darauf durch seinen Aufsatz *Ein nachhaltiger Rachekrieg.*

529,19 *freisinnig:* den sog. Freidenkern anhängend, einer politischen, liberalen und sozialreformerischen Richtung in Deutschland und der Schweiz (nach 1870 in Parteien organisiert).

530,5 f. *Aufklärer:* vgl. Anm. zu 297,20.

530,6 *Rationalisten:* Theoretiker des Rationalismus, der Überzeugung, daß die Welt der Vernunft gemäß, d. h. von logischer, gesetzmäßig berechenbarer Beschaffenheit sei. War Rationalismus zu aller Zeit eine Grundform des philosophischen Denkens, so wurde er im Umkreis der Aufklärung besonders aktuell.

530,8 *philiströsen Wundererklärer:* hier: engstirnigen Aufklärer.

531,23 *Tabernakel:* Behältnis zur Aufbewahrung der Hostien über der Mitte des Hauptaltars.

532,23 *Mühselige und Beladene:* vgl. Mt. 11,28.

532,30 *Wechselvignetten:* auswechselbare kleine Verzierung meist ornamentaler Art, urspr. in der Buchkunst besonders des Rokokos an den Anfang der Seite, auch auf das Titelblatt gestellt.

532,31 *Kapuzinerchen:* vgl. Anm. zu 477,24.

533,2 *Bildersturm:* Radikale Strömungen schafften die bildlichen Darstellungen Christi und der Heiligen in der Kirche während der Reformation ab, in Zürich während der »Großen Disputation« 1523 durch Mehrheitsbeschluß.

534,7 *vergabt:* verschenkt.

534,12 *Zehnten:* der zehnte Teil des Ertrags, der an den Grundbesitzer gezahlt werden mußte.

534,26 *Dramolet:* kurzes Schauspiel.

534,27 f. *pomphafte Darstellung eines Weltmysteriums:* Mit der Wiedereinführung der Liturgie und der biblischen Dramen langte diese Kirchenreform wieder bei dem mittelalterlich-katholischen Gottesdienst an.

534,35 *Jesuiten:* Mönchsorden, der die katholische Glaubenslehre durchsetzen sollte, besonders in der Gegenreformation.

535,29 *Indifferentist:* Gleichgültiger.
Stölzling: ein stolz Tuender, d. h. prahlerischer, großmäuliger Mensch.

536,5 *Wenn dann Strom und Bäche ... Kahn:* vgl. Goethe, *Faust I,* V. 903, 933 f. (V. 934 allerdings: »dieser« Kahn).

536,11–13 *Vor dem Sklaven ... nicht!:* vgl. Schiller, »Die Worte des Glaubens«, V. 11 f.

536,21–35 *Und wer unter euch ... Priestertum:* vgl. 2. Mose 35,10 bis 35,15, 16 (gekürzt), 19 (Luther-Übersetzung).

536,25 *Lade:* Truhe, Kasten.

536,27 *Schaubrote:* bei den Juden die zwölf Opferbrote auf dem Schaubrottisch im Tempel (3. Mose 24).

536,30 *Spezerei:* Gewürz.

536,34 *Aarons:* Aaron: älterer Bruder des Moses, erster Hohepriester Israels (2. Mose 4,14).

537,2–11 *Geist der Liebe ... bescheine!:* vgl. Friedrich Rückerts (1788–1866) Gedicht »Geist der Liebe«.

537,13 *Goetheschen Priesterjungfrau:* Goethes Iphigenie im Schauspiel *Iphigenie auf Tauris* (1779).

537,15f. *Und an dem Ufer ... suchend!:* vgl. Goethe, *Iphigenie auf Tauris* I, 1, V. 11f.

537,18–538,3 *Ew'ges Flammenherz ... erneun:* vgl. Friedrich Rückerts Gedicht »Die sterbende Blume«.

538,6 *Galimathias:* sinnloses, verworrenes Geschwätz.

539,4 *verzeigten:* anzeigten, denunzierten.

539,26 *biblischen Oratoriums:* Oratorium: mehrteiliges Musikstück für Chor, Einzelstimmen und Orchester, hier über einen geistlichen Text.

540,17 *Kabbalistik:* Erforschung der Kabbala, der Lehre und Schriften der mittelalterlichen jüdischen Mystik.
Alchymie: eine mit naturwissenschaftlichen Erfahrungen durchsetzte mystische Geheimwissenschaft des Mittelalters (die sich z.B. mit der Goldmacherkunst befaßte), aus der sich die heutige Chemie entwickelt hat.

540,18 *Astrologie:* der Glaube, daß alles irdische Geschehen, besonders das Menschenschicksal, von den Sternen abhänge und daß man aus der Stellung der Gestirne, der Konstellation, Schicksale vorauserkennen könne.

541,3 *billig:* angemessen.

544,23f. *seit ... Umgestaltungen:* vgl. Anm. zu 9,7f.

545,26–30 *Da aber ein Volk ... nicht mehr:* Keller spielt hier auf den 1866 durch Friedrich Lochers Schrift ausgelösten Skandal an; in dieser wurde eine Anzahl Persönlichkeiten des öffentlichen Lebens heftig angegriffen. Kellers Kritik gilt weniger dem eigentlichen Vorgang als der skandalhungrigen Öffentlichkeit.

547,2f. *wenn nur der hundertste Teil ... sein!:* fast wörtliches Zitat aus Lochers Schrift. In diesem Sinne auch die *Schaffhauser Zeitung*: »Wenn nur der zehnte Teil von dem allen wahr wäre, so wäre das über und über genug.«

547,36 *notorisch:* allbekannt.

548,27 *Evangelium:* vgl. Anm. zu 257,23.

548,31 *Goldenes Zeitalter:* erstes paradiesisches Zeitalter der Menschheit.

549,13 *Agitatoren:* Menschen, die zielbewußt bemüht sind, Massen zu beeinflussen, aufzureizen.

549,15 *Unstern:* Unglück.

549,22 *heilige Elisabeth:* mildtätige, für christliche Nächstenliebe exemplarische Heilige.

550,6 *Schubiaken:* Schuften, Lumpen.

550,13 *Winkeladvokaten:* Rechtsanwälte, welche unlautere Methoden, Gesetzeslücken u. ä. benutzen; vgl. auch Anm. zu 177,21.

550,14 *Agenten:* Vertreter, meist Handelsvertreter.

550,15 f. *Sandführer:* Wichtigtuer.

550,17 *tausendjährige Reich:* vgl. Offb. 20,1–10: ein von Christus vor dem Jüngsten Gericht geschaffenes Reich der Gerechten.

550,35 *Chladnischen Klangfiguren:* Chladnische Klangfiguren, benannt nach dem deutschen Physiker Ernst Flores Friedrich Chladni (1756–1827), sind symmetrische Figuren, die sich durch Schwingungen herstellen, z. B. auf einer mit Sand bestreuten Metallplatte.

551,2 *Genueser Silberfiligran:* Filigran: Zierwerk aus feinem Silberdraht, oft in Verbindung mit Granulation, entweder auf eine Metallplatte aufgelötet oder ein kunstvolles Geflecht in durchbrochener Arbeit; sehr populär im 19. Jh. u. a. in Italien (Volksschmuck).

551,18 *letzten:* labten.

551,34 *gekürt:* gewählt.

552,12 *biblischen Witwe:* vgl. 1. Kön. 17,8–24 und 2. Kön. 4.

552,20 *Mission:* Auftrag.

553,18 f. *Tschakos:* Tschako: urspr. ungarische militärische Kopfbedeckung.

554,4 f. *Heringsseelen:* Schwimmblasen der Heringe.

555,2 f. *auf der anderen Seite:* auf der konservativen Seite.

555,24 *eine jener grimmigen Krisen von jenseits des Ozeanes:* Der 1861 ausgebrochene amerikanische Bürgerkrieg bedeutete für die schweizerische Volkswirtschaft eine schwere Krise.

555,36 *in ... Landestiteln:* in einheimischen Wertpapieren.

556,32 *Weibergut:* Mitgift.

557,8 *billige:* angemessene.

557,27 *erhauset:* erspart.

562,11 f. *fadenscheinigen:* abgetragenen; übertr.: vorgeblichen.

562,12 *Reformatorenrock:* Reformator: Bezeichnung für Martin Luther; hier auch i. S. v. ›Reformer‹.

562,31 *pantheistisch:* Pantheismus: die Lehre, daß Gott und die Welt eins seien, im Grunde »höflicher Atheismus« (Schopenhauer); so auch hier: unfromm, heidnisch.

564,13 f. *nach dem berühmten Wallfahrtsorte:* nach dem Benediktinerkloster Einsiedeln.

565,7 *Rosenkranz:* in der katholischen Religion Gebetsschnur mit größeren und kleineren Perlen zum Abzählen von Vaterunser und Ave Maria.

566,29 *Dütchen:* von *Deut,* einer niederländischen Kupfermünze des 16. Jh.s; von geringem Nennwert und in großen Mengen geschlagen, symbolisiert sie fast vollständige Wertlosigkeit (»keinen Deut wert«); so auch hier: eine sehr kleine Menge.

567,6 *Ursula:* (lat., ›Bärlein‹) beliebter Name durch die heilige Ursula, Märtyrerin und Schutzheilige der Stadt Köln.

567,15 *Robinsone:* nach Daniel Defoes Roman *Robinson Crusoe* (1719–20), dessen Titelheld als Schiffbrüchiger auf eine einsame Insel verschlagen wird.

568,26 *Freimaurer:* Anhänger der Freimaurerei, einer weltbürgerlichen Bewegung auf der Grundlage einer natürlichen Ethik und mit dem Ideal edlen Menschentums. Der Name rührt von den geheimgehaltenen symbolischen Bräuchen der Freimaurer her, die auf die mittelalterlichen Bauhütten zurückgeführt werden.

568,34 f. *Disputieren:* hier: Diskutieren.

569,2 *Orthodoxen:* Rechtgläubigen.

569,8 *Sektierer:* Anhänger einer religiösen Sekte, d. h. einer Glaubensgemeinschaft, die im Unterschied zu den allgemeinen Großkirchen nur die Gläubigen erfaßt, die sich freiwillig und religiös-sittlich zu ihr bekennen.

569,9 *Gemeindebann:* Gebiet der Gemeinde, in dem deren Rechtsgewalt gültig ist.

569,11 *Zwingburg:* Burg, die eine widerstrebende Bevölkerung bedroht.

569,20 *Agathchen:* Agathe (griech., die ›Gute‹): beliebter Vorname des 19. Jh.s.

569,28 *Peter und Paul:* die Apostel Petrus und Paulus.

572,6 *sich ... entschlagen:* sich entledigen, aufgeben.

572,30 *Haspel- oder Windewerk:* Wickelvorrichtung für Garn und Wolle.

573,32 *Sibylle:* im Altertum der Name für weissagende Frauen.

574,8 *Attila:* (got., ›Väterchen‹) König der Hunnen (reg. 434–453), führte sie auf den Höhepunkt ihrer Expansion (Reich vom Kauka-

sus bis zur Loire, wo er auf den Katalaunischen Feldern geschlagen
wurde).

575,22 *Prise:* vgl. Anm. zu 17,8.

577,6f. *Geschichte vom Sündenfall:* Geschichte von Adam und Evas
Vertreibung aus dem Paradies (vgl. 1. Mose 3).

578,26f. *Biederleute:* Biedermann: urspr. ›guter, redlicher Mann‹; später auch abwertend für: heuchlerischer »Ehrenmann«.

579,24 *Vorsehung:* die göttliche Leitung der Weltentwicklung und der
menschlichen Schicksale.

580,6 *verläppert:* verscherzt, verdorben, vergeudet.

580,10 *Hausieren:* Waren von Haus zu Haus gehend zum Verkauf bieten.

584,1f. *bäuerlichen Genossenschaft:* Vereinigung von Bauern zur gemeinsamen Wahrnehmung landwirtschaftlicher Aufgaben (Mark-,
Weide-, Wasser-, Deich- u. a. Genossenschaften).

585,9 *Lumpazi:* Kurzform von *Lumpazivagabundus;* scherzhaft für:
Landstreicher, Herumtreiber nach der gleichnamigen Posse von
Johann Nestroy (1833).

585,23 *der Rest ist Schweigen:* die letzten Worte Hamlets in Shakespeares gleichnamigem Drama (V,2); vgl. Anm. zu 42,6.

586,6–8 *predige ... Fischen:* Gemeint sind wohl Franziskus von Assisi
und Antonius von Padua.

586,28 *Justus:* vgl. Anm. zu 495,36.

586,29 *Jukunde:* vgl. Anm. zu 493,33.

Literaturhinweise

Werk- und Briefausgaben

Werke. Krit.-hist. Ausg. Hrsg. von Max Nußberger. 8 Bde. Leipzig: Bibliographisches Institut, 1921.

Sämtliche Werke. Auf Grund des Nachlasses bes. von Jonas Fränkel und Carl Helbling. 22 Bde. Erlenbach-Zürich/München: Rentsch/Bern: Benteli, 1926–48.

Sämtliche Werke und ausgewählte Briefe. Hrsg. von Clemens Heselhaus. 3 Bde. München: Hanser, 1956–58.

Gesammelte Briefe in vier Bänden. Hrsg. von Carl Helbling. Bern: Benteli, 1950–54.

Dichter über ihre Dichtungen. Bd. 4: Gottfried Keller. Hrsg. von Klaus Jeziorkowski. München: Heimeran, 1969.

Bibliographien, Forschungsberichte und biographische Darstellungen

Baechtold, Jakob: Gottfried Keller-Bibliographie. Berlin 1897.

Zippermann, Charles C.: Gottfried Keller-Bibliographie. Zürich/Leipzig/Stuttgart 1935.

Preisendanz, Wolfgang: Die Keller-Forschung der Jahre 1939 bis 1957. In: Germanisch-Romanische Monatsschrift. N.F. 39 (1958) S. 144–178.

Baechtold, Jakob: Gottfried Kellers Leben. Seine Briefe und Tagebücher. 3 Bde. Berlin 1894–97.

Böschenstein, Hermann: Gottfried Keller. Stuttgart 1969. ²1977.

Breitenbruch, Bernd: Gottfried Keller in Selbstzeugnissen und Bilddokumenten. Reinbek bei Hamburg 1968.

Ermatinger, Emil: Gottfried Kellers Leben, Briefe und Tagebücher. Auf Grund der Biographie J. Baechtolds dargestellt. 3 Bde. Stuttgart/Berlin 1915–16.

Frey, Adolf: Erinnerungen an Gottfried Keller. Zürich/Stuttgart 1979.

Hitschmann, Eduard: Gottfried Keller. Psychoanalyse des Dichters. Leipzig [u. a.] 1919.

Muschg, Walter: Umriß eines Gottfried Keller-Portraits. W. M.: In: Gestalten und Figuren. Bern/München 1968. S. 148–208.

Essays und Gesamtdarstellungen

Bänziger, Hans: Strapinskis Mantel. In: Schweizer Monatshefte 51 (April 1971 / März 1972) S. 816–826.

Benjamin, Walter: Gottfried Keller. In: W. B.: Gesammelte Schriften. Hrsg. von Rudolf Tiedemann und Hermann Schweppenhäuser. Frankfurt a. M. 1980. Bd. 11,1. S. 283–295.

Hauser, Albert: Gottfried Keller. Geburt und Zerfall der dichterischen Welt. Zürich 1959.

Kaiser, Gerhard: Gottfried Keller. Das gedichtete Leben. Frankfurt a. M. 1981.

Lukács, Georg: Gottfried Keller. In: G. L.: Die Grablegung des alten Deutschland. Reinbek bei Hamburg 1967.

Muschg, Adolf: Gottfried Keller. München 1977.

Neumann, Bernd: Gottfried Keller. Eine Einführung in sein Werk. Frankfurt a. M. 1982.

Preisendanz, Wolfgang: Gottfried Keller. In: Deutsche Dichter des 19. Jahrhunderts. Hrsg. von Benno von Wiese. Berlin 1969.

Vischer, Friedrich Theodor: Gottfried Keller. In: F. T. V.: Altes und Neues. 2. Heft. Stuttgart 1881. S. 135–216.

Zu »Die Leute von Seldwyla«

Bernd, Clifford Albrecht: Gottfried Keller und die Revolution von 1848–1849. In: Akten des 6. Internationalen Germanisten-Kongresses 1980. Teil 4. S. 127–130.

Burckard, Peter H.: Ludwig Feuerbach's Influence on Gottfried Keller's Concept of Religion. Diss. Harvard University (Cambridge, Mass.) 1962.

Dünnebier, Hans: Gottfried Keller und Ludwig Feuerbach. Zürich 1913.

Graichen, Inge: Der frühe Gottfried Keller. Menschenbild und poetische Konzeption. Frankfurt a. M. [u. a.] 1979.

Grob, Karl: Demokratische Theorie und literarische Politik. Zu Gottfried Kellers »Das Fähnlein der sieben Aufrechten«. In: Studia Germanica Gaudensia 19 (1978) S. 157–195.

Gsell, Hanspeter: Einsamkeit, Idyll und Utopie. Studien zum Problem von Einsamkeit und Bindung in Gottfried Kellers Romanen und Novellen. Bern / Frankfurt a. M. 1976.

Guggenheim, Kurt: Das Ende von Seldwyla. Ein Gottfried Keller-Buch. Zürich / Stuttgart 1965.

Hahl, Werner: Realismus und Utopie. Zu Gottfried Kellers »Fähnlein der sieben Aufrechten«. In: W. H.: Literatur in der sozialen Bewegung. Tübingen 1977. S. 324–354.

Hauser, Albert: Über das wirtschaftliche und soziale Denken Gottfried Kellers. In: Jahresbericht der Gottfried Keller-Gesellschaft 1962. S. 3–10.

Henkel, Arthur: Beim Wiederlesen von G. Kellers Erzählung »Romeo und Julia auf dem Dorfe«. In: Text und Kontext 6 (1978) H. 1/2. S. 498–502.

Hildt, Friedrich: Gottfried Keller. Literarische Verheißung und Kritik der bürgerlichen Gesellschaft im Romanwerk. Bonn 1978.

Hoverland, Lilian: Gottfried Kellers Novelle »Die drei gerechten Kammacher«. In: Zeitschrift für deutsche Philologie 90 (1971) S. 499–526.

– Gottfried Kellers »Pankraz, der Schmoller«. Eine Neubewertung. In: Wirkendes Wort 25 (1975) S. 27–37.

Ibach, Alfred: Gottfried Keller und Friedrich Theodor Vischer. Diss. München 1927.

Imboden, Gabriel: Gottfried Kellers Ästhetik auf der Grundlage der Entwicklung seiner Naturvorstellung. Bern/Frankfurt a. M. 1975.

Jackson, David: »Pankraz, der Schmoller« and Gottfried Keller's Sentimental Education. In: German Life and Letters 30 (1976/77) S. 52–64.

Jäckel, Günter: Das Bild in der Prosadichtung Gottfried Kellers. Diss. Leipzig 1957.

Jeziorkowski, Klaus: »Eine Art Statistik des poetischen Stoffes«. Zu einigen Themen Gottfried Kellers. In: Deutsche Vierteljahrsschrift für Literaturwissenschaft und Geistesgeschichte 45 (1971) S. 547–566.

Kaiser, Michael: Literatursoziologische Studien zu Gottfried Kellers Dichtung. Bonn 1965.

Kinder, Hermann: Poesie als Synthese. Frankfurt a. M. 1973.

Kultermann, Udo: Bildformen in Kellers Novelle »Romeo und Julia auf dem Dorfe«. In: Der Deutschunterricht 8 (1956) H. 3. S. 86–100.

Laufhütte, Hartmut: Geschichte und poetische Erfindung. Das Strukturprinzip der Analogie in Gottfried Kellers Novelle »Ursula«. Bonn 1973.

Lemm, Uwe: Die literarische Verarbeitung der Träume Gottfried Kellers in seinem eigenen Werk. Diss. [masch.] Freie Universität Berlin 1981.

Locher, Kaspar T.: Gottfried Keller. Der Weg zur Reife. Bern/München 1969.

– Das Schiller-Bild Gottfried Kellers. In: German Quarterly 48 (1975) S. 315–331.

Luck, Rätus: Gottfried Keller als Literaturkritiker. Bern/München 1970.

Moormann, Karl: Subjektivität und bürgerliche Gesellschaft. Ihr geschichtliches Verhältnis im frühen Prosawerk Gottfried Kellers. Bern/München 1977.

Müller, Klaus-Detlef: Die »Dialektik der Kulturbewegung«. Hegels romantheoretische Grundsätze in Kellers »Grüner Heinrich«. In: Poetica 8 (1976) S. 300–320.

Müller-Nußmüller, Therese: »Spiegel, das Kätzchen«. Interpretation. Diss. Basel 1974.

Muschg, Walter: Gottfried Keller und Jeremias Gotthelf. In: Jahrbuch des Freien Deutschen Hochstifts 1936/40. S. 159–198.

Neumann, Bernd: Über einige Züge im Selbstverständnis des späten Gottfried Keller. In: Edda. H.2 (1985) S. 65–71.

Ohl, Hubert: Das zyklische Prinzip von Gottfried Kellers Novellensammlung »Die Leute von Seldwyla«. In: Euphorion 63 (1969) S. 216–226.

Polheim, Karl K.: Novellentheorie und Novellenforschung. Stuttgart 1965.

Poser, Hans: »Spiegel, das Kätzchen« – Bürgerliche Welt im Spiegel des Märchens. In: Amsterdamer Beiträge zur neueren Germanistik 9 (1979) S. 33–43.

Richartz, Heinrich: Literaturkritik als Gesellschaftskritik. Bonn 1975.

Richter, Hans: Seldwyla und die Wirklichkeit. In: Weimarer Beiträge 7 (1958) S.172–201.

– Gottfried Kellers frühe Novellen. Berlin 1960.

Rothenberg, Jürgen: Gottfried Keller. Symbolgehalt und Realitätserfassung. Heidelberg 1976.

Sautermeister, Gert: Nachwort zu: Gottfried Keller: Die Leute von Seldwyla. Erzählungen. München 1990.

Szemkus, Karol: Gesellschaftlicher Wandel und sprachliche Form. Literatursoziologische Studien zur Dichtung G. Kellers. Stuttgart 1969.

Wartburg, Wolfgang von: Geschichte der Schweiz. München 1951.

Widhammer, Helmuth: Die Literaturtheorie des deutschen Realismus. Stuttgart 1977.

Wiese, Benno von: »Kleider machen Leute«. In: B. v. W.: Die deutsche Novelle. Bd. 1. Düsseldorf 1956. S. 238–249.

Wiesmann, Louis: Gottfried Keller. Das Werk als Spiegel der Persönlichkeit. Frauenfeld/Stuttgart 1967.

Wildbolz, Rudolf: Gottfried Kellers Menschenbild. Bern/München 1964.

Winter, Karl: Gottfried Keller. Zeit, Geschichte, Dichtung. Bonn 1971.

Zach, Alfred: Gottfried Keller im Spiegel seiner Zeit. Urteile und Berichte von Zeitgenossen. Zürich 1952.

Nachwort

> »Ich habe aber meinem Vieweg doch
> einen Possen gespielt und [...] mir eine
> wohlgeordnete und organisierte Produk-
> tionsreihe ausgeheckt in den langen
> Tagen und werde nun zu Hause mit
> wichtigem Gesicht mich an eine höchst
> raffinierte und ausgetüftelte Tätigkeit
> machen.«
>
> *Keller Ende 1854 an*
> *Ferdinand Freiligrath*

Gottfried Kellers Novellenzyklus *Die Leute von Seldwyla*, jedenfalls deren erster Band und Gesamtplan, entstand 1855 in
Berlin, das bereits eine Metropole europäischen Zuschnitts
war. Die Novellen stellen allesamt Rückerinnerungen an des
Autors regionalistische, provinzielle, von sinnlichen Ein-
drücken gleichsam noch überquellende Herkunft dar; sie protestieren darin auch gegen den Fortschritt der allzu nüchternen, zentralistischen Moderne, wie Keller ihn in Berlin, das
ihn eine »preußische Korrektionsanstalt« dünkte, wahrnehmen konnte. Insofern mögen sie auch in unsere Zeit passen,
die von der teilweise gewaltsamen Rückkehr des Regionalismus, von der Auflösung der modernen Zentralherrschaft und
Zentralperspektive geprägt erscheint. *Die Leute von Seldwyla*
also als das Rückzugsgefecht eines Prinzips, das heute wieder
aktuell erscheint, ausgetragen zudem mit den Mitteln eines Erzählers, der aus seiner Rückerinnerung an die schweizerische
Provinz Weltliteratur zu machen vermochte? Es sieht so aus.
Und auch die Literaturform der Novelle ist seit Jahren wieder
zu neuen Ehren gelangt. Man kann folgern: Gottfried Kellers
Seldwyla-Zyklus zählt, neben beispielsweise Giovanni Boccaccios *Decamerone*, zu jenen wirklich bedeutenden, die Zeiten überdauernden Novellenzyklen, von denen es wiederum
nur wenige gibt. Im folgenden sollen der Zyklus-Charakter

des Bandes und dann die einzelnen Novellen kommentiert werden; daß es dabei mit unterschiedlicher Intensität zugehen muß, liegt in der Natur der Sache. Nicht alle Novellen können mit Ausführlichkeit besprochen, einige nur kursorisch erwähnt werden. Die Intensität der Auseinandersetzung signalisiert jeweils auch ein Urteil über den literarischen Wert der Texte. Von allen seinen Texten hat der Zürcher, das lernt, wer seine Hinterlassenschaften und seine Bibliothek im Zürcher Keller-Archiv daraufhin durchsieht, die *Seldwyla*-Novellen am meisten geliebt. Sie rangierten ihm noch vor dem *Grünen Heinrich*; die Rückerinnerungen an den glücklichen, dezentralen Regionalismus der einstigen lebensfrohen Schweiz, so liederlich wie liebenswürdig, niedergeschrieben inmitten der prosaischen Moderne Berlins, sie stellten das Werk dar, das Keller lebenslang für sein eigentlichstes hielt. Der Novellenzyklus erweist sich als niedergeschrieben mit dem poetisch-realistischen Herzblut des genialen Schweizers, dessen Vorbehalte gegen die Durchsetzung der prosaischen Moderne mit ihrer zentralisierten, nüchternen Herrschaft über die farbenreiche, grüne Provinz ihm paradoxerweise heute seine Zeitgenossenschaft sichern.

Die Vorworte

Die Entstehung des gesamten *Seldwyla*-Zyklus erstreckte sich über nahezu 30 Jahre. Ideen und Entwürfe zu einzelnen Novellen lassen sich bis in die Mitte der 40er Jahre zurückverfolgen; der erste Band erschien 1856, der zweite 1874. Den Plan zum gesamten Zyklus sowie auch die Grundideen zur Mehrzahl der Novellen (lediglich *Kleider machen Leute* fällt hier aus dem Rahmen; diese Novelle wurde erst in den 60er Jahren entworfen) faßte Keller in seiner so überaus produktiven Berliner Zeit. Ebenso wie der *Heinrich* entstammt der Zyklus der sehnsüchtigen Rückerinnerung Kellers an die Schweiz seiner Jugend. Doch das Resultat ist ›objektiver‹:

Die

Leute von Seldwyla.

Erzählungen

von

Gottfried Keller.

Braunschweig,
Druck und Verlag von Friedrich Vieweg und Sohn.
1856.

Titelblatt der Erstausgabe des 1. Bandes der »Leute von Seldwyla«

nicht autobiographisches Erinnerungsvergnügen entsteht hier, sondern eine literarisch-ästhetische Diagnose eines gesellschaftsgeschichtlichen Verlaufs, fabulierend dargeboten in einzelnen Erzählungen, deren Gemeinsamkeit bei aller Heterogenität darin liegt, daß sie darstellen, wie aus dem alten das neue Seldwyla wird. Dabei kommt jenes »Parabelhafte« zum Tragen, das Keller selbst seinen Erzählungen zusprach (27. Juli 1881 an Heyse). Dem widerspricht nicht, daß Keller eine Beziehung der *Seldwyla*-Thematik zur Thematik des *Grünen Heinrich* gesehen hat; er hat betont, daß der *Seldwyla*-Zyklus enthält, was in den *Heinrich* nicht hineingepaßt hätte. Die *Seldwyla*-Erzählungen waren nicht von vornherein als Novellen geplant; die fertigen Texte aber wiesen dennoch die ›schulmäßigen‹ Charakteristika dieses Genres auf. Es scheint, daß Keller der traditionellen Wichtigkeit der Fiktion mündlichen Erzählens im Rahmen eines Novellen-Zyklus (man denke an Boccaccios *Decamerone*) dadurch Rechnung tragen wollte, daß er das Erzählen als solches gerade in der Anfangs- und in der Schluß-Novelle des ersten Bandes thematisch werden läßt (so in *Pankraz, der Schmoller*, vor allem in *Spiegel, das Kätzchen*). Dem entspricht auch das Gewicht, das dem mündlichen Erzählen in Kellers beiden anderen, späteren Novellensammlungen zukommt.

Der Zyklus-Charakter der Sammlung ist zweifellos von Wichtigkeit. Er verdankt sich, neben der Anordnung und den inneren Beziehungen der Novellen zueinander, den Vorworten zu beiden Bänden. Keller schrieb, was in diesem Zusammenhang zu erwähnen wichtig ist, das Vorwort zum zweiten Band rund 20 Jahre nach dem ersten Vorwort. Zwischen beiden Vorworten liegen also auch rund 20 Jahre Schweizer Geschichte, die der Autor Keller erfahren und deren Erfahrung er in das zweite Vorwort mit eingebracht hat. Aus dieser Tatsache läßt sich auch ein hermeneutisches Vorverständnis bezüglich der bevorzugten Behandlung einzelner Novellen gewinnen, die im folgenden exemplarisch interpretiert werden sollen: *Pankraz, der Schmoller, Romeo und Julia auf dem Dorfe,*

Die drei gerechten Kammacher, Kleider machen Leute, Spiegel, das Kätzchen und *Das verlorne Lachen*.

Die Anfangs- und die Schluß-Novelle thematisieren jeweils den Wandlungsprozeß der Seldwyla-Gesellschaft; dessen Auswirkungen auf den Charakter der ›Helden‹ Pankraz und Jukundus werden dargestellt, oder anders gesagt: im Wandel des Charakters der Mittelpunktsfiguren wird der Wandel der Gesellschaft deutlich. Die *Kammacher* thematisieren den Übergang von der Handwerker- zur modernen Industriegesellschaft, während in *Romeo und Julia* u. a. beschrieben wird, welche Rückwirkungen die städtische Moderne auf die ländliche Ständegesellschaft zeitigt. In jedem Fall wird jedoch der objektive sozialgeschichtliche Wandel in seinen Rückwirkungen auf die Subjektivität und Innerlichkeit der Personen dargestellt.

Das alte Seldwyla erscheint zunächst als ein »glücklicher Weiler« (so die Bestandteile des von Keller ›erfundenen‹ Ortsnamens), was auch mit der Tatsache zusammenhängt, daß der Ort an keinem Fluß lag, »zum deutlichen Zeichen, daß nichts daraus werden solle«, wie das Vorwort beiläufig anmerkt (S. 7). Bis zum Eisenbahnbau in den 60er Jahren des 19. Jahrhunderts stellte Wasserkraft die einzige Energiequelle für die Schweizer Industrie dar. Als moderner Industrieort käme Seldwyla also erst im letzten Drittel des 19. Jahrhunderts in Frage, seine Abgeschiedenheit hat ihm geholfen, seinen ursprünglichen Charakter zu bewahren. Der Hinweis dann auf den fremden Kriegsdienst, den manche Seldwyler nehmen und der sie ertüchtige zu bürgerlichem Erfolg, erinnert an die hochwichtige Rolle des Söldnerwesens für die Entwicklung der Schweiz – eine Rolle, die freilich spätestens zu Beginn des 19. Jahrhunderts ausgespielt war.

In den Mittelpunkt der Schilderung stellt Keller dabei die Entwicklung, die sich mit und in Seldwyla und vor allem mit und in den Seldwylern vollzogen hat. Mit diesem »wonnigen und sonnigen Ort«, wo die Leute »sehr lustig und guter Dinge« lebten (S. 7), sei es in »weniger als zehn Jahren« dahin

gekommen, »daß sich sein sonst durch Jahrhunderte gleich
gebliebener Charakter [...] ganz in sein Gegenteil zu verwandeln droht« (S. 277). Seldwyla nämlich wird in den modernen
Geschäftsverkehr einbezogen und insbesondere in die – wie es
heißt – »überall verbreitete Spekulationsbetätigung« (S. 277).
Dies stellt die Leute von Seldwyla – so Keller – »mit Einem
Schlage Tausenden von ernsthaften Geschäftsleuten« gleich
(S. 278). Der immer noch mittelalterlich und regionalistisch-
poetisch anmutende Ort findet sich als Bestandteil der modernen bürgerlichen Geschäftsprosa wieder. Dies bewirkt zweierlei: es löst zum einen die bisherige seldwylerische Form bürgerlicher Existenz auf – daß nämlich nur die jüngeren Leute es
jeweils verstehen, sowohl den Genüssen des Lebens ergeben
als auch geschäftlich erfolgreich zu leben, um dann in der
Blüte ihrer Jahre plötzlich Bankrott zu machen. Eine größere
Beständigkeit greift Platz, »anständig besprochene Schicksalswendungen« ersetzen die bisherigen »plebejisch-gemütlichen
Konkurse«, mit dem Erfolg: »nur selten muß noch einer vom
Schauplatze abtreten« (S. 278 f.). Dies bedeutet zum anderen
aber auch, daß nunmehr die »guten lustigen Tage der Stadt«
vorbei sind. Die Seldwyler – so schreibt Keller – »lachen weniger als früher und finden fast keine Zeit mehr, auf Schwänke
und Lustbarkeiten zu sinnen« (S. 278). So sind aus lebenslustigen Liederjanen ernsthafte Geschäftsleute geworden, die sich
nun, mit Rücksicht auf ihren neu erworbenen Besitz, um die
Politik gar nicht mehr kümmern, auch das ein Gegensatz zu
ihren früheren Gewohnheiten.

Eben diesen zwischlächtigen Prozeß aber – einerseits den
Erwerb stetiger Arbeitsfähigkeit im Sinn bürgerlicher Geschäftstüchtigkeit und andererseits den damit verbundenen
Verlust des »Lachens« – gestalten jene beiden Novellen, die
gemäß Kellers eigener Komposition den Zyklus einleiten und
beschließen: nämlich *Pankraz, der Schmoller* und *Das verlorne Lachen*. In ihnen gelangt die »Dialektik der Kulturbewegung« zu besonderer Anschaulichkeit.

»Pankraz, der Schmoller«

Die Eingangsnovelle vom »Schmoller« Pankraz knüpft an eine Thematik an, die das Vorwort als typisch seldwylerisch benennt: daß nämlich einer fremden Kriegsdienst nimmt, um zu lernen, »was er für sich selbst zu üben verschmäht hat, sich einzuknöpfen und steif aufrecht zu halten« (S. 8), also jene liederliche, lachende Lebenslust zu bezähmen, die die im Lande verbliebenen Erfolgreichen dahin treibt, daß sie bereits in der Blüte ihrer Jahre den bürgerlichen Tod im Bankrott erleiden.

Die Fabel der Novelle ist schnell erzählt. Pankraz, ein im Gegensatz zu Mutter und Schwester zu ernsthafter Arbeit unfähiger träumerischer Egozentriker, geht nach dem ersten ernsthaften Zusammenstoß mit der Realität in die »fernen blauesten Länder« (S. 17) hinaus. Der Jüngling kehrt dann nach fünfzehn Jahren als ein Mann mit asketischem Gesicht, gehüllt in die Uniform eines Obersten und die Füße auf ein mächtiges Löwenfell gestützt, vierspännig und triumphal aus der Ferne zurück. Der Heimgekehrte, der den Eindruck machte »wie einer, der aus einem schweren Traume erwacht« (S. 19), erzählt dann Mutter und Schwester, wie er als britischer Kolonialsöldner in Indien zu einem beherrschten, arbeitsfähigen Manne herangewachsen sei und dabei eine ebenso törichte wie verzehrende erotische Leidenschaft zu bemeistern gelernt habe. Zur Heimkehr sei er freilich erst frei geworden, nachdem er – und dies bildet das ›unerhörte Ereignis‹, den Höhe- und Umkehrpunkt der Novelle – einen kapitalen Löwen nach langem, nerven- und kräftezehrendem Zweikampf erlegt habe. Der Heimgekehrte zieht schließlich in den Hauptort des Kantons, wo er, wie Keller schreibt, »Gelegenheit fand, mit seinen Erfahrungen und Kenntnissen ein dem Lande nützlicher Mann zu sein und zu bleiben« (S. 63 f.). Ist Pankraz der, den in der Novelle die Bankrotteure Seldwylas anstaunen, der gemachte, selbstbeherrschte Mann, dem der Erfolg treu bleiben wird, während sich der »Glanz von Seldwyla« (S. 16) auf den sonnenüberglänzten Kegelbahnen und in den kühlen Schenkstuben verausgabt? Oder, mit anderen Worten gefragt, liegt auch der Novelle jenes Raster des ›Bildungsromans‹ zugrunde, wie es im *Heinrich* noch gebrochen anwesend war?

Der Knabe Pankraz weiß weder seine Eß- noch seine Rauflust oder, anders gesprochen, weder seine oral fixierte Libido noch seine unsoziale Aggression zu bändigen, und er erweist sich zu jedem emotionalen Kontakt als ebenso unfähig wie zu jeder Arbeit. Er zankt mit seiner Schwester um das Essen, und diese muß »unaufhörlich spinnen, damit das Söhnlein desto mehr zu essen bekäme [...]. Der Junge nahm dies ohne weiteres an und gebärdete sich wie ein kleiner Indianer, der die Weiber arbeiten läßt« (S. 13). Pankraz vermag, wie es heißt, nicht zu »lachen«, und er »schmollt« nach jedem Zusammenstoß mit der Realität, d. h., er zieht seine Libido von allen Objekten zurück und konzentriert sie auf sich selbst. Doch zugleich erscheint der, der das Realitätsprinzip noch nicht erlernt hat, als ein phantasiebegabter Träumer, dem der Sonnenuntergang das zu sein schien, »was für die Kaufleute der Mittag auf der Börse« (S. 12) darstellt, nämlich der Höhepunkt des Tages.

Pankraz erscheint geradezu als ein Poet im Sinne Goethes, der am farbigen Abglanz das Leben selbst zu haben trachtet. Keller macht dies mit feiner ironischer Anspielung deutlich; lag Pankraz sommers in der Natur und betrachtete sein Gemaltes oder Geschriebenes, »so schaute er dreimal so lange in das gegenüberstehende glänzende Goldblatt, in welchem sich die Sonne brach« (S. 12). Freilich malt dieser Träumer in sein Goldpapier-Heft auch »Rauchwolken und fliegende Bomben« als Chiffren seiner Aggression. Seine Träumerei scheint nur möglich um den Preis einer asozialen Vereinzelung und umgekehrt. Diese Doppelheit bestätigt im übrigen die Etymologie: der Name des rauf- und leidenswütigen Helden Pankraz verweist ebenso auf den griechischen Faustkampf und auf den Märtyrer gleichen Namens, wie er in seiner griechischen Wortwurzel an die siegreiche Allmächtigkeit gemahnt; und

»schmollen« bedeutet beides, ›unwillig schweigen‹ ebenso wie
ursprünglich ›lächeln‹. Dafür wiederum, daß Pankraz' Natur-
versunkenheit eine schmollende und nicht eine lächelnde ist,
daß seine Poesie als Asozialität erscheint, macht Kellers Kunst
u. a. einen Grund deutlich: der dort poetisch träumt, träumt
nämlich inmitten der Stauden jenes Kartoffelackers, der ihm
und seiner Familie als einziges, karges Eigentum verblieben ist
und den er, um essen zu können, eigentlich bearbeiten sollte.
Die wirtschaftliche Lage der Familie erweist sich als die eine
Ursache von Pankraz' Deformationen, aber auch umgekehrt:
Pankraz' Egozentrik verschuldet die wirtschaftliche Lage mit.
Er beläßt die Natur um sich herum ebenso unbearbeitet, wie
er seine eigene Natur noch nicht zu bezähmen gelernt hat. Als
ihm später das Militär eine geregelte Tätigkeit auferlegt und
dafür seine Versorgung sicherstellt, verliert er seinen Eßzwang
ebenso wie seine Arbeitsunfähigkeit. Pankraz wird gleichsam
erst zum Menschen, indem er erlernt, was den Menschen vom
Tier scheidet: geplante Arbeit. Pankraz' Erziehung ist unter
diesem Aspekt gesehen gleichsam exemplarisch für die der
ganzen Gattung Mensch im Dienste der Naturbemeisterung.
Keller hat offensichtlich Wert darauf gelegt, hierbei einzelne
Stufen in Pankraz' Werdegang herauszuarbeiten. Als Motiv
für sein Fortlaufen benennt Pankraz im Rückblick »das
nagende Gefühl, daß ich mein Essen nicht verdiente« (S. 24).
Die Arbeit erlernend, überwindet Pankraz dieses Unwert-
gefühl. Er, der »wirklich wie zu der Zeit der Patriarchen«
reiste (S. 26), arbeitet zunächst lediglich um ein Mittagessen
auf dem Feld, also zur unmittelbaren Bedürfnisbefriedigung,
wonach er, »anstatt die Heugabel wieder zu ergreifen, plötzlich den Mund wischte, mein Bündelchen wieder aufgriff und,
ohne ein Wort weiter zu verlieren, meines Weges weiter zog«
(S. 25). Darauf folgt dann seine Tätigkeit im Dienste von
Schiffern, die er für »unterschiedliche tüchtige Mahlzeiten«
und sogar für »etwas Geld« (S. 26) ausübt. Am Ende leistet er
einem englischen Kauffahrer Hilfe bei dessen Privatgeschäften
und arbeitet als Büchsenmacher, seine frühere Aggression so-

zusagen ›sozialisierend‹; der früher Bomben malte, stellt nun »allerhand Feuerwaffen und Pistolen« (S. 27) für den Handel her. Zuletzt gelangt Pankraz nach Indien und in englische Dienste; beim Militär lernt er endgültig, sich »an eine feste außer mir liegende Ordnung und an eine regelmäßige Ausdauer zu halten, und wie ich erst urplötzlich arbeiten gelernt, lernte ich auch dies sogleich ohne weitere Anstrengung, sobald ich nur einmal eine erkleckliche Notwendigkeit einsah« (S. 26). In dieser Erziehungsgeschichte ist möglicherweise der Einfluß Ludwig Feuerbachs erkennbar, in dessen Philosophie die »Selbsttätigkeit« des Menschen ja ihre Rolle spielt. Darüber hinaus erwiesen sich als die materiellen Kondensationskerne des Pankrazschen Charakters und Ergehens ganz direkt die sozialhistorischen Spezifika der Schweiz. Pankraz' exotisch-abseitig anmutendes Söldnerleben offenbart sich als der spezifisch schweizerische Weg der primären Akkumulation von Kapital kraft jener Lebenseinstellung, die Max Weber die »innerweltliche Askese« nannte und die in der calvinistischen Schweiz ihre Heimat besitzt.

Dazu stimmt weiterhin, daß Indien in Kellers poetischem Kosmos ganz offenbar für den Bereich einer nicht domestizierten Natürlichkeit steht. Dies wird durch eine Eintragung Kellers aus seinem *Traumbuch* vom 15. September 1847 deutlich, aus der zugleich erhellt, wie prägend Autobiographisches auch in die *Pankraz*-Novelle eingegangen ist, über die hier – im Gegensatz zum *Heinrich* – gegebene Erwähnung der Schwester hinaus. Jedes Schiff, so besagt diese Eintragung, benötige für seine Stabilität Ballast; ebenso jeder Mensch:

Was habe *ich* für Ballast! – o weh mir armer Treckschuite! eigentlich Kalkblöcke, die noch so greulich brausen, wenn das Meerwasser hineindringt! Als mein Lebensschiff aus Ostindien zurückging, nachdem es seine Ladung abgegeben, wurden ihm als Ballast ausgestopfte Krokodile und wüste Seetiere, Tiger und Hyänen mitgegeben für die

Raritätensammlungen in Europa, um wenigstens einigen Nutzen mit der Fracht zu verbinden. Schwere Kisten voll wunderlicher Schnecken und Muscheln und Stachelpflanzen pfropfte man in die tiefen Räume, und als man das Schiff immer noch zu leicht befand, nahm man noch eine Truppe sündhafter nackter Bajaderen in die Kajüte, welche nach Paris bestimmt waren!

Der heimkehrende Pankraz gleicht dem Autor der *Traumbuch*-Zeilen nicht nur darin, daß er einige Raritäten aus Indien heimbringt. Sein Schicksal sagt vor allem aus, was auch die Logik des Bildes selbst enthält: daß, wer sein Schiff stabil halten will, lernen muß, die mitreisenden »sündhaft nackten Bajaderen« in der Kajüte zu beherrschen, also mit seinen eigenen Trieben umzugehen. Diese Triebe sind beides: notwendig und zugleich gefährlich für das Lebensschiff. Deshalb wird Pankraz nach Indien, in das östliche Land der Triebe, verschickt. Was er zu lernen hat, ist ihm durch das obige Bild vorgegeben. In Indien verliert der englische Söldner zunächst seine Angst vor dem Nicht-versorgt-Werden und erlernt – als Gärtner – die Natur zu domestizieren. Und im Garten tritt ihm dann in der schönen Lydia die Verkörperung dieser eigenen inneren Natur entgegen. Lydia verspricht zunächst die glückliche Synthese aus Vernunft und Sinnlichkeit zu sein, die Inkarnation des Citoyen-Ideals vom gleichermaßen vernünftigen wie natürlichen Menschen.

Dieser Augenschein freilich trügt im Fall der Lydia; am Ende zeigt sie sich als aus dem gleichen Stoff gemacht wie alle »europäischen Weiber«: »selbst die edle Weiblichkeit [...] handhaben sie eher als Würzkrämer, denn als Weiber« (S. 34 f.). Lydia, voll der »falschen gefährlichen Selbstsucht« der Europäerinnen, erblickt in Pankraz' Zuneigung, seinem liebevollen »Gemüt«, lediglich ein Mittel zu dem Zweck, »daß ich an meinem eigenen Werte nicht länger zu zweifeln brauche« (S. 49). Sie rechnet, wo Pankraz fühlt, und sie rechnet mit seinem Gefühl; darin ist sie ebenso modern, wie ihr Anbe-

ter vormodern erscheint. Freilich kommt Pankraz, bestrickt
durch Lydias sinnenhafte Schönheit und durch seine gleich-
zeitige Shakespeare-Lektüre, nicht los von dem, was beides
verspricht: die »ganze Lydia«. Der Poesieliebhaber Pankraz
muß lernen, daß die »Welt des Ganzen und Gelungenen«
untergegangen ist, daß das Kalkül über das Gemüt gesiegt hat
und daß die Welt, im Sinne Hegels, prosaisch geworden ist:
»Unsere Shylocks möchten uns wohl das Fleisch ausschneiden, aber sie werden nun und nimmer eine Barauslage zu diesem Behuf wagen, und unsere Kaufleute von Venedig geraten
nicht wegen eines lustigen Habenichts von Freund in Gefahr,
sondern wegen einfältigen Aktienschwindels« (S. 42). Doch
alle Erkenntnis befreit Pankraz nicht von seiner Bestrickung.
Davon befreit er sich erst durch die Ekstase der Jagd, die ihn
immer schon seine unglückliche Liebe vergessen ließ. In
Afrika verfolgt Pankraz tagelang einen riesenhaften, zum
Mythos gewordenen Löwen; als er ihm schließlich begegnet,
ist es wiederum die Erinnerung an Lydia, die Pankraz im
Wortsinn ›entwaffnet‹. Inmitten der Wüste nämlich stößt
Pankraz auf eine Schlucht:

> Es floß ein kühler frischer Bach auf ihrem Grunde, und
> wo ich eben stand, war die Vertiefung ganz mit blühendem
> Oleandergebüsch angefüllt. [. . .] Der Anblick ließ eine ver-
> jährte Sehnsucht in mir aufsteigen [. . .], und in diesen zer-
> streuten Gedanken legte ich mein Gewehr auf den Boden
> und kletterte eiligst in die Schlucht hinunter, wo ich mich
> zur Erde warf, aus dem Bache trank, mein Gesicht benetzte
> und dabei an die schöne Lydia dachte. Ich grübelte, wo sie
> wohl sein möchte, wo sie jetzt herumwandle und wie es ihr
> überhaupt gehen mochte? Da hörte ich ganz nah den
> Löwen ein kurzes Gebrüll ausstoßen, daß der Boden zit-
> terte. Wie besessen sprang ich auf [. . .], blieb aber wie ange-
> nagelt oben stehen, als ich sah, daß das große Tier, kaum
> zehn Schritte von mir, eben bei meinem Gewehr angekom-
> men war.   (S. 61.)

Mensch und Raubkatze stehen sich jetzt einen ganzen, heißen Wüstentag lang in, wie es heißt, »bitterster Schmollerei« gegenüber; der Wille und die Ratio ringen waffenlos mit dem reißenden Trieb. Am Ende ist es wiederum das Militär, das Pankraz den Kampf mit nunmehr der inneren Natur siegreich bestehen läßt. Alle Flintenschüsse langen nicht hin, um die Bestie zu erlegen; die Besessenheit des Kampfes verrät, was es hier zu besiegen gilt: »endlich zerschlugen wir alle drei unsere Kolben an dem Tiere, so zäh und wild war sein Leben« (S. 63).

Nun erst kann Pankraz heimkehren, erweisen sich seine Arbeitsfähigkeit und bürgerliche Vernünftigkeit als gesichert. Der Preis dafür besteht freilich in der Verstümmelung seiner inneren Natur. Und die prosaische Moderne besiegt darin den poetischen, leider aber auch unvernünftigen Regionalismus. Deshalb wird Lydias Schönheit nun perhorresziert als »Zigeunerbande«, »Soubrette« und »Ladendiebin« (S. 51 f.).

Vor allem aber die poetische Organisation der Novelle selbst folgt diesem Gesetz: die Tötung des Löwen gerät deshalb zur unerhörten novellistischen Begebenheit, weil sie dem eigentlich bürgerlich Unerhörten, nämlich Pankraz' Leidenschaft für Lydia, ein Ende setzt. Mutter und Schwester »erhören« einzig Pankraz' Soldatenlaufbahn und vor allem seinen Kampf mit der Raubkatze. Als Pankraz von seiner Liebe erzählt, schlafen sie ein. Der Erzähler selbst »schämte« sich schließlich seines Erzählens »und wünschte, daß sie gar nichts davon gehört haben möchten« (S. 59). Am Ende scheint der erfolgreiche Bürger Pankraz selbst den Namen derjenigen vergessen zu haben, die seinem Feuerbachschen Traum einst Wirklichkeit zu verleihen schien.

Nun wird Pankraz zu einem Erzähler ohne Publikum, wird der gesellige Charakter der Gattung Novelle selbst in Frage gestellt. Im *Decamerone* konnte noch ausführlich, fast ausschließlich vom erotischen Begehren und dessen Erfüllung die Rede gehen; im Kreis der dort versammelten Renaissance-Menschen wirkte solches Erzählen gesellschaftsbildend. Bereits Goethe postuliert die – schweigende – Zähmung des Triebes, die freilich noch in der Sprache der Kunst ihre eigene Entsagung verklären kann. Bei Keller wird dann das Schweigen über das eigene Triebschicksal zum Konstituens seiner realistisch-kritischen *Pankraz*-Novelle. Bei Keller wird erschossen, erschlagen und dann auch noch totgeschwiegen, was sich der Kontrolle der modernen Rationalität nicht fügen will. Versöhnliches ist kaum noch zu berichten, der »Rest ist Schweigen«, wie es dann am Schluß des *Verlornen Lachens* heißen wird. Nicht zuletzt darin liegt der kritisch-realistische Gehalt und liegt auch der repräsentative Charakter der Eingangs-Novelle vom »Schmoller« Pankraz begründet. Die Seldwyler bezahlen den Erwerb der Geschäftstüchtigkeit mit dem Verlust des Lachens; eben dafür aber stehen auch die Narben in Pankraz' Gesicht: die Schüsse und Hiebe, die er dem Löwen zugefügt hat, haben auch ihn selbst getroffen – auch dies ein im Wortsinn schlagender Beweis für die Wirksamkeit der von Keller selbst so genannten »Dialektik der Kulturbewegung«.

»Romeo und Julia auf dem Dorfe«

Gleich in der Titelgebung dieser Novelle verweist Keller auf weltliterarische Zusammenhänge; es wird an die bekannteste Ausformung des Romeo-und-Julia-Stoffes: an William Shakespeares Tragödie erinnert. Keller greift diesen ›Fall‹ erneut auf und verhandelt ihn unter Bedingungen, auf die sein Zusatz »auf dem Dorfe« verweist: bei ihm wird es sich um eine Liebestragödie unter Bauernkindern handeln. Dazu paßt auch der andere weltliterarische Bezug, der freilich implizit bleibt: nämlich der auf Goethes Epos *Hermann und Dorothea*, nach dessen Vorbild Keller ursprünglich seinen Text ebenfalls als Epos, also in Hexametern, abfassen wollte. Shakespeare zeigte die individuelle, »beseelte« Liebe zweier junger Adliger zueinander, die mit dem dynastischen Blutrache-Gebot ihrer jeweiligen Sippen in einen tödlich endenden Konflikt geraten.

Goethe dagegen zeigt die – glücklich mit der Vermählung endende – Liebesbeziehung zwischen zwei (Acker-)Bürgerskindern, deren Harmonie als Heilmittel gegen das Chaos der Französischen Revolution aufgefaßt wird. Objektivität und Zeitlosigkeit, wie sie von der Form des Epos beansprucht werden, wollen dem zerstörerischen Einbruch der revolutionären Moderne wehren. Keller stülpt dies um; er zeigt, was aus den harmonischen, konkreten Beziehungen zwischen Ackerbürgern wird, wenn die zentralistische Moderne mit den prosaischen Prinzipien ihres abstrakten Geschäftsverkehrs in deren Lebensbereich eingreift.

Auch Gottfried Keller stellt dar, wie sich die Liebe zwischen den Kindern verfeindeter Familien entwickelt; bei ihm markiert ein Doppel-Selbstmord das Ende, und an die Stelle feudaler Blutrache tritt das bürgerliche Recht: die Familien richten sich durch Prozesse, die sie gegeneinander anstrengen, zugrunde. Vor allem aber benennt Keller genau den Anlaß der Feindschaft: einen bitteren Streit, der sich um das Eigentum an einem Acker entzündet hat. Romeo und Julia auf dem Dorfe erscheinen als die Kinder zweier Schweizer Bauern, als Sali und Vrenchen, deren Väter zu Beginn der Erzählung in friedlicher Harmonie ihrem naturalwirtschaftlichen Gewerbe nachgehen. Dem entspricht das Ausgangsbild der ackerbäuerlichen Idylle, mit dem die Erzählung einsetzt; die Ordnung der noch dezentralen, ackerbürgerlichen Ständegesellschaft legitimiert sich durch Natur-Schönheit, durch eine ästhetische Stimmigkeit der Landschaft selbst, den schönen Fluß an einem Septembermorgen, an dem die beiden Bauern mit »einer gewissen natürlichen Zierlichkeit« (S. 65) ihrer Landarbeit nachgehen.

Doch wo Goethe den Sieg der Ordnung zeigt, stellt Keller deren Erschütterung und Untergrabung dar; die Ackerbürgergemeinde, die bei dem Klassiker der politisch-revolutionären Erschütterung durch die bürgerliche Moderne widerstand, erliegt bei dem kritischen Realisten der ökonomischen Erschütterung und der zunehmenden Zentralisierung, wie sie von der nahe gelegenen Stadt ausgeht. Keller hat darüber hinaus das Bild des Gewitters bei der Begegnung der Liebenden und ihrer Väter ganz offenbar als eine Art Zitat aus Goethes Epos übernommen. Bei dem Klassiker orchestrieren drohendes Aufkommen und mildes Abklingen der Naturgewalt des Vaters anfängliches Zögern und schließliches Einverständnis mit der Heirat. Ganz anders bei Keller:

> Während Vrenchen so ganz beschämt und verwirrt auf die Erde sah und Sali nur diese [. . .] schlanke und anmutige Gestalt im Auge hatte, [. . .] beachteten sie dabei nicht, wie ihre Väter still geworden, aber mit verstärkter Wut einem hölzernen Stege zueilten [. . .]. Es fing an zu blitzen und erleuchtete seltsam die dunkle melancholische Wassergegend; es donnerte auch in den grauschwarzen Wolken mit dumpfem Grolle und schwere Regentropfen fielen, als die verwilderten Männer gleichzeitig auf die schmale, unter ihren Tritten schwankende Brücke stürzten, sich gegenseitig packten und die Fäuste in die vor Zorn und ausbrechendem Kummer bleichen zitternden Gesichter schlugen.   (S. 89 f.)

Dieser nachgerade tierisch ausgetragene Streit, beleuchtet vom zuckenden Licht eines Gewitters, das bei Keller, im Gegensatz zu Goethe, eben *nicht* abklingt, ist das Resultat einer fortwirkenden Ursache: des Streits um das Eigentum. In der Ursache dieses Streits wiederum liegt die Begründung dafür, daß Kellers Adaption des Romeo-und-Julia-Themas so ganz anders ausfällt als noch bei Shakespeare oder Goethe. Beide Bauern erheben Anspruch auf das zu versteigernde Stück Land, sie nehmen Furche um Furche des bislang wüsten Landes pflügend in ihren Besitz, wobei sie die Steine im verbleibenden Niemandsland anhäufen, das in gleichem Maß, wie es schmaler wird, den Charakter einer Mauer annimmt. Diese Mauer versinnbildlicht Manz' und Martis neu erweckte, sie tödlich trennende Besitzgier; Seldwyla, d. h. eine neue Zeit, hat von den Ackerbürgern Besitz ergriffen: »Ihr Leben glich fortan der träumerischen Qual zweier Verdammten, welche, auf einem schmalen Brette einen dunklen Strom hinabtreibend, sich befehden, in die Luft hauen und sich selber anpacken und vernichten, in der Meinung, sie hätten ihr Unglück gefaßt« (S. 78).

Walter Benjamin hat dazu geschrieben: »Nicht anders als in den ›Wahlverwandtschaften‹ aus dem erschütterten Ehebund geht in der unvergänglichen Novelle ›Romeo und Julia auf dem Dorfe‹ aus dem gebrochenen Eigentumsrechte an einem Acker ein vernichtendes Schicksal hervor« (S. 287).

Sali und Vrenchen kehren im Verlaufe der Handlung immer wieder zu dem noch brachliegenden Acker, dem Paradies ihrer Kindheit, zurück. Dort aber vertreibt sie der »schwarze Geiger«, eine Gestalt von beeindruckender Unfaßbarkeit. Im »schwarzen Geiger«, dessen Erscheinung zwischen Bohemien und flottierendem Proletarier schillert, kehrt gleichsam, was einst bürgerlich verdrängt wurde, wieder; seiner Besitzlosigkeit und seinem Außenseitertum entspricht der Vorschlag, den er den Liebenden macht. Er ist zugleich Dionysos, dessen Züge sich ins Diabolische verzerrt haben; ist aber auch Schreck- und Wunschbild von einem triebbestimmten Leben, wie es sich der puritanische Bürger vorstellen mag:

»Da steht ihr«, sagte er, »wißt nicht wo hinaus und hättet euch gern. Ich rate euch, nehmt euch, wie ihr seid, und säumet nicht. Kommt mit mir und meinen guten Freunden in die Berge, da brauchet ihr keinen Pfarrer, kein Geld, keine Schriften, keine Ehre, kein Bett, nichts als euern guten Willen! Es ist gar nicht so übel bei uns, gesunde Luft und genug zu essen, wenn man tätig ist; die grünen Wälder sind unser Haus, wo wir uns lieb haben, wie es uns gefällt, und im Winter machen wir uns die wärmsten Schlupfwinkel oder kriechen den Bauern ins warme Heu [...].«   (S. 133.)

Da nun beiden weder die ›wilde Ehe‹ offensteht (und zwar aus moralischen Gründen: »das Gefühl, in der bürgerlichen

Welt nur in einer ganz ehrlichen und gewissenfreien Ehe glücklich sein zu können, war in ihm ebenso lebendig wie in Vrenchen«) noch auch die bürgerliche Ehe (aus ökonomischen Gründen und weil sie nicht die Geduld für den langen Weg der ›primären Akkumulation‹ aufbringen; im Gegenteil: Sali versetzt seine Uhr, um der Geliebten Tanzschuhe erstehen zu können), so bleibt beiden nur die Wahl, einander anzugehören und dann in den Tod zu gehen.

Gottfried Keller ging es dabei erklärtermaßen um eine zeitgemäße Adaption des Hergebrachten. Er praktiziert hier, was er in seiner Gotthelf-Besprechung, die auch ein Akt der literarischen Selbst-Identifikation war, theoretisch gefordert hatte: die große, im Hegelschen Sinn pathetische, antik-heroische Leidenschaft unter Bedingungen darzustellen, die der gesellschaftlichen Moderne angemessen sind. So will Keller der »Dialektik der Kulturbewegung« Rechnung tragen. Der direkte Zeit- und Gesellschaftsbezug war ihm derart wichtig, daß er nicht nur jene Zeitungsmeldung selbst erwähnt und ironisch paraphrasiert, die ihm zum Anstoß für das Abfassen der Novelle geworden war, sondern daß er darüber hinaus sogar die ›Authentizität‹ dieses Anstoßes zur Legitimation dafür erhebt, den hergebrachten Stoff überhaupt neu aufzugreifen und zu gestalten:

> Diese Geschichte zu erzählen würde eine müßige Nachahmung sein, wenn sie nicht auf einem wirklichen Vorfall beruhte, zum Beweise, wie tief im Menschenleben jede jener Fabeln wurzelt, auf welche die großen alten Werke gebaut sind. Die Zahl solcher Fabeln ist mäßig; aber stets treten sie in neuem Gewande wieder in die Erscheinung und zwingen alsdann die Hand, sie festzuhalten.   (S. 65.)

Die von Keller zitierte Zeitungs-Meldung entstammte der *Züricher Freitagszeitung*. In der Nummer 36 vom 3. September 1847 fand sich unter der Rubrik »Sachsen« folgende Notiz:

Im Dorfe Altsellerhausen bei Leipzig liebten sich ein Jüngling von neunzehn Jahren und ein Mädchen von siebzehn
Jahren, beide Kinder armer Leute, die aber in einer tödlichen Feindschaft lebten und nicht in eine Vereinigung
des Paares willigen wollten. Am 15. August begaben sich
die Verliebten in eine Wirtschaft, wo sich arme Leute vergnügen, tanzten daselbst bis nachts ein Uhr und entfernten sich hierauf. Am Morgen fand man die Leichen beider
Liebenden auf dem Felde liegen: sie hatten sich durch den
Kopf geschossen.

Daraus wird in Kellers Novelle folgender Text:

zwei junge Leute, die Kinder zweier blutarmen zu Grunde
gegangenen Familien, welche in unversöhnlicher Feindschaft lebten, hätten im Wasser den Tod gesucht, nachdem
sie einen ganzen Nachmittag herzlich miteinander getanzt
und sich belustigt auf einer Kirchweih. Es sei dies Ereignis
vermutlich in Verbindung zu bringen mit einem Heuschiff
aus jener Gegend, welches ohne Schiffleute in der Stadt
gelandet sei, und man nehme an, die jungen Leute haben
das Schiff entwendet, um darauf ihre verzweifelte und gott-
verlassene Hochzeit zu halten, abermals ein Zeichen von
der um sich greifenden Entsittlichung und Verwilderung
der Leidenschaften.   (S. 140.)

Diese beiden Textstellen sind ihrerseits mit dem Beginn und
dem Ende der Novelle ganz direkt identisch. Der Realist Keller vermag der umstürzlerischen Moderne, deren Siegeszug
durch Seldwyla und die umgebende Landschaft er darstellt,
nicht mehr das ungebrochene Idyll einer Ehe unter Ackerbür-
gersverhältnissen entgegenzuhalten. Im Gegenteil: bei Keller
wird die Idylle zerstört; bei ihm werden aus Bauern Bürger,
ergreift, mit tragischen Folgen für die Betroffenen, die Geld-
wirtschaft der Stadt Seldwyla deren bäuerlich dominiertes
Umland. Dadurch wird auch die zentrale Stellung dieser

Novelle im *Seldwyla*-Zyklus ebenso wie im gesamten Werk
Kellers betont: daß nämlich hier das Entstehen des literarisch
Neuen, wie es nach Kellers Überzeugung als Authentisches
nur aus der »Dialektik der Kulturbewegung« hervorgehen
kann, selbst thematisiert wird. Am 26. Juni 1854 schrieb Keller an Hermann Hettner: »es gibt keine individuelle souveräne
Originalität und Neuheit im Sinne des Willkürgenies und eingebildeten Subjektivisten (Beweis Hebbel, der genial ist, aber
eben weil er durchaus neusüchtig ist, so überaus schlechte Fabeln erfindet). Neu in einem guten Sinne ist nur, was aus der
Dialektik der Kulturbewegung hervorgeht.« *Romeo und Julia
auf dem Dorfe* aber führt uns diese Bewegung sinnlich-kon-
kret vor Augen: als Hinweis auf die (oft genug poetischen)
Opfer, die der Fortschritt der Kultur, der deshalb ein dialekti-
scher ist, eben auch kostet.

»Die drei gerechten Kammacher«

Als das eine Vorbild der *Drei gerechten Kammacher* gilt,
Emil Ermatinger zufolge, E. T. A. Hoffmanns historische Novelle von 1818 *Meister Martin der Küfner und seine Gesellen.*
Drei Männer bemühen sich hier um eine Meisterstochter. Ro-
sas Anziehungskraft beruht nicht auf ihrer Schönheit allein; in
ihr spiegelt sich auch die Attraktivität des künstlerischen
Handwerks in der Zeit seiner Hochblüte im 16. Jahrhundert.
In Hoffmanns Text führt der Küfer Martin eines der ersten
Häuser im reichen Nürnberg; sein Bürgerstolz ist so ausge-
prägt, daß er sogar, wie er versichert, einen Junker als Bewerber um seine Tochter abweisen würde. Dies alles sind Aspekte,
die Keller aufgreift.

Am Ende der Hoffmann-Novelle führt der Goldschmied
Friedrich die begehrte Rosa heim. Seine Mitbewerber scheitern an der Spannung zwischen der künstlerischen Absicht auf
Selbstverwirklichung und dem prosaischen Handwerksalltag,
an der Spannung zwischen »herrlicher Kunst« und »schnö-

dem Handwerk«, um in Hoffmanns eigenen Worten zu reden. Friedrich hebt diese Spannung dadurch auf, daß er am Ende von der Küferei zur Goldschmiedekunst zurückkehrt, zu einem Gewerbe, das er als Kunst ausüben und durch das er zugleich seinen bürgerlichen Lebensunterhalt bestreiten kann. Hoffmann beschwor die Renaissance, weil er dort die Spannung der Existenz zwischen Kunst und Broterwerb für gelöst ansah. Deshalb erscheinen die drei Gesellen bei ihm auch geradezu als Vollmenschen der Renaissance: sie sind nicht nur in der Arbeit, sondern auch im Gesang tüchtig, dazu bewandert in verschiedenen Künsten und von kräftiger, ansprechender Körperbeschaffenheit. Hier ist das Vollmenschentum und ist weiterhin eine Synthese zwischen Bürger- und Künstlertum zu Hause, wie sie die Gegenwart für Hoffmann nicht mehr zu bieten hatte. Nürnberg gerät zum Fluchtpunkt für seine rückwärts gewandte Utopie. Im Werk Kellers läßt sich ähnliches für das Nürnbergische Künstlerfest, wie es im *Grünen Heinrich* dargestellt wird, feststellen.

Keller transponierte diese Novelle Hoffmanns in die Gegenwart Seldwylas. Er verlegte sie also aus der Zeit der Hochblüte des Handwerks, als sich noch Branchenfremde in seine Reihen drängten, in die Zeit des Untergangs des Handwerkertums, das, in der Konkurrenz mit dem aufstrebenden Fabrikwesen hoffnungslos unterlegen, nun nicht einmal mehr seine eigenen Leute ernähren kann. Ein weiterer ins Auge fallender Unterschied liegt darin, daß es sich bei Keller um drei einander zum Verwechseln ähnliche Hauptgestalten handelt, während diesen in der Novelle Hoffmanns durchaus Individualität zugestanden wurde. Und schließlich: Bei Keller gibt es keinen ›guten Ausgang‹ mehr, die Novelle endet vielmehr mit Selbstmord, Menschenhaß und mit dem Ausblick auf den höllischen Alltag einer unglücklichen Ehe. Dem kritischen Realisten geht es zudem um eine aktuelle Problematik, nicht um die Darstellung eines historisch gewordenen Zustands. Keller ist es nämlich um den Nachweis zu tun, »daß nicht drei Gerechte lang unter einem Dache leben können, ohne sich in die Haare zu geraten« (S. 190), während »Ungerechte« und »Leichtsinnige« zur Not schon miteinander zurechtkämen. Laut Ermatinger bezieht sich Keller dabei auf ein Wort des Frühaufklärers und Skeptikers Pierre Bayle, demzufolge ein Staat aus lauter Gerechten nicht bestehen könne. Man kann darin auch einen ironischen Verweis auf die christlichen Erbauungsgeschichten des Schweizer Autors Christoph Schmid sehen, dessen Erzählungen mit ihren artigen Spruchversen im Text der *Kammacher*-Novelle selbst erwähnt werden. Schmids Erzählungen sind hier im Besitz der Züs Bünzlin; eine dieser Geschichten geht davon aus, daß in der Welt alles zum Besten stünde, wenn sich nur alle gleich gerecht verhielten. Keller ironisiert diesen erbaulichen Standpunkt.

Einer dieser drei gerechten Kammacher ist der Sachse Jobst. Er wie auch Dietrich und Fridolin sind Deutsche, die es nach Seldwyla verschlagen hat. Jobst erträgt alle Schikanen des Meisters, »arbeitete wie ein Tierlein«, »trank nie einen Schoppen«, »schäkerte [ausschließlich] mit den alten Weibern« (S. 192), ist selbst am Sonntag tätig. Keller stellt in dieser Novelle den Charakter der Arbeit selbst ins Zentrum seiner Beschreibung. So heißt es von der früheren Handwerksarbeit:

> Außer den notwendigen Hornstriegeln aller Art wurden auch die wunderbarsten Schmuckkämme für die Dorfschönen und Dienstmägde verfertigt aus schönem durchsichtigem Ochsenhorn, in welches der Kunst der Gesellen (denn die Meister arbeiteten nie) ein tüchtiges braunrotes Schildpattgewölke beizte, je nach ihrer Phantasie, so daß, wenn man die Kämme gegen das Licht hielt, man die herrlichsten Sonnenauf- und -niedergänge zu sehen glaubte, rote Schäfchenhimmel, Gewitterstürme und andere gesprenkelte Naturerscheinungen.   (S. 191.)

Diese Beschreibung zielt auf eine noch erfüllte Arbeit ab, auf das Handwerk als Kunst, das nicht nur die Hände, sondern auch die Phantasie beschäftigt. Dieser vergangene Seldwyler

Zustand entspricht dem, den auch E. T. A. Hoffmann in seiner Novelle beschrieb: die Arbeit als die Lebenstätigkeit des Menschen, der sich mit ihrer Hilfe nicht nur ernähren, sondern sich in ihren Produkten auch wiedererkennen und identifizieren kann. Ganz anders dann im Fall des Jobst. Auch für ihn steht die Arbeit im Mittelpunkt seiner Existenz, doch ihr Charakter und folglich sein Verhältnis zu ihr ist ein gänzlich anderes:

> [Jobst] setzte [...] sich mit einem Seufzer über die Schwierigkeit und Mühsal der Welt von neuem dahinter und schnitt verdrossen seine Zähne in die Kämme [...]; denn wenn es nicht unzweifelhaft vorgeschrieben war, so wandte er nicht die kleinste Mühe an eine Sache. (S. 192 f.)

Keller hat hier ganz offenbar den Übergang von der individuellen, künstlerisch bestimmten Handwerks-Arbeit zur industriemäßigen Fertigung im Blick. Es ist kein Zufall, daß das »Kammachergeschäft« am Ende im Text ein »Kammfabrikchen« genannt wird. Hinter Kellers oben zitierter Kritik steht weiterhin die aristotelische Auffassung des Menschen als eines »zoon politikon«, also als eines Wesens, das sich von den Tieren durch seine Fähigkeit zur Gesellschaftsbildung unterscheidet. Fehlt diese Fähigkeit, droht, im Fall der drei Kammacher ebenso wie im späteren Seldwyla, der Rückfall auf die Stufe der »niederen Organismen«.

Um sich ihren Wunsch nach einer selbständigen Unternehmer-Existenz zu erfüllen, suchen die drei Deutschen das ihnen zurückgeblieben erscheinende Seldwyla auf; doch Ironie und Dialektik der Novelle wollen es so, daß sie gerade durch ihre Anwesenheit den ökonomischen Wandel beschleunigen, dem zwei von ihnen am Ende zum Opfer fallen. Aus diesem Blickwinkel läßt sich der Wettlauf am Schluß der Novelle als groteske Versinnbildlichung der bereits angesprochenen ausweglosen Konkurrenzsituation des in die Krise geratenen Handwerks lesen, wie sie vor allem auf die Handwerksgesellen durchschlug. Hier gilt, daß Keller allerdings die blutlose Gerechtigkeit der

Kammacher kritisiert, daß er diese selbst aber zugleich als Resultat eines gesellschaftlichen Umbruches erkennbar – und kritisierbar macht. Der Wettlauf am Schluß gerät zur tragischen Groteske, zu einer durchaus gesellschaftskritisch gemeinten Farce; die Akteure wirken wie besessen von einer Macht, die außerhalb ihrer selbst liegt und die sie nicht begreifen, viel weniger steuern können. Keller beschreibt den Wettlauf wie folgt:

> Und nicht lange dauerte es, so kamen Fridolin und Jobst wirklich wie ein Sturmwind herangesaust [...]. Mit der einen Hand zogen sie die Felleisen, welche wie toll über die Steine flogen, mit der anderen hielten sie die Hüte fest, welche ihnen im Nacken saßen, und ihre langen Röcke flogen und wehten um die Wette. Beide waren von Schweiß und Staub bedeckt, sie sperrten den Mund auf und lechzten nach Atem, sahen und hörten nichts, was um sie her vorging, und dicke Tränen rollten den armen Männern über die Gesichter, welche sie nicht abzuwischen Zeit hatten. (S. 231 f.)

Die der Erzähler hier bei aller grotesken Komik zugleich auch tragisch agieren läßt, sind Täter und Opfer in einer Person. Bei der Schilderung ihres Wettlaufs versagt Keller den beiden keineswegs alles Mitgefühl; sie sollen ja auch nicht als Personen lächerlich, sondern als Produkte des gesellschaftlichen Prozesses, den Seldwyla selbst durchläuft, erkennbar gemacht werden.

Dies gilt auch für die Frau zwischen den drei Männern. Das Zentrum der Person Züs bildet, keineswegs nur in der Sicht ihrer Bewerber, sondern auch in ihrer eigenen Sicht, der Gültbrief. Darum gruppieren sich die verdinglichten Zeugnisse ihres Gefühlslebens und ihrer Bildung, Abfallprodukte, die sich zu keiner organischen Einheit mehr fügen. Züs gleicht, so heißt es weiterhin, einer »gelehrten Blinden« (S. 205), d. h., sie entbehrt mit dem Auge jenes Organ zur sinnlichen Aufnahme der Welt, das Keller, gemäß dem Sensualismus Feuerbachs, am höchsten schätzte. Als gute Puritanerin liebt Züs als Aufsatzthemen: das »Nutzbringende des Krankenbettes«, den Tod, die »Heilsamkeit des Entsagens« (S. 206) und einiges in dieser Richtung mehr. Auch in dieser Hinsicht wird sie, deren Laszivität aus ungenügend verdrängtem Sexualinteresse herrührt, vom Inhalt ihrer Lade gekennzeichnet. Es macht die tiefe Ironie des *Kammacher*-Textes aus, daß die, die sich hier als Ebenbild Gottes, als vernünftig und beseelt preist, dabei ist, sich aufgrund ihrer »Tugend« von dieser Gottesebenbildlichkeit weiter zu entfernen als die Tiere und Pflanzen, denen ihre »Gerechtigkeit« die Daseinsberechtigung abspricht.

Zu erwähnen bleibt noch das überraschende Ende der Novelle. Hier rächt sich die von Züs verachtete Natur, indem sie, in Form von Züs' aufbrechender Sinnlichkeit, den Sieg über deren ökonomisches Kalkül davonträgt. Darin siegt die sinnliche, farbenfrohe Provinz noch einmal über die graue, rechnende Moderne, das Es setzt sich, psychoanalytisch gesprochen, noch einmal durch gegen die zentrale Herrschaft des Ich. Züs will ja den jüngsten Kammacher nicht ehelichen, da dieser naturgemäß über die geringsten Ersparnisse verfügt. Dietrich ist andererseits der attraktivste von allen dreien, zugleich aber auch derjenige, der auf dem Weg der »innerweltlichen Askese« am weitesten fortgeschritten erscheint. Er »erfindet« nämlich den Gedanken, »sich zu verlieben und um die Hand einer Person zu werben, welche ungefähr so viel besaß als der Sachse und der Bayer unter den Fliesen liegen hatten« (S. 201). Darin ist er unmenschlich und unterscheiden sich – noch – die Seldwyler von ihm, zu deren »besseren Eigentümlichkeiten« es gehörte, »daß sie um einiger Mittel willen keine häßlichen oder unliebenswürdigen Frauen nahmen« (S. 201). So betrachtet, gerät im überraschenden Novellenschluß die Vertreterin des neuen Seldwyla Züs an den Richtigen. Sie setzt die Zärtlichkeit als Strategie ein, will auf diese Weise den Schwaben vom rechtzeitigen Beginn des Wettlaufs abhalten. Dieses Mittel kehrt sich am Ende gegen sie selbst, wobei der vom Schwaben Dietrich listig mitgeführte Kirschgeist das Seine tut. Doch dabei hat es immer

noch nicht sein Bewenden; die tiefere Ironie liegt vielmehr
darin, daß Dietrich, der seinerseits diese Überwältigung geplant hat, dabei Züs' unterdrückte Natürlichkeit ins Kalkül
ziehend, auf diese Weise zwar zum ökonomischen Ziel gelangt, aber als natürlicher Mensch, als Mann und Gatte unter
die Fuchtel der furchtbaren Züs gerät. Diese Schluß-Volte ist
ebenso witzig wie dialektisch, aber auch von einer bitteren
Hoffnungslosigkeit: zwei der Kammacher enden in Selbstmord und Menschenfeindlichkeit; der dritte verfällt der
Rache von Züs' gesellschaftlich vermittelter Unnatur. Insofern erweist es sich auch, daß die Seldwylerin Züs Bünzlin
noch furchtbarer, noch ›gerechter‹ ist als die zugewander-
ten drei Gesellen; das Lachen über deren Wettlauf wird den
Seldwylern angesichts dieser ihrer eigenen, die Zukunft re-
präsentierenden Mitbürgerin noch vergehen.

Das »Märchen« »Spiegel, das Kätzchen« als Hermeneutik in eigener Sache: zur Genese und zur Funktion poetischen Erzählens

Ein entscheidendes Wort gerade in diesem Zusammenhang
gebührt einem Keller-Text, der, als poetische Selbstreflexion
der dichterischen Existenz seines Autors, die beiden zentralen
Kategorien der Kellerschen Poetik: die »Reichsunmittelbarkeit der Poesie« und ihre – stets gefährdete, und dennoch stets
bewahrte – Stellung innerhalb der »Dialektik der Kulturbewegung« noch einmal in sich thematisiert: es gebührt dem Seldwyler »Märchen« *Spiegel, das Kätzchen*. Der Text war von
Keller ursprünglich als Abschluß-Text im Rahmen des gesamten *Seldwyla*-Zyklus gedacht worden; er stellt, wenn auch seiner Entstehung nach ein früher Text aus dem Beginn der 50er
Jahre, dennoch so etwas wie Kellers gültiges, darum letztes
Wort, stellt in einer Weise die Summe von Kellers poetischer
Erkenntnis in Sachen Dichter und (bürgerliche) Gesellschaft
dar. *Spiegel* beschließt den ersten Band; die Anordnung der

einzelnen Novellen verdankt sich Kellers eigenem Willen; man kann sich also von der an den Schluß gestellten Novelle so etwas wie eine Bilanz erwarten. Dies stellt die Frage, was sich im »märchenhaften« Schicksal des Katers Spiegel denn nun eigentlich spiegele.

Spiegel, das Kätzchen beruft sich auf eine alte Sage, die in Seldwyla seit langem im Schwange sei und das Zustandekommen des Sprichwortes »Er hat der Katze den Schmer abgekauft« illustriere. »Der Katze den Schmer abkaufen« wiederum heißt: einen schlechten Handel machen, angeführt werden. Erzählt wird die Geschichte des Katers Spiegel, der vor »mehreren hundert Jahren« (S. 235) in Seldwyla gelebt habe. Spiegel verkörpert das Prinzip eines ganzen, unverkürzten Lebens: er vereint noch »Vergnügtheit« und »Klugheit« (S. 235); geht seiner Jagdleidenschaft in vernünftiger Mäßigung nach, unterstellt diese zudem noch dem nützlichen Zweck, nur die zudringlichsten und frechsten Mäuse zu fangen. Er liebt den gesellschaftlichen Verkehr mit vernünftigen Leuten, ist alles andere als »scheu und unartig« (S. 235) – das genaue Gegenteil also eines »Schmollers« von der Sorte des Pankraz. Daneben liebt Spiegel die Liebe; er gilt unter den Kätzinnen als »rechter Don Juan«, und vor allem schämt er sich dessen ganz und gar nicht. »Natur«, »Vernunft« und »Philosophie« kommen in Spiegel zu einer glücklichen, harmonischen Synthese. So »lebte [er] seine Tage heiter, zierlich und beschaulich dahin, in anständiger Wohlhabenheit und ohne Überhebung« (S. 236). Er verkörpert das genaue Gegenteil des Lebensprinzips, für das die *Gerechten Kammacher* stehen.

Dann stirbt Spiegels Herrin; ihren Erben ergeht es, angesichts des unverhofften Besitzzuwachses, wie den Bauern in *Romeo und Julia auf dem Dorfe*: sie zerstreiten sich und beginnen einen Prozeß. Die Juristen werden in Arbeit gesetzt; gewissermaßen ist damit das bürgerliche, zentralistische Zeitalter eingeläutet, ganz wie zuvor schon in *Romeo und Julia auf dem Dorfe*. Spiegel aber wird sozial deklassiert. Er muß den

Hunger kennenlernen, die demütigende Abhängigkeit von fremder Leute Freundlichkeit, mit dem Ergebnis, daß er alle seine Attraktivität einbüßt.

An Spiegels Deklassierung wird möglicherweise das frühe materialistische Wort »Der Mensch ist, was er ißt« exemplifiziert, eine Theorie, die Keller zudem in den Vorlesungen des Heidelberger Anthropologen Jakob Henle kennengelernt haben könnte. Dennoch läßt sich die Auslegung dieses »Märchens« nicht auf diesen Aspekt reduzieren; sein Fortgang macht dies deutlich. In seiner verzweifelten Situation trifft Spiegel auf den »Stadthexenmeister Pineiß«. Pineiß erscheint dabei nicht nur als einer, der Handel treibt und Geld verleiht, sondern zugleich als der Schreiber der Stadtgesetze und – nicht zuletzt – der Inquisitor, der das körperfeindliche Prinzip des Christentums noch in der mittelalterlichen Form der Hexenverbrennungen durchsetzt. Pineiß kehrt dann wieder in der *Dietegen*-Novelle, in der hexenverbrennenden Gerichtsbarkeit der Ruechensteiner, der Küngolt ihren Dietegen zwar abgewinnt, aber auch nur, um dann in überraschendem dialektischen Umschlag über ihn verfügen zu wollen, woran beider Liebe fast scheitern wird. Pineiß vereint in sich die Züge der Inquisition, des bürgerlichen Rechts und des bürgerlichen Handels – er repräsentiert darüber hinaus bereits das Prinzip der Zentralgewalt, ist schon der Stadtschreiber und darin also Fleisch von Kellers eigenem Fleisch, was den zur Rede stehenden Sachverhalt komplizierter und pikanter zugleich macht. In Kellers Autobiographie von 1876 heißt es, bezogen auf Kellers eigene Staatsschreibertätigkeit:

Die Zeit ist lange dahin, da der Schreiber, das Tintenfaß am Gürtel, bei schönem Wetter Hexen und Ketzer verbrannte, einen Ratsschmaus einrichtete, mit Herold und Trompeter durch die Stadt ritt, die Frühlingsmesse auszurufen, oder gar mit dem Banner ausrückte, um als Feldschreiber die glorreiche Züchtigung der Widersacher an den Rat zu berichten.

Was sich im selbstbiographischen Kontext lediglich als die scherzhafte Klage des Staatsbeamten Keller über Einseitigkeit und Routine seiner Amtsgeschäfte lesen läßt, gewinnt im Zusammenhang mit dem *Spiegel*-Text eine weitere Dimension: es wird deutlich, daß der poetisch-realistische Autor Keller es selbst dort, wo er ein »Märchen« schreibt, keineswegs ausschließlich mit der Verkörperung seiner Wünsche in Gestalt des hübschen und verständigen Katers hält, sondern daß Keller auch dem Gegenspieler Spiegels gewisse Züge der eigenen Existenz zuerkennt. Pineiß stellt die kirchliche wie die weltlich-bürgerliche Gerichtsbarkeit dar. Er verbrennt in der Hexe die Verkörperung der ungezügelten Sexualität und besorgt daneben die rechtliche, legalistische Abwicklung der bürgerlichen Geschäfte. Er repräsentiert das zentralistische anti-poetische Prinzip schlechthin, steht für die Herrschaft einer dürren Ratio, bestimmt ausschließlich durch die ökonomischen und abstrakt-juristischen Notwendigkeiten – einer Ratio, die alles andere ist als jene Vernunft, die sich im ursprünglichen Zustand Spiegels verkörperte.

Dieser Pineiß aber braucht Spiegel. Für seine mannigfachen Tätigkeiten, zumal für die »Hexerei [...] als wissenschaftlichen Versuch und zum Hausgebrauch« (S. 241), benötigt er nämlich Katzenschmer. Der Schmer ist, wenn man das Bild gebrauchen darf, sozusagen der Treibstoff, mit dem die Maschinerie der städtischen Geschäftigkeit angetrieben wird, wie sie sich in Pineiß darstellt. Zum Wesen des Treibstoffs gehört, daß er seine Energie nur abgibt, wenn er verbrannt wird. Auch Spiegel müßte sterben, freilich »vertragsmäßig und freiwillig« (S. 239), ganz in der juristischen Ordnung, um Pineiß seinen Schmer zu überlassen. Das frei schweifende Prinzip der Poesie soll sein Leben lassen unter der messerscharfen Verfügungsgewalt des Zentralisten. Spiegel hat keine andere Wahl und willigt in einen Vertrag, der ihm andererseits sein Essen bis zum Tode sichert. Das meint: das Prinzip, das Spiegel verkörpert, kann nur überleben, indem es sich Pineiß unterwirft. Aber auch diese Unterwerfung führt längerfristig zu seiner

Liquidierung. Pineiß setzt Spiegel, den er nun als sein »wohlerworbenes Eigentum« (S. 240) ansieht, zunächst einmal in eine künstliche Naturwelt. Wie die erste Natur, so soll auch Spiegel gezähmt und domestiziert, am Ende gar getötet werden.

Der Kater verfällt daraufhin auf eine neue List, die ihm am Ende die Freiheit wiederbringt: er beginnt – im Stil einer Beichte des zum Tode Bereiten – Pineiß die Geschichte seiner Herrin zu erzählen. Diese Geschichte ist Fiktion in der Fiktion, in der ausschließlichen Absicht erfunden, Pineiß' Interesse und zuletzt Begehrlichkeit zu erwecken. Spiegel konzentriert seine Erzählung auf das, was auch Kellers zentrale Thematik im *Seldwyla*-Zyklus ausmacht: auf die Liebe und auf den Gelderwerb und wie beides miteinander zusammenhängt. Pineiß bekommt 10 000 Gulden und die Liebe in Aussicht gestellt, einen Goldschatz und einen Eheschatz, der »weiß am Leibe, sorgfältig im Sinne, zutulich von Sitten, treu von Herzen, sparsam im Verwalten« (S. 249) sein soll. Dies weckt allerdings die Begehrlichkeit des Stadtschreibers; Spiegels Erzählung macht ihm seine lang unterdrückten, aber bestehenden Wünsche bewußt, er verfällt einer zu gleichen Teilen pekuniären und erotischen Besessenheit, die ihn blind macht.

Nun sollte aber die Geschichte, die Spiegel berichtet, eher dazu geeignet erscheinen, Pineiß nachdenklich zu stimmen, ihn eher aufzuklären als ihn zu verführen. Denn der Kater erzählt nichts anderes als die Vorgeschichte des Prinzips, das Pineiß vertritt, bzw. er weist auf die Widersprüche hin, denen Pineiß dann am Ende selbst, und zwar in der Realität der Novelle, erliegen wird. Spiegel fabuliert nämlich darüber, wie selbst die Liebe durch das Besitzdenken vergiftet werden kann. Die Geschichte seiner Herrin besteht ja seiner Erzählung zufolge darin, daß sie, die schön, liebenswert und reich war, sich am Ende als unfähig erwies, die »Liebe zu Geld und Gut an ihren Freiern von der Liebe zu ihr selbst zu unterscheiden« (S. 252). Ihre große Liebe scheiterte, da ihr zur unglücklichen Stunde einfiel, »daß ihr Liebhaber ein Kaufmann sei, welcher am Ende nur ihr Vermögen zu erlangen wünsche« (S. 255). Am Ende liegt sie mit ihrem Goldschatz anstatt mit einem Ehemann in der Schlafkammer zusammen.

Spiegel muß jetzt noch für Pineiß eine Frau ausfindig machen. Er stößt dabei auf ein Doppelwesen: auf die alte Begine, die nächtens zugleich die junge, nackte Hexe darstellt. Keller beschreibt hier das Bild der Frau, das durch die christliche Tradition in die Heilige und die Hexe zerspalten wurde, in eine frömmelnde Tag- und eine erotisch-verruchte Nachtseite (die übrigens nicht zufällig, mit ihrem wilden Haar und weißen Leib, an Judith im *Grünen Heinrich* erinnert). Am Ende der Novelle heiratet Pineiß die junge Hexe; doch sofort nach der Hochzeit verwandelt sich die schöne junge Frau in die alte Begine zurück, um – das darf man ergänzen – in dieser Gestalt zu verharren, zum andauernden Martyrium des Stadtschreibers, dem es darin ebenso, wenn nicht noch übler ergeht als dem siegreichen Kammacher mit Züs Bünzlin.

Um das Fabula docet, um die ›Lehre‹ dieses »Märchens« zu ziehen, an dem die Kombination des Fabelartigen mit dem Parabelhaften, wie sie Keller für seine Novellen selbst beansprucht hat, deutlich hervortritt: Keller stellt hier in märchenhafter Verhüllung, in sozusagen extensiver Ausnutzung der »Reichsunmittelbarkeit der Poesie«, die Rolle der erzählenden Kunst, der Poesie überhaupt, im modernen, prosaischen bürgerlichen Leben, also hineingestellt in die »Dialektik der Kulturbewegung«, dar. Diese Behauptung muß man erläutern. Spiegel heißt ja nicht nur wegen seines glänzenden Fells Spiegel, sondern vor allem deshalb, weil er als Erzähler dem Pineiß dessen eigene uneingestandene Wünsche widerspiegelt, sie ihm bewußt macht und ihn damit betört. Spiegel vertritt das sinnliche und poetische Prinzip, das deswegen keineswegs unvernünftig ist. Spiegel kann nur überleben durch eine List: im Erzählen als der Kunst, dem Zuhörer dessen eigene geheime Wünsche vorzustellen und diesen dadurch zu fesseln. So überlebt die Poesie inmitten der herrschend gewordenen

Prosa. Was nicht heißt, daß diese Erzählkunst bei all ihrer Poesie unkritisch oder illusionistisch wäre: Pineiß bekommt das eigene Ergehen desillusionierend vorerzählt. Freilich hört er vor allem auf das, was seine aufgepeitschte Sinnlichkeit anspricht – dies wiederum zum Glück für den Erzähler Spiegel. Überhaupt ist es, der Logik dieses Märchens zufolge, ein eigen Ding mit der Kunst: sie überlebt nur, weil sie in den Menschen Hoffnungen erweckt, die dann in der Realität zumeist nicht bestehen können – wobei andererseits die Legitimität dieser Hoffnungen gerade darin liegt, daß sie unter den bestehenden Realitätsverhältnissen nicht zum Zuge kommen. Darin illustriert Keller auch die ›Wirkungsweise‹ des poetisch-realistischen Prinzips. Die Kunst muß des weiteren den Menschen nach dem Munde reden, um überhaupt gehört zu werden, d. h., um überleben und als Kompensation einer unzureichenden Wirklichkeit wirken zu können. Der Philister muß den Poeten erhören, will dieser nicht scheintot bleiben – und er bewacht zugleich dessen Grab. Kunst ist also ebenso notwendig wie illusorisch, ist der Kritik des Bestehenden verpflichtet und muß dennoch immer wieder Kompromisse schließen, um überhaupt fortbestehen zu können. Vielleicht, daß Keller nirgendwo adäquater das Wesen seiner eigenen Kunst eingeschätzt hat. Das macht: Keller selbst ist hier sowohl Pineiß, der Stadtschreiber, wie auch Spiegel, der Erzähler, ist der Philister und ist der Poet in einer Person. Pineiß ergeht es mit Spiegels Erzählung, wie es Pankraz mit seiner Shakespeare-Lektüre erging. Die Geschichte der Poesie selbst spiegelt sich im märchenhaften Ergehen eines Erzählers, der »Spiegel« heißt – vorgetragen mit allen Mitteln einer »reichsunmittelbaren« Poesie und dabei mit größter Aufmerksamkeit auf die »Dialektik der Kulturbewegung«, gerät dieses »Märchen« zur poetischen Hermeneutik von Gottfried Kellers Realismus.

»Kleider machen Leute«

Zweifellos: gäbe es eine Beliebtheitsskala der Texte Gottfried Kellers, *Kleider machen Leute* rangierte ganz oben. Frei-
lich würde es sich wohl eher um eine Bestsellerliste als um eine
Bestenliste handeln. Denn es sieht so aus, als sei die allgemeine
Beliebtheit des Textes, seine Kanonisierung als Schullektüre
zumal, dadurch bedingt, daß ihm jene ›subversive Dimension‹
fehlte, wie sie die meisten Texte aus der Feder des Zürcher
Meisternovellisten auszeichnet. Die Novelle pflegt häufig dem
Fähnlein der sieben Aufrechten an die Seite gestellt zu werden
(Stichwort in beiden Fällen: hübscher mittelloser junger Mann
gewinnt eine nette und zudem noch reiche Braut), und sie gilt
als besonders geeignet für schulische Lektüre. Literatur als Le-
benshilfe, oder: wie verbinde ich den erotischen mit dem be-
ruflichen Erfolg? Mittellosigkeit und Träumerei sind zu kurieren, wenn man sich nur ›der Richtigen‹ verbindet. Hermine
und Nettchen als bürgerliche Musen, Karl und Wenzel als die
glücklicheren Brüder des Grünen Heinrich?

Das ist ja auch das Thema der nachfolgenden Novelle vom
Schmied seines Glückes. John Kabys freilich trachtet aktiv zu
verwirklichen, was Wenzel nur mit sich geschehen läßt. Deshalb scheitert er am Ende, und auch natürlich deshalb, weil er
bei seiner künftigen »Mutter«, der (jüngeren) Frau seines wie-
dergefundenen Vaters Adam Litumlei, nur allzu hitzig sich
Liebkind zu machen trachtet. Der auf diese Weise zustande
gekommene illegitime Sohn wird dann später seinen Vater
John Kabys ebenso enterben, wie dieser sich das Erbe des Litumlei zu erschleichen trachtete: darin liegt der – ganz novel-
lengemäße – Umschlag in dieser Erzählung beschlossen. Der
Pole Wenzel, der der Literatur verdankt, was John Kabys auf
eher rabiatem geschäftlich-legalistischen Weg zu erreichen
trachtet, gelangt er nicht am Ende zu glücklichem Ausgang?
Und verweisen von daher nicht beide Novellen, sie stehen
nach Kellers Willen ohnehin nebeneinander, geradezu didak-
tisch aufeinander, als das positive vor dem negativen Beispiel?

Über Hermine steht im *Fähnlein* geschrieben: »es glühte etwas Herbes und Tyrannisches mitten in der lachenden Süßigkeit ihres Blicks, zwei Geister sprachen beredt aus seinem Glanze: der befehlende Wille, aber mit ihm verschmolzen die Verheißung des Lohnes, und aus der Verschmelzung entstand ein neues geheimnisvolles Wesen«.[1] Nettchen in *Kleider machen Leute* gehört, worauf auch Gert Sautermeister und Gerhard Kaiser verwiesen haben, ebenfalls zur Spezies dieser bürgerlichen Sphinxen, die Kellers Werk zahlreich bevölkern. Vielleicht ergeht es Karl und Wenzel also eher wie dem Hexenverfolger und Hexenliebhaber Pineiß in *Spiegel, das Kätzchen*, dem, angeregt durch das Versprechen der Kunst, als heißblütiges Hexchen erschien, was in Wahrheit bloß eine herrschsüchtige Begine war? Deshalb besitzen fast alle diese Geschichten auch einen januskpöfigen, doppelt lesbaren Schluß: der Asketenkopf des lächelnden Pankraz, Nettchen als Sphinx. In *Kleider machen Leute* geht es, wiederum im Sinn einer Sozialisierungsgeschichte, um die Bemeisterung eines anderen Derivats der menschlichen Libido: nämlich um die Lese-Lust. *Die mißbrauchten Liebesbriefe* kreisten ebenfalls um das Schicksal der Literatur in der moderner werdenden Welt; doch dort wurde gezeigt, wie selbst die Literatur, die direkt von der Liebe handelt, von der Affektiertheit und Leere des Zeitalters affektiert und verdorben wurde. Und weil es in der *Kleider*-Geschichte ums Lust-Lesen geht, geht es um Trivialliteratur. Trivialliteratur ist Lesestoff, der süchtig macht. Keller kannte beides sehr gut: süchtiges Essen und Trinken ebenso wie süchtiges Lesen. Darauf verfällt u. a., wer sicher, aber langweilig lebt: eben die Goldacher und deren Frauen. Ihnen gefällt Wenzel, ist er doch aus dem Stoff der zeitgenössischen (Polen-Aufstände!) Trivialromane gemacht.

Unter diesem Blickwinkel betrachtet, erscheint Wenzel am Anfang der Novelle als der von aller Realitätsrücksicht be-

---

1 Gottfried Keller, *Das Fähnlein der sieben Aufrechten. Novelle,* Stuttgart 1947 [u. ö.], S. 70.

freite, der pure und phantastisch verlockende Trieb. Er ist darin auch grenzenlos narzißtisch; so wie Pankraz aus Trotz, muß Wenzel aus ästhetischem Bedürfnis heraus hungern. Er ist dem Laster des phantasierenden Tagträumens so verfallen, daß er schließlich zur Gänze lebt, wovon andere nur stundenweise träumen: ein Graf zu sein, blaß, vornehm und – Pole, der er ist – schwarzhaarig und vermutlich auch noch – katholisch. Wenzel verkörpert die trivialliterarisch geprägte, von aller Realitätsrücksicht befreite Phantasie. Dafür ist auch sein mit Samt ausgeschlagener Radmantel Symbol. In Wenzel tritt anfänglich die asoziale Lese-Lust ins Leben; er ist nichts als der Stoff für die Verkörperung von erhitzten Phantasien, wie sie im prosaischen Goldach entstehen, das eine historische Stufe ›weiter‹ ist als das noch teilweise poetische Seldwyla. Wenzel ist der Stoff, aus dem die Goldacher Träume gemacht erscheinen: ein schweifender Geselle mit langen, schwarz glänzenden Haaren, erinnert er an die Boheme-Figur des »schwarzen Geigers« in *Romeo und Julia auf dem Dorfe*.

Daß es Keller um die kritische Darstellung trivialliterarischer Muster ging, ist überliefert. Wenzel ist also der Held eines kollektiven, theatralischen Trivialromans, eines entfesselten, romanhaften Glücks-Stückes, das zu Goldach inszeniert wird. Er ist dabei der Wenzel im Spiel, »der Bube, [...] der alle (Damen) sticht« und alle Herren aussticht (G. Kaiser, S. 351). Was zunächst als kesser Spruch erscheint, macht Sinn: in Wenzel verkörpert sich nämlich ein erotischer Glücksanspruch, der ohne Grenzen ist und sozialisiert werden muß. Und deshalb bedeutet Nettchens endlicher Ausspruch: »Keine Romane mehr«, nichts anderes, als daß der lasterhaft schweifende Trieb domestiziert, ins enge, aber reine Bett der Ehe gelenkt wird. Statt Phantasien für die Bürgerschaft produziert Wenzel nun Tuch für sie. Darüber wird er reich, beleibt und behäbig, und er verliert zusammen mit der ästhetischen, der schönen Lasterhaftigkeit alle seine Poesie. »Noch ein Roman« ist die unausgesprochene Maxime des alten Seldwyla; »keine Romane mehr« ist die ausgesprochene des neuen.

Insofern ist auch *Kleider machen Leute* ein desillusionierender ›Bildungsroman‹ nach der Art des *Pankraz*.

Die Novelle dürfte während des Schreibens seit Mitte der 60er Jahre entstanden sein, ohne daß Keller auf ausführlichere Vorarbeiten zurückgreifen konnte. Er hat aber das ursprüngliche, noch in der Berliner Zeit entworfene Konzept umgestülpt. Im Stichwortplan von 1857 figurierte *Kleider machen Leute* unter: »Wie der König von Preußen einen Seldwyler solid macht«. Daraus wurde, in freier Paraphrase: »Wie Nettchen aus Goldach einen Wasserpolacken solid macht«. Der Wasserpolacke Wenzel stammt, was festzuhalten wichtig ist, ursprünglich aus Seldwyla. Sein Wasserpolackentum im vorliegenden Text ist gar nichts anderes als ein gesteigertes Seldwylertum. Deshalb gleicht sein Habitus auch, freilich solider und wohlanständiger, dem »schwarzen Geiger« aus *Romeo und Julia auf dem Dorfe*. Der »schwarze Geiger« war noch Dionysos mit diabolischen Zügen; Wenzel ist vom Mythos ebenso weit entfernt, wie die Trivialliteratur à la Clauren/Hauff von Shakespeare entfernt ist. Wenzel gibt nicht mehr den Gott der Lust und des Rausches, sondern eine Figur trivialer Lese-Lust ab. Und dennoch ist er zur Erziehung bestimmt, allerdings nicht im preußischen Militär, sondern in einer Goldacher Ehe. In *Romeo und Julia* brach noch die Welt des Mythos in die Welt Shakespeares und der alten Schweiz ein. In *Kleider machen Leute* findet sich Shakespeare nur noch im Schauspiel, das die Seldwyler aufführen; in Goldach aber herrscht Claurens triviale Romankunst. Daraus würde kein tragischer Todesrausch mehr entstehen; wohl aber immer noch die erotische Liederlichkeit, wie sie in der »Lesefamilie« im *Grünen Heinrich* herrscht. Statt eines Satyr tritt ein attraktiver Hochstapler auf; der aber immer noch gefährlich genug ist, stammt er doch aus einer ähnlichen Region wie später Myrrha im *Salander*, die laszive Dumme mit dem griechischen Profil.

Die Moderne ist vorgerückt; Seldwyla ist fast Goldach geworden: deshalb spielen entscheidende Szenen genau in der

Mitte des Weges, der von Seldwyla nach Goldach führt. Und deshalb leitet *Kleider machen Leute*, ein Nachzügler mit umgestülpter Konzeption, den zweiten Band des Zyklus ein. Nur in den Augen des Phantasten Strapinski stellt sich Goldach noch als eine Art Citoyen-Arkadien dar; die Wirklichkeit sieht anders aus. Im Haus »Zur Verfassung« »hauste ein Bötticher, welcher eifrig und mit großem Geräusch kleine Eimer und Fäßchen mit Reifen einfaßte und unablässig klopfte« (S. 297). Deshalb ist *Kleider machen Leute* andererseits ein Nachzügler: in die geänderte, umgestülpte Konzeption ist das Wissen um den Endzustand Seldwylas eingegangen. Um erzogen zu werden, mußte kein Seldwyler mehr nach Preußen auswandern. Damit überhaupt noch etwas Poesie entstand, mußte vielmehr ein Wasserpolacke nach Seldwyla und von da aus nach Goldach einwandern.

Ähnlich verhält es sich unter dem Aspekt der Trivialliteratur als Gattung. *Kleider machen Leute* konstituiert sich im Spiel mit trivialliterarischen Mustern. Dies hat natürlich einen entscheidenden Anstoß in den unvermeidlich auch trivialromantischen Zügen der damaligen Polen-Begeisterung. Dies alles war aber nur der Anlaß, nicht der tiefere Grund für Kellers Thematisierung der trivialliterarischen Muster. Seit der Arbeit von Heinrich Richartz (1975) wissen wir, daß der Zürcher sich mit dem Phänomen der Trivialliteratur am Beispiel des damals viel gelesenen Autors H. Clauren auseinandergesetzt hat. Eine Notiz von Kellers Hand aus dem Jahr 1838 beweist, daß Keller Clauren ebenso zu lesen beabsichtigte, wie er Wilhelm Hauff kannte, der seinerseits Claurens trivialromantische Erfolgsstrategien parodiert hatte. Hauffs *Mann im Mond* hatte Keller gelesen; Richartz hat charakteristische Übernahmen aus diesem Buch in *Kleider machen Leute* konstatieren können. Hauffs *Kontroverspredigt*, eine Polemik gegen Clauren, beschreibt ziemlich genau das Bild, das Nettchen im Kopf hat. »Schon als Schulkind behauptete sie fortwährend, nur einen Italiener oder einen Polen, einen großen Pianisten oder einen Räuberhauptmann mit schönen Locken heiraten zu wollen, und nun haben wir die Bescherung« (S. 302 f.). Strapinski entspricht diesem Bild; gerade weil die Nicht-Helden der neueren Zeit Männer wie Melchior Böhni sind: »noch neulich mußte ich den gescheiten und tüchtigen Melchior Böhni heimschicken, der noch große Geschäfte machen wird, und sie hat ihn noch schrecklich verhöhnt, weil er nur ein rötliches Backenbärtchen trägt und aus einem silbernen Döschen schnupft« (S. 303). Darin sehen wir den Grund für Nettchens trivial-romantische Begeisterung vor uns, in deren Licht Böhni nur als sehr kleines Gewächs erscheint: er liegt in der heillosen Langeweile der neuesten Zeit. Böhni ist einer, der geschäftlich viele aussticht und der von Anfang an Strapinski durchschaut. Was nicht verhindert, daß er in seinem Verhältnis zu Nettchen einer der drei Heiligen Könige (sein Vorname) und (sein Schlittenwappen, der Teich Bethesda) einer ist, der sich im »Bild jenes jüdischen Männchens« wiedererkennt, »welches an besagtem Teiche dreißig Jahre auf sein Heil gewartet« (S. 304). Wäre er als erster in den Teich getaucht, so sagt es die Heilige Schrift, er wäre geheilt worden. Der »Wasserpolacke« Wenzel badet dagegen in diesem Teich und – so sagt es das Sprichwort – »stößt sich gesund«.

Und weil Strapinski diese Phantasie-Erwartungen erfüllt, ist er auch ein Künstler. Ein Lebens-Künstler, der Verlockendes nicht schreibt, sondern verkörpert: und darin ist er der glücklichere Bruder des Pankraz oder des Heinrich. Kunst machen, Schönes entstehen lassen, Schreiben heißt immer auch, um Frauengunst zu werben. Noch besser wäre es freilich, das Schöne gleich selbst zu verkörpern. Dies vermag der liebenswürdige Hochstapler, den Keller in Strapinski und den Thomas Mann in Felix Krull dargestellt haben. So wären sie selbst gern gewesen: der Schreib-Qual enthoben und dennoch vielgeliebt.

So gesehen, ist Kellers Kritik der Trivialliteratur auch nicht frei von Neid. Viel mehr Damen lasen schließlich Clauren als Keller; und womöglich lasen sie Clauren so, wie es Keller in der »Lesefamilie« ausphantasiert hatte. Den Radmantel des

Wenzel hatte Keller selbst getragen, als er in München noch den Damen nachgegangen war. Keller war nicht Clauren. Keller war freilich auch nicht Strapinski. Aber er war immerhin einer, der Strapinski schaffen und dabei gleichzeitig Clauren kritisieren konnte. War ein Staatsschreiber, der auf Niveau und Moral achten und dennoch sich gestatten konnte zu gestalten, wie sich sein Alter ego Wenzel alle Wünsche stellvertretend für ihn erfüllte. Wofür Keller wiederum nicht verantwortlich war: so ging es bei Clauren zu und nicht bei ihm selbst. Zudem liegt darin das zentrale Problem seiner Existenz als Staats-Schreiber. Man ist ein Narziß, unverändert, hat aber Verantwortung für das Ganze. Schreibt, um maßlos Liebe für sich zu gewinnen, und kann doch allenfalls der Ehe als dem staatlich geförderten Liebesinstitut das Wort reden (und das auch nur für die anderen). Widersprüche eines Schreibers, der Staat zu machen hatte. Widersprüche eines Klassizisten, der sich vom Glücksversprechen des Trivialen angezogen fühlte. Widersprüche eines, der vom Glück nur schreiben konnte, wenn er zu glauben vermochte, er meine nicht das eigene und ganz gewiß nicht das des eigenen Triebs. Widersprüche eines, dessen Berliner Liebesbriefe immer schon das eigene Abgewiesenwerden vorausgesehen, fast gefordert hatten.

Das Verhältnis (Trivial-)Kunst und Liebesgewinn wird im zweiten Band des Zyklus häufig angesprochen, so im *Schmied seines Glücks* und vor allem in den *Mißbrauchten Liebesbriefen*. Das verbindet diese Novellen des zweiten Bandes thematisch. Statt Kunst entsteht dabei Kitsch. Keller therapierte sich selbst im Schreiben einer Clauren-Parodie von dem geheimen Neid auf das, was dann Thomas Mann »die Wonnen der Gewöhnlichkeit« nennen sollte. Und zugleich versicherte er sich selbst, daß er Besseres besaß als ein sphinxhaftes Nettchen: nämlich das lustbesetzte Vermögen, nette Geschichten hervorzubringen. Er ist, noch einmal, der Staatsschreiber: einer, der den Trieb erziehen und doch maßlos Liebe auf sich selbst ziehen will. Narzißtischer Bohemien und »Amt für Literatur«

in einer Person. Ein Trinker mit Ärmelschonern, der zugleich
der abgründige Hexenmeister der zyklischen Novellen-Dia-
lektik gewesen ist.

»Das verlorne Lachen«

Die *Pankraz*-Novelle eröffnete den Zyklus insgesamt, *Das
verlorne Lachen* beschließt ihn. Beide Novellen erweisen sich
durch die jeweilige Thematisierung des Erzählens, des Spre-
chens und Aus-Sprechens, als einander zugeordnet. Der
schmollende Schweiger Pankraz hat, als er heimkehrt, das Erzählen gelernt, doch beim Wichtigsten spricht er ohne Zuhörer; Justine und Jukundus in der Schlußnovelle lernen erneut,
miteinander zu reden; doch spricht Jukundus am Ende vom
Schweigen. Das *Verlorne Lachen* wurde erst spät, 1874, fertig-
gestellt, also in den letzten Jahren von Kellers Staatsschreibertätigkeit. Daher kann man bei ihrem Autor die Bekanntschaft
mit jenen gesellschaftlichen Zuständen voraussetzen, unter
deren Eindruck Keller auch das zweite Vorwort zum Zyklus
verfaßte. Von einem Teil dieser Ereignisse geht im Text auch
ausführlich die Rede; anders als den anderen Novellen eignet
dem *Verlornen Lachen* ein direkter Zeitbezug. Ebenso wie die
Seldwyler des zweiten Vorworts verlieren auch die Protagoni-
sten der Novelle ihr Lachen freilich nur, um es am Ende doch
wiederzufinden. Eigentlich müßte der Titel also »Das wieder-
gefundene Lachen« lauten, daß das »verlorne Lachen« dennoch als Titelgebung angemessener ist (und sei es als eine Fehl-
leistung), soll die folgende Interpretation einsichtig machen.

Die Novelle erzählt die Geschichte von der Liebe zweier
strahlend schöner Menschen zueinander, deren Lachen eines
das andere bestrickt und deren Heirat schließlich ihrer unterschiedlichen Herkunft zum Trotz zustande kommt. Sie verlieren dann ihr Lachen und schließlich auch einander im Zusam-
menprall mit der alltäglichen Realität, um beides am Ende wiederzufinden. Jukundus und Justine führt dabei nicht nur ein

sprachspielerisches Kalkül zusammen. Sie finden zueinander, um sich gegenseitig zu ergänzen; fände diese Ergänzung statt, könnte das Ideal ins Leben treten. Als Eingangsbild der Novelle versammelt ein »prachtvoller Sommermorgen« (S. 493) die durch ihren Besitz unterschiedenen Bürger der Schweiz als Freie und Gleiche in der Öffentlichkeit eines vaterländischen Festes, um sie in der Sinnenlust von Liebe und Gesang, Essen und Trinken zusammenzuschließen. Die hier zusammenkommen, versammelt Festfreude, und noch keine erzwungene Zentralisierung. Zur Chiffre dieser Citoyen-Utopie wiederum gerät der Glanz des Lachens auf den Gesichtern der Justine und des Jukundus; es erstrahlt jene Charis, die über Teilen der Kellerschen Erzählwelt liegt. Beider anmutvolles Lachen verrät, wie es heißt, daß sie »aus der gleichen Heimat stammten« (S. 496). Freilich, diese Heimat ist gleich nur im geographischen Sinn; gesellschaftlich-real entstammen beide verschiedenen Schichten, ist Jukundus ein »nichts oder wenig besitzender Seldwyler« (S. 498), Justine die Tochter eines »reichen Arbeitsherrn« (S. 498), des Besitzers einer bedeutenden Seidenmanufaktur. Der Gleichheitsschein des Festes und die gesellschaftliche Realität kontrastieren einander – genauso wie Keller am 21. April 1856 an Ludmilla Assing schrieb, alle Schweizer »Beschaulichkeit« sei auf die Feste begrenzt: »es ist, als ob sie alle Beschaulichkeit in jenen öffentlichen Festtagen konzentriert hätten, um nachher desto prosaisch ungestörter dem Erwerb und Gewinn und Trödel nachzuhängen.«

Dennoch scheint hier die Liebe über die sozialen Unterschiede, die Erotik über das geschäftliche Kalkül zu siegen – dies freilich nur in der Erwartung, daß Jukundus selbst bürgerlich erfolgreich sein werde. Er eröffnet auch eine Holzhandlung, die schon bald floriert. Doch Jukundus vermag nicht von der sinnlich-natürlichen Qualität dessen, womit er handelt, abzusehen; er bringt es nicht fertig, aus dem sinnlich schönen Dasein der Bäume und Wälder deren kapitalistisch-rationalen Tauschwert zu abstrahieren. Kellers erzählerisches Genie macht dies im Bild jener Riesen-Eiche ästhetisch konkret, die man im abgeholzten Wald hat stehenlassen, auf daß ihre sinnenfällige Vollkommenheit den Preis in die Höhe treibe – wohl die gleiche Eiche, unter deren Wurzeln in der vorausgehenden Novelle *Dietegen* der gleichnamige Held seinen Ziehvater beisetzt, diesen löwengesichtigen, lachfreudigen und trinkfesten, gleichermaßen sinnlichen wie vernünftigen Renaissance-Menschen. Der helle Zustand der Seldwyler Gesellschaft löst in dieser Novelle die finsteren Zustände eines noch mittelalterlichen Ruechenstein ab, wo mit Lust verfolgt, gefoltert und hingerichtet wird. Sie geht dem *Verlornen Lachen* voraus; auf sie folgt folgerichtig die Liquidierung des Seldwyler Lebensstils im *Verlornen Lachen*. Der Holzhändler Jukundus kauft selbst diesen Baum, um ihn zu retten. Er verrät so, daß er das Gemüt nicht vom Geschäft zu trennen vermag; und diese Rettungstat bewirkt folgerichtig seinen bürgerlichen Tod. (Im übrigen gab es 1857 in Zürich einen erregten, ganz und gar ›modern‹ anmutenden Streit um die mächtige »Tiefenhoflinde«, die dann am 15. März »der Bauspekulation leider zum Opfer fiel«.) Als der Bankrotteur Seldwyla verläßt, fällt man die Riesen-Eiche, und mit dieser zusammen stürzt die Utopie vom ganzen, harmonischen Menschen. Jukundus erweist sich dann im Handelshaus seiner Schwiegereltern vollends als bürgerlicher Tor. Das schöne Menschenantlitz der Justine aber verzerrt sich darüber zur Grimasse. Selbst Justine gibt hier ab, was vor ihr Lydia in der *Pankraz*-Novelle war und was dann Hermine im *Fähnlein* ebenfalls sein wird: die entschiedene Vertreterin modernen ökonomischen Denkens. Als schließlich die Eheleute noch über Justines neu entdeckte religiöse Neigung, mit der sie ihre Enttäuschung über das bürgerliche Versagen ihres Mannes kompensiert, in Streit geraten, trennen sie sich und verlieren ihr Lachen, so, als ob »es niemals in ihrem Gesicht gewohnt hätte«.

Jukundus läßt sich durchaus als der strahlende, festliche Repräsentant des alten Seldwyla verstehen, als eine Gestalt aus der noch keiner Zentralherrschaft unterworfenen Provinz, die sich in der neuen Wirtschafts-Realität der Schweiz zu bewähren hätte – was sie selbstverständlich nicht vermag. Ursprünglich hatte Justines Mutter bei sich beschlossen gehabt, »daß ja unmöglich ein Mann aus Seldwyla in die Familie heiraten dürfe, aus dem Orte, in welchem noch nie einer auf einen grünen Zweig gekommen sei und wo niemand etwas besitze« (S. 505). Jukundus' Scheitern scheint ihr nachträglich recht zu geben. Damit könnte die Novelle ihr Ende gefunden haben, um so mehr, als Keller selbst sie als Gegenstück zum *Fähnlein der sieben Aufrechten*, diesem – bei oberflächlicher Betrachtung – bloßen Genrebild schweizerisch-liberaler Ideologie konzipiert hat.

Doch Keller will hier nicht nur den Verlust, sondern auch den Wiedergewinn des Lachens zeigen. Dabei verlagert sich ihm die Darstellung auf eine andere Ebene. Entfaltete der Konflikt sich im eigentlich gesellschaftlichen Raum der modernen Geschäftstüchtigkeit, so soll seine Lösung nun im Bereich der Religionskritik und der zeitgenössischen Politik gefunden werden. In diesem Sinn holt der Erzähler Justine auf die Erde zurück. Keller läßt Justines Vaterhaus, die Seidenhandlung Glor, durch eine überseeische Krise (der amerikanische Bürgerkrieg) in schwere Bedrängnis geraten. Justine lernt, sich in ihren großbürgerlichen Gewohnheiten einzuschränken, und sie lernt vor allem zu arbeiten. Sie »muß den Tod der Mutter, den Niedergang der väterlichen Firma, die Hohlheit ihres religiösen Führers und Pfarrers, die Beschränktheit einer mütterlichen religiösen Leitfigur erleben, ehe sie als Ehefrau für Jukundus reif wird. Jukundus muß beruflich auf die eigenen Füße kommen und politisch desillusioniert werden.« (G. Kaiser, S. 386.) Dies ist das anzustrebende Ziel. Justine macht auf dem Weg dorthin bei der Heiligen Ursula die ernüchternde Erfahrung, daß deren religiöses Reden nicht hält, was ihre Erscheinung verspricht. Justines Erfahrung erhält dann ihr Parallelstück in der Entwicklung, die Keller Jukundus nehmen läßt. Dieser erwirbt die ihm fehlende Geschäftstüchtigkeit, und zwar bezeichnenderweise unter

einem ehemaligen militärischen Vorgesetzten und in einem
hauptstädtischen Handelskontor, in dem die Geschäftsbezie-
hungen schon derart abstrakt geworden sind, daß Jukundus
gar nicht mehr durch die sinnlich-konkrete Qualität dessen,
womit er handelt, irritiert zu werden vermag. Dennoch erweist sich die so erworbene »kalte und bittere Ruhe« (S. 544)
schon bald als erneut gefährdet; denn Jukundus schließt sich
einer von Keller so genannten »dämonisch seltsamen Bewegung« an, die mittels »grimmiger Verleumdung« (S. 545 f.)
versucht hätte, die politische Führung der Republik zu stürzen.

Keller hatte hierbei die Kampagne gegen den Zürcher
Großunternehmer und höchst einflußreichen Politiker Alfred
Escher im Auge, dessen – wie Keller es nannte – »System«
darin bestand, Politik im Dienst privater Wirtschaftsinteressen
zu betreiben. Diese Kampagne forderte und setzte schließlich
1869 auf dem Wege der Verfassungsrevision durch: sozialpoli-
tische Maßnahmen von der Arbeitsschutzgesetzgebung bis
zur Unentgeltlichkeit des Schulunterrichts, die Gründung
einer Kantonalbank, um Eschers Bankmonopol zu brechen,
schließlich direktdemokratische politische Verkehrsformen,
deren Zentrum die Volksabstimmung bildete. Mit dieser Kampagne im Zusammenhang standen Pamphlete des, wie er häufig genannt wurde, »Winkeladvokaten« Friedrich Locher,
übrigens eines Schulkameraden Kellers, der den Angriff auf
tatsächliche Mißstände mit dem auf das private Leben der
Kontrahenten verquickte. »Ein agitatorisch und journalistisch
begabter Publizist, Dr. Friedrich Locher, lieh ihnen seine an-
griffige Feder. Er veröffentlichte [...] eine scharfe Flugschrift
gegen Alfred Escher. Sie wurde in einer Auflage von 30 000
Exemplaren vertrieben und bewirkte Eschers Rücktritt aus
dem öffentlichen Leben des Kantons.«[2] Locher wurde von
den politischen Gruppierungen nicht akzeptiert und fiel dann
auch bei Wahlen durch. Keller war seit seiner Wahl zum

2 Peter Dürrenmatt, *Schweizer Geschichte*, Zürich 1963, S. 530.

Staatsschreiber 1861 ein Parteigänger Eschers und im Verlauf der erwähnten Kampagne selbst ein Opfer von Angriffen auf seine Trinkgewohnheiten gewesen. Er hatte also allen Grund zu auch persönlicher Betroffenheit, zumal das Ganze noch nicht allzu lange zurücklag und möglicherweise auch der Selbstmord seiner seinerzeitigen Verlobten Luise Scheidegger (1866) mit politisch motivierten publizistischen Angriffen auf die Prügeleien und Alkoholexzesse des Staatsschreibers zusammengehangen hatte. Indessen scheint es so, als sei diese persönliche Betroffenheit dem Text nicht unbedingt gedeihlich angeschlagen. In der Novelle will Keller des Jukundus Verirrung in die Politik dadurch zum Ausdruck bringen, daß er diesen sich dem Klüngel der Denunzianten, der nach dem Kreis um Locher gezeichnet erscheint, anschließen läßt. Es scheint der Schluß erlaubt, daß das Denunziantentum Keller zum Projektionsschirm dient, auf dem er jene Kräfte abwehrend abbildet, die in der Anti-Escher-Kampagne den linken Flügel abgaben: die Radikalen innerhalb der Demokraten und den einflußreichen sozialreformerischen Grütli-Verein. Diese, wie der Schweizer Historiker Eduard Fueter sie nennt, »radikal-soziale Richtung« war ihrerseits zerstritten über die Frage des Beitritts zur I. Internationale, wie sie vor allem durch die sich herausbildende Schweizer Sozialdemokratie gestellt wurde. Kellers Darstellung reflektiert auch dies. Ein Teil der Denunzianten lobt bei ihm das »herrliche, teure, das schöne Vaterland« (S. 553), während der andere, kleinere Teil mit Heringsschwänzen nach den strahlenden Schweizer Bergen wirft, die ihr Tagungslokal zieren. Ganz sicher ist hier bereits jene tiefe Skepsis gegen allen Fortschritt durch Politik vorgebildet, die dann in den Maximen Arnold Salanders aus Kellers letztem Roman kulminieren wird.

Dennoch verteidigt Keller hier keineswegs Alfred Escher und sein »System«. Dies macht allein schon die Erinnerung daran deutlich, daß der strahlende Jukundus um so vieles liebenswürdiger erscheint als die Geschäftswelt, in der er sich zurechtzufinden hat. Keller wendet sich vielmehr gegen jene

politischen Kräfte, deren Kampf gegen Escher zugleich das
Privateigentum als Prinzip in Frage stellte oder zu stellen
schien. An diesem aber findet auch das Feuerbachsche Ideal
seine Grenze, und nicht zuletzt deshalb erhält die Musterpro-
letarierin und Heilige Ursula im *Verlornen Lachen* als Pendant
jenes »Ölweib« zugesellt, in dem sich die Lust an der politischen Verleumdung und am Voyeurismus zum sinnlich-ab-
stoßenden Bösen zusammenfinden. Kellers Beschreibung ist
ebenso eindrucksvoll wie verräterisch; er versieht die schmutzige »Unholdin« mit einem »großen viereckigen, gelblichen
Gesicht, in welchem Neid, Rachsucht und Schadenfreude
über gebrochener Eitelkeit gelagert waren, wie Zigeuner auf
einer Heide um ein erloschenes Feuer« (S. 574). Beide Frauen
wohnen im gleichen Haus, und wie Justine in Ursula die Hin-
fälligkeit aller Religion durchschauen lernen soll, so Jukundus
im »Ölweib« die einer jeden politischen Leidenschaft, die das
Heiligtum des Privatlebens und auch das des privaten Eigentums nicht zu respektieren gewillt ist. Keller gerät nicht zufällig das gleiche Bild zum Mittel der Apologie, das im ›poetischen‹ Seldwyler »Märchen« *Spiegel, das Kätzchen*, das
ursprünglich als Schluß-Novelle gedacht war, der Philister-
Gesellschaft den Spiegel vorhält: nämlich das Auseinandertre-
ten der Frau in »halb Tier, halb Engel«, in die Heilige und die
Hexe.

All dies will dann das Schlußbild des *Verlornen Lachens*
wieder versöhnen, und zwar in einer Weise, die sicherlich für
den *Seldwyla*-Zyklus charakteristisch zu nennen ist. Jukundus
und Justine gehen in die Natur hinaus; sie lassen den Lärm der
Glocken und den der Politik hinter sich. Das verlorene Lachen
kehrt beiden in einer, wie es heißt, »Pflanzschule« zurück, die
»war so sorgfältig und zierlich gehalten wie der Garten eines
großen Herrn, obwohl sie nur einer bäuerlichen Genossenschaft gehörte« (S. 583 f.). Hier wird wieder großgezogen, was
im erschütternden Fall der Riesen-Eiche das Zerschellen des
Feuerbachschen Ideals symbolisierte. Dem entsprach durchaus die Realität: »Die Schweiz wurde das Land mit dem aus-

gebreitetsten Genossenschaftswesen.« (v. Wartburg, S. 320.)
Stringenz wie Aporie dieser Schluß-Utopie zeigen sich dann
im Blick auf ihren sozialgeschichtlichen Kern. Die Gründung
von Produktions- und landwirtschaftlichen Genossenschaften, zu deren Finanzierung in der Anti-Escher-Kampagne die
Gründung einer Kantonalbank durchgesetzt worden war,
stellte die Antwort auf eine doppelte Krise dar: auf die schwe-
lende der individuell betriebenen Landwirtschaft seit etwa
1855 und auf die der Industrie 1870/71. Während den Pro-
duktionsgemeinschaften kein langes Leben beschieden war,
transformierten die landwirtschaftlichen Genossenschaften,
wo sie Erfolg hatten, die bäuerliche Naturalwirtschaft in eine
Sparte moderner Industrieproduktion. Und Widersprüche
zeigt schließlich auch, was Keller zum Siegel auf das wieder-
gefundene Glück der Ehegatten dient. Hier nämlich soll, im
Unterschied zum *Pankraz*, Anamnese gelingen, soll das bürgerlich Verdrängte wiederkehren und ausgesprochen werden
können. Justine nennt lachend erneut jenes Wort, das sie ihrem
bankrotten Mann einst als todernste Beleidigung ins Gesicht
schleuderte: «Lumpazi!» Das Wort bedeutet beides: ›sozial
deklassierter, verkommener Kerl‹ wie auch ›lebenslustiger,
sinnenfreudiger, erotisch attraktiver Kumpan‹. Assoziiert
wird Nestroys erfolgreiche Zauberposse *Lumpazivagabundus*, in der ebenfalls am Ende die Ehe und die bürgerliche Vernünftigkeit über den zufällig und ohne eigene Anstrengungen
erworbenen Reichtum und das ungebundene, lachende, liederliche Trinken, Vagabundieren und Lieben siegen. Im *Verlornen Lachen* kommen im Aussprechen dieses Wortes bürgerliche Angst und bürgerliche Sehnsucht zu widersprüch-
licher Einheit zusammen; der Assoziationsbereich wie auch
die Doppeldeutigkeit des Worts konzentrieren in sich, was
unter Kellers Novellen nicht nur das *Verlorne Lachen* gestaltet: den prosaischen Triumphzug, den die zentralistisch wer-
dende Bürger-Gesellschaft durch das Gebiet der anmutigen
menschlichen Sinnen-Natur hält, die noch vom Glanz der dezentralen Provinzialität überstrahlt wird.

Keller, um daran abschließend zu erinnern, hatte die eigene Absicht als Erzähler im ersten Vorwort folgendermaßen umrissen: es sollten »Abfällsel« erzählt werden, Geschichten, wie sie »doch auch gerade nur zu Seldwyla vor sich gehen konnten« (S. 10). Was bedeutete, daß er im Umfeld des alten Seldwyla die Anzeichen des neuen aufspürte, daß er Indizien für den sich anbahnenden Übergang zu poetischen ›Fallstudien‹ geraten ließ. Im *Verlornen Lachen* aber hat das neue Seldwyla nahezu zur Gänze gesiegt; Jukundus als Vertreter des alten liebenswürdigen Städtchens muß sich den neuen Bedingungen anbequemen. Nur die forciert optimistische Schlußlösung verhindert, daß daraus eine Tragödie nach dem Muster von *Romeo und Julia auf dem Dorfe* wird. Ein Charakter wie der des Jukundus ist nun selbst zum »Abfällsel« geworden – und versammelt gerade deshalb noch einmal, nach Kellers Willen nahezu schattenlos, alle positiven Eigenschaften Seldwylas in sich, bringt sie noch einmal zum Leuchten, bevor das poetische alte Städtchen in der Prosa der zentralistischen Moderne untertaucht. Darin aber liegt auch Kellers Parteinahme für die alten, regionalistischen und vormodernen Zustände beschlossen, an deren Poesie und strahlende Charis der gesamte Zyklus noch einmal erinnert, das neue Aufleuchten eines alten Bildes in der Abendsonne.

Inhalt

Erster Band

Zweiter Band

Anhang

Romane der deutschen Literatur

IN RECLAMS UNIVERSAL-BIBLIOTHEK

Philipp Reclam jun. Stuttgart